Anglicko-český slovník

English-Czech Dictionary

Edited by
JAN CAHA
and JIŘÍ KRÁMSKÝ

•

Seventh Edition

STATE
PEDAGOGICAL
PUBLISHING HOUSE
Prague

Anglicko-český slovník

Sestavili
JAN CAHA
a JIŘÍ KRÁMSKÝ
●

Sedmé vydání

STÁTNÍ
PEDAGOGICKÉ
NAKLADATELSTVÍ
Praha

ISBN 80-04-25735-6

PŘEDMLUVA K PRVNÍMU VYDÁNÍ

I. Plán slovníku

Obsahově podává slovník na základě výkladových slovníků anglických slovní zásobu současného spisovného jazyka anglického spolu se základní terminologií a frazeologií.

Teoreticky vychází slovník ze zásad moderní lexikografie, k nimž dospěla I. celostátní konference čs. lexikografů konaná r. 1952 v Bratislavě. (Viz Lexikografický sborník. Vydavateľstvo Akadémie vied, Bratislava, 1953.)

Pokud jde o *zaměření* slovníku, bylo nutno brát v úvahu především skutečnost, že se již po mnoho let neobjevil na našem knižním trhu žádný anglicko-český slovník. Proto je tento slovník určen veřejnosti v nejširším slova smyslu. Při tomto širokém zaměření zvláštní pozornost bylo třeba věnovat skutečnostem hospodářsko-politickým a terminologii odpovídající požadavkům polytechnické výchovy, aby slovník mohl být učebnou pomůckou nejen žákům středních a odborných škol, ale aby také vyhovoval studentům vysokých škol, kteří se začínají angličtině učit.

II. Typ slovníku

1. *Typ rozsahový.* — Heslovým rozsahem jde o malý slovník, počet hesel je přibližně 30.000. Avšak zřetel k účelům vyučovacím nutil věnovat zvýšenou péči výslovnosti, a proto je uváděn přepis výslovnosti v nezkrácené formě. S ohledem na žactvo středních a odborných škol byl raské spíše rozšířen počet uváděných českých významů, aby se tak žákům usnadnila volba vhodného výrazu a aby se zároveň rozvíjela jejich vyjadřovací a stylizační schopnost a rozšiřovala slovní zásoba v češtině. Proto musela být s ohledem na rozsah slovníku poněkud omezena frazeologie a uvádění příkladů slovních spojení.

Vlastní jména. — Do slovníku byla zařazena i důležitá jména osobní a zeměpisná, celkem v nevelkém počtu. Příjmení význačných osobností do slovníku pojata nebyla.

Amerikanismy. — Amerikanismům byla věnována značná pozornost, s výjimkou výrazů slangových a částečně i hovorových. Odchylky pravopisné byly uváděny jen v případech ojedinělých. Viz poznámku o americkém pravopisu na str. 14—15.

Poetismy, archaismy, dialektismy a výrazy slangové. — Výrazy a významy básnické (bás.) a archaické (arch.) byly pojaty do slovníku v přísném výběru, kdežto zastaralé (zast.), nářeční (dial.) a slangové (sl.) jen výjimečně.

Tabulky. — Slovník je doplněn třemi tabulkami:

a) přehledem nejdůležitějších anglických měr, vah a peněz a též amerických mincí,

b) seznamem chemických prvků,

c) seznamem nepravidelných sloves.

2. *Typ organizační.* — Jde o slovník jednosměrně překladový, totiž anglicko-český. Nechápeme tedy slovníkové heslo jako univerzální slovníkovou jednotku, již je možno užívat v obou směrech, anglicko-českém i česko-anglickém. Vycházíme ze souvislosti předpokládaného anglického textu, který má uživatel před sebou, a snažíme se podat u každého hesla nejdůležitější české výrazy, které lze přímo za příslušný anglický výraz do překladu dosadit. Opis nebo vysvětlení místo překladu se proto v tomto slovníku vyskytuje jen výjimečně, neexistuje-li v češtině přímý rovnocenný význam.

Nejde nám také o slovník studijní, který by podával aspoň obrys soustavy vazeb, spojení a frází daných hesel, jež by bylo možno ze slovníku studovat. Pro studium anglické slovní zásoby musí zájemce sáhnout po Stručném oxfordském slovníku běžné angličtiny (The Concise Oxford Dictionary of Current English) nebo po menším Kapesním oxfordském slovníku běžné angličtiny (The Pocket Oxford Dictionary of Current English), popřípadě po jiném výkladovém slovníku aspoň téhož rozsahu.

Konečně nutno poznamenat, že tento překladový slovník, i když stojí cele na stanovisku českého uživatele, snaží se usnadnit používání i uživateli anglickému již svým roztříděním a dosti širokým výběrem českých významů a hojnějším uváděním i českých vazeb.

Cizí slova. — Z typu překladového slovníku vyplývá i způsob zacházení s cizími slovy v češtině. Jde o latinsko-řecké internacionalismy a odborné výrazy, jež jsou užívanou a funkčně důležitou součástí naší mateřštiny a mají tedy v české slovní zásobě plné domovské právo. Proto tam, kde je vžitý český výraz, uvádíme cizí výraz, pokud existuje, na druhém místě. Tam, kde se (zpravidla v odborné praxi) užívá internacionálního slova a český výraz se vyskytuje jen neodborně nebo řidčeji, stojí cizí ekvivalent na prvním a český na druhém místě. Kde český výraz není doložen v Příručním slovníku jazyka českého, uvádíme jen cizí výraz,

III. **Organizace hesla**

1. *Písmo.* — Polotučně jsou tištěna hlavní a hnízdová hesla a číslice třídící české významy základních hesel.

Ležatě (kurzívou) je tištěn anglický text (vyjma hesel) a třídící mluvnické zkratky, zpravidla označující slovní druh.

Obyčejným písmem jsou tištěny české významy, které lze dosadit do překladu za anglické výrazy.

Drobně (nonparejem) jsou tištěny zkratky, týkající se stylistického zařazení hesel nebo významů, a poznámky vazebné a významové, které do překladu dosadit nelze.

2. *Řazení hesel.* — Všechna hesla, tedy i jména osobní, zeměpisná a zkratky, jsou řazena abecedně i uvnitř hnízd. Zásada abecedního řazení je narušena jen ojediněle z důvodu úspory místa, kde šlo o hnízdování zřejmých složenin nebo odvozenin. Viz např. heslo calling (hnízdované pod hlavním heslem call) před heslem calligraphy.

3. *Odkazy.* — Odkazů bylo používáno jen zřídka, zpravidla u tvarů nepravidelných sloves a u pravopisných variant; vedlejší variantamá odkaz k variantě hlavní. Nepravidelná slovesa jsou označena hvězdičkou *, která odkazuje na seznam na konci slovníku.

4. *Hnízdování.* — Hnízdování je provedeno u slov etymologicky příbuzných a jen tehdy, je-li prakticky výhodné. Neprovádí se důsledně, aby nevznikly rozsáhlé celky a aby se hrubě nenarušovalo abecední řazení.

Pro úsporu místa užíváme při hnízdování vlnovky (tildy) ~ nebo pomlčky dlouhé — nebo krátké -. Nutno lišit, jde-li o jejich užití v heslech, tištěných polotučně, nebo v anglickém textu, tištěném ležatě (kurzívou).

a) Polotučně tištěná vlnovka ~ nahrazuje *hlavní heslo* (stojící v čele hnízda), opakuje-li se v hnízdovaném hesle *jako samostatné slovo,* nebo je-li připojeno k druhé části složeniny spojovací čárkou (hyphen).

Např. pod hlavním heslem **air**
    v hnízdovaném hesle   **~ force** = **air force**
    a v hnízdovaném hesle   **~ -line** = **air-line**

Naproti tomu polotučně tištěná dlouhá pomlčka —, za níž následuje druhá část složeniny nebo odvozovací koncovka, nahrazuje *hlavní heslo* nebo jeho část před kolmicí |, opakuje-li se *jako součást slova psaného dohromady.*

Např. pod hlavním heslem **air**
    v hnízdovaném hesle   **—field**   = **airfield**
    a v hnízdovaném hesle   **—y**   = **airy**
    nebo pod hlavním heslem **album|en**
    v hnízdovaném hesle   **—inous** = **albuminous**

b) V anglickém textu kurzívou tištěná vlnovka ~ nebo krátká pomlčka - s následující druhou částí složeniny nebo s odvozovací koncovkou nahrazují stejným způsobem *nejblíže předcházející heslo* polotučně tištěné.

Např. pod hlavním heslem   **air**
    v hnízdovaném hesle   **—ing** (= *airing*)
    fráze *to give room an* ~ = *to give room an airing*
    nebo pod hlavním heslem   **able**
    v hnízdovaném hesle   **~ -bodied** (= *able-bodied*)
    výraz ~ *seaman* = *able-bodied seaman*

c) V hesle i v anglickém textu se též užívá vlnovky za heslo, jež se opakuje s velkým nebo s malým začátečním písmenem.

Např. pod hlavním heslem **Arab**
    výraz *street a*~ = *street arab*
    nebo pod hlavním heslem   **author**
    v hnízdovaném hesle   **—ize** (= *authorize*)
    výraz *A*~ *ed Version* = *Authorized Version*

5. *Homonyma.* — Homonyma, tj. slova stejně se píšící, ale původem a významem různá, jsou zpravidla uvedena jako samostatná hesla a odlišena číslicí nad koncem hesla. Např. **ash**[1], **ash**[2]; **August**[1], **august**[2].

6. *Výslovnost.* — U každého hesla uvádíme přepis výslovnosti v hranatých závorkách před označením slovního druhu. V případech, kdy slovní druhy nebo významy téhož hesla mají odlišnou výslovnost, uvádíme ji za označením slovního druhu nebo za číslicí. Viz např. **absent.** Výslovnost neuvádíme u některých složenin nebo odvozenin, kde jde o složky, jejichž výslovnost je zcela snadná. Přízvuk však označujeme i u nich, přímo v hesle. Viz např. pod hlavním heslem **acid** hnízdovaná hesla |**~ -proof**, |**~ re|sis|ting.**

Za výslovnostní normu považujeme Jonesův Anglický výslovnostní slovník, 11. vydání (An English Pronouncing Dictionary).

U hesel, která Jones neuvádí, volili jsme výslovnost převládající ve směrodatných anglických výkladových slovnících; viz oddíl V níže.

V přepisu výslovnosti zachováváme přijatou úpravu mezinárodního přepisu.

a) Délka samohlásek se označuje dvojtečkou za příslušnou samohláskou. Neoznačujeme fakultativní délku, tj. takové případy, kdy samohláska na daném místě se může vyslovovat dlouze nebo krátce.

b) Z cizích znaků se podržují jen [ð, θ, ŋ, w, æ, ə, ə:], proto přepisujeme (č) nikoli (tš), a v důsledku toho neoznačujeme fakultativní [š], tj. takové případy, kdy lze na daném místě vyslovovat vedle [č] pouze [š].

c) Neoznačujeme také ostatní fakultativní hlásky, tj. takové, které se mohou, ale nemusejí na daném místě vyslovit a jež Jones označuje ve svém přepise kurzívou.

d) Neoznačujeme slabikotvorné [l̩] a [n̩].

Shodně s mezinárodním přepisem

a) označujeme hlavní přízvuk krátkou nadsazenou kolmicí ˈ před přízvučnou slabikou a vedlejší přízvuk poníženou kolmicí ˌ před příslušnou slabikou.

b) přejímáme přepis slabik [di, ti, ni], poněvadž přepis [dy, ty, ny] považujeme za zbytečný a podceňující rozumové schopnosti uživatele slovníku. Jsme přesvědčeni, že i nejmladší uživatelé hravě zvládnou tuto naprosto pravidelnou výslovnost a nebudou vyslovovat měkce [ďi, ťi, ňi], když bez nesnází ovládají nepravidelnou výslovnost českou v cizích slovech jako jsou „modistka, optimista, anilín".

c) přejímáme i přepis [ai, ei, oi], poněvadž přepis [aj, ej, oj] je nevyhovující. Již mezinárodní přepis s [-i] činí ústupek dané soustavě znaků, takže přepis s [-j] nutno považovat za nesprávný, poněvadž anglická fonologie neuznává druhou složku těchto grafických dvojhlásek za samostatný samohláskový foném, tím méně za souhlásku j.

7. *Mluvnická charakteristika.*

a) Slovní druh se důsledně označuje u každého hesla. U sloves se rozlišují slovesa přechodná (vt) a nepřechodná (vi) v pořadí zdůvodněném frekvencí, jež byla zhruba zjišťována překladem frází a vět uváděných ve velkých slovnících. Téže zásady bylo použito při volbě slovesného tvaru dokonavého nebo nedokonavého u českých slovesných ekvivalentů.

b) Nepravidelný plurál podstatných jmen (viz např. **abacus**) a nepravidelné stupňování přídavných jmen (viz např. **bad**) se uvádějí i s výslovností u příslušného hesla. Nepravidelné tvary slovesné jsou jednak zařazeny abecedně s odkazem na sloveso, k němuž patří, jednak .jsou shrnuty v samostatné tabulce na konci knihy s připojenou výslovností všech tvarů.

c) Poznámka o zdvojování koncové souhlásky před přistupující koncovkou u sloves je uvedena vždy v závorce za označením slovního druhu. Např. **abhor** *vt* (-rr-), což znamená, že ve tvarech *abhorred* a *abhorring* se píše -rr- před koncovkou *-ed* a *-ing*.

8. *Třídění významů* bylo provedeno tak, že naprosto různé významy byly číslovány, synonyma v širokém slova smyslu byla oddělována čárkou, kdežto významy znatelně významově odlišné byly oddělovány středníkem. Při řazení číslovaných významů byla podle možnosti zachovávána zásada logického uspořádání. Avšak v těch případech, kdy by se důležitý, dominantní význam octl na místě vzdáleném, byla někdy uplatňována zásada frekvenčního řazení. Z téhož důvodu málo frekventované významy, jako básnické (bás.), archaické (arch.), zastaralé (zast.) a jiné, byly podle možnosti řazeny na konec hesla.

9. *Stylistické zařazení* hesel a významů nebylo provedeno důsledně, nýbrž jen tehdy, mělo-li praktické zdůvodnění. Tím se vysvětluje, že hovorové (hov.), knižní (kniž.), básnické (bás.), archaické (arch.), zastaralé (zast.), amerikanismy (am.) a dialektismy jako (skot., ir.) a slangové (sl.) byly označovány vždy, kdežto výrazy terminologické, jako lékařské (med.), rostlinopisné (bot.), zoologické (zool.), technické (tech.) a jiné, byly označovány jen v případě potřeby.

10. *Poznámky vazebné a významové.* — Je nutno lišit poznámky tištěné drobně (nonparejem), jimiž se význam nebo významový druh českého ekvivalentu vymezuje (viz **abhor 2.**) nebo opisuje formou vysvětlivky (viz **Cheshire** nebo **cheviot**). V obou těchto případech jde o poznámky do českého překladu nedosaditelné. Naproti tomu poznámky tištěné normálním písmem, ale uvedené v závorce (viz **by** *adv.* 3. n. **cherish** *vt* 1.), mohou být v některém případě významem nebo součástí významu dosaditelného do překladu.

11. *Exemplifikace a frazeologie.* — Příklady volných spojení jsou vřazovány k příslušnému významu v závorce s českým překladem, např. **abate 5.** zmírnit (*violence* prudkost). Frazeologie se zpravidla uvádí na konci hesla v abecedním pořádku podle dominujícího slova fráze a odděluje se od číslovaných významů „hřebíkem" ♦; viz např. **above.** Jinak viz též II, 1 výše.

12. *Norma.* — Českou normou pravopisnou nám byla Pravidla českého pravopisu (Praha, 1957) a Příruční slovník jazyka českého. Anglickou normou pravopisnou nám byly oxfordské slovníky spolu se slovníkem Wyldovým a výslovnostním slovníkem Jonesovým. Největším problémem byl pravopis složených slov, jenž zhusta kolísá mezi dvěma nebo i třemi formami; tvarem psaným dohromady (jako jedno slovo), tvarem psaným se **spojovací** čárkou (hyphen) a tvarem sousloví (jako dvě slova). Časté kolísání se jeví i mezi oxfordskými slovníky. Tento problém jsme řešili ve prospěch britské pravopisné formy, která převažovala ve směrodatných výkladových slovnících.

Výslovnostní normou, jak již uvedeno (viz III, 6 výše), byl nám Jonesův výslovnostní slovník.

IV. Pracovní účast

V práci na slovníku se autoři podíleli tak, že JAN CAHA zpracoval písmena A—C a tabulky a vypracoval ideový a technický plán slovníku, dr. JIŘÍ KRÁMSKÝ, CSs. zpracoval písmena D—Ž a dr. MIROSLAV JINDRA a dr. IVAN LUTTERER dodali svůj excerpovaný materiál z hospodářsko-politické terminologie a frazeologie.

V. Literatura

Murray-Bradley-Craigie-Onions: The Oxford English Dictionary, I—XIII (Oxford University Press, 1933)

Little-Fowler-Coulson: The Shorter Oxford English Dictionary, I—II (Oxford University Press, 1945)

Fowler H. W. & F. G.-McIntosh E.: The Concise Oxford Dictionary of Current English, 4th ed. (Oxford University Press, 1952)

Hornby-Gatenby-Wakefield: The Advanced Learner's Dictionary of Current English (Oxford University Press, 1953)

Wyld H. C.: The Universal Dictionary of the English Language (London, 1952)

Webster's New International Dictionary of the English Language, I-II (Springfield-London, 1953)

Barnhart C. L.: The American College Dictionary (New York, 1947)

Jones D.: An English Pronouncing Dictionary, 11th ed. (London, 1957)

Mansion J. E.: Shorter French and English Dictionary I—II (London, 1953)

Mjuller V. K.: **Anglo-russkij slovar'** (Moskva, 1946)
Bel'kind L. D.: **Anglo-russkij politechničeskij slovar'** (Moskva,
    1946)
a řada jiných slovníkových a jazykovědných prací.

J. C.

Praha 1956

PŘEDMLUVA K DRUHÉMU VYDÁNÍ

Proti prvnímu vydání byly učiněny tyto změny:

1. V přepisu výslovnosti:
   a) přepis byl zevrubně zrevidován podle 11. vydání Jonesova Výslovnostního slovníku (otisk z r. 1957), které vykazuje velikou řadu změn;
   b) délka samohlásek se označuje v tomto vydání dvojtečkou za příslušnou samohláskou, např. [a:, i:, ɘ:], nikoliv čárkou nad samohláskou jako v 1. vydání;
   c) nerozlišuje se otevřené [ɔ] a zavřené [o] jako v 1. vydání; obě se přepisují [o] nebo dlouhé [o:];
   d) označuje se i vedlejší přízvuk krátkou kolmicí dole.

2. Ve zpracování hesel:
   a) přidána řada nových hesel;
   b) opravena řada starých hesel a doplněna o nové významy;
   c) u sloves české infinitivní tvary na -ti nahrazeny tvary na -t;
   d) v řadě případů doplněny gramatické a stylistické údaje.

3. V tabulkách:
   a) přidána tabulka řecké abecedy s názvy řeckých písmen;
   b) v tabulce chemických prvků doplněny nové prvky.

1963   J. C.

14

Poznámka o americkém pravopise

Americký pravopis se liší od britského pravopisu jen v několika bodech:

1. Britské koncovce -our odpovídá americká koncovka -or např.

behaviour	behavior
colour, colourless	color, colorless
favour, favourable, favourite	favor, favorable, favorite
labour, labourer, laboursome	labor, laborer, laborsome

2. Britské koncovce -re odpovídá americká koncovka -er např.

centre	center
metre	meter
theatre	theater

3. Slova, většinou končící na -l a -p, která před koncovkou

v britské angličtině zdvojují -l v -ll- a -p v -pp-

v americké angličtině nezdvojují

např.

cancel, cancelled, cancelling,	cancel, canceled, canceling
level, levelled, levelling, leveller	level, leveled, leveling, leveler
quarrel, quarrelled, quarrelling, quarreller	quarrel, quarreled, quarreling, quarreler
travel, travelled, travelling, traveller	travel, traveled, traveling, traveler
kidnap, kidnapped, kidnapping, kidnapper	kidnap, kidnaped, kidnaping, kidnaper
worship, worshipped, worshipping, worshipper	worship, worshiped, worshiping, worshiper

4. Občas, ne však pravidelně, se

za britskou koncovku   americká koncovka

-logue   vyskytuje   -log
                      např.

catalogue	catalog
dialogue	dialog
pedagogue	pedagog

Ostatní pravopisné rozdíly, které se týkají buď malých skupin několika slov nebo jen ojedinělých případů, jsou vyznačeny ve slovníku.

Seznam použitých zkratek

a	přídavné jméno, adjektivum	el.	elektřina
abs.	absolutně	est.	estetika
adv	příslovce, adverbium	euf.	eufemismus
agr.	zemědělství, agronomie	fam.	familiární
am.	americký, amerikanismus	fig.	obrazný, přenesený, figurativní
anat.	anatomie	fil.	filosofie
ant.	antický	film.	filmový
antr.	antropologie	fin.	finanční
ap.	a podobně	fon.	fonetika, fonologie
arch.	archaický	fot.	fotografický
archeol.	archeologie	fr.	francouzský
astr.	astronomie	fyz.	fyzika
atr	přívlastkový, atributivní	geol.	geologie
		geom.	geometrie
austr.	australský	gram.	gramatika
aut.	automobilismus	(h)	hor[a, -y
bás.	básnický	her.	heraldika
bibl.	biblický	hist.	historický
bioch.	biochemie	horn.	hornictví
biol.	biologie	hosp.	hospodářský
bot.	botanika	hov.	hovorový
brit.	britský	hud.	hudební
círk.	církevní	hut.	hutnictví
comp	2. stupeň, komparativ	chem.	chemie
cond	podmiňovací způsob, kondicionál	*imp*	rozkazovací způsob, imperativ
conj	spojka, konjunkce	ind.	indický
čern.	černošský	*inf*	infinitiv
čín.	čínský	*int*	citoslovce, interjekce
dem.	zdrobnělina, deminutivum	ir.	irský
		iron.	ironický
dět.	dětsky	j	jižní
dial.	nářeční, dialektický	jangl.	jihoanglický
dipl.	diplomatický	jaz.	jazykozpyt
div.	divadlo	jv	jihovýchodní
důraz.	důrazný	jz	jihozápadní

kan.	kanadský	pl.	množné číslo, plurál
keram.	keramika	poet.	poetika
klen.	klenotnictví	poj.	pojišťování
kniž.	knižní	pol.	politický
kol.	hromadný, kolektivní	*pp*	minulé příčestí, past participle
kop.	kopaná		
kt.	který	práv.	právnický
kuch.	kuchařský	*pred*	doplňkový, predikativní
lat.	latinský		
lék.	lékárnický	*prep*	předložka, prepozice
let.	letectví	*pres*	přítomný čas, prézens
lid.	lidový	*pron*	zájmeno, pronomen
lit.	literární věda	prům.	průmysl
loď.	loďařství	přísl.	přísloví
log.	logika	psych.	psychologie
lov.	lovectví	*pt*	préteritum
(m)	město	rad.	rádio
mal.	malířství	(ř)	řeka
mat.	matematika	řeč.	řečnictví
med.	medicína	*s*	podstatné jméno, substantivum
mech.	mechanika		
metal.	metalurgie	sangl.	severoanglický
meteor.	meteorologie	sev.	severní
min.	mineralogie	sg.	jednotné číslo, singulár
(mj)	mužské jméno		
mod.	moderní	skot.	skotský
n.	nebo	sl.	slang
náb.	náboženství	*s.o.*	someone
nám.	námořnictví	soc.	sociologie
nedůraz.	nedůrazný	soch.	sochařství
něm.	německý	sport.	sportovní
neodb.	neodborný	stav.	stavitelství
nespr.	nesprávný	srv.	srovnej
num	číslovka	*s.t.*	something
(o)	ostrov	styl.	stylistický
obch.	obchodní	stud.	studentský
obv.	obvykle.	*sup*	3. stupeň, superlativ
odb.	odborný	*sv*	podstatné jméno slovesné, substantivum verbální
opt.	optický		
o.s.	oneself		
ot.	otázka	sevv	severovýchodní
pas.	pasívní	sz	severozápadní
ped.	pedagogika	škol.	školní
pejor.	hanlivý, pejorativní	šp.	španělský

tech.	technický	voj.	vojenský
těl.	tělocvik	vulg.	vulgární, hrubý
text.	textilnictví	vých.	východní
typ.	typografie	z	západní
úč.	účetnictví	(z)	země
um.	umění výtvarná	záp.	zápor, záporný
univ.	universitní	zast.	zastaralý
úř.	úřední	zem.	zeměpisný
USA	Spojené státy americké	zkr.	zkratka
		zool.	zoologie
v	sloveso, verbum	zř.	zřídka
vi	sloveso nepřechodné, verbum intranzitivní	zvl.	zvláště
		zvr.	zvratně
vt	sloveso přechodné, verbum tranzitivní	žel.	železniční
		žert.	žertovný
vet.	veterinářství	(žj)	ženské jméno

Klíč k přepisu výslovnosti

[a]	jako v but	[ei]	jako v name
[a:]	,, ,, class	[oi]	,, ,, boy
[æ]	,, ,, plan	[au]	,, ,, house
[e]	,, ,, get	[ou]	,, ,, go
[i]	,, ,, it	[ð]	,, ,, they
[i:]	,, ,, see	[θ]	,, ,, thank
[o]	,, ,, November, dog	[j]	,, ,, yes; use
		[ŋ]	,, ,, long, ink
[o:]	,, ,, all	[ch]	,, ,, loch
[u]	,, ,, book	[č]	,, ,, church
[u:]	,, ,, school	[š]	,, ,, ship
[ə]	,, ,, about, sister	[ž]	,, ,, measure
[ə:]	,, ,, first	[dž]	,, ,, bridge, June
[ai]	,, ,, time	[w]	,, ,, we

Krátká kolmice nahoře znamená, že **následující** slabika má hlavní slovní přízvuk.

Krátká kolmice dole označuje vedlejší přízvuk.

Abecední slovník

A

A, a¹ [ei] *s* **1.** písmeno a **2.** hud.
a; *A flat* as; *A sharp* ais;
A major A dur; *A minor* a moll
3. *A 1* [ˈeiˈwan] o lodi I. A
třída; hov. prima·
a², **an** [ə, ən, n; důraz. ei, æn]
neurčitý člen často se ne-
překládá **1.** jeden, nějaký **2.**
týž: *of an age* téhož věku □
prep za: *it's 3 s. a dozen*
tucet je za 3 šilinky; *60 miles
an hour* 60 mil za hodinu;
twice a day dvakrát za den
a³ 1. [o:, a:] skot. = *all* **2.**
dial. & vulg. = *have* **3.** zast. &
dial. = *on, in: he was a(-)
fishing* dial. & bás. byl na
rybách **4.** zast. ó, ach
A. A. R. n. a. a. r. = poj. *against
all risks* proti všem nebezpe-
čím
A.B. = **1.** *Bachelor of Arts* **2.**
able-bodied
aback [əˈbæk] *adv* **1.** nám.
o plachtách na-, zpět, dozadu:
to be taken ~ být zaražen, být
vyveden z konceptu **2.** vzadu
aba|cus [ˈæbəˌkəs] *s* pl. -*ci*
[-sai], -*cuses* [-kəsiz] **1.** počí-
tadlo **2.** stav. abakus
abaft [əˈbaːft] *prep* nám. za
□ *adv.* nám. na zádi, na záď;
vzadu, dozadu
abandon [əˈbændən] *vt* **1.** opus-
tit, zanechat **2.** vzdát se,
zříci se čeho **3.** *~ o. s. to*
oddat se čemu **4.** nám. právo
abandonovat *(ship* loď) □ *s* kniž.

nenucenost, volnost i mravní;
—**ed** [əˈbændənd] *a* **1.** opuš-
těný **2.** *~ to* oddaný špatnosti
3. nemravný, zpustlý; —**ee**
[əˌbændəˈniː] *s* nám. právo
postupník při abandonu; —**er**
[əˈbændənə] *s* nám. právo
postupitel při abandonu;
—**ment** [əˈbændənmənt] *s* **1.**
i práv. opuštění, zůstavení,
zřeknutí se **2.** oddání se čemu
3. nenucenost, volnost i mrav-
ní **4.** nám. právo abandon:
notice of ~ ohlášení, opověď
abandonu
abase [əˈbeis] *vt* pokořit, ponížit;
degradovat; —**ment** [əˈbeis-
mənt] *s* pokoření, ponížení
abash [əˈbæš] *vt* **1.** zastrašit,
zakřiknout, zahanbit **2.** zvl.
pas. *(to be) -ed* (být) v rozpa-
cích *(at* při; *by* čím)
abate [əˈbeit] *vt* **1.** snížit *(price*
cenu) **2.** skoncovat s, učinit
přítrž čemu **3.** práv. zrušit,
zastavit **4.** zmírnit *(violence*
prudkost) □ *vi* **5.** ustávat,
slábnout **6.** práv. stát se ne-
platným; —**ment** [əˈbeitmənt]
s **1.** snížení; zmírnění **2.** po-
tírání *(of a nuisance* zlořádu)
3. práv. zrušení, zastavení **4.**
úleva; obch. sleva, srážka,
rabat
abat(t)is [sg. ˈæbətis, pl. ˈæbətiːz]
s pl. = sg. zásek (a)
abattoir [ˈæbətwaː] *s* kniž. jatky
abb|acy [ˈæbəsi] *s* opatství úřad,

hodnost; —ess [¦æbis] s aba-
tyše; —ey [¦æbi] s opatství
budova, chrám; —ot [¦æbət]
s opat
abbreviat|e [ə¦bri:vieit] vt z-,
krátit obv. slovo; —ion [ə¦bri:-
vi¦eišən] s zkratka
ABC [¦ei¦bi:¦si:] s 1. abeceda
2. základy: the ~ of biology
základy biologie, úvod do
biologie
abdicat|e [¦æbdikeit] vi 1. od-
stoupit, abdikovat □ vt 2.
vzdát se, zříci se (the, throne,
the office trůnu, úřadu); —ion
[¦æbdi¦keišən] s abdikace, od-
stoupení
abdom|en [¦æbdəmen, med. æb-
¦doumen] s břicho; —inal
[æb¦dominl] a břišní; —inous
[æb¦dominəs] a břichatý
abduct [æb¦dʌkt] vt unést; —ion
[æb¦dakšən] s únos
abeam [ə¦bi:m] adv nám. z boku,
ze strany lodi
abecedarian [¦eibi:si:¦deəriən] a
1. abecední 2. začátečnický □
s 1. am. žák 1. tř. 2. začáteč-
ník 3. učitel elementárky
abed [ə¦bed] adv kniž. upoután
na lože
aberration [¦æbə¦reišən] s 1.
úchylka; odb. aberace 2. po-
blouznění
abet [ə¦bet] vt (-tt-) navádět,
ponoukat: aided and -ted s po-
mocí a z návodu; —ment
[ə¦betmənt] s ponoukání, pod-
něcování; —ter, —tor [ə¦betə]
s 1. podněcovatel 2. spolu-
viník
abeyance [ə¦beiəns] s 1. práv.
uprázdnění 2. nepůsobnost,
suspenze ♦ in ~ uprázdněný,

bez pána; nerozhodnutý; (do-
časně) zrušený; v zapome-
nutí
abhor [əb¦ho:] vt (-rr-) hrozit
se čeho, hnusit si co; —rence
[əb¦horəns] s 1. opovržení,
odpor 2. ohavnost, hnus před-
mět; —rent [əb¦horənt] a
1. odporný (to komu) 2. arch.
hrozící se (of čeho) 3. neslu-či-
telný (from s)
abidance [ə¦baidəns] s 1. setrvá-
vání (in na, v čem) 2. dodržo-
vání (by rules pravidel)
abid|e* [ə¦baid] vi 1. ~ by být
věren čemu, řídit se čím,
dodržovat, trvat na 2. arch.
bydlet □ vt 3. snést co; hov.
v záp. & ot. vystát koho:
—ing [ə¦baidiŋ] a kniž. ne-
pomíjející
ability [ə¦biliti] s 1. schopnost,
způsobilost 2. důvtip; pl.
vlohy
abject [¦æbdžekt] a 1. bídný,
ubohý stav 2. nízký, opovrže-
níhodný; —ion [æb¦džekšən]
s ponížení
abjur|e [əb¦džuə] vt odpřisáh-
nout, zříci se; —ation [¦æb
džuə¦reišən] s odpřisáhnutí
(se) (of čeho)
ablative [¦æblətiv] s ablativ
ablaze [ə¦bleiz] adv & pred a
1. v plamen|i, -ech 2. fig.
planoucí (with anger hněvem)
able [¦eibl] a schopný, nadaný,
dovedný: to be ~ to do s.t.
moci, umět, dovést; být s to,
schopen, udělat co; ~-¦bodied
a tělesně schopný: ~ seaman
kvalifikovaný námořník
ablution [ə¦blu:šən] s obv. pl.
(obřadné) mytí, omývání

abnegate [ˈæbnigeit] *vt* vzdát se, zříci se (*a right* práva)
abnorm|al [æbˈnɔːməl] *a* abnormální; **—ality** [ˌæbnɔːˈmæliti] *s* nepravidelnost, abnormalita; **—ity** [æbˈnɔːmiti] *s* úchylnost; zrůdnost
aboard [əˈbɔːd] *adv* 1. na palub|ě, -u: *all ~*! na palubu!, am. nastupovat! do vlaku apod. 2. u, kolem, podél: *close ~* těsně kolem □ *prep*: *~ (a) ship* na palub|ě, -u
abode [əˈboud] *s* 1. kniž. příbytek 2. práv. *place of ~* bydliště □ *pt & pp* od *to abide*
abol|ish [əˈbɔliš] *vt* zrušit (*slavery* otroctví); **—ition** [ˌæbəˈlišən] *s* zrušení (otroctví), odstranění; **—itionism** [ˌæbəˈlišənizəm] *s* abolicionismus
A-bomb [ˈeiˈbɔm] *s* atomová bomba
abomin|able [əˈbɔminəbl] *a* ohavný, hanebný; hov. (*dinner, weather* oběd, počasí); **—ate** [əˈbɔmineit] *vt* 1. hnusit si 2. hov. nerad (jíst); **—ation** [əˌbɔmiˈneišən] *s* 1. opovržení 2. ohavnost
aborigin|al [ˌæbəˈridžənl] *a* pra-, původní; prvotní; domorodý □ *s* méně obv. praobyvatel; domorodec; **—es** [ˌæbəˈridžiniːz] *s* pl. praobyvatelé; domorodci
abort [əˈbɔːt] *vi* 1. med. potratit 2. biol. zakrnět 3. fig. selhat, nezdařit se; **—ion** [əˈbɔːšən] *s* 1. med. potrat 2. biol. zakrnění 3. nedonošený plod; fig. nedonošenec 4. fig. ne-

úspěch, krach; **—ive** [əˈbɔːtiv] *a* 1. med. nedonošený 2. biol. zakrslý 3. fig. neživotný, marný
abound [əˈbaund] *vi* 1. *~ in* oplývat čím dobrým 2. *~ with* hemžit se čím špatným
about [əˈbaut] *adv & prep* 1. kolem, dokola, okolo 2. sem tam, po 3. u (sebe), v čem 4. asi; skoro 5. o čem, strán čeho ♦ *all ~* všude; *to be ~ to do* chystat se k, hodlat dělat; *to be (up and) ~* být vzhůru; už chodit po nemoci; hov. *just ~ enough* skoro dost; *flu is ~* chřipka řádí; *to be going ~* kolovat, šířit se; *I have no money ~ me* nemám s sebou žádné peníze: *~ six (o'clock)* kolem šesté; *at ~ six (o'clock)* asi v šest; hov. *~ ready* málem hotov; *you are ~ right* máte skoro pravdu; *it is ~ time* je už málem čas; *~ turn!* čelem vzad!; *turn (and turn) ~* po řadě, střídavě; *a long way ~* velká oklika; *the wrong way ~* obráceně, na ruby; *what ~ it?* co je s tím?; *what ~ you?* a co vy?; *what are you ~?* co děláte?
above [əˈbʌv] *prep* 1. nad 2. číselně přes □ *adv* 1. nahoře, nahoru 2. v citaci výše, shora ♦ *all ~* především; *as ~* jak výše uvedeno; hov. *to be ~ o.s.* vytahovat se; *to be ~ s.o. in* vynikat nad koho v čem; *it is ~ me* to mi nejde do hlavy; *from ~* shůry; *~ ground* naživu; *to keep one's head ~ water* držet se nad

vodou; *see* ~ viz výše; *to
be* ~ *(all) suspicion* být mimo
(veškeré) podezření; ~ **-board**
[əˈbavˈboːd] *a & adv* otevře-
ný, čestn|ý; -ě; ~ **-mentioned**
[əˈbavˈmenšənd] *a* výše, shora
uvedený
abr|ade [əˈbreid] *vt* 1. odřít kůži,
2. obrousit, omlít; **—asion**
[əˈbreižən] *s* 1. obrušování;
odb. otěr, abraze 2. odřenina,
oděrka; **—asive** [əˈbreisiv] *a*
brusný □ *s* brusivo, brusný
materiál
abreast [əˈbrest] *adv* vedle sebe:
four ~ čtyřstupem; fig. *to
keep* ~ *of, with* držet krok s,
jít s duchem (*the times* doby)
abridg|e [əˈbridž] *vt* 1. zkrátit,
zestručnit 2. ~ *s. o.* zba-
vit koho (*of rights* práv);
—(e)ment [əˈbridžmənt] *s* 1.
výtah, zkrácené vydání 2.
zkrácení
abroad [əˈbroːd] *adv* 1. v ci-
zin|ě, do -y 2. ven, -ku 3.
zmaten ♦ hov. *I am all* ~
jsem z toho úplně pryč;
from ~ z ciziny; *to get, spread,*
~ roznést se, rozšířit se; *to
set* ~ roztrušovat
abrogat|e [ˈæbrougeit] *vt* zru-
šit, odvolat nařízení; **—ion**
[ˌæbrouˈgeišən] *s* zrušení, od-
volání
abrupt [əˈbrapt] *a* 1. náhlý,
prudký, ostrý 2. úsečný, stro-
hý 3. srázný, strmý, příkrý
abscess [ˈæbsis] *s* med. absces,
hlíza
absciss|a [æbˈsisə] *s* pl. -ae [-iː]
geom. úsečka, abscisa
abscond [əbˈskond] *vi* (tajně)
uniknout, ujít trestu; skrýt se

absence [ˈæbsəns] *s* 1. nepří-
tomnost, absence, zjišťování
prezence 2. nedostatek 3. ~
of mind roztržitost ♦ *leave
of* ~ dovolená
absent *a* [ˈæbsənt] 1. nepří-
tomný: *s.o., s.t. is* ~ kdo,
co chybí 2. duchem ne-
přítomný, roztržitý □. *vt*
[æbˈsent] ~ *o.s.* vzdalo-
vat se (*from* čeho); **—ee**
[ˌæbsənˈtiː] *s* někdo nepří-
tomný; absentér; **—eeism**
[ˌæbsənˈtiːizəm] *s* absentis-
mus, špatná docházka; |~
-minded *a* roztržitý
absolute [ˈæbsəluːt] *a* 1. úplný,
naprostý, absolutní 2. ne-
pochybný 3. neomezený; ab-
solutistický (*monarchy* mo-
narchie) 4. chem. čistý, prostý
□ *s* fil. *the* ~ absolutno; **—ly**
[ˈæbsəluːtli] *adv* 1. naprosto,
absolutně 2. brit. hov. samo-
zřejmě!
absolution [ˌæbsəˈluːšən] *s* 1.
práv. zproštění 2. náb. roz-
hřešení
absolutism [ˈæbsəluːtizəm] *s* ab-
solutismus
absolve [əbˈzolv] *vt* 1. zprostit,
osvobodit 2. dát rozhřešení
absorb [əbˈsoːb] *vt* 1. pohlcovat,
vstřebávat, absorbovat 2. tlu-
mit 3. fig. strávit, zažít 4.
zaměstnat úplně: *to be -ed in*
být zabrán do; **—ent** [əbˈsoː-
bənt] *a* pohlcující: ~ *cotton*
hygroskopická vata □ *s* ab-
sorbující činidlo; **—er** [əbˈsoː-
bə] *s* 1. pohlcovač 2. tlumič;
—ing [əbˈsoːbiŋ] *a* poutavý,
zajímavý
absorption [əbˈsoːpšən] *s* 1.

pohlcování, vstřebá(vá)ní, absorpce 2. u-, tlumení (of a shock úderu) 3. ~ in pohroužení do, zaujetí čím

abstain [əb|stein] vi 1. zdržovat se (from voting hlasování) 2. nepít alkoholické nápoje; —er [əb|steinə] s n. total ~ abstinent

abstemious [æb|sti:mjəs] a střídmý v jídle; zdrželivý, šetrný

abstention [æb|stenšən] s zdrželivost; zdržení se: there were many -s mnozí se zdrželi (hlasování)

abster|gent [əb|stə:džənt], —sive [əb|stə:siv] a & s čisticí (prostředek); —sion [əb|stə:šən] s čištění; pročišťování

abstin|ence [|æbstinəns] s 1. zdrželivost 2. (total) ~ abstinence; —ent [|æbstinənt] a 1. zdrželivý, střídmý 2. abstinentní

abstract a [|æbstrækt] abstraktní, odtažitý: ~ noun abstraktum □ s 1. výtah, obsah, resumé, konspekt 2. obch. výpis (of account z účtu) 3. abstraktní pojem: in the ~ teoreticky vzato □ vt [æb|strækt] 1. abstrahovat, oddělit, odejmout 2. dělat výtah, resumé, konspektovat 3. odvrátit (attention from pozornost od) 4. euf. odcizit; —ed [æb|stræktid] a zamyšlený, roztržitý; —edly [æb|stræktidli] adv 1. teoreticky (speaking řečeno) 2. nezávisle, bez ohledu (from na) 3. roztržitě; —ion [æb|strækšən] s 1. abstrahování; fil. abstrakce

2. ~ (of mind) roztržitost 3. euf. odcizení

abstruse [æb|stru:s] a těžko pochopitelný, hluboký; odlehlý

absurd [əb|sə:d] a 1. nesmyslný, nemožný 2. pošetilý 3. směšný; —ity [əb|sə:diti] s 1. nesmyslnost 2. nesmysl

abund|ance [ə|bandəns] s hojnost, nadbytek; —ant [ə|bandənt] a oplývající, hojný, bohatý (in fish rybami)

abus|e vt [ə|bju:z] 1. zneužívat 2. ~ s.o. týrat koho 3. utrhat komu □ s [ə|bju:s] 1. zneužívání, -ití, 2. zlořád 3. utrhání, nadávka 4. hrubé zacházení; —ive [ə|bju:siv] a 1. hanlivý, utrhačný 2. arch. nesprávný 3. hrubý

abut [ə|bat] vi (-tt-) 1. hraničit, sousedit (on, upon, against s) 2. přiléhat (on, against k)

abutment [ə|batmənt] s stav. 1. podpěrný pilíř 2. o-, pod|pěra, pata 3. tupý spoj

abysm [ə|bizəm] s bás. = abyss; —al [ə|bizməl] a fig. propastný

abyss [ə|bis] s propast; i fig.; —al [ə|bisəl] a hlubinný, abysální

Abyssini|a [|æbi|sinjə] hist. s Habeš; —an [|æbi|sinjən] a habešský □ s Habešan

acacia [ə|keišə] s 1. akácie 2. lid. akát

academic [|ækə|demik] a 1. akademický platónský 2. školometský, pedantský 3. akademický, vysokoškolský □ s akademik platonik; —al [|ækə|demikəl] a akademický, vy-

sokoškolský □ *s* pl. akade-
mický úbor; —ian [ə‚kæ-
də|mišən] *s* akademik, člen
akademie
academy [ə|kædəmi] *s* akade-
mie: *the Czechoslovak A~
of Sciences* Československá
akademie věd
accede [æk|si:d] *vi* 1. přistoupit
(*to* na, k) souhlasit s 2. na-
stoupit (*to the throne, an
office* na trůn, do úřadu)
acceler|ant [æk|selərənt] *s* chem.
katalyzátor; —**ate** [æk|se-
ləreit] *vt & i* u-, z|rychlit
(se); aut. přidat plyn; —**ation**
[æk‚selə|reišən] *s* 1. odb. zrych-
lení, akcelerace 2. uspíšení;
—**ator** [ək|seləreitə] *s* 1. aut.
akcelerátor 2. am. chem. kata-
lyzátor
accent *s* [|æksənt] přízvuk,
akcent □ *vt* [æk|sent] 1.
přizvukovat, akcentovat 2.
označit přízvukem; —**uate**
[æk|sentjueit] *vt* zdůraznit,
akcentovat; —**uation** [æk-
‚sentju|eišən] *s* zdůraznění
accept [ək|sept] *vt* 1. přijmout,
uznat: *the -ed truth* uznávaná
pravda 2. obch. akceptovat
(*a bill* směnku); —**able**
[ək|septəbl] *a* přijatelný; ví-
taný; —**ance** [ək|septəns] *s*
1. přijetí 2. souhlas (*of* s)
3. obch. akceptace (*of a bill*
směnky); akcept(ovaná smě-
ka); —**ation** [‚æksep|teišən] *s*
1. (běžný) význam (slova)
2. odezva; —**or** [ək|septə] *s*
obch. příjemce, akceptant
směnky
access [|ækses] *s* 1. přístup:
difficult, easy, of ~ (ne)-

snadno přístupný 2. med.
záchvat 3. výbuch (*of joy*
radosti); —**ary** [æk|sesəri] *s*
práv. spoluviník (*to* v) □ *a*
spoluvinný; —**ible** [æk|sesəbl]
a 1. přístupný 2. dosažitelný;
—**ion** [æk|sešən] *s* 1. přístup
(*to* k) 2. nastoupení, nástup
(*to* na, do) 3. přírůstek (*of
members* členstva) 4. práv.
přistoupení (*to a convention*
k dohodě); —**ory** [æk|sesəri]
a vedlejší, přídatný, prů-
vodný □ *s* součástka; pl.
-*ories* příslušenství
accidence [|æksidəns] *s* tvaro-
sloví
accident [|æksidənt] *s* 1. ná-
hoda: *by ~* (nešťastnou) ná-
hodou 2. nehoda, neštěstí:
~ insurance úrazové pojiš-
tění; *to meet with an ~* mít
nehodu, havarovat; —**al**
[‚æksi|dentl] *a* 1. náhodný
2. vedlejší, druhotný: *~ point*
úběžník □ *s* hud. posuvka
acclaim [ə|kleim] *vt* 1. pozdra-
vovat (*the winner* jako vítěze)
□ *vi* 2. provolávat (slávu)
acclamat|ion [‚æklə|meišən] *s* 1.
provolávání (slávy) 2. akla-
mace: *voted, carried, by ~*
zvolen, schválen aklamací
acclimat|e [ə|klaimit, |ækləmeit]
vt & i am. = -*ize*; —**ization**
[ə‚klaimətai|zeišən] *s* zdo-
mácnění, aklimatizace; —**ize**
[ə‚klaimətaiz] *vt* aklimatizo-
vat, přizpůsobit (*o.s.* se)
acclivity [ə|kliviti] *s* úbočí, svah
accommodat|e [ə|komədeit] *vt*
1. přizpůsobit (*o.s. to* se
čemu) 2. vybavit, opatřit,
vypomoci (*with* čím) 3. vy-

hovět; vyjít vstříc 4. ubytovat 5. urovnat (po dobrém); —ing [əˈkomədeitiŋ] *a* úslužný, ochotný: on ~ *terms* za výhodných podmínek; —ion [əˈkoməˈdeišən] *s* 1. přizpůsobení, odb. akomodace 2. ubytování 3. výpomoc, půjčka 4. urovnání ♦ ~ *unit* bytová jednotka

accompan|iment [əˈkampənimənt] *s* 1. průvodní jev 2. hud. doprovod; —y [əˈkampəni] *vt* doprovázet; i hud.; jít s

accomplice [əˈkomplis] *s* spoluviník, spolupachatel

accomplish [əˈkompliš] *vt* 1. dokončit, dovršit, provést 2. dokázat, dosáhnout; —ed [əˈkomplišt] *a* 1. hotový, dokonalý 2. o lidech kultivovaný; —ment [əˈkomplišmənt] *s* 1. dovršení, dokončení, dosažení, splnění 2. výkon, výsledek 3. pl. kultivovanost, (všestranné) vzdělání

accord [əˈko:d] *s* 1. shoda, souhlas 2. dohoda 3. hud. akord, souzvuk ♦ *in* ~ *with* ve shodě s; *of one's own* ~ dobrovolně; *out of* ~ *with* v rozporu s; *with one* ~ jednomyslně □ *vi* 1. souhlasit, shodovat se (*with* s) □ *vt* 2. dát, poskytnout 3. vyhovět (*a request* žádosti) ♦ ~ *praise* vzdát chválu; *he was -ed s.t.* dostalo se mu čeho; —ance [əˈko:dəns] *s* shoda: *in* ~ *with* podle čeho, v souhlasu s; —ant [əˈko:dənt] *a*: ~ *with* souhlasný s,

odpovídající čemu; —ing [əˈko:diŋ] *adv* 1. prep: ~ *to* podle (*your wish* vašeho přání) 2. conj: ~ *as* podle toho jak, zda, jestlǐ: ~ *as you decide* podle toho, jak (se) rozhodnete; —ingly [əˈko:diŋli] *adv* podle toho, tudíž, tedy, proto

accordion [əˈko:djən] *s* (tahací) harmonika; —ist [əˈko:djənist] *s* harmonikář

accost [əˈkost] *vt* přistoupit k, oslovit koho; nyní pejor. *to be -ed by* být obtěžován kým na ulici

account [əˈkaunt] *s* 1. účet, konto 2. počítání: *quick at -s* hbitý v počtech 3. odpovědnost: *to bring, call, to* ~ volat k odpovědnosti 4. zpráva, referát (*of* o), vysvětlení, popis čeho 5. úvaha, úsudek 6. důvod, případ, okolnost 7. význam 8. prospěch ♦ *according to one's (own)* ~ podle vlastních slov; *to balance, settle, an* ~ vyrovnat, saldovat účet; *by all -s* podle všeho; ~ *current* běžný účet; *for* ~ *of* na čí účet; *to give* ~ *of* vysvětlit co; *to give an* ~ *of* vylíčit, podat zprávu o; *to keep -s* vést účty; *to make much, little, (no),* ~ *of* přikládat, značnou, malou (nepřikládat) váhu čemu; *to make the (best)* ~ *of* (co nejlépe) využít čeho; *of high, small,* ~ velmi, málo významný; *of no* ~ bezvýznamný; *on all -s* v každém případě; *not ... on any* ~, *on no* ~ za žádných okolností;

on ~ *of* pro, kvůli, následkem čeho; *on that (this)* ~ z toho(to) důvodu; *on one's* ~ kvůli komu; *on what* ~ ? z jakého důvodu?; *to pay on* ~ za-, platit na účet; *to place, put, pass,* to ~ *with* připsat na účet u; *to take into* ~ vzít v úvahu: *to take no* ~ *of* nevěnovat pozornost čemu; *to turn s.t. to* ~ těžit z; *an* ~ *with* účet u koho □ *vi* 1. ~ *for s.t.* vysvětlit co 2. ~ *for s.t. to s.o.* odpovídat se komu zač; vyúčtovat komu co □ *vt* 3. považovat (*o.s.* se) za 4. pas. *to be much, little,* -*ed for* být velmi, málo vážen, ceněn; —**able** [ə|kaunt-əbl] *a* odpovědný (*to* komu, *for* zač); —**ancy** [ə|kauntənsi] *s* účetnictví; —**ant** [ə|kauntənt] *s* účetní revizor; vedoucí účetní; brit. *chartered* ~ autorizovaný účetní znalec

accoutre|d [ə|ku:təd] *pred a* voj. vystrojený; —**ments** [ə|ku:-təmənts] *s pl.* voj. výstroj

accredit [ə|kredit] *vt* 1. dipl. zplnomocnit, pověřit, akreditovat 2. ~ *s.o.: with (a saying)* n. ~ *s.t. to s.o.* přičítat, připisovat (výrok) komu

accretion [æ|kri:šən] *s* 1. přirůstání; růst 2. přírůstek

accrue [ə|kru:] *vi* 1. na-, při|růstat o úroku; připadat, přibýt 2. vzejít (*from* z)

accumulat|e [ə|kju:mjuleit] *vt & i* na-, hromadit (se), akumulovat (se); —**ion** [ə|kju:mju-|leišən] *s* na-, hromadění, vzrůst (*of capital* kapitálu), akumulace; —**or** [ə|kju:mju-

leitə] *s* 1. hrabivec . 2. brit. akumulátor

accur|acy [|ækjurəsi] *s* 1. přesnost, správnost věci 2. pečlivost; —**ate** [|ækjurit] *a* 1. přesný, správný 2. pečlivý

accurs|ed [ə|kə:sid], —**t** [ə|kə:st] *a* 1. kniž. zlořečený 2. hov. saframentský; vulg. zatracený

accusation [|ækju(:)|zeišən] *s* 1. obviňování 2. obvinění, žaloba: *to be under an* ~ *of* být obžalován z; *to bring an* ~ *against* obvinit koho

accusative [ə|kju:zətiv] *s & a* 4. pád, akuzativ; akuzativní

accus|e [ə|kju:z] *vt* ob-, vinit, obžalovat (*of* z): *the* -*ed* obžalovaný; —**er** [ə|kju:zə] *s* žalobce

accustom [ə|kastəm] *vt* z-, na|vyknout: *to be* -*ed to* být zvyklý na; *to get, become,* -*ed to* zvyknout si na; -*ed hour* obvyklá hodina

ace [eis] *s* 1. jednička na kostce,. eso v kártách; i fig. 2. (maličkost): *not an* ~ ani zbla; *within an* ~ málem, o vlásek

acerbity [ə|sə:biti] *s* 1. kyselost, ostrá chuť 2. zatrpklost, hořkost

acet|ate [|æsitit] *s* chem. octan, acetát: ~ *rayon* acetátové hedvábí; —**ic** [ə|si:tik] *a* octový; ~ *acid* kyselina octová; —**ify** [ə|setifai] *vt & i* z-, octovatět, octově kvasit

acetylene [ə|setili:n] *s* acetylén

ach|e [eik] *s* bolest tupá, trvalá □ *vi* 1. bolet 2. toužit; —**ing** [|eikiŋ] *a* 1. bolavý 2. hov. (celý) žhavý do

achieve [ə|či:v] *vt* 1. dosáhnout,

docílit čeho **2.** dokázat, provést co; **—ment** [ə'či:vmənt] *s* **1.** výkon, čin **2.** úspěch, vymoženost

achromatic [ˌækrou'mætik] *a* **1.** hud., opt. achromatický **2.** bezbarvý

acid ['æsid] *a* kyselý; i fig., jedovatý □ *s* kyselina; '~-**forming** *a* kyselinotvorný; '~-'**proof**, '~-re'**sisting** *a* kyselinovzdorný

acid|ify [ə'sidifai] *vt* **1.** okysličit **2.** okyselit □ *vi* **3.** zkysnout; **—ity** [ə'siditi] *s* **1.** kyselost **2.** fig. jedovatost; **—ulated** [ə'sidjuleitid] *a* **1.** nakyslý, navinulý **2.** fig. zatrpklý

ack-ack ['æk'æk] zkr. (= *anti-aircraft*) voj. sl. *s* protiletadlov|é dělo n. dělostřelectvo, -á palba □ *a* protiletecký

acknowledg|e [ək'nolidž] *vt* **1.** při-, u|znat, připustit **2.** potvrdit příjem čeho, vzít na vědomí, kvitovat; **—(e)ment** [ək'nolidžmənt] *s* **1.** do-, při|znání **2.** obv. pl. poděkování **3.** potvrzení

acme ['ækmi] *s* vrchol (dokonalosti)

acne ['ækni] *s* **1.** trudovitost **2.** uher

aconite ['ækənait] *s* bot. oměj

acorn ['eiko:n] *s* žalud

acoustic [ə'ku:stik] *a* **1.** akustický **2.** sluchový; **—al** [ə'ku:stikəl] *a* akustický; **—s** [ə'ku:stiks] *s* pl. akustika

acquaint [ə'kweint] *vt* seznámit, obeznámit (*o.s. with* se s): *to be -ed* znát se (*with s.o.* s kým), vyznat se (*with s.t.* v čem); **—ance** [ə'kweintəns]

s **1.** znalost čeho, známost s kým; *to make the* ~ *of* n. *one's* ~ seznámit se, obeznámit se s **2.** známý

acquiesc|e [ˌækwi'es] *vi* smířit se s čím, nechat si co líbit, podvolit se (*in* čemu); **—ence** [ˌækwi'esns] *s* (trpný) souhlas s, podvolení se čemu; **—ent** [ˌækwi'esnt] *a* s-, po|volný, poddajný

acquire [ə'kwaiə] *vt* získat, nabýt, osvojit si; **—ment** [ə'kwaiəmənt] *s* **1.** získ(áv)ání, dosažení **2.** obv. pl. vzdělání; znalosti, dovednosti

acquisit|ion [ˌækwi'zišən] *s* **1.** získá(vá)ní; koupě **2.** přínos, zisk; **—ive** [ə'kwizitiv] *a* zištný, hrabivý, výdělkářský

acquit [ə'kwit] *vt* (-tt-) **1.** zprostit viny, osvobodit (*of* z) **2.** zbavit (*of duty* povinnosti) **3.** splatit (*a debt* dluh) **4.** ~ *o.s.* vést si, zhostit se čeho: ~ *o.s. well (ill)* (ne)osvědčit se; **—tal** [ə'kwitl] *s* osvobození, zproštění žaloby, povinnosti; **—tance** [ə'kwitəns] *s* **1.** zproštění závazku **2.** zaplacení dluhu **3.** kvitance

acre ['eikə] *s* **1.** jitro, akr (= 0,4 ha) **2.** zast. pole: *broad -s* širé lány; *God's* ~ svaté pole hřbitov; **—age** ['eikəridž] *s* výměra; orná půda

acrid ['ækrid] *a* **1.** ostrý, štiplavý **2.** fig. kousavý, žlučovitý

acrimon|ious [ˌækri'mounjəs] *a* **1.** prudký, uštěpačný **2.** zatrpklý; **—y** ['ækriməni] *s* hořkost, zatrpklost; rozhořčenost

acrobat [ˈækrəbæt] *s* akrobat, provazolezec; **—ic** [ˌækrəˈbætik] *a* akrobatický (*feat* výkon): **—ics** [ˌækrəˈbætiks] *s* pl. 1. kol. akrobatické kousky 2. akrobacie

across [əˈkros] *adv & prep* přes, napříč, křížem, za: ~ *the river* přes řeku; ~ *the sea* za moře(m); *to come* ~ náhodou přijít, narazit na

act [ækt] *s* 1. skutek, čin, jednání, úkon; akt, pl. -y: *caught in the* ~ přistižen při činu; práv. *A*~ *of God* vyšší moc, vis maior; ~ *of kindness* laskavost; ~ *of war* válečný čin 2. zákon 3. div. jednání □ *vt & i* 1. jednat, postupovat, chovat se 2. pracovat, fungovat, působit 3. hrát; předstírat, hrát si na: *he -ed Hamlet* hrál Hamleta; ~ *one's part* hrát svou úlohu; i fig.: ~ *the fool* dělat ze sebe blázna 4. hrát se: *the play -s well* ta hra se dobře hraje ♦ ~ *as* zastupovat; působit jako; ~ *for* jednat za, v zastoupení; ~ *on* působit na; jednat podle; ~ *up to* řídit se čím; **—ing** [ˈæktiŋ] *a* zastupující: ~ *manager* zatímní ředitel

action [ˈækšən] *s* 1. činnost, jednání 2. akce, postup; čin 3. působení; vliv 4. chod stroje, zvířete 5. děj literárního díla 6. žaloba 7. voj. utkání. boj(ová akce) 8. *atr* akční ♦ *to call into* ~ uvést v život; *to go into, break off, an* ~ zahájit, zastavit boj; *killed in* ~ zabit v boji; *to*

put in, out of, ~ spustit, zastavit stroj; *tc take* ~ *in* učinit opatření ve věci; *to take, bring, an* ~ *against* podat žalobu na; **—able** [ˈækšənəbl] *a* žalovatelný, trestný

activ|e [ˈæktiv] *a* 1. činný, aktivní 2. čilý, živý 3. účinný □ *s* gram. činný rod; **—ity** [ækˈtiviti] *s* 1. i pl. činnost, aktivita; působnost 2. zaměstnanost 3. živost, čilost; ruch

act|or [ˈæktə] *s* herec; **—ress** [ˈæktris] *s* herečka

actual [ˈæktjuəl] *a* 1. skutečný 2. nynější, současný, aktuální; **—ity** [ˌæktjuˈæliti] *s* 1. skutečnost 2. pl. aktuální podmínky, okolnosti; **—ly** [ˈæktjuəli] *adv* skutečně, vlastně

actuary [ˈæktjuəri] *s* pojistný matematik

actuate [ˈæktjueit] *vt* 1. pohánět, uvádět do pohybu 2. pudit, podněcovat

acumen [əˈkjuːmen] *s* bystrost, pronikavost; prozíravost

acute [əˈkjuːt] *a* 1. ostrý 2. prudký 3. naléhavý, tísnivý 4. náhlý, akutní 5. bystrý, jemný, pronikavý □ *s* ostrý přízvuk, akut; **—ness** [əˈkjuːt-nis] *s* 1. ostrost, špičatost 2. prudkost, akutnost (*of pain* bolesti) 3. bystrost, vnímavost, pronikavost

A.D. [ˈeiˈdiː] = lat. Anno Domini [ˈænouˈdominai], po Kr.; n. l.; arch. léta Páně

adage [ˈædidž] *s* průpověď, pořekadlo

Adam [ˈædəm] s Adam
adapt [əˈdæpt] vt 1. přizpůsobit (o.s. to se čemu) 2. upravit, adaptovat; **—ability** [əˌdæptəˈbiliti] s 1. přizpůsobivost 2. přizpůsobitelnost; **—able** [əˈdæptəbl] a 1. přizpůsobivý 2. přizpůsobitelný; **—ation** [ˌædæpˈteišən] s 1. přizpůsobování 2. úprava, přepracování, adaptace
add [æd] vt 1. přidat, připojit, dodat 2. sečíst: ~ up sčítat □ vi 3. zvětšit; **—ing-machine** [ˈædiŋməˌšiːn] s sčítací stroj, hov sčítačka
addend|um [əˈdendəm] s obv. pl. -a [-ə] dodatky ke knize
adder [ˈædə] s zmije
addict vt [əˈdikt] ~ o.s. to oddat se, věnovat se čemu □ s [ˈædikt] oběť zlozvyku
addition [əˈdišən] s 1. sčítání 2. dodatek, doplněk, přídavek, přírůstek ♦ in ~ to vedle, kromě čeho, nadto; **—al** [əˈdišənl] a dodatečný, další, navíc: ~ charge příplatek; ~ payment doplatek; ~ tax on přirážka k dani z
addl|e [ˈædl] a jen an ~ egg záprtek; i fig.: ~ speech jalová řeč □ vt & i 1. o vejci zkazit se: an -ed egg zkažené vejce 2. fig. poplést (one's head, brain komu hlavu)
address [əˈdres] vt 1. adresovat (a letter, a protest, to dopis, protest komu) 2. oslovit koho 3. promluvit ke shromáždění ♦ ~ o.s. to s.o. obrátit se na koho; ~ o.s. to s.t. věnovat se čemu □ s 1. adresa 2. proslov, projev 3. vystupování:

pleasing ~ uhlazené chování 4. pohotovost, obratnost; **—ee** [ˌædreˈsiː] s adresát; **—ograph** [əˈdresəgraːf] s adresovací stroj
adduce [əˈdjuːs] vt uvést (reasons důvody)
adenoid [ˈædinoid] a med. adenoidní □ s pl. med. nosní mandle
adept [ˈædept] s znalec (in, hov. at čeho); adept □ a znalý, zběhlý (in v)
adequa|cy [ˈædikwəsi] s přiměřenost, adekvátnost; **—te** [ˈædikwit] a přiměřený, postačující, náležitý, adekvátní
adher|e [ədˈhiə] vi ~ to 1. držet, lepit se na, lnout k 2. fig. držet se koho, být věren čemu; trvat na čem; **—ence** [ədˈhiərəns] s věrnost (to čemu); **—ent** [ədˈhiərənt] a 1. přilepený, přichycený; spjatý (to s) 2. fil. adherentní □ s stoupenec
adhes|ion [ədˈhiːžən] s 1. přilnavost, odb. adheze 2. fig. lpění (to na); **—ive** [ədˈhiːsiv] a 1. lepkavý, přilnavý 2. lepicí: ~ tape, plaster lepicí páska, leukoplast; ~ transparent paper tape (bankovní) lepicí páska □ s lepidlo; **—iveness** [ədˈhiːsivnis] s přilnavost
adiabatic [ˌæd(a)iəˈbætik] a fyz. adiabatický: to be ~ být špatným vodičem tepla
adieu [əˈdjuː] int kniž. sbohem! □ s sbohem(dání)
adit [ˈædit] s 1. vchod; kniž. přístup 2. horn. štola
adjac|ency [əˈdžeisənsi] s 1. sousedství 2. pl. -encies okolí

—ent [ə'džeisənt] *a* přiléhající (*to* k), přilehlý (*angles* úhly); sousední
adjectiv|al [ˌædžek'taivəl] *a* adjektivní; —e ['ædžiktiv] *s* přídavné jméno, adjektivum
adjoin [ə'džoin] *vt & i* sousedit (s), přiléhat (k); —ing [ə'džoiniŋ] *a* vedlejší, přilehlý, sousední (*room* pokoj)
adjourn [ə'džə:n] *vt & i* 1. odročit (se); odložit 2. hov. odebrat se kam; —ment [ə'džə:nmənt] *s* odročení, odklad
adjudge [ə'džadž] *vt* 1. (soudně) rozhodnout, vynést rozsudek 2. uznat (*s.o. to be guilty* koho vinným), prohlásit (*s.t. void* co za neplatné) 3. odsoudit (*to death* k smrti) 4. přiřknout (*to* komu)
adjudicat|e [ə'džu:dikeit] *vt & i* (soudně) rozhodovat, vynášet rozsudek (*on* o čem); —ion [əˌdžu:di'keišən] *s* rozsudek, (soudní) rozhodnutí
adjunct ['ædžaŋkt] *s* 1. přídavek, doplněk 2. podúředník; pomocník 3. gram. rozvíjecí člen
adjure [ə'džuə] *vt* zapřísahat
adjust [ə'džast] *vt* 1. přizpůsobit (*o.s.* se), upravit se 2. dát do pořádku, u-, s|pravit, nařídit, regulovat 3. u-, vy|rovnat 4. poj. odhadnout škodu; —able [ə'džastəbl] *a* regulovatelný, posuvný; —ment [ə'džastmənt] *s* 1. přizpůsobení 2. úprava, u-, vy|rovnání, uspořádání, adjustace 3. instalování, se-,

na|řízení, ustavení 4. poj. projedná(vá)ní škody
adjutant ['ædžutənt] *s* voj. pobočník
admeasure [æd'mežə] *vt* od-, vy|měřit; přidělit; —ment [æd'mežəmənt] *s* 1. měření, odměřování 2. přidělování 3. velikost, rozměry; tonáž
administ|er [əd'ministə] *vt* 1. spravovat, vést 2. vykonávat (*justice* spravedlnost) 3. poskytnout (*relief* pomoc), podat (*a medicine* lék) □ *vi* 4. přispívat (*to* čemu) 5. vykonávat správu ♦ ~ *an oath to* vzít koho do přísahy; —ration (ədˌminis'treišən] *s* 1. správa; práv. správa pozůstalosti 2. státní správa, státní administrativa; vláda 3. (administrativní) úřednictvo 4. poskytování, udělování čeho 5. podávání léku, přikládání obkladu; —rative [əd'ministrətiv] *a* správní, administrativní; —rator [əd'ministreitə] *s* 1. správce; administrátor 2. vykonavatel; práv. vykonavatel závěti, správce pozůstalosti
admirable ['ædmərəbl] *a* podivuhodný; skvělý
admiral ['ædmərəl] *s* admirál; —ty ['ædmərəlti] *s* 1. admiralita 2. brit. *The A~* ministerstvo námořnictva: *First Lord of the A~* ministr námořnictva
admir|ation [ˌædmə'reišən] *s* 1. obdiv 2. předmět obdivu; —e [əd'maiə] *vt* obdivovat se; —er [əd'maiərə] *s* obdivovatel; ctitel

admiss|ibility [əd¡misə¹biliti] *s* přípustnost; **—ible** [əd¹misəbl] *a* přípustný, přijatelný; **—ion** [əd¹mišən] *s* 1. přístup, vstup; vstupné 2. přijetí; jmenování (*to thc bar* veřejným obhájcem) 3. i práv. při-, do|znání 4. tech. přívod

admit [əd¹mit] *vt* (-tt-) 1. vpustit (*into* dovnitř) 2. přijmout (*to a school* do školy) 3. připustit; práv. doznat □ *vi* 4. ~ *of* připustit; **—tance** [əd¹mitəns] *s* vstup, přístup: *no ~ (except on business)* (nezaměstnaným) vstup zakázán

admix [əd¹miks] *vi* při-, s|mísit; **—ture** [əd¹miksčə] *s* příměs

admon|ish [əd¹moniš] *vt* napomínat (*against* aby ne-) ♦ ~ *of* varovat před; ~ *of, about* připomínat co; ~ *to* nabádat k; **—ition** [¡ædmə¹nišən] *s* napomenutí, výtka, výstraha; **—itory** [əd¹monitəri] *a* varovný

ado [ə¹du:] *s* 1. povyk, hluk 2. nesnáze 3. okolky

adolesc|ence [¡ædo¹lesns] *s* dospívání; jinošství; **—ent** [¡ædo¹lesnt] *a* 1. dospívající, mladistvý 2. jinošský, dívčí □ *s* jinoch; (dospívající) dívka

adopt [ə¹dopt] *vt* 1. přijmout za vlastní, adoptovat 2. osvojit si, přijmout; **—ion** [ə¹dopšən] *s* 1. přijetí za vlastní, adoptování 2. přijetí, schválení; ⇐**—ive** [ə¹doptiv] *a* adoptivní

ador|able [ə¹do:rəbl] *a* zbožňováníhodný; hov. rozkošný;

—ation [¡ædo:¹reišən] *s* 1. uctívání, klanění se 2. fig. zbožňování; **—e** [ə¹do:] *vt* uctívat, zbožňovat; i hov.

adorn [ə¹do:n] ozdobit; **—ment** [ə¹do:nmənt] *s* ozdoba

adrenal [æ¹dri:nl] *a* nadledvinkový □ *s* nadledvinka

Adriatic [¡eidri¹ætik] n. *the ~ Sea* Jaderskó moře

adrift [ə¹drift] *adv & pred a* 1. nám. vydaný na pospas živlům, osudu) 2. fig. nazdařbůh ♦ *to turn ~* vyhodit na ulici

adroit [ə¹droit] *a* zručný, obratný; pohotový

adulat|e [¹ædjuleit] *vt* (podle) pochlebovat; **—ion** [¡ædju¹leišən] *s* lichometnictví, patolízalství

adult [¹ædalt] *a & s* dospělý: ~ *education* lidové n. dálkové kuřsy

adulter|ant [ə¹daltərənt] *s* (nežádoucí) příměs; **—ate** *vt* [ə¹daltəreit] falšovat, znečistit □ *a* [ə¹daltərət] 1. falšovaný příměsí 2. cizoložný; **—ation** [ə¡daltə¹reišən] *s* 1. falšování, znehodnocení 2. příměs 3. zkáza; **—er** [ə¹daltərə] s cizoložník; **—ess** [ə¹daltəris] *s* cizoložnice; **—y** [ə¹daltəri] *s* cizoložství

adumbrate [¹ædambreit] *vt* 1. nastínit 2. předobrazit

adust [ə¹dast] *a* 1. vy-, z|prahlý 2. osmahlý

advanc|e [əd¹va:ns] *vt & i* 1. posunout (vpřed) 2. předložit, prosazovat 3. povýšit koho 4. podporovat, uspíšit 5. zvyšovat (*prices* ceny)

6. platit předem; dát zálohu, půjčit ☐ *vi* **7.** postupovat; i voj., pokračovat **8.** dělat pokroky **9.** stoupat v ceně ☐ *s* **1.** postup; posun; i voj. **2.** pokrok **3.** kroky; pokusy o sblížení **4.** povýšení **5.** zvýšení (cen) **6.** záloha; půjčka ♦ *in ~* napřed, předem; *to be in ~ of* mít náskok před; —**ed** [əd¹va:nst] *a* **1.** pokročilý **2.** voj. předsunutý; polní; —**ement** [əd¹va:nsmənt] *s* **1.** rozvoj, vzestup, pokrok **2.** podporování **3.** záloha **4.** povýšení

advantage [əd¹va:ntidž] *s* **1.** výhoda **2.** prospěch ♦ *you have the ~ of me* nemám čest vás znát; *to take ~ of* využít čeho; vyzrát na koho; *to ~ s* prospěchem; *to the best ~* co nejvýhodněji; —**ous** [ˌædvən¹teidžəs] *a* výhodný, prospěšný

advent [¹ædvənt] *s* **1.** advent **2.** příchod

adventitious [ˌædven¹tišəs] *a* náhodný, nahodilý; získaný

adventur|e [əd¹venčə] *s* **1.** dobrodružství **2.** obch. spekulace ☐ *vt & i* odvážit se čeho, vydat (se) v nebezpečí; —**er** [əd¹venčərə] *s* dobrodruh; —**ous** [əd¹venčərəs] *a* **1.** dobrodružný **2.** ukvapený (*action* jednání)

adverb [¹ædvə:b] *s* příslovce: —**ial** [əd¹və:bjəl] *a* příslovečný, adverbiální

advers|ary [¹ædvəsəri] *s* protivník, odpůrce; —**ative** [əd¹və:sətiv] *a* odporovací ☐ *s* odporovací spojka

advers|e [¹ædvə:s] *a* protivný, nepříznivý; —**ity** [əd¹və:siti] *s* protivenství, neštěstí

advert [əd¹və:t] *vi* obv. *~ to* **1.** všímat si čeho **2.** zmínit se o, poukazovat na, obrátit se k

advertis|e [¹ædvətaiz] *vt* inzerovat, oznámit; *~ for* inzerovat co; hledat inzerátem; —**ement** [əd¹və:tismənt] *s* **1.** inzerát, oznámení **2.** reklama; nábor; —**er** [¹ædvətaizə] *s* **1.** inzerent **2.** oznamovatel

advice [əd¹vais] *s* **1.** rada **2.** med., práv. porada **3.** zpráva, obch. návěstí, avízo: *as per ~* podle návěstí

advisable [əd¹vaizəbl] *a* vhodný, účelný: *it is ~* je radno, záhodno

advis|e [əd¹vaiz] *vt* **1.** radit, doporučit **2.** poradit se **3.** zrazovat (*against* od) **4.** oznámit, sdělit; obch. avizovat —**edly** [əd¹vaizidli]. *adv* **1.** úmyslně, záměrně **2.** uváženě; —**er** [əd¹vaizə] *s* rádce, poradce; —**ory** [əd¹vaizəri] *a* **1.** poradní **2.** návěštní

advoc|acy [¹ædvəkəsi] *s* **1.** obhajování, obhajoba **2.** advokatura; —**ate** *s* [¹ædvəkit] **1.** ve Skotsku a v cizině advokát, právní zástupce **2.** zastánce, obránce; náb. orodovník ☐ *vt* [¹ædvəkeit] obhajovat, zastávat se čeho

adze [ædz] *s* tech. tesla, skoble

Aegean [i:¹dži:ən] *a* egejský: *the ~ Sea* Egejské moře

aegis [¹i:džis] *s* egida; obv. fig. záštita

aerat|e [¹e(i)əreit] *vt* **1.** provzdušit, tekutinu, půdu 2. nasytit kyslíčníkem uhličitým: -ed bread chléb kynutý sodovkou; -ed water sodovka, limonáda

aerial ['eeriel] a 1. vzdušný 2. letecký □ s rad. anténa

aero ['eerou] s pl. -s [-z] hov. éro; —**batics** [ˌeero'bætiks] s pl. letecká akrobacie; —**drome** ['eeredroum] s brit. letiště; —**lite**, —**lith** ['eere'lait, -liθ] s povětroň; —**naut** ['eereno:t] s vzduchoplavec; —**plane** ['eereplein] s brit. letadlo, letoun, aeroplán

aerobe ['eeroub] s biol. aerobní mikrob

aesthet|e ['i:sθi:t] s estét; —**ic(al)** [i:s'θetik(el)] a estetický; —**ics** [i:s'θetiks] s pl. estetika

afar [e'fa:] adv arch.; kniž. from ~ z dálky; ~ off daleko, v dálce

affa|bility [ˌæfe'biliti] s přívětivost; —**ble** ['æfebl] a vlídný, přívětivý

affair [e'feə] s 1. záležitost, věc 2. (milostná) pletka

affect¹ [e'fekt] vt 1. působit na, ovlivnit; postihnout (by čím) 2. dojímat, pohnout □ s psych. afekt, hnutí mysli, cit; —**ion** [e'fekšən] s 1. cit(ový stav), hnutí mysli 2. láska, záliba 3. neduh 4. 'stav, vlastnost; —**ionate** e-'fekšnit] a milující, něžný; —**ive** [e'fektiv] a citový

affect² [e'fekt] vt 1. rád, nosit, užívat 2. vyskytovat se o rostlinách, zvířatech 3. napodobit; tvářit se, předstírat; afektovat; —**ation** [ˌæfek'teišən] s 1. strojenost, vyumělkovanost 2. předstírání, přetvářka;

—**ed** [e'fektid] a 1. strojený, afektovaný 2. předstíraný

affiance [e'faiens] vt zasnoubit

affidavit [ˌæfi'deivit] s přísežné prohlášení; affidavit

affiliat|e [e'filieit] vt 1. přijmout (members za členy), kooptovat, sloučit (with s): -ed society sesterská společnost 2. práv. ~ a child on s.o. prohlásit koho otcem dítěte 3. fig. to be -ed with být příbuzný s □ vi 4. přistoupit za člena, vstoupit do 5. am. přátelit se (with s); —**ion** [eˌfili'eišən] s 1. přidružení, přičlenění, afilace bank 2. práv. ~ of s.o. on přiřčení otcovství komu 3. fig. příbuzenství; am. political -s politické svazky

affinity [e'finiti] s 1. spříznění 2. odb. slučivost, afinita

affirm [e'fə:m] vt 1. po-, tvrdit, ujistit 2. práv. místopřísežně prohlásit □ vi 3. prohlásit; dát ujištění; —**ation** [ˌæfe'meišən] s 1. po-, tvrzení, ujištění, prohlášení 2. práv. místopřísežné prohlášení; —**ative** [e'fə:mətiv] a kladný, pozitivní □ s klad: to answer in the ~ kladně odpovědět

affix vt [e'fiks] připojit, připevnit, přilepit; opatřit čím □ s ['æfiks] gram. afix

afflict [e'flikt] vt 1. postihnout (with čím) 2. trápit, sužovat; za-, rmoutit; —**ion** [e'flikšən] s utrpení, strádání, neštěstí

afflu|ence ['æfluens] s nadbytek bohatství; —**ent** ['æfluent] a 1. přitékající 2. bohatý, oplývající □ s přítok řeky

afflux [ˈæflaks] *s* 1. přítok, příliv
2. nával

afford [əˈfoːd] *vt* 1. poskytnout,
dát 2. obv. *I can(not)* ~
(ne)mohu si dovolit, dopřát

afforest [æˈforist] *vt* zalesnit;
—**ation** [æˌforisˈteišən] *s* za-
lesňování

affranchise [əˈfrænčaiz] *vt* osvo-
bodit, zprostit

affray [əˈfrei] *s* rvačka, vý-
tržnost

affricate [ˈæfrikit] *s* fon. afrikáta

affront [əˈfrant] *vt* 1. napadnout,
urazit 2. vzdorovat, čelit □ *s*
urážka: *to put an* ~ *upon, to
offer an* ~ *to* urazit koho

Afghan [ˈæfgæn] *s* 1. Afghá-
nec 2. afghánština □ *a* af-
ghánský; —**istan** [æfˈgænis-
tæn] *s* Afghánistán

afield [əˈfiːld] *adv* 1. na poli, na
-e 2. voj. v poli, do -e ◆
too far ~ příliš daleko

A.F.L. = *American Federation
of Labour* Americká dělnická
federace

aflame [əˈfleim] *adv & pred a*
v plamenech

afloat [əˈflout] *adv & pred a*
1. plovoucí, na vodě 2. obch.
na lodi, na cestě ◆ *to be* ~
šířit se, kolovat; obch. být
v oběhu; být zatopený; být
nejistý

afoot [əˈfut] *adv & pred a* 1.
pěšky 2. na nohou 3. v proudu

afore [əˈfoː] *adv & prep* 1. nám.
na přídi 2. zast. před, vpředu,
dříve; —**said** [əˈfoːsed] *a* prve
uvedený

afraid [əˈfreid] *pred a* obv. jen *to
be* ~ bát se, obávat se; *I am* ~
hov. myslím, že; bohužel

afresh [əˈfreš] *adv* nanovo, znovu

Afric|a [ˈæfrikə] *s* Afrika; —**an**
[ˈæfrikən] *a* africký □ *s*
Afričan

Afrikaans [ˌæfriˈkaːns] *a* afri-
kánština

Afrikan(d)er [ˌæfriˈkæn(d)ə] *s*
Afrikán Jihoafričan evropského
původu, obv. Holanďan

aft [aːft] *adv & a* nám. na, u,
k zádi, na záď

after [ˈaːftə] *prep* 1. po, za 2.
přes 3. podle □ *adv* 1. za,
vzadu 2. pak, potom, později
□ *conj* po(tom co) □ *a*
1. příští 2. pozdější, další
3. nám. zadní ◆ ~ *all* přesto
přece, konec konců; obch.
~ *date* po datu, à dato;
the day ~ *tomorrow* pozítří;
obch. ~ *sight* po vidění;
time ~ *time* znovu a znovu;
in ~ *years* v příštích letech;
—**damp** [ˈaːftəˌdæmp] *s* horn.
dusivé plyny po výbuchu;
~ -**image** [ˈaːftəˌimidž] *s* psych.
paobraz; —**math** [ˈaːftəmæθ]
s 1. otava 2. následky (*of war*
války); —**noon** [ˈaːftəˈnuːn] *s*
odpoledne: ~ *tea* svačina;
—**thought** [ˈaːftəθoːt] *s* 1.
vzpomínka 2. dodatečný ná-
pad; —**wards** [ˈaːftəwədz] *adv*
později, pak

again [əˈgen] *adv* 1. zas(e),
opět, znovu 2. naopak zase
3. dále, však 4. zpět ◆ *as
much, many,* ~ dvakrát to-
lik; *ever and* ~, *now and* ~
čas od času, občas; *once* ~
ještě jednou; *time and* ~
opět a opět

against [əˈgenst] *prep* 1. proti,
naproti 2. vůči 3. časově pro,

na; obch. po: ~ *payment* po zaplacení ♦ *as* ~ ve srovnání s; ~ *background* na pozadí; *to beat* ~ bít, šlehat do; *to lean* ~ opřít se o; *a match* ~ *time* závod s časem; *to run up* ~ potkat se s

agape [əˈgeip] *adv & pred a* (s ústy) dokořán; užaslý

agate [ˈægət] *s* achát

ag|e [eidž] *s* věk, stáří ♦ *to be*, *come, of* ~ být zletilý, dosáhnout zletilosti; *for -es* léta letoucí; *full* ~ zletilost; *under* ~ nezletilý □ *vi* 1. stárnout □ *vt* 2. dělat starým; **—ed** *atr a* [ˈeidžid] 1. letitý, starý □ *pred a* [eidžd] 2. stár

agency [ˈeidžənsi] *s* 1. působení 2. činitel, síla 3. jednatelství, zastupitelství, agentura

agenda [əˈdžendə] *s* pl. pořad (jednání), denní pořádek

agent [ˈeidžənt] *s* 1. činitel; agens; chem. činidlo 2. zástupce, jednatel, zprostředkovatel, agent 3. pl. = *agency*; ~ **provocateur** [ˈæžɔŋ ˌprovokəˈtəː] agent provokatér

agglomerat|e *vt & i* [əˈglomereit] na-, hromadit, -kupit, shlukovat se, srážet se, aglomerovat (se) □ *a* [əˈglomərit] nakupený, sbalený □ *s* [əˈglomərit] 1. aglomerát 2. geol. slepenec; **—ion** [əˌgloməˈreišən] *s* 1. hromadění 2. aglomerace, seskupení, shlukování

agglutinat|e *vt & i* [əˈgluːtineit] 1. s-, tmelit, slepit 2. geol. aglutinovat 3. klihovatět □ *a* [əˈgluːtinit] 1.

stmelený 2. jaz. aglutinovaný; **—ion** [əˌgluːtiˈneišən] *s* 1. s-, tmel|ení, -ování, slepování 2. jaz., med. aglutinace; **—ive** [əˈgluːtinətiv] *a* 1. jaz. aglutinační (*languages* jazyky) 2. tmelivý

aggrandize [əˈgrændaiz] *vt* 1. zvětšit, zvelíčit 2. povznést, zvelebit; **—ment** [əˈgrændizmənt] *s* vz-, roz|mach, vzrůst, vzestup

aggravat|e [ˈægrəveit] *vt* 1. z-, při|tížit, zhoršit 2. hov. nespr. rozzlobit; **—ion** [ˌægrəˈveišən] *s* 1. zhoršení, zostření 2. přitěžující okolnost

aggregat|e [ˈægrigit] *a* 1. nakupený, nahromaděný 2. ú-, sou|hrnný □ *s* 1. úhrn, souhrn: *in the* ~ úhrnem, celkem 2. shluk; odb. agregát □ *vt* [ˈægrigeit] 1. shromáždit, nakupit 2. činit (úhrnem) 3. přičlenit □ *vi* 4. seskupit se; **—ion** [ˌægriˈgeišən] *s* 1. na-, hromadění 2. agregace; shluk, agregát

aggress|ion [əˈgrešən] *s* útok, přepadení, agrese: |*non-*| ~ *pact* smlouva o neútočení; **—ive** [əˈgresiv] *a* 1. útočný, výbojný, agresívní 2. průbojný; **—or** [əˈgresə] *s* útočník, agresor

aggrieved [əˈgriːvd] *a* 1. dotčený 2. poškozený 3. usoužený

aghast [əˈgaːst] *pred a* zděšen, jat hrůzou

agil|e [ˈædžail] *a* čilý, hbitý, agilní; **—ity** [əˈdžiliti] *s* čilost, hbitost, agilnost

agio [ˈædžiou] *s* pl. *-s* [-z] obch. ážio, prémie 2. = *-tage*; **—ta-**

ge [ˈædžətidž] s ažiotáž; burzovní spekulace

agitat|e [ˈædžiteit] vt 1. třepat, zmítat 2. zneklidňovat, pobuřovat 3. pro-, diskutovat, -debatovat □ vi 4. ~ for agitovat pro; —ion [ˌædžiˈteišən] s 1. zmítání, lomcování 2. kvašení, rozruch, neklid 3. vzrušení, rozčilení 4. diskuse, debatování 5. agitace; —or [ˈædžiteitə] s 1. agitátor 2. chem. třepací přístroj

agitprop [ˈædžitprop] a propagační □ s 1. agitační prostředek 2. agitační skupina 3. agitprop, propagandista; —ist [ˈædžitpropist] s = agitprop 3.

agnail [ˈægneil] s záděra

agnate [ˈægneit] s agnát, příbuzný po meči □ a příbuzný z otcovy strany

ago [əˈgou] adv před počítáno od přítomnosti: long ~ dávno; some time ~ před časem

agog [əˈgog] adv & pred a posedlý, chtivý, divý

agon|ize [ˈægənaiz] vi 1. zápasit 2. fig. být v agónii 3. mučit se □ vt 4. mučit, trápit; —y [ˈægəni] s 1. muka, trápení 2. agónie 3. zápas ♦ brit. hov. ~ column soukromá oznámení v novinách

agrarian [əˈgreəriən] a 1. pozemkový 2. zemědělský, agrární □ s agrárník

agree [əˈgri:] vi 1. souhlasit (to s.t. s čím; with s.o. s kým) 2. vycházet (with s.o. s kým); snášet se (together dohromady) 3. dělat dobře, svědčit (with s.o. komu)

4. shodovat se, odpovídat (with s.t. čemu) 5. dohodnout se (on o), s-, u|jednat co □ vt 6. připustit 7. sjednat 8. obch. vyrovnat (accounts účty) ♦ I am -d jsem srozuměn; —able [əˈgriəbl] a 1. příjemný (to vůči) 2. hov. ochoten, svolný; —ment [əˈgri:mənt] s 1. souhlas, shoda 2. dohoda, úmluva, smlouva

agricultur|e [ˈægrikalčə] s zemědělství; —al [ˌægriˈkalčurəl] a zemědělský, hospodářský; —alist [ˌægriˈkalčurəlist] s rolník, agronom

agronom|ic, -al [ˌægrəˈnomik (əl)] a agronomický, zemědělský; —y [əˈgronəmi] s agronomie. zemědělství

aground [əˈgraund] adv na dn|o, -ě, na mělčin|u, -ě: to run ~ najet na mělčinu

agu|e [ˈeigju:] s (malarická) zimnice; —ish [ˈeigju:iš] a zimničný, i fig.; malarický

ah [a:] int á, ach, ó

aha [aˈha:] int aha

ahead [əˈhed] adv & pred a 1. v-, z|předu, napřed 2. do-, ku|předu, vpřed ♦ to be ~ of fig. mít náskok před; hov. go ~! běžte napřed; jen pokračujte; jen do toho!

ahoy [əˈhoi] int nám. ahoj; kniž. hola(hou)

aid [eid] vt & i na-, pomáhat, podporovat □ s 1. výpomoc 2. pomocník 3. pomůcka

aide-de-camp [ˈeiddəˈkā:ŋ], pl. aides- ~ [ˈeidzdəˈkā:ŋ] s voj. pobočník

aigrette [ˈeigret] s chochol

ail [eil] vt 1. bolet; trápit:

what -s you? co je vám? ☐ *vi*
2. churavět; —**ing** [ˈeiliŋ] *a*
churavý; —**ment** [ˈeilmənt] *s*
churavost, indispozice
aileron [ˈeilərⱺn] *s* let. křidélko
aim [eim] *vt & i (at)* **1.** za-,
mířit, -cílit (na); směřovat
(k) **2.** hodit (po) **3.** fig. mínit,
myslit (koho) **4.** usilovat (oč)
☐ *s* **1.** zacílení: *to take ~*
zacílit, zamířit **2.** záměr,
úmysl **3.** cíl, předmět; —**less**
[ˈeimlis] *a* bezcílný; bezúčel-
ný
ain't [eint] = hov. *am not*; nespr.
is not, are not, hasn't, haven't
air [eə] *s* **1.** vzduch **2.** ovzduší **3.**
větřík **4.** výraz, vzezření
5. obv. pl. strojené, naduté
chování **6.** nápěv, melodie;
árie **7.** *atr* letecký; pneuma-
tický; vzduchový; nafuko-
vací ♦ *by ~* letadlem; *in
the ~* ve vzduchu; i fig.;
in the open ~ ve volné přírodě,
pod širým nebem; *on the ~*
v rozhlase ☐ *vt & i* **1.** vy-,
větrat; fig. provětrat **2.** *~ o.s.*
po-, chlubit se; —**borne** [ˈeə-
boːn] *a* **1.** dopravovaný le-
tecky **2.** voj. výsadkový; *~*
-**conditioning** [ˈeə-kənˌdišəniŋ]
s úprava vzduchu, klimati-
zace; —**craft** [ˈeə-kraːft] *s* **1.**
letadlo **2.** letectvo; ¹—**craft**
ᴵ**carrier** (mateřská) letadlová
loď; *~* -**cushion** [ˈeəˌkušin]
s nafukovací poduška; —**dro-
me** [ˈeədroum] *s* am. le-
tiště, letecký přístav; —**field**
[ˈeə-fiːld] *s* letiště; ¹*~* -**fighter**
s stíhačka; ¹*~*ᴵ **force** vojenské
letectvo; —**ing** [ˈeəriŋ] *s* vy-
větrání: *to give room an ~*

vyvětrat pokoj; *to take an
~* (jít) se vyvětrat; *~* -**jacket**
[ˈeəˌdžækit] *s* záchranná ves-
ta; *~* -**line** [ˈeəlain] *s* letecká
linka; *~* -**liner** [ˈeəˈlainə] *s*
dopravní letoun linkový; ¹*~*
ᴵ**mail** letecká pošta; *~* -**mail**
[ˈeəmeil] *a* letecký (*letter* do-
pis); —**man**[ˈeəmæn]*s* pl. *-men*
[-men] letec; —**plane**[ˈeəplein]
s am. letadlo, letoun; —**port**
[ˈeəpoːt] *s* letiště, letecký pří-
stav; —**proof**[ˈeəpruːf]*a* vzdu-
chotěsný ☐ *vt* neprodyšně
uzavřít; *~* -**pump** [ˈeə-pamp]
s vývěva; *~* -**raid** [ˈeəˈreid]
let. nálet; *~* -**shaft** [ˈeə-šaːft] *s*
horn. větrná jáma; —**ship**
[ˈeə-šip] *s* vzducholoď; *~*
-**space** [ˈeə-speis] *s* tech. vůle,
mezera; —**tight** [ˈeətait] *a*
vzduchotěsný; *~* -**trap** [ˈeə-
træp] *s* vodní uzávěr, sifon;
—**worthy** [ˈeəˌwəːði] *a* o le-
tadle schopný letu; —**y** [ˈeəri]
a **1.** větrný **2.** vzdušný **3.**
lehký; hravý, živý **4.** po-
vrchní
aisle [ail] *s* **1.** postranní loď
chrámu **2.** ulička mezi sedadly
ajar [əˈdžaː] *adv* pootevřený
akimbo [əˈkimbou] *adv* obv.
(with) arms ~ s rukama
v bok, ruce v bok
akin [əˈkin] *pred a* příbuzný;
blízký
Alabama [ˌæləˈbæmə]*s* stát v USA
alabaster [ˈæləbaːstə] *s* ala-
bastr, úběl ☐ *a* alabastrový,
úbělový; i fig.
alacrity [əˈlækriti] *s* hbitost,
čilost
alarm [əˈlaːm] *s* **1.** poplach
2. neklid, úzkost, strach ☐ *vt*

1. vy-, burcovat, alarmovat
2. poplašit, vy-, po|lekat;
~ -clock [ə|la:m|klok] *s* budík; —ist [ə|la:mist]*s* panikář;
—ism [ə|la:mizəm] *s* panikářství
alas [ə|la:s] *int* běda!
Alask|a [ə|læskə] *s* 1. Aljaška
2. *atr* aljašský; —an [ə|læskən] *a* aljašský
Albani|a [æl|beinjə] *s* Albánie;
—an [æl|beinjən] *a* albánský
□ *s* 1. Albánec 2. albánština
albatross [|ælbətros] *s* albatros
albeit [o:l|bi:it] *conj* arch. ačkolivěk
Albert [|ælbət] *s* Albert
Albion [|ælbjən] *s* bás. Albion
album [|ælbəm] *s* album, památník
album|en [|ælbjumin] *s* 1. bílek
2. bílkovina; —inous [æl|bju:-minəs] *a* bílkov|inný, -itý
alchem|ist [|ælkimist] *s* alchymista; —y [|ælkimi]*s* alchymie
alcohol [|ælkəhol] *s* alkohol;
—ic [|ælkə|holik] *a* alkohol|-ový, -ický □ *s* alkoholik
alcove [|ælkouv] *s* 1. alkovna, přístěnek 2. besídka
aldehyde [|ældihaid] *s* chem. aldehyd
alder [|o:ldə] *s* olše
alder|man [|o:ldəmən] *s* pl. -men [-mən] (městský) radní; hist. konšel
ale [eil] *s* anglické pivo, ale;
|~|-house *s* pivnice, hostinec, hospoda
alee [ə|li:] *adv & pred a* nám. na závětrn|é, -ou stran|ě, -u
alert [ə|lə:t] *a* 1. ostražitý, bdělý
2. čilý □ *s* voj. 1. (letecký) poplach 2. pohotovost; —ness

[ə|lə:tnis] *s* 1. ostražitost
2. čilost
Alexander [|ælig|za:ndə] *s* Alexandr
Alexandria [|ælig|za:ndriə] *s* (m) Alexandrie
Alexandrine [|ælig|zændrain] *s* poet. alexandrín
alfalfa [æl|fælfə] *s* bot. vojtěška
Alfred [|ælfrid] *s* Alfréd
alg|a [|ælgə] *s* pl. -ae [|ældži:] bot. řasa
algebra [|ældžibrə] *s* algebra;
—ic(al) [|ældži|breiik(əl)] *a* algebraický
Algeria [æl|džiəriə] *s* (z) Alžír
Algiers [æl|džiəz] *s* (m) Alžír
alibi [|ælibai] *s* alibi: *to prove, have, an ~* prokázat, mít alibi
Alice [|ælis] *s* Alice
alien [|eiljən] *a* cizí □ *s* cizinec; cizí státní příslušník; —able [|eiljənəbl] *a* zcizitelný; —age [|eiljənidž] *s* cizí státní příslušnost; —ate [|eiljəneit] *vt*
1. odcizit (*from* komu) 2. zci₇zit; —ation [|eiljə|neišən] *s*
1. odcizení 2. zcizení 3. (duševní) porucha
alight* [ə|lait] *vi* 1. seskočit
(*from* s) 2. snést se (*on* na);
let. přistat □ *pred a* osvětlen;
v plamenech
align [ə|lain] *vt & i* s-, vy|rovnat (se), postavit (se) do řady;
těl. vyřídit (se); —ment [ə|lainmənt] *s* 1. seřazení do řady;
těl. vyřízení 2. fig. seskupení
alike [ə|laik] *pred a* podoben, stejný □ *adv* podobně, stejně
aliment [|ælimənt] *s* 1. potrava;
i fig. 2. výživa, živobytí;
—ary [|æli|mentəri] *a* 1. zažívací 2. vyživovací; —ation

[ˌælimenˈteišən] s 1. vyživování 2. výživa
alimony [ˈælimeni] s práv. vý
živné, alimenty
aline [əˈlain] = *to align*
aliquot [ˈælikwot] a mat. obsa
žený beze zbytku: ~ *part*
alikvotní podíl □ s alikvotní
podíl; dělitel
alive [əˈlaiv] *pred a* 1. živ, na
živu, za živa 2. plný (*with*
čeho) ♦ *to be* ~ *to* být si vědom čeho
alkal|i [ˈælkəlai] s pl. -*i(e)s* chem.
zásada; **—ine** [ˈælkəlain] a
zásaditý, alkalický
all [oːl] a celý, veškerý □ a & s
všechen, všichni, vše(chno);
celek □ adv úplně, z-, do|cela
♦ *above* ~ především; *after* ~
konec konců; přesto; *not
at* ~ vůbec ne; rádo se
stalo; ~ *the better* tím líp; ~
but téměř; ~ *but one* až na
jednoho; *for* ~ přestože, třebaže, ačkoliv; *for* ~ *I care*
pro mne za mne; *for* ~ *that*
přesto, proto přece; *in* ~,
~ *in* ~ celkem, dohromady;
~ *of us* my všichni; ~ *at once*
náhle; současně, najednou;
once for ~ jednou provždy;
~ *right* dob|ře, -rá, souhlasím;
~ *the same* přesto; **All Fools'-
Day** [ˈoːlˈfuːlzdei] první(ho)
apríl(e); **All Saints' Day** [ˈoːl-
ˈseintsdei], arch. **All-Hallows'
(Day)** [ˈoːlˈhælouz] Všech svatých; **All Souls' Day** [ˈoːl-
ˈsoulzdei] Dušičky
allay [əˈlei] *vt* utišit, zmírnit
alleg|ation [ˌæleˈgeišən] s 1. (bezdůvodné) tvrzení, údaj 2. práv.
výpověď; **—e** [əˈledž]*vt* 1. pro-

hlásit, tvrdit 2. uvádět (*a reason* za důvod); **—ed** [əˈledžd]
a domnělý, údajný
Allegheny Mountains [ˈæligeni]
Allegheny v USA
allegiance [əˈliːdžəns] s věrnost,
oddanost, loajalita
allegor|ic(al) [ˌæleˈgorik(əl)] a
alegorický, jinotajný; **—y**
[ˈæligəri] s alegorie, jinotaj
alleluia(h) [ˌæliˈluːjə] *int & s*
(h)aleluja
alleviat|e [əˈliːvieit] *vt* zmírnit,
u-, tišit; **—ion** [əˌliːviˈeišən]
s zmírnění, úleva
alley [ˈæli] s 1. alej, pěšin(k)a
v parku 2. ulička (*blind* slepá)
alli|ance [əˈlaiəns] s 1. svazek
(příbuzenský) 2. příbuznost
3. spolek, spojenectví, aliance; **—ed** [əˈlaid] a 1. spřízněný, příbuzný 2. spojený,
spojenecký
alligator [ˈæligeitə] s aligátor
alliterat|ion [əˌlitəˈreišən] s poet.
aliterace; **—ive** [əˈlitərətiv] a
aliterační
allocat|e [ˈæləkeit] *vt* přidělit,
rozvrhnout, dotovat; **—ion**
[ˌæləˈkeišən] s 1. přidělení,
vyměření; rozvržení 2. úč.
rozvrh čeho; příděl, dotace
allocution [ˌæloˈkjuːšən] s proslov slavnostní, círk. alokuce
al(l)odi|al [əˈloudjəl] alodiální;
—um [əˈloudjəm] s pl. -*a*
[-ə] alod(ium), alodiální statek
allonge [aˈlóž] s obch. alonž
u směnky
allot [əˈlot] *vt* (tt) 1. vy-, roz|losovat 2. při-, roz|dělit, vyhradit, přikázat; **—ment** [əˈlotmənt] s 1. roz-, při|dělování;

rozvržení **2.** příděl **3.** parcela
~ *holder* domkář, chalupník
allow [əˈlau] *vt* **1.** dovolit
(*o.s.* si) **2.** připustit, uznat
3. dovolit, poskytnout (*discount for* slevu nač); slevit **4.**
am. tvrdit □ *vi* **5.** ~ *for*
vzít v úvahu co, pamatovat
nač **6.** ~ *of* dovolit, snést ♦
~ *me* (*to introduce you to*)
dovolte (abych vás představil
komu); (*not*) *to be* -*ed to do*
(ne)smět, (ne)moci dělat; *he
is* -*ed to be* považuje se za;
—**able** [əˈlauəbl] *a* přípustný:
~ *expenses* uznané náklady;
—**ance** [əˈlauəns] *s* **1.** zř. do-,
po|volení **2.** příděl, (pravidelný) příjem, povolená částka **3.**
srážka, sleva **4.** přídavek nač,
vývažek **5.** tech. tolerance;
rozptyl, rozpětí **6.** ohled: *to
make* -(*s*) *for* mít ohled na,
počítat s □ *vt* odměřovat
komu jídlo; —**ing** [əˈlauiŋ]
pp a dejme tomu
alloy *s* [ˈæloi] **1.** slitina **2.** příměs **3.** ryzost □ *vt* [əˈloi]
1. slévat, legovat **2.** znečistit
příměsí; zkazit
allspice [ˈoːlspais] *s* nové koření
allude [əˈluːd] *vi* zmiňovat se,
narážet (*to* na)
allur|e [əˈljuə] *vt* z-, na-, při|lákat, svést; —**ement** [əˈljuəmənt] *s* **1.** vábení **2.** lákadlo;
—**ing** [əˈljuəriŋ] *a* lákavý,
svůdný
allus|ion [əˈluːžən] *s* narážka
(*to* na), zmínka; —**ive** [əˈluːsiv] *a* narážející (*to* na), zaobalený
alluvi|al [əˈluːvjəl] *a* geol. aluviální; naplavený; —**um** [əˈluː-

vjəm] *s* pl. -*ums* [əmz], -*a*
[-ə] geol. aluvium; náplav,
naplavenina
all|y *vt* [əˈlai] spojit se (*with* s),
připojit se (*to* k): *to be* -*ied to*
být příbuzný, blízký, podoben komu, čemu □ *s* [ˈælai]
spojenec
almanac [ˈoːlmənæk] *s* kalendář,
almanach
almighty [oːlˈmaiti] *a & s* všemohoucí
almond [ˈaːmənd] *s* **1.** mandle
2. též ~ -*tree* *s* mandloň
almost [ˈoːlmoust] *adv* skoro,
téměř
alms [aːmz] *s* sg. i pl. almužn|a,
-y; ~ -**giving** [ˈaːmzˌgiviŋ] *s*
dobročinnost; ~ -**house** *s* chudobinec; —**man** [ˈaːmzmən] *s*
pl. -*men* [-mən] též ~ -*folk*
[ˈaːmzfouk] žebrák
aloe [ˈælou] *s* bot. aloe
aloft [əˈloft] *pred a & adv* **1.**
vysoko, nahoře **2.** vzhůru **3.**
nám. v lanoví
alone [əˈloun] *pred a & adv* **1.**
sám, osamělý **2.** kniž. po *s* n.
pron jen, jedině ♦ *leave, let,
him* ~ nechte ho o samotě;
dejte mu pokoj; *let* ~ nehledě
na, neřkuli
along [əˈloŋ] *prep* podél, podle;
po, kolem □ *adv* **1.** dál(e),
vpřed **2.** spolu, s sebou ♦
all ~ po celou (tu) dobu;
stále; ~ *with* (společně) s;
—**side** [əˈloŋˈsaid] *adv* těsně
vedle □ *prep* u, vedle, po boku
aloof [əˈluːf] *adv & pred a* opodál; stranou; —**ness** [əˈluːfnis] *s* neúčast, lhostejnost
aloud [əˈlaud] *adv* hlasitě, nahlas

alp [ælp] *s* 1. alpa, horská pastvina 2. *the Alps* Alpy; —**ine** [ˈælpain] *a* alpínský, vysokohorský

alphabet [ˈælfəbit] *s* abeceda; —**ic(al)** [ˌælfəˈbetik(əl)] *a* abecední (*classification* třídění)

Alpin|ism [ˈælpinizəm] *s* horolezectví; —**ist** [ˈælpinist] *s* horolezec

already [oːlˈredi] *adv* již, už

Alsace-Lorraine [ˈælsæs loˈrein] *s* Alsasko-Lotrinsko

also [ˈoːlsou] *adv* také, též, rovněž

altar [ˈoːltə] *s* oltář; ˈ~ -piece *s* oltářní obraz (n. socha)

alter [ˈoːltə] *vt & i* po-, změnit; přešít; přestavět; —**ation** [ˌoːltəˈreišən] *s* změna

altercat|e [ˈoːltəˈkeit] *vi* zř. hašteřit se; —**ion** [ˌoːltəˈkeišən] *s* hádka, váda

alternat|e *vt & i* [ˈoːltəˈneit] střídat (se): -*ing current* střídavý proud □ *a* [oːlˈtəːnit] střídavý: *on ~ days* obden □ *s* am. náhradník, náměstek; —**ion** [ˌoːltəˈneišən] *s* střídání; —**ive** [oːlˈtəːnətiv] *a* alternativní □ *s* 1. alternativa, dvojí možnost 2. možnost jedna ze dvou; —**or** [ˈoːltəˌneitə] *s* el. alternátor, měnič

although [oːlˈðou] *conj* ačkoli(v), jakkoli(v), třebaže

alti|meter [ˈæltimiːtə] *s* výškoměr; —**tude** [ˈæltitjuːd] *s* 1. výška, nadmořská výška 2. výšin|a, -y

alto [ˈæltou] *s* pl. -*s* [-z] hud. 1. alt 2. altist(k)a

altogether [ˌoːltəˈgeðə] *adv* 1. naprosto, úplně 2. celkem (vzato), konec konců □ *s* celek

altru|ism [ˈæltruizəm] *s* altruismus; —**ist** [ˈæltruist] *s* altruista; —**istic** [ˌæltruˈistik] *a* altruistický, nesobecký

alum [ˈæləm] *s* ledek, kamenec

aluminium [ˌæljuˈminjəm], am. **aluminum** [əˈluːminəm] *s* hliník, aluminium

alveolar [ælˈviələ] *a* dásňový, alveolární □ *s* fon. alveolára

always [ˈoːlwəz] *adv* vždy(cky), stále: *not ~* někdy

am [æm, oslab. əm, m] 1. *sg.* pres od *to be*

a.m. [ˈeiˈem] (= lat. ante meridiem) *adv* ráno, dopoledne 0 – 12 hod.

amalgam [əˈmælgəm]*s*amalgám; —**ate** [əˈmælgəmeit] *vt & i* 1. amalgamovat (se) 2. sloučit (se); obch. fúzovat, splynout; —**ation** [əˌmælgəˈmeišən] *s* 1. amalgamace 2. splynutí, fúze 3. amalgamát 4. am. rasové míšení

amanuens|is [əˌmænjuˈensis] *s* pl. -*es* [-iːz] písař(ka)

amass [əˈmæs] *vt* hromadit

amateur [ˌæmətəː] *s* ochotník, amatér (*of* v); —**ish** [ˌæmətəːriš] *a* ochotnický, amatérský

amatol [ˈæmətol] *s* amatol třaskavina

amatory [ˈæmətəri] *a* milostný, zamilovaný

amaze [əˈmeiz] *vt* ohromit; —**ment** [əˈmeizmənt] *s* úžas

Amazon [ˈæməzən] *s* Amazonka žena bojovnice; amazonka, mužatka; (*the River*) ~ (ř) Amazonka

ambassad|or [æm'bæsədə] *s* 1.
velvyslanec 2. kniž. posel;
—ress [æm'bæsədris] *s* 1. vel-
vyslankyně 2. paní velvyslan-
cová
amber ['æmbə] *s* jantar
ambidext|erity ['æmbideks'te-
riti] *s* 1. schopnost užívat
stejně obou rukou 2. obojet-
nost; **—rous** ['æmbi'dekstrəs]
a 1. vládnoucí stejně oběma
rukama 2. obojaký
ambient '['æmbiənt] *a* kniž. vů-
kolní, okolní
ambigu|ity [ˌæmbi'gjuiti] *s* 1.
dvojznačnost 2. dvojsmysl;
—ous [æm'bigjuəs] *a* dvoj-
značný; dvojsmyslný
ambiti|on [æm'bišən] *s* 1. cti-
žádost 2. předmět ctižádosti;
sen, touha; **—ous** [æm'bišəs]
a 1. ctižádostivý; náročný
2. žádostivý (*of* čeho)
amble ['æmbl] *vi* 1. o koni jít
mimochodem 2. jet krokem
□ *s* mimochod
ambrosi|a [æm'brouzjə] *s*
ambrózie; **—al** [æm'brouzjəl]
a ambróziový; rajský
ambul|ance ['æmbjuləns] *s* 1.
sanitní auto, ambulance 2.
(polní) lazaret; záchranná
stanice; **—atory** ['æmbjulə-
təri] *a* pojízdný, ambulantní
□ *s* ambit, ochoz
ambuscade [ˌæmbəs'keid], **am-**
bush ['æmbuš] voj. *s* záloha,
léčka □ *vi* 1. číhat, lehnout
do zálohy □ *vt* 2. přepadnout;
položit do zálohy
ameer [ə'miə] *s* emír
Amelia [ə'mi:ljə] *s* Amálie
amelior|ate [ə'mi:ljəreit] *vt & i*
zlepšit (se); **—ation** [ˌəˌmi:ljə-

'reišən] *s* 1. zlepšení 2. melio-
race
amen ['a:'men] *int & s* amen:
to say ~ *to* souhlasit s
amen|ability [əˌmi:nə'biliti] *s*
1. přístupnost 2. odpověd-
nost; **—able** [ə'mi:nəbl] *a*
1. podléhající, odpovědný 2.
přístupný, poddajný
amend [ə'mend] *vt* 1. opravit,
doplnit, pozměnit □ *vi* 2. po-
lepšit se; **—ment** [ə'mend-
mənt] *s* oprava, změna, do-
datek: *an* ~ *to the constitution*
dodatek k ústavě; **—s**
[ə'mendz] *s* pl. náhrada, od-
škodné: *to make* ~ odškodnit
(*for* za)
amenity [ə'mi:niti] *s* příjemnost,
půvab, krása místa, života
amerce [ə'mə:s] *vt* pokutovat
Americ|a [ə'merikə] *s* Amerika;
—an [ə'merikən] *a* americký
□ *s* Američan(ka); **—anism**
[ə'merikənizəm] *s* amerika-
nismus
amethyst ['æmiθist] *s* ametyst
ami|ability [ˌeimjə'biliti] *s* pří-
větivost; **—able** ['eimjəbl] *a*
přívětivý, roztomilý
amicable ['æmikəbl] *a* přátelský;
—ness ['æmikəblnis] *s* přá-
telství
amid(st) [ə'mid(st)] *prep* kniž.
uprostřed, mezi
amiss [ə'mis] *adv & pred a*
chybně, špatně, nevhod: *tò do*
s.t. ~ udělat co špatně; *to*
take s.t. ~ zazlívat co, brát
ve zlém
amity ['æmiti] *s* přátelské vzta-
hy států
ammeter ['æmitə] *s* ampérmetr
ammoni|a [ə'mounjə] *s* čpavek,

amoniak; -ac [ə¹mouniæk], —acal [ˌæmoˈnaiəkəl] a čpavkový, amoniakový

ammunition [ˌæmjuˈnišən] s 1. střelivo, munice 2. atr vojenský

amnesty [ˈæmnesti] s amnestie, milost □ vt dát milost

amoeb|a [əˈmiːbə] s pl. -ae [-iː], -as [-əz] zool. améba

amok [əˈmok] s amok; viz amuck

among [əˈmaŋ] prep mezi více: from ~ z; ~ the crowd v zástupu; —st [əˈmaŋst] kniž. among

amorous [ˈæmərəs] a zamilovaný; milostný

amorphous [əˈmoːfəs] a beztvarý, amorfní

amort|izable [əˈmoːtizəbl] a odepsatelný, umořitelný; —ization [əˌmoːtiˈzeišən] s umořování, amortizace; odpis; —ize [əˈmoːtaiz] vt umořovat, amortizovat

amount [əˈmaunt] vi 1. činit, dělat, obnášet (to kolik) 2. rovnat se (to čemu) □ s 1. částka, obnos, suma 2. množství: in ~ co do množství

ampere [ˈæmpeə] s el. ampér

amphibi|an [æmˈfibiən] s obojživelník □ a = —ous [æmˈfibiəs] a obojživelný

amphitheatre [ˈæmfiˌθiətə] s amfiteátr

ampl|e [ˈæmpl] a 1. prostorný, širý 2. hojný, dostatečný 3. obšírný; —ification [ˌæmplifiˈkeišən] s 1. rozšíření, zvětšení 2. styl. rozvedení 3. el. zesílení; —ifier [ˈæmplifaiə] s el. zesilovač; —ify [ˈæmpli-fai] rozšiřovat 2. el. zesilovat 3. přehánět □ vi 4. styl. rozvádět, rozvíjet

amplitude [ˈæmplitjuːd] s 1. odb. amplituda, rozkmit 2. šíře, bohatství

ampoule [ˈæmpuːl], ampule [ˈæmpjuːl] s med. ampulka

amputat|e [ˈæmpjuteit] vt amputovat, odejmout (úd); —ion [ˌæmpjuˈteišən] s amputace, odnětí (údu)

Amsterdam [ˈæmstəˈdæm] s (m) Amsterodam

amuck [əˈmak], amok [əˈmok] adv jen to run ~ 1. šílet 2. vrhnout se (on, at, against, with na)

amulet [ˈæmjulit] s amulet

amus|e [əˈmjuːz] vt bavit, obveselovat (o.s. se): ~ one's leisure krátit si dlouhou chvíli; —ement [əˈmjuːzmənt] s zábava, kratochvíle; —ing [əˈmjuːziŋ] a zábavný

amygdalic [ˌæmigˈdælik] a chem. mandlový (acid kyselina)

amylaceous [ˌæməˈleišəs] a škrob|ovitý, -natý; —oid [ˈæmiloid] a škrobovitý □ s škrob(ovina)

an [ən, n; důraz. æn] 1. neurč. člen viz a² 2. zast. = if

anachronism [əˈnækrənizəm] s anachronismus

anacoluth|on [ˌænəkəˈluːθon] s pl. -a [-ə] styl. anakolut, vyšinutí z vazby

anaconda [ˌænəˈkondə] s anakonda hroznýš

anaem|ia [əˈniːmjə] s med. chudokrevnost, anémie; —ic əˈniːmik] a chudokrevný, anemický

anaesthe|sia [ˌænɪsˈθiːzjə] *s* med.
1. narkóza celková 2. umrtve-
ní, anestézie lokální; —**tic**
[ˌænɪsˈθetɪk] *a* narkotický,
umrtvující □ *s* anestetikum
anagram [ˈænəɡræm] *s* pře-
smyčka, anagram
anal [ˈeinəl] *a* med. anální, řitní
analgetic [ˌænælˈdʒetɪk] *a* med.
analgetický, proti bolesti □
s analgetikum, lék proti bo-
lesti
analog|ical [ˌænəˈlodʒikəl], —**ous**
[əˈnæləɡəs] *a* analogický, ob-
dobný; —**y** [əˈnælədʒi] *s* ana-
logie, obdoba: *by* ~ podle
analogie
analy|se, am. —**ze** [ˈænəlaiz] *vt*
rozebrat, analyzovat; —**sis**
[əˈnæləsis] *s* pl. -*ses* [-siːz]
rozbor, analýza; —**st** [ˈænə-
list] *s* analytik; --**tic(al)**
[ˌænəˈlitikəl] *a* analytický
anamnes|is [ˌænæmˈniːsis] *s* pl.
-*es* [-iːz] med. anamnéz|a, -e
anarch|ic(al) [æˈnaːkik(əl)] *a*
anarchický; —**ism** [ˈænəki-
zəm] *s* anarchismus; —**ist**
[ˈænəkist] *s* anarchista;
—**istic** [ˌænəˈkistik] *a* anar-
chistický; —**y** [ˈænəki] *s*
anarchie; zmatek
anathema [əˈnæθimə] *s* círk.
klatba; —**tize** [əˈnæθimətaiz]
vt dát do klatby
anatom|ical [ˌænəˈtomikəl] *a*
anatomický; —**ist** [əˈnætə-
mist] *s* anatom; —**ize** [əˈnæ-
təmaiz] *vt* 1. med. roz-, pitvat
2. analyzovat; —**y** [əˈnætəmi]
s 1. anatomie 2. pitva, pitvání
3. lid. kostra
ancest|or [ˈænsistə] *s* předek;
praotec; —**ral** [ænˈsestrəl] *a*

1. dědičný, zděděný; předků
2. původní; —**ry** [ˈænsistri]
s předkové, rod
anchor [ˈæŋkə] *s* kotva: *to
cast, weigh*, ~ spustit, zved-
nout kotvu: *to lie at* ~ kotvit
□ *vt & i* za-, kotvit; —**age**
[ˈæŋkəridʒ] *s* 1. kotviště 2.
kotvení 3. kotevní poplatek
anchor|ess, **ancress** [ˈæŋkəris,
ˈæŋkris] *s* poustevnice; —**et**
[ˈæŋkəret], —**ite** [-ait] *s* pous-
tevník
anchovy [ˈæntʃəvi] *s* sardel,
anšov(ič)ka
ancient [ˈeinʃənt] *a* 1. starý,
starodávný 2. starověký,
antický 3. starobylý 4. práv.
vydržený □ *s* pl. *the* -*s* staro-
věcí, antičtí národové, autoři
ancillary [ænˈsiləri] *a* kniž. po-
mocný, služebný
ancress viz *anchoress*
and [ənd, ən, nd, n; důraz ænd]
conj 1. a, i 2. a, ale 3. zast. = *if*
Andes [ˈændiːz] *s* pl. (h) Andy
andiron [ˈændaiən] *s* obv. pl.
železný kozlík v krbu
Andorra [ænˈdorə] *s* (z) Andorra
Andrew [ˈændruː] *s* Ondřej
anecdot|e [ˈænikdout] *s* anek-
dota; —**ic(al)** [ˌænekˈdo-
tik(əl)] *a* anekdotický
anemometer [ˌæniˈmomitə] *s*
anemometr, větroměr
anemone [əˈneməni] *s* sasanka
aneroid [ˈænəroid] *s* aneroid,
kovový tlakoměr
anew [əˈnjuː] *adv* znov|u, -a
angel [ˈeindʒəl] *s* anděl; —**ic**
[ænˈdʒelik] *a* andělský
anger [ˈæŋɡə] *s* hněv, zlost □
vt rozhněvat, rozzlobit
angina [ænˈdʒainə] *s* med. angí-

na: ~ *pectoris* [ˈpectəris]
angína pectoris
angl|e [ˈæŋgl] *s* 1. geom. úhel
2. roh 3. am. hledisko, stránka
4. zast. udice ☐ *vi* 1. chytat
ryby (na udici), rybařit 2. am.
zaměřit *(the news* zprávu)
3. klikatit se, —er [ˈæŋglə] *s*
rybář (na udici)
Angles [ˈæŋglz] *s* pl. hist. Anglo-
vé
Angle|sea, —sey [ˈæŋglsi] *s*
ostrov, hrabství
Anglian [ˈæŋgliən] hist. *a* angel-
ský ☐ *s* angelština
Anglic|an [ˈæŋglikən] *a* angli-
kánský ☐ *s* anglikán; —ism
[ˈæŋglisizəm] *s* jaz. anglicis-
mus; —ist [ˈæŋglisist] *s*
anglista
Anglistics [æŋˈglistiks] *s* pl.
anglistika
Anglo-Saxon [ˈæŋglouˈsæksən]
a anglosaský ☐ *s* Anglosas
Angola [æŋˈgoulə] *s* (z) Angola
angry [ˈæŋgri] *a* rozhněvaný,
rozzlobený: *to be* ~ *with, at*
zlobit se na koho *(about, at*
proč)
anguish [ˈæŋgwiš] *s* 1. bolest tě-
lesná 2. trýzeň, trápení; úzkost
angular [ˈæŋgjulə] *a* 1. hranatý
2. kostnatý 3. geom. úhlový;
—ity [ˌæŋgjuˈlæriti] *s* hrana-
tost
aniline [ˈænili:n] *s* & *a* anilín,
-ový
animad|version [ˌænimædˈvə:-
šən] *s* výtka, kritika; —vert
[ˌænimædˈvə:t] *vi* kárat, kri-
tizovat *(on* co)
animal [ˈæniməl] *s* zvíře, živo-
čich ☐ *a* živočišný, zvířecí;
animální

animat|e [ˈænimeit] *vt* 1. oživit,
oduševnit: *-ed cartoon* kres-
lený film 2. povzbudit, pod-,
za|nítit; —ion [ˌæniˈmeišən]
s živost, zaujetí
animosity [ˌæniˈmositi] *s* napětí,
nenávist, nevůle, zaujatost
anion [ˈænaiən] *s* fyz. anion
anise [ˈænis] *s* bot. anýz
ank|le [ˈæŋkl] *s* kotník; —let
[ˈæŋklit] *s* 1. kotníková po-
nožka 2. nákotník šperk
Ann, Anne [æn] *s* Anna
annals [ˈænlz] *s* pl. letopisy,
anály
anneal [əˈni:l] *vt* popouštět,
žíhat ocel; chladit sklo
annex [əˈneks] 1. připojit 2.
obsadit, anektovat ☐ *s*
[ˈæneks] 1. doložka, dovětek
2. přístavek, křídlo —ation
[ˌænekˈseišən] *s* zábor, anexe
annihilat|e [əˈnaiəleit] *vt* 1. vy-
hladit, zničit 2. zrušit; —ion
[əˌnaiəˈleišən] *s* vyhlazení, z-,
ničení: *mass* ~ masové ničení
anniversary [ˌæniˈvə:səri] *a* vý-
roční ☐ *s* výročí
annotat|e [ˈænouteit] *vt* 1.
opatřit poznámkami, komen-
tovat ☐ *vi* 2. dělat (si)
poznámky *(on* o čem); —ion
[ˌænouˈteišən] *s* 1. vysvětlo-
vání, komentář 2. poznámka,
vysvětlivka
announc|e [əˈnauns] *vt* oznámit,
ohlásit; —ement [əˈnauns-
mənt] *s* 1. oznámení, zpráva,
sdělení 2. vy-, pro|hlášení;
—er [əˈnaunsə] *s* (rozhlaso-
vý) hlasatel
annoy [əˈnoi] *vt* obtěžovat, zno-
pokojovat; hov. otravovat;
—ance [əˈnoiəns] *s* 1 obtíž,

nepříjemnost; hov. otrava 2. obtěžování; —ing [ə'noiiŋ] a nepříjemný, hov. otravný

annual ['ænjuəl] a 1. každo-, vý-, roční 2. bot. jednoletý □ s 1. jednoletá rostlina 2. ročenka

annu|itant [ə'njuitənt] s důchodce; —ity [ə'njuiti] s 1. (roční) splátka, anuita 2. (roční) důchod, renta

annul [ə'nal] vt zrušit, odvolat, stornovat; —ment [ə'nalmənt] s zrušení, storno

annular ['ænjulə] a prstencov(it)ý, kruhový, věncový

annunciat|e [ə'nanšieit] vt zvěstovat; vyhlásit; —ion [ə'nansi'eišən] s zvěstování; vyhlášení

anod|e ['ænoud] s el. anoda, kladný pól; —ic [ə'nodik] a anodový

anoint [ə'noint] vt círk. pomazat, posvětit

anomal|ous [ə'nomələs] a neobvyklý, výjimečný, anomální; —y [ə'noməli] s neobvyklost, výjimečnost, anomálie

anon [ə'non] adv arch. brzo, hned: ever and ~ znovu a znovu

anonym ['ænənim] s 1. anonym 2. pseudonym; —ity [ˌænə'nimiti] s anonymita; —ous [ə'noniməs] a anonymní

another [ə'naðə] pron & a 1. ještě jeden (cup of tea šálek čaje) 2. druhý: one after ~ za sebou; one ~ navzájem obv. o více než dvou 3. jiný

answer ['a:nsə] vt & i 1. odpovědět (a letter na dopis) 2.

~ the door, bell, etc. jít otevřít 3. vyhovět (the purpose účelu); obch. ~ a bill honorovat směnku; ~ a claim uznat pohledávku 4. zdařit se ♦ ~ s.o. back hov. odmlouvat komu; ~ for odpovídat zač; ~ to odpovídat čemu; reagovat nač □ s 1. odpověď: in ~ to odpovídaj|e, -íce nač 2. mat. výsledek; řešení 3. námitka (to a charge proti obvinění); práv. žalobní odpověď; —able ['a:nsərəbl] a 1. odpovědný (to s.o. for s.t. komu zač) 2. zodpověditelný, řešitelný

ant [ænt] s mravenec

antagon|ism [æn'tægənizəm] s nepřátelství, rozpor, antagonismus; —ist [æn'tægənist] s protivník, antagonista; —istic [ænˌtægə'nistik] a protichůdný, antagonistický; —ize [æn'tægənaiz] vt 1. zř. znepřátelit si 2. am. odporovat, oponovat 3. am. vyprovokovat opozici (s.o. čí)

antarctic [ænt'a:ktik] a antarktický; jižní □ s jen the A~ jižní točnová oblast, Antarktis

anteced|ence [ˌænti'si:dəns] s precedence, priorita; —ent [ˌænti'si:dənt] a předcházející (to čemu); předchozí, dřívější (to než) □ s 1. předcházející událost, člen ap. 2. pl. antecedence, historie (případu) 3. první člen úměry

antechamber ['ænti̯ˌčeimbə] s předpokoj

antedate ['ænti̯'deit] vt antedatovat

& s předpotopní (člověk)
antelope [ˈæntiloup] s anti-
lopa
antenatal [ˌæntiˈneitl] a prena-
tální; před narozením
antenn|a [ænˈtenə] s pl. -ae
[-iː] 1. tykadlo 2. rad. =
aerial
anterior [ænˈtiəriə] a 1. přední
2. dřívější, předcházející
ante-room [ˈæntirum] s před-
pokoj, čekárna
anthelmintic [ˌænθelˈmintik] a
& s protihlístový (lék)
anthem [ˈænθəm] s 1. hymna:
national ~ národní hymna
2. chorál
anther [ˈænθə] s bot. prašník
anthology [ænˈθolədži] s výbor,
antologie
Anthony [ˈæntəni] s Antonín
anthracite [ˈænθrəsait] s antra-
cit
anthrax [ˈænθræks] s med. sněť
slezinná, anthrax
anthropo|centric [ˌænθrəpəˈsen-
trik] a antropocentrický; —id
[ˈænθrəpoid] a & s antro-
poidní (opice); —logical [ˌæn-
θrəpəˈlodžikəl] a antropolo-
gický; —logist [ˌænθrəˈpo-
lədžist] s antropolog; —logy
[ˌænθrəˈpolədži] s antropolo-
gie; —morphism [ˌænθrəpə-
ˈmoːfizəm] s antropomorfis-
mus; —morphous [ˌænθrəpə-
ˈmoːfəs] a antropomorfní
anti|-aircraft [ˈæntiˈeəkraːft] a
protiletecký; —biotic [ˈænti-
baiˈotik] s bioch. antibioti-
kum; —body [ˈæntiˌbodi]
med. protilátka
antic [ˈæntik] a arch. groteskní,

směšný □ s 1. obv. pl. šaško-
viny 2. arch. šašek, kašpar
antichrist [ˈæntikraist] s anti-
krist
anticipat|e [ænˈtisipeit] vt 1.
předjímat, anticipovat 2.
předvídat, očekávat 3. pře-
dejít, předbíhat; —ion [æn-
ˌtisiˈpeišən] s 1. předjímání,
anticipace 2. očekávání, před-
vídání 3. předběžné opatření;
placení předem ♦ in ~ pře-
dem; in ~ of s.t. očekávajíce
co; —ory [ænˈtisipeitəri] a
předběžný
anti|corrosive [ˈæntikəˈrousiv] a
antikoroz(ív)ní; —dote [ˈæn-
tidout] s med. protidávka,
protijed; ~-fascist [ˈænti-
ˈfæšist] a protifašistický □
s antifašista; ~-imperialistic
[ˈæntiimˌpiəriəˈlistik] a proti-
imperialistický; ~-labour a
protidělnický (policy politika)
antimony [ˈæntiməni] s antimon
anti|nomy [ænˈtinəmi] s fil. anti-
nomie, protiklad; —pathy
[ænˈtipəθi] s nechuť, odpor,
antipatie
anti|podal [ænˈtipədl] a 1. proti-
nožecký 2. protichůdný, opač-
ný; —pode [ˈæntipoud] s
1. protichůdce, antipod 2. pl.
-s [ænˈtipədiːz] významem sg.
kraj(e) u protinožců
antipyretic [ˈæntipaiˈretik] med.
a protihorečnatý □ s anti-
pyretikum, lék proti horečce
antiqua|rian [ˌæntiˈkweəriən] a
starožitn|ý, -ický □ s = —ry
[ˈæntikwəri] s starožitník,
znalec starožitností; —ted
[ˈæntikweitid] a 1. zastaralý
2. staromódní

antiqu|e [æn'ti:k] *a* **1.** staro-
věký, antický **2.** staro|bylý,
-dávný, zastaralý □ *s* **1.** sta-
rožitnost **2.** kol. antické umění
3. typ. antikva; **—ity** [æn-
'tikwiti] *s* **1.** starověk, antika;
dávnověk **2.** starobylost **3.** pl.
-ities starožitnosti
anti-Semit|e [ˌænti'semit] *s* anti-
semita; **—ic** [ˌæntisi'mitik]
a antisemitský; **—ism** [ˌænti-
'semitizəm] *s* antisemitismus
anti|septic [ˌænti'septik] *a &*
s antiseptick|ý; -á látka;
—slavery [ˌænti'sleivəri] *a*
protiotrokářský; **—social**
['ænti'soušəl] *a* proti|sociální,
ne-; **—thes|is** [æn'tiθisis] *s* pl.
-es [-i:z] protiklad, antitéza;
—thetic [ˌænti'θetik] *a* proti-
kladný, antitetický; **—toxin**
['ænti'toksin] *s* protijed, anti-
toxin; **—union** [ˌænti'ju:njən]
a am. protiodborový
antler ['æntlə] *s* paroh
Antwerp ['æntwə:p] *s* (m)
Antverpy
anus ['einəs] *s* med. anus, řiť
anvil ['ænvil] *s* kovadlina
anxi|ety [æŋ'zaiəti] *s* **1.** úzkost,
starost **2.** (nejvřelejší) touha;
—ous ['æŋkšəs] *a* **1.** starost-
livý, úzkostlivý, znepokojený
2. znepokojivý **3.** dychtivý:
we are ~ to know rádi bychom
věděli
any ['eni] *a & pron & adv*
1. v otázce, po *if, whether,*
without, hardly (vůbec) nějaký
někdo; trochu **2.** po záp. (vůbec)
žádný **3.** v kladné oznamovací větě
kterýkoliv, jakýkoliv; každý
□ *adv* **4.** *~ + comp* a) o tro-
chu, o něco, poněkud b) ještě

c) po záporu už (ne-) ♦ *in*
~ case v každém případě; za
všech okolností; *if ~* jestli
vůbec kdo, co, jaký; *it isn't*
~ good nestojí (to) za nic;
~ longer ještě déle, *not... ~*
longer už (déle) ne-; *~ more*
ještě (trochu, nějaký, něco);
not ... ~ more už ne ; *at ~*
rate rozhodně; *at ~ time*
kdykoliv; *I am not ~ the*
wiser nejsem o nic moudřejší;
—body ['eni|bodi, -bədi],
—one ['eniwan] *pron* **1.** ně-
kdo: *~ else* někdo jiný **2.** po
záp. nikdo **3.** kdokoliv; každý;
—how ['enihau] *adv* **1.** jak-
koliv; nějak **2.** v každém pří-
padě; stejně, beztak **3.** po záp.
nijak; za žádných okolností
4. všelijak, ledabyle; **—thing**
['eniθin] *pron* **1.** něco: *~ else*
něco jiného **2.** po záp. nic
3. cokoliv, všechno; **—way**
['eniwei] *adv = -how*; **—where**
['eniweə] *adv* **1.** někde, ně-
kam **2.** po záp. nikde, nikam
3. kamkoliv; **—wise** ^ ['eni-
waiz] *adv* **1.** nějak, vůbec
2. po záp. nijak **3.** jakkoliv
aorist ['eərist] *s* gram. aorist
aorta [ei'o:tə] *s* med. aorta
apace [ə'peis] *adv* spěšně, rychle
ap(p)anage ['æpənidž] *s* **1.** úděl-
(né panství) **2.** apanáž
apart [ə'pa:t] *adv* **1.** stranou
2. zvlášť, o sobě, odděleně
♦ *~ from* nehledě na, ne-
mluvě o
apartheid [ə'pa:t|haid, -heid] *s*
apartheid, rasová diskrimi-
nace v Jihoafrické unii
apartment [ə'pa:tmənt] *s* **1.** brit.
obv. pl. zařízený byt n. pokoj,

apartmá v penziónu; podná-
jem 2. am. byt; = brit. *flat*:
~ *house* moderní činžovní dům
apathy [ˈæpəθi] *s* netečnost,
apatie
apatite [ˈæpətait] *s* min. apatit
ape [eip] *s* opice □ *vt* opičit se
po, napodobit koho
Apennines, *the* [ˈæpinainz] *s* pl.
(h) Apeniny
aperture [ˈæpətjuə] *s* otvor,
štěrbina
ap|ex [ˈeipeks] *s* pl. *-ices* [-isi:z],
-exes [-eksiz] 1. vrchol; i geom.
2. hrot
aphi|s [ˈeifis] *s* pl. *-des* [-di:z]
zool. mšice
aphoris|m [ˈæfərizəm] *s* aforis-
mus, průpověď; —**tic** [ˌæfə-
ˈristik] *a* aforistický
api|ary [ˈeipjəri] *s* včelín; —**cul-
ture** [ˈeipikælčə] *s* včelařství
apiece [əˈpi:s] *adv* za kus, každý
(za)
apish [ˈeipiš] *a* opič|í, -ácký
apocalypse [əˈpokəlips] *s* zje-
vení, apokalypsa
apocryph|a [əˈpokrifə] *s* pl.
apokryf|y, -a; —**al** [əˈpokrif-
əl] *a* apokryfní; neautentický,
sporný
apodos|is [əˈpodəsis] *s* pl. *-es*
[-i:z] gram. závětí
apolog|etic [əˌpoləˈdžetik] *a* 1.
omluvný 2. obranný; —**ist**
[əˈpolədžist] *s* obránce, apolo-
geta; —**ize** [əˈpolədžaiz] *vi*
omlouvat se (*for* za); —**y**
[əˈpolədži] *s* 1. omluva: *to
offer one's -ies* omlouvat se
2. obrana (*for* čeho)
apople|ctic [ˌæpəˈplektik] *a*
mrtvicový, mrtvičný; —**xy**
[ˈæpəpleksi] *s* mrtvice

apostasy [əˈpostəsi] *s* odpadnutí;
odpadlictví
apost|le [əˈposl] *s* apoštol; —**olic**
[ˌæpəsˈtolik] *a* apoštolský
apostroph|e [əˈpostrəfi] *s* 1. poet.
apostrofa, oslovení 2. odsuv-
ník, apostrof; —**ize** [əˈpostrə-
faiz] *vt & i* 1. apostrofovat,
oslovit 2. psát odsuvník
apotheos|is [əˌpoθiˈousis] *s* pl.
-es [-i:z] zbožnění, apoteóza
appal [əˈpo:l] *vt* (-ll-) po-, z-,
děsit, po- lekat
apparatus [ˌæpəˈreitəs] *s* pl. *-es*
[-iz] 1. zařízení, přístroj,
aparát: *state* ~ státní aparát
2. ústrojí
apparel [əˈpærəl] *vt* (-ll-) kniž. 1.
odívat 2. ozdobit □ *s* 1. arch.
roucho, strůj 2. výstroj (lodi)
appar|ent [əˈpærənt] *a* 1. zřej-
mý, zjevný, patrný 2. dom-
nělý, zdánlivý; —**ition** [ˌæpə-
ˈrišən] *s* 1. zjevení, přízrak
2. objevení se
appeal [əˈpi:l] *vi* 1. i práv.
odvol(áv)at se (*from* od, *to* k,
against proti) 2 dovolávat
se (*to a witness* svědectví)
3. obrátit se (*to* na), žádat
koho 4. působit, apelovat na,
líbit se komu □ *s* 1. odvolání
(*to* k, na) 2. prosba, žádost;
výzva, provolání, apel 3. pů-
vab, přitažlivost ♦ *Court of
A* ~ odvolací, apelační soud
appear [əˈpiə] *vi* 1. ob-, jevit
se 2. vyjít najevo, tiskem,
ukázat se 3. vystoupit na
veřejnost, na jevišti; dostavit
se (*in court* k soudu) 4. zdát
se, vypadat; —**ance** [əˈpiə-
rəns] *s* 1. objevení, vystou-
pení; vyjití knihy, výskyt

2. zevnějšek, vzezření, zjev
3. obv. pl. vzhled, zdání,
(vnější) příznaky 4. zjevení,
duch ♦ *for ~ 's sake* jen naoko;
to keep up, save, -s za-
chov(áv)at dekorum; *to make,
to put in, an ~* dostavit se; *to
put on the ~ of* tvářit se jako
appease [ə'pi:z] *vt* 1. upokojit,
u-, chlácholit; pol. dělat
ústupky 2. uspokojit; **—ment**
[ə'pi:zmənt] *s* 1. uklidnění
2. uspokojení 3. chlácholení,
(politické) ústupky
appella|nt [ə'pelənt] *a* 1. odvo-
lávající se 2. apelační □ *s*
odvolatel; **—tion** [ˌæpə'leišən]
s přízvisko, jméno; označení;
—tive [ə'pelətiv] *a* pojme-
nov(áv)ací □ *s* 1. jaz. apela-
tivum 2. přízvisko; označení
append [ə'pend] *vt* přivěsit, při-
pojit; **—age** [ə'pendidž] *s*
1. přívěsek, přídavek 2. ná-
ležitost; **—icitis** [əˌpendi'sai-
tis] *s* med. zánět slepého stře-
va; **—ix** [ə'pendiks] *s* pl. *-ices*
[-isi:z], am. **—ixes** [-iksiz] 1.
dodatek 2. med. slepé střevo
appertain [ˌæpə'tein] *vi* 1. pat-
řit, náležet (*to* k) 2. týkat se
(*to* čeho)
appet|ite ['æpitait] *s* 1. chuť
(*for* na) 2. touha (*for* po čem);
—izing ['æpitaiziŋ] *a* 1. chut-
ný, budící chuť 2. lákavý
applau|d [ə'plo:d] *vt & i* 1.
tleskat 2. schvalovat; **—se**
[ə'plo:z] *s* 1. potlesk 2. sou-
hlas
apple ['æpl] *s* jablko; **~ -pie**
['æpl'pai] *s* jablečný koláč:
in ~ order v nejlepším po-
řádku

appliance [ə'plaiəns] *s* zařízení,
pří-, stroj, strojek
applic|ability [ˌæplikə'biliti] *s*
1. použitelnost 2. vhodnost;
—able ['æplikəbl] *a* 1. použi-
telný 2. vhodný; **—ant** ['æp-
likənt] *s* žadatel, uchazeč
(*for* oč); **—ation** [ˌæpli'keišən]
s 1. použ|ívání, -ití, aplikace
2. přiložení obkladu 3. obklad
4. píle, úsilí 5. žádost, prosba,
přihláška: *on ~* na požádání
apply [ə'plai] *vt* 1. přiložit (*to* k)
aplikovat (*na*) 2. použí(va)t,
upotřebit 3. připisovat komu
4. věnovat (*o.s.* se, *to* čemu)
vi □ 5. obrátit se na, požáda',
koho; zažádat, ucházet sə
(*for* oč) 6. hodit se 7. týkat se
(*to* koho, čeho)
appoint [ə'point] *vt* 1. jmenovat,
dosadit 2. u-, stanovit, určit,
předepsat 3. sjednat, umluvit
(si) (*a meeting* schůzku);
—ment [ə'pointmənt] *s* 1.
jmenování, ustanovení 2. mís-
to, úřad, funkce 3. schůzka,
úmluva: *to keep (break) the ~*
(ne)přijít na schůzku 4. na-
řízení 5. pl. zařízení, vyba-
vení čeho
apportion [ə'po:šən] *vt* roz-,
při|dělit, rozvrhnout; **—ment**
[ə'po:šənmənt] *s* rozdělení,
přidělení, rozvržení
apposit|e ['æpəzit] *a* vhodný,
výstižný; **—ion** [ˌæpə'zišən] *s*
1. gram. přístavek, apozice
2. přiložení; navršení
apprais|al [ə'preizəl] *s* (úřední)
cenění, hodnocení, odhad
—e [ə'preiz] *vt* (úředně) od-
hadnout, ocenit (*at* na); **—e-
ment** [ə'preizmənt] *s* 1. oce-

ňování 2. odhad(ní cena), ocenění

appreci|able [ə|pri:šəbl] a patrný, značnější; —ate [ə|pri:-šieit] vt 1. o-, cenit, hodnotit; uznávat, vážit si; děkovat 2. uvědomovat si, postihnout 3. zvýšit cenu □ vi 4. stoupnout v ceně; —ation [ə|pri:-ši|eišən] s 1. ocenění, uznání 2. chápání, porozumění 3. stoupnutí hodnoty 4. dík; —ative [ə|pri:šjətiv], —atory [ə|pri:šjətəri] a 1. uznalý 2. vnímavý

apprehen|d [|æpri|hend] vt & i 1. zatknout, uvěznit 2. chápat, rozumět 3. tušit; obávat se čeho; —sible [|æpri|hensəbl] a pochopitelný; —sion [|æpri|henšən] s 1. obava, předtucha 2. chápání; chápavost 3. zatčení; —sive [|æpri|hensiv] a 1. bojácný, obávající se (for o koho) 2. chápavý, bystrý

apprentice [ə|prentis] s učedník, učeň: mining ~ hornický učeň □ vt dát do učení; —ship [ə|prentišip] s učení, učňovství, učební doba

apprise [ə|praiz] vt se-, obe|známit (of s)

approach [ə|prouč] vt & i 1. při-, blížit se k; i fig. 2. přistoupit k (a problem problému) 3. obrátit se na koho, promluvit s □ s 1. při-, blížení, příchod, cesta 2. fig. přístup, pojetí, postup 3. pl. kroky, zákrok, pokus o vyjednávání ♦ easy, difficult, of ~ snadno, těžko přístupný; —able [ə|proučəbl] a pří-, do|stupný

approbat|e [|æproubeit] vt am. (úředně) schválit; —ion [|æprə|beišən] s 1. schválení 2. souhlas ♦ obch. on ~ na ukázku, na zkoušku

appropriat|e a [ə|prouprit] vhodný, příslušný, přiměřený □ vt [ə|prouprieit] 1. přisvojit si 2. vyhradit, věnovat (to, for nač); am. dotovat, přidělit; —ion [ə|prouprie|eišən] s 1. přivlast|ňování, -nění 2. vyhrazení; dotace, povolená částka

approv|al [ə|pru:vəl] s souhlas, schválení: obch. on ~ na ukázku, na zkoušku; —e [ə|pru:v] vt & i 1. schvalovat co, souhlasit s 2. (úředně) schválit, potvrdit 3. osvědčit (o.s. se) projevit (se); —er [ə|pru:və] s práv. korunní svědek

approximat|e a [ə|proksimit] přibližný □ vt & i [ə|proksimeit] přib., blížit (se); —ion [ə|proksi|meišən] s 1. při|bližení, -bližování (se) 2. (citové) sblížení 3. přibližná hodnota; aproximace; —ive [ə|proksimətiv] a přibližný

appurtenance [ə|pə:tinəns] s obv. pl. příslušenství, náležitost(i)

apricot [|eiprikot] s meruňka

April [|eiprəl] s duben □ a dubnový

apron [|eiprən] s 1. zástěra 2. (jevištní) rampa

apropos [|æprəpou] a případný □ adv obv. ~ of à propos, pokud jde oč

apt [æpt] a 1. v-, pří|hodný (for k čemu, pro co) 2. nakloněný, způsobilý (to do *s.t.* k čemu): ~ *to quarrel* svárlivý **3.** *to be* ~ *(to do)* snadno (dělat), mít sklon (dělat), být zvyklý (dělat) **4.** bystrý, schopný *(at* k čemu) —**itude** [ˈæptitjuːd] *s* l.schopnost, pohotovost, dar, nadání **2.** vhodnost

aquamarine [ˌækwəməˈriːn] *s & a* akvamarín; -ový

aqua|relle [ˌækwəˈrel] *s* um. akvarel; —**rium** [əˈkweəriəm] *s* akvárium;ʼ —**tic** [əˈkwætik] *a* vodní *(plant, sports* rostlina, sporty)

aque|duct [ˈækwidakt] *a* archit. vodovod; —**ous** [ˈeikwiəs] *a* vodný *(solution* roztok)

aquiline [ˈækwilain] *a* orlí *(nose* nos)

Arab [ˈærəb] *s* **1.** Arab **2.** arab(ský kůň) **3.** *street a*~ bezprizorné dítě ☐ *a* arabský; —**ia** [əˈreibjə] *s* (z) Arábie; —**ian** [əˈreibjən] *a* arabský ☐ *s* Arab; —**ic** [ˈærəbik] *a* arabský *(numerals* číslice) ☐ *s* arabština

arabesque [ˌærəˈbesk] *s* arabeska

arable [ˈærəbl] *a* orný *(land* půda)

arbiter [ˈaːbitə] *s* kniž. rozhodčí

arbitr|age [ˌaːbiˈtraːž] *s* arbitráž; —**al** [ˈaːbitrəl] *a* rozhodčí; —**ament** [aːˈbitrəmənt] *s* l. rozhodčí výrok **2.** bás. rozhodnutí; —**ary** [ˈaːbitrəri] *a* l. libovolný **2.** svévolný; —**ate** [ˈaːbitreit] *vt & i* l. rozhodnout **2.** řešit smírčím řízením; —**ation** [ˌaːbiˈtreišən] *s* arbitráž; smírčí řízení; —**ator** [ˈaːbitreitə] *s* (arbitrážní) rozhodčí

arbor [ˈaːbə] *s* (hlavní) hřídel

arbore|al [aːˈboːriəl] *a* l. žijící na stromech **2.** stromový; —**ous** [aːˈboːriəs] *a* l. lesnatý **2.** = -*al* **3.** = —**scent** [ˌaːbəˈresnt] *a* l. stromovitý **2.** stromečkovitý

arboriculture [ˈaːbərikalčə] *s* pěstování stromů

arbour [ˈaːbə] *s* loubí

arc [aːk] *s & a* geom., el. oblouk; -ový; ǀ~ -**lamp** *s* oblouková lampa; ǀ~ -**light** *s* obloukové světlo

arcade [aːˈkeid] *s* l. stav. arkáda **2.** podloubí; pasáž s krámy po obou stranách

arcan|um [aːˈkeinəm] *s* pl. -*a* [-ə] arkánum, tajemství

arch [aːč] *s* stav. oblouk ☐ *vt & i* pře-, vy-, klenout (se) ☐ *a* čtverácký, šelmovský

archaeolog|ical [ˌaːkiəˈlodžikəl] *a* archeologický; —**ist** [ˌaːkiˈolədžist] *s* archeolog; —**y** [ˌaːkiˈolədži] *a* archeologie

archa|ic [aːˈkeiik] *a* starobylý, archaický; —**ism** [ˈaːkeiizəm] *s* jaz. archaismus; —**istic** [ˌaːkeiˈistik] *a* jaz. archaistický

arch|angel [ˈaːkˌeindžəl] *s* l. archanděl **2.** *A* ~ (m) Archangelsk; —**bishop** [ˈaːčˈbišəp] *s* arcibiskup; —**deacon** [ˈaːčˈdiːkən] *s* arciděkan; —**duchess** [ˈaːčˈdačis] *s* arcivévodkyně; —**duchy** [ˈaːčˈdači] *s* arcivévodství; —**duke** [ˈaːčˈdjuːk] *s* arcivévoda; —**enemy** [ˈaːčˈenimi] *s* úhlavní nepřítel; ďábel

archer [ˈaːčə] *s* lukostřelec, hist.

lučištník; —y [ˈaːčəri] *s* 1. lukostřelba 2. hist. lučištníci
Archibald [ˈaːčibəld] *s* Archibald
archiepiscopal [ˌaːkiiˈpiskəpəl] *a* arcibiskupský
architect [ˈaːkitekt] *s* 1. architekt 2. fig. strůjce; —ural [ˌaːkiˈtekčərəl] *a* stavitelský; —ure [ˈaːkitekčə] *s* stavitelství; architektura
archiv|es [ˈaːkaivz] *s* pl. archív; —ist [ˈaːkivist] *s* archivář
arctic [ˈaːktik] *a* arktický, severní, polární □ *s* jen 1. *the A* ~ severní točnová oblast, Arktis 2. am. přezůvka
ard|ency [ˈaːdənsi] *s* kniž. žár, zápal; —ent [ˈaːdənt] *a* 1. žhavý, rozpálený 2. fig. planoucí; horlivý; —our [ˈaːdə] *s* 1. žár 2. fig. zápal, zanícení (*for* pro)
arduous [ˈaːdjuəs] *a* 1. strmý 2. svízelný, pracný 3. houževnatý
are¹ [aː] *s* ar 100 m²
are² [aː:; neďuraz. a, ə] viz *to be*
area [ˈeəriə] *s* 1. i geom. plocha; prostor 2. oblast, okrsek, pásmo 3. rozsah, šíře 4. dvorek v suterénu před domem
arena [əˈriːnə] *s* aréna; i fig.
arenaceous [ˌærəˈneišəs] *a* pís|čitý, -ečný; zrnitý
aren't [aːnt] = *are not*
Argent|ina [ˌaːdžənˈtiːnə] *s* (z) Argentina; -ine [ˈaːdžəntain] *a* argentinský: *the* ~ (*Republic*) (Republika) Argentina □ *s* Argentinec
argot [ˈaːgou] *s* jaz. argot, hantýrka
argue [ˈaːgjuː] *vi & t* 1. argu-

mentovat (*for* pro, *against* proti) 2. diskutovat, přít se (*about* o) 3. prozrazovat,svědčit o ♦ ~ *s.t. away* oddiskutovat; ~ *s.o. into* přemluvit koho k, získat pro; ~ *s.o. out of* odradit koho od
argument [ˈaːgjumənt] *s* 1. důvod, argument 2. spor, pře, disputace; *a matter of* ~ sporný bod 3. obsah, sylabus; —ation [ˌaːgjumenˈteišən] *s* argumentace; —ative [ˌaː:gjuˈmentətiv] *a* 1. svárlivý 2. polemický
arid [ˈærid] *a* 1. suchý, vyprahlý 2. suchopárný; —ity [æˈriditi] *s* 1. vyprahlost 2. suchopár(nost)
aright [əˈrait] *adv* správně
arise* [əˈraiz] *vi* 1. o lidech povstat, vystoupit 2. vzniknout, vzejít (*from* z) 3. o hvězdě vycházet 4. bás. vstát, povstat, zvednout se
aristo|cracy [ˌærisˈtokrəsi] *s* šlechta, aristokracie: *labour* ~ dělnická aristokracie; —crat [ˈæristəkræt] *s* šlechtic, aristokrat; —cratic [ˌæristəˈkrætik] *a* šlechtický, aristokratický
arithmet|ic [əˈriθmətik] *s* počty, aritmetika; —ic(al) [ˌæriθˈmetik(əl)] *a* početní, aritmetický; —ician [əˌriθməˈtišən] *s* počtář
Arizona [ˌæriˈzounə] *s* (z) Arizona
ark [aːk] *s* archa
Arkansas [ˈaːkənsoː] *s* [z, m] Arkansas
arm¹ [aːm] s 1. paže, ruka, rámě; pl. náručí 2. fig. tech.

rameno **3.** opěradlo **4.** rukáv; ׀–׀**chair** s křeslo, lenoška; —**ful** [׀a:mful] s náruč (*of* čeho)

arm² [a:m] s zpravidla *arms* [a:mz] **1.** kol. zbraň, -ně; sg. = *weapon* **2.** sg. zbraň pěchota, jízda ap. **3.** nepřátelství, boj ♦ *to appeal to* -s sáhnout ke zbrani; *coat of* -s erb; (výsostný) znak; *in* -s ve zbrani ozbrojen; *order* -s! k noze zbraň!; *port* -s! na prsa zbraň!; *present* -s! k poctě zbraň!; *shoulder* -s! na řemen zbraň!; *slope* -s! na rámě zbraň!; *trait* -s! v ponos zbraň!; *under* -s ve-zbrani, v plné zbroji; *up in* -s ve zbrani, ve vzpouře

arm³ [a:m] vt & i o-, vy׀zbrojit (se)

armada [a:׀ma:də] s zast. (válečné) loďstvo: *the Invincible A~* Nepřemožitelná armáda španělská z r. 1588

armament [׀a:məmənt] s **1.** zbrojení **2.** (lodní) výzbroj **3.** armáda, loďstvo ♦ *~ industry* zbrojní průmysl; *~ race* závody ve zbrojení

armature [׀a:mətjuə] s **1.** výzbroj, zbroj ochranná **2.** tech. armatura **3.** el. kotva magnetu

armistice [׀a:mistis] s příměří

armlet [׀a:mlit] s páska (na rukávě)

armour [׀a:mə] s **1.** brnění, krunýř **2.** pancéřování **3.** skafandr □ vt obrnit, pancéřovat: voj. -*ed divisions* pancéřové divize; ׀**~-plate** s pancéřová deska; —**y** [׀a:mə-

ri] s **1.** zbrojnice, arzenál **2.** am. zbrojovka

army [׀a:mi] s vojsko, **armáda**: *the Red A~* Rudá armáda; *standing ~* stálé vojsko; *~ broker*, *~ contractor* armádní dodavatel; **~ corps** [sg. a:-miko:, pl. ׀a:miko:z] armádní sbor, -y

aroma [ə׀roumə] s vůně, aróma; —**tic** [ˌærou׀mætik] a vonný, aromatický

arose [ə׀rouz] pt od *to arise*

around [ə׀raund] adv & prep **1.** dokola, okolo, kolem **2.** hov. am. u, poblíž **3.** hov. am. dozadu **4.** hov. am. kolem, asi **5.** hov. am. vzhůru ♦ *all* ~ všude kolem

arouse [ə׀rauz] vt & i pro-, vz׀budit (se), vy-, burcovat

arraign [ə׀rein] vt obžalovat, pohnat před soud; —**ment** [ə׀reinmənt] s obžaloba

arrange [ə׀reindž] vt & i **1.** s-, u׀rovnat, uspořádat **2.** s-, u׀mluvit, sjednat **3.** zařídit (*for* co) **4.** hud. upravit skladbu; —**ment** [ə׀reindžmənt] s **1.** seřazení; pořádek, uspořádání **2.** zařízení **3.** ujednání, úmluva, dohoda **4.** smír(né vyrovnání) **5.** pl. (přípravná) opatření, rozhodnutí **6.** hud. úprava

arrant [׀ærənt] a **1.** pejor. prohnaný, nepolepšitelný **2.** vyložený, úplný; dokonalý

array [ə׀rei] vt **1.** sešikovat vojsko **2.** fig. při-, odí(va)t, přistrojit (*o.s.* se) **3.** o-, vy׀zdobit □ s **1.** šik **2.** okázalá řada čeho **3.** bás. háv

arrear [ə׀riə] s obv. pl. **1.** resty

2. nedoplatky ♦ *in* -(*s*) pozadu; dlužen

arrest [əˈrest] *vt* **1.** po-, zastavit **2.** zadržet **3.** zatknout **4.** upoutat smysly □ *s* **1.** zatčení, vazba: *under* ~ ve vazbě **2.** zastavení **3.** zadržení lodi

arrival [əˈraivəl] *s* **1.** příjezd, příchod **2.** (došlá) zásilka, zboží **3.** host; přírůstek (do rodiny) ♦ *on* ~ po příchodu

arrive [əˈraiv] *vi* **1.** při|jet, -jít, dorazit (*in, at* do) **2.** ~ *at,* dospět k, dosáhnout čeho **3.** nastat

arrog|ance [ˈærəgəns] *s* opovážlivost, nadutost, arogance; —**ant** [ˈærəgənt] *a* opovážlivý nadutý, domýšlivý, arogantní

arrogat|e [ˈærougeit] *vi* **1.** ~ (*to o.s.*) *s.t.* osobovat si, činit si právo nač **2.** připisovat komu co; —**ion** [ˌærouˈgeišən] *s* osobování si

arrow [ˈærou] *s* **1.** šíp **2.** šipka

arsenal [ˈaːsinl] *s* arzenál, zbrojnice

arsenic *s* [ˈaːsnik] arzén □ *a* [aːˈsenik] arzén|ový, -itý

ars|is [ˈaːsis] *s* pl. *-es* [-iːz] poet. dvih, arze

arson [ˈaːsn] *s* žhářství

art[1] [aːt] *s* **1.** (výtvarné) umění **2.** pl. *Arts* humanistické, společenské vědy **3.** dovednost **4.** šikovnost **5.** obv. pl. lest, chytráctví ♦ *the Fine Arts* krásná umění, zvl. výtvarné umění; ~ *for* ~ *'s sake* umění pro umění; *Master of Arts* (zkr. *M.A.*) mistr svobodných umění; *a work of* ~ umělecké dílo; ~*ful* [ˈaːtful] *a* zchytra-

lý, lstivý; —**less** [ˈaːtlis] *a* **1.** neznalý (*of* čeho) **2.** neumělý, hrubý **3.** nelíčený, prostý **4.** bezelstný

art[2] [aːt] zast. **2.** *sg. pres.* od *to be*

artel [aːˈtel] *s* artěl v SSSR

arter|ial [aːˈtiəriəl] *a* tepenný; —**y** [ˈaːtəri] *s* tepna

artesian [aːˈtiːzjən] *a* artéská (*well* studna)

Arthur [ˈaːθə] *s* **1.** Artur **2.** král Artuš

articl|e [ˈaːtikl] *s* **1.** článek, bod, odstavec; pl. body, podmínky, stanovy **2.** článek, stať **3.** předmět, kus; obch. druh zboží. artikl **4.** gram. člen ♦ am. *the -es of association*, brit. *the memorandum and -es of association* stanovy akciové společnosti; *leading* ~ úvodník □ *vt* **1.** uvést bod za bodem (*against* proti), vypočítávat **2.** dát do učení □ *vi* **3.** obžalovat; —**ed** [ˈaːtikld] *a* smluvně vázaný

articulat|e *a* [aːˈtikjulit] článkovaný, artikulovaný □ *vt & i* [aːˈtikjuleit] **1.** článkovat, členit **2.** fon. artikulovat, vyslovovat; —**ion** [aːˌtikjuˈleišən] *s* **1.** členění, článkování **2.** kloub; kolínko **3.** fon. artikulace, výslovnost

artifact [ˈaːtifækt] *s* artefakt, (lidský) výtvor. výrobek

artific|e [ˈaːtifis] *s* **1.** lest, úskok **2.** dovednost; —**er** [aːˈtifisə] *s* **1.** (umělecký) řemeslník **2.** fig. původce; —**ial** [ˌaːtiˈfišəl] *a* **1.** umělý (*silk, teeth* hedvábí, chrup) **2.** vyumělkovaný, strojený ♦ ~ *person* právnická osoba;

—**iality** [ˌɑːtifišiˈæliti] s umělost, strojenost

artillery [aːˈtiləri] s dělostřelectvo; —**man** [aːˈtilərimən] s pl. -*men* [-mən] dělostřelec

artisan [ˌɑːtiˈzæn] s řemeslník

artist [ˈɑːtist] s umělec, malíř; —**e** [aːˈtiːst] s artista; —**ic** [aːˈtistik] a umělecký

Aryan [ˈɛəriən] a árijský, indoevropský □ s Árijec

as [æz; nedůraz. əz, z] adv & conj & pron 1. jak; což: *he was ill, as I knew by his voice* byl nemocen, jak (což) jsem poznal z jeho hlasu 2. jako 3. jakože: ~ *I live* jakože jsem živ 3. ~ ... ~ tak... jako; *not so ... ~* ne tak ... jako 5. jak, když, zatímco 6. protože, jelikož 7. jakkoliv, ačkoliv, třebaže ♦ ~ *early* ~ *the 5th cent.* již v 5. stol.; ~ *far* ~ až k; pokud; ~ *for* pokud jde o; ~ *good* ~ málem; ~ *if* jako (kdy)by; ~ *it were* takřka; ~ *late* ~ *the 9th cent.* až (teprve) v 9. stol.; obch. ~ *per* podle; ~ *regards* pokud jde o; *so* ~ *(not) to* aby (ne-); ~ *soon* ~ jakmile; *such* ... ~ takoví ... kteří; (takoví) ... jako; takový ... aby; ~ *though* jako (kdy)by; ~ *to* pokud jde o; *be so (good)* ~ *to (send)* buďte tak (dobrý) a (pošlete); ~ *well* také; ~ *well* ~ i; ~ *yet* (až) dosud

asbestos [æzˈbestos] s azbest, osinek

ascend [əˈsend] vt & i 1. stoupat, vystupovat na 2. fig. po-, naˈstoupit; vzestupovat

♦ *to* ~ *a river* plout proti proudu; —**ancy**, —**ency** [əˈsendənsi] s převaha, nadvláda (*over* nad); —**ant**, —**ent** [əˈsendənt] a 1. stoupající 2. převládající □ s převaha, vzestup: *in the* ~ na vzestupu

ascension [əˈsenšən] s zvl. *A*~ *(Day)* Nanebevstoupení (Páně)

ascent [əˈsent] s 1. výstup, stoupání 2. vzestup

ascertain [ˌæsəˈtein] vt zjistit; —**able** [ˌæsəˈteinəbl] a zjistitelný; —**ment** [ˌæsəˈteinmənt] s zjištění

ascetic [əˈsetik] s asketa □ a též —**al** [-əl] asketický; —**ism** [əˈsetisizəm] s askeze

ascorbic acid [əsˈkoːbik] kyselina askorbová

ascribe [əsˈkraib] vt připsat, přičítat (*to* komu, čemu)

aseptic [æˈseptik] a & s aseptický, sterilní (látka)

ash[1] [æš] s & a jasan; -ový

ash[2] [æš] s 1. chem., tech. popel 2. pl. popel z mrtvoly, po požáru, ˈ~-**bin** s popelnice; nádoba na popel; ~-**pan** [ˈæšpæn] s popelník; ~-**tray** [ˈæštrei] s popelníček; **A**~ **Wednesday** [ˈæšˈwenzdi] Popeleční středa, Popelec; —**y** [ˈæši] a 1. popelový; zaprášený popelem 2. popelavý

ashamed [əˈšeimd] *pred a* zahanbený: *to be, feel,* ~ *of* stydět se zač

ashen [ˈæšn] a 1. popelavý 2. jasanový

ashore [əˈšoː] adv na břeh, -u

Asi|**a** [ˈeišə] s Asie: ~ *Minor* Malá Asie; —**an** [ˈeišən] a

asijský □ Asijec; —atic [ˌei-
ši¦ˈætik] též pejor. a asiatský □
s Asiat
aside [əˈsaid] adv stranou, na
stranu
ask [a:sk] vt & i 1. ptát se,
zeptat se, kniž. tázat se (about
nač; after s.o. n. s.o.'s health
na čí zdraví; for s.o. na koho)
2. žádat, prosit (for oč) 3. po-
zvat 4. vyžadovat ♦ ~ s.o. a
question dát komu otázku
ask|ance [əsˈkæns], —ant
[əsˈkænt] adv úkosem, šikmo
askew [əsˈkjuː] adv nakřivo,
šikmo, napokos
aslant [əˈslɑːnt] adv & prep
(šikmo) nad
asleep [əˈsliːp] adv & pred a
1. ve spaní: to be ~ spát; to
fall ~ usnout 2. o noze
ztrnout
asocial [æˈsouʃəl] a asociální
asparagus [əsˈpærəgəs] s chřest
aspect [ˈæspekt] s 1. stránka,
hledisko, aspekt 2. výraz,
vzhled 3. poloha, výhled 4.
gram. (slovesný) vid
aspen [ˈæspən] s & a osik|a;
-ový
asperity [æsˈperiti] s 1. drsnost
(of climate podnebí) 2. přís-
nost, příkrost
aspers|e [əsˈpəːs] vt 1. ostouzet
2. po-, kropit; —ion [əsˈpəː-
šən] s 1. utrhání, hanobení 2.
pokropení
asphalt [ˈæsfælt] s & a asfalt;
-ový □ vt asfaltovat
asphyxiat|e [æsˈfiksieit] vt zadu-
sit; —ion [æsˌfiksiˈeišən] s za-
dušení
aspic [ˈæspik] s rosol, aspik
aspir|ant [əsˈpaiərənt] s uchazeč

(to, after, for oč); —ate
[ˈæspəreit] vt jaz. aspirovat;
—ation [ˌæspəˈreišən] s 1.
touha 2. jaz. aspirace; —e
[əsˈpaiə] vi toužit (to, after
po čem), usilovat (oč), aspi-
rovat (nač); —ing [əsˈpaiəriŋ]
a ctižádostivý
ass [æs] s osel; i fig.
assail [əˈseil] vt 1. pře-, na|pad-
nout, za-, útočit na 2. dát
se do čeho; —able [əˈseiləbl]
a fig. zranitelný; —ant [əˈseil-
ənt] s útočník
assassin [əˈsæsin] s (úkladný)
vrah; —ate [əˈsæsineit] vt
(úkladně) zavraždit; —ation
[əˌsæsiˈneišən] s (úkladná)
vražda
assault [əˈsoːlt] s 1. i voj. útok
2. výpad, napadení osoby □
vt 1. i voj. za-, útočit na
2. napadnout koho
assay [əˈsei] s zkouška ryzosti
□ vt & i zkoušet co
assem|blage [əˈsemblidž] s 1.
shromáždění 2. sestavení, s-,
montování; —ble [əˈsembl]
vt & i 1. shromáždit (se),
svolat, sejít se 2. sestavit,
smontovat; —bly [əˈsembli]
s 1. shromáždění, schůze 2.
sněm; círk. synod 3. voj.
(signál k) nástup(u); soustře-
dění 4. tech. montáž ♦
Legislative A~ zákonodárné
shromáždění; ~ line mon-
tážní linka; ~ room (taneční)
sál; montážní dvorana; ~
shop montážní dílna
assent [əˈsent] vi souhlasit (to
s čím) □ s souhlas, schválení
assert [əˈsəːt] vt 1. tvrdit, pro-
hlašovat 2. prosazovat, uplat-

ňovat (*o.s.* se); pejor. drát se
dopředu; —**ion** [əˈsəːšən] *s*
1. tvrzení 2. prosazování;
—**ive** [əˈsəːtiv] *a* 1. rozhodný,
důrazný 2. kladný, konstatu-
jící
assess [əˈses] *vt* 1. odhadnout
ke zdanění 2. vyměřit, sta-
novit (*a tax, a fine* daň, po-
kutu) 3. zdanit, pokutovat
(*upon* koho, *in, at* částkou);
—**able** [əˈsesəbl] *a* 1. zdani-
telný, dani podrobený 2. po-
platný, povinný; —**ment**
[əˈsesmənt] *s* 1. odhad (ma-
jetku), ocenění 2. uložení,
stanovení poplatku 3. zdanění,
výměr (daně); uložená dávka,
poplatek, daň; —**or** [əˈsesə] *s*
1. daňový odhadce 2. (soud-
ní) poradce; přísedící
asset [ˈæset] *s* 1. majetková
hodnota, aktivum 2. fig. vý-
hoda, přínos, klad 3. obv. pl.
jmění, majetek, aktiva: -*s*
and liabilities aktiva a pa-
síva
asseverat|e [əˈsevəreit] *vt* pro-
hlašovat, zapřísahat se; —**ion**
[əˌsevəˈreišən] *s* prohlášení;
zapřísahání
assidu|ity [ˌæsiˈdjuiti] *s* horli-
vost, vytrvalost; —**ous** [əˈsid-
juəs] *a* horlivý, vytrvalý
assign [əˈsain] *vt* 1. přidělit,
vyhradit 2. práv. převést na,
postoupit komu 3. určit, sta-
novit 4. uvést, udat 5. při-
čítat komu; vročit □ *s* (právní)
nástupce; —**ation** [ˌæsigˈnei-
šən] *s* 1. ustanovení, určení
2. práv. převedení majetku,
práv; asignace 3. úmluva,
schůzka 4. přičítání vlivu

5. vročení; —**ee** [ˌæsiˈniː] *s*
1. práv. postupník; poukaz-
ník 2. zplnomocněnec; —**ment**
[əˈsainmənt] *s* 1. přidělování
2. práv. převod, postup ma-
jetku, práv 3. postupní listina
4. stanovení, zjištění 5. am.
úkol; ⸱ —**or** [ˌæsiˈnoː] *s* práv.
převodce; postupitel
assimilat|e [əˈsimileit] *vt & i*
přizpůsobit (se), asimilovat
(se); —**ion** [əˌsimiˈleišən] *s*
přizpůsobení, asimilace
assist [əˈsist] *vt* 1. na-, pomáhat,
přispět (*in* při čem) □ *vi*
2. ~ *at* být přítomen čemu;
—**ance** [əˈsistəns] *s* pomoc,
podpora; —**ant** [əˈsistənt] *a*
1. nápomocný 2. mimořádný
□ *s* 1. pomocník, asistent
2. zástupce, náměstek ♦ *shop*
~ prodavač(ka), příručí
assize [əˈsaiz] *s* 1. hist. cena,
váha úř. stanovená 2. soud(ní
zasedání); zvl. pl. pravidelné
soudní zasedání v každém
hrabství
associat|e *vt & i* [əˈsoušieit]
1. s-, při|družovat (se), při-
členit (se), připojit (se) 2.
stýkat se □ [əˈsoušiit] *a*
1. s-, při|družený 2. mimo-
řádný, přísedící □ *s* 1. společ-
ník, spolupracovník 2. druh,
přítel 3. mimořádný člen;
—**ion** [əˌsoušiˈeišən] *s* 1. sdru-
žení, svaz, společnost 2. sdru-
žování, spojování; psych. aso-
ciace 3. styk, -y
asson|ance [ˈæsənəns] *s* poet.
asonance; —**ant** [ˈæsənənt] *a*
poet. asonanční
assort [əˈsoːt] *vt* 1. roz-, třídit,
uspořádat, vybrat 2. zásobit,

doplnit sklad □ *vi* **3.** ~ *with* hodit se k; **—ment** [əˈsoːtmənt] *s* **1.** třídění, uspořádání **2.** výběr, zásoba **3.** obch. scuprava, kolekce; sortiment

assuage [əˈsweidž] *vt* utišit, uklidnit, zmírnit; **—ment** [əˈsweidžmənt] *s* zmírnění

assum|e [əˈsjuːm] *vt* **1.** přijmout, vzít na se; osvojit si **2.** předpokládat, mít za to **3.** předstírat; **—ing** [əˈsjuːmiŋ] *a* domýšlivý

assumption [əˈsampšən] *s* **1.** přijetí, osvojení si, uchopení **2.** předpoklad, domněnka **3.** domýšlivost ♦ *on the* ~ *that* za předpokladu, že

assurance [əˈšuərəns] *s* **1.** ujištění, záruka **2.** (životní) pojištění **3.** přesvědčení, důvěra, jistota **4.** sebedůvěra; pejor. troufalost

assur|e [əˈšuə] *vt* **1.** zajistit, zaručit **2.** ujistit (*s.o. of* koho čím): *to be, rest, -ed* být ujištěn **3.** pojistit (*one's life with* koho na život u koho); **—edly** [əˈšuəridli] *adv* jistě, určitě

Assyri|a [əˈsiriə] *s* (z) Asýrie; **—an** [əˈsiriən] *a* asyrský □ *s* **1.** Asyřan **2.** asyrština

aster [ˈæstə] *s* bot. astra

asterisk [ˈæstərisk] *s* typ. hvězdička* □ *vt* opatřit hvězdičkou

astern [əˈstəːn] *adv* nám. **1.** vzadu, zezadu **2.** dozadu, zpět

asthma [ˈæsmə] *s* záducha, astma; **—tic** [æsˈmætik] *a* dýchavičný, astmatický □ *s* astmatik

astir [əˈstəː] *adv* **1.** vzhůru, z postele **2.** fig. na nohou, vzhůru, v pohybu

astonish [əsˈtoniš] *vt* naplnit úžasem, udivit: *to be -ed at* být užaslý nad čím; **—ment** [əsˈtonišmənt] *s* úžas, údiv

astound [əsˈtaund] *vt* ohromit

astrakhan [ˌæstrəˈkæn] *s* **1.** astrachán **2.** *A*~ (m)Astrachaň

astral [ˈæstrəl] *a* hvězdný; astrální

astray [əˈstrei] *adv & pred a* z cesty; fig. kniž. na scestí, na omylu

astride [əˈstraid] *adv & prep* obkročmo, jízdmo

astringent [əsˈtrindžənt] *a & s* svíravý (lék)

astrolog|er [əsˈtrolədžə] *s* astrolog, hvězdopravec; **—ical** [ˌæstrəˈlodžikəl] *a* astrologický; **—y** [əsˈtrolədži] *s* astrologie

astro|naut [ˈæstrənoːt] *s* kosmonaut; **—nautics** [ˌæstrəˈnoːtiks] *s* kosmonautika

astronom|er [əsˈtronəmə] *s* hvězdář, astronom; **—ic(al)** [ˌæstrəˈnomik(əl)] *a* hvězdářský, astronomický; **—y** [əsˈtronəmi] *s* astronomie, hvězdářství

astute [əsˈtjuːt] *a* lstivý, zchytralý

asunder [əˈsandə] *adv* od sebe, vedví: *to break* ~ rozlomit; *to cut* ~ roz-, pře|říznout; *to go* ~ rozejít se

asylum [əˈsailəm] *s* **1.** azyl, útočiště **2.** *(lunatic)* ~ blázinec

asymmetry [æ'simitri] s ne-
souměrnost, asymetrie
at [æt; nedůraz. ət] prep 1.
místo v, na, těsně u 2. čas, stav v,
o, za, při, na 3. činnost při
4. způsob ~ a gallop klusem
5. cena, množství za, po 6. zdroj
z 7. s adj v: to be good,
clever, slow, ~ s.t. vyznat se,
být šikovný, pomalý v čem
8. pohyb, cíl na: to aim, look, ~
mířit, dívat se na ♦ to be ~
dělat; what are you ~ ? copak
to děláte?; ~ the beginning na
začátku; ~ best přinejlepším;
~ Christmas, Easter o vánoci-
cích, o velikonocích; ~ the
door u dveří; ~ Dover v Do-
veru; ~ hand po ruce; ~ home
doma; ~ most nanejvýš;
~ night v noci; ~ 2 o'clock
ve 2 hod.; ~ peace v míru;
~ pleasure podle libosti; ~
sea na moři; ~ your service
vám k službám; ~ school ve
škole; ~ table u stolu, při
jídle: ~ that k tomu ještě;
~ war ve válce; ~ these words
při těchto slovech; ~ work při
práci
ate (et) pt od to eat
athe|ism ['eiθiizəm] s ateismus,
bezbožectví; —ist ['eiθiist] s
s ateista, bezbožec; —istic
[ˌeiθi'istik] a ateistický, bez-
božecký
Athens ['æθinz] s (m) Atény
athlet|e ['æθli:t] s atlet; borec,
zápasník; —ic [æθ'letik] a
(lehko)atletický; —ics [æθ'le-
tiks] s pl. (lehká) atletika
athwart [ə'θwo:t] adv & prep
napříč, šikmo; proti
Atlantic [ət'læntik] a atlantický

(the ~ bloc, Charter, Pact blok,
charta, pakt; the ~ Ocean
Atlantský oceán) □ s jen
the A~ Atlantský oceán
atlas ['ætləs] s atlas kniha i látka
atmospher|e ['ætməsfiə] s ovzdu-
ší, atmosféra; —ic(al) [ˌæt-
məs'ferik(əl)] a atmosférický;
—ics [ˌætməs'feriks] s rad.
(atmosférické) poruchy
atoll ['ætol] s atol, korálový
ostrov
atom ['ætəm] s atom:~ bomb ato-
mová bomba; —ic [ə'tomik] a
atomový; atomický; ~ bomb
energy, warfare, weapon ato-
mová bomba, energie, válka,
zbraň; —ism ['ætəmizəm] s
fil. atomismus; —ist ['ætəmist]
s fil. atomista; —istic [ˌætə-
'mistik] a fil. atomistický·
—ize ['ætəmaiz] vt 1. atomi-
zovat, rozbít na atomy 2.
rozprašovat; —izer ['ætəmai-
zə] s rozprašov|ač, tech. -ák
atone [ə'toun] vi 1. usmířit
2. ~ (for) dát zadostiučinění,
pykat za, odčinit co; —ment
[ə'tounmənt] s 1. u-, smíření,
vykoupení 2. ~ for odčinění,
odpykání
atroc|ious [ə'troušəs] a 1. ukrut-
ný, sveřepý 2. hov. krutý;
—ity [ə'trositi] s 1. krutost,
sveřepost 2. pl. zvěrstva
atrophy ['ætrəfi] med. s atrofie,
zakrňování □ vi & t atrofo-
vat, zakrňovat
attach [ə'tæč] vt 1. ~ s.t. to
připevnit, přivázat k, přile-
pit na; připojit, dát k, na
2. ~ s.o. to získat pro, na-
klonit komu, čemu: to be -ed
to přiklonit se, přidat se k

4. přikládat (*blame, importance*, *to* vinu, význam čemu) **5.** voj. přidělit, přikázat k **6.** práv. zadržet, vzít koho do vazby; obstavit co □ *vi* **7.** příslušet (*to* čemu), doprovázet (co), být spojen (s), lpět (na); **—ment** [əˈtæčmənt] *s* **1.** při-, u|pevnění; spoj(ení), vazba **2.** oddanost **3.** práv. obstavení majetku

attaché [əˈtæšei] *s* přidělenec, ataše; **~ case** [əˈtæšikeis] příruční kufřík; aktovka

attack [əˈtæk] *vt* **1.** i voj. za-, útočit, napadnout **2.** postihnout nemocí □ *s* **1.** voj. útok **2.** záchvat

attain [əˈtein] *vt & i* dosáhnout, dostihnout, docílit; **—able** [əˈteinəbl] *a* dosažitelný; **—ment** [əˈteinmənt] *s* **1.** dosažení, docílení **2.** obv. pl. vzdělání, znalosti

attempt [əˈtempt] *vt* pokusit se oč, zkusit co ♦ *to ~ the life of* ukládat komu o život; podniknout atentát na □ *s* pokus ♦ *an ~ on one's life* atentát na koho

attend [əˈtend] *vt* **1.** ~ *s.t.* navštěvovat co, účastnit se čeho; hov. chodit do, na: ~ *school, meetings* chodit do školy, na schůze **2.** ~ *s.o., s.t.* do-, provázet koho, co **3.** ~ *s.o.* n. *s.t.* obsluhovat (*customers*, *a machine* zákazníky, stroj), ošetřovat nemocné, léčit □ *vi* **4.** ~ *(up)on s.o.* o služebných posluhovat, být k ruce komu, **5.** ~ *to* starat se, pečovat, dbát oč **6.** ~ *to* dá(va)t pozor na, všímat si čeho: **—ance**

[əˈtendəns] *s* **1.** návštěva, účast, prezence (*at* v, při) **2.** doprovod **3.** obsluha (*on* koho), služba **4.** ošetření, péče ♦ *hours of ~* úřední n. ordinační hodiny; ~ *list* prezenční listina; *medical ~* lékařské ošetření; **—ant** [əˈtendənt] *a* **1.** do-, provázející, obsluhující **2.** doprovodní **3.** přítomný □ *s* **1.** průvodce, společník; uváděč, -ka **2.** ošetřovatel, -ka **3.** sloužící, sluha **4.** návštěvník (*at* čeho)

attent|ion [əˈtenšən] *s* **1.** pozornost **2.** ošetření, péče **3.** voj. ~! pozor! ♦ *to call, draw one's ~ to* upozornit koho nač; *to come to, stand at, ~* postavit se do, stát v pozoru; *to pay ~ to* věnovat pozornost komu, čemu; **—ive** [əˈtentiv] *a* **1.** pozorný **2.** bedlivý

attenuat|e *vt* [əˈtenjueit] **1.** ztenčit, zmenšit, zředit **2.** zř. oslabit □ *a* [əˈtenjuit] **1.** zředěný **2.** o-, ze|slabený; **—ion** [əˌtenjuˈeišən] *s* **1.** ztenčení, zředění **2.** oslabení

attest [əˈtest] *vt & i* **1.** osvědčit, ověřit, s-, po|tvrdit **2.** vzít do přísahy; **—ation** [ˌætesˈteišən] *s* **1.** svědectví **2.** osvědčení, ověření **3.** voj. vykonání přísahy

attic [ˈætik] *s* podkrovní světnice, podkroví

attire [əˈtaiə] kniž. *vt* odí(va)t, upravit (*o.s.* se) □ *s* roucho, oděv

attitude [ˈætitjuːd] *s* **1.** postoj, držení těla **2.** fig. poměr, postoj (*towards* k, vůči); atituda attorney [ə'tə:ni] s 1. zmocněnec, plnomocník, zástupce zvl. obch. 2. am. právní zástupce, advokát ♦ A~ *General* státní (korunní) žalobce, generální prokurátor; am. ministr spravedlnosti; *letter, warrant, of* ~ plná moc listina; *power of* ~ plná moc oprávnění

attract [ə'trækt] *vt* 1. přitahovat 2. vábit; —ion [ə'trækšən] s 1. přitažlivost 2. půvab 3. atrakce; —ive [ə'træktiv] *a* 1. přitažlivý 2. půvabný, hezký

attribut|e s ['ætribju:t] 1. vlastnost 2. atribut, znak, symbol 3. gram. přívlastek □ *vt* [ə'tribju:t] přisuzovat, přičítat (*to* komu); —ion [ˌætri'bju:šən] s 1. přisuzování, přičítání 2. označení, název 3. kompetence; —ive [ə'tribjutiv] *a* gram. přívlastkový, atributivní

attrition [ə'trišən] s 1. tření 2. otěr, odření 3. opotřebování, vyčerpání; *war of* ~ opotřebovací válka

attune [ə'tju:n] *vt* 1. bás. na-, ladit 2. fig. sladit

auburn ['o:bən] *a* světle hnědý, světle kaštanový (*hair* vlasy)

auction ['o:kšən] s dražba, aukce: *to sell by*, am. *at*, ~ prodat v dražbě □ *vt*: ~ *(off)* prodat v dražbě, vy-, dražit; —eer [ˌo:kšə'niə] s licitátor, vyvolávač

audac|ious [o:'deišəs] *a* 1. smělý, odvážný 2. drzý, nestoudný; —ity [o:'dæsiti] s 1. smělost, odvaha 2. drzost, nestydatost

audi|bility [ˌo:di'biliti] s slyšitelnost; —ble ['o:dəbl] *a* 1. slyšitelný 2. zvukový

audience ['o:djəns] s 1. slyšení, audience; sluch; *to give* ~ popřát sluchu 2. posluchačstvo, diváci, publikum

audit ['o:dit] s obch. revize, kontrola (účtů) □ *vt* revidovat, kontrolovat (účty); —or ['o:ditə] s revizor účtů

audit|ive ['o:ditiv] *a* sluchový, auditivní; —orium [ˌo:di'to:riəm] s posluchárna, hlediště, sál; —ory ['o:ditəri] *a* sluchový

auger ['o:gə] s nebozez, vrták, šnek

aught [o:t] arch., bás., s cokoliv: *for* ~ *I care* pro mne za mne; *for* ~ *I know* pokud vím □ *adv* něco, nějak

augite ['o:dʒait] s min. augit

augment *vt & i* [o:g'ment] 1. zvětšit, rozmnožit (se) 2. jaz. přidat augment □ s ['o:gmənt] jaz. augment; —ation [ˌo:gmen'teišən] s 1. zvětšení, rozšíření 2. odb. přírůstek; —ative [o:g'mentətiv] *a* 1. zvětšující 2. jaz. augmentativní □ s jaz. 1. augmentativní přípona 2. augmentativum

augur ['o:gə] s augur, ptakopravec □ *vt & i* věštit, předpovídat (*well, ill* dobré, zlé); —y ['o:gjuri] s 1. ptakopravectví 2. věštění 3. předtucha, znamení

August¹ ['o:gəst] s srpen

august² [o:'gast] *a* vznešený, velebný, důstojný

auld lang syne [ˈoːldlæŋˈsain]
skot. staré zlaté časy
aunt [aːnt] *s* **1.** teta **2.** fam.
tetka; —**ie**, —**y** [ˈaːnti] *s* te-
tička, tetinka
aur|al [ˈoːrəl] *a* ušní; —**icle**
[ˈoːrikl] *s* (ušní) boltec; —**icu-**
lar [oːˈrikjulə] *a* ušní; —**ist**
[ˈoːrist] *s* ušní lékař
auriferous [oːˈrifərəs] *a* zlato-
nosný
aurochs [ˈoːroks] *s* zool. zubr
aurora [oːˈroːrə] *s* **1.** A~ Jit-
řenka **2.** úsvit ♦ ~ *borealis*
[ˌboːriˈcilis], *australis* [oːˈstrei-
lis] severní, jižní polární záře
auscultation [ˌoskəlˈteišən] *s* med.
auskultace, (vyšetření) po-
slech(em)
auspic|e [ˈoːspis] *s* **1.** (dobré)
znamení **2.** pl. auspicie: *un-
der the ·es of* pod záštitou,
patrona(n)cí koho; —**ious**
[oːsˈpišəs] *a* příznivý, šťastný
Aussie [ˈosi] *s* hov. Austrálák
auster|e [osˈtiə] *a* **1.** přísný,
vážný, strohý **2.** prostý, stříz-
livý (*style* sloh); —**ity** [osˈte-
riti] *s* **1.** přísnost, strohost
2. prostota, střízlivost
austral [ˈoːstrəl] *s* kniž. jižní
Austral|ia [osˈtreiljə] *s* Austrá-
lie; —**ian** [osˈtreiljən] *a*
australský □ *s* Australan
Austr|ia [ˈostriə] *s* Rakousko;
~ **-Hungary** [ˈ~ ˈhaŋgəri] *s*
Rakousko-Uhersko; —**ian**
[ˈostriən] *a* rakouský □ *s*
Rakušan
Austro|-German [ˈostrouˈdžə:-
mən] *a* rakousko-německý;
~ **-Hungarian** [ˈostrouhaŋ-
ˈgeəriən] *a* rakousko-uherský
autar|ky, —**chy** [ˈoːtaːki] *s* sobě-

stačnost, autarkie; —**kic(al)**,
—**chic** [oːˈtaːkik(əl)] *a* sobě-
stačný, autarkní
authent|ic [oːˈθentik] *a* věrohod-
ný, spolehlivý, autentický:
—**icate** [oːˈθentikeit] *vt* ověřit
(pravost), legalizovat; —**ica-**
tion [oːˌθentiˈkeišən] *s* ově-
ření (pravosti), legalizace;
věrnost, pravost, autentič-
nost
author [ˈoːθə] *s* **1.** spisovatel(ka),
autor(ka) **2.** původce; —**ess**
[ˈoːθəris] *s* spisovatelka, autor-
ka; —**itarian** [oːˌθoriˈteəriən]
s & *a* autoritář; -ský; —**itative**
[oːˈθoritətiv] *a* **1.** autorita-
tivní, panovačný **2.** směrodat-
ný, úřední; —**ity** [oːˈθoriti] *s* **1.**
autorita, (pravo)moc, opráv-
nění **2.** svědectví **3.** odborník,
autorita **4.** obv. pl. úřady;
—**ization** [ˌoːθəraiˈzeišən] *s*
zmocnění, oprávnění, autori-
zace; —**ize** [ˈoːθəraiz] *vt* **1.**
schválit, autorizovat **2.** zmoc-
nit, oprávnit, pověřit ♦ A~ *ed
Version* autorizovaný překlad
bible z r. 1611; —**ship** [ˈoːθə-
šip] *s* autorství
auto [ˈoːtou] *s* hov. auto; —**bio-**
graphy [ˌoːtoubaiˈogrəfi] *s*
vlastní životopis, autobiogra-
fie; —**chthon** [oːˈtokθən] *s* pra-
obyvatel, autochton; —**cracy**
[oːˈtokrəsi] *s* samovláda, auto-
kracie; —**crat** [ˈoːtokræt] *s*
samovládce; —**cratic** [ˌoːtə-
ˈkrætik] *a* samovládný;
—**graph** [ˈoːtəgraːf] *s*. **1.** pod-
pis vlastní rukou **2.** auto-
gram; —**matic** [ˌoːtəˈmætik]
a **1.** samočinný, automatic-
ký **2.** bezděčný; —**mation**

[ˌo:təˈmeišən *s* automatizace; —**matize** [o:ˈtomətaiz] *vt* automatizovat; —**mat|on** [o:ˈtomətən] *s* pl. -*a* [-ə] n. -*ons* [-ənz] automat; —**mobile** [ˈo:toməbi:l] *s & a* am. automobil; -ový; —**nomous** [o:ˈtonəməs] *a* autonomní, samosprávný; —**nomy** [o:ˈtonəmi] *s* samospráva, autonomie; —**psy** [ˈo:təpsi] *s* ohledání mrtvoly, obdukce; ~ -**trip** *s* výlet autem

autumn [ˈo:təm] *s & a* podzim; -ní; —**al** [o:ˈtamnəl] *a* podzimní

auxiliary [o:gˈziljəri] *a* pomocný ☐ *s* pl. voj. pomocné, spojenecké sbory

avail [əˈveil] *vt & i* 1. prospívat, být na prospěch 2. ~ *o.s. of* využít, použít čeho ☐ *s* 1. prospěch, užitek; jen ve frázích *of no* ~ k ničemu, marný; *to little* ~ k malému užitku, málo platný; ap. 2. pl. výtěžek; —**able** [əˈveiləbl] *a* 1. do-, pří|stupný, dosažitelný, k dispozici; obch. disponibilní 2. platný ♦ *all* ~ *funds* všechen disponibilní kapitál; *the ticket is* ~ *for 3 days* lístek platí 3 dny

avalanche [ˈævəla:nš] *s* lavina

avaric|e [ˈævəris] *s* lakomství, hrabivost; —**ious** [ˌævəˈrišəs] *a* lakomý, skoupý, hrabivý

aveng|e [əˈvendž] *vt* pomstít: *to be -ed* pomstít se; ~ *o.s. on, for* pomstít se na kom zač; —**er** [əˈvendžə] *s* mstitel

avenue [ˈævinju:] *s* 1. alej, stromořadí 2. (zvl. am.) třída,

široká ulice se stromořadím 3. fig. cesta

aver [əˈvə:] *vt* tvrdit; —**ment** [əˈvə:mənt] *s* tvrzení

average [ˈævəridž] *s* 1. průměr: *on an* ~ průměrně; *up o the* ~ odpovídající průměru 2. obch. havárie, (námořní) škoda; franšisa ♦ *general* ~ společná havárie; *particular* ~ malá, zvláštní, partikulární h. ☐ *a* průměrný ☐ *vt* 1. zjistit průměr 2. průměrně (činit) 3. odhadovat (*at about* asi na)

avers|e [əˈvə:s] *a* (jsoucí) proti (*to* čemu), nemající chuť (k); —**ion** [əˈvə:šən] *s* nechuť, odpor (*to, from, for* k, vůči)

avert [əˈvə:t] *vt* 1. odvrátit 2. zabránit, zamezit

aviary [ˈeivjəri] *s* voliéra

aviat|e [ˈeivieit] *vi* letět, cestovat letadlem; —**ion** [ˌeiviˈeišən] *s* letectví; —**or** [ˈeivieitə] *s* letec

avid [ˈævid] *a* chtivý, lačný (*of, for* čeho); —**ity** [əˈviditi] *s* 1. chtivost 2. chamtivost

avocation [ˌævouˈkeišən] *s* 1. vedlejší zaměstnání; koníček 2. nespr. = *vocation*

avoid [əˈvoid] *vt* 1. vyhnout se, vyvarovat se 2. práv. zbavit účinnosti; —**ance** [əˈvoidəns] *s* 1. vyvarování se čemu 2. uprázdnění, uprázdněné místo 3. zrušení

avoirdupois [ˌævədəˈpoiz] *s* n. ~ *weight* soustava vah užívaná v anglosaském světě

avouch [əˈvauč] *vt & i* 1. dosvědčit, prokázat 2. zaručit (se) 3. přiznat (*o.s.* se)

avow [əˈvau] *vt* 1. uznat 2.
při-, do|znat, netajit se 3.
~ *o.s.* přiznat se; —**al** [əˈvauəl]
s prohlášení, při-, do|znání;
—**ed** [əˈvaud] *a* 1. uzn(áv)a-
ný 2. zjevný, zřejmý

await [əˈweit] *vt* čekat na, oce-
kávat koho, co

awake* [əˈweik] *vt & i* 1. i *fig.*
vz-, pro|budit (se), vyburco-
vat, procitnout 2. ~ *to s.t.*
uvědomit si co □ *pred a* 1.
bdící; ostražitý 2. ~ *to* vědom
si čeho; —**en** [əˈweikən]
vt & i = to awake; zvl. fig.
~ *to*

award [əˈwoːd] *vt* 1. přiřknout,
udělit (*price* cenu); uložit
(*fine* pokutu) 2. pas. *to be -ed*
a prize dostat cenu □ *s*
1. rozhodnutí, nález, rozsudek
2. odměna, cena, pokuta: *to
make an* ~ přiřknout cenu,
odměnu

aware [əˈweə] *pred a* vědom si:
to be ~ *of* být si vědom čeho

away [əˈwei] *adv* 1. pryč, venku,
nepřítomen 2. daleko, vzdá-
len 3. po *v* a) odloučit: *to
swim* ~ odplavat b) zmizet:
to boil ~ vyvařit (se) c) pokra-
čovat: *eat* ~ ! jen jezte! d) ztra-
tit: *to fool one's money* ~ roz-
házet, promrhat peníze e) stra-
nou: *to keep* ~ držet, zabránit
♦ *and* ~ a dost; *far and* ~
(*the best*) daleko (nejlepší);
right, straight, ~ ihned, oka-
mžitě; ~ *with him*! pryč s ním!

awe [oː] *s* bázeň, úcta □ *vt* na-

plnit bázní, úctou; —**some**
[ˈoːsəm] *a* děsivý, hrůzyplný

awful [ˈoːful, hov. ˈoːfl] *a* hrozný
strašný, děsný; —**ly** [ˈoːfuli,
hov. ˈoːfli] *adv* hrozně, strašně,
děsně

awhile [əˈwail] *adv* (na) chvilku

awkward [ˈoːkwəd] *a* 1. ne-
ohrabaný, nemotorný 2. o věci
hloupý, nešikovný; nepříjem-
ný, mrzutý, trapný

awl [oːl] *s* tech. šídlo

awn [oːn] *s* osina u klasu

awning [ˈoːniŋ] *s* plátěná stře-
cha, roleta

awoke [əˈwouk] *pt & pp* od
to awake

awry [əˈrai] *adv* šikmo, nakřivo;
úkosem □ *a* křivý, pokřivený

axe, am. **ax** [æks] *s* sekera

axial [ˈæksiol] *a* axiální: ~ *rota-
tion* otáčení kolem osy

axiom [ˈæksiəm] *s* mat., fil.
axióm, zásada, princip; —**atic**
[ˌæksiəˈmætik] *a* samozřejmý

ax|is [ˈæksis] *s* pl. -*es* [-iːz] osa

axle [ˈæksl] *s* náprava, osa

ay(e) [ai] *adv* arch., dosud v dolní
sněmovně & nám. ano □ *s*
ano, kladný hlas: *the ayes
have it* většina je pro

aye [ei] *adv* bás., škot. vždy:
for ~ navěky

azalea [əˈzeiljə] *s* bot. azalka

Azerbaidzhan, Azerbaijan [ˌaːzə-
baiˈdʒaːn] *s* (z) Ázerbájd-
žán

Azores, *the* [əˈzoːz] *s* (o) Azory

azure [ˈæžə] *s* azur, blankyt □
a azurový, blankytný

B

B, b [bi:] *s* 1. písmeno b 2. hud. h
B.A. [ˈbiːˈei] = *Bachelor of
Arts* bakalář svobodných
umění filosofie
baa [ba:] o ovci *vi* bečet □ *s*
bečení, bekot
babbitt [ˈbæbit], **B~-metal** *s*
babit kompozice, bílý kov,
ložiskový kov
babbl|e [ˈbæbl] *vi* 1. dětsky žvat-
lat 2. žvanit, brebtat 3. o vodě
bublat □ *s* 1. žvatlání 2.
žvanění 3. bublání; **—er**
[ˈbæblə] *s* žvanil, brebta
babe [beib] *s* arch., bás. = *baby*
baboon [bəˈbuːn] *s* zool. pavián
baby [ˈbeibi] *s* 1. dítě, děťátko,
nemluvně 2. *atr* dětský; malý;
~ *grand (piano)* malé křídlo;
|~ -|**farmer** *s* pěstoun(ka);
—hood [ˈbeibihud] *s* útlé
dětství; **—ish** [ˈbeibiiš] *a* 1.
dětinský, hloupý 2. dětský
baccalaureate [ˌbækəˈloːriit] *s*
bakalaureát
baccy [ˈbæki] *s* hov. tabák
bachelor [ˈbæčələ] *s* 1. starý
mládenec 2. bakalář; *B~ of
Arts* bakalář svobodných
umění filosofie; **—hood** [ˈbæ-
čələhud] *s* staromládenectví
bacill|us [bəˈsiləs] *s* pl. *-i* [bo-
ˈsilai] bacil
back [bæk] *s* 1. záda, hřbet 2.
rub; opěradlo; týl; zadní
strana 3. kop. obránce, bek
□ *a* 1. zadní 2. zpáteční,
zpětný (*stroke* chod) 3. *am.*
dlužný, nezaplacený □ *adv*
1. zpátky, zpět 2. dozadu,
stranou (od) □ *vt & i* 1.

~ (*up*) *s.o.* podporovat koho,
stát za kým, protežovat koho
2. obch. indosovat (*a bill*
směnku) 3. za-, couvat, uvést
ve zpětný chod 4. vsadit nač;
~ **off** ustoupit od čeho; ~ **out**
(of) vycouvat z; vytratit se z;
fig. vyvléknout se z; **—bite***
[ˈbækbait] *vt* 1. ostouzet □ *vi*
2. klevetit; **—bone** [ˈbæk-
boun] *s* páteř; **—er** [ˈbækə] *s*
1. ochránce, protežér 2. (do-
stihový) sázkař; ~ -**formation**
[ˈbækfoˈmeišən] *s* jaz. zpětné
tvoření slov; **—ground** [ˈbæk-
graund] *s* pozadí; **—most**
[ˈbækmoust] *a sup* nejzad-
nější; **—slide*** [ˈbækˈslaid] *vi*
upadnout (opět) (*into* do
špatnosti); **—ward** [ˈbækwəd]
a 1. zpáteční, zpětný 2. za-
ostalý 3. opožděný 4. pomalý,
liknavý; **—wardness** [ˈbæk-
wədnis] *s* 1. zaostalost 2. z-,
o|pozdění 3. váhavost;
—ward(s) [ˈbækwədz] *adv* 1.
dozadu, zpět 2. obráceně,
pozpátku; **—woods** [ˈbæk-
wudz] *s* zálesí; **—woodsman**
[ˈbækwudzmən] *s* pl. *-men*
[-mən] zálesák
bacon [ˈbeikən] *s* slanina
bacteri|ological [bækˌtiəriəˈlod-
žikəl] *a* bakteriologický [*war-
fare, weapon* válka, zbraň);
—ology [bækˌtiəriˈolədži] *s*
bakteriologie; **—um** [bækˈtiə-
riəm] *s* obv. jen pl. *-a* [-ə]
baktérie
bad [bæd] *a comp:* worse [wəːs],
sup: worst [wəːst] 1. špatný;

zkažený (*meut* maso); ošklivý (*smell* zápach) **2.** zlý; nehodný **3.** ~ *for* škodlivý komu čemu **4.** nemocen, bolavý ♦ *to be* ~ *at* nebýt dobrý nač, nevyznat se v; *to feel* ~ necítit se dobře; *to go* ~ zkazit se o potravinách; *to use* ~ *language* klít, sprostě mluvit; *not* ~ hov. docela dobrý, slušný; *to be taken* ~ onemocnět; *that's too* ~ hov. to je mrzuté; velmi ošklivé; **—ly** [ˈbædli] *adv* **1.** špatně **2.** šeredně, hanebně **3.** zle **4.** nutně: *to want* ~ hov. nutně potřebovat ♦ ~ *off* chudý; **—ness** [ˈbædnis] *s* **1.** špatný stav, poměry, jakost **2.** špatnost

bade [beid, bæd] *pt* od *to bid*

badge [bædž] *s* odznak; znak

badger [ˈbædžə] *s* jezevec ☐ *vt* zlobit, škádlit

baffle [ˈbæfl] *vt* **1.** z-, mařit, znemožnit **2.** z-, mást

bag [bæg] *s* **1.** pytel **2.** taška, kabel(k)a **3.** (lovecká) brašna; fig. úlovek **4.** váček **5.** pl. hov. *(pair of)* -*s* kalhoty ☐ *vt* (-gg-) **1.** dát do tašky, brašny; plnit do pytlů **2.** hov. žert. sebrat, skulit ☐ *vi* **3.** vy-, na|douvat se; **—gy** [ˈbægi] *a* vydutý, baňatý, pytlovitý; **—man** [ˈbægmən] *s* pl. -*men* [-men] hov. cesťák, agent

bagatelle [ˌbægəˈtel] *s* **1.** maličkost **2.** hud. bagatela

Bagdad [bægˈdæd] *s* (m) Bagdád

baggage [ˈbægidž] *s* **1.** am. zavazadla; brit. jen vojenská **2.** žert. hubatá holka

bag|pipe(s) [ˈbægpaip(s)] *s* dudy; **—piper** [ˈbægpaipə] *s* dudák

bah [ba:, ba] *int* pohrdlivě ph, pha

Bahama Islands, *the* [bəˈha:mə] (o) Bahamy

bail[1] [beil] *s* práv. **1.** záruka, kauce; rukojemství **2.** ručitel ♦ *to go* ~ *for s.o.* zaručit se za koho; *surrender to one's* ~ dostavit se k soudu ☐ *vt* práv. **1.** ~ *(out)* docílit propuštění na záruku **2.** arch. propustit na záruku **3.** zaručit se **4.** dát do úschovy; **—ee** [beiˈli:] *s* práv. opatrovník, uschovatel, depozitář; **—ment** [ˈbeilmənt] *s* práv. **1.** úschova **2.** propuštění na záruku; **—or** [ˈbeilə] *s* práv. deponent, ukladatel

bail[2], **bale** [beil] *vt* vylévat (člun); ~ *out* let. vyskočit s padákem

bailie [beili] *s* skot. (městský) radní

bailiff [ˈbeilif] *s* **1.** hist. královský správce **2.** soudní vykonavatel; hist. biřic

bait [beit] *vt* **1.** štvát (zvěř) **2.** nakrmit (koně) **2.** stavit se (v hospodě) **4.** nalíčit, nastražit ☐ *s* **1.** návnada **2.** krmení; zastávka (na krmení)

bak|e [beik] *vt & i* **1.** péci (se) *(bread* péci chléb) **2.** pálit, vypalovat *(bricks* cihly); **—er** [ˈbeikə] *s* pekař; **—ery** [ˈbeikəri] *s* pekařství

bakelite [ˈbeikəlait] *s* bakelit

balance [ˈbæləns] *s* **1.** váhy **2.** rovnováha **3.** = ~ -*wheel* **4.** váha, vliv **5.** zůstatek, saldo **6.** (účetní) rozvaha, bilance 7. hov. *the* ~ zbyt|ek, -ky □ *vt* 1. rozvážit (si) 2. u-, držet v rovnováze, balancovat 3. vyvážit 4. vyrovnat (*an account* účet), saldovat □ *vi* 5. váhat; ~ **-sheet** [ˈbælənsši:t] *s* rozvaha, bilance listina; ~ **-wheel** [ˈbælənswi:l] *s* setrvačník, nepokoj hodinek

balcony [ˈbælkəni] *s* balkón

bald [bo:ld] *a* 1. holohlavý, plešatý 2. holý; i fig. lysý; —**ly** [ˈbo:ldli] *adv* 1. otevřeně 2. spoře, skrovně; —**ness** [ˈbo:ldnis] *s* 1. holohlavost, plešatost 2. suchopár(nost)

baldachin [ˈbo:ldəkin] *s* baldachýn

balderdash [ˈbo:ldədæš] *s* nesmysl

baldric [ˈbo:ldrik] *s* bandelír

bale[1] [ˈbeil] *s* žok, balík (*of cotton, coffee* bavlny, kávy) □ *vt* 1. balíkovat, balit do žoků 2. ~ *out* = *to bail*[2] *out*

bale[2] [beil] *s* arch., bás. 1. neštěstí, pohroma 2. bol; —**ful** [ˈbeilful] *a* zhoubný; neblahý

balk, baulk [bo:k] *s* 1. trám, břevno 2. překážka 3. mez □ *vt* 1. zanedbat co, vyhnout se čemu 2. zabránit 3. zmařit, zklamat □ *vi* 4. zarazit se 5. o koni plašit se

Balkan [ˈbo:lkən] *a* balkánský: ~ *Peninsula* Balkánský poloostrov □ *s* jen *the* -*s* (h, z) Balkán(ské státy)

ball[1] [bo:l] *s* 1. koule; kul(ič)ka 2. míč 3. klubko nití 4. bulva oční; ~ **-bearing** [ˈbo:lˈbeəriŋ] *s* kuličkové ložisko; ~ **-cartridge** [ˈbo:lˈka:tridž] *s* ostrý náboj; ~ **-firing** [ˈbo:lˈfaiəriŋ]

s střílení naostro; ~ **joint** kulový kloub; ~ **-point** [ˈbo:lpoint] *a* kuličkový (*pen* péro); ⌐ ~ **-valve** *s* kuličkový ventil

ball[2] [bo:l] *s* ples; lid. bál; ~ **-room** [ˈbodrum] *s* taneční sál

ballad [ˈbæləd] *s* 1. balada 2. písnička

ballade [bæˈla:d] *s* poet. villonská balada

ballast [ˈbæləst] *s* 1. přítěž, balast 2. žel. loživo, štěrk □ *vt* zatížit loď

ballet [ˈbælei] *s* balet

balloon [bəˈlu:n] *s* 1. balón; -ek 2. chem. baňka □ *vi* 1. vzlétnout v balónu 2. vzdouvat ♦ ~ *tire* balónová pneumatika

ballot [ˈbælət] *s* 1. hlasovací lístek; volební kulička 2. (tajná) volba, hlasování: *peace* ~ hlasování pro mír; *second* ~ užší volba 3. losování □ *vi* 1. (tajně) hlasovat 2. vy-, losovat; ~ **-box** [ˈbælətboks] *s* (volební) urna

balm [ba:m] *s* 1. balzám; i fig. 2. bot. balšám; i fig. —**y** [ˈba:mi] *a* 1. vonný 2. libý, mírný 3. hojivý

balsam [ˈbo:lsəm] *s* = *balm*; —**ic** [bo:lˈsæmik] *a* = *balmy*

Baltic [ˈbo:ltik] *a* & *s* baltský: *the* ~ (*Sea*) Baltské moře

Baltimore [ˈbo:ltimo:] *s* (m) v USA

Balto-Slavic [ˈbo:ltouˈsla:vik] *a* & *s* baltoslovansk|ý; é jazyky

Baluchistan [bəˈlu:čista:n] *s* (z) Balúčistán

balust|er [ˈbæləstə] *s* stav. ku-

želka, balustr; —**rade** [ˌbæ-
ləsˈtreid] *s* stav. balustráda
bamboo [bæmˈbuː] *s* pl. -*s* [-z]
bambus □ *a* bambusový
bamboozle [bæmˈbuːzl] *vt* hov.
1. napálit, doběhnout 2. o-,
balamutit
ban [bæn] *vt* (-nn-) 1. zakázat
2. vypovědět, vyhnat (*from* z)
3. arch. dát do klatby □ *s*
1. zákaz 2. vypovězení 3.
klatba; prokletí
banal [bəˈnaːl] *a* všední, otře-
paný, banální; —**ity** [bəˈnæ-
liti] *s* všednost, banalita
banana [bəˈnaːnə] *s* banán
band [bænd] *s* 1. stuha, pentle
2. pás(ek) 3. obruč 4. (hnací)
řemen 5. pruh, proužek 6.
rad. pásmo 7. tlupa, pejor.
banda 8. kapela: *brass, jazz,
string*, ~ dechová, jazzová,
smyčcová kapela □ *vt & i*
1. shromáždit (*o.s.* se) 2.
spolčit se 3. o-, pentlit, pre-
movat; —**age** [ˈbændidʒ] *s*
obvaz, obinadlo: □ *vt* ob-,
za|vázat; —**master** [ˈbænd-
ˌmaːstə] *s* kapelník
bandit [ˈbændit] *s* pl. -*s* [-s], -*ti*
[bænˈditiː] 1. loupežník, ban-
dita 2. zbojník
bandy [ˈbændi] *vt* 1. odpalovat
míč 2. fig. ~ *a rumour* šířit
pověsti; ~ *from mouth to
mouth* letět od úst k ústům;
~ *words with* hádat se s □ *a*
(ohnutý) do o; ~-**legged**
[ˈbændilegd] *a* s nohama do o
bane [bein] *s* bás. kletba; zá-
huba; -**ful** [ˈbeinful] *a* zhoub-
ný
bang¹ [bæŋ] *vt* 1. udeřit, tlouci
koho 2. bouchnout, prásknout

(*a door* dveřmi) 3. hov. zbít
koho, nabančit komu; pobít
koho □ *vi* 4. bušit, třískat
5. o pušce třesknout □ *s*
1. rána, úder 2. výstřel,
třesk(nutí) □ *adv* hov. zrovna,
rovnou □ *int* bum!, prásk!
bang² [bæŋ] hov. *s* ofina □ *vt*
zastřihnout do ofiny
bangle [ˈbæŋgl] *s* šperk nákot-
ník, bengle
banish [ˈbæniš] *vt* 1. vypovědět,
vyhostit; vyhnat 2. zbavit se
(*fear* strachu); —**ment** [ˈbæ-
nišmənt] *s* 1. vypovězení,
vyhoštění 2. vyhnanství
banister [ˈbænistə] *s* obv. pl.
zábradlí na schodech
bank¹ [bæŋk] *s* 1. břeh řeky 2.
násep 3. svah, stráň 4. píšči-
na, mělčina 5. závěj sněhu,
hradba mraků □ *vt & i* 1. o-,
hradit břehem; zahradit 2.
~ *up* navršit, nakupit 3. let.
naklonit (se) v zatáčce
bank² [bæŋk] *s* 1. banka 2. *atr*
bankovní 3. bank v kartách ♦
The B ~ of England Anglická
banka; ~ *holiday* brit. ban-
kovní (= státní) svátek; ~ *of
issue* cedulová banka; *to have
an account with a ~* mít účet
u banky □ *vt* 1. uložit, uklá-
dat peníze □ *vi* 2. ~ *with* mít
účet u banky 3. mít bank
4. hov. ~ *(up)on* spoléhat se
na, počítat s; —**able** [ˈbæŋk-
əbl] *a* obchodovatelný; |~-**bill**
s 1. brit. bankovní směnka
2. am. bankovka; |~-**book** *s*
vkladní knížka; —**er** [ˈbæŋkə]
s bankéř; banka; —**ing** [ˈbæŋ-
kiŋ] *s* 1. bankovnictví, peněž-
nictví 2. *atr* bankovní (*account*

účet); ~ -note s brit. bankovka; ~ -rate ['bæŋkreit] s brit. oficiální diskontní sazba

bankrupt ['bæŋkrəpt] s práv. úpadce, konkursní dlužník; lid., fig. bankrotář □ a 1. insolventní, neschopný platit v konkursu: *to get* ~ udělat úpadek; lid. přijít na mizinu 2. fig. ~ *in* v koncích s čím □ *vt* 1. udělat úpadek 2. přivést na mizinu; —cy ['bæŋkrəpsi] s 1. práv. úpadek, konkurs; lid. bankrot 2. *atr* konkursní

banner ['bænə] s 1. prapor; hist. korouhev 2. standarta ♦ ~ *of freedom* prapor svobody

banns [bænz] s pl. ohlášky snoubenců

banquet ['bæŋkwit] s hostina, recepce, banket □ *vt & i* hodovat, hostit

bantam ['bæntəm] s 1. bantamka slepice 2. *atr* sport. ~ *weight* bantamová, kohoutí váha od 112 do 118 lb

banter ['bæntə] s škádlení; žert(ování), vtip(kování) (*on* o) □ *vt & i* škádlit; dobírat si (*on* koho); vtipkovat

Bantu ['bæn'tu:] s 1. Bantu, -ové 2. bantuské jazyky □ *a* bantuský

bapt|ism ['bæptizəm] s křest (*of fire* ohněm); —ismal [bæp'tizməl] s křestní (*name* jméno); —ist ['bæptist] s 1. křtitel 2. církv. baptista; —istery ['bæptistəri] s stav. baptisterium; —ize [bæp'taiz] *vt & i* po-, křtít

bar [ba:] s 1. tyč, -ka, (kovový) prut, mříž v okně 2. kus,

kolíček mýdla; žebro čokolády 3. závora, zástrčka 4. fig. překážka, zábrana 5. takt; -ová čára 6. dlouhá písčina, mělčina u ústí řeky 7. zábradlí, přepážka 8. soud; -ní dvůr; i fig. 9. *the B* ~ právníci, obhájci stav; advokacie 10. (výčepní) pult, výčep, nálevna, bufet ♦ *to be called to the* ~ dostat povolení k advokátní praxi; *to go to the* ~ stát se advokátem; *horizontal* ~ hrazda; *parallel -s* bradla □ *vt* (-rr-) 1. zavřít (se) na závoru, zastrčit (závoru); ~ *in* zavřít (se) v; ~ *out* zavřít komu, (se) před kým 2. uzavřít, zahradit, zatarasit cestu 3. fig. zabránit, překazit, znemožnit 4. hov. nemít rád 5. nepočítat □ *prep* mimo, kromě ~ *none* bez výjimky; ~ **-bell** ['ba:bel] s činka na vzpírání; —**maid** ['ba:meid] s číšnice; —**man** [-mən] s pl. -*men* [-mən] číšník; barman; ~ **-room** s výčep, lokál

barb [ba:b] s 1. osten (šípu, kopí); i fig. 2. háček udice 3. (masitý) vous u ryb ♦ *-ed wire* ostnatý drát

Barbara ['ba:bərə] s Barbora

barbar|ian [ba:'beəriən] s & a barbar; -ský; —**ic** [ba:'bærik] a barbarský; —**ism** ['ba:bərizəm] s 1. barbarství 2. jaz. barbarismus; —**ity** [ba:'bæriti] s 1. barbarství, sveřepost 2. pl. -*ities* zvěrstva; —**ous** ['ba:bərəs] a barbarský, sveřepý

barbel ['ba:bəl] s zool. parma

barber [ˈbaːbə] s holič; zast. bradýř = mod. *hairdresser*
bard [baːd] s bard, pěvec; —ic [ˈbaːdik] a bardský
bare [beə] a 1. holý, nahý; bosý; nepokrytý; bezmračný 2. prázdný 3. prostý (*majority* většina) 4. pouhý □ vt 1. obnažit 2. fig. odhalit, otevřít (*one's heart* své srdce komu); —faced [ˈbeəfeist] a nestoudný, drzý; —facedness [ˈbeəfeistnis] s nestoudnost, drzost; —footed [ˈbeəˈfutid] a bosý, bosonohý; —headed [ˈbeəˈhedid] a s nepokrytou hlavou; —ly [ˈbeəli] adv 1. sotva, stěží 2. chatrně; —ness [ˈbeənis] s 1. nahota 2. nuzota
bargain [ˈbaːgin] s (výhodná, nahodilá) koupě, obchod: *to make a ~* dohodnout se, uzavřít obchod; levně koupit: *to strike a ~* plácnout si; *that's a ~* platí!, ujednáno! ♦ *into the ~* k tomu (ještě), navíc □ vi 1. smlouvat (se), dohadovat (se) (*with s.o. for* s kým oč) 2. *~ for* počítat s čím
barg|e [baːdž] s 1. nákladní (vlečná) pramice, prám 2. zábavní bárka □ vi hov. valit se; —ee [baːˈdžiː] s prámař, bárkař
barium [ˈbeəriəm] s chem. baryum
bark¹ [baːk] vi štěkat □ s štěkot, štěkání
bark² [baːk] s kůra stromu □ vt 1. loupat kůru 2. odřít kůži
bark³ [baːk] s 1. trojstěžňová bárka 2. loď, člun
barley [ˈbaːli] s 1. ječmen:

peeled ~ kroupy 2. *atr* ječný; |—corn s 1. ječmen zrno 2. *John B~* Ječmínek
barn [baːn] s 1. stodola 2. am. chlév, stáj 3. barabizna
baromet|er [bəˈromitə] s tlakoměr, barometr; —ric(al) [ˌbærəˈmetrik(əl)] a barometrický
baron [ˈbærən] s 1. baron 2. am. magnát: *coal ~* uhlobaron; —ess [ˈbærənis] s baronka; —et [ˈbærənit] s baronet; —y [ˈbærəni] s 1. baronie 2. baronství
baroque [bəˈrouk] a barokní □ s barok(o)
barque [baːk] = bark³
barrack [ˈbærək] s 1. obv. pl. kasárny 2. *atr* kasárenský □ vt & i ubytovat (se) v kasárnách
barrage [ˈbæraːž] s 1. jez, přehrada 2. voj. (palebná) clona: *balloon ~* balónová přehrada
barrel [ˈbærəl] s 1. sud 2. dutá míra barel 3. tech. buben 4. hlaveň: *a double -led gun* dvojka □ vt [-ll-] stáčet (do sudů); ~ -organ [ˈbærəlˌoːgən] s kolovrátek, flašinet
barren [ˈbærən] a 1. neúrodný 2. neplodný 3. fig. jalový, prázdný □ s obv. pl. lada
barricade [ˌbæriˈkeid] s barikáda □ vt zabarikádovat
barrier [ˈbæriə] s 1. ohrada; bariéra 2. fig. překážka, přehrada
barring [ˈbaːriŋ] prep kromě, mimo
barrister [ˈbæristə] s obhájce, advokát, právní zástupce, kt. má právo zastupovat u soudu

barrow¹ [ˈbærou] *s* n. *wheel-* ~
1. kolečko 2. (dvojkolý) vozík
barrow² [ˈbærou] *s* archeol. mohyla
Bart [ba:t] = *baronet*
barter [ˈba:tə] *vt* 1. vyměnit (*for* zač) □ *vi* 2. provozovat výměnný obchod □ *s* výměna; výměnný, kompenzační obchod
Bartholomew [ba:ˈθoləmju:] *s* Bartoloměj
barytone [ˈbæritoun] *s* 1. baryton 2. barytonista
basal [ˈbeisl] *a* základní; med. bazální
basalt [ˈbæso:lt] *s* čedič; **—ic** [bəˈso:ltik] *a* čedičový
bascule [ˈbæskju:l] *s* tech. baskulík: ~ *bridge* zvedací most
base¹ [beis] *s* 1. i geom., voj. základna 2. voj. opěrný bod, báze 3. fig. základ, východisko; podklad 4. spodek; podstavec 5. chem. zásada 6. *atr* základní □ *vt* založit, stavět (*on* *upon* na čem), opírat oč; **—less** [ˈbeislis] *a* bezpodstatný, neoprávněný
base² [beis] *a* l. nízký, nečestný, podlý 2. chatrný 3. všední, obyčejný 4. falešný, špatný; **—ness** [ˈbeisnis] *s* nízkost, sprostota
baseball [ˈbeisbo:l] *s* sport. baseball
basement [ˈbeismənt] *s* 1. suterén; sklepní byt 2. stav. základy
bases 1. [ˈbeisiz] *pl.* od *base¹* 2. [ˈbeisi:z] *pl.* od *basis*
bashful [ˈbæʃful] *a* stydlivý, ostýchavý; **—ness** [ˈbæʃfulnis] *s* ostýchavost, nesmělost

basic [ˈbeisik] *a* 1. základní 2. chem. bazický, zásaditý; **—ity** [bəˈsisiti] *s* chem. bazicita, zásaditost
basilica [bəˈzilikə] *s* bazilika
basin [ˈbeisn] *s* 1. umývadlo 2. mísa 3. nádrž, bazén 4. zem. povodí, poříčí 5. zem. pánev
bas|is [ˈbeisis] *s* pl. *-es* [ˈbeisi:z] 1. fig. základ, báze: ~ *and* *superstructure* základna a nadstavba 2. voj. základna
bask [ba:sk] *vi* 1. slunit se 2. fig. těšit se čemv
basket [ˈba:skit] *s* koš, -ík; ~ **-bal** [ˈba:skitbo:l] *s* košíková; **—ful** [ˈba:skitful] *s* (plný) koš, -ík (*of* čeho); **—ry** [ˈba:skitri] *s* 1. košikářství 2. košikářské zboží
Basque [bæsk] *s* 1. Bask 2. baskičtina □ *a* baskický
bas(s)-relief [ˈbæsriˌli:f] *s* bas reliéf □ *a* polovypouklý
bass¹ [beis] *a* basový (*clef* klíč) □ *s* bas
bass² [bæs] *s* (= *bast*) lýko
bass³ [bæs] *s* zool. okoun
bassinet [ˌbæsiˈnet] *s* 1. (dětský) koš 2. dětský (proutěný) kočárek
bassoon [bəˈsu:n] *s* hud. ragot
bast [bæst] *s* lýkc □ *a* lýkový, lýčený
bastard [ˈbæstəd] *s* 1. nemanželské dítě, levoboček 2. bastard, kříženec □ *a* 1. nemanželský 2. křížený, míšený 3. nepravý; **—y** [ˈbæstədi] *s* nemanželský původ
baste¹ [beist] *vt* na-, stehovat
baste² [beist] *vt* podlévat pečeni
baste³ [beist] *vt* nasekat, napráskat komu

bastion [ˈbæstiən] *s* bašta, bastion

bat¹ [bæt] *s* netopýr

bat² [bæt] *s* 1. pálka 2. = —*sman* 3. hov. rána 4. hov. tempo, rychlost □ *vt & i* (-tt-) od-, pálkovat; —**sman** [ˈbætsmən] *s* pl. -*men* [-mən] pálkovač v kriketu

batch [bæč] *s* 1. (jedno) pečení, sádka chleba 2. fig. várka, dávka, kupa čeho

bat|e [beit] *vt* = *abate*: *with* -*ed breath* se zatajeným dechem

bath [ba:θ] *s* pl. -*s* [ba:ðz] 1. koupel, lázeň: *to have, take, a* ~ vykoupat se ve vaně 2. vana 3. pl. lázně budova □ *vt·* vy-, koupat (*a child* dítě); ~ -**room** [ˈba:θrum] *s* koupelna; -**tub** [ˈba:θtab] *s* vana

bathe [beið] *vt & i* vy-, koupat (se) venku □ *s* pl. -*s* [beiðz] koupání: *to go for a* ~ jít se vykoupat; *to have a* ~ vykoupat se venku

bathing [ˈbeiðiŋ] *s* koupání: *to be fond of* ~ rád se koupat; ~ -**costume** [ˈbeiðiŋ‖kostju:m], ‖~ -**dress** *s* (dámské) plavky; ~ -**drawers** [ˈbeiðiŋ‖dro:z] *s* pl. brit. (pánské) plavky; ~ -**gown** [ˈbeiðiŋ‖gaun] *s* koupací plášť; ~ -**machine** [ˈbeiðiŋmə‖ši:n] *s* pojízdná koupací kabina; ~ **suit** [ˈbeiðiŋ‖sju:t] opalovačky

batiste [bæˈti:st] *s* batist

batman [ˈbætmən] *s* pl. -*men* [-mən] vojenský sluha; sl. pucflek

baton [ˈbætən] *s* 1. hůl

(*marshal's* maršálská) 2. hud. taktovka

battalion [bəˈtæljən] *s* prapor; lid. batalión

batten¹ [ˈbætn] *s* 1. prkno, fošna 2. lať □ *vt* pobít, vyztužit latěmi

batten² [ˈbætn] *vi* 1. tloustnout, tučnět; pejor. týt (*on* z) 2. ~ *on* krmit (se) čím, hodovat na

batter [ˈbætə] *vt & i* 1. z-, bít, z-, třískat 2. bušit (*at* na) 3. bořit, ostřelovat 4. fig. napadnout, ostře kritizovat koho □ *s* třené těsto

battery [ˈbætəri] *s* 1. el., voj. baterie 2. práv. ublížení na těle: *assault and* ~ násilnosti

battle [ˈbætl] *s* bitva, boj; i fig. *drawn* ~ nerozhodná bitva □ *vi* bojovat (*for* zač); ~ -**cruiser** [ˈbætl‖kru:zə] *s* (bitevní) křižník; ‖ ~ -**dress** *s* (voj.) uniforma *s* blůzou; ‖ ~ **field** [ˈbætlfi:ld] *s* bojiště

battlement [ˈbætlmənt] *s* cimbuří

bauble [ˈbo:bl] *s* cetka

bauxite [ˈbo:ksait] *s* min. bauxit

Bavar|ia [bəˈveəriə] *s* Bavorsko; —**ian** [bəˈveəriən] *a* bavorský □ *s* Bavorák

bawd [bo:d] *s* kniž. kuplíř, -ka; —**y** [ˈbo:di] *a* kniž. oplzlý

bawl [bo:l] *vi & t* hulákat, řvát □ *s* hulákání, křik

bay¹ [bei] *s* 1. záliv, zátoka 2. výklenek, arkýř: ~ *window* arkýřové okno

bay² [bei] *s* vavřín; bobkový list

bay³ [bei] *a* o koni kaštanový (*horse*) hnědák

bay⁴ [bei] *s* štěkání, štěkot ♦ *to be at* ~ lov. být staven; fig. být vehnán do úzkých; *to bring to* ~ lov. stavit; fig. vehnat do úzkých, držet v šachu □ *vi & t* **1.** štěkat, výt (na) **2.** lov. stavit (se)

bayonet [ˈbeiənit] *s* bodlo bodák, bajonet □ *vt* pro-, bodnout bodákem; |~ -**joint** [ˈbeiənitdžoint] *s* bajonetový závěr

bazaar [bəˈzaː] *s* bazar

bazooka [bəˈzuːkə] *s* am. pancéřová pěst

B.B.C. [ˈbiːbiːˈsiː] = *British Broadcasting Corporation* britský rozhlas

B.C. [ˈbiːˈsiː] = *before Christ* př. Kr.; před n. l.

be* [biː] *vi pres sg.* **1.** *am* [æm, əm, m] **2.** *are* [aː], zast. *thou art* [ðauˈaːt] **3.** *is* [iz], pl. *are* [aː]; *pt sg.* l., **3.** *was* [woz, wəz] **2.** *were* [wəː, wə], zast. *thou wert* [ðauˈwəːt], pl. *were*; *pres p: being* [ˈbiːiŋ]; *pp: been* [biːn] **1.** být, existovat; *his wife to be* jeho nastávající; *it is me* hov. to jsem já; *there is, was, etc., no one there* nikdo tam není, nebyl atd.; *he is come* už je tu; *have you been to England?* byl jste (už) v Anglii? *has anyone been?* byl tu někdo? **2.** znamenat **3.** stát; *how much is this (one?)* kolik stojí tohle (tenhle)? **4.** mít se: *how are you?* jak se máte? **5.** ~ + *inf* mít povinnost, lze: *am I to come?* mám přijít?; *where is it to be had?* kde se to dostane? **6.** ~ + *pres p* = průběhově tvary. *I am going* (právě) jdu, jedu, ale *I go* chodím **7.** ~ + *pp* = trpné tvary *I am called* jsem volán; *s t. is used* užívá se čeho; ~ **about 1.** chystat se, hodlat: *we are about to leave* jsme na odchodu **2.** o nemoci řídit; ~ **after** sledovat (*s.o.* koho), jít po (kom); **by** stát při (*s.o.* kom); **down 1.** klesnout **2.** pře-, u|stat **3.** hov. být na mizině **4.** hov. ležet nemocen; ~ **down on** mít spadeno na; ~ **for 1.** být pro, schvalovat **2.** jet do **3.** *if it were not for us* nebýt nás...; ~ **in 1.** být doma, uvnitř **2.** být u moci **3.** nastat; ~ **in for 1.** sport. účastnit se čeho **2.** čekat koho, co **3.** ucházet se o; ~ **off 1.** odejít **2.** ~ *well, badly, off* být zámožný, chudý; ~ **over** být po čem, skončit se; ~ **up to 1.** vyrovnat se čemu **2.** vyznat se v ♦ *it's up to you* to záleží na vás; —**ing** [ˈbiːiŋ] *s* **1.** bytost **2.** jsoucno; existence: *to come into* ~ vzniknout

beach [biːč] *s* (mořský) břeh, pláž □ *vt* najet, vytáhnout loď na břeh

beacon [ˈbiːkən] *s* **1.** strážný oheň; světelný signál **2.** signální věž, nehlídaný maják; světelná bóje

bead [biːd] *s* **1.** korálek, kulička, zrnko (růžence) **2.** pl. korále; růženec **3.** kap(ič)ka; bublinka v nápoji **4.** muška na hlavni

beadle [ˈbiːdl] *s* **1.** kostelník; obecní sluha, dráb **2.** brit. pedel

beak [bi:k] *s* 1. zobák 2. hubička nádoby 3. zobec lodi —**er** [ˈbi:kə] *s* 1. arch. pohár: ~ *people* lid zvoncových pohárů 2. chem. kádinka (s hubičkou)

beam [bi:m] *s* 1. trám, břevno 2. stav. nosník 3. nám. palubnice 4. fig. šířka 5. rameno vah 6. svazek (*of rays* paprsků) □ *vt & i* kniž. zářit; i fig. |~ -**lends** *s* pl. bok lodi: *to be laid (on her)* ~ ležet na boku; být ztracen o lodi; —**y** [ˈbi:mi] *a* bachratý o lodi

bean [bi:n] *s* 1. fazole, bob 2. zrn(k)o kávové, kakaové ♦ *full of -s* hov. plný energie, bujarý

bear¹* [beə] *vt & i* 1. nést, nosit 2. s-, u|nést 3. fig. mít (*a name, relation* jméno, vztah) 4. strpět, snést, vydržet 5. rodit, plodit mláďata, nést plody: *borne by* zrozen z; *to be born* narodit se; *born in 1920* narozen r. 1920 6. ~ *o.s.* nést se; chovat se (*well* dobře); ♦ *to bring to* ~ po-, užít k; působit na; zaměřit na; ~ *a grudge against* mít spadeno na; ~ *a hand* pomoci; ~ *in mind* mít na paměti; ~ *witness against* svědčit proti; ~ **back** ustoupit, couvnout; ~ **down** 1. s-, po|razit 2. prohýbat (se); 3. hnát se, mířit (*on* k); ~ **on** 1. tlačit, doléhat na 2. opírat se oč 3. týkat se čeho, souviset s; ~ **out** potvrdit, podepřít; ~ **up** 1. vytrvat 2. odol(áv)at (*against* čemu); ~ **upon** = ~ *on*; ~ **with** mít strpení s kým; —**able**

[ˈbeərəbl] *s* snesitelný; —**er** [ˈbeərə] *s* 1. nosič 2. posel 3. i obch. doručitel: ~ *cheque* šek na doručitele 4. o stromě *it is a good, poor,* ~ hodně, málo rodí; —**ing** [ˈbeəriŋ] *s* 1. způsoby, chování 2. vztah, poměr (*on* k); stránka čeho: *in all its -s* po všech stránkách 3. snesitelnost: *beyond all* ~ nesnesitelný 4. pl. orientace: *to lose one's -s* ztratit orientaci 5. pl. tech. ložisko

bear² [beə] *s* 1. medvěd 2. obch. baissista, spekulant na pokles cenných papírů □ *vt* obch. spekulovat na pokles. kursů

beard [biəd] *s* plno-, vous, brad(k)a □ *vt* troufnout si na koho; —**ed** [ˈbiədid] *a* vousatý; —**less** [ˈbiədlis] *a* bezvousý

beast [bi:st] *s* 1. zvíře: ~ *of burden* soumar; ~ *of prey* dravé zvíře, šelma; *wild* ~ djv(ok)é zvíře 2. hovado, bestie o člověku —**ly** [ˈbi:stli] *a* 1. zvířecký 2. hov. hnusný, otravný (*weather* počasí) □ *adv* hov. příšerně, děsně

beat¹* [bi:t] *vt & i* 1. bít, tlouci, bušit 2. napráskat komu 3. sport., voj. porazit 4. předčit, vynikat nad koho 5. am. napálit, podfouknout; ~ **back** odrazit, zahnat; ~ **down** 1. porazit, rozbít 2. srazit (*prices* ceny); ~ **into** v-, za|tlouci; ~ **off** odrazit, zahnat; ~ **out** 1. vymlátit obilí 2. vykovat, vytepat 3. zformovat 4. razit cestu 5. am. (úplně) vyčerpat, vysílit; ~ **up** 1. u-, šlehat vejce 2. nám. křižovat, lavírovat proti větru 3. odvádět, verbovat (for vojáky) 4. lov. vyštvat zvěř ♦ to ~ about the bush okolkovat, chodit jako kolem horké kaše; ~ at the door bušit na dveře; ~ it! am. sl. vypadni!; ~ one's brains lámat si hlavu čím; ~ a carpet klepat koberec; ~ a drum bubnovat; ~ gold tepat zlato; ~ a path, way razit cestu; ~ a retreat voj. troubit na ústup; i fig.; ~ time udávat takt; that -s me to mi nejde na rozum; ~ the wood lov. nadhánět (zvěř)

beat² [bi:t] s 1. úder, úhoz, rána 2. bubnování 3. taktování; takt 4. tlukot srdce 5. tikot hodin 6. (služební) obchůzka hlídky 7. lov. štvanice; nadháněči

beat³ [bi:t] pt & arch. pp od to beat¹; —en [bi:tn] pp od to beat¹ □ a 1. vyšlapaný, ujetý: ~ track vyšlapaná cesta 2. tepaný 3. ušlehaný o vejci 4. poražený 5. vyčerpaný, uštvaný; —er [bi:tə] s 1. lov. nadháněč, náhončí 2. klapačka 3. metla (na sníh); —ing [bi:tiŋ] s 1. výprask 2. tep srdce 3. tikání hodin 4. sport. porážka

beati|fic [ˌbi:əˈtifik] a 1. blažený 2. blahoslavený; —fication [bi:ˌætifiˈkeišən] s círk. beatifikace; —fy [bi:ˈætifai] vt prohlásit za blahoslaveného

beatitude [bi:ˈætitju:d] s blaženost

Beatrice [ˈbiətris] s (žj) Beatrice [beatriče]

beau [bou] s pl. -x [bouz] 1. švihák, elegán 2. milenec, galán

beaut|eous [ˈbju:tjəs] a bás. pře-, krásný; —iful [ˈbju:-təful] a překrásný; —ify [ˈbju:-tifai] vt 1. z-, krášlit □ vi 2. z-, krásnět; —y [ˈbju:ti] s 1. krása 2. krasavice, kráska

beaver [ˈbi:və] s zool. bobr

becalm [biˈka:m] vt 1. utišit 2. nám. to be -ed dostat se do bezvětří

became [biˈkeim] pt od to become

because [biˈkoz; hov. ˈbikəz, kəz] conj protože, poněvadž □ prep jen ~ of pro co, kvůli čemu

beck [bek] s kývnutí hlavou, prstem: to be at one's ~ and call být komu (ochotně) k službám; —on [ˈbekən] vt & i kýví|at, -nout (to na koho)

becloud [biˈklaud] vt 1. zastřít mraky 2. zakalit, zatemnit

becom|e* [biˈkam] vt 1. stát se (king, a famous man králem, slavným): what has ~ of him? co se s ním stalo? 2. slušet (well pěkně); —ing [biˈkamiŋ] a slušný 2. slušivý, elegantní

bed [bed] s 1. postel, lůžko, kniž. ložе; fig. nocleh: ~ and breakfast nocleh se snídaní; ~ and board byt se stravou; from ~ and board práv. od stolu a lože; to go to ~ jít spat; to take to one's ~ ulehnout nemocen 2. záhon; -ek 3. řečiště, dno 4. geol. sloj ložisko, vrstva 5. tech. spodek, lože □ vt (-dd-) 1. ~ down podestlat; i dobytek 2,

~ *(out)* vysadit na záhon **3.** tech. uložit, ustavit; ~ **-bug** [ˈbedbag] *s* štěnice; ~ **-chamber** [ˈbedˌčeimbə] *s* kniž. ložnice; ~ **-clothes** [ˈbedklouðz] *s* pl. ložní prádlo; —**ding** [ˈbediŋ] *s* **1.** ložní potřeby i žíněnky **2.** stelivo **3.** tech. podklad, lože; podezdívka; —**gown** [ˈbedˌgaun] *s* noční košile; —**rid(den)** [ˈbedˌridn] *a* upoutaný na lůžko; ~ **-rock** [ˈbedˈrok] *s* (skalní) lože; skála; —**room** [ˈbedrum] *s* **1.** ložnice **2.** pokoj v hotelu: *single* ~ jednolůžkový pokoj; —**side** [ˈbedsaid] *s* místo u lože: *at one's* ~ u čího lože; ~ *table* noční stolek; —**spread** [ˈbedspred] *s* pokrývka, přehoz (na postel); —**stead** [ˈbedsted] *s* postel jako nábytek —**time** [ˈbedtaim] *s* čas, kdy se chodí spat: *my* ~ *is 10 o'clock* chodím spat v deset; *it's past* ~ už jsme (jste) měli být v posteli

bedabble [biˈdæbl] *vt* postříkat, pocákat špínou

bedaub [biˈdoːb] *vt* **1.** po-, na-, za|mazat barvou **2.** fig. pošpinit **3.** = *bedizen*

bedeck [biˈdek] *vt* ověsit, ozdobit, pokrýt čím

bedel(l) [beˈdel] *s* brit. pedel

bedew [biˈdjuː] *vt* orosit

bedizen [biˈdaizn] *vt* postrojit, ověsit (*o.s.* se) nevkusně

bedlam [ˈbedləm] *s* blázinec

bedouin [ˈbeduin] *s* & *a* sg. i pl. beduín; -ský

bedraggle [biˈdrægl] *vt* urousat; ucourat

bee [biː] *s* **1.** včela **2.** am. sou-

sedská (své)pomoc; táčky; mod. pracovní skupina; (zábavní) kroužek; —**hive** [ˈbiː-haiv] *s* úl; ~ **-line** [ˈbiːlain] *s* vzdušná čára

beech [biːč] *s* & *a* buk; -ový; **-en** [ˈbiːčən] *a* zř. bukový

beef [biːf] *s* pl. *též beeves* [biːvz] **1.** hovězí (maso) **2.** vykrmený hovězí kus; —**eater** [ˈbiːfˌiːtə] *s* brit. gardista královské tělesné stráže; strážce Toweru v Londýně; —**steak** [ˈbiːf-ˈsteik] *s* biftek; plátek hovězího; —**y** [ˈbiːfi] *a* svalnatý; silný (jako býk), býčí, hovězí

been [biːn; nedůraz. bin] *pp* od *to be*

beer [biə] *s* pivo; —**house** [ˈbiəhaus] *s* brit. pivnice; —**y** [ˈbiəri] *a* **1.** pivní **2.** podnapilý

beet [biːt] *s* **1.** bot. řepa: *white* ~, *sugar* ~ (řepa) cukrovka; ~ *sugar* řepný cukr; **2.** am. = ~ **-root 3.** atr řepný; —**root** [ˈbiːtruːt] *s* řepa kořen, obv. (červená)

beetle¹ [ˈbiːtl] *s* brouk

beetle² [ˈbiːtl] *s* palice, pěchovačka ☐ *vt* tlouci (palicí), pěchovat

beetle³ [ˈbiːtl] *a* převislý

befall* [biˈfoːl] *vt* & *i* přihodit se

befit [biˈfit] *vt* (-tt) patřit, příslušet, hodit se

befool [biˈfuːl] *vt* **1.** oklamat, ošálit **2.** naz(ý)vat bláznem

before [biˈfoː] *adv* **1.** vpředu **2.** (již) dříve, předtím ☐ *prep* před o místě, pořadí, čase ☐ *conj* **1.** v časových větách: (dříve) než(li) **2.** než(li a)by

♦ *to be* ~ vynikat nad; *to carry all* ~ *s.o.* mít ve všem štěstí; *long* ~ dávno předtím; ~ *long* zanedlouho; ~ *now* již dříve; —**hand** [biˈfoːhænd] *adv* předem ♦ *to be* ~ *with* a) něco si našetřit, mít v záloze peníze b) předejít koho, být rychlejší než kdo

befoul [biˈfaul] *vt* poskvrnit, pokálet; i fig.

befriend [biˈfrend] *vt* přátelsky jednat s kým, pomáhat komu

beg [beg] *vt & i* (-gg-) 1. žebrat (*for* oč) 2. prosit (*of s.o. for* koho oč) 3. ~ *off* odpro|šovat, -sit; omluvit se, odříci ♦ *I* ~ *to differ* dovoluji si nesouhlasit (*from you* s vámi); *I* ~ *to be excused*, prosím, abyste mne omluvil odmítnutí pozvání; *if the goods go -ging* když zboží leží; když... nikdo nechce; *we* ~ *to inform you* obch. dovolujeme si Vám oznámit; *I* ~ *leave to state* dovoluji si tvrdit; *I* ~ *your pardon* a) promiňte (prosím) omluva b) (jak) prosím? neporozumění; *to* ~ *the question* přijímat, tvrdit bez důkazu; *-ging the question* neodb. dokazování kruhem

began [biˈgæn] *pt* od *to begin*

beget* [biˈget] *vt* (-tt-) z-, plodit; i fig.

beggar [ˈbegə] *s* 1. žebrák 2. hov. přátelsky chlap ☐ *vt* ožebračit (*o.s.* se) ♦ *it -s (all) description* to se nedá popsat; —**ly** [ˈbegəli] *a* žebrácký, bídný; —**y** [ˈbegəri] *s* bída, chudoba: *reduce to* ~ přivést na mizinu

begin* [biˈgin] *vt & i* (-nn-) začí(na)t, zahájit ♦ *to* ~ *again* začít znovu; ~ *at (page 72)* začít na (stránce 72); *to* ~ *with* předně, především, za prvé; *to* ~ *the world* vstoupit do života; —**ner** [biˈginə] *s* začátečník; —**ning** [biˈginiŋ] *s* za-, po|čátek: *at the (very)* ~ *of* na (samém) počátku čeho

begone [biˈgon] *int* táhni!, kliď se!

begonia [biˈgounjə] *s* bot. begónie

begotten [biˈgotn] *pp* od *to beget*

begrime [biˈgraim] *vt* u-, za|mazat, začernit

begrudge [biˈgradž] *vt* 1. závidět 2. nerad dávat

beguile [biˈgail] *vt* 1. zlákat, ošidit 2. z-, krátit si čas, cestu

begun [biˈgan] *pp* od *to begin*

behalf [biˈhaːf] *s* jen *on (in)* ~ *of*, *on (in) his (her, their, etc.)* ~, *on (in) one's* ~ v zájmu, ve prospěch koho; jménem, v zastoupení koho

behav|e [biˈheiv] *vi* 1. chovat se 2. ~ *o.s.* slušně se chovat o dětech 3. pracovat (*well* dobře) o stroji; —**iour** [biˈheivjə] *s* chování; způsoby; —**iourism** [biˈheivjərizəm] *s* psych. behaviorism(us)

behead [biˈhed] *vt* stít

beheld [biˈheld] *pt & pp* od *to behold*

behest [biˈhest] *s* bás. roz-, při|kázání

behind [biˈhaind] *prep* za ☐ *adv* 1. vzadu, pozadu (*in, with* v čem, s čím) 2. dozadu,

zpět □ *s* hov. zadní část
zadnice ♦ *to fall* ~ zůst(áv)at
pozadu; ~ *the scenes* v záku-
lisí; ~ *time* zpožděn; ~ *the
times* zastaralý, staromódní;
—**hand** [bi'haindhænd] *adv
& pred a* **1.** pozadu (*with
one's rent* s nájmem) **2.** opož-
děný, zaostalý (*in* v čem)

behold* [bi'hould] *vt* arch., bás.
s-, patřit, u-, zřít; —**en** [bi-
'houldən] *pred a* zavázán (*to
komu)

behoof [bi'hu:f] *s* prospěch:
in (for, to) one's ~ v čí
prospěch

be|hove [bi'houv], am. —**hoove**
[bi'hu:v] *vt* kniž. *it -s* sluší se,
patří, náleží

belabour [bi'leibə] *vt* i fig. zřídit,
spořádat koho (*with* čím)

belated [bi'leitid] *a* **1.** opožděný;
pozdní **2.** překvapený nocí,
tmou

belaud [bi'lo:d] *vt* vychvalovat,
vynášet (*to the skies* do nebes)

belch [belč] *vi & t* **1.** i fig. chrlit,
soptit (*flame, smoke, insults*
oheň, kouř, urážky) **2.** vulg.
krkat

beleaguer [bi'li:gə] *vt* kniž. ob|-
lehnout, -léhat; i fig.

Belfast [bel'fa:st] *s* (m) Belfast

belfry ['belfri] *s* zvonice

Belgi|an ['beldžən] *s* Belgičan □
a belgický; —**um** ['beldžəm]
s Belgie

Belgrade [bel'greid] *s* (m) Běle-
hrad

belie [bi'lai] *vt* **1.** lživě mluvit o,
ostouzet **2.** zklamat, zprone-
věřit se **3.** lživě se tvářit,
lhát

belief [bi'li:f] *s* **1.** víra (*in* v co)

2. důvěra **3.** domněnka, mí-
nění

believ|e [bi'li:v] *vt & i* **1.** věřit
komu (*in* v) **2.** myslit si, mít za
to, domnívat se: *he is -ed to be*
je prý; —**er** [bi'li:və] *s* věřící

belittle [bi'litl] *vt* snižovat, pod-
ceňovat

bell¹ [bel] *s* **1.** zvon, -ek **2.** rol-
nička ♦ *to ring the* ~ za-,
zvonit (na zvonek); *to sound
the -s* vyzvánět □ *vt jen to* ~
the cat uvázat kočce zvonek;
~**-flower** ['belflauə] *s* bot.
zvonek; ~**-founder** ['bel₁faun-
də] *s* zvonař; ~**-metal** ['bel-
₁metl] *s* zvonovina; ~**-ringer**
['bel₁riŋə] *s* zvoník

bell² [bel] *s* říjení □ *vi* říjet

belladonna [₁belə'donə] *s* bot.
rulík

belle [bel] *s* krasavice

belles-lettres ['bel'letr] *s* belet-
rie

belletristic [₁bele'tristik] *a* bele-
tristický

belli|cose ['belikous] *a* bojovný;
—**gerent** [bi'lidžərənt] *a* vál-
čící (*powers* mocnosti) □ *s*
válčící strana

bellow ['belou] *vi & t* **1.** řvát
2. fig. hřmět, dunět □ *s*
1. řev, řvaní **2.** fig. hřmění,
dunění; —**s** ['belouz] *s pl.*
měchy

belly ['beli] *s* břicho; lid. život;
pejor. břich □ *vt & i* nadou-
vat (se) (*sails* plachty); —**ful**
['beliful] *s (to have)* ~ *(of)* **1.**
(mít) dosyta, do sytosti (če-
ho) **2.** fig. (mít čeho) až po
krk

belong [bi'loŋ] *vi* patřit, pří-
slušet, náležet (*to* komu);

—ings [bi'loŋiŋz] *s* pl. čí věci, svršky, zavazadla
beloved [bi'lavd] *a* milovaný □ *s* drah|ý, -á, mil|ý, -á (choť, snouben|ec, -ka)
below [bi'lou] *adv* dole; níže: *see* ~ viz níže □ *prep* pod: ~ *the mark* podřadný; ~ *par* obch. pod nominále; ~ *zero* pod nulou
belt [belt] *s* 1. pásek, opasek, řemen; pás 2. (hnací) řemen: ~ *conveyer* pásový dopravník 3. fig. pás: *black* ~ am. černošské státy; *forest* ~ lesní pás □ *vt* 1. opásat 2. vroubit, obkličovat 3. pruhovat 4. připnout (si) (řemenem, na řemen) 5. tech. nahodit řemen 6. spráskat páskem
Beluchistan [bə'lu:čista:n] *s* (z) Balúčistán
bemoan [bi'moun] *vt* oplakávat, želet koho
Ben [ben] *s* dim. Benjamínek: *Big* ~ zvon věžních hodin londýnského parlamentu
bench [benč] *s* 1. lavice; lavička 2. (pracovní) stůl řemeslníka: *a carpenter's* ~ hoblice 3. soudní stolice: *the* ~ *and the bar* soudci a advokáti; *to be raised to the B*~ být jmenován soudcem; ~ *-mark* ['benčma:k] *s* nivelační značka
ben|d* [bend] *vt & i* 1. o-, za|hnout, za-, o|hýbat (se); z-, za|křivit (se) 2. ~ *down* o-, se|hnout (se) 3. pas. *to be -t on* být nakloněn, náchylný k čemu, rozhodnut (*to do* udělat co) 4. ~ *up* zohýbat 5. nám. uvázat, upevnit (*a*

rope provaz), napnout (*a sail* plachtu) □· *s* 1. zakřivení 2. o-, zá|hyb, zatáčka cesty, zákrut řeky 3. nám. uzel na provaze; ~ *-leather* ['bendleðə] *s* podrážková kůže
beneath [bi'ni:θ] *adv & prep* 1. bás., arch. = *below, under* 2. mod. obv. jen pejor. pod: ~ *criticism* pod kritiku; ~ *one's dignity* pod čí důstojnost
benediction [ˌbeni'dikšən] *s* dobrořečení; požehnání
benefact|ion [ˌbeni'fækšən] *s* 1. dobrodiní 2. nadace; **—or** ['benifæktə] *s* 1. dobrodinec 2. patron, mecenáš; **—ress** ['benifæktris] *s* 1. dobroditelka 2. patronka, mecenáška
benefic|e ['benifis] *s* círk. obročí, beneficium; **—ence** [bi'nefisəns] *s* dobročinnost, účinnost; **—ent** [bi'nefisənt] *a* dobročinný, účinný; **—ial** [ˌbeni'fišəl] *a* 1. prospěšný, užitečný 2. práv. po-, u|žívající čeho; **—iary** [ˌbeni'fišəri] *a* beneficiární □ *s* obročník, beneficiát
benefit ['benifit] *s* 1. prospěch, užitek 2. podpora (*maternity, medical* mateřská, léčebná) 3. dobrodiní 4. atr benefiční (*performance, concert* představení, koncert) □ *vt & i* prospět: *he -ed by s.t.* něco mu prospělo, měl prospěch z čeho
Benelux ['beniluks] *s* Benelux
benevol|ence [bi'nevələns] *s* 1. laskavost, shovívavost, benevolence 2. dobročinnost; **—ent** [bi'nevələnt] *a* 1. laskavý,

benevolentní (*to* vůči) **2.**
dobročinný (*institution* spo-
lečnost)
Bengal [beŋǀgo:l] *s* **1.** (z) Ben-
gálsko **2.** *atr* bengálský (*light,
tiger* oheň, tygr); **—i** [beŋ-
ǀgo:li] *s* **1.** Bengálec **2.** ben-
gálština ☐ *a* bengálský
benighted [biǀnaitid] *a* **1.** pře-
kvapený nocí, opozdilý **2.**
fig. zaostalý, nevědomý
benign [biǀnain] *a* **1.** laskavý **2.**
přínivý, blahodárný **3.** med.
benigní; **—ant** [biǀnignənt] *a*
laskavý, blahosklonný; **—ity**
[biǀnigniti] *s* **1.** laskavost,
blahosklonnost **2.** blahodár-
nost
Benjamin [ǀbendžəmin] *s* Ben-
jamín
bent[1] [bent] *s* **1.** náklonnost,
sklon (*for* k čemu) **2.** arch.
ohyb ◆ *to the top of one's* ~
až do krajnosti
bent[2] [bent] *s* **1.** = ǀ~ **-grass**
(hrubá) tráva, ostřice, sítina
2. lada, pusta; ǀ**—wood** *s*
ohýbané dřevo
bent[2] [bent] *pt & pp* od *to
bend*
benumb [biǀnam] *vt* **1.** zkřeh-
nout: *-ed by, with, cold* zkřeh-
lý zimou **2.** otupit; ochromit
(*senses* smysly)
benzene [ǀbenzi:n] *s* chem. ben-
zen
be|queath [biǀkwi:ð] *vt* odkázat
v závěti; **—quest** [biǀkwest]
s odkaz, dědictví
berate [biǀreit] *vt* am. hubačit,
nadávat
Berber [ǀbə:bə] *s* **1.** Berber **2.**
berberský jazyk ☐ *a* ber-
berský

bereave[*] [biǀri:v] *vt* fig. oloupit,
zbavit: *to be -d of* utrpět
ztrátu smrtí koho; **—ment**
[biǀri:vmənt] *s* ztráta či
smrtí: *in our* ~ v našem zá-
rmutku
bereft [biǀreft] *pt & pp* od *to
bereave*
Berlin [bə:ǀlin] *s* Berlín
Bermuda(s), *the* [bə:ǀmju:də(z)]
s (o) Bermudy
berry [ǀberi] *s* **1.** bobule **2.** jikra
berth [bə:θ] *s* **1.** kotviště, místo
pro loď **2.** lůžko na lodi,
ve spacím voze, kóje **3.** brit. hov.
bydlení, přístřeší: *a comfor-
table* ~ pohodlné bydlení **4.**
hov. místo, zaměstnání ☐ *vt*
1. vykázat kotviště lodi, za-
kotvit **2.** pas. *to be -ed* mít
(vykázané) lůžko
Bertha [ǀbə:θə] *s* [ž] Berta
beryl [ǀberil] *s* min. beryl
beseech[*] [ƀiǀsi:č] *vt* (naléhavě,
úpěnlivě) prosit (*for* oč), ža-
donit
beseem [biǀsi:m] *vt* slušet se
komu
beset[*] [biǀset] *vt* (-tt-) **1.** ob-
klopit, obklíčit **2.** obsadit
(*ways* cesty) **3.** sklíčit **4.** po-
sázet (*with* čím)
beside [biǀsaid] *prep* **1.** vedle,
u **2.** ve srovnání s **3.** fig.
~ *o.s.* (*with rage*) bez sebe
(zlostí) **4.** *to be* ~ *s.t.* vymy-
kat se čemu: *that is* ~ *the
point* to není k věci **5.** = *be-
sides*, *prep* ☐ *adv* = *besides*,
adv **1.**
besides [biǀsaidz] *adv* **1.** mimo to,
kromě toho, nadto, ještě **2.**
ostatně ☐ *prep* kromě čeho,
mimo co

besiege [biˈsi:dž] vt obléhat; i fig.

beslaver [biˈslævə] vt 1. poslintat 2. nemírně pochlebovat

besmear [biˈsmiə] vt umazat

besom [ˈbi:zəm] s koště, pometlo

besought [biˈso:t] pt & pp od to beseech

bespatter [biˈspætə] vt 1. postříkat (with mud blátem) 2. pejor. pokydat hanou, zasypat chválou

bespeak* [biˈspi:k] vt 1. objednat si, zamluvit si 2. vymínit si co, po-, žádat oč 3. svědčit o

bespoke [biˈspouk] pt od to bespeak □ a brit. na míru: ~ tailor zakázkový krejčí

besprinkle [biˈspriŋkl] vt pokropit, postříkat (with čím)

Bess [bes] s Běta, Bětuška

Bessemer [ˈbesimə] s & a: ~ converter Bessemerův konvertor; ~ (steel) besemerovina; ~ process besemerování; b—ize [ˈbesiməraiz] vt besemerovat

best [best] a sup od good nejlepší □ adv sup od well nejlépe; you had ~ (go) at once nejlépe byste udělal, kdybyste (jel) hned ♦ to the ~ advantage co nejvýhodněji; at ~ v nejlepším případě, nanejvýš; to the ~ of one's knowledge n. belief podle svého nejlepšího vědomí a svědomí; to do one's ~ vynasnažit se; for the ~ s nejlepším úmyslem; to have, get, the ~ of it vyhrát, zvítězit; to make the ~ of využít čeho co nejlépe;

~ man družba; the ~ part of převážná část čeho; in one's Sunday ~ hov. v nedělních šatech

bestial [ˈbestjəl] a 1. zvířecí 2. fig. zvířecký, bestiální; —ity [ˌbestiˈæliti] s zvířeckost, bestialita

bestir [biˈstə:] vt (-rr-) rozhýbat, rozkývat (o.s. se)

bestow [biˈstou] vt 1. u-, poˈložit 2. ~ upon dát, udělit, poskytnout komu 3. hov. ubytovat, uložit (s.o. for the night koho na noc)

bestrew* [biˈstru:] vt postlat, pokrý(va)t (with čím)

bestride* [biˈstraid] vt 1. sednout si obkročmo na; jezdit na koni 2. fig. & bás. klenout se nad

bet [bet] s sázka: to make a ~ vsadit se □ vt & i* (-tt-) vsadit (on na): I ~ you a shilling that vsadím se s vámi o šilink, že; hov. you bet! samozřejmě

beta [ˈbi:tə] s písmeno beta (β)

betake* [biˈteik] vt jen ~ o.s. odebrat se (to kam): ~ o.s. to one's heels vzít nohy na ramena

bethink* [biˈθiŋk] vt obyč. jen ~ o.s. 1. rozmyslit si, se 2. rozpomenout se (of na), vzpomenout si na 3. vzít si do hlavy 4. arch. přemýšlet

betide [biˈtaid] vi & t přihodit se, stát se: woe ~ you běda vám!

betimes [biˈtaimz] adv 1. brzy, časně 2. za-, včas

betoken [biˈtoukən] vt znamenat; věstit

betray ⌊biˈtrei⌋ *vt* **1.** zradit **2.** prozradit (*o.s.* se) **3.** oklamat; **—al** [biˈtreiəl] *s* **1.** zrada **2.** zklamání (*of confidence* důvěry) **3.** prozrazení

betroth [biˈtrouð] *vt* zasnoubit (*o.s. to* se s kým): *the -ed pair* snoubenci; **—al** [biˈtrouðəl] *s* **1.** zasnoubení **2.** *atr* snubní (*rings* prsteny)

better [ˈbetə] *a comp* od *good* lepší □ *adv comp* od *well* lépe, líp: *you had* ~ (*go now*) (udělal byste n. bylo by) lépe, kdybyste (jel hned teď) □ *vt* **1.** zlepšit, zdokonalit **2.** ~ *o.s.* polepšit si ♦ *I am, he is,* ~ je mi, mu lépe; *to get the* ~ *of* přemoci koho, vyzrát na koho; *he is getting* ~ už se mu daří lépe; *I know* ~ nejsem tak pošetilý, abych (tomu věřil); ~ *off* zámožnější, bohatší; *one's* -*s* čí vedoucí, šéfové; zkušenější, starší; ~ *part of* větší část čeho, *so much the* ~ tím lépe; *to think* ~ *of* rozmyslit si co; *to think (all) the* ~ *of* mít o kom (mnohem) lepší mínění; ~ *time* příhodnější čas; **—ment** [ˈbetəmənt] *s* **1.** zlepšení, zdokonalení **2.** zhodnocení nemovitosti

Betty [ˈbeti] *s* Bětuška

between [biˈtwiːn] *prep & adv* mezi dvěma ♦ *in* ~ uprostřed; ~ *ourselves* mezi námi, mezi čtyřma očima; ~ *whiles* občas

betwixt [biˈtwikst] *prep & adv* arch., bás. = *between*: hov. ~ *and between* tak něco uprostřed; napůl

bevel [ˈbevəl] *s* tech. **1.** úkos, sklon; sražená hrana, faseta **2.** pokosník (*též* ~ *square*) □ *a* šikmý, kosý, sražený □ *vt & i* (-ll-) zešikmit, srazit hranu, fasetovat

beverage [ˈbevəridž] *s* nápoj

bevy [ˈbevi] *s* **1.** stádo (*of roes* srn), hejno ptáků **2.** houf žen

bewail [biˈweil] *vt* **1.** oplakávat, naříkat pro □ *vi* **2.** truchlit

beware [biˈweə] *vt & i* jen inf a imp dát si pozor (*of* na), varovat se (koho): ~ *of pickpockets!* pozor na kapsáře!

bewilder [biˈwildə] *vt* zmást; **—ment** [biˈwildəmənt] *s* zmatek

bewitch [biˈwič] *vt* očarovat

beyond [biˈjond] *prep* **1.** za (*the seas* mořem) **2.** mimo (*all doubt* veškeru pochybnost) **3.** nad, přes: *it is* ~ *me* to je nad moji chápavost □ *adv* na druhou stranu, za □ *s* jen *the* ~ onen svět ♦ ~ *control* nekontrolovatelný; ~ *measure* nadmíru; ~ *possibility* nemožný

bias [ˈbaiəs] *s* **1.** šikmý, příčný směr: *cut on the* ~ šikmo střižený **2.** sklon, spád; fig. tendence; náklonnost, záliba; zaujatost **3.** vliv obv. špatný **4.** jednostrannost □ *vt* (-s-n. -ss-) ovlivnit: *he is bias-(s)ed against him* je proti němu zaujat

bib [bib] *s* slintáček □ *vt & i* (-bb-) popíjet, usrkovat; **—ber** [ˈbibə] *s* pijan

Bible [ˈbaibl] *s* bible; ~ *paper* biblový papír

biblical [ˈbiblikəl] *a* biblický
bibliograph|er [ˌbibliˈogrəfə] *s* bibliograf; —**ic(al)** [ˌbibliouˈgræfik(əl)] *a* bibliografický; —**y** [ˌbibliˈogrəfi] *s* bibliografie
bibliophile [ˈbiblioufail] *s* bibliofil, knihomil
bicameral [baiˈkæmərəl] *a* dvojkomorový (*parliament* parlament)
bicarbonate [baiˈkaːbənit] *s* chem. soda bicarbonica, užívací soda
biceps [ˈbaiseps] *s* biceps, dvojhlavý sval
bicker [ˈbikə] *vi* 1. hašteřit se 2. bublat o vodě, pleskat o dešti 3. plápolat; třpytit se
bicycl|e [ˈbaisikl] *s* (jízdní) kolo □ *vi* jezdit na kole; —**ist** [ˈbaisiklist] *s* cyklista
bid* [bid] *vt* (-dd-) 1. kniž., arch., bás. poručit, přikázat 2. přát (*s.o. farewell* komu šťastnou cestu), dát (*s.o. good-bye* sbohem) □ *vt & i* 3. obch. nabízet cenu, pod(áv)at při dražbě (*for* zač) 4. am. podat nabídku (*on* nač) 5. ~ *against s.o.* přihazovat proti komu; přeplácet koho, se 6. ~ (*s.t.*) *up* přihazovat nač; přeplácet co 7. ~ *fair* zdát se, že; vypadat, že; slibovat □ *s* nabídka koupě, podání v dražbě ♦ *to make a* ~ *for* přihodit v dražbě na; fig. usilovat, pokusit se oč; —**ding** [ˈbidiŋ] *s* 1. nabídka koupě 2. rozkaz, výzva: *to do one's* ~ poslechnout čího rozkazu
bide* [baid] *vt & i* arch., bás. = *to abide*; mod. ~ *one's time* vyčkat příležitosti
biennial [baiˈeniəl] *a & s* dvoulet|ý; -á rostlina
bier [biə] *s* máry
bifurcat|e *vt & i* [ˈbaifəːkeit] rozdvojit (se) ve dvě větve □ *a* [ˈbaifəːkit] rozdvojený, rozvětvený; —**ion** [ˌbaifəːˈkeišən] *s* bifurkace, rozvětvení
big [big] *a* [-gg-] 1. vel(i)ký prostorově 2. hov. velký počtem, množstvím; silný (jen *voice wind, storm*) hlas, vítr, bouře ap.) 3. hov. fig. hlavní, velký, důležitý; skvělý, dobrý 4. nadutý, chlubný □ *adv* 1. pořádně 2. nadutě ♦ ~ *business* velkopodnik, velkoobchod; *to talk* ~ chvástat se; *the* ~ *toe* palec u nohy; *a* ~ *wig* fig. velké zvíře
bigamy [ˈbigəmi] *s* dvojženství
bight [bait] *s* 1. smyčka provazu 2. zem. ohyb, zákrut; zátoka
bigot [ˈbigət] *s* pobožnůstkář; —**ed** [ˈbigətid] *a* pobožnůstkářský, bigotní; —**ry** [ˈbigətri] *s* pobožnůstkářství
bike [baik] hov. *s* kolo □ *vi* jezdit na kole
bikini [biˈkiːniː] *s* bikini plavky
bilabial [baiˈleibjəl] *a & s* fon. obouretn|ý, retoretn|ý, bilabiální; -á souhláska p, b, m, w
bilateral [baiˈlætərəl] *a* dvojstranný, bilaterální
bilberry [ˈbilbəri] *s* borůvka: *red* ~ brusinka
bile [bail] *s* 1. žluč 2. rozmrzelost
bilge [bildž] *s* 1. břich(o) lodi, sudu 2. ~ (*water*) kal 3. fig. hov. tlach, žvást

biliary [ˈbiljəri] *a* žlučový: ~ *duct* žlučovod

bilingual [baiˈliŋgwəl] *a* dvoj-jazyčný

bilious [ˈbiljəs] *a* **1.** žlučový (*attack* záchvat) **2.** fig. žlučovitý

bilk [bilk] *vt* hov. upláchnout komu bez zaplacení

bill[1] [bil] *s* **1.** zobá|k, -ček **2.** špice kotvy □ *vi* o ptácích cukrovat se; i fig.

bill[2] [bil] *s* **1.** účet; zúčtovanka: ~, *please*! platím! **2.** ~ (*of exchange*), zkr. *B/E* směnka **3.** am. bankovka **4.** návrh zákona: *to move, to pass, a* ~ předložit, schválit návrh zákona **5.** oznámení, plakát, vývěska **6.** seznam, výkaz **7.** práv. (soukromá) žaloba □ *vt* plakátovat, oznámit vývěskou ♦ *after-sight* ~ směnka po vidění; *demand* ~ směnka splatná při předložení; *to dishonour a* ~ nesplnit směnečný závazek; *due* ~ splatná směnka; ~ *of entry* celní prohláška; ~ *of fare* jídelní lístek; *to issue a* ~ vystavit, vydat směnku; ~ *of lading* konosament; am. též nákladní list; *through* ~ *of lading* průběžný konosament; *to negotiate a* ~ prodat, převést směnku; *parties to a* ~ účastníci na směnce; ~ *of sale* kupní, zástavní smlouva; *a set of* -*s* sada směnek; *sight* ~ vista směnka; ~ *of weight* vážní lístek; **—board** [ˈbil-boːd] *s* plakátovací, tabule; ˈ~-ˈposting *s* plakátování

billiards [ˈbiljədz] *s* kulečník

billion [ˈbiljən] *s* **1.** bilión **2.** am. miliarda; **—aire** [ˌbiljəˈneə] am. milionář

billow [ˈbilou] *s* **1.** (vzdutá) vlna **2.** bás. moře □ *vi* vlnit se

bi-monthly [ˈbaiˈmanθli] *a & s* čtrnáctidenní; -ník **2.** am. obv. dvouměsíční; -ík

bin [bin] *s* zásobník, bedna na uhlí, zrní, odpadky

binary [ˈbainəri] *a* dvojitý, po-, dvojný, binární

bind* [baind] *vt & i* **1.** s-, při-, vázat: *half-bound* vázaný v polokůži **2.** ~ *s.o.* a) zavázat si koho b) spoutat koho (*hand and foot* na rukou i na nohou) **3.** ovázat, ovinout **4.** o-, lemovat **5.** stavit, působit zácpu **6.** z-, tuhnout **7.** ~ *o.s. to* zavázat se k **8.** práv. ~ *s.o. over* za-, vázat koho slibem **9.** ~ *up* a) svázat b) ~ *s.o. up* obvázat koho **10.** *to be bound* a) být za-, vázán, nucen, mít povinnost b) být dlužen c) *the ship is bound for Hull* loď pluje, jede do *H*-u d) vděčit (*to s.o. for* komu zač) e) být spjat (*up with* s); **—er** [ˈbaində] *s* **1.** vazač, -ka **2.** samovaz **3.** (*book-*) ~ knihař **4.** povřís-lo; **—ing** [ˈbaindiŋ] *s* vazba (knihy) □ *a* závazný, povinný

bine [bain] *s* **1.** úponek zvl. chmele **2.** výhonek

binocular [baiˈnokjulə] *a* bino-kulární (*vision* vidění) □ *s* pl. -*s* [biˈnokjuləz] (divadelní) kukátko; triedr

binomial [baiˈnoumjəl] mat. *a* binomický (*theorem* poučka) □ *s* dvojčlen

biochem|ical [ˈbaiouˈkemikəl] *a* biochemický; **—istry** [ˈbaiouˈkemistri] *s* biochemie

biograph|er [baiˈogrəfə] *s* životopisec; **—ical** [ˌbaiouˈgræfikəl] *a* životopisný; **—y** [baiˈogrəfi] *s* životopis

biolog|ical [ˌbaiəˈlodžikəl] *a* biologický; **—ist** [baiˈolədžist] *s* biolog; **—y** [baiˈolədži] *s* biologie

biophysics [ˈbaiouˈfiziks] *s* biofyzika

bipartite [baiˈpa:tait] *a* 1. dvoj|dílný, -klaný 2. dvojstranný

biped [ˈbaiped] *a & s* dvojnohý (živočich)

biplane [ˈbaiplein] *s* let. dvojplošník

bipolar [baiˈpoulə] *a* dvojpólový, bipolární; **—ity** [ˌbaipouˈlæriti] *s* dvojpólovost

birch [bə:č] *s* 1. bříza 2. prut; metla □ *vt* nasekat prutem; **—en** [ˈbə:čən] *a* březový

bird [bə:d] *s* pták, ptáče, -k ◆ ~ *of passage* tažný pták; ~ *of prey* dravý pták; ~ *'s-eye view* ptačí perspektiva; **~-fancier** [ˈbə:dˌfænsiə] *s* 1. milovník ptactva 2. ptáčník; **—ie** [ˈbə:di] *s* dět. ptáček; **~-seed** [ˈbə:dsi:d] *s* ptačí zob

Birmingham [ˈbə:miŋəm] *s* (m) B.

birth [bə:θ] *s* 1. porod 2. narození 3. fig. vznik, počátek 4. rod, původ; *by* ~ rodem; **~-certificate** [ˈbə:θsəˈtifikit] *s* rodný list; **—day** [ˈbə:θdei] *s* narozeniny; **~-place** [ˈbə:θpleis] *s* rodiště; **~-rate** [ˈbə:θreit] *s* porodnost; **—right**

[ˈbə:θrait] *s* 1. právo prvorozenství 2. lidské právo

biscuit [ˈbiskit] *s* 1. sušenka, keks, biskvit, suchar = am. *cracker; ship's* ~ (lodní) suchar 2. čajové pečivo; cukroví vykrajované 3. am. horký vdoleček (s máslem) 4. keram. nepolévaný porcelán n. kamenina

bisect [baiˈsekt] *vt* roz-, půlit; **—or** [baiˈsektə] *s* geom. přímka, osa (půlící) co; sečna

bishop [ˈbišəp] *s* biskup; **—ric** [ˈbišəprik] *s* biskupství

bismuth [ˈbizməθ] *s* chem. vizmut

bison [ˈbaisn] *s* bizon, zubr

bit¹ [bit] *s* hov 1. kousek, trošek 2. chvilka 3. drobná mince: *a threepenny* ~ třípence 4. hrot, nůž, želízko nástroje 5. udidlo □ *vt* (-tt-) dát udidlo koni ◆ ~ *by* ~ kousek po kousku; *a* ~ *of a (coward)* kus (zbabělce); *not a* ~ ani za mák, vůbec ne; *wait a* ~, *please* okamžik, prosím

bit² [bit] *pt & pp* od *to bite*

bitch [bič] *s* 1. fen(k)a: ~ *fox* liška; ~ *wolf* vlčice 2. nadávka čubka

bite* [bait] *vt & i* 1. kousat 2. štíp|at, -nout o hmyzu; uštknout o hadu 3. s-, pálit o mrazu 4. leptat 5. zab(í)rat o stroji; **~ at** 1. chňapat po 2. brát o rybě □ *s* 1. kousnutí 2. štípnutí; uštknutí 3. braní, ťukání ryby 4. sousto 5. hlodání bolesti

bitten [ˈbitn] *pp* od *to bite*

bitter [ˈbitə] *a* hořký; trpký; i fig.

bitum|en ['bitjumin] *s* min. živice, bitumen; **—inous** [bi'tju:- minəs] *a* bituminózní, živičný; ~ *coal* černé uhlí

bivalent ['bai,veilənt, 'bivələnt] *a* chem. dvojmocný, bivalentní

bivouac ['bivuæk] *s* tábo|r, -ření bez stanu, bivak □ *vi* bivakovat

bizarre [bi'za:] *a* bizarní, fantastický

blab [blæb] *vt & i* (-bb-) 1. žvanit, tlachat 2. ~ *(out)* vyžvanit co

black [blæk] *a* 1. černý 2. tmavý, temný 3. černošský 4. hněvivý; zlověstný (*look* pohled) □ *s* 1. čerň; černá barva 2. krém (na boty) 3. saze, skvrna; špína 4. černé šaty 5. černoch: *the* -*s* černoši □ *vt* 1. začernit, umazat 2. vyčistit (boty); ~ **out** 1. cenzurovat 2. voj. zatemnit; **—berry** ['blækbəri] *s* ostružina; **—bird** ['blækbə:d] *s* kos; **—board** ['blækbo:d] *s* (školní) tabule; **B~ country** Černý kraj ve střední Anglii; ~ **-currant** *s* ['blæk'karənt] černý rybíz; **—en** ['blækən] *vt* 1. z-, černat 2. za-, o|černit; **—guard** ['blæga:d] *s* darebák, gauner □ *a* darebácký; **—head** ['blækhed] *s* uher; **—ing** ['blækiŋ] *s* krém (na obuv ~ **-lead** ['blæk'led] *s* lid. tuha; **—leg** ['blækleg] *s* 1. brit. stávkokaz 2. am. podvodný hráč; ~ **letter** ['blæk'letə] fraktura, gotické písmo; **—mail** ['blækmeil] *s* vydírání □ *vt* vydírat; ~ **-out** ['blæk-

aut] *s* voj. zatemnění; **B~ Sea** Černé moře; **—smith** ['blæksmiθ] *s* kovář; **—thorn** ['blækθo:n] *s* trnka keř

bladder ['blædə] *s* měchýř; -ek: *a football* ~ duše (do fotbalového míče)

blade [bleid] *s* 1. čepel nože, meče 2. žiletka, (holicí) čepelka 3. lopatka vesla; list vrtule 4. (kopinatý) list, čepel trávy; ~ **-bone** ['bleidboun] *s* lopatka kost

blame [bleim] *vt* 1. ~ *s.o. for* obviňovat koho z, dávat komu vinu zač 2. ~ *s.t. on s.o.* svalovat vinu na koho 3. *is, are, to* ~ je vinen, jsou vinni (*for* čím) □ *s* vina, obviňování; **—less** ['bleimlis] *a* nevinný, bezúhonný

blanch [bla:nč] *vt* 1. vy-, bělit, vy-, bílit 2. loupat mandle 3. ~ *over* omlouvat, zastírat chybu □ *vi* 4. zbělet 5. poblednout

bland [blænd] *a* 1. jemný, uhlazený 2. mírný, lahodný o podnebí 3. nedráždivý (*food* strava) 4. ironický

blandish ['blændiš] *vt & i* lichotit; **—ment** ['blændišmənt] *s* obv. pl. -*s* lichocení, lichotky

blank [blæŋk] *a* 1. čistý, prázdný, nevyplněný 2. obch. bianko 3. bezvýrazný, netečný (*look* pohled) 4. čirý, holý úplný 5. (nerymovaný): jen ~ *verse* blankvers □ *s* 1. prázdné, vynechané, nevyplněné místo 2. formulář 3. fig. mezera, prázdnota 4. slepá patrona; **—ly** ['blæŋkli] *adv*

1. neurčitě, tupě, bezvýrazně **2.** úplně, naprosto **3.** prostě
blanket [ˈblæŋkit] *s* **1.** vlněná přikrývka místo peřiny **2.** pokrývka; i fig.
blare [bleə] *vi & t* troubit, vytrubovat; vřeštět o trubce ☐ *s* troubení; břesk trubky
blasphem|e [blæsˈfi:m] *vi & t* rouhat se; **—ous** [ˈblæsfiməs] *a* rouhavý; **—y** [ˈblæsfimi] *s* rouhání
blast [bla:st] *s* **1.** závan **2.** proud vzduchu ve vysoké peci: *in ~* v provozu; *out of ~* vyhaslý **3.** zatroubení **4.** výbuch **5.** nálož trhací ☐ *vt* **1.** vyhodit do vzduchu, trhat skály **2.** spálit mrazem, žárem **3.** fig. zničit, zhatit plány. pošpinit pověst; **~ -furnace** [ˈbla:stˈfə:nis] *s* vysoká pec, huť
blat|ancy [ˈbleitənsi] *s* **1.** řvavost, halas(ení) **2.** dotěrnost; **—ant** [ˈbleitənt] *a* **1.** řvavý, křiklavý **2.** dotěrný
blaze[1] [bleiz] *s* **1.** plameny; plápol, žár **2.** oheň, požár: *in ~* v plamenech **3.** zář(e), jas, třpyt **4.** výbuch (*of anger* hněvu) ☐ *vi & t* **1.** planout; i fig. šlehat o ohni **2.** zářit; **~ away, off** vypálit, střílet (*at* na); **~ up** vzplanout
blaze[2] [bleiz] *s* **1.** značka vysekaná do kůry stromu **2.** bílá lysina koně ☐ *vt* vy-, značkovat; fig. razit (*a trail* cestu)
blaze[3] [bleiz] *vt* obv *~ abroad* vy-, roz|trubovat, rozhlásit
blazer [ˈbleizə] *s* sportovní kabát flanelový, pestrobarevný
blazon [ˈbleizn] *s* **1.** erbovní štít; erb, znak **2.** popis, výklad erbu **3.** výčet zásluh ☐ *vt & i* **1.** vymalovat erb **2.** *~ abroad* roztrubovat, rozhlásit
bleach [bli:č] *vt* **1.** bílit prádlo **2.** zbělet; **—ing-ground** [ˈbli:čiŋgraund] *s* bělidlo
bleak[1] [bli:k] *a* **1.** holý, pustý **2.** vystavený větru **3.** smutný, bezútěšný
bleak[2] [bli:k] *s* zool. běli|ce, -čka
blear [bliə] *a* zastřený, zamžený, kalný; zamračený ☐ *vt* zakalit, zamžít
bleat [bli:t] *vi* mečet, bečet ☐ *s* mečení, bečení
bled [bled] *pt & pp* od *to bleed*
bleed* [bli:d] *vi* **1.** krvácet; i fig. ☐ *vt* **2.** pouštět, pustit žilou; i fig. ♦ *~ to death* vykrvácet
blemish [ˈblemiš] *vt* **1.** zkazit, zmařit, porušit **2.** fig. poskvrnit ☐ *s* vada, poskvrna
blench [blenč] *vi & t* kniž. couvnout, zavírat oči před
blend* [blend] *vt & i* s-, míchat, smísit (se) ☐ *s* směs
blent [blent] *pt & pp* od *to blend*
bless* [bles] *vt* **1.** po-, žehnat co, komu **2.** blahořečit, chválit **3.** obdařit, požehnat (*s.o. with* koho čím) ♦ *~ me!, ~ my soul!* pro pána (krále)! překvapení; **—ed** [ˈblesid], **blest** [blest] *a* bás. **1.** požehnaný **2.** blažený **3.** zpropadený; **—ing** [ˈblesiŋ] *s* požehnání
blew [blu:] *pt* od *to blow*
blight [blait] *s* **1.** (obilná) sněť; rez **2.** nákaza; rána, pohroma ☐ *vt* zničit, zmařit

blind [blaind] *a* 1. slepý; i fig.
2. slepecký □ *s* 1. *the ~*
slepci 2. roleta □ *vt* 1. oslepit
2. fig. zaslepit; —**fold** [ˈblaind-
fould] *vt* zavázat oči □
a & adv se zavázanýma
očima; —**man's-buff** [ˈblaind-
mænzˈbaf] *s* slepá bába hra;
—**ness** [ˈblaindnis] *s* slepota;
i fig.; —**worm** [ˈblaindwə:m]
s zool. slepýš

blink [bliŋk] *vi* 1. mrkat (*at*
na), mžourat 2. blikat □ *vt*
3. přehlédnout co □ *s* 1.
mrknutí 2. bliknutí, záblesk;
—**ing** [ˈbliŋkiŋ] *a* hov. safra-
portský; vulg. sakramentský

bliss [blis] *s* blaho; —**ful**
[ˈblisful] *a* blažený

blister [ˈblistə] *s* puchýř, -ek

blithe, —**some** [ˈblaið, -səm] *a*
radostný, veselý

blitz [blits] *s* hov. 1. blesková
válka 2. (těžký) nálet, letecký
útok □ *vt* 1. bleskově za-
útočit 2. letecky bombardo-
vat, roz-, vy|bombardovat

blizzard [ˈblizəd] *s* vánice, fu-
kýř

bloat [blout] *vt* udit: *-ed herr-
ing* = —**er** [ˈbloutə] *s* uzenáč

bloated [ˈbloutid] *a* 1. vypasený,
vyžraný 2. nafouklý; nadutý

blob [blob] *s* 1. kapka 2. skvrnka
barvy

bloc [blok] *s* blok (*political,
economical* politický, hospo-
dářský; *the sterling~* sterlin-
gová oblast)

block [blok] *s* 1. špalek 2. bal-
van; kvádr 3. tech. kladka,
kladkovnice 4. tisk. štoček
5. brit. ~ *(of flats)* velký mo-
derní činžák 6. am. blok

domů 7. brit. blok politický,
koalice 8. zábrana, překážka
9. brit. (dopravní) zácpa 10.
med. blokáda 11. fig. pařez,
tupec □ *vt* 1. zatarasit 2. po-
zastavit (*a bill* návrh zákona)
3. med. blokovat; ♦ *in ~
letters* hůlkovým písmem;
~ **in** načrtnout; ~ **out** zhruba
koncipovat; —**ade** [bloˈkeid]
s voj. blokáda: *to raise a ~*
zrušit blokádu; *to run a ~*
prorazit blokádu □ *vt* voj.
provést blokádu; —**head**
[ˈblokhed] *s* hňup, ťulpas;
—**house** [ˈblokhaus] *s* 1. hist.
válečný) srub 2. mod. pev-
nůstka, bunkr

blond(e) [blond] *a* světlý; svět-
lovlasý, blond □ *s* blondýn,
-(k)a

blood [blad] *s* 1. krev; i fig.
2. míza rostlin 3. *atr* krevní;
pokrevní; ~ *bank* krevní
banka; ~ *group* krevní sku-
pina, ~ *test* krevní zkouška;
~ **-curdling** [ˈbladˌkə:dliŋ]
a při němž stydne krev;
—**hound** [ˈbladhaund] *s* poli-
cejní pes; —**less** [ˈbladlis] *a*
1. bezkrevný 2. nekrvavý:
~ **-poisoning** [ˈbladˌpoizniŋ]
s otrava krve; ~ **-relation**
[ˈbladriˈleišən] *s* pokrevní pří-
buzný; —**shed** [ˈbladšed] *s*
krveprolití; ~ **-thirsty** [ˈblad-
ˌθə:sti] *a* krvežíznivý; ~
-vessel [ˈbladˌvesl] *s* céva;
—**y** [ˈbladi] *a* 1. krvavý;
i fig. zkrvavený 2. vulg. za-
tracený

bloom [blu:m] *a* 1. květ ozdobný
2. fig. rozkvět 3. pel na ovoci;
půvab □ *vi* kvést; i fig.; —**ing**

[ˈblu:miŋ] *a* 1. kvetoucí 2. zpropadený

blossom [ˈblosəm] *s* 1. květ na plod 2. fig. rozkvět □ *vi* kvést

blot [blot] *s* 1. skvrna; kaňka 2. fig. poskvrna □ *vt* (-tt-) 1. pokaňkat 2. vypijákovat 3. poskvrnit; i fig.; ~ **out** 1. přeškrtat 2. vy-, za|hladit, vymazat 3. zastřít; —**ter** [ˈblotə] *s* (pijáková) kolíbka; —**ting-paper** [ˈblotiŋˌpeipə] *s* piják, pijavý papír

blotch [bloč] *s* 1. opar 2. velká skvrna, kaňka

blouse [blauz] *s* 1. (pracovní) blůza 2. halenka, blůza

blow¹ [blou] *s* rána, úder: *at a* ~ jednou ranou, naráz

blow²* [blou] *vi & t* 1. foukat, fučet, vanout 2. pro-, roz-, vy|fouknout: ~ *one's nose* vysmrkat se 3. oddechnout si; funět 4. roz-, dmýchat 5. troubit; ~ **in** zapálit vysokou pec; ~ **out** 1. zhasit vysokou pec, svíčku 2. spálit se o pojistce ~ **over** přehnat se; minout; ~ **up** 1. vyhodit, vyletět do vzduchu; vybuchnout 2. nafouknout 3. zvětšit foto □ *s* 1. závan; fouknutí 2. hov. čerstvý vzduch: *to have, go for, a* ~ jít se projít na (čerstvý) vzduch; —**y** [ˈbloui] *a* větrný

blow³ [blou] *s* roz-, květ: *in (full)* ~ v (plném) roz-, květu; i fig.

blubber¹ [ˈblabə] *s* 1. (vel)rybí tuk 2. nám. blabuň medúza

blubber² [ˈblabə] *vi* b(r)ečet

blubber³ [ˈblabə] *a* odulý

bludgeon |ˈbladžən| *s* klacek, obušek □ *vt* ztřískat (klackem)

blue [blu:] *a* 1. modrý; pol. konzervativní 2. sklíčený, smutný 3. hov. lechtivý oplzlý □ *s* 1. modř 2. modřidlo 3. modré (šaty) 4. pl. *the* -*s* melancholie, skleslost, blues; □ *vt* modřit ♦ *in a* ~ *funk* hov. (celý) vyjukaný; *once in a* ~ *moon* jednou za uherský měsíc; —**bell** [ˈblu:bel] *s* bot. zvonek; ~-**print** [ˈblu:ˈprint] *s* modrotisk, modrák; —**stocking** [ˈblu:ˌstokiŋ] *s* pejor. modrá punčocha učená žena

bluff¹ [blaf] *a* 1. příkrý, kolmý 2. drsný, ale upřímný □ *s* kolmý útes

bluff² [blaf] *vi & t* o-, klamat; oblafnout □ *s* klamání; bluf

bluish [ˈblu:iš] *a* modravý

blunder [ˈblandə] *s* (hrubý) omyl, chyba, přehmat □ *vi & t* 1. klopýtat 2. (hrubě) chybit, z-, mýlit se; ~ **out** vybrept|nout, -at

blunt [blant] *a* 1. tupý; i fig. 2. hrubý, nevybíravý ve slovech □ *vt* otupit

blur [blə:] *vt* (-rr-) 1. rozmazat, zakaňkat, přeškrtat 2. zatemnit, zastřít □ *s* 1. skvrna, kaňka 2. chumel, změť

blurt [blə:t] *vt* obv. ~ *out* vyhrknout, vybreptnout

blush [blaš] *vi & t* 1. červenat se 2. stydět se □ *s* ruměnec

bluster [ˈblastə] *vi & t* 1. bouřit, hučet 2. řádit, zuřit, vyhrožovat □ *s* hluk, kravál, řádění

B.M. [ˈbiːˈem] = *Bachelor of Medicine*
boa [ˈbouə] *s* 1. hroznýš 2. boa kožešina
boar [boː] *s* kanec
board [boːd] *s* 1. prkno; deska 2. pl. -s prkna jeviště 3. lepenka, kartón 4. stůl, (jídelní) tabule; práv. *separation from bed and* ~ rozloučení od stolu a lože 5. strava: ~ *and lodging* penze, byt se stravou 6. výbor, rada, kuratorium; úřad, ministerstvo 7. paluba □ *vt & i* 1. zhotovit z prken 2. stravovat (se) (*with* u koho); ~ *out* stravovat se venku 3. vstoupit na loď; nastoupit do vlaku ap. 4. ~ *up* zabednit ♦ *on* ~ *(the) ship* na palubě, -u (lodi); *School B*~ školní rada; *B*~ *of Trade* ministerstvo obchodu; *within* ~ na palubu; *without* ~ do moře; **−er** [ˈboːdə] *s* 1. strávník 2. chovanec internátu, hov. internátník; **−ing** [ˈboːdiŋ] *s* 1. bednění 2. stravování, strava; ˈ**−ing-house** *s* penzión; ˈ**−ing-school** *s* internátní škola
boast [boust] *s* 1. vychloubání, chvástání 2. chvála (*of* čí) □ *vi* chlubit se, honosit se (*of, about* čím)
boat [bout] *s* 1. lodka, člun 2. malá loď, parník 3. omáčník □ *vi* jezdit na lodičce ♦ *to burn one's -s* spálit za sebou mosty; *to take a* ~ *for* jet lodí do; ˈ~ **-house** *s* úschovna loděk: **−man** [ˈboutmən] *s* pl. -men [-mən] 1. majitel

půjčovny loděk 2. přívozník 3. bárkař, lodník □ *vi & t* jet, jezdit, parníkem; na lodičce: *to go -ing* jít na lodičky
bob¹ [bob] *vt & i* (-bb-) 1. nad-, po|skakovat, tančit (*on* na čem) 2. pohodit hlavou 3. nakrátko přistřihnout: *-bed hair* chlapecký účes 4. sport. jezdit na bobu □ *s* 1. pohození, trhnutí 2. sport. bob 3. závaží kyvadla 4. chlapecký účes 5. ustřižený ocas koně 6. refrén 7. sl., pl. = sg. šilink; ~ **-sleigh** [ˈbobslei], ~ **-sled** [ˈbobsled] *s* bob, závodní saně, rohačky
Bob² [bob] *s* dem. = Robert
bobbin [ˈbobin] *s* cívka
bobby [ˈbobi] *s* sl. polda
bode [boud] *vt & i* věstit: *it -s well, ill* to je dobré, špatné znamení; **−ful** [ˈboudful] *a* zlověstný
bodice [ˈbodis] *s* živůtek; vestička
bodily [ˈbodili] *a* tělesný: ~ *fear* strach z ublížení □ *adv* 1. tělesně 2. jako jeden muž, korporativně; vcelku, celý
bodkin [ˈbodkin] *s* šněrovací jehla, hov. žengle
body [ˈbodi] *s* 1. tělo 2. mrtvola 3. hov. osoba 4. těleso (*heavenly* nebeské) 5. trup 6. hlavní část čeho: karosérie; text listiny, loď chrámu 7. společenstvo, korporace; sbor, kolektiv, skupina 8. souhrn, soustava čeho 9. *atr* tělesný ♦ ~ *corporate* právnická osoba; *in a* ~ hromadně, korporativně; *the* ~ *politic* státní

těleso, stát; **~ -guard** [ˈbo-
digə:d] *s* tělesná stráž
Boer (bouə, buə] *s* Búr: ~ *War*
búrská válka
bog [bog] *s* močál; —**gy** [ˈbogi]
a bažinatý
bogie [ˈbougi] *s* brit. žel. pod-
vozek
bogus [ˈbougəs] *a* podvodný,
falešný
Bohemi|a [bouˈhi:mjə] *s* Čechy;
—**an** [bouˈhi:mjən] *s & a*
1. bohém; -ský 2. zast. Čech;
český ♦ ~ *Brethren* Čeští
bratří; ~ *Forest* Český les;
~ *glass* české sklo, křišťál
boil¹ [boil] *s* vřed, furunkl
boil² [boil] *vt & i* u-, vy-, vařit;
kypět ♦ *-ing hot* vařící;
~ down svařit (se); **~ over**
překypět, utéci □ *s* var:
on the ~ ve varu; —**er**
[ˈboilə] *s* 1. (parní) kotel
2. bojler; kamna v koupelně;
boiling [ˈboiliŋ] *s* 1. vaření
2. várka; **~ -point** [ˈboiliŋ-
point] *s* bod varu
boisterous [ˈboistərəs] *a* 1. bouř-
livý, divoký, prudký 2. hluč-
ný
bold [bould] *a* 1. smělý, stateč-
ný, nebojácný 2. drzý, trou-
falý 3. strmý 4. výrazný;
~ -faced [ˈbouldfeist] *a* 1. drzý
2. typ. polotučný
bole [boul] *s* kmen, peň
bolero [ˈbolərou] *s* boler(k)o
boletus [bouˈli:təs] *s* hřib
Bolivi|a [bəˈliviə] *s* (z) Bolívie;
—**an** [bəˈliviən] *a* bolivijský
□ *s* Bolivijec
boll [boul] *s* palička lnu, bavlníku
Bolshev|ik [ˈbolšivik] *s* bolševik
□ *a* bolševický; —**ism** [ˈbol-
šivizəm] *s* bolševismus; —**ist**
[ˈbolšivist] *s* bolševik □ *a* =
—**istic** [ˌbolšiˈvistik] *a* bolše-
vistický
bolster [ˈboulstə] *s* 1. žíněnkový
podhlavník 2. tech. oplín □
vt & i 1. podložit (poduškou)
2. ~ *up* podepřít
bolt¹ [boult] *s* 1. závora, zá-
strčka; západka: *to shoot
the* ~ zastrčit (zástrčku) 2.
svorník, šroub 3. blesk, hro-
mový klín 4. útěk: hov. *to make
a* ~ *for it* prásknout do bot
□ *vt & i* 1. zavřít (na závoru),
zastrčit (dveře) 2. splašit se;
utéci 3. z-, hltat
bomb [bom] *s* 1. puma, granát 2.
bomba (*aerial, atomic, explos-
ive, hydrogen, incendiary,
napalm* [ˈneipa:m] letecká,
atomová, výbušná, vodíková,
zápalná, napalmová □ *vt & i*
bombardovat; —**er** [ˈbomə]
s bombardér, lid. bombarďák;
~ -proof [ˈbompru:f] *a* neprů-
střelný (*shelter* kryt); **~ -shell**
[ˈbomšel] *s* fig. *as a* ~ jako
puma náhle
bombard [bomˈba:d] *vt* bombar-
dovat, i fig., ostřelovat z děl;
—**ment** [bomˈba:dmənt] *s* dě-
lostřelecká palba
bombast [ˈbombæst] *s* nabubře-
lost; —**ic** [bomˈbæstik] *a* na-
bubřelý
Bombay [bomˈbei] *s* (m) Bombaj
bon-bon [ˈbonbon] *s* bonbón
bond [bond] *s* 1. pl. (sg. arch.)
pouta 2. fig. pouto, svazek
3. závazek, záruka 4. dlužní
úpis, dluhopis, obligace, zá-
ruční list 5. vazba zdiva 6.
celní uzávěra □ *vt* 1. uložit

do celního skladiště 2. vázat
zdivo 3. zajistit úpisem ♦ *in*~
pod celní uzávěrou; *in* -*s*
v poutech; -*ed goods* zboží
pod celní uzávěrou; -*ed ware-
house* celní skladiště; — (s)man
[ˈbondzmən] *s* pl. -*men* [-mən]
nevolník

bondage [ˈbondidž] *s* nevol-
nictví; fig. otroctví

bone [boun] *s* 1. kost 2. palička
krajkářská ♦ *to have a* ~ *to
pick with* mít si s kým co
vyřídit □ *vt* vykostit

bonfire [ˈbonˌfaiə] *s* hranice,
oheň

bonnet [ˈbonit] *s* 1. čepec 2. brit.
kryt, kapota motoru 3. skot.
baret ♦ ~ *rouge* [boneiˈruː:ž]
frygická čapka

bonny [ˈboni] *a* skot. 1. švarný
2. milý

bonus [ˈbounəs] *s* pl. -*es* [-iz]
1. prémie, přídavek 2. super-
dividenda

bony [ˈbouni] *a* kostnatý

booby [ˈbuːbi] *s* .nekňuba

book [buk] *s* 1. kniha, knížka:
the B~ bible 2. sešit; blok
3. libreto □ *vt* 1. zapsat,
zaznamenat (si) 2. předplatit
si; zajistit si 3. brit. koupit si
lístek; — **binder** [ˈbukˌbaində]
s knihař; — **binding** [ˈbuk-
ˌbaindiŋ] *s* (knižní) vazba;
— **case** [ˈbukkeis] *s* knihovna;
— **ing-clerk** [ˈbukiŋklaːk] *s*
pokladní, -ík; — **ing-office**
[ˈbukiŋˌofis] *s* brit. (osobní)
pokladna; — **ish** [ˈbukiš] *a*
knižní: ~ *person* milovník
knih; ~ **jacket** přebal; ~
-**keeper** [ˈbukˌkiːpə] *s* účetní;
~ -**keeping** [ˈbukˌkiːpiŋ] *s*

účetnictví; — **let** [ˈbuklit] *s*
1. knížka 2. brožur(k)a;
— **mobile** [ˈbukmouˌbiːl] *s* am.
pojízdná knihovna; ~ -**post**
[ˈbukpoust] *s* tiskopis; — **seller**
[ˈbukˌselə] *s* knihkupec: *a* ~ *'s*
knihkupectví; — **shelf** [ˈbuk-
šelf] *s* pl. -*shelves* [-šelvz]
polička na knihy, regál: *on
every* ~ v každé knihovně;
— **stall** [ˈbukstoː:l] *s* brit. stá-
nek knižní, novinový

boom¹ [buːm] *s* 1. dunění, hukot
2. konjunktura, rozmach
(*industrial* průmyslový) 3.
reklama □ *a* konjunkturální
□ *vi* 1. dunět, hučet 2. mít
konjunkturu, prudce vzrůstat
□ *vt* 3. dělat reklamu, kam-
paň

boom² [buːm] *s* 1. nám. vratipeň,
ráhno 2. rameno jeřábu 3. plo-
voucí přehrada

boomerang [ˈbuːməræŋ] *s* bume-
rang

boon [buːn] *s* 1. výhoda 2. arch.
kniž. dar, laskavost □ *a* vese-
lý, bodrý

boor [buə] *s* neotesanec, hru-
bián

boost [buːst] *vt* 1. hov. vysadit
na strom, postrkovat vzhůru
2. fig. protlačit, prosazovat
koho; dělat reklamu komu
3. hnát vzhůru (*prices* ceny
4. el. zvyšovat napětí □ *s*
1. vyhánění cen vzhůru 2.
vzestup, výkyv vzhůru, kon-
junktura 3. prosazování koho

boot [buːt] *s* 1. bota, am. též
holínka (brit. *high* ~) 2. truh-
lík pod kozlíkem □ *vt* sl. vy-
kopnout koho (*out of* z)
— **black** [ˈbuːtblæk] *s* cídič

bot; —jack [ˈbuːtdžæk] s
zouvák; —less [ˈbuːtlis] a
zbytečný; —s [buːts] s brit.
podomek, sluha; ~ -tree
[ˈbuːttriː] s kopyto, napínák
obuvi

booth [buːð] s 1. bouda, stánek
2. budka (*voting*, am. *telephone*
volební, telefonní)

booty [ˈbuːti] s kořist, lup

bo-peep [bouˈpiːp] s dět. *to
play* ~ dělat kuk, baf na koho

border [ˈbɔːdə] s 1. okraj, obru-
ba, lem 2. hranice; pohraničí
3. okolek záhonu 4. *atr* okra-
jový ♦ ~ *line* hraniční, sport.
pomezní čára □ *vt* 1. ob-,
roubit, o-, lemovat 2. hra-
ničit, sousedit (*on*, *upon* s);
—**er** [ˈbɔːdərə] s hraničář;
—**land** [ˈbɔːdəlænd] s pohra-
ničí, pomezí: i fig., ‖—**line** a
pomezní (*case* případ)

bor|e¹ [bɔː] *vt & i* vrtat □ s
1. vývrt 2. světlost, kalibr;
—**er** [ˈbɔːrə] s vrták, nebozez

bore² [bɔː] *vt* nudit, hov. otra-
vovat □ s 1. nudná věc,
nuda 2. nudný člověk; hov.
otravka; —**dom** [ˈbɔːdəm] s
nuda stav

bore³ [bɔː] *pt* od *to bear¹*

born(e) [bɔːn] *pp* od *to bear¹*

borough [ˈbarə] s 1. samo-
správné město 2. brit. vý-
sadní měst|o, -ečko zastoupené
v parlamentě 3. am. (samo-
správný) městský okres
v New Yorku

borrow [ˈborou] *vt & i* vypůjčit
si; —**er** [ˈborouə] s vypůjčo-
vatel

borzoi |ˈboːzoi| s chrt

bosom [ˈbuzəm] s 1. bás. ňadra

2. zast. záňadří 3. am. ná-
prsenka košile 4. fig. nitro;
klín, lůno 5. *atr* důvěrný
(*friend* přítel, -kyně)

boss¹ [bos] s 1. výčnělek 2.
pukla, (kulatý) knoflík

boss² [bos] s 1. hov. mistr, do-
zorce, předák 2. am. [boːs] sl.
(politický) pohlavár, šéf,
magnát, boss □ *vt* poroučet,
mistrovat, dělat pána

botan|ic [bəˈtænik] a zast., jen
the B~ Gardens botanická
zahrada; —**ical** [bəˈtænikəl]
a botanický; —**ist** [ˈbotənist]
s botanik, rostlinopisec; —**y**
[ˈbotəni] s rostlinopis, bota-
nika

botch [boč] s fušerská práce □
vt hudlařit, fušovat

both [bouθ] a & pron oba (dva),
obojí: ~ *of us*, *you* my, vy
oba □ *conj* jen ~ ... *and*
jak ... tak, (i ...) i

bother [ˈboðə] *vt & i* 1. zlobit,
trápit koho 2. ~ *about* trápit
se čím □ s trápení

bottl|e [ˈbotl] s 1. láhev 2. skle-
nice kompotová □ *vt* 1. stáčet
do lahví, plnit do sklenic:
-*ed fruit* zavařené ovoce 2.
~ *up* utajovat ~ -**neck**
[ˈbotlnek] s 1. úzký profil
2. zúžená cesta

bottom [ˈbotəm] s 1. dno, spo-
dek 2. dolní konec (*of a
street* ulice); okraj (*of a page*
stránky) 3. úpatí, pata (*of
a hill* kopce) 4. základy (*of
house* domu) 5. sedadlo 6. hov.
zadnice: ~ *up* vzhůru noha-
ma 7. loď, nitro lodi 8. obv. pl.
-*s* am. nížiny podél řek ♦
at (the) ~ na dně; fig. v jádru;

ve skutečnosti □ *a* **1.** spodní **2.** nejnižší (*price* cena) **3.** poslední, základní (*cause* příčina) □ *vt* **1.** opatřit dnem, sedadlem **2.** fig. ~ *s.t. (up) on* založit, postavit na čem, podložit čím **3.** proniknout, vysvětlit, odhalit co; **—less** [ˈbotəmlis] *a* **1.** bez dna, sedadla **2.** bezedný; **—ry** [ˈbotəmri] *s* zastavení lodi i s nákladem, zápůjčka na loď

bough [bau] *s* hlavní větev

bought [bo:t] *pret & pp* od *to buy*

boulder [ˈbouldə] *s* **1.** valoun **2.** bludný balvan ♦ *B~ Dam* přehrada na ř. Coloradu v USA

bounc|e [bauns] *vi* **1.** skákat o míči **2.** hov. vynadat, nadávat **3.** ~ *back* odrazit se, odskočit **4.** vřítit se (*into* do) **5.** vyskočit (*out* ven), vyřítit se (*out of* z) **6.** vychloubat se □ *vt* **7.** vmanévrovat (*s.o. into* koho do čeho) **8.** am. sl. vyhodit (ze zaměstnání) □ *s* **1.** rána, bouchnutí **2.** odraz, skok; pružnost (*of a ball* míče) **3.** chvástání □ *adv* náhle; hlomozně □ *int* bum, buch, bác; **—er** [ˈbaunsə] *s* **1.** chvastoun; lhář **2.** nestoudná lež **3.** hov. hromotluk; pořádně velká (věc); **—ing** [ˈbaunsiŋ] *a* **1.** hromotlucký, nařvaný **2.** chvástavý **3.** nestoudný (*lie* lež)

bound¹ [baund] *s* obv. pl. *-s* hranice, meze; i fig.: *out of -s* z mezí, proti řádu: zakázaný; *within the -s of possibility* v mezích možností; *to set -s to*

ohraničit co; fig. klást mezo čemu □ *vt* **1.** omezovat, poutat **2.** tvořit hranice čeho: *to be -ed on the north by* hraničit na severu s □ *vi* **3.** ~ *on* přiléhat k; ~ *with* hraničit s; **—ary** [ˈbaundəri] *s* hranice; sport. pomezní čára; **—less** [ˈbaundlis] *a* neomezený, nekonečný

bound² [baund] *s* skok, odraz: *at a (single)* ~ (jedním) skokem; *a* ~ *forward* fig. skok vpřed □ *vi* skákat, odrazit se; **—er** [ˈbaunoə] *s* hov. doleza, nevychovanec

bound³ [baund] *pt & pp* od *to bind*; **—en** [ˈbaundən] arch. *pp* jen *one's* ~ *duty* čí (svato)-svatá povinnost

bount|eous [ˈbauntiəs], **—iful** [ˈbauntiful] *a* kniž. **1.** štědrý **2.** hojný, bohatý o věcech; **—y** [ˈbaunti] *s* **1.** štědrost, velkomyslnost **2.** dar **3.** prémie; mimořádná odměna **4.** subvence

bouquet [ˈbukei] *s* **1.** kytice **2.** buket, aróma, vůně vína

bourgeois¹ [ˈbuəžwa:] *s* měšťák, buržoa □ *a* buržoazní, měšťácký: *petty* ~ maloměšťák **—ie** [ˌbuəžwa:ˈzi:] *s* buržoazie, měšťanstvo: *petty* ~ maloburžoazie, maloměšťáctvo

bourgeois² [bəˈdžois] *s* typ. borgis

bout [baut] *s* **1.** kolo, zápas, (jedna) hra **2.** záchvat (*of illness* nemoci) ♦ *at one* ~ naráz; ~ *of drinking* pitka; *this* ~ tentokrát

bovine [ˈbouvain] *a* **1.** hovězí volský **2.** fig. tupý; líný

bow¹ [bau] *vt & i* **1.** sklonit, sklánět (se), ohýbat (se); i fig.: ~ *the neck to, beneath* sklonit šíji před kým, pod čím **2.** po-, u|klonit se (*to komu*): *to be on -ing terms with* zdravit se s **3.** smeknout (na pozdrav) jen o mužích **4.** ~ *down* sklonit, sklánět (se): *-ed down by (care)* zkrušený (starostmi) **5.** ~ *s.o. in, up, out (of), down* (s poklonami) uvést do(vnitř), nahoru, vyprovodit z místnosti, dolů ♦ ~ *one's assent, one's acknowledgement; one's thanks* uklonit se na souhlas; poděkovat úklonou □ *s* po-, ú|klona: *to make s.o. a* ~ uklonit se komu; *to make one's* ~ o herci poděkovat se

bow² [bou] *s* **1.** oblouk **2.** luk: *to bend, draw, the* ~ napnout luk **3.** pl. *-s* lučištníci **4.** smyčec; tah (smyčcem), smyk **5.** bás. = *rainbow* **6.** smyčka: *to tie a* ~ uvázat na smyčku **7.** mašle; motýlek kravata **8.** ucho čajníku, košíku; am. brýlí □ *vt & i* hrát, vládnout smyčcem; I~ -legs *s* pl. nohy do o; ~ -legged [ˈboulegd] *a* s nohama do o; ~ -string [ˈboustriŋ] *s* tětiva luku

bow³ [bau] *s* obv. pl. příď lodi

bowdlerize [ˈbaudləraiz] *vt* expurgovat, vykuchat (knihu)

bowels [ˈbauəlz] *s* pl. **1.** střeva, vnitřnosti **2.** arch., soucit, srdce

bower¹ [ˈbauə] *s* **1.** bás. úkryt, obydlí, chata **2.** besídka, loubí **3.** arch., bás. komnata, ložnice; budoár; —y [ˈbauəri] *a* list-

natý, stinný □ *s* **1.** zast., am. usedlost, dvůr **2.** *the B*~ ulice v New Yorku, útočiště lidí na dně

bower² [ˈbauə] *s* příďová kotva

bowie-kni|fe [ˈbouinaif] *s* pl. *-ves* [-vz] am. (lovecký) tesák, nůž

bowl¹ [boul] *s* **1.** polokulovitá mísa, miska **2.** (kulovitá) váza **3.** bás. pohár, číše **4.** fig. kvas, pitka **5.** hlavička (*of a pipe* dýmky)

bowl² [boul] *s* **1.** (šišatá n. excentrická) koule **2.** pl. *-s* hra v bowls **3.** dial., am. kuželky □ *vi* **1.** hrát v bowls **2.** ~ *along* frnčet, ujíždět; plout □ *vt* **3.** koulet; honit (*one's hoop* obruč) **4.** hov. ~ *s.o. out* vyrazit, vyhodit; porazit koho **5.** hov. ~ *s.o. over* vyřídit, položit koho; —ing [ˈbouliŋ] *s* **1.** koulení **2.** hraní v bowls

bowler [ˈboulə] *s* buřinka, tvrďák

bowman [ˈboumən] *s* pl. *-men* [-mən] hist. lukostřelec, lučištník

bowsprit | bousprit] *s* loď. čelen

bow-wow [ˈbauˈwau] *int* haf-haf □ *s* [ˈbauwau] **1.** štěkání **2.** dět. pejsek **3.** *atr* psí

box¹ [boks] *s* zimostráz, buxus

box² [boks] *s* **1.** krabice, krabička, kazeta, dóza; bednička **2.** schránka, pouzdro, truhlík **3.** pokladnička **4.** div. lóže **5.** box v kavárně **6.** stání ve stáji **7.** kozlík **8.** budka **9.** typ. přihrádka kasy □ *vt* **1.** dávat, balit do krabic(e) **2.** ustájit koně **3.** brit. podat k soudu; ~ **up 1.** zabalit do krabice

2. vtěsnat, zavřít (*in* do);
~ -office [ˈboksˌofis] *s* po-
kladna v div.; **Boxing-day**
[ˈboksiŋdei] *s* brit., den sv. Ště-
pána, 2. svátek vánoční
box³ [boks] *s* jen ~ *on the ear*
pohlavek, facka □ *vt* **1.** ~
one's ears na-, z|pohlavkovat,
na-, z|fackovat □ *vi* **2.** bo-
xovat; **—er** [ˈboksə] *s* boxer
box-calf [ˈbokska:f] *s* chrómová
kůže
boxing [ˈboksiŋ] *s* **1.** box,
-ování **2.** *atr* boxerský; ~
-gloves [ˈboksiŋglavz] *s* pl.
boxerské rukavice; **~ -match**
[ˈboksiŋmæč] *s* boxerský zá-
pas; **~ -weight** [ˈboksiŋweit]
s boxerská váha
boy [boi] *s* **1.** hoch, chlapec:
old ~ kamaráde! **2.** domorodý
sluha; boy; |**~ -baby,** |**~**
-child *s* chlapeček; |**~ -cou-**
sin *s* bratranec; |**~ -friend** *s*
přítel, kamarád; **—hood** [ˈboi-
hud] *s* **1.** chlapectví **2.** chlap-
ci; |**~ -husband** *s* mladý man-
žel; **—ish** [ˈboiiš] *a* **1.** chla-
pecký **2.** dětinský; |**~ -scout**
s skaut
boyar [bouˈja:] *s* hist. bojar
boycott [ˈboikət] *s & vt* bojkot;
-ovat
B.R. = *British Railways*
bra [bra:] *s* hov. podprsenka
brac|e [breis] *s* **1.** přezka, spon-
(k)a **2.** tech. výztuha, ztužina,
výztužní žebro; příčný nos-
ník; vz-,pod|pěra **3.** brit.*a pair
of* -*s* šle **4.** pl. = sg. po číslovce
pár, -ek a) psů, ulovené nízké
zvěře b) opovržlivě o lidech
5. typ. složená závorka, svor-
ka **6.** kolovrátek nebozezu:

~ *and a bit* vrtačka; svidřík
7. nám. zvratička □ *vt* **1.** při-
pevnit, připnout, utáhnout;
vyztužit; napnout **2.** po-
vzbudit, posílit; podpírat **3.**
sepnout dohromady **4.** ~ *o.s.*
up, ~ *one's energies* sebrat se,
napnout (všechny) své síly
5. nám. natáčet plachtu;
—er [ˈbreisə] *s* am. hov.
posilující likér
bracelet [ˈbreislit] *s* **1.** náramek
2. pl. -*s* želízka, pouta
brachial [ˈbreikjəl] *a* med. pažní
brachycephalic [ˌbrækikeˈfælik]
a krátkolebý
bracken [ˈbrækən] *s* brit. (vy-
soké) kapradí, hasivka orličí
bracket [ˈbrækit] *s* **1.** stav. konzol,
zola, nosič, podpěra **2.** sklá-
pěcí polička **3.** (hranatá) zá-
vorka: *to put in* -*s* dát do
závorek □ *vt* **1.** dát do závo-
rek **2.** spojit svorkou; uvést
pohromadě **3.** voj. zastřelo-
vat cíl
brackish [ˈbrækiš] *a* poloslaný
(*water* brakická voda v ústí
řeky)
bradawl [ˈbrædo:l] *s* šídlo
brag [bræg] *s* chvástání, chlou-
ba □ *vt & i* (-gg-) chvástat se,
chlubit se (*of* čím) □ *a* am.
primový, bezvadný; **—gart**
[ˈbrægət] *s* chvastoun, chlu-
bil □ *a* chlubivý, chlubný
brahmin, —man [ˈbra:min,
-mən] *s* bráhman; **—ic(al)**
[bra:ˈminik(əl)] *a* bráhman-
ský; **—ism** [ˈbra:mənizəm] *s*
bráhman|ismus, -ství
braid [breid] *s* **1.** pletenec
(*of hair* vlasů) **2.** stužka
3. tkanice, lemovka; prýmek

☐ *vt* 1. plést vlasy, kviti, vplétat 2. lemovat, premovat
Braille [breil] *s* slepecké písmo
brain [brein] *s* 1. mozek 2. pl. mozeček jídlo 3. obv. pl. rozum, inteligence: *man of -s* inteligentní člověk ♦ *to blow out one's -s* prohnat komu hlavu kulí; *to have s.t. on the ~* mít čeho plnou hlavu; **~ -fag** [ˈbreinfæg] *s* nervová vyčerpanost; **~ -fever** [ˈbreinˌfiːvə] *s* zápal mozkových blan; **—less** [ˈbreinlis] *a* hloupý, neinteligentní; **~ -sick** [ˈbreinsik] *a* pomatený; **Brains Trust** 1. am. mozkový trust státní sbor expertů 2. B. B. C. mozkový trust, beseda (s odborníky); |**~ -work** *s* duševní práce, **—y** [ˈbreini] *a* am. inteligentní, nápaditý
braise [breiz] *vt* dusit maso
brake[1] [breik] *s* brzda (*band- ~, emergency- ~, hand- ~*, pásová, záchranná, ruční); *to put on, apply, the ~* zabrzdit ☐ *vt & i* brzdit; |**~ -block** *s* brzdová čelist; |**~ -drum** *s* brzdový buben; |**—sman**, am. |**—man** [-mən] *s* pl. *-men* [-mən] brzdař
brake[2] [breik] *s* 1. houští, podrost 2. = *bracken*
brake[3] [breik] *s* trdlice ☐ *vt* trdlit, mědlit len
bramble [ˈbræmbl] *s* ostružiní: **~** *jelly* ostružinové želé; |**~ -berry** *s* ostružina ovoce
bran [bræn] *s* otruby
branch [braːnč] *s* 1. větlev; -évka; i fig. 2. obor vědní; odvětví 3. obch. pobočka,

filiálka 4. odbočka cesty, potrubí 5. rameno řeky; am. potok ♦ *root and ~* od základu, naprosto ☐ *vi* 1. **~** *forth, out*) rozkládat větve 2. **~** *out* rozvětvovat se, fig. větvit se, rozrůstat se, rozbíhat se; pustit se do čeho 3. **~** (*off, out*) odbočovat, odbíhat, oddělovat se od; **—y** [ˈbraːnči] *a* větevnatý
brand [brænd] *s* 1. oharek 2. cejch; (vypálené) znamení 3. cejchovačka 4. (obchodní) značka; druh zboží 5. obch. značkové zboží 6. bás., arch. pochodeň; meč ☐ *vt* 1. vpálit (znamení); značkovat dobytek 2. vtisknout (*on s.o.'s memory* komu v pamět) 3. **~** *s.o. as (liar)* označit koho za (lháře); **~ -new** [ˈbrændˈnjuː] *a* zbrusu nový; **—ing-iron** [ˈbrændinˌaiən] *s* cejchovačka
brandish [ˈbrændiš] *vt* mávat, máchat (*a sword* mečem)
brandy [ˈbrændi] *s* brandy, koňak
brash [bræš] *s* štěrk ☐ *a* am. hov. drzý; |**~ -ice** *s* ledová tříšť
brass [braːs] *s* 1. mosaz 2. *the ~* dechové nástroje; plechy 3. hov. drzost, nestoudnost ☐ *a* mosazný: **~** *band* dechová kapela; **~** *farthing* zlámaná greše; **—y** [ˈbraːsi] *a* 1. mosazný 2. mosazně žlutý 3. drzý, nestoudný
brat [bræt] *s* pejor. spratek, škvrně, fakan
Bratislava [ˌbrætiˈslaːvə] *s* (m) B.
bravado [brəˈvaːdou] *s* pl. *-(e)s* [-z] bravura, bravurní kousek: *out of ~* z bravury

brav|e [breiv] *a* 1. statečný, udatný 2. odvážný čin 3. arch. skvělý, nádherný 4. kniž. vyšňořený □ *s* (indiánský) hrdina □ *vt* 1. vzdorovat, čelit čemu 2. statečně snášet ♦ ~ *it out* vzdorně, vyzývavě si počínat; —ery [¹breivəri] *s* 1. udatnost, hrdinství 2. okázalost, nádhera

bravo [¹bra:¹vou] *int* výborně!, bravo!

brawl [bro:l] *s* hádka, výtržnost □ *vi* 1. hádat se, povykovat 2. bublat, zurčet; —er [¹bro:lə] *s* výtržník

brawn [bro:n] *s* 1. sval, maso; fig. síla 2. vepřový rosol; tlačenka;. —y [¹bro:ni] *a* 1. svalnatý 2. silný, statný

braxy [¹bræksi] *s* motolice □ *a* nemocný motolicí

bray [brei] *s* hýkání □ *vi* 1. hýkat 2. vřeštět o trubce □ *vt* 3. roztlouci, rozetřít

braze [breiz] *vt* natvrdo spájet

brazen [¹breizn] *a* 1. mosazný 2. tvrdý, kovový 3. žlutý 4. břeskný 5. drzý □ *vt* obv. ~ *out* drze se tvářit, si počínat; ~ *it out* tvářit se jakoby nic; ~ *-faced* [¹breiznfeist] *a* nestoudný

brazier [¹breizjə] *s* mědikovec

Brazil [brə¹zil] *s* (z) Brazílie; ~ *-nut* [brə¹zil¹nat] *s* para ořech; —ian [brə¹ziljən] *a* brazilský □ *s* Brazilec

breach [bri:č] *s* 1. porušení, přestoupení (*of the law* zákona) 2. pře-, z|rušení 3. trhlina, mezera 4. voj. průlom: *to stand in the* ~ a) čelit nejprudšímu náporu b) fig. nést

odpovědnost, □ *vt & i* prolomit; voj. udělat průlom

bread [bred] *s* 1. chléb 2. živobytí ♦ ~ *and butter* chléb s máslem; ~ *-crumb* [¹bredkram] *s* 1. střídka 2. drobeček; obv. pl. drobty; strouhaná houska, strouhanka; ~ *-winner* [¹bred|winə] *s* 1. živitel 2. prostředek k živobytí

breadth [bredθ] *s* 1. šířka, šíře; i fig.: ~ *of mind* velkomyslnost; ~ *of views* rozhled; pejor. ~ *in behaviour* dovolené, neomalené chování 2. velkorysost; —ways, —wise [¹bredθweiz, -waiz] *adv* našíř, po šířce

break* [breik] *vt & i* 1. z-, lámat (se), zlomit (se), přetrhnout (se), rozbít (se) 2. polámat 3. porušit, nedodržet 4. zmírnit (*fall* pád) 5. z-, krotit, drezírovat (*a horse* koně) 6. propuknout 7. uniknout (*a gaol* z vězení); ~ **away** *(from)* 1. uprchnout komu 2. upustit od, vzdát se čeho 3. rozejít se s kým: ~ **down** 1. strhnout (*a wall* zeď); vyrazit 2. rozbít, rozdrtit, zlomit (*resistance* odpor) 3. obch. rozepsat, specifikovat 4. zhroutit se o zdraví, pláncch 5. tech. selhat, mít defekt; ~ **forth** 1. vyšlehnout 2. vypuknout 3. propuknout (*into* v); ~ **in** 1. vloupat se 2. plést se do čeho 3. vylomit, vyrazit 4. krotit, drezírovat 5. zvykat (*to* čemu); ~ **in (up)on** 1. přerušit koho, plést se do čeho 2. vrazit ke komu, vyrušit koho; ~ **into** 1. vloupat se do **2.** propuknout v, dát se do; **~ off 1.** u-, od|lomit **2.** pře-, z|rušit **3.** odmlčet se; **~ out 1.** pro-, vy|puknout; vybuchnout **2.** uprchnout; **~ through** prorazit, proniknout čím, skrz; **~ up 1.** rozbít (se), vylomit; **2.** rozehnat, rozprášit **3.** rozpustit (*an assembly* shromáždění), rozejít (se) **4.** chem. rozbít **5.** chátrat o lidech **6.** končit školu; **~ with 1.** za-, nechat čeho **2.** rozejít se s ♦ **~** *against* rozbít se oč; **~** *an appointment* nepřijít na schůzku; hov. *to be* (sl. *stony-*) *broke* být bankrot, na mizině, švorc; **~** *camp* zvednout tábor; **~** *the connection with* přerušit spojení, styk s; hov. *to go broke* zkrachovat; **~** *(new) ground* zorat úhor; fig. připravit půdu pro; **~** *into pieces* rozbít (se) na kusy; **~** *the law* přestoupit, porušit zákon; **~** *loose* utrhnout se, utéci; **~** *the news to s.o.* šetrně sdělit komu; **~** *open* vy|lomit, -páčit, vloupat se do; **~** *the peace* porušit veřejný pořádek; **~** *one's word* nedodržet slovo □ *s* **1.** zlomení; zlomenina **2.** mezera, otvor; průsek **3.** přestávka **4.** přelom, změna **5.** přerušení, zastavení **6.** sport. faleš míče **7.** am. zhroucení (cen) **8.** typ. východ(ová řádka) ♦ *the* **~** *of day* rozbřesk, úsvit; **—able** [ˈbreikəbl] *a* rozbit|ný, -elný; křehký; **—age** [ˈbreikidž] *s* **1.** rozbití **2.** obch. sleva za poško-

zení zboží dopravou **3.** z, lom; **~ -away** [ˈbreikəwei] *s* únik, útěk; **~ -down** [ˈbreikdaun] *s* **1.** zhroucení **2.** tech. porucha, defekt **3.** obch. rozpis, specifikace; **—neck** [ˈbreiknek] *a* krkolomný; **~ -up** [ˈbreikˌap] *s* **1.** roz|pad, -klad **2.** konec školy; **—water** [ˈbreikˌwoːtə] *s* vlnolam

breakfast [ˈbrekfəst] *s* snídaně: *to have, eat, one's* **~** snídat □ *vi* snídat

breast [brest] *s* prs(a): *a child at the* **~** kojenec; **~ -high** [ˈbrestˈhai] *a* po prsa; **—work** [ˈbrestwəːk] *s* voj. předprseň

breath [breθ] *s* **1.** v-, vý-, dech **2.** závan **3.** šepot ♦ *below, under,* **~** šeptem; *to draw one's* **~** dýchat, být živ; *to hold, catch, one's* **~** tajit dech; *to take* **~** oddechnout si, nabrat dechu; **—less** [ˈbreθlis] *a* **1.** bezdechý, bez dechu **2.** bezduchý **3.** bezvětrný

breathe [briːð] *vi & i* **1.** dýchat čím: **~** *in, out* v-, vy|dechovat **2.** vy-, od|dechnout si **3.** zadýchat (se) **3.** za-, šeptat

bred [bred] *pt & pp* od *to breed*

breech [briːč] *s* arch. zadnice **2.** pl. *-es* [ˈbričiz] (krátké n. jezdecké) kalhoty ♦ **~** *-loading gun* zadovka

breed* [briːd] *vt* **1.** rodit, plodit; i fig. **2.** kniž. vychov(áv)at; *an Englishman born & bred* Angličan rodem i vychováním **3.** pěstovat, chovat (*animals* zvířata) □ *vi* **4.** líhnout se □ *s* **1.** plemeno, rod, rasa **2.** druh o lidech;

—**er** [ˈbriːdə] s pěstitel, chovatel; —**ing** [ˈbriːdiŋ] s 1. pěstování, chov 2. líhnutí 3. vy-, chování, způsoby: *good* ~ dobré chování

breez|e¹ [briːz] s vánek, větřík; —**y** [ˈbriːzi] a 1. větrný 2. svěží, jadrný jazyk

breeze² [briːz] s střeček; ovád

Bren [bren] s n. ~ *gun* lehký kulomet

brer [brəː, brɔr] s am. čern. dial. = *brother*

brethren [ˈbreðrin] s pl. arch. od *brother*

Breton [ˈbretən] a bretonský □ s 1. Bretonec 2. bretonština

brevet [ˈbrevit] voj. s 1. patent, dekret, diplom 2. čestná hodnost 3. *atr* čestný □ *vt* udělit čestnou hodnost

brevity [ˈbreviti] s krátkost, stručnost

brew [bruː] *vt & i* 1. vařit pivo: ~ *tea* uvařit, udělat čaj 2. chystat se: *there is a storm -ing* schyluje se k bouřce □ s várka; —**er** [ˈbruə] s sládek; —**ery** [ˈbruəri] s pivovar

briar [ˈbraiə] viz *brier*

brib|able [ˈbraibəbl] a úplatný; —**e** [braib] s úplatek □ *vt* u-, pod|plácet; —**er** [ˈbraibə] s úplatkář; —**ery** [ˈbraibəri] s úplatkářství: *open to* ~ úplatný

bric-à-brac [ˈbrikəbræk] s drobné starožitnosti

brick [brik] s 1. cihla: *facing-* ~ am. *face* ~ obkládačka; *refractory* ~ ohnivzdorná cihla 2. pl. *box of* -*s* stavebnice □ a cihlový □ *vt* obv. ~ *in, up* zazdít; |~**-clay** [ˈbrikklei] s

cihlářský jíl; |~**-kiln** s cihelna, cihlářská pec; —**layer** [ˈbrikˌleiə] s zedník; —**maker** [ˈbrikˌmeikə] s cihlář; |~ **-work** s cihlová stavba

bridal [ˈbraidl] s bás. svatba; svatební hostina □ a svatební (*veil* závoj)

bride [braid] s nevěsta; —**groom** [ˈbraidgrum] s ženich

brides|maid [ˈbraidzmeid] s družička; —**man** [ˈbraidzmən] s pl. *-men* [-mən] zast. družba

bridge [bridž] s 1. most; lávka: ~ *of boats* pontonový most 2. kapitánský můstek 3. zub. můstek 4. kobylka housli 5. bridge karetní hra □ *vt* obv. ~ *(over)* přemostit; fig. překlenout; —**head** [ˈbridžhed] s voj. předmostí

bridle [ˈbraidl] s uzda: *to give a horse the* ~ popustit koni uzdu □ *vt* 1. dát uzdu koni 2. držet na uzdě (*one's tongue, ambition* jazyk, ctižádost) □ *vi* 3. nést hlavu vzhůru 4. ~ *(up)* pohodit hlavou; čepýřit se

brief [briːf] a 1. krátký 2. stručný; strohý, úsečný: *in* ~ krátce (řečeno) □ s 1. círk. *(apostolic)* ~ (papežské) breve 2. práv. souhrn, výtah ze žaloby vypracovaný práv. poradcem (solicitorem) pro práv. zástupce (barristera) 3. brit. a ~ soudní případ 4. let. instrukce posádce před náletem ♦ *to hold* ~ *for* zastávat se koho □ *vt* 1. práv. vypracovat souhrn, výtah 2. ~ *a barrister* svěřit případ práv. zástupci 3. let. instruovat posádku před náletem

brier, briar [ˈbraiə] *s* **1.** bruy-
ère; bruyerka dýmka **2.** šípek
3. vřes ♦ *Sweet B~* šípkový
keř; *B~ -rose s* šípková růže
brig [brig] *s* briga
brigade [briˈgeid] *s* **1.** brigáda
(*tank, voluntary* tanková, do-
brovolná): *farm* ~ zeměděl-
ská b.; *long-term, short-term,*
~ dlouhodobá, krátkodobá b.
2. oddíl: *a fire* ~ hasiči, ha-
sičský oddíl □ *vt* **1.** utvořit
brigádu, oddíl z **2.** zařadit do
brigády; **~-work** [briˈgeid-
wə:k] *s* brigáda, brigádnická
práce; **~-worker** [briˈgeid-
wə:kə] *s* brigádník, účastník
brigády
brigadier [ˌbrigəˈdiə] *s* **1.** brit.
brigádník **2.** am. ~ *general*
brigádní generál **3.** brigadýr,
vedoucí brigády
brigand [ˈbrigənd] *s* zbojník,
lupič
bright [brait] *a* **1.** jasný, světlý,
zářivý, blýskavý **2.** pestrý **3.**
veselý, šťastný **4.** čirý **5.**
bystrý, chytrý □ *adv* jasně;
—en [ˈbraitn] *vt & i* ~ *(up)*
vyjasnit (se); rozveselit (se);
oživit; **—ly** [ˈbraitli] *adv* **1.**
jasně **2.** živě, vesele **3.** by-
stře, chytře; **—ness** [ˈbraitnis]
s **1.** jas, záře, lesk **2.** bystrost,
chytrost
brill [bril] *s* kambala ryba
brilli|ance, —ancy [ˈbriljəns,
-ənsi] *s* **1.** záře, lesk, třpyt **2.**
nádhera **3.** vtip; **—ant** [ˈbril-
jənt] *a* **1.** zářivý, třpytivý,
svítivý **2.** skvělý, nádherný,
brilantní □ *s* briliant
brim [brim] *s* **1.** okraj: *full to
the* ~ plný až po okraj **2.**

střecha klobouku □ *vt* (-mm-)
1. naplnit až po okraj □ *vi* **2.**
~ *over* oplývat, překypovat
(*with* čím); **—ful** [ˈbrimˈful] *a*
plný (*of* čeho), oplývající
(čím), kypící (*of health* zdra-
vím)
brimstone [ˈbrimstən] *s* zast.
síra
brindle(d) [ˈbrindl(d)] *a* stra-
katý, skvrnitý
brine [brain] *s* **1.** slaná voda **2.**
bás. mořská sláň **3.** bás. slzy
bring* [briŋ] *vt & i* **1.** při-, nést;
při-, vést; nosit **2.** přimět **3.**
vynášet zisk; ~ **about** způso-
bit, přivodit; ~ **back** připome-
nout, přivést na mysl; ~ **down**
1. srazit ceny **2.** so-, za|stře-
lit; ~ **forth 1.** zrodit, vrh-
nout o zvířeti **2.** způsobit;
~ **forward 1.** před-, ložit,
před-, nést **2.** převést zůstatek;
~ **in 1.** přijít s čím, navrhnout
2. vynášet zisk **3.** vynést roz-
sudek; ~ **off 1.** zachránit,
vyprostit **2.** hov. podařit se;
~ **on** přivodit, způsobit; ~
out 1. vylákat ven **2.** vydat
tiskem **3.** vysvětlit, ukázat; ~
over získat pro; ~ **round**
přivést k vědomí; ~ **through**
1. pomoci, vyvést z nesnází
2. zachránit nemocného; ~ **to**
zastavit (se); ~ **up 1.** vy-
chov(áv)at **2.** předložit (*a-
gainst s.o.* proti komu) **3.**
skončit plavbu ♦ ~ *to bear* po-
užít, uplatnit, zaměřit; ~ *s.t.
home to s.o.* přesvědčit koho
o čem; přimět, aby si kdo co
uvědomil; vštípit komu co;
~ *to light* odhalit; ~ *to pass*
vyvolat, způsobit; ~ *s.o. to*

his senses přivést koho k rozumu

brink [briŋk] *s* po-, o-, kraj: *on the ~* na pokraji

briquet(te) [bri'ket] *s* briketa

brise-bise [ˈbriːzˈbiːz] *s* záclonka na okno, vitrážka

brisk [brisk] *a* 1. živý, čilý, hbitý, bystrý 2. svěží (*air* vzduch) 3. perlivý, šumivý □ *vt & i* obv. *~ (up)* 1. oživit, rozproudit (se), zrychlit (se) 2. přiskočit, přiběhnqut k

brisket [ˈbriskit] *s* hovězí hrudí

bristl|e [ˈbrisl] *s* štětina □ *vi & t* na-, ježit (se) (*with* čím); **—y** [ˈbrisli] *a* štětinatý, ježatý

Bristol [ˈbristl] *s* (m) B.

Britain [ˈbritn] *s* Británie: *Great ~* Velká B. (= Anglie, Skotsko, Wales); neoficiální *Greater ~* Velká Británie s dominii a koloniemi

Britannic [briˈtænik] *a* jen *His (Her) ~ Majesty* Jeho (Její) Britské Veličenstvo

briticism [ˈbritisizəm] *s* = *britishism*

British [ˈbritiš] *a* britský; *the ~ Isles* Britské ostrovy; *the ~ Museum* Britské muzeum; *the ~ Empire*; Britská říše □ *s* jen *the ~* Britové; **—er** [ˈbritišə] *s* am. Brit, Angličan; **—ism** [ˈbritišizəm] *s* brit. briticismus, britský výraz

Briton [ˈbritn] *s* 1. hist. Brit 2. mod. Brit, Angličan

Brittany [ˈbritəni] *s* (z) Bretoňsko, Bretaň

brittle [ˈbritl] *a* křehký; **—ness** [ˈbritlnis] *s* křehkost

broach [brouč] *s* 1. rožeň 2.

atr obv. *~ spire* špička věže, věžička □ *vt* 1. narazit sud 2. načít (*bale, box* žok, krabici) 3. zavést řeč na

broad [broːd] *a* 1. široký, širý 2. jasný, zřejmý, přímý 3. všestranný 4. obsáhlý, značný 5. všeobecný, hrubý 6. liberální (*views* názory) 7. ohroublý (*joke* vtip) 8. venkovský, dialektický (*accent* přízvuk) □ *adv* úplně (*awake* probuzen); **~ -brimmed** [ˈbroːdˈbrimd] *a* se širokou střechou; **—cast** [ˈbroːdkɑːst] *a* 1. setý rukou 2. vysílaný rozhlasem □ *vt & i* * 1. sít rozhozem 2. vysílat rozhlasem □ *s* 1. rozhlas 2. vysílání, relace 3. *atr* rozhlasový: *today's ~ programme* dnešní program; **—caster** [ˈbroːdkɑːstə] *s* 1. vysílač 2. osoba účinkující v rozhlase; **—casting** [ˈbroːdˈkɑːstiŋ] *s* 1. vysílání 2. *atr* vysílací (*station* stanice); **—en** [ˈbroːdn] *vt & i* rozšiřovat (se); **~ -gauge** [ˈbroːdˈgeidž] *s* široký rozchod; **~ -gauged** [ˈbroːdgeidžd] *a* širokokolejný; *~ -glass* *s* tabulové sklo; **—ly** [ˈbroːdli] *adv* 1. široko, široce 2. úplně 3. všestranně; **~ -minded** [ˈbroːdˈmaindid] *a* snášenlivý, liberální; **—ness** [ˈbroːdnis] *s* hrubost, ohroublost

Broadway [ˈbroːdwei] *s* B. hlavní třída v New Yorku

Brobdingnag [ˈbrobdiŋˌnæg] *s* B. země obrů v Gulliverových cestách

brocade [brəˈkeid] *s* brokát; **—ed** [brəˈkeidid] *a* brokátový

brochure [ˈbroušjuə] *s* brožura

brogue[1] [broug] *s* hrubý střevíc; mod. sportovní polobotka

brogue[2] [broug] *s* venkovský, zvl. irský přízvuk

broil[1] [broil] *s* hádka, spor, rvačka

broil[2] [broil] *vt* 1. péci maso na ohni n. roštu □ *vi* 2. péci se (na slunci) □ *s* roštěná pečeně

broke [brouk] *pt & * arch., bás. *pp* od *to break*

broken [ˈbroukən] *pp* od *to break*

broker [ˈbroukə] *s* 1. brit. vetešník 2. bankovní agent, komisionář, zprostředkovatel, dohodce, překupník, makléř; jednatel; **—age** [ˈbroukəridž] *s* provize

brom|ide [ˈbroumaid] *s* chem. bromid; **—ine** [ˈbroumi:n] *s* chem. bróm

bronch|ial [ˈbroŋkjəl] *a* průduškový, bronchiální; **—itis** [broŋˈkaitis] *s* zánět průdušek, bronchitis

bronze [bronz] *s* bronz □ *a* bronzový, z bronzu □ *vi & t* 1. zhnědnout, opálit se 2. bronzovat

brooch [brouč] *a* spon(k)a, brož, -ka

brood [bru:d] *s* 1. mláďata, písklata 2. o lidech plemeno, poter □ *vi* 1. sedět na vejcích 2. ~ *over* dumat, být zamyšlen nad 3. fig. vznášet se (*over* nad), ležet (*on* na); ˈ~ -hen *s* kvočna

brook[1] [bruk] *s* potok; **—let** [ˈbruklit] *s* potůček

brook[2] [bruk] *vt* snést, strpět

broom *s* 1. [brum] koště 2. [bru:m] janovec

Bros = *brothers* Bří

broth [broθ] *s* 1. masová polévka 2. hist. jícha

brother [ˈbraðə] *s* pl. -*s*, arch. *brethren* [ˈbreðrin] 1. bratr 2. pl. obv. *brethren* (spolu)bratr 3. krajan 4. kamarád, kolega; **—hood** [ˈbraðəhud] *s* 1. bratrství 2. bratrstvo; **~ -in-law** [ˈbraðərinlo:] *s* pl. **—***s-in-law* švagr; **—ly** [ˈbraðəli] *s* bratrský

brought [bro:t] *pt & pp* od *to bring*

brow [brau] *s* 1. obv. pl. -*s* obočí; čelo: *to knit one's* -*s* svraštit čelo 2. sráz skály, čelo hory; **—beat*** [ˈbraubi:t] *vt* zastraš|it, -ovat pohledem, slovy

brown [braun] *a* 1. hnědý; kaštanový: ~ *paper* balicí papír; ~ *ware* kameninové zboží 2. opálený □ *s* hněd, hnědá barva □ *vt & i* zhnědnout, opálit (se); **—ish** [ˈbrauniš] *a* hnědavý, nahnědlý

browse [brauz] *s* větvičky, výhonky; krmivo □ *vi & t* ožírat, okusovat, popásat se

Bruin [ˈbru:in] *s* Míša medvěd

bruis|e [bru:z] *s* modřina, podlitina □ *vt & i* 1. pohmoždit, udělat modřinu 2. otlouci (se) o ovoci; **—er** [ˈbru:zə] *s* rváč; boxer, zápasník

brun|et [bru:ˈnet] *s* brunet; **—ette** [bru:ˈnet] *s* bruneta

brunt [brant] *s* hlavní nápor, útok

brush [braš] *s* 1. kartáč, -ek: štětka; štětec; smeták 2.

kartáčování 3. (liščí) ohon
4. přestřelka, srážka, šar-
vátka 5. arch., am., austr. mlází
□ *vt & i* 1. vy-, kartáčovat
(si) 2. vyčistit (si) kartáč-
(k)em; ~ **(against)** zavadit o;
~ **aside** vyhnout se čemu;
~ **off** 1. oprášit, smést 2.
odbýt koho; ~ **over** lehce
přetřít, přemalovat; ~ **up** 1.
okartáčovat 2. fig. zopakovat
si; —**wood** [ˈbrašwud] *s* mlází
brusque [brusk] *a* příkrý, drsný
Brussels [ˈbraslz] *s* (m) Brusel:
~ *sprouts* růžičková kapusta
brutal [ˈbru:tl] *a* 1. zvířecký,
surový 2. sl. otravný; —**ity**
[bru:ˈtæliti] *s* zvířeckost, bru-
talita
brute [bru:t] *s* zvíře, hovado □
a hrubý tupý, zvířecký
B. Sc. = *Bachelor of Science*
bakalář přírodních věd
Bt = *Baronet*
bubble [ˈbabl] *s* bublin(k)a;
i fig. □ *vi* 1. bublat (*out* z) 2.
~ *over* překypovat (*with* čím)
bubo [ˈbju:bou] *s* pl. -*es* [-z] dý-
měje, morová hlíza; —**nic**
bju:ˈbonik] *a* obv. ~ *plague*
dýmějový mor
buccaneer [ˌbakəˈniə] *s* pirát,
bukanýr
buck [bak] *s* 1. jelen, srnec,
daněk, sob samec; ramlík,
kozel 2. švihák, hejsek 3.
am. sl. dolar □ *vi & t* 1. ská-
kat, vyhazovat všemi čtyřmi
2. ~ *off* shodit (jezdce) 3.
vypínat se, vykračovat si
4. hov. ~ *up* hodit sebou
5. hov. *to be, feel, greatly,
much,* -*ed* být pořádně roz-
kurážený; —**skin** [ˈbakskin] *s*

jelenice kůže, pl. jelenicové
kalhoty
bucket [ˈbakit] *s* 1. vědro, kbe-
lík, okov 2. tech. koreček:
~ *lift* korečkový, kapsový
výtah
Buckingham [ˈbakiŋəm] *s* obv.
~ *Palace* Buckinghamský pa-
lác v Londýně
buckle [ˈbakl] *s* přezka, spona □
vt & i 1. zapínat (na) přezku
2. ~ *to* dát se do čeho 3. ohý-
bat se, kroutit se tlakem
buckra [ˈbakrə] *s & a* černošský
dial. běloch; bělošský
buckram [ˈbakrəm] *s* 1. (kni-
hařské) plátno 2. škrobenost,
prkennost 3. *atr* škrobený
buckwheat [ˈbakwi:t] *s* bot. po-
hanka
bucolic [bju:ˈkolik] *a* pastýřský,
bukolický
bud [bad] *s* pupen; očko;
poupě: *to be in* ~ pučet,
rašit; fig. *to nip in the* ~
zničit v zárodku □ *vi* (-dd-)
1. pučet, rašit; fig. -*ding
artist* nadějný umělec □ *vt*
2. roubovat, očkovat
Budapest [ˈbju:dəˈpest] *s* [m]
Budapešť
Buddh|a [ˈbudə] *s* Buddha;
—**ism** [ˈbudizəm] *s* buddhis-
mus; —**ist** [ˈbudist] *s* buddhis-
ta
budget [ˈbadžit] *s* rozpočet: *to
pass the* ~ odhlasovat roz-
počet □ *vi* zř. ~ *for* dát do
rozpočtu co; —**ary** [ˈbadži-
təri] *a* rozpočtový
Buenos Aires [ˈbwenəsˈaiəriz]
s (m) B. A.
buff [baf] *s* 1. buvolí, volská
kůže 2. bleděžlutá barva □

a 1. z hrubé kůže 2. bledě-žlutý
buffalo [ˈbafəlou] *s* 1. buvol 2. obojživelný tank
buffer [ˈbafə] *s* nárazník: *a* ~ *state* nárazníkový stát
buffet[1] [ˈbafit] *s* rána, úder ☐ *vt* 1. udeřit 2. zápasit (*with the waves* s vlnami)
buffet[2] [ˈbufei] *s* bufet
buffoon [baˈfu:n] *s* tatrman, šprýmař
bug [bag] *s* 1. štěnice 2. am. hov. jakýkoli hmyz ♦ fig. hov. *big* ~ velké zvíře
bugaboo [ˈbagəbu:], **bugbear** [ˈbagbeə] *s* strašidlo, bubák; vlkodlak
bugle [ˈbju:gl] *s* voj. trubka, polnice; křídlovka ☐ *vi* troubit
build* [bild] *vt & i* 1. stavět, budovat 2. hov. dát dohromady, sesadit (*a coat* kabát); ~ **into** vestavět, zasadit do; ~ **(up)on** stavět na čem, spoléhat se nač; ~ **up** 1. zazdít 2. fig. vy-, budovat, -tvořit (si) 3. upevnit (*one's health* si zdraví) 4. *to be built up* být dokola obestavěn ☐ *s* 1. styl, sloh (stavby) 2. (tělesná) konstrukce; —**er** [ˈbildə] *s* stavitel; fig. budovatel; —**ing** [ˈbildiŋ] *s* budova, stavba (*public* ~ veřejná budova) ☐ *a* stavební: ~ *land, ground* stavební pozemek, staveniště; —**ing-lease** [ˈbildiŋli:s] *s* pronájem stavební parcely; —**ing-society** [ˈbildiŋsəˌsaiəti] *s* brit. stavební družstvo
built [bilt] *pt & pp* od *to build*: I ~ **-in** *a* vestavěný

Bukarest [ˈbju:kərest] *s* (m) Bukurešt
bulb [balb] *s* 1. cibulka rostliny 2. žárovka; —**ous** [ˈbalbəs] *a* cibulovitý
Bulgari|a [balˈgeəriə] *s* (z) Bulharsko; —**an** [balˈgeəriən] *s* 1. Bulhar, -ka 2. bulharština ☐ *a* bulharský: *Bulgarian People's Republic* Bulharská lidová republika
bulg|e [baldž] *s* výduť, boule; fig. břicho ☐ *vi* vydouvat se, vyboulit se; —**ing** [ˈbaldžiŋ] *a* vypouklý, vydutý; přeplněný
bulk [balk] *s* 1. (velký) objem, rozměr, velikost 2. (lodní) náklad nebalený ♦ *the* ~ *of* převážná část čeho; *to break* ~ začít vyloďovat; *in* ~ volně sypaný, ložený; ve velkém ☐ *vi* 1. ~ (*large*) vypadat velký; fig. být důležitý 2. ~ *out* vyčnívat 3. ~ *up* vydou(va)t se 4. ~ *up to* dostoupit částky ☐ *vt* 5. cel. zjistit váhu 6. kupit, nasolovat ryby; —**head** [ˈbalkhed] *s* přepážka, pažení v lodním prostoru; —**y** [ˈbalki] *a* 1. objemný, rozměrný 2. neskladný
bull[1] [bul] *s* 1. býk 2. *a* ~ *elephant, whale* sloní, velrybí samec 3. sl. haussista, spekulant na vzestup ☐ *vi & t* spekulovat na vzestup; vyhánět kursy cenných papírů; —**dog** [ˈbuldog] *s* buldok; —**dozer** [ˈbulˌdouzə] *s* buldozer
bull[2] [bul] *s* (papežská) bula
bullet [ˈbulit] *s* kulka; ~ **-proof** [ˈbulitpru:f] *a* neprůstřelný

bulletin [ˈbulitin] *s* bulletin, zprávy; *news* ~ přehled zpráv

bullion [ˈbuljən] *s* **1.** neražený kov mincovní: *gold* ~ zlato v prutech **2.** hodnota raženého kovu na rozdíl od mincovní hodnoty

bullock [ˈbulək] *s* býček; volek

bully [ˈbuli] *s* (najatý) rváč, násilník, surovec; zvl. žák týrající spolužáky **2.** sl. pasák **3.** sport. (vhazování) buly □ *a* am. hov. ohromný, prima □ *vt* **1.** surově týrat, terorizovat; zvl. spolužáky **2.** sport. vhazovat buly; ~ **beef** voj. hov. konzervované hovězí

bulwark [ˈbulwək] *s* **1.** val, opevnění **2.** fig. bašta, záštita (*of world peace* světového míru) **3.** hrazení paluby

bum[1] [bam] *s* zadek

bum[2] [bam] am. hov. *s* **1.** tulák, vandrák, flákač **2.** flám □ *a* mizerný □ *vi* (-mm-) **1.** toulat se, flákat se **2.** žebrat na kom; vyžírat koho

bumble-bee [ˈbamblbi:] *s* čmelák

bump [bamp] *vi & t* **1.** uhodit se (*one's head against* do hlavy oč), narazit (*into* do čeho) **2.** nám. narazit, najet na **3.** dát hobla **4.** kodrcat (*along* po); ~ **off** am. sl. oddělat koho □ *s* **1.** náraz, (dutý) úder; srážka **2.** boule **3.** hrbol □ *int* bum!; —**y** [ˈbampi] *a* **1.** hrbolatý **2.** kodrcavý

bumper [ˈbampə] *s* **1.** plná sklenka vína **2.** aut. nárazník **3.** *atr* sl. řádný; naříznutý

bumpkin [ˈbampkin] *s* bambula, balík

bumptious [ˈbampšəs] *a* drzý, domýšlivý, vtíravý

bun [ban] *s* žemle: *cross* ~ mazanec

buna [ˈbu:nə] *s* chem. buna

bunch [banč] *s* trs, chomáč. kytice, svazek □ *vt & i* svázat (do kytice)

bundle [ˈbandl] *s* uzel, ranec; balík; otýpka, svaze(če)k □ *vt & i* **1.** ~ *in* nacpat do **2.** hov. ~ *out, off* vypakovat koho z, vyhnat z; klidit se z **3.** ~ *up* svázat do uzlu, balíku; s-, za|vinout, s-, za|balit

bung [baŋ] *s* čep, zátka sudu □ *vt* **1.** za-, zátkovat sud **2.** ~ *up* a) ucpat b) zatéci otokem

bungalow [ˈbaŋgəlou] *s* chata přízemní s verandou, bungalov

bungl|e [ˈbaŋgl] *vi & t* zřídit, zpackat □ *s* hudlařina; —**er** [ˈbaŋglə] *s* packal, břídil

bunk [baŋk] *s* **1.** pryčna, kavalec, palanda **2.** sl. útěk: *to do a* ~ prásknout do bot, vzít roha

bunker [ˈbaŋkə] *s* **1.** uhelna, uhelný bunkr **2.** voj. bunkr

bunting[1] [ˈbantiŋ] *s* strnad

bunting[2] [ˈbantiŋ] *s* **1.** látka na prapory **2.** kol. prapory, vlajky

buoy [boi] *s* bóje; poplavek □ *vt* **1.** ~ *up* držet nad vodou; i fig. **2.** ~ (*out*) označit bójí; —**ancy** [ˈboiənsi] *s* **1.** fyz. vzplývavost; vznosnost **2.** fyz. vztlak **3.** lehkomyslnost; bujnost, pružnost, chuť k životu; —**ant** [ˈboiənt] *a* **1.** fyz. vzplývavý, vznosný **2.** fig. lehkomyslný, plný života

burden [ˈbə:dn] *s* **1.** náklad

břímě, tíha **3.** náklady, režie
4. nosnost, tonáž □ *vt*
1. naložit náklad **2.** uvalit
břemeno na; **—some** [ˈbə:dn-
səm] *a* tíživý, obtížný
burdock [ˈbə:dok] *s* lopuch
bureau [bjuəˈrou] *s* pl. **-s** n. *-x*
[-z] *s* **1.** brit. kancelářský psací
stůl; sekretář **2.** úřadovna,
kancelář **3.** am. odbor mini-
sterstva **4.** úřad, ústředí **5.**
výbor; pol. byró **6.** am. prá-
delník se zrcadlem; **—cracy**
bjuəˈrokrəsi] *s* byrokracie;
—crat [ˈbjuəroukræt] *s* by-
rokrat; **—cratic** [ˌbjuərou-
ˈkrætik] *a* byrokratický;
—cratism [ˈbjuərouˌkrætizəm]
s byrokratismus
burette [bjuəˈret] *s* chem. pipeta
burgess [ˈbə:džis] *s* měšťan
burgl|ar [ˈbə:glə] *s* (bytový)
lupič; **—ary** [ˈbə:gləri] *s* vlou-
pání, krádež vloupáním; **—e**
[ˈbə:gl] *vi* **1.** vloupat se □
vi **2.** vyloupit co
Burgundy [ˈbə:gəndi] *s* **1.** (z)
Burgundsko **2.** *b~* burgund-
ské (víno)
burial [ˈberiəl] *s* archeol. pohřeb;
~-ground [ˈberiəlgraund] *s*
hřbitov; archeol. pohřebiště
burin [ˈbjuərin] *s* rydlo
burke [bə:k] *vt* ututlat
burl [bə:l] *s* chuchvalec □ *vt*
vyčesat chuchvalec
burlesque [bə:ˈlesk] *a* burleskní
□ *s* burleska, fraška □ *vt*
zesměšnit, parodovat
burly [ˈbə:li] *a* statný, hřmotný,
tělnatý
Burm|a [ˈbə:mə] *s* (z) Barma:
~ *Road* Barmská cesta; **—ese**
[bə:ˈmi:z] *a* barmský □ *s*

pl. = sg. **1.** Barmánec **2.**
barmština
burn* [bə:n] *vt* **1.** po-, pro-, v-,
pálit **2.** vy|pálit, -palovat
(*bricks* cihly) **3.** ~ *to death*
upálit **4.** topit (*oil* naftou) **5.**
svítit (*candle* svíčkou) □ *vi*
6. hořet; fig. planout □ *vt & i*
~ away 1. hořet **2.** shořet;
~ down 1. vyhořet; vypálit
2. dohořívat; **~ in(to) 1.** vpá-
lit; zažírat se **2.** fig. vtisknout
(se); **~ low** dohořívat; **~ out**
1. vypudit ohněm **2.** dohořet;
~ up 1. spálit **2.** vzplanout
□ *s* s-, po|pálenina; **—er**
[ˈbə:nə] *s* hořák. kahan:
Bunsen ~ [ˈbunsn] Bunsenův
kahan; **—ing** [ˈbə:niŋ] *a* **1.**
hořící, pálící **2.** palčivý (*ques-
tion* otázka) **3.** fig. planoucí
burnish [ˈbə:niš] *vt* **1.** leštit kov
□ *vi* **2.** lesknout se
burnt [bə:nt] *pt & pp* od to
burn
burr¹ [bə:] *vt & i* ráčkovat □
s ráčkování
burr² [bə:] *s* **1.** hrubý, drsný
okraj **2.** tech. hladítko: vrtá-
ček: závitník: *~*-drill* *s* zu-
bařský vrtáček
burr³ [bə:] *s* kruh kolem měsíce
burrow [ˈbarou] *s* doupě, nora
□ *vt & t* **1.** vy-, hrabat si
(doupě) **2.** fig. zahrabat se
(*into* do čeho)
burst* [bə:st] *vi & t* puknout:
prasknout, pro-, roz|trhnout;
~ asunder 1. rozlomit **2.** roz-
skočit se; **~ forth** vy|razit.
-trysknout; **~ in 1.** vylomit
co **2.** vrazit do; **~ into 1.**
vpadnout do **2.** rozpuknout
se v, propuknout v; **~ open**

1. vy|razit, -lomit 2. rozletět se; **~ out** 1. vyrazit ven 2. vybuchnout 3. vypuknout; **~ up** 1. vybuchnout 2. hov. položit se o firmě; vybuchnout; **~ upon** vtrhnout do □ *s* 1. výbuch; salva 2. vyšlehnutí 3. propuknutí; záchvat

bury [ˈberi] *vt* 1. pohřbí(va)t 2. u-, s|krýt; zakopat (se) 3. pohřížit (*o.s. in* se do čeho); **—ing beetle** [ˈberiiŋbiːtl] zool. hrobařík; **—ing-ground** [ˈberiiŋraund] *s* pohřebiště; hřbitov

bus [bas] *s* autobus: *to go by ~* jezdit autobusem; *to take a ~* jet autobusem; sl. *to miss the ~* přijít s křížkem po funuse; **~ -man** [ˈbasmən] *s pl.* -men [-mən] řidič (autobusu)

bush [buš] *s* 1. keř, křovisko, křoví 2. austr. buš křovinatá step 3. vích ♦ *to beat about the ~* chodit jako pes kolem horké kaše; **—man** [ˈbušmən] *s pl.* -men [-mən] 1. Křovák v j. Africe 2. austr. pionýr; **~ -ranger** [ˈbušˌreindžə] *s* sustr. zbojník; **—y** [ˈbuši] *a* 1. křovinatý 2. hustý, chundelatý

bushel [ˈbušl] *s* bušl (= brit. 36,3 l)

business [ˈbiznis] *s* 1. povolání, zaměstnání 2. obchod: *a line, branch of ~* (obchodní) obor: *a matter of ~* obchodní záležitost; *on ~* v obchodní záležitosti 3. povinnost, záležitost, řízení, věc: *that's my ~* to je moje věc 4. *atr:* ~ *connections* obchodní styky; ~ *mon* obchodník, člověk ob-

chodního ducha; ~ *transaction* obchodní případ ♦ *to do ~ with s.o.* obchodovat s kým; *to go to ~* jít do práce; *to have ~ with s.o.* mít s kým řízení; *he means ~*! myslí to vážně!; *to mind one's own ~* starat se o své; **~ -like** [ˈbiznislaik] *a* 1. obchodn|í, -ický 2. praktický 3. seriózní

buskin [ˈbaskin] *s* koturn

bust [bast] *s* poprsí, busta

bustle [ˈbasl] *vi* 1. činit se, přičiňovat se 2. ~ *(about, up)* chvátat, mít naspěch; pospíšit si □ *vt* 3. popohánět, pobízet □ *s* spěch, shon, chvat

busy [ˈbizi] *a* 1. zaměstnaný, zaneprázdněný 2. pilný, horlivý, činný 3. rušný 4. všetečný, šťouravý □ *vt* obv. ~ *o.s.* zaměstnávat se; **~ -body** [ˈbiziˌbodi] *s* šťoura; čmuchal; **—ness** [ˈbizinis] *s* 1. zaneprázdněnost 2. přičinlivost

but [bat, nedůraz. bət] *conj & prep & adv pron* 1. ale, avšak, však 2. jen, sotva 3. aspoň: *you can ~ try it* můžete to aspoň zkusit 4. vyjma, kromě; ne-li: *no one ~ me* nikdo kromě mne; *nothing ~ misery* nic jen n. než bídu 5. ~ *that* a) kdyby ne; infinitiv slovesa: *I'd come with you ~ that I'm so busy* šel bych s vámi, kdybych nebyl n. nebýt tak zaneprázdněn b) aby ne: *no man is so old ~ that he may learn* nikdo není tak starý, aby se nemohl učit c) že: *I have no doubt ~ that all will come right* ne-

pochybuji, že všechno dobře dopadne **6.** kdo by ne-: *no one ~ knows that* nikdo, kdo by nevěděl ♦ *all ~* málem, téměř; *~ for* nebýt čeho; *the last ~ one* předposlední; *~ then* ale naproti tomu; *~ yet* ale přesto přece
butcher [ˈbučə] *s* řezník □ *vt* **1.** porážet (dobytek) **2.** masakrovat, vraždit; **—y** [ˈbučəri] *s* **1.** řeznictví **2.** jatky: i fig.
butler [ˈbatlə] *s* vrchní sluha v domě, stolník
butt¹ [bat] *s* (velký) sud
butt² [bat] *s* **1.** pažba, kolba **2.** patka, dolní konec nástroje
butt³ [bat] *s* **1.** střelecký val **2.** obv. pl. střelnice **3.** cíl, fig. terč vtipu
butter [ˈbatə] *s* **1.** máslo **2.** pomazánka □ *vt* **1.** na-, mazat máslem **2.** vymazat máslem nádobu **3.** fig. mazat med komu; **~-bean** [ˈbatəbi:n] *s* fazolové lusky; **—cup** [ˈbatəkap] *s* blatouch; **—fly** [ˈbatəflai] *s* motýl; **—ine** [ˈbatəri:n] *s* stolní margarín n. m. s máslem; **—milk** [ˈbatəmilk] *s* podmáslí
buttock [ˈbatək] *s* obv. pl. *the -s* zadek
button [ˈbatn] *s* **1.** knoflík; tlačítko **2.** pl. *-s* (hotelový) poslíček □ *vt & i* **1.** *~ (up)* zapnout; zapínat se **2.** přišít knoflík(y)
buttress [ˈbatris] *s* **1.** stav. opěrný pilíř **2.** fig. opora □ *vt* podepřít (pilíři); i fig.
butyric [bjuˈtirik] *a* chem. máselný

buxom [ˈbaksəm] *s* baculatý, iron. plnoštíhlý
buy* [bai] *vt & i* **1.** koupit, nakupovat **2.** fig. zaplatit za; **~ off 1.** vyplatit koho **2.** zbavit se koho za peníze; **~ out** vyplatit koho z podílu; **~ over** podplatit; **~ up** skoupit □ *s* koupě; **—er** [ˈbaiə] *s* kupující, kupec; nákupčí
buzz [baz] *vi* **1.** bzučet **2.** mluvit polohlasem □ *s* **1.** bzukot **2.** šum (hovoru) **3.** am. cirkulárka; **—er** [ˈbazə] *s* telefonní bzučák
buzzard [ˈbazəd] *s* zool. káně
by [bai] *prep* **1.** místo: u, vedle, opodál: *~ the seaside* u moře **2.** čas: a) v, za, při: *~ day* ve dne; *~ night* v, za noci; *~ moonlight* při měsíčku b) o: *older ~ 8 years* o 8 roků starší **3.** termín: a) do: *~ 2 o'clock* do 2 hod.; *~ Sunday* do neděle b) na: *to employ ~ the year* zaměstnat na rok **4.** sled: po, za: *day ~ day* den po dni, den za dnem; *~ twos* po dvou **5.** pohyb: a) přes: *to go ~ Hull, the fields* jet přes H., přes pole b) po: *~ the road* po silnici **6.** původce: a) od: *a novel ~ Dickens* román od D-e b) sedmým pádem: *written ~ D.* napsaný D-em **7.** prostředek: a) sedmým pádem: *~ post, steam, force, bus, tram, train, boat* poštou, parou n. parníkem, násilím, autobusem, tramvají, vlakem, lodí b) příslovcem: *~ wire* telegraficky c) po: *~ land, sea* po zemi, vodě **8.** srovnání: podle: *~ the voice*

podle, po hlasu; ~ *my watch* podle mých hodinek 9. poměr: *ten* ~ *five* 10 × 5 délka krát šířka 10. míra: po: ~ *dozens* po tuctech 11. zaklínání: při: ~ *Jove!* hov. na mou pravdu! □ *adv* 1. nablízku: *nobody was* ~ nikdo nebyl nablízku 2. kolem, mimo: *to pass* ~ jít kolem 3. (stranou): *to put* ~ odložit (stranou) ♦ ~ *and* ~ co nevidět, zanedlouho; ~ *far (the best)* zdaleka (největší); *to take* ~ *the hand* vzít za ruku; ~ *and large* krátce a moudře; *little* ~ *little* poznenáhlu, pozvolna; ~ *now* do nynějška; *(all)* ~ *oneself* (úplně) sám; ~ *your kind permission* s vaším laskavým svolením; ~ *request of* na žádost čí; *to stand* ~ *s.o.* stát při kom; ~ *the* ~ n. *bye* mimochodem; ~ *then* do té doby, zatím; ~ *way of* jako(žto); ~ *the way* mimochodem;

west ~ *north* severozápadně **bye-bye** [ˈbaibai] dět. *to go* ~ jít **dadat** □ *int* [ˈbaiˈbai] hov. pápá!, nazdar! **by-election** [ˈbaiiˌlekšən] *s* doplňovací volby; **—gone** [ˈbaigon] *a* minulý □ *s* pl. *-s* minulé (věci, nepříjemnosti); *-s are -s* co je pryč, to je pryč; ~ *-law*, **bye-law** [ˈbailo:] *s* nařízení vydané samosprávou; **—pass** [ˈbaipa:s] *s* 1. sběrná silnice 2. tech. obtok; **—path** [ˈbaipa:θ] *s* postranní pěšina n. fig. cestička; ~ *-product* [ˈbaiˌprodəkt] *s* vedlejší zplodina n. výrobek; ~ *-road* [ˈbairoud] *s* vedlejší cesta; **—stander** [ˈbaiˌstændə] *s* divák, pl. okolostojící; ~ *-way* [ˈbaiwei] *s* 1. vedlejší, postranní cesta, zkratka 2. odlehlá oblast vědní **Byzanti|ne** [biˈzæntain] *a* byzantský; **—um** [biˈzæntiəm] *s* (z) Byzanc

C

C[1], c[1] [si:] *s* 1. písmeno c 2. nota C

C.[2] = 1. *Cape* mys 2. *Celsius, Centigrade* C stupňů Celsia 3. *Carbon* C 4. *Charles* K. 5. římská číslice C 100 6. am. sl. stovka stodolarovka

c.[2] = 1. lat. *circa* [ˈsə:kə] cca, asi 2. *cent* c. 3. *centimeter* cm 4. *chapter* kap. 5. *cubic* index[3], např. cm[3] 6. *century* stol.

C.A. = *Chartered Accountant*

cab [kæb] *s* 1. drožka 2. *(taxi-)* ~ taxi □ *vi* (-bb-) hov. *to* ~ *it* jet drožkou, taxíkem; **—man** [ˈkæbmən] *s* pl. *-men* [-mən] 1. drožkář 2. taxikář; ~ *-stand* [ˈkæbstænd] *s* stanoviště drožek, taxíků, parkoviště

cabal [kəˈbæl] *s* 1. obv. pol. úklady, pikle 2. obv. pol. klika □ *vi* (-ll-) 1. kout pikle, intrikovat 2. klikařit

cabaret [ˈkæbərei] s kabaret
cabbage [ˈkæbidž] s zelí; kapusta; ~ -head [ˈkæbidžˌhed] s hlávka zelí; |~ -lettuce s hlávkový salát; |~ -rose s růže stolistá
cab(b)ala [kəˈbaːlə] s kabala
cabin [ˈkæbin] s 1. chatrč, bouda: log ~ srub 2. kajuta 3. brit. žel. hradlo □ vi 1. bydlet v chatrči □ vt 2. fig. vtěsnat, uzavřít (in do)
cabinet [ˈkæbinit] s 1. skříňka se zásuvkami, sekretář 2. sbírka čeho 3. pracovna, kabinet 4. atr kabinetní 5. C~ vláda, kabinet: C~ Council a) brit. hist. ministerská rada b) zasedání vlády; brit. C~ Minister, am. C~ Member člen vlády
cable [ˈkeibl] s 1. lano 2. kabel 3. = -gram: by ~ telegraficky do zámoří □ vt & i 1. připoutat lanem (to) s.o. komu; |~ -car s lanovka vůz; —gram [ˈkeiblgræm] s kabelogram
cablet [ˈkeiblit] s kablík pod 25 cm obvodu
caboose [kəˈbuːs] s 1. brit. lodní kuchyně 2. am. služební vůz, náklad. vlaku
cabotage [ˈkæbətaːž] s kabotáž, pobřežní plavba
ca'canny [kaːˈkæni] viz canny
cacao [kəˈkaːou] s 1. ~ (bean) kakaový bob 2. ~ (-tree) kakaovník
cachexy [kəˈkeksi] s med. kachexie, vyhublost
cackle [ˈkækl] s 1. kdákání; i fig. 2. štěbetání; i fig. 3. chich(t)ot.□ vi & t 1. kdákat;

i fig. 2. štěbetat; i fig. 3. za-, chichtat se
cacophon|ous [kæˈkofənəs] a nelibozvučný; —y [kæˈkofəni] s nelibozvuk
cact|aceous [kækˈteišəs] a kaktusovitý; —us [ˈkæktəs] s pl. -uses [-əsiz], kniž. cacti [ˈkæktai] kaktus
cacuminal [kæˈkjuːminl] a fon. kakuminální, tvořený špičkou jazyka proti středu tvrdého patra
cad [kæd] s hulvát, klacek
cadastral [kəˈdæstrəl] a katastrální (map mapa)
cadaverous [kəˈdævərəs] a mrtvolný|ý, -ě bledý
cadenc|e [ˈkeidəns] s spád, kadence; —ed [ˈkeidənst] a rytmický; kadencovaný
cadet [kəˈdet] s 1. kadet 2. (nej-)mladší syn, bratr
cadg|e [kædž] vi & t hov. 1. podomně obchodovat 2. chodit žebrotou; —er [ˈkædžə] s 1. podomní obchodník 2. žebrák; pobuda
cadmium [ˈkædmiəm] s chem. kadmium
cadre [ˈkaːdr] s 1. i voj. kádr 2. rámec; schéma ♦ allocation of -s rozmístění kádrů; the Trade Union -s odborářské kádry
Caesar [ˈsiːzə] s 1. Caesar 100−44 př. n. l. 2. císař římský; —ean, —ian [siːˈzeəriən] a císařský (birth, operation řez)
caesium [ˈsiːzjəm] s chem. caesium
caesura [siːˈzjuərə] s poet. césura, přerývka

café [ˈkæfei] *s* 1. kavárna; brit. abstinentní restaurace 2. am. výčep 3. káva: ~ *au lait* [ˈkæfeiouˈlei], ~ *noir* [ˈnwa:] bílá, černá káva

cafeteria [ˌkæfiˈtiəriə] *s* automat, bufet, kafetérie

cage [keidž] *s* 1. klec 2. těžní klec 3. kabina zdviže 4. tech. koš 5. sport. síť ☐ *vt* 1. zavřít (do klece) 2. sport. vsítit, dát gól

cairn [ˈkeən] *s* (keltská) mohyla

Cairo [ˈkaiərou] *s* (m) Káhira

caisson [kəˈsu:n] *s* 1. muniční vůz 2. stav. keson

cajole [kəˈdžoul] *vt & i* kašulírovat; získat, přimět lichocením

cake [keik] *s* 1. dort 2. koláč 3. sušenka, keks 4. placka, vdolek 5. pokrutiny ♦ ~ *of cheese* bochník sýra; ~ *of soap* kus mýdla ☐ *vt & i* spéci (se), slepit (se)

calamit|ous [kəˈlæmitəs] *a* neblahý, nešťastný (*error* omyl); —y [kəˈlæmiti] *s* 1. neštěstí, bída 2 pohroma, kalamita

calc|areous [kælˈkeəriəs] *a* vápen|ný, -itý, -atý; —ification [ˌkælsifiˈkeišən] *s* vápenatění; —ify [ˈkælsifai] *vt & i* vápenatět; —ite [ˈkælsait] *s* vápenec; —ium [ˈkælsiəm] *s* chem. vápník

calculat|e [ˈkælkjuleit] *vt & i* 1. počítat, vypočítávat; kalkulovat 2. pas. *to be -ed for* být určen pro 3. fig. ~ *(up)on* počítat s čím 4. am. počítat myslit; —ed [ˈkælkjuleitid] *a* záměrný, úmyslný; —ing machine [ˈkælkjuleitiɳmeˌši:n] počítací stroj; —ion [ˌkælkjuˈleišən] *s* 1. počítání, vypočítávání 2. výpočet; kalkulace 3. uvažování; —or [ˈkælkjuleitə] *s* 1. kalkulant 2. početní tabulky 3. počítací stroj

calcul|us [ˈkælkjul|əs] *s* pl. -*i* [-ai], mat. obv. -*uses* [-əsiz] 1. mat. počet: *the (differential)* ~ diferenciální počet 2. med. kámen, kamínek

Calcutta [kælˈkatə] *s* (m) Kalkata

calendar [ˈkælində] *s* 1. kalendář 2. *atr* kalendářní

calender [ˈkælində] tech. *s* kalandr, leštička ☐ *vt* kalandrovat, hladit, lisovat

cal|f [ka:ˈf] *s* pl. -*ves* [-vz] 1. tele 2. teletina 3. lýtko

cali|brate [ˈkælibreit] *vt* kalibrovat; —bre, am. —ber [ˈkælibə] *s* 1. ráže, kalibr; i fig. 2. světlost

calico [ˈkælikou] *s* 1. kaliko 2. kartoun, cic

Californ|ia [ˌkæliˈfo:njə] *s* (z) Kalifornie; —ian [ˌkæliˈfo:-njən] *a* kalifornský

caliper *s* am. = *calliper*

cali|x [ˈkeiliks] *s* pl. -*ces* [-si:z] kalich; Calixtin(e) [kæˈlikstin] *s* hist. kališník

calk [ko:k] *s* ozub, -ec podkovy ☐ *vt* 1. opatřit ozuby 2. ucpat 3. o-, kopírovat

call [ko:l] *vt & i* 1. volat; svolat (*a meeting* schůzi) 2. zavolat (*a doctor, a taxi* lékaře, taxík) 3. povolat (*s.o. to* koho za) 4. jmenovat (se), říkat čemu, kniž. nazvat 5. přijít ke komu: ~ *at one's house*, ~ *on s.o.*

zastavit se u koho, zajít ke komu, navštívit koho: *does the steamer ~ at Hull?* staví ten parník v *H*-u? **6.** vzbudit *(at 6 o'clock* v 6 hod.) **7.** odhadovat, myslit **8.** am. telefonovat komu; **~ away** od-, za|volat *(to* k čemu): **~ for 1.** stavit se pro koho **2.** požádat oč, vyžadovat co **3.** volat o *(help* pomoc); **~ forth 1.** vyžádat si **2.** vynaložit; **~ in 1.** zavolat *(a doctor* lékaře) **2.** stáhnout z oběhu; **~ off** odvolat co; zastavit; **~ on** viz 5.; **~ out** zavolat *(the fire brigade* hasiče); **~ over** *(names)* zjišťovat prezenci, vyvolávat; **~ up 1.** zavolat, zatelefonovat komu **2.** povolat do služby **3.** vyvolat představu; **~ upon** *s.o.* vyzvat koho ♦ *~ attention to* upozornit nač; *~ into being, existence* vyvolat, vést ke vzniku čeho; *~ to know* přijít se zeptat; *~ to mind* vzpomenout si; *~ s.o. names* nadávat komu; *~ to order* volat k pořádku; *~ in question* brát v pochybnost; *~ the roll* zjišťovat prezenci; *~ a strike* vyhlásit stávku □ *s* **1.** volání *(for help* o pomoc) **2.** zpráva **3.** výzva **4.** (telefonický) hovor **5.** návštěva: *to make a ~ on s.o.* zajít ke komu, vykonat návštěvu **6.** zastávka lodi: *a port of ~* přístav, kde loď staví **7.** upomínka *(on money* o peníze); nárok *(on one's time* na čí čas) **8.** zjišťování prezence **9.** povolání *(to a chair* za profesora, *to arms* do zbraně)

10. (nutnost, právo): *there s no ~ for you to (worry)* nemusíte si (dělat starosti) ♦ *to accept a ~* přihlásit se; *at ~* na požádání; *to have a close ~* uniknout jen o vlásek; *roll ~* zjišťování prezence; *trunk ~* meziměstský hovor: *to be within ~* být dosažitelný; |**~-box** *x* telefonní budka; **—er** [ˈkoːlə] *s* návštěvník, návštěva; **—ing** [ˈkoːliŋ] *s* povolání: *~ card* am. vizitka **calligraphy** [kəˈligrəfi] *s* krasopis

calliper [ˈkælipə] *s* obv. pl. *-s* [-z] odpichovátko; hmatadlo **callisthenics** [ˌkælisˈθeniks] *s* rytmika pro dívky **call|ous** [ˈkæləs] *a* **1.** mozolovitý **2.** tvrdý, bezcitný; **—us** [ˈkæləs] *s* pl. *-es* [-iz] med. mozol **callow** [ˈkælou] *a* neopeřený **calm** [kaːm] *a* tichý, klidný; bezvětrný □ *s* ticho, klid; bezvětří □ *vt* **1.** uklidnit, utišit: *~ yourself!* uklidněte se! □ *vi* **2.** *~ down* utišit se **calomel** [ˈkæləmel] *s* kalomel: *~ electrode* kalomelová elektroda **calor|ie, —y** [ˈkæləri] *s* fyz. kalorie; **—ific** [ˌkæləˈrifik] *a* tepelný, výhřevný; **—imeter** [ˌkæləˈrimitə] *s* kalorimetr **calumniat|e** [kəˈlamnieit] *vt & i* ostouzet, hanobit koho; **—ion** [kəˌlamniˈeišən] *s* hanobení, ostouzení; **—or** [kəˈlamnieitə] *s* nactiutrhač **calumny** [ˈkæləmni] *s* pomluva **calve** [kaːv] *vi* o-, telit se **Calvin|ism** [ˈkælvinizəm] *s* kalvínství; **—ist** [ˈkælvinist] *s* kalvinista; —istic [ˌkælvi-ˈnistik] a kalvínský

caly|x [ˈkeiliks] s pl. -ces, -xes [-si:z, -ksiz] s bot. kalich

cam [kæm] s tech. vačka, výstředník

camber [ˈkæmbə] s tech. průhyb, vzepětí, prohnutí, sklon

Cambodia [kæmˈboudjə] s (z) Kambodža

Cambridge [ˈkeimbridž] s (m) C.

came [keim] pt od to come

camel [ˈkæməl] s velbloud (Arabian, Bactrian [ˈbæktriən] jednohrbý, dvouhrbý; ~'s-hair a z velbloudí srsti

camellia [kəˈmi:ljə] s bot. kamélie

cameo [ˈkæmiou] s pl. -s [-z] kamej

camera [ˈkæmərə] s (fotografický) aparát; kamera: motion-picture ~ promítací přístroj; —man [ˈkæmərəmæn] s pl. -men [-men] kameraman, kinooperatér

c|amomile, ch— [ˈkæməmail] s heřmánek

camouflage [ˈkæmuflaːž] voj. s maskování, kamufláž □ vt za-, maskovat

camp [kæmp] s voj. tábor: to pitch a ~ rozbít tábor; to strike, break (up), ~ strhnout tábor □ vi & t tábořit, utábořit (se); i fig.; —er [ˈkæmpə] s táborník

campaign [kæmˈpein] s (polní) tažení, výprava 2. kampaň □ vi účastnit se tažení

camphor [ˈkæmfə] s chem. kafr

campus [ˈkæmpəs] s pl. -es [-iz] am. (universitní n. školní) campus prostranství mezi uni-

versitními n. školními budovami s přilehlými hřišti

can¹* [kæn, nedůraz. kən, kn, před následujícím k-, g-, kŋ] v 3. sg. can, záp. cannot [ˈkænət], hov. can't [ka:nt]. Nemá inf., tvoří se opisem od to be able. — I ~ 1. umím, dovedu: she ~ swim umí plavat 2. mohu: I ~ lift (the table) uzvednu (ten stůl); it ~ be lze, je možno

can² [kæn] s 1. konev 2. plechovka 3. am. konzerva □ vt (-nn-) 1. nalít do konve 2. am. konzervovat (v plechovkách)

Canad|a [ˈkænədə] s (z) Kanada; atr kanadský; —ian [kəˈneidjən] a kanadský □ s Kanaďan

canal [kəˈnæl] s průplav, kanál; —ize [ˈkænəlaiz] vt 1. vykopat průplav 2. usplavnit, regulovat 3. fig. usměrnit

canard [kæˈna:d] s (novinářská) kachna

canary [kəˈneəri] s též ~ (-bird) kanár, -ek

cancel [ˈkænsəl] vt & i (-ll-) 1. pře-, vy|škrtnout 2. odvolat, zrušit, anulovat 3. mat. ~ (out) krátit (se), rušit (se) □ s 1. škrt 2. (a pair of) -s proštipovací kleště 3. hud. odrážka; —lation [ˌkænse-ˈleišən] s 1. škrtnutí, škrt 2. odvolání, zrušení, storno

cancer [ˈkænsə] s 1. med. rakovina; i fig. 2. astr. C ~ Rak: the Tropic of C ~ obratník Raka; —ous [ˈkænsərəs] a 1. rakovinný 2. trpící rakovinou

candid [ˈkændid] a upřimný, otevřený
candid|acy [ˈkændidəsi] s obv. am. kandidatura; —ate [ˈkændidit] s kandidát; —ature [ˈkændidičə] s obv. brit. kandid|atura, -ování
candied [ˈkændid] a kandysovaný
candle [ˈkændl] s svíčka
Candlemas [ˈkændlməs] s hromnice
candour [ˈkændə] s 1. nestrannost 2. upřímnost, otevřenost
candy [ˈkændi] s 1. kandys(ový cukr), cukrkandl 2. pl. am. bonbóny, karamely □ vt kandysovat
cane [kein] s 1. kol. rákos: sugar ~ cukrová třtina 2. rákoska 3. hůlka vycházková 4. prut, výhonek □ vt 1. vyplést (rákosem) 2. nasekat (rákoskou); ~ -sugar [ˈkeinˈšugə] s třtinový cukr
canine [ˈkeinain] a psí; psovitý: ~ (tooth) [ˈkæntain] špičák
canister [ˈkænistə] s 1. plechovka, plechová krabička 2. voj. hist. kartáč
canker [ˈkæŋkə] s 1. rakovina stromů, sněť květů 2. vřed, sněť 3. fig. rakovina, mor □ vt 1. rozežírat □ vi 2. snětivět, chátrat
cannery [ˈkænəri] s konzervárna
cannibal [ˈkænibəl] s & a lidožrout, kanibal; -ský
cannon [ˈkænən] s 1. (protiletecké) dělo; hist. kanón, arch. kus 2. hist. dělostřelectvo 3. brit. karambol kulečníkový 4. atr dělový □ vi & t

1. střílet, ostřelovat z děl 2. brit. udělat karambol na kulečníku ~ -fodder [ˈkænənˌfodə] s potrava pro děla, hov. kanónenfutr
cannonade [ˌkænəˈneid] s dělostřelba □ vt & i ostřelovat; pálit z děl
cannot [ˈkænot] viz can¹
canny [ˈkæni] a 1. skot. chytrý, mazaný 2. brit.; skot. arch. šetrný 3. klidný, rozvážný 4. pěkný 5. šikovný; ca'canny [kaːˈkæni] vi 1. jít pomalu, klidně 2. fig. pomalu pracovat □ s zpomalení práce
canoe [kəˈnuː] s kánoe □ vi jet v kánoi; —ing [kəˈnuːiŋ] s kánoistika; —ist [kəˈnuːist] s kánoista
canon [ˈkænən] s 1. církevní zákon: ~ law církevní právo 2. zásada 3. kánon soubor autentických spisů 4. kanovník; —ical [kəˈnonikəl] a 1. kanonický 2. kněžský; —ize [ˈkænənaiz] vt prohlásit za svatého
canopy [ˈkænəpi] s nebesa, baldachýn
cant¹ [kænt] s 1. sříznutý roh, úkos 2. ú-, s|klon 3. náraz □ vt & i 1. ~ off sříznout (a corner roh) 2. naklonit (se) 3. ~ over převrátit (se)
cant² [kænt] s 1. lísání, lísavá řeč 2. zast. hantýrka 3. frázovitá n. svatouškovská řeč; tlach □ vi 1. lísat se, dotírat 2. frázovitě n. svatouškovsky tlachat
can't [kaːnt] hov. = cannot
cantaloup [ˈkæntəluːp] s ananasový meloun

cantankerous [kən'tæŋkərəs] a
1. haštěřivý, svárlivý 2. nevrlý
cantata [kæn'ta:tə] s hud. kan-
táta
canteen [kæn'ti:n] s 1. kan-
týna; závodní kuchyně n.
jídelna 2. polní láhev, čutora
3. jídelní miska
canter ['kæntə] s drobný klus □
vi jet drobným klusem
Canterbury ['kæntəbəri] s (m)
C.; ~ cathedral canterburská
katedrála
canticle ['kæntikl] s 1. chvalo-
zpěv 2. pl. the C~s Píseň
Šalomounova, Píseň písní
cantilever ['kæntili:və] a stav.
krakorec
canto ['kæntou] s pl. -s [-z]
zpěv část básně
canton s ['kænton] kanton □ vt
[kən'tu:n] voj. ubytovat (voj-
sko), kantonovat; —ment
[kən'tu:nmənt] s obv. voj.
1. ubytování (vojska), kan-
tonování 2. (trvalý) tábor
canvas ['kænvəs] s 1. i mal.
plátno; kanafas 2. plachto-
vina; stanová plachta 3. nám.
plachta; kol. plachtoví ♦
under ~ a) voj. pod stany
b) nám. s napjatými plachtami
canvass ['kænvəs] vt & i 1.
prodiskutovat co; diskutovat,
debatovat o, přetřásat co □
vi 2. agitovat, získávat hlasy
n. zakázky □ s = -ing; —er
['kænvəsə] s 1. (předvolební)
agitátor 2. am. skrutátor;
—ing ['kænvəsiŋ] s (před-
volební) agitace
canyon ['kænjən] s kaňon
caoutchouc ['kaučuk] s pryž,
kaučuk

cap [kæp] a 1. čep|ice, -ička;
čapka; (akademický) baret
2. čepeček 3. víko; víčko,
klobouček □ vt & i (-pp-) 1.
udělit (akademickou hodnost)
2. přikrýt (víčkem) 3 smek-
nout (to s.o. před kým)
4. přetrumfnout
cap|ability [¡keipə'biliti] s schop-
nost, způsobilost; —able ['kei-
pəbl] a schopný, způsobilý
capacious [kə'peišəs] a 1. pro-
storný; prostranný 2. fig.
schopný přijmout co; obsáhlý,
vnímavý
capacit|ate [kə'pæsiteit] vt 1.
uschopnit, připravit 2. oprav-
ňovat; —y [kə'pæsiti] s 1.
(krychlový) objem, kapacita;
nosnost lodi 2. schopnost;
nadání; chápavost 3. posta-
vení, funkce: in ... ~ jako-
(žto) kdo 4. práv. oprávnění:
to be in ~ být oprávněn ♦
defence ~ brannost; fighting ~
bojeschopnost
caparison [kə'pærisn] s čabraka
cape¹ [keip] s 1. kapuce, kápě
2. pláštěnka
cape² [keip] s zem. mys: |C~
|Town Kapské Město
caper ['keipə] s poskok: to
cut -s skotačit □ vi obv. ~
(about) po-, vy|skakovat,
skotačit
capias ['keipiæs] s práv. za-
tykač
capillar|ity [¡kæpi'læriti] s fyz.
vzlínavost, kapilarita; —y
[kə'piləri] fyz. a kapilární:
~ action vzlínavost □ s
kapilára; biol. vlásečnice
capital ['kæpitl] a 1. hrdelní
(crime zločin): ~ punishment

trest smrti **2.** hlavní (*city* město), velký (*letter* písmeno) **3.** hov. skvělý, znamenitý ☐ *s* **1.** hlavní město **2.** velké písmeno, verzálka: *write in -s* napište hůlkovým písmem **3.** hosp. kapitál; i fig.: *to make* ~ *out of* vytlouci kapitál z **4.** hlavice sloupu; —**ism** [ˈkæpitəlizəm] *s* kapitalismus; —**ist** [ˈkæpitəlist] *s* kapitalista; —**istic** [ˌkæpitəˈlistik] *a* kapitalistický

capitation [ˌkæpiˈteišən] *s* daň z hlavy

capitulat|e [kəˈpitjuleit] *vi* voj. vzdát se, kapitulovat; —**ion** [kəˌpitjuˈleišən] *s* voj. kapitulace

capon [ˈkeipən] *s* kapoun

capric|e [kəˈpri:s] *s* rozmar, vrtoch, —**ious** [kəˈprišəs] *a* rozmarný, vrtošivý

Capricorn [ˈkæpriko:n] *s* astr. Kozoroh

caps = pl. *capitals* verzálky

capsize [kæpˈsaiz] *vt & i* pře-, z|vrhnout (se)

capstan [ˈkæpstən] *s* nám. naviják, vratidlo

capsule [ˈkæpsju:l] *s* **1.** bot. tobolka **2.** odb. kapsle **3.** chem. odpařovací miska

captain [ˈkæptin] *s* kapitán

caption [ˈkæpšən] s. **1.** titul, hlavička, záhlaví **2.** film. titulek **3.** upoutávka ve výkladu

captious [ˈkæpšəs] *a* **1.** záludný, potouchlý **2.** šťouravý, rýpavý

captivat|e [ˈkæptiveit] *vt* upoutat, okouzlit; —**ion** [ˌkæptiˈveišən] *s* zaujetí, upoutání

captiv|e [ˈkæptiv] *s* zajatec;

vězeň ☐ *a* zajatý: ~ *balloon* upoutaný balón; *to be taken* ~ být zajat; —**ity** [kæpˈtiviti] *s* zajetí

capture [ˈkæpčə] *s* **1.** ukořistění lodi, zajetí; přepadení **2.** úlovek, kořist ☐ *vt* **1.** zajmout **2.** dobýt město **3.** ukořistit

car [ka:] *s* **1.** am. žel. vůz, vagón vůbec; brit. jen speciální vůz: *dinning-* ~ jídelní vůz; *sleeping-* ~ lůžkový vůz **2.** hov. vůz auto **3.** vůz tramvajový, nákladní; bás. válečný **4.** gondola balónu **5.** kabina výtahu ♦ *by* ~ autem; —**man** [ˈka:-mən] *s* pl. *-men* [-mən] **1.** vozka **2.** povozník

carafe [kəˈra:f] *s* karafa

caramel [ˈkærəmel] *s* **1.** karamel **2.** karamela

caravan [ˌkærəˈvæn] *s* **1.** karavana **2.** komediantský n. cikánský vůz **3.** brit. (přívěsný) obytný vůz

caravanserai [ˌkærəˈvænsərai] *s* karavanseráj, karavanní stanice

caraway [ˈkærəwei] *s* kmín

carbide [ˈka:baid] *s* chem. karbid

carbine [ˈka:bain] *s* karabina

carbolic acid [ka:ˈbolik] chem. kyselina karbolová

carbon [ˈka:bən] *s* **1.** chem. uhlík **2.** ~ *(copy)* průklep **3.** ~ *(-paper)* kopírovací papír ♦ ~ *dioxide* [daiˈoksaid] kysličník uhličitý; ~ *monoxide* [moˈnoksaid] kysličník uhelnatý; —**ate** [ˈka:bənit] *s* uhličitan; —**ic acid** [ka:ˈbonik] kyselina uhličitá

carboniferous [ˌka:bəˈnifərəs] *a* kamenouhelný

carbuncle ['ka:baŋkl] *s* med., klen. karbunkl

carburett|er, —or ['ka:bjuretə] s tech. karburátor, zplynovač

carc|ass, —ase ['ka:kəs] *s* 1. (poražený) kus u řezníka 2. mrtvola

card¹ [ka:d] text. *vt* mykat □ *s* mykadlo; '—ing ma|chine mykací stroj, mykadlo

card² [ka:d] *s* 1. karta; *to play at -s* hrát v karty 2. lístek; pohlednice; navštívenka 3. kartón 4. *atr*: ~ *catalogue* lístkový katalog; *identity* ~ občanský průkaz; ~ *index* kartotéka; *party-membership* ~ stranická legitimace; —board ['ka:dbo:d] *s & a* lepenk|a; -ový

Cardiff ['ka:dif] *s* (m) Cardiff

cardigan ['ka:digən] *s* vlněná vesta (na zapínání)

cardinal ['ka:dinl] *a* hlavní, základní: ~ *points* světové strany □ *s* kardinál

care [keə] *s* 1. péče, starost 2. pozor ♦ *to take* ~ *(of)* dávat pozor nač; *starat se o* koho; *Glass! With* ~ ! pozor, sklo! □ *vi* 1. pečovat, starat se *(for o)* 2. dbát, stát, zajímat se *(for, about* o) 3. mít rád *(for* koho, co); líbit se: *I don't* ~ je mi jedno, nestarám se; nechci; nebaví mne; —full ['keəful] *a* 1. pečlivý; opatrný 2. starostlivý ♦ *be* ~ dej(te) pozor; —less ['keəlis] *a* 1. nedbalý, neopatrný; nedbající *(of* nač) 2. bezstarostný; —lessness ['keəlisnis] *s* nedbalost: *a piece of* ~ nedbalost konkrétně; —taker ['keə|teikə] *s* správce

domu, hlídač —worn ['keə-wo:n] *a* ustaraný.

career [kə|riə] *s* 1. povolání, zaměstnání 2. život(ní osudy); kariéra 3. rychlost: *in full* ~ v plné rychlosti 4. *atr* am. profesionální, z povolání □ *vi* řítit se; hnát se; běhat; —ist [kə|riərist] *s* kariérista

caress [kə|res] *s* laskání, mazlení □ *vt* 1. laskat, mazlit se 2. lichotit

caret ['kærət] *s* vynechávka v rukopise

cargo ['ka:gou] *s* pl. *-es* [-z] celý lodní náklad: *to enter* ~ prohlásit náklad

Caribbean [¡kæri|bi:ən] *a* karibský; *the* ~ *Sea* Karibské moře

carib|ou, —o ['kæribu:] *s* pl. *-s* [-z] sev. am. sob, karibu

caricatur|e [¡kærikə|tjuə] *s* napodobení; karikatura □ *vt* napodobit; karikovat; —ist [¡kærikə|tjuərist] *s* napodobovatel; karikaturista

carillon [kə|riljən] *s* zvonková hra

carious ['keəriəs] *a* 1. zkažený, vykotlaný zub 2. ztrouchnivělý, shnilý

carmine ['ka:main] *s & a* karmín; -ový

carnage ['ka:nidž] *s* krveprolití, masakr

carnal ['ka:nl] *a* tělesný; smyslný

carnation [ka:|neišən] *s* karafiát

carnival ['ka:nivəl] *s* 1. karneval 2. masopust

carnivorous [ka:|nivərəs] *a* masožravý

carol [ˈkærəl] *s* koleda ☐ *vi* (-ll-) zpívat koledy
carous|al [kəˈrauzəl] *s* pitka; —**e** [kəˈrauz] *s* pitka ☐ *vi* popíjet, prázdnit číše
carp [ka:p] *s* kapr ☐ *vi* naříkat, stěžovat si (*at* na): *-ing criticism, tongue* kousavá kritika, špičatý jazyk
Carpathian [ka:ˈpeiθjən] *a* karpatský: *the* ~ *Mountains* Karpaty
carpent|er [ˈka:pintə] *s* tesař, stavební truhlář ☐ *vi & t* dělat tesařinu; —**ry** [ˈka:pintri] *s* 1. truhlařina 2. truhlářská práce
carpet [ˈka:pit] *s* koberec ☐ *vt* pokrýt (kobercem) 2. hov. zavolat (si) koho na koberec
carriage [ˈkæridž] *s* 1. doprava 2. dopravné 3. kočár: *a* ~ *and pair* kočár s párem koní 4. žel., brit. osobní vůz, vagón 5. podvozek; vozík psacího stroje; lafeta děla 6. držení (*of head, body* hlavy, těla); ~ **-forward** [ˈkæridžˈfo:wəd] *adv* nevyplaceně dovozné platí adresát; ~ **-free** [ˈkæridžˈfri:] *adv* vyplaceně
carrier [ˈkæriə] *s* 1. dopravce; dopravní společnost 2. tech. nosič 3. bacilonosič ♦ *aircraft* ~ mateřská letadlová loď; *grain, ore,* ~ loď na dopravu obilí, rudy; ~ **-pigeon** [ˈkæriəˈpidžin] *s* poštovní holub
carrion [ˈkæriən] *s* zdechlina
carrot [ˈkærət] *s* mrkev, karotka
carry [ˈkæri] *vt & i* 1. nést *o. s.* se), nosit 2. vézt, vozit;

svážet; doprav|it, -ovat 3. za-, vést 4. postavit, zřídit, provést až kam; fig. hnát, dohnat (*to excess* do krajnosti) 5. vystačit nač, pro 6. voj. vzít, dobýt 7. získat na svou stranu, strhnout 8. prosadit, schválit, odhlasovat: *to be -ied by a show of hands, unanimously* být odhlasován aklamací, jednomyslně; ~ **a-way** 1. odvézt 2. nám. ode-, u|rvat 3. fig. unést (*by* čím); |~ **forward** úč. převést součet; ~ **off** 1. odvést násilím 2. sklátit o nemoci 3. získat cenu; ~ **on** 1. pokračovat v 2. provozovat (*business* obchod) ~ **out** provést, uskutečnit; obch. vyřídit (*an order* zakázku); ~ **over** 1. úč. převést 2. získat koho; ~ **through** 1. převést přes (překážky) 2. dokončit ♦ ~ *all before one* zdolat všechny překážky; získat všechny ceny; ~ *conviction* působit přesvědčivě (*to* na); ~ *the day* dobýt vítězství; ~ *into effect* uvést ve skutek; ~ *one's point* dosáhnout cíle, prosadit svou vůli; ~ *great weight* mít velkou váhu; ~ *one's hearers with* strhnout posluchače
cart [ka:t] *s* 1. kára dvoukolá 2. vozík 3. vůz zemědělský ☐ *vt* 1. vozit ☐ *vi* 2. jezdit s voz|íkem; -em; |~ **-horse** *s* tažný kůň ~ **-load** [ˈka:tloud] *s* fůra čeho; |~ **-road**, |~ **way** *s* polní cesta: ~ **-wright** [ˈka:t-rait] *s* zast. kolář
cart|age [ˈka:tidž] *s* 1. dovoz, rozvážka, svoz 2. dopravné

povozem; — er [ˈkaːtə] s 1. po-
vozník; vozka 2. kočí země-
dělský
cartel [kaːˈtel] s 1. (písemná)
dohoda (o výměně zajatců)
2. obch. kartel
cartilag|e [ˈkaːtilidž] s chrupav-
ka; — inous [ˌkaːtiˈlædžinəs] a
chrupavčitý
carton [ˈkaːtən] s 1. lepenková,
papírová krabice 2. lepenka
cartoon [kaːˈtuːn] s 1. mal.
pérovka; obv. politická kresba,
karikatura 2. (animate) ~
kreslený film, groteska; — ist
[kaːˈtuːnist] s karikaturista
cartridge [ˈkaːtridž] s náboj,
patrona: blank ~ slepý náboj
carv|e [kaːv] vt & i 1. vy-,
řez(áv)at, vy-, tesat 2. roz-,
krájet maso; — er [ˈkaːvə] s 1.
řezbář; sochař 2. kráječ ma-
sa; — ing [ˈkaːviŋ] s vyřezá-
vání, řezba; — ing-knife [ˈkaː-
viŋnaif] s pl. -knives [-naivz]
dranžírovací nůž
cascade [kæsˈkeid] s kaskáda,
vodopádek
case¹ [keis] s 1. případ;
věc 2. (právní) případ; pro-
ces, (právní) důvod ♦ that's
not the ~ není tomu tak;
to have a good ~ mít naději na
kladný výsledek sporu; in
any ~ rozhodně; in ~ v tom
případě; v případě, že; in
~ of v případě, že; leading ~
precedenční případ; to make
out one's ~ dokázat, že mám
pravdu; ~ of need podpůrná
adresa na směnce; to state
one's ~ obhájit své stanovis-
ko; ~ -law [ˈkeislɔː] s prece-
denční právo

case² [keis] s 1. bedna 2. skříň
3. kufřík, kufr 4. pouzdro,
kazeta 5. vitrína 6. povlak
polštáře 7. (sazečská) kasa 8.
tech. plášť, kryt; obezdívka
□ vt 1. zabalit do beden 2.
potáhnout 3. tech. obložit,
obezdít; ~ -hardened [ˈkeis-
ˌhaːdnd] a 1. cementovaný,
kalený ocel 2. fig. otrlý; otu-
pělý
casein [ˈkeisiin] s chem. kasein
casemate [ˈkeismeit] s kasemat|y
-a
casement [ˈkeismənt] s okenní
křídlo; okno
cash [kæš] s (hotové) peníze,
hotovost, pokladna: ~ on
delivery na dobírku; out of ~
bez peněz; to pay ~ platit
hotově; ~ price cena za ho-
tové □ vt dostat n. platit
hotově; inkasovat; |~ -book
s pokladní kniha; ~ register
[|~ ˈredžistə] kontrolní po-
kladna
cashier s [kæˈšiə] pokladník □
vt [kəˈšiə] voj. degradovat
cashmere [kæšˈmiə] s & a text.
kašmír; -ový (shawl šál)
casing [ˈkeisiŋ] s 1. balivo, obal
2. bednění 3. pouzdro 4.
(párkové) střívko 5. rám
okna, dveří
cask [kaːsk] s sud, soudek
— et [ˈkaːskit] s 1. kazeta,
etui 2. urna pohřební 3. am.
rakev
casque [kæsk] s arch., bás. přil-
bice
casserole [ˈkæsəroul] s. 1. kast-
rol, -ek, rendlík skleněný, por-
celánový s pokličkou 2. brit.
pánev

cassock ['kæsək] s klerika, sutana

cast* [ka:st] vt & i 1. hodit, házet, vrhat, metat 2. shodit parohy, svléci kůži 3. odsoudit (k pokutě) 4. ztratit 5. pro-, pustit vojáka, vyřadit koně 6. div. obsadit úlohy; přidělit úlohu 7. od-, lít; ~ about slídit, pátrat (for po); ~ away 1. od-, za|vrhnout 2. ztroskotat; to be ~ down 1. sklíčit, deprimovat 2. sklopit; ~ off 1. od-, za|vrhnout 2. odložit oděv: ~ off clothes odložené šaty 3. uzavírat pletení; ~ (up) sčítat: to ~ accounts počítat ♦ ~ anchor spustit kotvu; ~ calf zmetat; ~ lots metat los; ~ loose uvolnit (se), vyprostit (se); ~ a voice dát hlas, volit □ s 1. hod, vrh 2. vlasec 3. odlitek; otisk zkamenéliny 4. součet 5. rys, vlastnost, ražení 6. nádech, odstín 7. div. obsazení; —away ['ka:stəwei] s 1. zavrženec, vyvrhel 2. trosečník; —ing-vote ['ka:stiŋ|vout] s dirimující hlas; ~ -iron ['ka:st|aiən] s litina □ a litinový: fig. ~ -iron discipline, will železná kázeň, vůle

caste [ka:st] s kasta

castigat|e ['kæstigeit] vt 1. kárat, trestat 2. zkritizovat 3. vylepšovat knihu; —ion [,kæsti|geišən] s 1. trest 2. ostrá kritika 3. vylepšení, oprava v knize

castle ['ka:sl] s 1. hrad; zámek 2. šachová věž

castor[1] ['ka:stə] s pižmo, bobrovina

cast|or,[2] —er ['ka:stə] s 1. sypátko: ~ sugar práškový cukr 2. kolečko pod nábytkem: ~ oil ['ka:stər|oil] ricinový olej

castrate [kæs|treit] vt vyklestit

casual ['kæžjuəl] a 1. náhodný 2. příležitostný (labourer dělník) 3. hov. nedbalý, lhostejný; —ty ['kæžjuəlti] s 1. nehoda, neštěstí 2. pl. ztráty, oběti mrtví i ranění

cat [kæt] s 1. kočka 2. = ~ -o'-nine-tails ['kætə|nainteilz] s devítiocasá kočka, důtky

cataclysm ['kætəklizəm] s potopa; fig. pohroma

catacomb ['kætəkoum] s obv. pl. -s [-z] katakomby

catafalque ['kætəfælk] s katafalk

catalogue ['kætəlog] s seznam, katalog □ vt katalogizovat; zapsat do seznamu

cataly|sis [kə|tælisis] s pl. -ses [-si:z] chem. katalýza; —ze ['kætəlaiz] vt chem. katalyzovat; —zer ['kætəlaizə] s chem. katalyzátor

catapult ['kætəpalt] s 1. hist. katapult 2. prak □ vt & i 1. katapultovat 2. střílet prakem

cataract ['kætərækt] s 1. vodopád 2. šedý zákal

catarrh [kə|ta:] s 1. katar 2. nastuzení, rýma

catastrophe [kə|tæstrəfi] s katastrofa

catch* [kæč] vt & i 1. chytit, po-, lapit, dopadnout 2. dohonit 3. stihnout vlak 4. za-, při|stihnout (o.s. se): to be caught in the rain být zastižen deštěm 5. zasáhnout střelou **6.** uchopit, sevřít **7.** zachytit (se), u-, váznout **8.** chopit se (*an opportunity* příležitosti) **9.** dostat, chytit nemoc **10.** slyšet, rozumět, pochopit **11.** upoutat pozornost □ *vi* **12.** ~ *at* chytit se čeho, lapat po čem **13.** ~ *on* a) hov. chytit se (*to* čeho), chopit se b) hov. chytit, mít úspěch c) am. pochytit, porozumět d) udeřit **14.** ~ *up* a) uchvátit, vtrhnout b) pochytit co c) chytat za slovo, skákat do řeči **15.** ~ *up (with)* s.o. dohonit koho; též *vt:* ~ *s.o. up* ♦ *caught in the act* přistižen při činu; ~ *one's breath* popadat dech, zajíkat se; ~ *cold* nastudit se; ~ *one's eye* upoutat čí pozornost; ~ *(on) fire* chytit; ~ *hold of* chopit se čeho; ~ *me*! ani nápad!; ~ *sight of* zahlédnout koho, co □ *s* **1.** chycení, chytání **2.** úlovek, lov **3.** sňatková partie **4.** úryvek řeči **5.** chytač **6.** západka **7.** háček: *there's a* ~ *in it* v tom je nějaký háček; ~ *question* škol. chyták chytačka; ~ **-fly** [ˈkæčflai] *s* silenka svazčitá; smolnička; —**ing** [ˈkæčiŋ] *a* **1.** nakažlivý; i fig. **2.** který dovede chytit **3.** měnlivý (*weather* počasí); —**ment** [ˈkæčmənt] *s* jímka ♦ ~ *basin* úvodí; —**penny** [ˈkæčˌpeni] *a* **1.** co na tahání peněz z lidí **2.** lákavý; —**pole,** —**poll** [ˈkæčpoul] *s* hist. dráb, biřic: —**word** [ˈkæčwəːd] *s* heslo; —**y** [ˈkæči] *a* **1.** co dovede chytnout **2.** lákavý,

přitažlivý **3.** ménlivý (*wind* vítr) **4.** závadný

catech|ism [ˈkætikizəm] *s* katechismus; —**ize** [ˈkætikaiz] *vt & i* **1.** učit katechismu **2.** vyptávat se; vyslýchat

categor|ical [ˌkætiˈgorikəl] *a* kategorický; i fig. rozhodný; —**y** [ˈkætigəri] *s* kategorie

catenat|e [ˈkætineit] *vt* sřetězit; —**ion** [ˌkætiˈneišən] *s* sřetězení

cater [ˈkeitə] *vi* nakupovat, obstarávat potraviny (*for* pro) postarat se o jídlo n. zábavu (pro) ♦ *public -ing* společné stravování; —**er** [ˈkeitərə] *s* **1.** proviantní nákupčí **2.** dodavatel

caterpillar [ˈkætəpilə] *s* **1.** housenka **2.** housenkový pás **3.** pásové vozidlo **4.** příživník; |~-|**wheeled** *a* s housenko vým, pásovým podvozkem

catgut [ˈkætgat] *s* **1.** struna střevová **2.** housle; strunné nástroje

cathar|sis [kəˈθaːsis] *s* **1.** med. počiš|tění, -ťování **2.** katarze; —**tic** [kəˈθaːtik] *a & s* **1.** med. počistivý, počišťovací (lék) **2.** očistný

cathedral [kəˈθiːdrəl] *s* katedrála, (vele)chrám

Catherine [ˈkæθərin] *s* Kateřina

cathode [ˈkæθoud] *s* el. katoda, záporný pól

catholic [ˈkæθəlik] *a* **1.** univerzální **2.** vše-, obecný; všestranný **3.** katolick|ý; *C~ Church* -á církev □ *s* katolík; —**ism** [kəˈθolisizəm] *s* katolic|tví, -ismus; —**ize** [kəˈθoli saiz] *vt & i* pokatolič(t)it (**se)**

cation [ˈkætaiən] *s* el. kation

catkin [ˈkætkin] *s* kočička, jehněda

cattle [ˈkætl] *s* (hovězí) dobytek; *head of* ~ kus dobytka; ~ **-lifter** [ˈkætlˌliftə] *s* zloděj dobytka; ~ **-pen** [ˈkætlpen] *s* dobytčí ohrada; ~ **-shed** [ˈkætlšed] *s* chlév; ~ **-show** [ˈkætlšou] *s* výstava hovězího dobytka

Caucas|ian [ko:ˈkeizjən] *a* kavkazský ⬩ *s* Kavkazan; **—us** [ˈko:kəsəs] *s* Kavkaz

caucus [ˈko:kəs] *s* 1. am. volební výbor politické strany 2. brit. výbor místní organizace politické strany

caudal [ˈko:dl] *a* ocasní

caught [ko:t] *pt & pp* od *to catch*

ca(u)ldron [ˈko:ldrən] *s* kotel

cauliflower [ˈkoliflauə] *s* květák

caulk [ko:k] *vt* utěsnit, ucpat, kalfatrovat

caus|al [ˈko:zəl] *a* příčinný, kauzální; **—ality** [ko:ˈzæliti] *s* příčinnost, kauzalita; **—ative** [ˈko:zətiv] *a* kauzativní ⬩ gram. kauzativum

cause [ko:z] *s* 1. důvod 2. příčina 3. spor, proces, (soudní) pře 4. čí věc ♦ ~ *of action* předmět žaloby; sporný bod: *to plead one's* ~ hájit čí věc; *to show* ~ uvést důvody ve sporu ⬩ *vt* 1. z-, působit, vyvolat, být příčinou 2. dát udělat 3. přimět koho; **—less** [ˈko:zlis] *a* bezdůvodný

causeway [ˈko:zwei], **causey** [ˈko:zei] *s* 1. násep přes mokřinu: ~ *of timber* hať 2. zvýšená lávka u zaplavované silnice

3. hráz; navigace 4. cesta valouny dlážděná

caustic [ˈko:stik] *a* 1. žíravý, leptavý: ~ *soda* louh sodný 2. fig. kousavý, uštěpačný ⬩ *s* žíravina

cauter|ization [ˌko:təraiˈzeišən] *s* med. leptání; vypalování rány; **—ize** [ˈko:təraiz] *vt* med. leptat; vypalovat ránu; **—y** [ˈko:təri] *s* med. 1. kauter 2. kauterizace

caution [ˈko:šən] *s* 1. opatrnost, obezřelost 2. výstraha, varování 3. skot., am. záruka ⬩ *vt* varovat (*against* před; *not to* aby ne-); **—ary** [ˈko:šnəri] *a* 1. varovný 2. záruční

cautious [ˈko:šəs] *a* opatrný, obezřetný

caval|cade [ˌkævəlˈkeid] *s* kavalkáda; **—ier** [ˌkævəˈliə] *s* 1. kavalír 2. obv. bás. jezdec ⬩ *a* 1. nonšalantní 2. hrdý, velkopanský, pyšný; **—ry** [ˈkævəlri] *s* voj. jízda; **—ryman** [ˈkævəlrimən] *s* pl. *-men* [-mən] kavalerista

cave [keiv] *s* 1. jeskyně 2. brit. polit. frakce ⬩ *vi & t* 1. hov. ~ *in* zavalit se, propadnout se, zřítit se o zemině; fig. zhroutit se, povolit 2. brit. utvořit frakci 3. zř. vyhloubit; ~ **-man** [ˈkeivmæn] pl. *-men* [-men], ~ **-dweller** [ˈkeivˌdwelə] *s* jeskynní člověk

cavern [ˈkævən] *s* kniž. sluj, jeskyně; dutina; **—ous** [ˈkævənəs] *a* 1. plný jeskyň; dutin 2. vpadlý 3. med. sklípkový, kavernózní

caviar(e) [ˈkæviə] *s* kaviár

cavil [ˈkævil] *vi* fig. rýt (*at* do),

předhazovat co, hledat hnidy
na
cavity [ˈkæviti] *s* dutina
caw [koː] *int* krá □ *s* krákání
vran □ *vi* krákat
cayenne [keiˈen] *s* též *C~*
pepper [ˈkeien] paprika koření
cayman, cai— [ˈkeimən] *s* pl. -*s*
-z] kajman, aligátor
C. B. = *Bachelor of Surgery*
c. c. = *cubic centimetre* cm³
cease [siːs] *vi & t* přestat, ustat,
zastavit (se) □ *s* jen *without*
~ bez přestání; —**less** [ˈsiː-s-
lis] *a* ustavičný
cedar [ˈsiːdə] *s* cedr, -ové dřevo
cede [siːd] *vt* po-, od|stoupit;
odb. cedovat
ceiling [ˈsiːliŋ] *s* 1. strop 2.
horní mez; maximální cena 3.
tech. dostup střely, letadla
celandine[ˈseləndain] *s* bot. vlaš-
tovičník
celebr|ate [ˈselibreit] *vt & i* 1.
slavit, oslavovat 2. velebit,
vynášet 3. círk. sloužit, ce-
lebrovat, konat; —**ated** [ˈse-
libreitid] *a* slavný, proslulý;
—**ation** [ˌseliˈbreišən] *s* 1.
slavení, oslava, slavnost 2.
círk. (sloužení) mše; —**ity**
[siˈlebriti] *s* 1. proslulost 2.
veličina, osobnost
celerity [siˈleriti] *s* rychlost
celery [ˈseləri] *s* celer
celestial [siˈlestjəl] *a* nebeský
(*bodies* tělesa): *The C* ~ *Em-
pire* Nebeská říše Čína □ *s*
nebešťan
celib|acy [ˈselibəsi] *s* celibát,
bezženství; —**ate** [ˈselibit]
a & s svobodný, neženatý,
nevdaná (osoba)
cell [sel] *s* 1. cela 2. biol., pol.

buňka 3. el. článek: *dry* ~
baterie, suchý článek 4. chem.
kyveta
cellar [ˈselə] *s* sklep; —**age**
[ˈseləridž] *s* 1. sklepní prostor;
sklepy 2. uložení ve sklepě 3.
sklepné
cell|o, 'cello [ˈčelou] *s* pl. -*s* [-z]
= *violoncello* cello [čelo];
—**ist** [ˈčelist] *s* cellista [čelis-
ta]
cellophane [ˈseləfein] *s* celofán
cellul|ar [ˈseljulə] *a* 1. buněčný,
celulární 2. komorový 3.
pórovitý; —**oid** [ˈseljuloid] *s*
celuloid; —**ose** [ˈseljulous] *s*
chem. buničina, celulóza
celt[1] [selt] *s* archeol. mlat, celt
zbraň
Celt[2] [kelt] *s* Kelt; —**ic** [ˈkeltik]
a keltský □ *s* keltština
cement [siˈment] *s* 1. cement 2.
tmel; i fig. □ *vt & i* 1. za-,
cementovat 2. s-, tmelit (se),
s-, pojit 3. tech. nauhliřo-
vat, cementovat: -*ed steel* na-
uhličená, cementovaná ocel;
—**ation** [ˌsiːmenˈteišən] *s* 1.
tmelení 2. tech. nauhličování,
cementace, povrchové tvr-
zení: ~ *furnace* nauhličovací,
cementační pec
cemetery [ˈsemitri] *s* hřbitov
cenotaph [ˈsenətaːf] *s* kenotaf:
the C~ pomník padlým
v Londýně
cense [sens] *vt* pálit kadidlo
komu, okuřovat co; —**er** [ˈsen-
sə] *s* kadidelnice
censor [ˈsensə] *s* cenzor □ *vt*
cenzurovat tisk; —**ial** [sen-
ˈsoːriəl] *a* cenzorský; —**ious**
[senˈsoːriəs] *a* cenzorský, ka-
ratelský; —**ship** [ˈsensəšip] *s*

1. cenzorství 2. psych. cenzura

censur|able [ˈsenšərəbl] *a* hodný, n. zasluhující pokárání; **—e** [ˈsenšə] *s* výtka, pokárání; kritika □ *vt* vytýkat, kárat; kritizovat

census [ˈsensəs] *s* 1. sčítání lidu 2. hist. census

cent [sent] *s* 1. am. cent 1/100 dolaru 2. *per ~* procent: *5 per ~ 5 %; 3 per -s* tříprocentní cenné papíry; *at ~ per ~ profit* se *100 %* ziskem

cent. = *century* stol.(etí)

centau|r [ˈsento:] *s* kentaur; **—ry** [ˈsento:ri] *s* zeměžluč

centen|arian [ˌsentiˈneəriən] *a & s* stoletý (člověk); **—ary** [senˈti:nəri] *a* stoletý: *~ anniversary* sté výročí □ *s* sté výročí; **—nial** [senˈtenjəl] *a* stoletý, sto let trvající □ *s* sté výročí

centesimal [senˈtesiməl] *a* setinný; stodílný

centi|grade [ˈsentigreid] *a* stostupňový (*thermometer* teploměr Celsiův): 30 °C (= *degrees ~*) 30 °C (= Celsia); **—gramme** [ˈsentigræm] *s* centigram 1/100 g; **—litre** [ˈsentiˌli:tə] *s* centilitr 1/100 l; **—metre** [ˈsentiˌmi:tə] *s* centimetr; **—pede** [ˈsentipi:d] *s* stonožka

centner [ˈsentnə] *s* lehký cent (= 50 kg); *double ~* metrický cent

central [ˈsentrəl] *a* 1. ú-, střední, centrální: *~ heating* ústřední topení 2. ležící ve středu města ap.; **—ism** [ˈsentrəlizəm]

s centralismus: *democratic ~* demokratický centralismus; **—ization** [ˌsentrəlaiˈzeišən] *s* centralizace; **—ize** [ˈsentrəlaiz] *vt & i* soustředit, centralizovat

centre [ˈsentə] *s* 1. střed 2. středisko, centrum 3. ústředí ♦ sport *~ forward* střední útočník; *~ of gravity* těžisko □ *vt & i* 1. soustředit (se) 2. scentrovat

centrifug|al [senˈtrifjugəl] *a* odstředivý, centrifugální: *~ machine* odstředivka, odb. centrifuga □ *s* = **—e** [ˈsentrifju:dž] *s* odstředivka, odb. centrifuga

centripetal [senˈtripitl] *a* dostředivý, centripetální

centuple [ˈsentjupl] *a* stonásobný □ *vt* násobit stem

century [ˈsenčuri] *s* 1. století 2. ant. setnina, centurie

ceramic [siˈræmik] *a* keramický □ *s pl. -s* [-s] keramika

cereal [ˈsiəriəl] *a* obilní □ *s* obilnina

cerebral [ˈseribrəl] *a* mozkový

cerebro-spinal [ˌseribrouˈspainl] *a* mozkomíchový, cerebrospinální; mozkomíšní

ceremon|ial [ˌseriˈmounjəl] *a* obřadní, ceremoniální □ *s* ceremonie; obřad; **—ious** [ˌseriˈmounjəs] *a* 1. = *-ial* a 2. obřadný, formální; **—y** [ˈseriməni] *s* 1. obřad, ceremonie 2. (společenské) formality: *to stand (up)on ~* trvat na formalitách; hov. dělat okolky; *without ~* bez okolků

certain [ˈse:tn] *a* 1. jistý, zaru-

čený, spolehlivý; *pred* jist
2. určitý **3.** nějaký, jakýsi:
a ~ Mr Hill nějaký p. H. ♦
I am ~ of jsem si jist čím,
jsem přesvědčen o; *he is ~
to come* jistě přijde; *for ~*
jistě; *to be ~ of* být si jist
čím, přesvědčen o; *to make
~ of* ověřit si co, přesvědčit
se o; **—ly** ['sə:tnli] *adv* **1.**
jistěže, zajisté **2.** jistě; **—ty**
['sə:tnti] *s* **1.** jistota: *for a ~*
bezpečně, spolehlivě **2.** určitost
certificat|e *s* [sə'tifikit] vy-,
o|svědčení, potvrzení, stvrzenka, průkaz: *a birth, death,
marriage, ~* rodný úmrtní,
oddací list; *a health ~* lékařské vysvědčení; *~ of origin*
osvědčení o původu ☐ *vt*
[sə'tifikeit] **1.** dát oprávnění
2. potvrdit, dát o-, vy|svědčení o; **—ed** [sə'tifikeitid]
a aprobovaný, promovaný,
zkoušený; **—ion** [ˌsə:tifiˈkeišən] *s* osvědčení, potvrzení
certify ['sə:tifai] *vt* osvědčit,
ověřit, potvrdit: *this is to ~
that* tímto se potvrzuje, že
certitude ['sə:titju:d] *s* jistota
cerulean [si'ru:ljən] *a* blankytný
cervical ['sə:vikəl] *s* krční
cessation [se'seišən] *s* zastavení,
přerušení čeho
cession ['sešən] *s* práv. postup,
odstoupení, cese; **—ary** ['sešənəri] *s* práv. postupník
cesspool ['sespu:l] *s* žumpa
cetace|an [si'teišjən] *s* kytovitý
(*bones* kosti kytovců) ☐ *s*
kytovec; **—ous** [si'teišjəs]
kytovitý
Ceylon [si'lon] *s* (o) Cejlon

cf. = *comparc* [kəm'peə] srv.
(= srovnej)
c. & f. = *cost and freight* cena
a dopravné
cg. = *centigramme* cg
c.g.s. n. **C.G.S.** = *centimetre-
gram-second (system)* centimetr-gram-sekundová soustava
chafe [čeif] *vt & i* **1.** hladit;
třít (se) (*on, against* oč),
mnout (*hands* si ruce) **2.** o-,
roze-, dřít **3.** popudit, dohřát
koho, se ☐ *s* **1.** odřenina **2.**
hněv: *in a ~* v hněvu, rozezlen
chaff [ča:f] *s* **1.** plevy **2.** řezanka
3. hov. škádlení, legrace ☐
vt hov. dobírat si koho, dělat
si legraci z koho
chaffer ['čæfə] *vi* kniž. smlouvat, handrkovat se ☐ *s*
smlouvání, handrkování oč
chaffinch ['čæfinč] *s* pěnkava
chagrin ['šægrin] *s* **1.** zármutek,
žal, zklamání **2.** pl. trampoty,
trápení ☐ *vt* obv. *to be, feel,
-ed at, by* být zarmoucen,
sklíčen proč, (nad) čím, trápit
se
chain [čein] *s* **1.** řetěz, řetízek
2. pl. fig. pouta, řetězy **3.** řetězec **4.** *atr* řetězov|ý: *~
armour, mail* hist. brněná
košile; *~ bridge, reaction* -ý
most, chem. -á reakce ☐ *vt*
uvázat na řetěz, přikovat
(*to* k); **~-stitch** ['čeinstič]
s řetízkový steh; **~-store**
['čeinsto:] *s* am. jednotkový
obchod jeho pobočka
chair [čeə] *s* **1.** židle; křeslo:
to take a ~ sednout si **2.** fig.
(profesorská) stolice **3.** fig.

předsednictví; předseda: *to be in the ~*, *to occupy the ~* předsedat; *to take the ~* přijmout předsednictví, předsedat; **—man** [ˈčeəmən] *s* pl. -*men* [-mən] předseda; **—woman** [ˈčeəwumən] *s* pl. -*women* [-wimin] předsedkyně

chaise [šeiz] *s* kočár lehký, čtyřkolový

chalcedony [kælˈsedəni] *s* min. chalcedon

chalice [ˈčælis] *s* círk. kalich

chalk [čo:k] *s* 1. křída 2. hrudka ♦ *by a long ~*, *by long -s* hov. daleko, zdaleka, mnohem; *not by a long ~*, *by long -s* zdaleka ne, vůbec ne □ *vt* 1. na-, křídovat 2. napsat, nakreslit křídou; **~ out** načrtnout, naznačit, nastínit; **~ up** zapsat výsledek hry; **—y** [čo:ki] *a* 1. křídový 2. nakřídovaný 3. (nakreslený) křídou

challenge [ˈčælindž] *s* 1. výzva (*to fight* k boji; voj. *of a sentinel* hlídky) 2. vyzvání, vybídnutí 3. práv. vyloučení (porotce): *peremptory ~* vyloučení bez udání důvodu □ *vt* 1. vyzvat, vyzývat (*to fight* k boji) 2. voj. žádat heslo 3. práv. vznést námitku (*to* proti); odmítnout, vyloučit 4. vyžadovat co, dovolávat se čeho 5. vybízet (*criticism* ke kritice) 6. arch. upírat (*claim, right, for* nárok, právo nač); |**~-cup** *s* sport. pohár

chamber [ˈčeimbə] *s* 1. arch., kniž., dial., am. pokoj, salón, arch. komora: *audience ~*

audienční síň 2. kniž. |*(bed-)~* ložnice 3. pl. byt svobodného pána 4. kancelář advokáta, soudce 5. komora zbraně, orgánu 6. sněmovna (*upper, lower* horní, dolní) 7. = ~ *-pot* ♦*C~ of Commerce* obchodní komora; *~ music* komorní hudba; *~ practice* soukromá praxe advokáta; *trial at -s* neveřejné soudní líčení; **—lain** [ˈčeimbəlin] *s* komorník: *Lord C~ of England* nejvyšší komoří anglický; **—maid** [ˈčeimbəmeid] *s* pokojská, panská; **~ -pot** [ˈčeimbəpot] *s* nočník

chameleon [kəˈmi:ljən] *s* chameleón

chamfer [ˈčæmfə] tech. *s* úkos, zkosená hrana souměrně □ *vt* zkosit, srazit hranu

chamois *s* 1. [ˈšæmwa:] kamzík 2. [ˈšæmi] též ~ *leather* semiš, zámiš

champ [čæmp] *vt & i* 1. chroupat pící; kousat 2. hrýzt (*bits* udidlo) ♦ *to be -ing* fig. hořet netrpělivostí

champagne [šæmˈpein] *s* šampaňské (víno)

champaign [ˈčæmpein] *s* rovina

champion [ˈčæmpjən] *s* 1. bojovník 2. sport. přeborník, borec, šampión 3. zastánce, obránce 4. vítěz, poctěný první cenou zvíře, rostlina □ *vt* bojovat za koho, co, za čí věc; **—ship** [ˈčæmpjənšip] *s* *s* 1. sport. mistrovství, přebornictví 2. obrana (*of* čeho)

chance [ča:ns] *s* 1. náhoda 2. naděje, vyhlídka (*of* na) 3. příležitost; *the ~ of a lifetime* příležitost jednou za život

4. am. riziko **5.** *atr* náhodný, příležitostný ♦ *by (the merest)* ~ (čirou) náhodou; *a game of* ~ hra náhody; *the main* ~ zisk, peněžní zájmy; *on the* ~ v případě; *to take one's* ~ zkusit štěstí; am. risknout to ◻ *vi & t* **1.** náhodou (se stát); arch. *it -ed that I was* n. *I -ed to be* náhodou jsem byl **2.** hov. riskovat: *let's* ~ *it* riskněme to; ~ **upon** setkat se s, narazit na

chancel [ˈčaːnsəl] *s* kněžiště prostor před oltářem

chancell|ery, —ory [ˈčaːnsələri] *s* **1.** kancléřství **2.** kancelář vyslanectví; **—or** [ˈčaːnsələ] *s* **1.** kancléř **2.** první tajemník vyslanectví; ♦ *Lord (High) C~* lord kancléř ministr spravedlnosti a předseda sněmovny lordů; *C~ of the Exchequer* kancléř pokladu ministr financí; **—orship** [ˈčaːnsələšip] *s* kancléřství úřad

chancelry [ˈčaːnsəlri] *s* = *chancellery*

Chancery [ˈčaːnsəri] *s* **1.** kancléřský soud nyní odbor nejvyššího soudu **2.** am. zvláštní, ekvitní soud soudící podle svědomí a slušnosti **3.** (státní) archiv ♦ *in* ~ sport. v kleštích; i fig.; *a ward in* ~ svěřenec kancléřského soudu opatrovnického soudu

chancy [ˈčaːnsi] *a* riskantní

chandelier [ˌšændiˈliə] *s* lustr

chandler [ˈčaːndlə] *s* **1.** svíčkař **2.** kupec, hokynář

change [čeindž] *s* **1.** změna **2.** vy-, střídání, výměna **3.** *C~* burza: *on* ~ na burze

4. *(small)* ~ drobné ♦ *a* ~ *of clothes* šaty na převléknutí; *for a* ~ pro změnu; *to give* ~ *for £ 1* dát na libru zpátky ◻ *vt & i* **1.** z-, měnit (se) (*from* z čeho, *into* v co) **2.** vy-, měnit (si) (*for* zač); vy-, střídat (se) **3.** proměnit (*into* v) **4.** přesed|at, -nout (*at... for* v ... směrem na) **5.** rozměnit (*a banknote* bankovku); vyměnit ve směnárně **6.** ~ *(one's clothes)* převléci se ♦ *all* ~! všichni vystupovat!; ~ *colour* měnit barvu; ~ *hands* změnit majitele; ~ *one's mind* z-, měnit názor, rozmyslit si co; ~ *sides* přejít do opačného tábora; ~ *step* z-, měnit krok; **—ability** [ˌčeindžəˈbiliti], **—ableness** [ˈčeindžəblnis] *s* **1.** pro-, měnlivost **2.** vrtkavost, nestálost; **—able** [ˈčeindžəbl] *a* **1.** pro-, měnlivý **2.** vrtkavý, nestálý; **—ful** [ˈčeindžful] *a* bás. **1.** měnlivý vrtkavý; **—less** [ˈčeindžlis] *a* neměnný, stálý; **—ling** [ˈčeindžliŋ] *s* **1.** podvržené dítě **2.** arch. vrtkavec

channel [ˈčænl] *s* **1.** průliv **2.** kanál v písčinách v ústí řeky **3.** střed řečiště **4.** stružka, korýtko **5.** anat. kanálek **6.** fig. cest|a, -y, postup: *through official -s* úřední cestou; *new -s for investment* nové investiční možnosti; *traffic -s* dopravní spoje ♦ *The (English) C~* Lamanšský průliv; *The C~ Islands* Normandské ostrovy; ~ *iron* tvarové U-železo, korýtkové železo ◻ *vt* (-ll-) **1.** brázdit, rýhovat

2. razit si, vyhloubit si (*a course* tok) 3. fig. vést, sesílat, dávat komu
chant [čɑːnt] *s* 1. chvalozpěv 2. (kostelní) zpěv, píseň 3. (monotónní) prozpěvování □ *vi & t* 1. bás. pět; opěvat 2. (monotónně) prozpěvovat
chao|s [ˈkeios] *s* chaos; —**tic** [keiˈotik] *a* chaotický
chap[1] [čæp] *s* 1. hov. mladík, chlapík: *old* ~ obv. 5. pád kamaráde, člověče 2. dial. zákazník, kupec
chap[2] [čæp] *vt & i* (-pp-) rozpraskat (se), roz-, pukat zvl. o kůži □ *s* puklina, trhlinka
chap[3], **chop** [čæp, čop] obv. pl. -*s* [-s] huba; tlama
chap.[4] = *chapter* kap.(itola)
chapel [ˈčæpəl] *s* 1. kaple 2. modlitebna
chaperon [ˈšæpəroun] *s* gardedáma, hov. garde □ *vt* dělat garde; doprovázet
chaplain [ˈčæplin] *s* 1. kaplan 2. kurát
chaplet [ˈčæplit] *s* 1. věnec, vínek na hlavu 2. růženec 3. náhrdelník
chapter [ˈčæptə] *s* 1. kapitola, hlava 2. kapitula ◊ *the* ~ *of accidents* řetěz náhod, nehod
char[1] [čɑː] *vt & i* (-rr-) 1. pálit uhlí 2. zuhelnatět
char[2] [čɑː] *vi* = *chare*
char[3] [čɑː] *s* brit. hov. posluhovačka
char-a-banc [ˈšærəbæŋ] *s* autokar
character [ˈkæriktə] *s* 1. písmeno, znak; písmo 2. rys 3. charakter, povaha 4. pověst, jméno 5. popis 6. vy-

svědčení zaměstnavatele, posudek 7. postavení, hodnost 8. (známá) osobnost 9. postava literární, osoba divadelní; —**istic** [ˌkæriktəˈristik] *a* příznačn|ý, charakteristick|ý: *it's* ~ *of him* to je pro něho -é □ *s* 1. příznačný, charakteristický rys, znak 2. charakteristika logaritmu; —**ization** [ˌkæriktəraiˈzeišən] *s* 1. charakterizace 2. charakteristika; —**ize** [ˈkæriktəraiz] *vt* charakterizovat: *to be -ed by* vyznačovat se čím; —**less** [ˈkæriktəlis] *a* bezvýrazný; bez osobnostních rysů
charade [šəˈrɑːd] *s* šaráda
charcoal [ˈčɑːkoul] *s* 1. (dřevěné) uhlí: *animal* ~ živočišné uhlí 2. um. uhel
chare [čeə] *s* 1. podělek, (příležitostná) práce 2. posluha 3. pl. -*s* úklid □ *vi* (-r-, -rr-) 1. podělkovat, nádeničit 2. posluhovat 3. hov. po-, u|klízet byt
charge [čɑːdž] *s* 1. náboj; i el.; nálož 2. tech. vsázka, náplň 3. břemeno, zatížení 4. cena, poplatek 5. obv. pl. náklady, útraty, výlohy, režie 6. služba, úkol; pověření 7. péče (*of* oč), dohled (na), dozor (nad) 8. svěřenec; círk. sbor, věřící 9. pří-, roz|kaz, nařízení 10. napomenutí, poučení porotcům 11. obvinění; žaloba 12. výpad, útok, napadení 13. voj. znamení k útoku: *to sound the* ~ zatroubit k útoku ◊ *at one's own* ~ na vlastní útraty koho; *to be in* ~ *of* mít na starosti co,

být pověřen čím; *to be in one's* ~ být komu svěřen; *to bring, lay, a* ~ *against* obvinit, obžalovat koho; *extra* ~ obch. zvláštní poplatek; *free of* ~ bezplatný, zdarma; *to give s.o. in* ~ uvěznit koho; *to give s.t. in* ~ *to* dát komu co na starost; *to lay to one's* ~ klást komu za vinu; *on a* ~ *of* na základě obvinění z čeho; *petty -s* drobná vydání; *to take* ~ *of* vzít si na starost co; *to take s.o. in* ~ vzít koho do vazby; *to the* ~ *of s.o.* na čí útraty □ *vt & i* **1.** nabít (*a gun, a battery* pušku, baterii) **2.** naplnit, nacpat, nasytit (*with* čím) **3.** pověřit (*with* čím) **4.** přikázat komu: *to be -d to do* mít příkaz udělat co **5.** poučit (*the jury* porotu) **6.** ob-, vinit (*s.o. with* koho z čeho) **7.** svalovat (*on* na), přičítat (čemu) **8.** tvrdit (*that* že) **9.** uvalit (na) poplatek **10.** počítat, hov. brát, obch. účtovat (*for* za): *how much do you* ~ *for?* kolik za to počítáte, chcete? **11.** za-, účtovat komu, zatížit, debitovat koho, připsat (*on account* na účet) **12.** voj. za-, útočit na; vrhnout se na; —**able** [ˈčaːdžəbl] *a* **1.** zdanitelný, podrobený dani, poplatku **2.** co lze uložit jako daň **3.** komu, čemu lze vytknout (*with* co), lze obvinit z čeho
chargé d'affaires [sg. i pl. ˈšaːžeidæˈfeə] *s* pl. *chargés d'affaires* chargé d'affaires
charger [ˈčaːdžə] *s* **1.** arch. mísa

velká, plochá **2.** (vojenský, důstojnický) kůň
chariot [ˈčæriət] *s* hist. (válečný, závodní) vůz; —**eer** [ˌčæriəˈtiə] *s* hist. vozataj □ *vi & t* bás. řídit vůz
charit|able [ˈčæritəbl] *a* **1.** dobročinný, šlechetný **2.** blahovolný, shovívavý; —**y** [ˈčæriti] *s* **1.** dobročinnost **2.** dobročinný ústav **3.** milodar **4.** láska (k bližnímu), dobrota **5.** shovívavost, blahovůle ♦ ~ *school* škola pro nemajetné
charlatan [ˈšaːlətən] *s* šarlatán; —**ry** [ˈšaːlətənri] *s* šarlatánství
Charlemagne [ˈšaːləˈmain] *s* Karel Veliký císař 800—814
Charles [ˈčaːlz] *s* Karel: ~'*s Wain* lid. Velký vůz souhvězdí
Charl|ey, —**ie** [ˈčaːli] *s* hov. Karlí|k, -íček
Charlotte [ˈšaːlət] *s* Karla
charm [čaːm] *s* **1.** půvab, kouzlo, vnada **2.** zaříkadlo, kouzlo **3.** přívěsek; amulet □ *vt* **1.** okouzl|it, -ovat: *to be -ed* být okouzlen, nadšen □ *vi* **2.** čarovat; —**ing** [ˈčaːmiŋ] *a* kouzelný, okouzlující, půvabný
charnel-house [ˈčaːnlhaus] *s* márnice; kostnice
chart [čaːt] *s* **1.** námořní mapa; zast. mapa **2.** tabulka, diagram, graf □ *vt* **1.** zmapovat **2.** zamapovat
charter [ˈčaːtə] *s* **1.** výsadní listina, patent, privilej, charta **2.** hist. smlouva **3.** = ~ *-party* ♦ *The Great C~* Velká listina svobod z r. 1215; *The People's C~* Lidová charta chartistů

z r. 1838—1848; *United Nations* *C~* charta Spojených národů □ *vt* **1.** udělit, pas. dostat výsadu, právo **2.** najmout si loď; hov. povoz ♦ *-ed accountant* diplomovaný účetní; *trip,* *voyage, time,* ~ pro-, nájem lodi na určitou cestu, dobu; **—er** [ˈčaːtərə] *s* obch. nájemce lodi; ~*-party* [ˈčaːtəˌpaːti] *s* obch. smlouva o pro-, nájmu lodi listina

chart|ism [ˈčaːtizəm] *s* chartismus; **—ist** [ˈčaːtist] *s* chartista

chartreuse [šaːˈtrəːz] *s* chartreuska likér

char|woman [ˈčaːˌwumən] *s* pl. *-women* [-wimin] brit. posluhovačka; uklízečka

chary [ˈčeəri] *a* **1.** opatrný **2.** bedlivý (*of* nač), starostlivý (*oč*) **3.** neochotný, váhavý **4.** skoupý (*of* nač)

Chas = *Charles* K.

chase[1] [čeis] *vt & i* **1.** honit, lovit, štvát zvěř **2.** stíhat, pronásledovat loď, nepřítele **3.** vyhnat (*from, out of* z; *to, into* do) □ *s* **1.** lov, hon **2.** stíhání, honba, pronásledování lodi **3.** (honební) revír **4.** honební právo **5.** štvaná zvěř; stíhaná loď ♦ *to give* ~ začít pronásledovat; pustit se za

chase[2] [čeis] *vt* rýt, tepat do kovu

chasm [ˈkæzəm] *s* **1.** rozsedlina; rokle **2.** fig. propast

chassis [ˈšæsi, pl. ˈšæsiz] pl. = sg. podvozek

chast|e [čeist] *a* **1.** cudný **2.** střízlivý o slohu; **—ity** [ˈčæstiti] *s* **1.** cudnost **2.** střízlivost slohu

chast|en [ˈčeisn] *vt* kniž. **1.** kárat, trestat **2.** tříbit sloh; **—ise** [čæsˈtaiz] *vt* (tělesně) z-, trestat; **—isement** [ˈčestizmənt] *s* z-, trestání, (tělesný) trest

chat [čæt] *vi* (-tt-) po-, povídat (si) po-, hovořit (si) □ *s* po-, povídání, pohovor: *to* *have a* ~ popovídat si; *I have* *just dropped in for a* ~ hov. stavil jsem se jen na kus řeči

chattel [ˈčætl] *s* movitost; obv. pl. *-i*

chatter [ˈčætə] *vi & t* **1.** štěbetat, švitořit; i o lidech **2.** breptat, žvanit, tlachat **3.** jektat zuby **4.** drnčet o stroji □ *s* **1.** štěbetání, švitoření **2.** breptání, žvást, tlach; **—box** [ˈčætəboks] *s* **1.** žvanil, tlachal **2.** povídálek; štěbetalka o dítěti

chatty [ˈčæti] *a* povídavý, hovorný

chauffeur [ˈšoufə] *s* šofér

chauvin|ism [ˈšouvinizəm] *s* šovinismus; **—ist** [ˈšouvinist] *s* šovinista; **—istic** [ˌšouviˈnistik] *a* šovinistický

cheap [čiːp] *a* laciný, levný □ *adv* lacino, levně ♦ *dirt* ~ hov. za babku; *to hold* ~ nevážit si, málo si cenit čeho; *on the* ~ lacino; **—ness** [ˈčiːpnis] *s* láce

cheat [čiːt] *vt & i* **1.** podvést, ošidit (*of* oč); hov. švindlovat ve hře **2.** krátit si čas □ *s* **1.** podvodník, falešný hráč **2.** podvod; hov. švindl; **—er** [ˈčiːtə] *s* podvodník

check [ček] *vt & i* **1.** za-, bránit, zarazit zastavit **2.**

zadržet slzy, ovládnout, potlačit hněv 3. šachovat, dát šach 4. přezkoušet, ověřit, z-, kontrolovat, z-, revidovat, kolacionovat 5. am. dát si co do šatny; podat zavazadlo na nádraží; **~ in** am. zapsat se v hotelu; **~ off** od-, za|škrtnout; **~ out** am. odhlásit se v hotelu ☐ *s* 1. překážka, omezení, zdržení, fig. brzda; zásah (*on* do čeho) 2. šach ve hře 3. dozor, dohled (*on* nad) 4. kontrola, revize (*on* čeho) 5. voj. odražení, porážka 6. zátrh 7. lístek, známka do úschovny; útržek lístku; podací lístek na zavazadlo 8. kostka vzorek 9. am. = *cheque* šek ♦ *to give a ~* zarazit, překazit, zhatit; *in ~* v šachu; i fig.; na uzdě; pod dohledem; *to suffer sustain,* a **~** být zadržen, zabrzděn; voj. být odražen, utrpět porážku ☐ *int* šach!; **—ed** [čekt] *a* kostkovaný; **—er** [ˈčekə] *s* 1. kontrolor 2. pl. **-s** am. dáma hra; **—mate** [ˈčekˈmoit] *s & int* šachmat, hov. mat: *to give ~* dát mat ☐ *vt* dát mat; i fig.

cheek [či:k] *s* 1. tvář, kniž. líce 2. hov. drzost; **—y** [ˈči:ki] *a* hov. drzý

cheep [či:p] *s* pípání ptáka; pištění myši ☐ *vi* pípat; pištět

cheer [čiə] *vt* 1. po-, těšit, povzbuzovat koho 2. pozdravovat, vítat, provolávat slávu 3. pobízet; posílat, štvát (*on* na) ☐ *vi* 4. **~ up** vzmužit se; *he -ed up when...* vzpružilo

ho to, když ☐ *s* 1. dobrá, veselá mysl; radost 2. jídlo; pohoštění 3. pokřik, provolávání slávy ♦ *be of good ~* buď(te) dobré mysli; *three -s* trojnásobný pokřik např. hip, hip, hurá; *what ~?* jak se, vede?; **—ful** [ˈčiəful] *a* 1. veselý (*face* tvář) 2. radostný, příjemný (*day* den), srdečný (*conversation* pohovor); **—io** [ˈčiəriˈou] *int* nazdar!, ahoj! pozdrav; **—y** [ˈčiəri] *a* bodrý

cheese [či:z] *s* sýr; **~ -cake** [ˈči:zkeik] *s* tvarohový koláč; **—monger** [ˈči:zˌmaŋgə] *s* sýrař

chef [šef] *s* vrchní kuchař

chemical [ˈkemikəl] *a* chemický ☐ *s* obv. pl. chemikálie

chemis|e [ši|mi:z] *s* košile dámská; **—ette** [ˌšemiˈzet] *s* 1. živůtek 2. vestička

chemist [ˈkemist] *s* 1. chemik 2. brit. materialista, drogista; lékárník; **—ry** [ˈkemistri] *s* chemie

cheque [ček] *s* šek ♦ *bearer ~* šek na doručitele; *crossed ~* křížovaný šek; *to draw a ~* vystavit šek; *a ~ for £ ...* šek na; *order ~* šek na řad; *travellers' -s* cestovní šeky; **—er** [ˈčekə] *s* brit. 1. kostkový vzorek; kostkování 2. kontrolor 3. kostka v dámě 4. pl. dáma hra; **—red** [ˈčekəd] *a* 1. kostkovaný, čtverečkovaný 2. pestrý; proměnlivý

cherish [ˈčeriš] *vt* 1. (s láskou) chovat, opatrovat, starat se o 2. chovat nenávist; kojit se nadějí

cherry [ˈčeri] *s* třešně; višně

plod i strom; |~ -tree s třešeň; višeň strom

cherub [ˈčerəb] s pl. -s [-z], -im [-im] 1. cherub, -ín 2. um. andělíček

Cheshire [ˈčešə] s hrabství v Anglii

chess [čes] s šachy hra, ~ -board [ˈčesbo:d] s šachovnice; ~ -man [ˈčesmæn] s obv. pl. -men [-men] (šachová) figur(k)a

chest [čest] s 1. bedna pevná 2. truhla; pokladna 3. skříň, -ka 4. prsa, hruď; odb. hrudník ♦ ~ of drawers prádelník, komoda; a medicine ~ lékárnička

Chester [ˈčestə] s (m) Chester

chestnut [ˈčesnat] s & a kaštan; -ový ♦ sweet, Spanish, ~ jedlý kaštan

cheviot [ˈčeviət] s ševiot vlněná látka

chew [ču:] vt & i 1. žvýkat: to ~ the cud přežvykovat; i fig. 2. ~ upon, over promýšlet co, uvažovat o; —ing gum [ˈču:iŋgam] s žvýkací guma, hov. žvýkačka

Chicago [ši'ka:gou] s (m) Chicago

chick [čik] s kuřátko; ptáčátko; pískle; —en [ˈčikin] s kuře; —en-pox [ˈčikinpoks] s plané neštovice

chicory [ˈčikəri] s bot. čekanka 2. cikorka

chide* [čaid] vt & i kniž. plísnit

chief [či:f] s 1. náčelník kmene 2. předák, vůdce, hlava 3. velitel oddílu 4. přednosta, předseda úřadu 5. hov. šéf □ a 1. nejvyšší hodností

2. hlavní, přední; —ly [ˈči:fli] adv hlavně, především

chieftain [ˈči:ftən] s 1. bás. vojevůdce 2. náčelník, pohlavár

chiffon [ˈšifon] s šifón látka

chilblain [ˈčilblein] s oznobenina; —ed [ˈčilbleind] a oznobený

child [čaild] s pl. -ren [ˈčildrən] dítě ♦ from a ~ od dětství; ~'s play fig. hračka (pro děti); —hood [ˈčaildhud] s dětství; —ish [ˈčaildiš] a 1. dětský 2. pejor. dětinský; —less [ˈčaildlis] a bezdětný; —like [ˈčaildlaik] a dětský

childe [čaild] s zast. panic titul šlechtického syna

Chile [ˈčili] s (z) Chile: ~ saltpeter chilský ledek; —an [ˈčiliən] a chilský □ s Chilan

chill [čil] s 1. mrazení, třesavka 2. mrazivost, sychravina 3. fig. chlad ♦ to catch a ~ nastydnout; to take the ~ off the water hov. odrazit, přihřát vodu □ a kniž. mrazivý; i fig. □ vt & i z-, mrazit; i fig.: -ed meat mražené maso; —y [ˈčili] a 1. mrazivý, chladný 2. prostydlý 3. zimomřivý 4. fig. chladný (to k) □ adv mrazivě

chime [čaim] s 1. zvonková hra; i fig. 2. fig. souhra, soulad □ vt & i 1. bít do zvonu, zvonit 2. odbíjet čas 3. odříkávat □ vi 4. ~ in a) souznít, připojit se b) shodovat se (with s) c) hov. prohodit 5. ~ in shodovat se s

chim|era, —aera [kai'miərə] s chiméra, přízrak

chimney [ˈčimni] *s* 1. komín 2. brit. cylindr lampy; **~ -corner** [ˈčimniˌko:nə] *s* koutek u krbu; **~ -pot** [ˈčimnipot] *s* komínový nástavec; **~ -sweep**, **— er** [ˈčimniswi:p, ˈčimniˌswi:pə] *s* kominík

chimpanzee [ˌčimpənˈzi:] *s* šimpanz

chin [čin] *s* brada

China¹ [ˈčainə] *s* 1. Čína 2. *atr* čínský; **— man** [ˈčainəmən] *s* pl. *-men* [-mən] pejor. Číňan; **— town** [ˈčainəˌtaun] *s* čínská čtvrť; **— woman** [ˈčainəˌwumən] *s* pl. *- women* [ˌwimin] Číňanka

china² [ˈčainə] *s* 1. (čínský) porcelán 2. *atr* čínský; **~ -clay** [ˈčainəˌklei] *s* kaolín; **~ -closet** [ˈčainəˌklozit] *s* kredenc, skleník; **— ware** [ˈčainəweə] *s* porcelánové nádobí

chine [čain] *s* kuch. hřbet

Chinese [ˈčaiˈni:z] *a* čínský: **~** *lantern* lampión; **~** *People's Republic* Čínská lidová republika □ *s* 1. pl. = sg. Číňan: *the* **~** Číňané národ 2. čínština

chink¹ [čiŋk] *s* štěrbina, trhlin(k)a, spára □ *vt* obv. **~** *(up)* ucpat

chink² [čiŋk] *s* cink|ot, -ání 2. hov., žert. prášky peníze □ *vi & t* cinkat, zvonit čím

chintz [čints] *s & a* kartoun, cic; -ový

chip [čip] *s* 1. odřezek, tříska dřeva; odštěpek kamene; střepina skla 2. odražený kousek skla aj. 3. hov. *-s* smažené brambory ♦ *not to care a* **~** ani za mák se nestarat □ *vt & i* (-pp-) 1. otlouci (se),

od-, u|razit (se), odštípnout (se) 2. **~** *shell* vyklubat se (ze skořápky) 3. o-, smažit brambory: *—ped potatoes* smažené brambory

chirp [čə:p] *vi & t* 1. pípat 2. cvrlikat, čimčarovat 3. cvrkat o cvrčku □ *s* 1. cvrlikání, čimčarování 2. cvrkot

chirr [čə:] *vi* cvrkat, vrzat o cvrčku

chirrup [ˈčirəp] *vi* 1. cvrlikat, štěbetat; klokotat o slavíku 2. mlasknout na koně □ *s* 1. štěbetání, cvrlikání; klokot 2. cvrkání cvrčka

chisel [ˈčizl] *s* dláto; rydlo □ *vt* (-ll-) tesat; rýt, dlabat

chit [čit] *s* 1. mrně, škvrně 2. žába, žabka děvče

chit-chat [ˈčitˈčæt] *s* 1. po-, povídání 2. pejor. tlach, -y

chival|rous [ˈšivəlrəs] *a* rytířský; **— ry** [ˈšivəlri] *s* 1. rytířství 2. rytířstvo

chive [čaiv] *s* pažitka

chlor|ic [ˈklo:rik] *a* chlorečn|ý (*acid* kyselina -á); **— ide** [ˈklo:raid] *s* chlorid; **— osis** [kləˈrousis] *s* bledničku; **— ous** [ˈklo:rəs] *a* chloritý

chloro|form [ˈklorəfo:m] *s* chloroform □ *vt* uspat, chloroformovat; **— phyll** [ˈklorəfil] *s* chlorofyl

choc-ice [ˈčokˈais] *s* hov. eskymo, nanuk

chock [čok] *s* (podložní) špalek klín □ *vt* obv. **~** *(up)* zaklínovat; **~ -full** [ˈčokˈful] *n* - pře|cpaný

chocolate [ˈčokəlit] *s* 1. čokoláda 2. čokoládový bonbón □ *a & adv* čokoládov|ý; ě

choice [čois] *s* 1. volba 2. výběr
♦ *at* ~ na vybranou: *for* ~
zvláště, nejraději; *to have
one's* ~ mít na vybranou;
to make, take, one's ~ vybrat
si □ *a* vybran|ý (*fruit -é
ovoce*)

choir [ˈkwaiə] *s* 1. (pěvecký)
sbor 2. kůr

choke [ˈčouk] *vt & i* 1. dusit (se)
2. škrtit (se), rdousit; ~ **down**
fig. potlačit, spolknout; ~ **off**
odradit od čeho; ~ **up** ucpat,
přeplnit

chole|cyst [ˈkolisist] *s* med. žlu-
čový měchýř; —**doch** [ˈkoli-
dok] *a & s* med. žlučový:
~ *(duct)* žlučovod

cholera [ˈkolərə] *s* cholera

choleric [ˈkolərik] *a* cholerický,
prchlivý

cholesterin [koˈlestərin] *s* cho-
lesterin

choose* [ˈčuːz] *vt & i* 1. z-,
volit (si), vyb(í)rat (si) 2.
rozhodnout se 3. hov. chtít,
přát si ♦ *I cannot* ~ *but* arch.
nezbývá mi než

chop[1] [čop] *vt* (-pp-) sekat,
štípat; ~ **down** s-, kácet
strom; ~ **off** useknout; ~ **up**
rozsekat □ *s* 1. tnutí, seknutí
2. kotleta 3. šplouchání moře;
—**py** [ˈčopi] *a* šplounavý
moře

chop[2] [čop] *vi* nám. točit se
o větru ♦ *to* ~ *and* ~ měnit
(se), střídat (se)

chop[3] [čop] *s* ind. & čín. 1. pe-
čeť, razítko 2. povolení, pas:
grand ~ proclení 3. (obch.)
značka: hov. *first, second,* ~
první, druhá jakost

chop[4] [čop] = *chap*[2],[3]

choral [ˈkoːrəl] *a* hud. sborový;
—(e) [koˈraːl] *s* chorál

chord [koːd] *s* 1. bás., fig. struna
2. geom. tětiva 3. hud. akord
♦ *spinal* ~ mícha; *vocal -s*
hlasivky

chore [čoː] am. *s & vi* = *chare*
s 1. 2. *vi*

choreographer [ˌkoriˈogrəfə] *s*
choreograf; —**y** [ˌkoriˈogrəfi]
s choreografie

chorist [ˈkoːrist] *s* ant. člen
chóru, choreut; —**er** [ˈko-
ristə] *s* 1. sborový zpěv|ák,
-ačka 2. am. sbormistr

chorus [ˈkoːrəs] *s* 1. pěvecký
sbor; ant. chór 2. sborová
píseň 3. refrén; ♦ *in* ~ sboro-
vě, -em; ~ -**singer** [ˈkoː-
rəs-siŋə] *s* chórist|a, -ka operní

chose [čouz] *pt* od *to choose*;
—**en** [čouzn] *pp* od *to choose*

Christ [kraist] *s* Kristus

christen [ˈkrisn] *vt* po-, křtít;
—**ing** [ˈkrisniŋ] *s* křest

Christ|endom [ˈkrisndəm] *s* křes-
ťanstvo; —**ian** [ˈkristjən] *s*
1. křesťan 2. Kristián □ *a* 1.
křesťanský 2. křestní (*name*
jméno); —**ianity** [ˌkristiˈæni-
ti] *s* křesťanství; —**ina** [kris-
ˈtiːnə], —**ine** [ˈkristiːn] *s* Kris-
tina; —**mas** [ˈkrisməs] *s* vá-
noce: ~ *Day* první svátek
vánoční; ~ *Eve* Štědrý den
24. XII.; ~ *Box* vánoční dárek

chromatic [krəˈmætik] *a* chro-
matický

chrome [kroum] *s & a* chróm;
-ový barva

chromium [ˈkroumjəm] *s* chem.
chróm; ~ -**plated** [ˈkroum-
jəm-pleitid] *a* po-, chrómo-
vaný

chromolithograph [ˈkroumou-ˈliθəgraːf], zkr. hov. **chromo** [ˈkroumou] s pl. -s chromolitografická reprodukce; —y [ˌkroumouliˈθogrəfi] s chromolitografie

chromosome [ˈkrouməsoum] s chromozóm

chronic [ˈkronik] a chronický; trvalý

chronicl|e [ˈkronikl] s letopis, kronika □ vt (kronikářsky) zaznamenat; —**er** [ˈkroniklə] s letopisec, kronikář

chrono|logical [ˌkronəˈlodžikəl] a chronologický; —**logy** [krəˈnolədži] s chronologie; —**meter** [krəˈnomitə] s chronometr

chrysalis [ˈkrisəlis] s kukla hmyzu

chrysanthemum [kriˈsænθəməm] s chryzantéma

chubby [ˈčabi] a buclatý

chuck¹ [čak] tech. s upínací pouzdro, sklíčidlo □ vt upnout

chuck² [čak] hov. vt mrsknout, pohazovat čím; ~ s.t. away zahodit co; ~ s.o. out vyhodit koho; ~ up praštit (one's job prací): ~ up the sponge vzdát zápas; hodit flintu do žita □ 1. trhnutí, pohození 2. poklepání za bradičku 3. sl. the ~ vyhazov

chuck³ [čak] s obv. v 5. p. zlatíčko!, milý zlatý!

chuck⁴ [čak] vi 1. kvokat 2. mlasknout na koně

chuckle [ˈčakl] vi 1. pochichtávat se (spokojeně) 2. kvokat □ s 1. pochechtávání, chechtot 2. kvokání

chum [čam] hov. s spolubydlící;

kamarád, kámoš □ vi (-mm-) bydlet spolu; ~ **up** skamarádit se (with s); —**my** [ˈčami] hov. a kamarádský □ s = chum

chump [čamp] s 1. špalek 2. brit. ~ (chop) (skopová) ledvina 3. hov. palice hlava

chunk [čaŋk] s hov. 1. poleno 2. špalek, odřezek masa 3. skrojek chleba; -y [ˈčaŋki] a am. hov. podsaditý, ouřezkovitý

church [čəːč] s 1. kostel, chrám 2. C ~ církev ♦ to be at ~ být v kostele; Broad C~ liberální směr v církvi; C~ of England anglikánská církev; Established C~ státní církev; to go to ~ chodit do kostela; High C~ episkopální směr v církvi; Low C~ presbiteriální směr v církvi; C~ militant církev bojující; Office for C~ Affairs Úřad pro věci církevní; ~ -**goer** [ˈčəːčˌgouə] s návštěvník kostela; —**man** [ˈčəːčmən] s pl. -men [-mən] církevník, anglikán; ~ -**rate** [ˈčəːčreit] s salár, církevní daň; —**warden** [ˈčəːčˈwoːdn] s kurátor; —y [ˈčəːči] a církevnický; —**yard** [ˈčəːčˈjaːd] s hřbitov u kostela

churl [čəːl] s chám, hulvát

churn [čəːn] s máselnice □ vt & i 1. stloukat (máslo) 2. čeřit, pěnit

chute [šuːt] s 1. slap, peřej 2. propust 3. skluz; -avka 4. hov. padák

cicada [siˈkaːdə] s cikáda, cvrček

cicatr|ice, —**ix** [ˈsikətris, -iks] s pl. -ices [ˌsikəˈtraisiːz] jizva;

—**ization** [ˌsikətraiˈzeišən] *s*
zajizvení; —**ize** [ˈsikətraiz]
vi & t zajizvit (se)
cicerone [ˌčičəˈrouni] *s* průvodce
cizinců
cider [ˈsaidə] *s* mošt
c.i.f. n. **C.I.F.** = *cost, insu-*
rance, freight výlohy, pojiš-
tění, dopravné (započteno
v ceně)
cigar [siˈga:] *s* doutník; —**ette**
[ˌsigəˈret] *s* cigareta
cinder [ˈsində] *s* **1.** tech. škvára
2. oharky **3.** pl. -*s* popel
Cinderella [ˌsindəˈrelə] *s* Popelka
cine|-camera [ˈsiniˈkæmərə] *s*
hov. filmovací aparát, ka-
mera; ~ **-film** [ˌsiniˈfilm] *s*
hov. kinofilm; ~ **-mogul** [ˈsi-
nimougəl] *s* am. sl. filmový
magnát; ~ **-projektor** [ˌsi-
niprəˈdžektə] *s* hov. promí-
tací aparát, kinoaparát
cinema [ˈsiminə] *s* biograf, ki-
no; ~ **-goer** [ˈsiniməˈgouə] *s*
návštěvník biografu; ~ **-star**
[ˈsinimasta:] *s* kinohvězda
cinematograph [ˌsiniˈmætəgra:f]
s **1.** promítací aparát, pro-
jektor **2.** filmová kamera;
—**ic** [ˌsiniˌmætəˈgræfik] *a* fil-
mový; —**y** [ˌsiniməˈtogrəfi] *s*
kinematografie
cinerary [ˈsinərəri] *a* popelovi-
tý: ~ *urn* popelnice
cinnabar [ˈsinəba:] *s* rumělka,
cinobr
cinnamon [ˈsinəmən] *s & a* **1.**
skořice **2.** skořicovník; -ový
cinq(ue)foil [ˈsiŋkfoil] *s* stav.
pětilist
C.I.O. = *Congress of Industrial*
Organizations am. Svaz prů-
myslových odborů

cipher [ˈsaifə] *s* **1.** nula (0);
i fig. **2.** číslice **2.** šifra, šifro-
vání; šifrovaná zpráva **4.**
monogram □ *vi* **1.** počítat □
vt **2.** ~ *(out)* am. hov. vy-,
špekulovat **3.** šifrovat
circle [ˈsə:kl] *s* **1.** kruh; kruž-
nice **2.** kroužek, kolo **3.** kolo-
běh *(of the seasons* ročních
dob) **4.** okruh ♦ *dress* ~ div.
první balkón; *to do the grand*
~ těl. udělat veletoč; *to*
square the ~ provést kvadra-
turu kruhu; *upper* ~ div. dru-
hý balkón; *vicious* ~ bludný
kruh □ *vt & i* **1.** kroužit,
obíhat *(around, about* kolem)
2. objekt, obeplout co **3.** bás.
obklopovat; —**let** [ˈsə:klit] *s*
kroužek
circuit [ˈsə:kit] *s* **1.** obvod,
okruh **2.** cesta kolem čeho,
obchůzka; turné **3.** okružní
cesta **4.** soudní okres ♦ *short*
~ el. zkrat, krátké spojení;
—**ous** [sə:ˈkjuitəs] *a* (jdoucí,
vedený) oklikou; zdlouhavý,
rozvláčný
circular [ˈsə:kjulə] **1.** kruhov|ý,
-itý: ~ *saw* kruhová pila,
cirkulárka **2.** okružní *(tour*
cesta); ~ *letter* oběžník □
s oběžník
circulat|e [ˈsə:kjuleit] *vi* **1.** obí-
hat, kolovat, cirkulovat **2.**
mat. periodicky se opakovat
□ *vt* **3.** uvádět do oběhu,
rozšiřovat; —**ing** [ˈsə:kjulei-
tiŋ] *a* oběžný *(capital* kapi-
tál): ~ *decimal* periodický
zlomek: ~ *library* okružní
knihovna; ~ *medium* oběživo;
—**ion** [ˌsə:kjuˈleišən] *s* **1.**
oběh *(of blood, money, news*

krve, peněz, zpráv); **cirkulace 2.** náklad novin; **—or** [¹sə:-kjuleitə] *s* 1. šiřitel čeho 2. mat. periodick|ý zlomek; -á funkce
circum|cise [¹sə:kəmsaiz] *vt* obřezat; **—cision** [¡sə:kəm¹sižən] *s* obřízka; **—ference** [sə¹kamfərəns] *s* geom. obvod; **-ferential** [sə¡kamfə¹renšəl] *a* obvodový; **—flex** [¹sə:kəmfleks] *a & s* průtažný (*accent* přízvuk); **—fluent** [sə¹kamfluent] *a* obtékající; **—fuse** [¡sə:kəm¹fju:z] *vt* oblévat, obklopovat (*round, about* co); **—jacent** [¡sə:kəm¹džeisənt] *a* okolní; **—locution** [¡sə:kəmlə¹kju:šən] *s* 1. (slovní) opis **2.** okolkování: *C~ Office* iron. okolkovací úřad viz Dickens Malá Dorritka, kap. 10; **—locutory** [¡sə:kəm¹lokjutəri] *a* opisný; **—navigate** [¡sə:-kəm¹nævigeit] *vt* obeplout; **—scribe** [¹sə:kəmskraib] *vt* 1. ohraničit; vy-, o|mezit **2.** obklopovat **3.** geom. opsat; **—scription** [¡sə:kəm¹skripšən] *s* 1. omezení 2. obrys 3. okrsek **4.** vymezení, definice **5.** geom. opsání **6.** nápis na okraji mince; **—spect** [¹sə:kəmspekt] *a* obezřetný; **—spection** [¡sə:-kəm¹spekšən] *s* obezřelost; **—stance** [¹sə:kəmstəns] *s* 1. obv. pl. okolnosti **2.** podezře|ní, -lá okolnost **3.** poměry **4.** podrobnosti **5.** arch. obřadnost ♦ *to depend on* -*s* záviset na okolnostech; *in easy, good, flourishing* -*s* v příznivých, dobrých, skvělých poměrech; *in bad, reduced, straitened* -*s* ve špatných, omezených, stís-

něných poměrech; *under the* -*s* za těchto okolností; *were it not for the* ~ *that* nebýt toho, že...; **—stantial** [¡sə:kəm¹stænšəl] *a* 1. nahodilý, vedlejší; práv. ~ *evidence* nepřímý důkaz **2.** obšírný, podrobný **3.** hmotný (*prosperity* prosperita) ☐ *s* obv. pl. -*s* 1. drobnosti **2.** vedlejší, nepodstatné (rysy, vlastnosti); **—vent** [¡sə:kəm¹vent] *vt* 1. zaskočit, obejít, obklíčit **2.** obelstít, podvést
circus [¹sə:kəs] *s* 1. cirkus **2.** brit. (kruhové) náměstí
cisalpine [sis¹ælpain] *a* předalpský
cistern [¹sistən] *s* vodní nádrž, cisterna: am. ~ *water* dešťová voda
citadel [¹sitədl] *s* tvrz, citadela; pevnost
cit|ation [sai¹teišən] *s* 1. citace **2.** citát **3.** círk., práv. předvolání; **—e** [sait] *vt* 1. citovat; uvést **2.** předvolat
citizen [¹sitizn] *s* občan; **—ship** [¹sitiznšip] *s* občanství
citr|eous [¹sitriəs] *a* citrónov|ý; -ě žlutý; **—ic** [¹sitrik] *a* chem. citrónový (*acid* kyselina); **—on** [¹sitrən] *s* 1. kniž. citrón **2.** citron(ovn)ík; **—us** [¹sitrəs] *s* pl. -*es* [-iz] citrus
city [¹siti] *s* 1. brit. (samosprávné) město obv. sídlo biskupa **2.** am. město velké, důležité **3.** *the C~* staré město londýnsk|é, -á city **4.** *atr* městský ♦ ~ *council* městská rada; *C~ man* brit. obchodník, finančník; ~ *state* městský stát; ~ *news* obchodní zprávy

civic [ˈsivik] *a* **1.** občanský, civilní **2.** městský; **−s** [ˈsiviks] *s* občanská nauka

civil [ˈsivl] *a* **1.** občanský (*law, marriage, war* právo, sňatek, válka) **2.** civilní (*engineering* inženýrství); ~ *defence* civilní obrana; *the C*~ *Service* státní služba; *a* ~ *servant* státní úředník **3.** zdvořilý, ochotný; **−ian** [siˈviljən] *a* civilní □ *s* civil, -ista; **−ity** [siˈviliti] *s* zdvořilost, projev zdvořilosti; **−ization** [ˌsivilaiˈzeišən] *s* civilizace, (hmotná) kultura; civilizování; **−ize** [ˈsivilaiz]*vt & i* civilizovat,(se)

civ(v)ies [ˈsiviz] *s* pl. sl. civil šaty

clack [klæk] *s* **1.** klepání, klapot **2.** klapka **3.** brebentění □ *vi* **1.** brebentit, tlachat **2.** kdákat **3.** klapat; ~ -**valve** ˈklækvælv] *s* zpětný ventil, klapka

clad [klæd] *a* arch., bás. *pp* od *to clothe* oblečen, kniž. oděn

claim [kleim] *vt* **1.** dělat si, uplatňovat nárok, právo (*to* nač) **2.** žádat, vymáhat co, hlásit se oč, urgovat, reklamovat **3.** vyžadovat, žádat si (*attention* pozornosti) **4.** tvrdit □ *s* **1.** nárok (*to, on* na), požadavek **2.** právo (*to* nač) **3.** pohledávka **4.** tvrzení **5.** am., austr. kutiště ♦ *to lay* ~ *to* činit si, vznést nárok nač; *to put in a* ~ *for* hlásit se oč; *to set up a* ~ *to* uplat|nit, -ňovat nárok, právo nač; **−ant** [ˈkleimənt] *s* **1.** kdo si činí nárok (*on* na) **2.** obch. reklamující strana

clairvoy|ance [kleəˈvoiəns] *s* jasno|vidnost, fig. -zřivost; **−ant** [kleəˈvoiənt) *a* jasno|vidný, fig. -zřivý □ *s* jasnovidec

clam [klæm] *s* škeble

clamant [ˈkleimənt] *a* **1.** kniž. hlučný **2.** fig. křiklavý

clamber [ˈklæmbə] *vi* **1.** lézt, šplhat **2.** plazit se (*up* vzhůru po čem

clammy [ˈklæmi] *a* lepkavý

clam|orous [ˈklæmərəs] *a* **1.** hlučný **2.** fig. křiklavý; **−our** [ˈklæmə] *s* **1.** křik, výkřiky, povyk **2.** hluk, hukot □ *vi & t* křičet, hlučet, povykovat; ~**against** strhnout pokřik proti čemu; ~**down** ukřičet koho; ~ **for** křikem se dožadovat čeho; ~ **into** křikem si vynutit co

clamp¹ [klæmp] *s* **1.** svěrák **2.** svorka **3.** výztuha □ *vt* **1.** sevřít, dát do svěráku **2.** vyztužit

clamp² [klæmp] *s* krecht

clan [klæn] *s* skot. klan; rod

clandestine [klænˈdestin] *a* tajný

clang [klæŋ] *s* **1.** zvuk zvonu; třesk zbraní; břesk trubky **2.** hluk □ *vi* **1.** zvučet; řinčet; vřeštět □ *vt* **2.** rozezvučet; **−our** [ˈklæŋgə] *s* hlahol zvonů; řinkot zbraní; vřeštění trubky

clank [klæŋk] *s* za-, řinčení □ *vi* · řinčet

clap [klæp] *vt & i* (-pp-) **1.** ~ *(one's hands)* tleskat **2.** plácat (*one's wings* křídly) **3.** poplácat (*on the back* po zádech) **4.** fig. nasadit; zaklapnout ♦ *to* ~ *eyes on*

hov. zmerčit koho, co □ *s* 1.
tleskání 2. klapot 3. úder
hromu; —**per** [ˈklæpə] *s* 1.
srdce zvonu 2. klapačka
claque [klæk] *s* klaka
claret [ˈklærət] *s* červené víno
clarify [ˈklærifai] *vt & i* 1. vy-,
o-, pro-, čistit (se) u-, vy|-
jasnit
clarinet [ˌklæriˈnet] *s* klarinet;
—**tist** [ˌklæriˈnetist] *s* klari-
netista
clarion [ˈklæriən] *s* bás. polnice
clarity [ˈklæriti] *s* jas, průzrač-
nost
clash [klæš] *vi & t* 1. třesknout,
zařinčet 2. srazit se, střet-
nout se; i fig. 3. kolidovat
4. bít se o barvách □ *s* 1.
třesk, řinkot 2. srážka; fig.
střetnutí
clasp [klɑːsp] *vt & i* 1. za-, se|-
pnout přezkou, sponou 2. se-
vřít, svírat; objemat ♦ *to*
~ *one's hands* sepnout ruce;
to ~ (a person's) hand stisk-
nout (komu) ruku □ *s* 1.
přezka, spona 2. sepětí, se-
vření 3. objetí 4. stisk
class [klɑːs] *s* 1. třída 2. voj.,
am. univ. ročník ♦ *bourgeois ~*
buržoazní třída; *a ~ by itself*
třída pro sebe; *evening -es*
večerní kursy; *the middle ~*
střední třída buržoazie; *to
take a ~* brit. dostat vyzna-
menání ve škole; *to take -es in*
chodit na, brát hodiny z před-
mětu; *the -es* vyšší třídy
společenské; *to travel third ~*
cestovat 3. třídou; *working ~*
dělnická třída □ *vt* za-, řadit
(do třídy); ~-**book** [ˈklɑːs-
ˌbuk] *s* třídní kniha; ~-**con-**

scious [ˈklɑːsˈkonšəs] *a* třídně
uvědomělý; ~ -**consciousness**
[ˈklɑːsˈkonšəsnis] *s* třídní uvě-
domění; —**fellow** [ˈklɑːsˌfe-
lou], —**mate** [ˈklɑːsmeit] *s*
spolužák; —**man** [ˈklɑːsmæn]
s pl. *-men* [-men] student
s vyznamenáním; |~-**room**
[ˈklɑːsˌrum] *s* třída místnost
~-**struggle** *s* třídní boj
classic [ˈklæsik] *s & a* klas|ik;
-ický; —**al** [ˈklæsikəl] *a* kla-
sický; —**ism** [ˈklæsisizəm] *s*
klasicismus; —**ist** [ˈklæsisist]
s klasicista
classif|ication [ˌklæsifiˈkeišən] *s*
třídění, klasifikace; —**y** [ˈklæ-
sifai] *vt* třídit, klasifikovat
clatter [ˈklætə] *vi & t* 1. klapat
2. breptat; skot. klevetit □
s 1. klap|ání, -ot 2. breptání;
skot. kleveta
clause [klɔːz] *s* 1. větný člen,
(vedlejší) věta 2. doložka,
klauzule
clavicle [ˈklævikl] *s* klíční kost
claw [klɔː] *s* 1. dráp, pařát,
pazour; spár; i fig. 2. kle-
peto raka □ *vt & i* 1. roz-,
drápat, drásat 2. po-, škrá-
bat (se)
clay [klei] *s* jíl; hlína; —**ey**
[ˈkleii] *a* jílovitý
clean [kliːn] *a* 1. čistý 2. čistotný
3. bezúhonný (*life* život) 4.
urostlý, štíhlý; souměrný □
adv 1. úplně, nadobro 2.
čistě □ *vt* vy-, o-, čistit (si);
~ **down** vy-, smýčit; ~ **out**
vyklidit, vyprázdnit; ~ **up**
uklidit byt; ~ -**cut** [ˈkliːnˈkat]
a 1. ostře řezaný 2. fig. ostrý,
přesný 3. výrazný, vyhra-
něný; —**er** [ˈkliːnə] *s* čistič:

to send s.t. to the ~*'s* poslat co do čistírny; —**liness** [ˈklen-linis] *s* 1. čistota 2. čistot-nost; —**ly** *a* [ˈklenli] čistotný □ *adv* [ˈkli:nli] čistě; cudně, —**ness** [ˈkli:nnis] *s* čistota; —**se** [klenz] *vt* kniž. = *to clean*

clear [kliə] *a* 1. jasný; čirý, čistý, průzračný 2. zřetelný; zřejmý 3. pronikavý (*sight* zrak) 4. fig. ryzí 5. volný (*road* cesta) 6. celý, rovný 7. z dosahu (*of* čeho); vzdálen, prost (čeho) ♦ *to be* ~ *about* být přesvědčen o; *to keep* ~ *of* vyhnout se čemu; *to make o.s.* ~ ujasnit si □ *adv* 1. jasně 2. úplně ♦ *to get* ~ *away* upláchnout; *to go* ~ *through* proletět čím □ *vt & i* 1. vyjasnit (si), ozřejmit (si) 2. vy-, roz-, jasnit se 3. vy-, o|čistit, uklidnit 4. vyprázdnit; vyklidit (*streets* ulice); uvolnit trať; vybrat schránku 5. sklidit (*the table* se stolu) 6. vyřídit co 7. odstranit, odklidit 8. zbavit (se), zprostit (*of* viny 9. vy-, mýtit les 10. obch. vyprodat 11. obch. pro-, vy|-clít; odbavit loď 12. obch. zapravit dluh; zúčtovat 13. obch. docílit čistý zisk 14. těsně minout, vyhnout se 15. sport. přeskočit, vzít překážku; ~ **away** 1. odstranit, sklidit se stolu 3. rozptýlit se; ~ **off** 1. zbavit se čeho 2. vyřídit co 3. zmizet; i fig.: ~ **out** 1. u-, vy|klidit 2. o lodi odbavit; vyplout 3. hov. obrat koho 4. hov. sebrat se a jít; ~ **up** 1. vysvětlit 2. vyjasnit se

3. dodělat práci 4. u-, s|klidit ♦ *to* ~ *the decks* vyklidit palubu; fig. připravit se k boji; *not to* ~ *one's expenses* nekrýt náklady; *to* ~ *the ground* vyčistit půdu; i fig. *to* ~ *the harbour* opustit přístav, vyplout; *to* ~ *one's throat* odkašlat si; *to* ~ *the way* udělat cestu komu; —**ance** [ˈkliərəns] *s* 1. vyklizení, vyprázdnění; vybírání schránky 2. mýcení; mýtina 3. obch. zúčtování 4. pro-, vy|clení; odbavení lodi 5. ~ (*certificate*) potvrzení o celním odbavení, výstupní list 6. mezera; tech. vůle ♦ ~ *sale* brit. výprodej; —**ing** [ˈkliəriŋ] *s* 1. vy-, ob|jasnění 2. odstranění 3. mýcení; mýtina 4. odúčtovací řízení; zúčtování: ~ *house* zúčtovací banka; —**ly** [ˈkliəli] *adv* 1. jasně, zřetelně 2. (samo)zřejmě; —**ness** [ˈkliənis] *s* 1. průzračnost 2. zřetelnost; pronikavost; ~ -**sighted** [ˈkliə-ˈsaitid] *a* bystrozraký

cleav|age [ˈkli:vidž] *s* 1. rozštěp, -ení; i fig. 2. štěpnost; —**e*** [kli:v] *vt & i* 1. štípat: ~ *asunder* rozštěpit, rozštípnout, rozetnout 2. fig. rozevřít se

clef [klef] *s* hud. klíč

cleft¹ [kleft] *s* 1. rozštěp 2. puklina, štěrbina 3. rozsedlina

cleft² [kleft] *pt & pp* od *to cleave*

clem|ency [ˈklemənsi] *s* shovívavost, mírnost; —**ent** [ˈklemənt] *a* shovívavý, mírný

clench [klenč] *vt & i* 1. zahnout hřebík; za-, nýtovat 2. za-

tnout, sevřít **3.** po-, u|tvrdit
□ *s* **1.** zahnutý hřebík; za-
nýtování **2.** sevření, stisknutí
Cleopatra [kliə|pa:trə] *s* Kleo-
patra
clergy [¹klə:dži] *s* duchovenstvo,
kněžstvo; **—man** [¹klə:dži-
mən] *s* pl. *-men* [-mən] du-
chovní zvl. anglikánský
clerical [¹klerikəl] *a* **1.** ducho-
venský; kněžský; pejor. kleri-
kální **2.** písařský (*error* chyba)
□ *s* pejor. klerikál; **—ism**
[¹klerikəlizəm] *s* pejor. kleri-
kalismus
clerk [kla:k] *s* **1.** pod-, úředník:
town ~ městský písař, kan-
celista **2.** *(parish)* ~ kostel-
ník **3.** am. příručí, prodavač
Cleveland [¹kli:vlənd] *s* (m)
v USA
clever [¹klevə] *a* **1.** chytrý,
bystrý **2.** šikovný, zručný,
dovedný; důmyslný **3.** am.
hodný, milý
clew [klu:] *s* **1.** zvl. skot., sangl.
klubko **2.** = *clue*
cliché [¹kli:šei] *s* **1.** typ. štoček
2. otřelá fráze; jaz. klišé
click [klik] *s* **1.** cvaknutí **2.**
fon. mlasknutí □ *vi* **1.** cvak-
nout **2.** mlasknout
client [¹klaiənt] *s* **1.** práv. klient
2. zákazník; **—ele** [¸kli:ān|teil]
s klientela
cliff [klif] *s* **1.** útes, skalní stěna
2. sráz
climat|e [¹klaimit] *s* podnebí,
klima; **—ic** [klai|mætik] *a*
podnebný, klimatický
climax [¹klaimæks] *s* **1.** poet. kli-
max **2.** nejvyšší bod; fig.
vyvrcholení
climb[klaim]*vt & i* **1.** ~ *(up)* vy-

lézt, vy-, šplhat (se) na;
zlézat horu **2.** pnout se **3.** let.
stoupat; ~ **down** slézt s, se-
stupovat; fig. hov. ustoupit,
kapitulovat □ *s* stoupání;
výstup; ~ -**down** *s* fig. hov.
ústup, kapitulace; **—er** [¹klai-
mə] *s* **1.** lezec; fig. šplhoun **2.**
popínavá rostlina **3.** šplhavec
pták; **—ing-iron** [¹klaimiŋ-
|aiən] *s* stupačka, stupadlo
clime [klaim] *s* bás. končina
clinch [klinč] = *clench*
cling* [kliŋ] *vi* **1.** lepit se, lnout
(*to* k), držet se koho, čeho,
lpět na **2.** lnout (*together*
k sobě); **—y** [¹kliŋi] *a* přil-
navý, lepkavý
clinic [¹klinik] *s* klinika; **—al**
[¹klinikəl] *a* klinický: ~ *ther-
mometer* lékařský teploměr
clink [kliŋk] *vi & t* cinkat, zvo-
nit, pejor. klinkat □ *s* cin-
k|ání, -ot, zazvonění; **—er**
[¹kliŋkə] *s* **1.** zvonivka, kab-
řinec cihla **2.** škvára **3.** okuje
clinometer [klai|nomitə] *s* sva-
homěr
clip¹ [klip] *s* **1.** spínátko; skřipec
2. stříž □ *vt* (-pp-) **1.** sepnout
(spínátkem) **2.** arch. sevřít
clip² [klip] *vt* (-pp-) stříhat,
přistřihnout; **—per** [¹klipə]
s **1.** pl. *-s* velké nůžky; strojek
na vlasy **2.** (dálkové) letadlo;
—pie [¹klipi] *s* hov. průvodčí
žena; **—ing** [¹klipiŋ] *s* výstři-
žek (z novin); odstřižek
clique [kli:k] *s* klika, kotérie
cloak [klouk] *s* **1.** pláštěnka,
plášť **2.** fig. příkrov, pláštík □
vi & t obv. fig. přikrýt (pláš-
těm); ~ -**room** [¹kloukrum] *s*
šatna, úschovna

clock¹ [klok] *s* hodiny: *by the* ~ podle hodin; *at one o'*~ v jednu (hodinu); *it is 10 o'*~ je 10 hod.; *what o'*~ *is it?* kolik je hodin?; *to put back the* ~ *of history* otočit kolo dějin zpět □ *vi* **1.** píchat (*in, on* příchod; *out, off* odchod) □ *vt* **2.** sl. stopnout; **—wise** [ˈklokwaiz] *adv* ve směru hodinových ručiček; **~ -work** [ˈklokwə:k] *s* hodinový stroj: *like* ~ jako na drátkách, jako stroj

clock² [klok] *vi* dial. = *cluck* kvokat: -*ing hen* kvočna

clod [klod] *s* **1.** hrouda **2.** tupec; **—dish** [ˈklodiš] *a* tupý

clog [klog] *s* **1.** dřevák **2.** kláda, klát na krku, na noze **3.** fig. břemeno □ *vt* **1.** tížit, táhnout (*to earth* k zemi) **2.** obtížit **3.** ~ (*up*) ucpat □ *vi* **4.** zanášet se

cloist|er [ˈkloistə] *s* **1.** klášter **2.** obv. pl. křížová chodba, ambit; **—ral** [ˈkloistrəl] *a* klášterní

close¹ [klous] *s* **1.** ohrada, ohražené místo **2.** školní hřiště

close² *a* [klous] **1.** těsný, úzký; přiléhavý **2.** blízký, důvěrný **3.** hustý **4.** dusný, těžký vzduch **5.** nerozhodný (*game* hra) **6.** přesný, věrný (*copy* opis); bedlivý (*attention* pozornost); přísný (*analysis* rozbor) **7.** fon. zavřený **8.** uzavřený, mlčelivý **9.** tajný, skrytý ♦ ~ *majority* těsná většina; *in* ~ *order* v sevřených řadách; *a* ~ *prisoner* přísně střežený; *at* ~ *quarters* zblízka; ~ *season, time* brit.

doba hájení, chránění; *a* ~ *shave* a) vyholení b) těsný únik □ *adv* [klous] **1.** ~ *by,* ~ *to* blízko (u), těsně u, nedaleko (od), hned u **2.** ~ (*up*)*on* (*a hundred*) málem, skoro (sto) **3.** hustě **4.** dusno **5.** přesně **6.** pevně ♦ *to cut hair* ~ ostříhat vlasy do hola; *to fit* ~ přesně padnout; *to keep* ~ uchovat v tajnosti; *to lie* ~ skrývat; *to press s.o.* ~ tvrdě nacházet s kým; *to run s.o.* ~ sport. těsně doběhnout za kým; *to shave* ~ vyholit; ~ *shut* pevně, hermeticky uzavřený □ *vt & i* [klouz] **1.** u-, zavřít (se) **2.** skončit (se), uzavřít **3.** spojovat se **4.** srazit se (*with* s nepřítelem **5.** dohodnout se, uzavřít obchod (*with* s); ~ **about** obklopit; ~ **in 1.** zavřít v, do **2.** nast(áv)at **3.** obklíčit (*upon* koho); ~ **up 1.** uzavřít (se); zacelit se **2.** skončit **3.** srazit se v řadě; ~ **with** přijmout (*an offer* nabídku) ♦ ~ *left, right* srazit se vlevo, vpravo; ~ *the ranks* srazit řady; fig. semknout se; □ *s* [klouz] **1.** konec, zakončení, závěr: *to bring to a* ~ dovést ke konci **2.** spojení **3.** zápas; **~ -fisted** [ˈklousˈfistid] *a* skrblický; **~ -fitting** [ˈklousˈfitiŋ] *a* přiléhavý o šatech; **~ -grained** [ˈklousˈgreind] *a* hustý o dřevu; **—ly** [ˈklousli] *adv* **1.** těsně **2.** přísně **3.** pozorně, důk¹adně, věrně; ~ **-up** [ˈklousap] *s* film. detail, -ní záběr

closet [ˈklozit] *s* **1.** přístěnek;

oblékárna **2.** = *water-* ~ záchod, klozet **3.** arch. kabinet, studovna; salónek **4.** skleník skříň **5.** zast. spíž

closure [ˈkloužə] *s* **1.** konec; skončení debaty **2.** u-, závěr

clot [klot] s **1.** chuchvalec **2.** sl. moula □ *vi & t* (-tt-) **1.** srazit se o krvi **2.** zcuchat vlasy

cloth [kloθ] *s* pl. -*s* [kloθs] **1.** látka, sukno **2.** plátno ♦ *to lay the* ~ prostřít na stůl

clothe* [klouð] *vt* obléknout, o-, šatit; kniž. odí(va)t; i fig.

clothes [kloužz] *s* pl. **1.** šaty **2.** *(bed-)* ~ ložní prádlo: ~ *-line* [ˈkloužzlain] *s* šňůra na prádlo; |~ *-pin*, |~ *-peg s* kolíček; ~ *-wringer* [ˈkloužzriŋə] *s* ždímačka

clothing [ˈklouðiŋ] *s* šatstvo ♦ ~ *industry* oděvní průmysl; *men's* ~ pánská konfekce; *ready-made* ~ konfekční oděvy; *women's* ~ dámská konfekce

cloud [klaud] *s* **1.** mrak, oblak; mračno čeho **2.** chmura **3.** zákal tekutiny **4.** opocení □ *vt* **1.** zachmuřit, zatemnit **2.** zastínit, zastřít □ *vi* **3.** ~ *(over)* zatáhnout se mraky; ~ *-burst* [ˈklaudbə:st] *s* průtrž mračen; —*ed* [ˈklaudid] *a* **1.** zatažený, zamračený **2.** zatemněný **3.** zakalený **4.** opocený; —*less* [ˈklaudlis] *a* bezoblačný, bezmračný; —*y* [ˈklaudi] *a* **1.** mračný, oblačný **2.** zakalený **3.** temný, chmurný; mlhovitý

clout [klaut] arch. & dial. *s* **1.** záplata; kloc **2.** štulec, ťafka

□ *vt* **1.** záplatovat **2.** dát štulec, vlepit ťafku

clove[1] [klouv] *s* **1.** hřebíček koření **2.** stroužek česneku

clove[2] [klouv] *pt* od *to cleave*

cloven [ˈklouvn] *pp* od *to cleave*

clover [ˈklouvə] *s* jetel

clown [klaun] *s* šašek, paňáca, august; kniž. klaun

cloy [kloi] *vt* **1.** přesytit; přecpat **2.** unavovat (*with* čím)

club [klab] *s* **1.** klacek, hůl, palice; arch. obušek, kyj **2.** pl. kříže karty **3.** klub; kroužek ♦ *golf* ~ golfová hůl; *Indian* ~ kužel □ *vt & i* (-bb-) **1.** u-, bít, tlouci **2.** spojit se;utvořit klub; dát (se) (*together* dohromady) **3.** složit se (*for* nač); —*bed* [klabd] *a* kyjovitý tvarem; ~ *-law* [ˈklab|lo:] *s* pěstní právo; ~ *-room* [ˈklabrum] *s* klubovna; ~ *-shaped* [ˈklabšeipt] *a* kyjovitý

cluck [klak] *vi* kvokat □ *s* kvokání

clue [klu:] *s* **1.** klubko **2.** fig. nit, klíč; stopa

clump [klamp] *s* **1.** skupina stromů **2.** chomáč **3.** ~ (*-sole*) dvojitá podrážka □ *vi* **1.** škrundat □ *vt* **2.** sázet pohromadě; fig. hromadit

clumsy [ˈklamzi] *a* nemotorný, neohrabaný

clung [klaŋ] *pt & pp* od *to clink*

cluster [ˈklastə] *s* **1.** hroz|en, -níček **2.** chomáč; skupina **3.** roj včel □ *vi & t* **1.** růst v hroznech, v chomáčích **2.** kupit se, seskupit se (*round* kolem)

clutch [klač] *vt & i* **1.** sevřít (v pěst); uchopit **2.** chytit (*at* zač), chňapat (po čem), chytat se (*at a straw* stébla) □ *s* 1. pazour; i fig. spár 2. uchopení, sevření: *to make a* ~ *at s.t.* chňapnout po čem 3. aut. spojka 4. násada; hnízdo vajec

clutter [ˈklatə] *s* shon, zmatek, nepořádek; kniž. změť □ *vi* 1. shluknout se □ *vt* 2. nakupit co, přeplnit čím; *-ed up with* poházený; zavalený čím

cm. = *centimetre* cm

Co. = 1. [kou] *Company* spol. 2. *county* hrabství

c/o = *care of* bytem, zaměstnán u; na adresu koho

coach [kouč] *s* 1. arch. kočár; dostavník, pošta 2. žel. osobní vůz, vagón 3. autokar 4. univ. preceptor 5. sport. trenér ♦ ~ *-and-four* kočár se čtyřspřežím □ *vt & i* 1. arch. jet, cestovat, dopravovat dostavníkem 2. hov. připravovat ke zkoušce; trénovat koho; ~ *-box* [ˈkoučboks] *s* kozlík; **—man** [ˈkoučmən] *s* pl. *-men* [-mən] kočí

coagul|ate [kouˈægjuleit] *vt & i* chem. srážet (se), vločkovat (se), koagulovat (se); **—ant** [kouˌægjulənt] *s* chem. srážedlo, koagulátor; · **—ation** [kouˌægjuˈleišən] *s* chem. srážení, vločkování, koagulace

coal [koul] *s* uhel, kus uhlí; kol. uhlí ♦ *bituminous* ~ černé uhlí; *to carry* -*s to Newcastle* nosit dříví do lesa; *live* -*s* řeřavé uhlí □ *vi* 1. brát uhlí □ *vt* 2. zásobit uhlím 3. pálit uhlí; ~ *-bed* = ~

·*seam;* ~ *-black* [ˈkoulˈblæk] *a* černý jako uhel; ~ *-carrier* [ˈkoulˌkæriə] *s* uhelná loď; ~ *-factor* [ˈkoulˌfæktə] *s* brit. uhlíř; ~ *-field(s)* [ˈkoulfiːld(z)] *s* uhelná|á pánev, -ý revír; ~ *-gas* [ˈkoulˈgæs] *s* svítiplyn; **—ing** [ˈkouliŋ] *s* zásobování uhlím; ~ *-mining* [ˈkoulmainiŋ] *s* těžba uhlí; ~ *-mine* [ˈkoulmain], |~ *-pit s* uhelný důl, jáma; ~ *-scuttle* [ˈkoulˌskatl] *s* uhlák; ~ *-seam* [ˈkoulsiːm] *s* uhelné ložisko; ~ *-tar* [ˈkoulˈtaː] *s* kamenouhelný dehet

coal|esce [ˌkouəˈles] *vi* 1. srůst; i fig. 2. spojit se, splynout sloučit se 3. pol. u-, tvořit koalici; **—escence** [ˌkouəˈlesns] *s* 1. srůstání 2. splynutí, sloučení; **—ition** [ˌkouəˈlišən] *s* 1. splynutí, sloučení 2. pol. koalice 3. *atr* koaliční (*government* vláda)

coars|e [koːs] *a* 1. hrubý; drsný 2. sprostý 3. obyčejný (*furniture* nábytek); chatrný (*food* strava); **—en** [ˈkoːsn] *vi* 1. z-, hrubnout □ *vt* 2. činit hrubým; ~ *-grained* [ˈkoːsˈgreind] *a* hrubozrnný; **—eness** [ˈkoːsnis] *s* hrubost; drsnost

coast [koust] *s* 1. břeh mořský, pláž; pobřeží 2. am. sáňkování, sešup na sáňkách n. na kole s volnoběžkou □ *vi* 1. plout kolem pobřeží 2. am. sešupnout, sjíždět sešupem na sáňkách n. na kole; **—al** [ˈkoustəl] *a* pobřežní; **—er** [ˈkoustə] *s* pobřežní loď; **—guard** [ˈkoustgaːd] *s* pobřežní policie; **—ing**

['koustiŋ] s pobřežní plavba: ~ *trade* pobřežní obchod, kabotáž; —**line** ['koustlain] s pobřežní čára; —**wise** ['koustwaiz] *adv* kolem pobřeží □ *a* pobřežní

coat [kout] s 1. (dlouhý) kabát, svrchník; dámský kabátek: ~ *and skirt* kostým 2. arch., dial. sukně 3. fig. pokrývka, plášť 4. zvířecí kožich; opeření 5. fyziol. blána; výstelka 6. nátěr, povlak; omítka ♦ ~ *of arms* erb, (výsostný) znak; ~ *of mail* osníř, drátěná košile □ *vt* 1. obléci (si) kabát 2. natřít, pokrýt; povléci; —**ee** ['kouti:] s voj. blůza, kabát; —**ing** ['koutiŋ] s 1. nátěr 2. povlak 3. kabátová látka; ~**-tail**['koutteil] s šos

coax [kouks] *vt* u-, pře|mluvit (aby); uchlácholit

cob [kob] s 1. těžký hřebec nízký 2. labutí kačer 3. kus uhlí 4. ~ *(-loaf)*, pl. *(-loaves)* [-louvz] bochníček (chleba) 5. ~ *(-nut)* velký kulatý lískový ořech 6. am. kukuřičný klas

cobalt [kə'bo:lt] s chem. kobalt: ~ *blue* kobaltová modř

cobble[1] ['kobl] s 1. ~ *(-stone)* valoun, kočičí hlava 2. pl. kusy uhlí velká kostka □ *vt* dláždit kočičími hlavami

cobbl|e[2] ['kobl] *vt* 1. příštipkovat obuv 2. fig. slepit, sesmolit co; —**er** ['koblə] s 1. příštipkář, švec 2. packal 3. ledový cocktail z vína, cukru a citrónu

cobra ['koubrə] s brejlovec, kobra

cobweb ['kobweb] s 1. pavučina; síť; i fig. 2. *atr* pavučinový

coca ['koukə] s koka; ~**-cola** ['koukə'koulə] s koka-kola druh sodovky; —**ine** [kə'kein] s kokain

coc|cus ['kokəs] s pl. *-ci* ['kokkai, 'koksai] 1. kokus 2. zool. červec 3. = *cochineal* 1.

cochineal ['kočini:l] s 1. košenila 2. šarlat

cock[1] [kok] s 1. kohout; sameček 2. kuropění 3. tech. kohoutek ♦ ~ *-and-bull story* pohádka o kohoutkovi a slepičce smyšlenka; ~ *of the school* kápo školy, třídy; ~ *of the walk, dunghill* hlavní osoba, kohout na smetišti; *that* ~ *won't fight* hov. to (nám) nebude hrát, to nepůjde □ *vt* 1. vztyčit 2. stočit stranou □ *vi* 3. natáhnoutkohoutek ♦ *to* ~ *the ears* za-, stříhat ušima; *to* ~ *the eye* (šibalsky) mrknout na koho; *-ed hat* hist. třírohý klobouk; *to* ~ *the hat* nasadit si klobouk na stranu, pošoupnout si klobouk na ucho; *to* ~ *the nose* ohrnovat nos; ~**-a-doodle-doo** ['kokədu:dl'du:] *int* kykyryký □ s dět. kohout, -ek; ~ **-a-hoop** ['kokə'hu:p] *a & adv* v (povznesené) náladě; ~**-crow(ing)** ['kokkrou(iŋ)] s kuropění; ~**-eyed** ['kokaid] *a* hov. šilhavý; ~**-fighting** ['kokfaitiŋ] s kohoutí zápas, -y; ~**-horse** ['kok'ho:s] s koníček hra: *to ride a* ~ jezdit na koníčku; ~**-sure** ['kok'šuə] *a* 1. skálopevný 2. sebejistý ♦ *to be* ~ *of*

být si jist čím; **~ -tailed**
[ˈkokteild] *a* **1.** s useknutým
ocasem, polokrevný kůň **2.**
se vztyčeným ocáskem pes **3.**
povýšenec

cock² [kok] *s* kupka sena □ *vt*
kopit seno

cockade [koˈkeid] *s* kokarda

cockatoo [ˌkokəˈtu:] *s* (pa-
poušek) kakadu

cockboat [ˈkokˌbout] *s* pomocný
člun

cockchafer [ˈkokˌčeifə] *s* chroust

cockerel [ˈkokərəl] *s* kohoutek

cockle [ˈkokl] *s* **1.** koukol **2.**
srdcovka mlž

cockney [ˈkokni] *s* pl. **-s** [-z]
Londýňan; obv. pejor. cock-
ney; ♦ *a* **~** *dialect* lidová
angličtina londýnská, cock-
ney; **~ -bred** [ˈkoknibred] *a*
vyrostlý v Londýně

cockpit [ˈkokpit] *s* **1.** kohoutí
aréna **2.** fig. bojiště **3.** nám.
kokpit **4.** let. pilotova ka-
bina

cockroach [ˈkokrouč] *s* šváb

cocktail [ˈkokteil] *s* **1.** koktail **2.**
am. mražená ovocná směs

cocky [ˈkoki], **cocksy** [ˈkoksi] *a*
hov. nafoukaný, nadutý

coco, chybně **cocoa¹** [ˈkoukou] *s*
pl. **-s** [-z] též ǀ**~** **-tree,** ǀ**~** **-nut**
ǀtree kokosová palma; **~ -nut**
[ˈkoukənat] *s* kokosový ořech

cocoa² [ˈkoukou] *s* kakao: **~**
bean kakaový bob

cocoon [kəˈku:n] *s* zámotek,
kokon

C.O.D. = *cash on delivery* na
dobírku

cod [kod] *s* obv. pl. = sg. treska:
ǀ**~** **-liver** ǀoil med. rybí tuk

coddle [ˈkodl] *vt* obv. **~** *(up)*

rozmazlovat, rozhýčkávat □
s hov. rozmazlenec

code [koud] *s* **1.** práv. zákoník,
kodex **2.** (telegrafní) kód □
vt kódovat

codeine [ˈkoudi:n] *s* chem. ko-
dein

cod|ex [ˈkoudeks] *s* pl. **-ices**
[ˈkoudisi:z] **1.** kodex **2.** lékopis

codicil [ˈkodisil] *s* práv. kodicil,
dovětek

cod|ification [ˌkodifiˈkeišən] *s*
kodifikace; **—ify** [ˈkodifai]
vt kodifikovat

co-ed [ˈkouˈed] *s* am. hov. stu-
dentka koedukované školy

co-education [ˈkouˌedju:ˈkeišən]
s koedukace; **—al** [ˈkouˌedju-
ˈkeišənl] *s* koedukační

coefficient [ˌkouiˈfišənt] *s* sou-
činitel, koeficient

coerc|e [kouˈə:s] *vt* do-, při|nutit
(*into* k čemu); **—ible** [kouˈə:-
sibl] *a* stlačitelný plyn; **—ion**
[kouˈə:šən] *s* donucování, na-
silí; **—ive** [kouˈə:siv] *a* donu-
covací (*methods* metody)

coeval [kouˈi:vəl] *a* **1.** současný
(*with* s) **2.** stejného věku □ *s*
1. souvěkovec **2.** současník

co-exist [ˈkouigˈzist] *vi* současně
existovat (*with* s); **—ence**
[ˈkouigˈzistəns] *s* koexistence:
peaceful **~** mírové soužití

coffee [ˈkofi] *s* káva (*black,
white* černá, bílá); **~ -bean**
[ˈkofiˈbi:n] *s* kávové zrno;
pl. zelená káva; **~ -cup** [ˈko-
fikap] *s* kávový šálek; **~
-grounds** [ˈkofigraundz] *s* ká-
vová sedlina, hov. lógr; ǀ**~
-house,** **~ -palace** [ˈkofiˈpæ-
lis] *s* kavárna; ǀ**~ -mill** *s*
kávový mlýnek; ǀ**~ -pot** *s*

kávová konvice; |~ -room s
jídelna v hotelu; |~ -set s
kávová souprava; |~ -stall
s kávový stánek na ulici
coffer ['kofə] s 1. truhl|a, -ice 2.
obv. pl. pokladn|a, -y 3. deska
v táfování ~ -dam ['kofə-
dæm] s keson
coffin ['kofin] s rakev
cog [kog] s 1. zub kola 2. čep □
vt (-gg-) 1. podložit kolo vozu
2. řezat zuby do kola 3. za-
čepovat; —ged [kogd] a ozu-
bený; ~ -wheel ['kogwi:l] s
ozubené kolo
cog|ency ['koudžənsi] s 1. zá-
vaznost 2. přesvědčivost, pád-
nost, působivost; —ent ['kou-
džent] a 1. závazný 2. pře-
svědčivý, pádný, působivý
cogit|able ['kodžitəbl] a mysli-
telný; —ate ['kodžiteit] vi
1. uvažovat, přemýšlet □
vt 2. zamýšlet co 3. fil. myslit
co; —ation [ˌkodžiˈteišən] s
1. uvažování, přemýšlení 2.
pl. myšlenky, úvahy 3. (schop-
nost) myšlení; —ative ['kod-
žitətiv] a 1. myslící, myslivý
2. přemýšlivý 3. zamyšlený
cognac ['kounjæk] s koňak
cognate ['kogneit] a příbuzný;
téhož původu
cognit|ion [kogˈnišən] s poznán-
(vá)ní; —ive ['kognitiv] a
poznávací (faculty schopnost)
cogniz|able ['kognizəbl] a 1.
poznatelný 2. rozeznatelný
3. práv. podléhající (soudní)
pravomoci; —ance ['kogni-
zəns] s 1. poznání, vědomí,
povědomost, povšimnutí 2.
práv. (soudní) pravomoc, pří-
slušnost, kompetence 3. zna-

mení erbovní ♦ to have ~ of
znát co, mít vědomost o čem;
to take ~ of povšimnout si,
úředně vzít na vědomí; —ant
['kognizənt] a 1. znalý (of
čeho), obeznámený (s čím) 2.
poznávající 3. práv. příslušný;
—e [kogˈnaiz] vt fil. poznávat
cognomen [kogˈnoumen] s 1.
přízvisko 2. příjmení
coheir ['kouˈeə] s spoludědic;
—ess ['kouˈeəris] r spolu-
dědička
coher|e [kouˈhiə] vi 1. souviset
2. lnout k sobě 3. hodit se
k sobě, shodovat se; —ence
[kouˈhiərəns] s 1. soudržnost
2. souvislost, spojitost, ko-
herence; —ent [kouˈhiərənt]
a 1. souvislý, spojitý 2. sou-
držný, koherentní; —er [kou-
ˈhiərə] s rad. koherer
cohes|ion [kouˈhi:žən] s sou-
držnost, koheze; —ive [kou-
ˈhi:siv] a přilnavý, soudržný,
kohezní (force síla)
coil [koil] vt & i 1. vinout (se)
2. ~ up svinout (se), stočit (se)
□ s 1. kotouč, kolo drátu 2.
el. cívka 3. prstenec 4. spi-
rálov(it)é vinutí
coin [koin] s mince, peníz □
vt & i 1. razit (money, a new
word peníze, nové slovo) 2. vy-
myslet; —age ['koinidž] s 1.
ražba; právo razit mince 2.
kol. mince 3. měnová sou-
stava (decimal desetinná) 4.
výmysl; nové slovo, výraz;
—er ['koinə] s 1. mincíř, ra-
zič 2. penězokaz 3. tvůrce
nových slov
coincid|e [ˌkouinˈsaid] vi 1.
shodovat se, krýt se 2. (časo-

vě) spadat vjedno; **—ence** [kou'insidəns] *s* (časová, náhodná) shoda; **—ent** [kou'insidənt] *a* (časově) shodný
coinsurance [ˌkouin'šuərəns] *s* vzájemné pojištění
coir ['koiə] *s* kokosové vlákno, pletivo
coke [kouk] *s* koks □ *vt* koksovat; **~-oven** ['kouk'avn] *s* koksovací pec
Col. = 1. ['kə:nl] *Colonel* plk. 2. *Colorado*
col [kol] *s* zem. sedlo horské
cola ['koulə] *s* bot. kola
colander ['kaləndə] s cedník □ *vt* cedit
colchicum ['kolčikəm, 'kolkikəm] *s* bot. ocún
cold [kould] *a* 1. studený, chladný 2. fig. upjatý, zdrženlivý, chladný, lhostejný ♦ *I am* ~ je mi zima; *in* ~ *blood* chladnokrevně; ~ *colour* studená barva; ~ *comfort* špatná útěcha; *I feel* ~ je mi zima; *to get, grow,* ~ chladnout; *to make one's blood run* ~ postrašit, poděsit koho; ~ *scent* lov. studená stopa; *to give s.o. the* ~ *shoulder* upjatě se chovat ke komu; ~ *store* chladírna; *to throw* ~ *water on s.o.* i fig. polít koho, dát komu studenou sprchu □ *s* 1. chlad, zima 2. rýma, nastuzení ♦ *to catch, take, (a)* ~ nastydnout, dostat rýmu; *to have a* ~ být nastuzen, mít rýmu; **~-blooded** ['kould'bladid] *a* 1. studenokrevný (*animal* živočich) 2. chladnokrevný; **~-hearted** ['kould'ha:tid] *a* bezcitný, chladný,

nesrdečný; **—ness** ['kouldnis] *s* zima; chlad, i fig.
colic ['kolik] *s* kolika
collaborat|e [kə'læbəreit] *vi* 1. spolupracovat 2. pejor. kolaborovat; **—ion** [kəˌlæbə'reišən] *s* 1. spolupráce 2. pejor. kolaborace; **—ionist** [kəˌlæbə'reišənist] *s* pejor. kolaborant; **—or** [kə'læbəreitə] *s* spolupracovník
collaps|e [kə'læps] *s* 1. zřícení 2. fig. zhroucení □ *vi* 1. zřítit se 2. fig. zhroutit se; **—ible** [kə'læpsəbl] *a* 1. sklápěcí, skládací (*boat* člun) 2. stlačitelný
collar ['kolə] *s* 1. límec (*stiff, soft* tvrdý, měkký) 2. obojek psa 3. chomout koně 4. brit. řetěz řádu 5. tech. objímka □ *vt* 1. chytit za límec 2. přivázat; dát ohlávku 3. svinout maso ♦ ~ *stud* knoflíček do límce; **~-bone** ['koləboun] *s* klíční kost; **~-work** ['koləwə:k] *s* 1. cesta do kopce 2. fig. dřina
collate [ko'leit] *vt* 1. (kriticky) po-, s|rovnat (*with* s); kolacionovat 2. snášet archy; kontrolovat 3. ověřit opis 4. udělovat obročí
collateral [ko'lætərəl] *a* 1. vedlejší, průvodní, odb. kolaterální 2. souběžný, současný 3. (pocházející) z poboční větve □ *s* 1. příbuzný z poboční větve 2. záruka
collation [ko'leišən] *s* 1. (kritické) po-, s|rovnání; kolacionování 2. ověřený opis 3. udělení obročí 4. snášení archů; kontrola

colleague [ˈkoli:g] *s* kolega
collect [kəˈlekt] *vt & i* 1. se-,
sbírat, sebrat 2. vyb(í)rat
dopisy, vyzvednout zavazadla
3. vyb(í)rat peníze, inkasovat
4. shromáždit (se), hromadit
(se) 5. ~ *o.s.* vzpamatovat se,
soustředit se; —ed [kəˈlektid]
a 1.sebraný 2. fig. soustředěný
—ion [kəˈlekšən] *s* 1. sbírání,
sběr 2. vybírání, vyzvednutí;
inkaso 3. sbírka 4. soustře-
dění myšlenek
collectiv|e [kəˈlektiv] *a* 1. sou-
borný, souhrnný, hromadný
2. kolektivní ♦ ~ *agreement*
kolektivní smlouva; ~ *argu-
ment* kolektivní dohoda; ~
farm kolchoz, zemědělské
družstvo; ~ *liability* společné
ručení; ~ *measures* kolektivní
opatření; ~ *note* dipl. společná
nóta; ~ *noun* hromadné pod-
statné jméno; ~ *ownership*
společenské vlastnictví; ~
policy hromadná pojistka;
~ *security* kolektivní bezpeč-
nost; ~ *tour* (hromadný)
zájezd □ *s* kolektiv; —ism
[kəˈlektivizəm] *s* kolektivis-
mus; —ity [ˌkolekˈtiviti] *s*
1. kolektivnost 2. kolektivní
vlastnění 3. kolektivita, spo-
lečnost; —ize [kəˈlektivaiz]
vt kolektivizovat; —ization
[kəˌlektivaiˈzeišən] *s* kolekti-
vizace
collector [kəˈlektə] *s* 1. sběratel
2. výběrčí; inkasista 3. el.
kolektor; odb. sběrač, sběrací
zařízení
colleg|e [ˈkolidž] *s* 1. univ. kolej;
fakulta; am. vysoká škola,
universita 2. vyšší odborná

škola akademie 3. střední škola
kolej (*Eton C*~ Etonská ko-
lej) 4. hist. kolegium ♦ ~ *dues*
kolejné; ~ *lecturer* univ. do-
cent; ~ *tutor* univ. asistent;
—er [ˈkolidžə] *s* chovanec
(koleje, zvl. Etonské); —ian
[kəˈli:džən] *s* člen, chovanec
(koleje), student; —iate [kə-
ˈli:džiit] *a* 1. kolejní, univer-
sitní 2. kolegiátní
collide [kəˈlaid] *vi* 1. srazit se
2. střetnout se; kolidovat
collie [ˈkoli] *s* skotský ovčák,
collie pes
collier [ˈkoliə] *s* 1. horník, havíř,
uhlokop 2. uhelná loď 3.
plavec na uhelné lodi 4. arch.
uhlíř; —y [ˈkoljəri] *s* jáma,
šachta, (uhelný) důl
collinear [koˈlinjə] *s* geom. ležící
na téže přímce
collision [kəˈližən] *s* 1. srážka
2. střetnutí, kolize
collocat|e [ˈkoləkeit] *vt* 1. uložit,
umístit 2. uspořádat; —ion
[ˌkoləˈkeišən] *s* 1. rozložení,
uspořádání, umístění 2. gram.
slovní spojení; fráze
collodion [kəˈloudjən] *s* koló-
dium
colloid [ˈkoloid] *a* koloidní □
s koloid; —al [kəˈloidəl] *a*
koloidní
collop [ˈkoləp] *a* řízek (masa)
colloquial [kəˈloukwiəl] *a* hovo-
rový; —ism [kəˈloukwiəlizəm]
s hovorový výraz, kolokvia-
lismus; —ity [kəˌloukwiˈæliti]
s 1. hovorovost 2. hovorový
výraz
colloquy [ˈkoləkwi] *s* roz-, hovor
collotype [ˈkoloutaip] *s* světlo-
tisk

collusion [kəˈluːžən] s 1. (tajná)
úmluva, dohoda 2. práv.
koluze
Cologne [kəˈloun] s 1. Kolín
nad Rýnem 2. c~ (water)
kolínská voda
Columbia [kəˈlambiə] a (z) Ko-
lumbie
Colombo [kəˈlambou] s (m)
Kolombo
colon [ˈkoulən] s 1. dvojtečka (:)
2. tračník, tlusté střevo
colonel [ˈkəːnl] s plukovník
colon|ial [kəˈlounjəl] a kolo-
niální, osadní □ s = -ist;
—ialism [kəˈlounjəlizəm] s
kolonialismus; —ist [ˈkolə-
nist] s osadník; kolonista;
obyvatel kolonie; —ization
[ˌkolənaiˈzeišən] s kolonizace;
—ize [ˈkolənaiz] vt & i 1.
kolonizovat, osídlit 2. usadit
se; —izer [ˈkolənaizə] s kolo-
nizátor; —y [ˈkoləni] s
kolonie, osada
colonnade [ˌkoləˈneid] s sloupo-
řadí, kolonáda
colophon [ˈkoləfən] s tiráž
colophony [kəˈlofəni] s kala-
funa
Colorado [ˌkoləˈraːdou] s Kolo-
rado: ~ (pctato) beetle mande-
linka bramborová
coloration [ˌkaləˈreišən] s vy-,
z|barvení
coloratura [ˌkolərəˈtuərə] s 1.
koloratura 2. atr koloraturní
colorimeter [ˌkaləˈrimitə] s kolo-
rimetr
coloss|al [kəˈlosl] a 1. kolosální,
obrovský 2. hov. nádherný,
báječný; —us [kəˈlosəs] s pl.
-i [kəˈlosai] n. -uses [kəˈlo-
səsiz] kolos

colour [ˈkalə] s 1. barva (oil,
water olejová, vodová) 2.
zdání (of truth pravdy) 3. zá-
minka; zabarvení 4. kolorit,
barvitost 5. pl. barvy, i sport.
6. pl. prapor, vlajka ♦ to
paint s.t. in bright, dark, -s
líčit co růžově, černě; gentle-
man, lady, of ~ iron. barevn|ý,
-á; to get one's -s stát se
členem sport. družstva ve
škole; to give ~ to učinit
pravděpodobným; to give a
false ~ to falešně líčit; to
join the -s vstoupit do armá-
dy; local ~ místní kolorit;
to lose ~ zblednout; off ~
hov. nebýt ve své kůži; the ~
problem rasová otázka; to
stick to one's -s být věren
svému přesvědčení, straně;
under ~ of pod záminkou
čeho □ vt 1. vy-, na-, barvit,
položit barvou, kolorovat 2.
fig. zabarvit 3. fig. zastírat □
vi 4. změnit barvu, žloutnout,
červenat o listí 5. ~ up začer-
venat se; —able [ˈkalərəbl]
a 1. přikrášlený 2. pravděpo-
dobný 3. zdánlivý; —bearer
[ˈkaləbeərə] s praporečník;
~-blind [ˈkaləblaind] a bar-
voslepý; ~-box [ˈkaləˌboks]
s barv|y, -ičky kazeta; —ed
[ˈkaləd] a 1. barevný, z-,
barvený 2. barvitý 3. před-
stíraný ♦ ~ man am. barevný,
černoch; —ist [ˈkalərist] s
kolorista; —less [ˈkaləlis] a
bezbarvý; i fig.; ~-man [ˈka-
ləmən] s pl. -men [-mən]
obchodník barvami; —y [ˈka-
ləri] a obch. vybarvený chmel,
káva

colporteur [ˈkolˌpoːtə] *s* kol-
portér
colt¹ [koult] *s* 1. hříbě 2. žert.
zelenáč; —**sfoot** [ˈkoultsfut]
s podběl
Colt² [koult] *s* kolt, revolver
columbari|um [ˌkoləmˈbeəriəm]
s pl. -*a* [-ə] kolumbárium
Columbia [kəˈlambiə] *s* (m)
Kolumbie: *District of* ~, zkr.
D.C., distrikt Kolumbie hlavní
město USA Washington s okolím
columbine [ˈkoləmbain] *s* 1. bot.
orlíček 2. *C*~ kolombína
column [ˈkoləm] *s* 1. sloup
2. sloupec; rubrika; kolona,
i chem. 3. (voj.) oddíl, kolona
♦ *fifth* ~ pátá kolona; —**ar**
[kəˈlamnə] *a* 1. sloupovitý
2. sloupcový, tabelární; —**ed**
[ˈkoləmd] *a* 1. sloupový 2.
sloupcový; —**ist** [ˈkoləmnist]
s am. sloupkař žurnalista
colza [ˈkolzə] *s* řepka: ~ *oil*
řepkový olej
coma [ˈkoumə] *s* 1. med. kóma
hluboké bezvědomí 2. ohon
kcmsty; —**tose** [ˈkoumətous]
a med. komatózní, bezvědomý
comb [koum] *s* 1. i fig. hřeb|en,
-ínek 2. hřebelec 3. vochlice
4. plást □ *vt & i* 1. česat
2. hřebelcovat 3. vochlovat;
~ **out** prohled(áv)at; probrat
combat [ˈkombət] *s* 1. boj
2. *(single)* ~ souboj □ *vt & i*
bojovat (proti čemu); —**ant**
[ˈkombətənt] *a* bojující □
s bojovník; bojující strana;
—**ive** [ˈkombətiv] *a* bojovný
combin|able [kəmˈbainəbl] *a*
kombinovatelný; —**ation**
[ˌkombiˈneišən] *s* 1. kombi-
nování 2. kombinace, i mat.

3. sport. souhra, spolčování
4. sdružení, pejor. spolčení
5. chem. slučování, sloučení;
sloučenina 6. pl. -*s* brit. kom-
biné 7. *(motor-cycle)* ~ moto-
cykl s přívěsným vozíkem;
—**ative** [ˈkombinətiv] *a* kom-
binační
combine *vt & i* [kəmˈbain]
spojit (se), slučovat (se);
kombinovat □ *s* [ˈkombain]
1. obch. koncern; kombinát
2. ~ *(-harvester)* kombajn
combust|ible [kəmˈbastəbl] *a*
1. hořlavý; spalitelný 2. fig.
vznětlivý □ *s* hořlavina;
—**ion** [kəmˈbasčən] *s* 1. ho-
ření, vznícení: *spontaneous* ~
samovznícení 2. spalování 3.
arch. zmatek
come* [kam] *vi* 1. přijít, při-
cházet, dostavit se; přijet,
přijíždět 2. dojít, dospět *(to
a compromise* ke kompromisu)
3. stát se, přihodit se *(to
komu)* 4. pocházet, vzejít
(from, of z) 5. vzklíčit, vzejít
o semenu; vyrazit se na těle
6. u-, dělat se o rosolu, másle
7. hov. dělat, představovat
koho, co 8. *inf: which is to* ~
který má přijít; *in years
to* ~ v příštích letech; *things
to* ~ věci budoucí 9. *imp & int*
tak, no tak, kniž. nuže; ale
jděte; ale, ale 10. *konjunktiv
pres:* ~ *what may* ať se stane
cokoliv 11. arch. & dial.
a week ~ *Monday* v pondělí
(tomu bude) týden; *he will
be ten* ~ *May* v květnu mu
bude deset; ~ **about** stát se,
dojít k čemu; ~ **across** (náhodou) setkat se s, narazit na,

~ **along** 1. jít po (*the street* ulici) 2. jít (*with* s kým) 3. ~ *along!* (tak) pojď! spěchej! honem! 4. dohodnout se 5. hov. prospívat, dařit se; ~ **at** 1. přijít nač, k čemu, dostat se (na, k) 2. vrhnout se na; ~ **away** 1. odejít 2. zůstat (*in one's hand* komu v ruce); ~ **back** 1. vrátit se 2. přijít na mysl, vytanout; ~ **by** 1. jít, jet kolem 2. přijet čím 3. přijít k čemu, dostat, získat, sehnat co; ~ **down** 1. jít dolů, sejít, slézt; táhnout se (dolů) (*to* k) 2. zřítit se; padnout 3. upadat, klesnout 4. dochovat se 5. redukovat se (*to* na) 6. hov. (*handsomely*) ukázat se 7. obořit se (*on* na) 8. hov. klopit (*with the money* peníze); ~ **forth** vyjít (ven); ~ **forward** vystoupit; objevit se; ~ **in** 1. vejít, vstoupit: ~ *in!* dále! 2. stoupat o přílivu 3. přijet 4. sport. doběhnout (*third* jako třetí) 5. začínat 6. přicházet do módy 7. projít, být zvolen; dostat se k moci 8. (*useful, handy)* hodit se, být dobrý (*to* s.o. komu, *for* k čemu) 9. (*for*) dostat; zdědit; ~ **into** 1. vstoupit do(vnitř), vejít 2. účastnit se čeho, připojit se k čemu 3. (*fortune*) zdědit ♦ ~ *into blossom, flower* rozvít se, rozkvést: ~ *into effect, force* vejít v platnost; ~ *into existence* vzniknout; ~ *into fashion* přijít do módy; ~ *into use* vejít v užívání; ~ **off** 1. jít pryč, odejít;

pejor. táhnout 2. s-, vy-, u|padnout, utrhnout se 3. pustit barvu 4. vzdát se čeho 5. konat 6. dopadnout, skončit (se); ~ **on** 1. jít dále, vpřed; postupovat, i voj. 2. ~ *on!* honem! 3. vystoupit o herci 4. hov. dělat pokroky; růst 5. nast(áv)at, blížit se 6. přijít na pořad; ~ **out** 1. vyjít, vycházet; vypadávat 2. vstoupit (*on strike* do stávky) 3. div. vystoupit 4. vyrážet o listí, nemoci 5. vyjít najevo 6. fig. vyjít ven (*with* s čím); prozradit co; ~ **over** 1. přejít, přeplavit se přes, přijít (*from* z) 2. přejít ke komu 3. přihodit se 4. hov. cítit se (*faint, ill* sláb, nemocen) 5. hov. obloudit koho; ~ **round** 1. obejít co 2. stavit se, zajít ke komu 3. vracet se, (opět) nastat 4. z-, měnit (se) 5. hov. sebrat se; vzpamatovat se 6. hov. napálit koho; ~ **to** 1. přijít na cenu 2. přijít k sobě; k rozumu 3. ujmout se vlády; zdědit 4. ~ + *inf* stát se ♦ ~ *to an agreement* dohodnout se; ~ *to an end* skončit; ~ *to light* vyjít na světlo; ~ *to pieces* rozbít se; ~ *to a standstill* zastavit se; ~ *to terms* dohodnout se; ~ **under** 1. podlehnout čemu 2. spadat pod, patřit do; ~ **up** 1. při-, jít nahoru 2. přijít, vstoupit (na universitu n. *to* kam) 3. vyšvihnout se 4. vynořit se, objevit se 5. přistoupit (*to* ke komu) 6. vzejít, vyrazit 7. (*to*) vyrovnat se, odpovídat čemu 8. (*with*) do-

honit koho ♦ *to* ~ *of age*
stát se zletilým; *to* ~ *amiss*
přijít nevhod; *first* ~, *first
served* přísl. kdo dřív přijde,
ten dřív mele; ~ *life,* ~ *death*
na život a na smrt; *to* ~ *near*
přiblížit se; *to* ~ *to pass*
přihodit se; *to* ~ *past* jít
kolem; *to* ~ *right* dobře do-
padnout; *to* ~ *running* při-
běhnout; *to* ~ *to see, to* ~
and see přijít se podívat na,
navštívit koho; *to* ~ *it strong*
hov. udělat; *to* ~ *it too strong*
hov. přehánět; *to* ~ *true*
splnit se; ukázat se, že to je
pravda; *to* ~ *untied* rozvázat
se; ~ -**at-able** [kam⎸ætəbl] *a*
hov. přístupný, dosažitelný;
~ -**down** [⎸kamdaun] *s* úpa-
dek
comed|ian [kə⎸mi:djən] *s* 1. ko-
mik; komediant 2. autor vese-
loher; —**y** [⎸komidi] *s* veselo-
hra, komedie
comely [⎸kamli] *a* vzhledný,
příjemný, hezký
comer [⎸kamə] *s* návštěvník;
příchozí
comet [⎸komit] *s* kometa, vlasa-
tice
comfort [⎸kamfət] *vt* 1. po-,
u|těšit 2. osvěžit 3. arch. pod-
porovat □ *s* 1. útěcha 2.
pohodlí, komfort 3. am. proší-
vaná pokrývka ♦ *it is a* ~ *to*
je výhoda; to je dobře, že;
—**able** [⎸kamfətəbl] *a* 1. po-
hodlný, příjemný 2. uspoko-
jivý 3. spokojený, mírný
4. útěšný slova ♦ *to make
o.s.* ~ udělat si pohodlí, za-
řídit se jako doma; —**er**
[⎸kamfətə] *s* 1. u-, těšitel

2. brit. vlněná šála 3. brit.
šidítko 4. am. prošívaná po-
krývka; —**less** [⎸kamfətlis] *a*
bezútěšný
comfrey [⎸kamfri] *s* bot. kostival
comfy [⎸kamfi] *a* hov. pohodlný
comic [⎸komic] *a* 1. veseloherní
2. směšný, žertovný, komic-
ký; humoristický; ~ *strip*
humoristický seriál v novi-
nách □ *s* komik; —**al** [⎸komi-
kəl] *a* 1. = *comic* 2. 2. hov.
komický, podivný; —**ality**
[⎸komi⎸kæliti] *s* směšnost, ko-
mičnost
Comintern [⎸komintə:n] *s* ko-
minterna
comity [⎸komiti] *s* 1. zdvořilost
2. dorozumění, shoda (*of
nations* mezi národy)
comma [⎸komə] *s* čárka: *inverted
-s* uvozovky
command [kə⎸ma:nd] *vt & i*
1. roz-, při|kázat, nařídit
2. velet komu 3. fig. ovládat,
opanovat (*o.s.* se) 4. vládnout
čím, mít k dispozici 5. vy-,
po|žadovat; vzbuzovat; za-
sloužit si ♦ *to* ~ *attention*
vynutit si pozornost; ~ -*ing
officer* velící důstojník; *these
articles* ~ *a ready sale* toto
zboží se snadno prodává;
the window -s a fine view
z toho okna je krásný výhled
□ *s* 1. rozkaz 2. velení 3. ovlá-
dání 4. voj. oddíl ♦ *at one's* ~
k dispozici komu; *to be in* ~
of velet čemu; *to have in
one's* ~ mít ve své moci;
supreme ~ vrchní velení; *to
take* ~ *(of)* převzít velení
(nad); *under* ~ *of* pod velením
koho; v moci čí; —**ant** [⎸ko-

mən¦dænt] *s* velitel města
apod.; —**eer** [ˌkomən¦diə] *vt*
1. brát na vojnu 2. zabavit,
rekvírovat; —**er** [kə¦ma:ndə]
s 1. velitel 2. velitel lodi
hodností pod kapitánem 3. hist.
komtur 4. komandér řádu;
—**er-in-chief** [kə¦ma:ndərin-
¦či:f] *s* vrchní velitel (branné
moci); —**ery** [kə¦ma:ndəri] *s*
hist. komturství; —**ment** [kə-
¦ma:ndmənt] *s* přikázání: *the
Ten C~s* desatero; —**o** [kə-
¦ma:ndoᵘ] *s* pl. *-s* [-z] voj.
oddíl; úderný oddíl
commemorat|e [kə¦meməreit] *vt*
vz-, při|pomenout; slavit,
oslavovat (památku): *built
to ~* postaven na památku
čeho; —**ion** [kəˌmemə¦reišən]
s oslava (památky): *in ~ of*
na památku čeho; —**ive** [kə-
¦memərətiv] *a* 1. pamětní
(*coin* mince) 2. *~ of* na pa-
mátku čeho
commence [kə¦mens] *vt & i*
1. kniž. začít; zahájit 2. brit.
promovat; dostat hodnost
doktora n. mistra; —**ment** [kə-
¦mensmənt] *s* 1. kniž. počátek;
zahájení 2. promoce
commend [kə¦mend] *vt* 1. dopo-
ručit 2. po-, s|chválit 3. po-
ručit, poroučet (*o.s. to* se do
čí ochrany); —**able** [kə¦men-
dəbl] *a* chvalitebný; —**ation**
[ˌkomen¦deišən] *s* 1. doporu-
čení 2. chvála; —**atory** [ko-
¦mendətəri] *a* doporučující
(*letter* dopis; písemné dopo-
ručení)
commensur|able [kə¦menšərəbl]
a 1. mat. souměřitelný; děli-
telný beze zbytku 2. úměrný

(*to* čemu); —**ate** [kə¦menšərit]
a 1. úměrný 2. kryjící se
rozsahem
comment [¦koment] *s* 1. po-
známka, vysvětlivka 2. vý-
klad, komentář 3. kritika □
vt 1. opatřit poznámkami,
komentovat (*upon* co) 2. kri-
tizovat (co); —**ary** [¦komən-
təri] *s* výklad, komentář (*on*
k čemu): —**ator** [¦komenteitə]
s vykladatel, komentátor
commerc|e [¦komə:s] *s* obchod:
Chamber of C~ obchodní
komora; —**ial** [kə¦mə:šəl] *a*
obchodní, komerční: ~ *law,
school, traveller, treaty* obchod-
ní právo, škola, cestující,
smlouva □ *s* hov. cesťák;
—**ialize** [kə¦mə:šəlaiz] *vt* ko-
mercializovat
commingle [ko¦mingl] *vt & i*
kniž. s-, mísit (se), směšovat
commiserat|e [kə¦mizəreit] *vt & i*
1. po-, litovat (*with* koho)
2. kondolovat (*with* komu);
—**ion** [kəˌmizə¦reišən] *s* 1.
politování, soucit 2. soustrast,
kondolence
commissar [ˌkomi¦sa:] *s* hist.
komisař ministr v SSSR; —**iat**
[ˌkomi¦seəriət] *s* 1. voj. záso-
bovací sbor 2. hist. komisariát
v SSSR; —**y** [¦komisəri] *s*
1. komisař 2. voj. intendant
commission [kə¦mišən] *s* 1. po-
věření, zplnomocnění, opráv-
nění, poslání 2. příkaz; ko-
mise; věc (k obstárání) 3.
provize, zprostředkovatelská
odměna 4. komise, komitét,
sbor pověřenců 5. jmenování
důstojníkem; důstojnický pa-
tent, dekret 6. s-, páchání

(*of* zločinu); **fig.** zločin ♦
~ *business* obchod na provizi;
to get a, one's, ~ být jmeno-
ván (důstojníkem); *in* ~
a) v pověření b) o lodi vyzbro-
jená, připravená k plavbě
c) hov. připraven do práce;
~ *merchant* komisionář; -ed
officer důstojník; *goods on* ~
zboží v komisi; na provizi □
vt 1. z(plno)mocnit; pověřit
čím 2. · pověřit velením důstoj-
níka na lodi 3. vyzbrojit loď;
~ -agency [kə¦mišn¦eidžənsi]
s komisionářství; ~ -agent
[kə¦mišn¦eidžə.nt] *s* komisio-
nář, jednatel; — aire [kə¦mi-
šə¦neə] *s* 1. posluha 2. vrátný
v divadle aj.; — er [kə¦mišəhə]
s 1. komisař 2. člen komise
♦ *High C~* vysoký komisař;
~ *of police* policejní ředitel
commissure [¦komisjuə] *s* 1.
anat. šev 2. stav. spára
commit [kə¦mit] *vt* (-tt-) 1.
svěřit, odevzdat (*o.s.* se, *to*
komu) 2. spáchat co, dopustit
se čeho 3. za-, vázat (*o.s. to*
se k čemu) 4. kompromitovat
(*o.s.* se) 5. předložit (parla-
mentní) komisi ♦ *to* ~ *to
memory* naučit se nazpaměť;
to ~ *to paper, writing* napsat;
to be -ted to prison být poslán
do vězení; *to* ~ *s.o. for trial*
odevzdat koho soudu; — ment
[kə¦mitmənt] *s* 1. svěření (se),
odevzdání 2. vazba, uvěznění
3. (*order of*) ~ příkaz k uvěz-
nění 4. předložení komisi
5. závazek; — tal [kə¦mitl]
s 1. = -ment 1., 2., 4. 2. spá-
chání 3. kompromitování
committee[1] [kə¦miti] *s* výbor,

komise ♦ *action* ~ akční
výbor; *people's* ~ národní
výbor; *central people's* ~
ústřední národní výbor;
district people's ~ okresní
národní výbor; *local people's*
~ místní národní výbor;
municipal people's ~ městský
národní výbor; *regional
people's* ~ krajský národní
výbor; *standing* ~ stálý vý-
bor; *C~ for Ways and Means*
rozpočtový výbor; *works'* ~
závodní výbor n. rada
committee[2] [¦komi¦ti:] *s* poruč-
ník, opatrovník
commix [ko¦miks] *vt & i* arch.,
bás. smísit, smíchat; — ture
[kə¦miksčə] *s* 1. s-, míšení
2. směs
commode [kə¦moud] *s* komoda,
prádelník
commodious [kə¦moudjəs] *a* po-
hodlný, prostranný
commodity [kə¦moditi] *s* zboží;
obch. komodita
commodore [¦komədo:] *s* nám.
voj. komodor
common [¦komən] *a* 1. obecný,
společný; pospolitý 2. veřejný
3. obyčejný, obvyklý, běžný;
častý 4. prostý 5. pejor.
sprostý ♦ ~ *carrier* veřejný
dopravce; *by* ~ *consent* se
všeobecným souhlasem; ~
denominator mat. společný
jmenovatel; ~ *divisor* mat.
společný dělitel; ~ *fraction*
mat. obecný zlomek; ~ *law*
[¦komənlo:] zvykové právo;
~ *man* prostý člověk;
~ *measure* mat. společná mí-
ra; ~ *property* spolčené vlast-
nictví; ~ *sense* prostý, zdravý

rozum; ~ *soldier* prostý voják; *clothes of* ~ *stuff* šaty z hrubé látky; ~ *weal* arch. veřejné blaho; = -*wealth* □ *s* 1. obecní půda, pastvina; hist. občina; *right of* ~ právo pást na obecním 2. společné: *to have s.t. in* ~ mít co společného; *to have nothing in* ~ *with* nemít nic společného s; —**er** [ˈkomənə] *s* brit. 1. muž z lidu, nešlechtic 2. univ. student (bez stipendia); —**place** [ˈkomənpleis] *s* samozřejmost; všední, samozřejmá, otřepaná pravda □ *a* samozřejmý, otřepaný, všední; —**s** [ˈkomənz] *s* pl. 1. prostý lid 2. měšťanstvo; třetí stav 3. strava ♦ *the House of C*~ brit. dolní sněmovna; *short* ~ chudá strava; —**wealth** [ˈkomənwelθ] *s* republika: *the C*~ anglická republika 1649 až 1660; *the British C*~ *of Nations* Britské společenství národů; *the C*~ *of Australia* Australské soustátí

commotion [kəˈmouʃən] *s* 1. zmítání, bouře 2. vzbouření, nepokoj 3. rozruch, otřes

communal [ˈkomjunl] *a* 1. obecní 2. společný, komunální

commune *s* [ˈkomjuːn] komuna, společenství; obec: *the C*~ *of Paris* Pařížská komuna □ *vi* [kəˈmjuːn] 1. rozmlouvat s kým důvěrně 2. am. přijímat

communic|able [kəˈmjuːnikəbl] *a* 1. sdělitelný 2. sdílný; —**ate** [kəˈmjuːnikeit] *vt* 1. sdělit, oznámit (*to* komu) 2. pře-

nášet nemoc □ *vi* 3. být ve styku, spojit se (*with* s), dorozumívat se (*by* čím) 4. přijímat n. vysluhovat sv. Večeři Páně; —**ation** [kəˌmjuːniˈkeiʃən] *s* 1. styk 2. přenášení, sdělování 3. sdělení, zpráva 4. spojení, komunikace, dopravní cesta ♦ ~ *cord* žel. záchranná brzda; —**ative** [kəˈmjuːnikətiv] *a* 1. sdílný, hovorný 2. sdělovací

communion [kəˈmjuːnjən] *s* 1. společenství 2. přijímání (*in one kind* pod jednou, *in both kinds* pod obojí (způsobou) ♦ ~ *table* stůl Páně

communiqué [kəˈmjuːnikei] *s* úřední zpráva, sdělení

commun|ism [ˈkomjunizəm] *s* komunismus; —**ist** [ˈkomjunist] *s* komunista □ *a* komunisticky|ý: *C*~ *Party* -á strana; —**istic** [ˌkomjuˈnistik] *a* komunistický

community [kəˈmjuːniti] *s* 1. společenství (*of goods* majetku; *of interests* zájmů) 2. společenský celek 3. obec 4. *the* ~ společnost ♦ ~ *singing* sborový zpěv

commut|able [kəˈmjuːtəbl] *a* zaměnitelný; —**ation** [ˌkomjuːˈteiʃən] *s* 1. záměna; výměna, změna 2. práv. ~ (*of sentence*) zmírnění trestu 3. el. přepínání ♦ ~ *ticket* am. traťový n. předplatní lístek; —**ator** [ˈkomjuːteitə] *s* el. přepínač, přeřaďovač, komutátor, kolektor; —**e** [kəˈmjuːt] *vt* 1. zaměnit, vyměnit (si) co (*for* zač) 2. změnit, zmírnit trest (*into, for* za) 3. am. kupovat si (*a fare* předplatní lístek) 4. am. (denně) dojíždět do práce; —er [kə|mju:tə] *s* majitel předplatního lístku

compact¹ *s* [|kompækt] smlouva, dohoda □ [kəm|pækt] 1. hustý, pevný, kompaktní 2. hutný sloh 3. skloubený 4. složený (*of* z)

compact² [|kompækt] *s* pudřenka

companion [kəm|pænjən] *s* 1. společník, druh, kamarád; lid. kompaňon 2. spolucestující; souputník 3. (*lady-*) ~ společnice 4. protějšek; druh|ý, -á věc z páru 5. průvodce kniha; —**able** [kəm|pænjənəbl] *a* družný; —**ship** [kəm|pænjənšip] *s* společnost; přátel|ství, -ský vztah

company [|kampəni] *s* 1. společnost, i obch. a div. 2. návštěva, hosté 3. voj. setnina ♦ *to be good, poor, bad,* ~ být dobrým, nevalným, špatným společníkem: *in* ~ *(with)* spolu, s; *insurance* ~ pojišťovna; *joint-stock* ~ akciová společnost; *to keep* ~ *with* stýkat se, udržovat přátelství s; chodit s kým; *to keep s.o.* ~ dělat komu společnost; brit. *Limited (Liability) C*~ společnost s ručením obmezeným; ~ *manners* společenské způsoby; *to part* ~ *with* rozejít se s; *ship's* ~ celá posádka (lodi); *shipping* ~ lodní společnost

compar|able [|kompərəbl] *a* s-, po|rovnatelný (*to* s); —**ative** [kəm|pærətiv] *a* 1. srovnávací (*anatomy, philology* ana-

tomie, jazykověda): ~ *degree* druhý stupeň, komparativ 2. poměrný □ *s* = ~ *degree*

compar|e [kəm|peə] *vt* 1. s-, po|rovnat (*with* s) 2. přirovn(áv)at (*to* k) 3. gram. stupňovat □ *vi* 4. srovnávat se, rovnat se ♦ *as -ed with* ve srovnání s; *they are not to be -ed with* nelze je srovnávat s; *to* ~ *notes* hov vyměnit si názory □ *s* srovnání: *beyond (past without)* ~ nevy-, nes|rovnateln|ý; -é; —**ison** [kəm|pærisn] *s* 1. s-, po|rovnání 2. gram. stupňování ♦ *to bear, stand,* ~ snést srovnání s; *beyond* ~ nesrovnatelný; *by* ~ když (je) porovn(áv)áme; *in* ~ *with* ve srovnání s

compartment [kəm|pa:tmənt] *s* 1. oddělení, příhrada 2. žel. oddělení, kupé

compass [|kampəs] *s* 1. kompas. *points of the* ~ světové strany 2. obvod, dosah 3. okruh, prostor 4. rozsah; i hud. 5. pl. -*es* (n. *a pair of* -*es*) kruž|ítko, -idlo □ *vt* 1. osnovat, ukládat oč 2. obklopit, obklíčit 3. pochopit 4. dosáhnout, získat 5. zahnout □ *vi* 6. ohýbat se; |~ -**card** *s* větrná růžice

compassion [kəm|pæšən] *s* soucit, slitování; soustrast (*on* s): *she had, took,* ~ *on him* zželelo se jí ho; —**ate** *a* [kəm|pæšənit] soucitný □ *vt* [kəm|pæšəneit] litovat, mít soucit s

compat|ibility [kəm|pætə|biliti] *s* slučitelnost; —**ible** [kəm|pætəbl] *a* slučitelný

compatriot [kəm'pætriət] *s* krajan

compeer [kom'piə] *s* **1.** člověk rovný, roven komu: *to have no ~* nemít sobě rovna, rovného **2.** druh; společník

compel [kəm'pel] *vt* (-ll-) **1.** při-, do|nutit, dohnat (*to* k), vynutit si co: *I am -led* jsem nucen, musím **2.** bás. hnát, se-, za|hnat

compend|ious [kəm'pendiəs] *a* souhrnný, stručný; **—ium** [kəm'pendiəm] *s* přehled, souhrn, kompendium

compensat|e ['kompenseit] *vt & i* **1.** vyrovnat (se), kompenzovat **2.** nahradit, vyvážit (*for* co) **3.** odškodnit (*s.o. for* koho zač); **—ion** [ˌkompen'seišən] *s* **1.** vyrovnání, kompenzace **2.** náhrada, odškodnění (*for* zač) **3.** *atr* kompenzační (*agreement* dohoda; *deals* obchody; *trade* obchodní styk); **—or** ['kompen'seitə] *s* kompenzátor; **—ory** [kəm'pensətəri] *a* náhradní, vyrovnávací, kompenzační

compete [kəm'pi:t] *vi* soutěžit (*with* s kým, *in* v čem, *for* oč), konkurovat komu; ucházet se (*for* oč)

compet|ence ['kompit|əns], **—ency** [-ənsi] *s* **1.** i práv. oprávnění, kompetence, způsobilost, příslušnost **2.** dostatečné prostředky **3.** spoko-jen|ost, -ý život; **—ent** ['kompit|ənt] *a* **1.** i práv. oprávněný, kompetentní, způsobilý, příslušný **2.** postačující, dostatečný **3.** vhodný

competit|ion [ˌkompi'tišən] *s*

1. soutěž, konkurence (*for* oč) **2.** konkurs **3.** sport. utkání ♦ *to be in ~ with* soutěžit s; *cut-throat ~* dravá konkurence; *to meet ~* konkurovat, čelit konkurenci; *unfair ~* nekalá soutěž; **—ive** [kəm'petitiv] *a* **1.** soutěž|ivý, -ní **2.** obch. konkurenční ♦ *~ examination* konkurs(ní zkouška); **—or** [kəm'petitə] *s* **1.** účastník soutěže, konkursu, uchazeč **2.** obch. konkurent

compil|ation [ˌkompi'leišən] *s* kompilování; kompilace; **—e** [kəm'pail] *vt* sestavit, složit, kompilovat; **—er** [kəm'pailə] *s* kompilátor

complac|ence [kəm'plei|sns], **—ency** [-snsi] *s* **1.** sebeuspo-kojení, spokojenost, potěšení; **—ent** [kəm'pleisnt] *a* u-, spokojený

compl|ain [kəm'plein] *vi* stěžovat si; naříkat (si) (*of* na); **—aint** [kəm'pleint] *s* **1.** stížnost, jen obch. reklamace **2.** nářek **3.** potíže, nevolnost

complais|ance [kəm'pleizəns] *s* úslužnost, ochota, vlídnost, laskavost; **—ant** [kəm'plei-zənt] *a* úslužný, ochotný, laskavý

complement *s* ['komplimənt] **1.** doplněk, i gram. dodatek **2.** za-, do|vršení, do-, na|plnění **3.** (plný) počet, plné obsazení □ *vt* ['kompliment] do-plnit; **—ary** [ˌkompli'mentəri] *a* doplňkový (*angle* úhel), komplementární (*colours* barvy)

complet|e [kəm'pli:t] *a* **1.** úplný, kompletní; naprostý **2.** dokonalý □ *vt* 1. doplnit, dokončit; vykonat 2. vyplnit (*the form* formulář); —ion [kəm'pli:šən] *s* 1. dokončování 2. doplnění; dovršení, ukončení, konec 3. vyplnění (*of a wish* přání)

complex ['kompleks] *a* 1. složený (*fraction* zlomek) komplexní 2. složitý, spletitý ♦ ~ *sentence* souvětí, perioda □ *s* souhrn, celek; komplex: *inferiority* ~ komplex méněcennosti; —ity [kəm'pleksiti] *s* složitost, spletitost

complexion [kəm'plekšən] *s* 1. pleť (*fair, dark* světlá, tmavá) 2. fig. tvářnost, aspekt, charakter věci

compli|ance [kəm'plaiəns] *s* vyhovění, splnění, dodržení, svolení: *in* ~ *with* podle čeho, vyhovuj(íc)e čemu; —ant [kəm'plaiənt] *s* s-, po|volný

complic|acy ['komplikəsi] *s* složitost; —ate ['komplikeit] *vt* komplikovat; —ated ['komplikeitid] *a* složitý, spletitý, komplikovaný; —ation [ˌkompli'keišən] *s* komplikace

complicity [kəm'plisiti] *s* spolu|účast, -vina (*in* na)

compliment *s* ['komplimənt] 1. poklona; pocta, čest 2. pl. *-s* pozdrav, poručení (*to* komu) 3. blaho-, přání (*of the season* vánoční, novoroční) ♦ *to pay a* ~ *to* udělat komu poklonu, prokázat čest □ *vt & i* ['kompliment] 1. blaho-, přát (*on* k) 2. dělat komu poklony; pochlebovat komu 3. poctít (*with* čím); —ary [ˌkompli'mentəri] *a* zdvořilostní (*close* zakončení) ♦ ~ *copy* volný

výtisk; ~ *ticket* čestná, volná vstupenka

comply [kəm'plai] *vi* 1. vyhovět (*with* čemu) 2. přizpůsobit se, podrobit se

component [kəm'pounənt] *a* jednotlivý: ~ *part* složka, součástka □ *s* složka, komponent

comport [kəm'po:t] *vi & t* 1. shodovat se (*with* s), odpovídat čemu 2. ~ *o.s.* chovat se

compos|e [kəm'pouz] *vt & i* 1. skládat, tvořit; složit, sepsat, vytvořit 2. *pas.* skládat se (*of* z) 3. hud. komponovat; zhudebnit 4. typ. sázet 5. urovnat, uklidnit (*o.s.* se), utišit (*o.s.* se) 6. uspořádat, upravit; —ed [kəm'pouzd] *a* klidný, vyrovnaný, soustředěný; —er [kəm'pouzə] *s* 1. hud. skladatel, komponista 2. spisovatel, tvůrce; —ing-machine [kəm'pouziŋmə'ši:n] *s* typ. sázecí stroj; —ite ['kompəzit] *a* 1. složený; složitý 2. stav. kompozitní sloh 3. složnokvětý □ *s* složenina; —ition [ˌkompə'zišən] *s* 1. skládání, tvoření, komponování 2. složení; sestavení 3. skladba, kompozice 4. typ. sazba 5. tech. kompozice 6. narovnání, dohoda; kompromis 7. vyrovnání (*with creditors* s věřiteli); —itor [kəm'pozitə] *s* typ. sazeč

compost ['kompost] *s* kompost

composure [kəm'použə] *s* klid, vyrovnanost, soustředění

compote ['kompout] *s* kompot

compound *vt & i* [kəm'paund]

1. míchat 2. složit, skládat 3. urovnat spor; uplatit koho 4. dohodnout se 5. vyrovnat se (*with creditors* s věřiteli) 6. přistoupit na vyrovnání, na smír □ *a* [ˈkompaund] 1. složený; smíšený, kombinovaný 2. složitý (*fracture* zlomenina, *fraction* zlomek) 3. tech. sdružený, kompaundní ♦ ~ *interest* složitý úrok; ~ *sentence* souvětí souřadné; ~ *word* složené slovo, kompozitum □ *s* [ˈkompaund] 1. směs 2. složení 3. chem. sloučenina 4. složené slovo, kompozitum 5. ind. opevněný objekt budov

comprehen|d [ˌkompriˈhend] *vt* 1. chápat, pochopit 2. obsáhnout, obsahovat, zahrn|out, -ovat; **—sible** [ˌkompriˈhensəbl] *a* srozumitelný, pochopitelný; **—sion** [ˌkompriˈhenšən] *s* 1. chápavost, pochopení 2. pochopitelnost 3. obsáhlost, hutnost: *of wide* ~ obsáhlý 4. log. obsah pojmu; **—sive** [ˌkompriˈhensiv] *a* 1. obsáhlý, zevrubný, hutný; obsažný 2. zahrnující (*of* co) 3. chápavý ♦ ~ *faculty* chápavost, porozumění; ~ *knowledge* obsáhlé znalosti

compress *vt* [kəmˈpres] 1. stlačit 2. fig. zhutnit □ *s* [ˈkompres] 1. obvaz 2. obklad, kniž. náčinek; **—ibility** [kəmˌpresiˈbiliti] *s* stlačitelnost; **—ible** [kəmˈpresəbl] *a* stlačitelný; **—ion** [kəmˈprešən] *s* 1. stlačení, komprese 2. zhutnění stylu 3. fig. útlak; **—or** [kəmˈpresə] *s* kompresor

comprise [kəmˈpraiz] *vt* zahrnovat; obsahovat, skládat se z

compromise [ˈkomprəmaiz] *s* 1. dohoda, smír, urovnání 2. kompromis □ *vt* 1. urovnat spor 2. kompromitovat (*o.s.* se) □ *vi* 3. ustoupit, u-, dělat ústupky (*with* komu)

comptroller [kənˈtroulə] *s* jen v titulech kontrolor

compuls|ion [kəmˈpalšən] *s* nátlak, donucení; **—ory** [kəmˈpalsəri] *c* 1. donucovací 2. povinný (*education* školní docházka), nucený (*labour* práce)

compunction [kəmˈpaŋkšən] *s* výčitka, lítost

comput|able [kəmˈpju:təbl] *a* vypočitatelný; **—ation** [ˌkompju:ˈteišən] *s* výpočet ♦ *beyond* ~ nevypočitatelný; **—e** [kəmˈpju:t] *vt* vypočítat (*at* .. *figures* na .. míst)

comrade [ˈkomrid] *s* kamarád, soudruh, i pol.; **—ship** [ˈkomridšip] *s* kamarádství, přátelství; pol. soudružství

con¹ [kon] *vt* (-nn-) ~ (*over*) odříkávat, dřít nazpaměť

con² [kon] *vt* (-nn-) řídit (*the ship* loď), kormidlovat; **—ning -tower** [ˈkoniŋˌtauə] *s* nám. velitelská věž

con³ [kon] *vt* (-nn-) am. napálit, obalamutit

con⁴ [kon] *adv* (= *contra* proti) *pro and* ~ pro a proti □ *s* (hlas) proti

conat|ion [kouˈneišən] *s* fil. chtění; **—ive** [ˈkounətiv] *a* fil. volní

concatenation [kon₁kætiˈneišən] *s* sřetězení; spojení

concave [ˈkonˈkeiv] *a* vydutý; opt. konkávní

conceal [kənˈsiːl] *vt* 1. skrýt (*o.s.* se), ukrýt 2. zatajit, zamlčet, zastírat; **—ment** [kənˈsiːlmənt] *s* 1. zatajení; zamlčení 2. ukrytí; ukrytá věc 3. úkryt

concede [kənˈsiːd] *vt & i* 1. uznat, připustit 2. povolit, přiznat

conceit [kənˈsiːt] *s* 1. domýšlivost, ješitnost 2. mínění (*of* o), sebevědomí 3. (podivínský, duchaplnický) nápad 4. fantazie ♦ *in one's own* ~ podle vlastního mínění; *out of* ~ *with* rozmrzelý na; **—ed** [kənˈsiːtid] *a* domýšlivý, ješitný

conceiv|able [kənˈsiːvəbl] *a* myslitelný; **—e** [kənˈsiːv] *vt & i* 1. počít; otěhotnět 2. chytit, dostat 3. pojmout (*an idea* myšlenku); vymyslit, vytvořit, koncipovat 4. představit si (*of* co) 5. pochopit 6. domnívat se, mít za to, myslit 7. formulovat, koncipovat text

concentrat|e [ˈkonsentreit] *vt & i* soustředit (se) (*on* na), koncentrovat (se), i chem. □ *s* chem. koncentrát; **—ion** [₁konsenˈtreišən] *s* 1. soustřeďování 2. soustředění, koncentrace, i chem. ♦ ~ *camp* koncentrační tábor, hov. koncentrák; **—or** [ˈkonsentreitə] *s* tech. koncentrátor

concentric [konˈsentrik] *a* soustředný, koncentrický; **—ity** [₁konsənˈtrisiti] *s* soustřednost

concept [ˈkonsept] *s* log. pojem; (obecná) představa; **—ion** [kənˈsepšən] *s* 1. pojetí, koncepce; pojem (*of* o), představa o 2. početí 3. chápání 4. nápad ♦ *in my* ~ podle mého názoru; **—ual** kənˈseptjuəl] *a* pojmový

concern [kənˈsəːn] *vt* 1. týkat se, jít -o, zajímat koho, dotýkat se čeho 2. ~ *o.s. with*, *in*, *about* zajímat se o, starat se o, plést se do, znepokojovat se čím 3. *pas. to be -ed* a) mít zájem na b) být znepokojen c) ~ *with*, *in* týkat se čeho, podílet se na d) být zapleten (*in* do) e) účastnit se (*in* čeho) f) být v sázce ♦ *as -s* pokud jde o; *as far as I am -ed* pokud se týče mne; *the parties*, *persons*, *-ed* zájemci; *I am -ed to state* s politováním musím konstatovat; *To whom it may* ~ : věta, jíž se nadepisuje doporučující dopis, u nás jen Doporučení □ *s* 1. záležitost, věc 2. zájem, účast; (akciový) podíl 3. starost 4. podnik, obchod, firma, koncern; **—ing** [kənˈsəːniŋ] *prep* o; pokud jde o; **—ment** [kənˈsəːnmənt] *s* 1. důležitost 2. zájem 3. arch. záležitost ♦ *of vital* ~ životně důležitý

concert *s* [ˈkonsət] 1. koncert 2. [ˈkonsəːt] shoda, soulad □ *in* ~ ve shodě □ *vt* (kənˈsəːt) (vzájemně) dohodnout, sjednat; ˈ~ **-hall** *s* koncertní síň; **—ina** [₁konsəˈtiːnə)] *s* (malá) tahací harmonika šestiúhelníkového profilu; · **—o** [kənˈčəːtou) *s* pl. *-s* [-z] koncert pro sólový nástroj skladba

concess|ion [kən'sešən] *s* **1.**
ústupek, úleva, výhoda **2.**
koncese; **—ive** [kən'sesiv] *a*
gram. připouštěcí
conch [koŋk] *s* ulita, lastura
conciliat|e [kən'silieit] *vt* **1.**
získat **2.** usmířit; **—ion** [kən-
|sili|eišən] *s* **1.** usmíření **2.**
získání ♦ *Court of* ~ smírčí
soud; **—or** [kən'silieitə] *s* pro-
středník, kniž. smírce; **—ory**
[kən'siliətəri] *a* smířlivý
concise [kən'sais] *a* stručný;
—ness [kən'saisnis] *s* struč-
nost
conclave ['konkleiv] *s* círk. kon-
kláve
conclud|e [kən'klu:d] *vt & i* **1.**
s-, u-, zakončit **2.** uzavřít
(*a treaty* smlouvu) **3.** usuzo-
vat, učinit závěr **4.** rozhod-
nout (se); **—ing** [kən'klu:diŋ]
a závěrečný, poslední
conclus|ion [kən'klu:žən] *s* **1.**
závěr, i log., zakončení **2.**
uzavření, sjednání **3.** roz-
hodnutí ♦ *to bring to a* ~
ukončit; *to draw the* ~ učinit
závěr; *a foregone* ~ což se
dalo předem očekávat; *in* ~
na závěr; **—ive** [kən'klu:siv]
a konečný, rozhodný, ne-
zvratný, definitivní
concoct [kən'kokt] *vt* **1.** u-,
s|vařit; smísit **2.** vymyslit;
zosnovat zločin; **—ion** [kən-
|kokšən] *s* **1.** odvar, lektvar
2. míchání; směs **3.** výmysl;
z-, osnování zločinu
concomitant [kən'komitənt] *a*
průvodní (*circumstances* jevy)
□ *s* průvodní jev
concord ['koŋko:d] *s* **1.** shoda,
i gram., svornost, soulad **2.**

hud. harmonie; **—ance** [kən-
|ko:dəns] *s* **1.** shoda, soulad
2. konkordance; **—ant** [kən-
|ko:dənt] *a* **1.** souhlasný, ve
shodě s **2.** harmonický; **—at**
[kon'ko:dæt] *a* konkordát
concourse ['koŋko:s] *s* **1.** sběh,
srocení; dav **2.** seskupení
(*of atoms* atomů); snůška čeho
3. am. hala
concrete ['konkri:t] *a* **1.** kon-
krétní **2.** pevný, hmotný **3.**
betonový □ *s* **1.** látka, hmota;
konkrétní věc **2.** gram. kon-
krétní jméno, konkrétum **3.**
beton ♦ *in the* ~ konkrétně,
ve skutečnosti; *reinforced* ~
železobeton □ *vi* **1.** [kən'kri:t]
ztuhnout □ *vt* **2.** ['konkri:t]
vy-, betonovat; **—ness** ['kon-
kri:tnis] *s* konkrétnost
concretion [kən'kri:šən] *s* **1.**
zhutnění **2.** geol. konkrece **3.**
med. konkrement, kámen **4.**
konkrétní věc
concubin|age [kon'kju:binidž] *s*
konkubinát; **—e** ['koŋkju-
bain] *s* souložnice, konku-
bína
concupisc|ence [kən'kju:pisəns]
s chlípnost; **—ent** [kən'kju:pi-
sənt] *a* chlípný
concur [kən'kə:] *vi* (-rr-) **1.**
sbíhat se, vyskytovat se sou-
časně **2.** souhlasit, shodovat
se **3.** spolupůsobit **4.** práv.
střetnout se; **—rence** [kən'ka-
rəns] *s* **1.** sbíhání: *the point
of* ~ průsečík **2.** sběh, shoda
(*of circumstances* okolností)
3. souhlas **4.** součinnost, spo-
lupůsobení; **—rent** [kən'ka-
rənt] *a* **1.** souběžný; sou-
časný **2.** geom. sbíhavý **3.**

spolupůsobící 4. souhlasný, shodný ☐ *s* okolnost
concussion [kənˈkašən] *s* otřes (*of the brain* mozku); i fig.
condemn [kənˈdem] *vt* 1. odsoudit (*to death* k smrti); i fig. zavrhnout, zatratit 2. obvinit (*of* z) 3. zabavit loď 4. prohlásit za neuživatelné; **—ation** [ˌkondemˈneišən] *s* 1. odsouzení; i fig. zavržení 2. zabavení; **—atory** [kənˈdemnətəri] *a* odsuzující
condens|able [kənˈdensəbl] *a* zkapalnitelný, kondenzovatelný; **—ation** [ˌkondenˈseišən] *s* 1. chem. zkapalnění, srážení, kondenzace 2. zhušťování 3. zestručnění; **—e** [kənˈdens] *vt & i* 1. chem. srážet (se), zkapalnit (se), kondenzovat (se), srazit (se) 2. stlačit (*air* vzduch) 3. opt. soustředit (*rays* paprsky); i fig. 4. zestručnit; **—er** [kənˈdensə] *s* odb. kondenzátor
condescend [ˌkondiˈsend] *vi* 1. snížit se (*to* k) 2. chovat se blahovolně (*to* k, vůči) ♦ ~ *upon particulars* skot. pouštět se do podrobností, šířit se o; **—ing** [ˌkondiˈsendiŋ] *a* 1. blahosklonný 2. povýšený (*manner* způsob)
condescension [ˌkondiˈsenšən] *s* 1. blahovůle 2. povýšenost
condign [kənˈdain] *a* zasloužený trest
condiment [ˈkondimənt] *s* koření
condition [kənˈdišən] *s* 1. podmínka; i log., gram.; předpoklad 2. am. škol. reparát 3.

stav; postavení 4. chem. skupenství 5. obv. pl. okolnost(i); situace 6. o chmelu lupulin ♦ *to change one's* ~ vstoupit do manželského stavu; *in* ~ v dobrém stavu; v dobré kondici; *living -s* životní podmínky; *on* ~ *that* s, pod podmínkou, že; *on no* ~ za žádných okolností; *out of* ~ ve špatném, zkaženém stavu; ve špatné kondici; *sales -s* prodejní podmínky; *under the* ~ *that* pod podmínkou, že ☐ *vt* 1. podmiňovat, určovat, stanovit (podmínku) 2. vymínit si 3. obch. kondicionovat vlnu ap. 4. upravit; dostat se do dobré kondice ♦ *to be -ed* am. škol. dostat reparát; *to be -ed* být podmíněn čím; *(un)~ed reflex, response* (ne)podmíněný reflex; **—al** [kənˈdišənl] *a* 1. podmínečný 2. gram. podmiňovací
condol|e [kənˈdoul] *vi* projevit soustrast (*with* komu, *on the death of* k úmrtí koho); **—ence** [kənˈdoulens] *s* projev soustrasti, soustrast
condominium [ˈkondəˈminiəm] *s* kondominium
condon|ation [ˌkondouˈneišən] *s* prominutí, odpuštění; **—e** [kənˈdoun] *vt* prominout, odpustit
condor [ˈkondo:] *s* kondor
conduc|e [kənˈdju:s] *vi* vést, přispívat (*to* k); **—ive** [kənˈdju:siv] *a* přispívající, nápomocný, prospěšný (*to* komu, čemu)
conduct *s* [ˈkondəkt] 1. chování 2. vedení, řízení, správa

3. mal. provedení □ *vt & i* [kən'dakt] **1.** vést, řídit; provádět **2.** dovést, doprovodit **3.** hud. dirigovat **4.** am. chovat se; brit. ~ *o.s.* **5.** fyz. být vodičem, vést (*heat* teplo); **—ible** [kən'daktəbl] *a* fyz. vodivý; **—ion** [kən'dakšən] *s* vedení; i fyz.; **—ive** [kən'daktiv] *a* fyz. vodivý; **—ivity** [ˌkondak'tiviti] *s* fyz. vodivost; **—or** [kən'daktə] *s* **1.** vůdce, průvodce **2.** hud. dirigent **3.** průvodčí; am. konduktér vlaku **4.** fyz. vodič; **—ress** [kən'daktris] *s* **1.** vůdkyně, průvodkyně **2.** průvodčí **3.** hud. dirigentka

conduit ['kondit] *s* **1.** potrubí **2.** kanál k uložení potrubí n. vedení **3.** fig. průchodiště, cesta

cone [koun] *s* **1.** kužel (*oblique* šikmý) **2.** šiška **3.** čípek na sítnici

confabulate [kən'fæbjuleit] *vi* hovořit, povídat si

confection [kən'fekšən] *s* **1.** cukroví, bonbón **2.** konfekční šaty dámské; **—er** [kən'fekšənə] *s* cukrář; **—ery** [kən'fekšnəri] *s* cukrářství

confeder|acy [kən'fedərəsi] *s* **1.** spolčení, spiknutí, spolek (*with* s) **2.** konfederace, svaz; **—ate** [kən'fedərit] *a* spolčený, konfederovaný, spolkový: *the C~ States of America* Konfederované státy americké 1861—1865 □ *s* **1.** spojenec **2.** am. hist. konfederát □ *vt & i* [kən'fedəreit] **1.** spojit (se); spolčit se **2.** utvořit konfederaci; **—ation**

[kənˌfedə'reišən] *s* **1.** konfederace **2.** zast. spiknutí

confer [kən'fə:] *vt* (-rr-) **1.** udělit, propůjčit (*on* komu) □ *vi* **2.** po-, radit se, konferovat (*on* o); **—ence** ['konfərəns] *s* porada, konference; **—ment** [kən'fə:mənt] *s* udělení (*of a title, degree* titulu, hodnosti)

confess [kən'fes] *vt & i* **1.** vyznat (se) **2.** přiznat (se) (*to* k) **3.** uznat, dosvědčit **4.** vy-, zpovídat (se) (*s t.* z čeho) **5.** bás. vyzradit; **—ed** [kən'fest] *a* **1.** zřejmý, očividný **2.** prozrazený, odhalený; **—ion** [kən'fešən] *s* **1.** přiznání **2.** vyznání (*of faith* víry) **3.** uznání, dosvědčení **4.** zpověď (*auricular* ušní); **—ional** [kən'fešənl] *a* **1.** zpovědní **2.** konfesijní □ *s* zpovědnice; **—or** [kən'fesə] *s* **1.** vyznavač: *Edward the C ~* Eduard Vyznavač 1042—66 **2.** zpovědník

confetti [kən'feti:] *s* pl. konfety

confidant [ˌkonfi'dænt] *s* důvěrník; **—e** [ˌkonfi'dænt] *s* důvěrnice

confid|e [kən'faid] *vi* **1.** spoléhat se (*in* na), důvěřovat (komu) □ *vt* **2.** svěřit (*to* komu); **—ence** ['konfidəns] *s* **1.** důvěra, spolehnutí **2.** jistota, odvaha, smělost; drzost **3.** důvěrnost; důvěrné sdělení ♦ *in (strict)* ~ (přísně) důvěrně; *vote of* ~ otázka důvěry hlasování v parlamentě; **—ent** ['konfidənt] *a* **1.** důvěř|ivý, -ující (*in* v), spolé-

hající se (*in* na) **2.** sebe-,
jistý; drzý **3.** důvěrný, spo-
lehlivý □ *s* důvěrný přítel,
důvěrník; **—ential** [ˌkonfiˈden-
šəl] *a* **1.** důvěrný (*informa-
tion* zpráva) **2.** požívající
důvěry ♦ ~ *clerk* prokurista
configuration [kənˌfigjuˈreišən]
s **1.** utváření, uspořádání,
postavení hvězd **2.** konfigu-
race, sestava
confin|e *vt* [kənˈfain] **1.** ome-
zit (*o.s. to* se nač), držet
(*o.s. to* se čeho) **2.** upevnit,
s-, u|poutat **3.** zavřít, uvěz-
nit (*in* v) **4.** zř. hraničit
(*with, on, to* s) **5.** pas. být
v šestinedělí ♦ -*ed to bed* upou-
tán na lůžko □ *s* [ˈkonfain]
pl. -*s* [-z] fig. pomezí, pokraj;
hranice; **—ement** [kənˈfain-
mənt] *s* **1.** vězení, i fig.: *close,
solitary,* ~ samovazba **2.**
omezení (*to* na) **3.** šestine-
dělí
confirm [kənˈfəːm] *vt* **1.** upevnit,
utvrdit, posílit koho (*in* v)
2. potvrdit vlastní zprávu do-
pisem, např. telegram **3.** pode-
psat, ratifikovat **4.** ověřit
5. konfirmovat; biřmovat;
—and [ˌkonfoːˈmænd] *s* kon-
firmand; biřmovanec před úko-
nem; **—ation** [ˌkonfəˈmeišən]
s **1.** potvrzení; schválení
2. konfirmace; biřmování;
—ative [kənˈfəːmətiv], **—a-
tory** [kənˈfəːmətəri] *a* po-
tvrzující, průkazný; **—ed**
[kənˈfəːmd] *a* **1.** pevný, ne-
otřesitelný **2.** zastaralý, ne-
vyléčitelný o nemoci **3.** ne-
napravitelný, zapřisáhlý; uz-
naný **4.** konfirmovaný; biř-

movaný; **—ee** [ˌkonfəˈmiː]
s konfirmand; biřmovanec
po úkonu
confiscat|e [ˈkonfiskeit] *vt* zaba-
vit, z-, konfiskovat; **—ion**
[ˌkonfisˈkeišən] *s* zabavení,
konfiskace
conflagration [ˌkonfləˈgreišən] *s*
1. požár velký **2.** fig. vzplanutí,
konflagrace
conflict *s* [ˈkonflikt] **1.** srážka,
spor, konflikt **2.** bitva, boj ♦
in ~ with v rozporu s; *wordy
~* slovní půtka □ *vi* [kən-
ˈflikt] **1.** utíkat se, zápasit **2.**
odporovat si, být v rozporu
3. bojovat
conflu|ence [ˈkonfluəns] *s* **1.**
s(ou)tok **2.** nával **3.** shluk;
dav; **—ent** [ˈkonfluənt] *a* **1.**
stékající se **2.** fig. sbíhající se
horstva; slévající se vyrážka;
splývavý □ *s* přítok
conflux [ˈkonflaks] *s* = *conflu-
ence*
conform [kənˈfoːm] *vt & i* **1.**
přizpůsobit (se n. *o.s.*), utvo-
řit (*to* podle) **2.** řídit se (*to the
rules* pravidly); **—able** [kən-
ˈfoːməbl] *a* **1.** podobný (*to*
čemu) **2.** povolný, poslušný
3. souhlasný (*to* s); **—ation**
[ˌkonfoːˈmeišən] *s* **1.** přizpů-
sobení, souhlas **2.** tvar, struk-
tura, stavba; **—ity** [kənˈfoː-
miti] *s* přizpůsobení, shoda,
souhlas, podobnost; *in ~
with* podle čeho
confound [kənˈfaund] *vt* **1.** s-,
plést si **2.** zmást, zmařit
plán **3.** překvapit, ohromit
♦ *to be -ed* zasnout; *~ it!* ko-
zel to vem!; *a -ed long time*
zpropadeně dlouho

confraternity [ˌkonfrəˈtə:niti] s bratrstvo

confront [kənˈfrant] vt 1. stát před čím, tváří v tvář čemu, postavit proti sobě 2. čelit čemu 3. konfrontovat (with s); s-, po|rovn(áv)at; —ation [ˌkonfranˈteišən] s konfrontace

confus|e [kənˈfju:z] vt z-, mást, poplést: to get -ed s-, po|plést si (všechno); —ion [kənˈfju:-žən] s zmatek, nepořádek, vřava

confut|ation [ˌkonfju:ˈteišən] s vyvracení; vyvrácení; —e [kənˈfju:t] vt 1. vyvrátit 2. usvědčit 3. umlčet násilím

congeal [kənˈdži:l] vt 1. zmrazit □ vi 2. z-, mrznout 3. z-, tuhnout

congenial [kənˈdži:njəl] a 1. kongeniální; příbuzný, sourodý 2. vhodný, vyhovující; příjemný; —ity [kənˌdži:niˈæ-liti] s příbuznost, kongenialita

congenital [kənˈdženitl] a vrozený vada

conger [ˈkongə] s mořský úhoř

congeries [konˈdžiəri:z] s pl. = = sg. spousta

congest [kənˈdžest] vt 1. na-hromadit; přeplnit 2. med. překrvit; i fig.; —ion [kən-ˈdžesčən] s med. překrvení; i fig.

conglomerat|e [kənˈglomərit] a odb. složený; slepený □ s odb. konglomerát; slepenec; i fig. □ vt & i [kənˈgloməreit] 1. nahromadit; shluknout se 2. rojit se o včelách; —ion [kənˌgloməˈreišən] s změť, konglomerát

Congo [ˈkongou] s 1. (z, ř) Kongo 2. atr konžský: ~ red konžská červeň; ~lese [ˌkon-gəˈli:z] s pl. = sg. Konžan □ a konžský

congratul|ant [kənˈgrætjulənt] s gratulant; —ate [kənˈgræt-juleit] vt blahopřát, gratulovat (s.o. on komu k); —ation [kənˌgrætjuˈleišən] s blaho-přání, gratulace; —ator [kən-ˈgrætjuleitə] s gratulant; —a-tory [kənˈgrætjulətəri] a bla-hopřejný

congregat|e [ˈkongrigeit] vt & i shromažďovat (se); —ion [ˌkongriˈgeišən] s 1. shro-mažďování 2. shromáždění, sbor; —ional [ˌkongriˈgeišənl] a sborový; kongregační

congress [ˈkongres] s 1. sjezd, kongres 2. am. C ~ (americký) kongres; —ional [konˈgre-šənl] a am. parlamentní

Congressman [ˈkongresmən] s pl. -men [-mən] am. poslanec, hov. kongresman

congru|ence [ˈkongruəns] s mat., gram. shoda, kongruence; —ent [ˈkongruənt], —ous [ˈkongruəs] a 1. shodný 2. odb. kongruentní 3. vhodný; —ity [konˈgru:iti] s 1. shoda, kongruence 2. přiměřenost

conic [ˈkonik] a kuželov|ý; -itý, kónický: ~ section kuže-losečka; —al [ˈkonikəl] a = conic; —s [ˈkoniks] s nauka o kuželosečkách

conifer [ˈkounifə] s jehličnatý strom; —ous [kouˈnifərəs] a jehličnatý

conjectur|al [kənˈdžekčərəl] a konjekturální, dohadný:

—**e** [kən'džekčə] *s* dohad, odb. konjektura □ *vt & i* 1. dohadovat se, usuzovat 2. navrhnout (jako konjekturu)

conjoin [kən'džoin] *vt & i* spojit (se); —**t** ['kondžoint] *a* společný, současný, souvisící

conjugal ['kondžugəl] *a* manželský; —**ity** [ˌkondžu'gæliti] *s* manželský stav

conjugat|e *vt & i* ['kondžugeit] 1. gram. časovat 2. biol. konjugovat □ *a* ['kondžugit] 1. biol., mat., opt. konjugovaný 2. gram. odvozený (od téhož kořene); —**ion** [ˌkondžu'geišən] *s* gram. časování, odb. konjugace

conjunct [kən'džaŋkt] *a* 1. spojený, kombinovaný 2. společný; —**ion** [kən'džaŋkšən] *s* 1. spojení, kombinace 2. shoda okolností 3. astr. konjugace 4. gram. spojka ♦ *in ~ _with* společně, ve spojení s; —**iv|a** [ˌkondžaŋk'taivə] *s* pl. -*as* [-əz], -*ae* [-i:] anat. spojivka; —**ive** [kən'džaŋktiv] *a* 1. spojovací (*mood* způsob, konjunktiv) 2. spojený 3. společný 4. gram., log. konjunktivní □ *s* konjunktiv; —**ivit|is** [kənˌdžaŋkti'vaitis] *s* pl. -*es* [-i:z] zánět spojivek; —**ure** [kən'džaŋkčə] *s* shoda (okolností)

conjur|ation [ˌkondžuə'reišən] *s* zaklínání; —**e** *vt* 1. [kən'džuə] zapřísahat *koho* □ *vt & i* 2. ['kandžə] zaklínat, zažehnávat, vyvolávat duchy 3. kouzlit, provádět kejkle 4. *~ up* vykouzlit ♦ *a name to ~ with* zaklínadlo; —**er**, —**or** ['kand-

žərə] *s* kouzelník, kejklíř; —**ing** ['kandžəriŋ] *a* kouzelnický (*trick* kousek) □ *s* kouzelnictví

conn [kon] am. = *con v* 2.

connate ['koneit] *a* vrozený (*ideas* ideje)

connatural [kə'næčrəl] *a* vrozený

connect [kə'nekt] *vt* 1. spoj|it, -ovat (*with* s) 2. při-, za|pojit (*to* k) ♦ *to be -ed* být ve spojení; být spřízněn; *to be well -ed* mít vlivné příbuzné; *to ~ to earth* el. uzemnit; —*ing link* pojítko; —*ing rod* ojnice; —**ion**, **connexion** [kə'nekšən] *s* 1. spoj|ení, -itost 2. souvislost, kontext 3. poměr (*with* s kým) 4. přípoj, spojení 5. zákaznictvo; klientela 6. obch. styk 7. příbuzný; pl. příbuzenstvo; —**ive** [kə'nektiv] *a* spojovací □ *s* gram. spojovací částice spojka n. předložka

Connecticut [kə'netikət] *s* stát a řeka v USA

connexion = *connection*

conniv|ance [kə'naivəns] *s* shovívavost (*at* k), tichý souhlas; —**e** [kə'naiv] *vi* 1. přimhouřit oko (*at* nad), přehlížet 2. být srozuměn (*with* s)

connoisseur [ˌkoni'sə:] *s* znalec

connot|ation [ˌkonou'teišən] *s* vedlejší význam, (významová) konotace; —**e** [ko'nout] *vt* mít vedlejší význam, (současně) znamenat

connubial [kə'nju:bjəl] *a* manželský

conquer ['koŋkə] *vt & i* podro-

bit si zem, dobýt, vybojovat
2. porazit 3. fig. dobýt si
čeho; **—or** [ˈkoŋkərə] *s* do-
byvatel; vítěz: *William the
C~* Vilém Dobyvatel 1066—87
conquest [ˈkoŋkwest] *s* 1. výboj
2. podrobení země, dobytí
3. dobyté území ♦ *the (Nor-
man) C~* (normanský) zá-
bor
consanguin|eous [ˌkonsæŋˈgwi-
niəs] *a* pokrevný; **—ity** [ˌkon-
sæŋˈgwiniti] *s* pokrevenství
conscien|ce [ˈkonšəns] *s* svědomí
♦ *for ~ 's sake* k uspokojení
svědomí; kvůli; *in all ~*
jistojistě, rozhodně; **—tious**
[ˌkonšiˈenšəs] *a* zásadový; své-
domitý; *~ objector* odpůrce
vojenské služby (z důvodu
svědomí); **—tiousness** [ˌkon-
šiˈenšəsnis] *s* zásadovost; své-
domitost
conscious [ˈkonšəs] *a* 1. vědomý,
pred vědom: *to be ~ of* být
si vědom čeho, uvědomovat
si co 2. sebevědomý 3. uvědo-
mělý: *politically ~* politic-
ky uvědomělý; **—ness** [ˈkon-
šəsnis] *s* 1. vědomí 2. uvě-
domění: *class ~* třídní uvě-
domění
conscribe [kənˈskraib] *vt* zř.
odvést (na vojnu)
conscript [ˈkonskript] *a* odve-
dený (na vojnu) □ *s* branec
□ *vt* [kənˈskript] odvést (na
vojnu); **—ion** [kənˈskripšən]
s branná povinnost, odvod ♦
~ of wealth zdanění n. kon-
fiskace majetku pro válečné
účely
consecrat|e [ˈkonsikreit] *vt* po-,
za|světit (*to* čemu); **—ion**

[ˌkonsiˈkreišən] *s* po-, vy|-
svěcení
consecut|ion [ˌkonsiˈkju:šən] *s*
1. (logický) postup 2. sou-
slednost (*of tenses* časů); **—ive**
[kənˈsekjutiv] *a* 1. po sobě
(jdoucí); následný 2. účin-
kový (*clause* věta)
consensus [kənˈsensəs] *s* sou-
hlas, konsensus
consent [kənˈsent] *vi* obv. *~ to*
1. souhlasit s 2. s-, do|volit □
s 1. souhlas 2. svolení ♦ *by
general ~* se všeobecným
souhlasem: *silence gives ~*
kdo mlčí, souhlasí; *with one ~*
jednomyslně; **—ient** [kənˈsen-
šənt] *a* 1. jednomyslný 2.
souhlasný 3. srozuměný
consequ|ence [ˈkonsikwəns] *s* 1.
následek 2. důsledek logický
3. důležitost, závažnost, vý-
znam ♦ *in ~ (of)* v důsledku
(čeho); *a person of ~* vý-
znamná osobnost; **—ent** [ˈkon-
sikwənt] *a* 1. *~ (up)on* vy-
plývající (z toho), následu-
jící (z), jsoucí v důsledku
čeho 2. důsledný; **—ential**
[ˌkonsiˈkwenšəl] *a* 1. vyplý-
vající, výsledný 2. důležitý,
domýšlivý; **—ently** [ˈkonsik-
wəntli] *adv* v důsledku toho,
tudíž
conservat|ion [ˌkonsə:ˈveišən] *s*
udržování, zachování (*of ener-
gy* energie); **—ism** [kənˈsə:-
vətizəm] *s* konzervatismus;
—ive [kənˈsə:vətiv] *a* 1. kon-
zervativní 2. uchovávající □
s konzervativec; **—oire** [kən-
ˈsə:vətwa:] *s* konzervatoř mi-
mo Anglii; **—ory** [kənˈsə:və-
tri] *s* 1. skleník 2. konzervatoř

conserve [kən'sə:v] *vt* 1. ucho-
vat, zachov(áv)at, uchránit
2. konzervovat ovoce □ *s*
obv. pl. konzerva ovocná,
zavařenina
consider [kən'sidə] *vt & i* 1.
uvážit, uvažovat, vzít v úva-
hu 2. považovat (*s.o. to be
koho za*); mít za to; —able
[kən'sidərəbl] *a* 1. značný 2.
významný, důležitý; —ate
[kən'sidərit] *a* 1. šetrný, po-
zorný, ohleduplný 2. roz-
vážný; —ation [kən‚sidə'rei-
šən] *s* 1. úvaha, uvažování 2.
zřetel 3. důvod 4. ohled
(*for* na) 5. vážnost, úcta; zř.
význam 6. práv. úhrada, od-
měna, úplata ♦ *alleged* ~
údajný důvod; *for a* ~ za
úplatu; na základě čeho; *good*
~ dostatečný důvod čeho;
in ~ *of* se zřetelem k, na;
to leave out of ~ opomenout
vzít v úvahu n. nevzít v úva-
hu; *on no* ~ za žádných
okolností; *out of* ~ *to* z ohledu
na; *to take into* ~ vzít v úva-
hu; *s.t. is under* ~ o věci se
uvažuje; —ing [kən'sidəriŋ]
prep za daných okolností;
uvážíme-li (že): ~ *his age* na
svůj věk
consign [kən'sain] *vt* 1. ode-
vzdat, svěřit, vydat čemu 2.
zaslat (do komise); podat
k přepravě; —ation [‚kon-
sai'neišən] *s* 1. složení, depo-
nování peněz 2. zaslání zboží;
—ee [‚konsai'ni:] *s* příjemce
zboží, adresát; —ment [kən-
'sainmənt] *s* 1. odevzdání,
vydání čemu 2. zaslání zboží
3. zásilka, konsignace ♦ ~

note nákladní list, *on* ~ do
komise; —or [kən'sainə] *s*
odesílatel zboží, deponent
consist [kən'sist] *vi* 1. ~ *in*
záležet, spočívat v čem 2. ~
of skládat se, sestávat z čeho
3. ~ *with* shodovat se s čím;
—ence [kən'sistəns] *s* 1. hus-
tota kapalin 2. soudržnost,
tuhost, konzistence; —ency
[kən'sistənsi] *s* 1. = -ence 2.
souhlas, shoda 3. důslednost;
—ent [kən'sistənt] *a* 1. sou-
hlasný, shodný 2. pevný,
konzistentní 3. důsledný ♦
to be ~ *with* shodovat se s
consistory [kən'sistəri] *s* konzis-
toř
consol|ation [‚konsə'leišən] *s* útě-
cha; ~ *price* cena pro útěchu;
—e[1] [kən'soul] *vt* utěšit
console[2] ['konsoul] *s* konzola
consolidat|e [kən'solideit] *v & i*
1. upevnit, konsolidovat (se)
2. spojit, sloučit 3. fin., práv.
sjednotit, unifikovat 4. ztuh-
nout ♦ -*ed annuities* ▬ *con-
sols*; —ion [kən‚soli'deišən] *s*
1. upevnění, konsolidace 2.
spojení, sloučení 3. fin., práv.
sjednocení, unifikace 4. ztuh-
nutí
consols [kən'solz] *s* brit. kon-
soly, sjednocené státní dluho-
pisy
conson|ance ['konsənəns] *s* 1.
souzvuk, konsonance 2. sho-
da: *in* ~ *with* ve shodě s,
podle čeho; —ant ['konsə-
nənt] *a* 1. souhlasný, shodný
2. hud. konsonantní, libo-
zvučný □ *s* souhláska; —an-
tal [‚konsə'næntl] *a* souhlás-
kový

consort¹ [ˈkonsoːt] s manžel;
-ka ♦ Queen ~ královna choť
consort² [kənˈsoːt] vi 1. obcovat
(with s kým) 2. souhlasit,
shodovat se
consortium [kənˈsoːtjəm] s kon-
sorcium
conspectus [kənˈspektəs] s kon-
spekt
conspicuous [kənˈspikjuəs] a 1.
nápadný, zřejmý 2. význačný
conspir|acy [kənˈspirəsi] s spik-
nutí; —ator [kənˈspirətə] s
spiklenec; —e [kənˈspaiə] vi
1. spiknout se □ vt 2. strojit
co
constab|le [ˈkanstəbl] s 1. (obec-
ní, policejní) strážník, poli-
cejní komisař, hist. konstábl
2. hist. konetabl nejvyšší veli-
tel 3. velitel pevnosti; —ulary
[kənˈstæbjuləri] s policie
Constance [ˈkonstəns] s (m)
Kostnice: Lake of ~ Bodam-
ské jezero
constancy [ˈkonstənsi] s stálost,
vytrvalost; věrnost
constant [ˈkonstənt] a stálý,
konstantní, vytrvalý; věrný
□ s stálá veličina, konstanta;
—ly [ˈkonstəntli] adv stále,
pravidelně, trvale, konstant-
ně
Constantinople [ˌkonstænti-
ˈnoupl] s (m) Cařihrad
constellation [ˌkonstəˈleišən] s
souhvězdí; i fig.
consternation [ˌkonstəːˈneišən]
s zděšení, konsternace
constipation [ˌkonstiˈpeišən] s
zácpa
constitu|ency [kənˈstitjuənsi]
s 1. voličstvo 2. volební obvod
3. hov. předplatitelé; zákaz-

nictvo; —ent [kənˈstitjuənt]
a 1. základní (parts složky),
podstatný 2. zakládající
(member člen) 3. volební
4. ústavodárný (assembly,
power shromáždění, moc) □ s
1. zmocnitel 2. volič 3. (kon-
stituující) složka
constitut|e [ˈkonstitjuːt] vt 1.
ustanovit, jmenovat 2. usta-
vit, založit 3. stanovit zákon
4. u-, tvořit; —ion [ˌkonsti-
ˈtjuːšən] s 1. ustanovení,
nařízení 2. složení 3. tělesná
soustava, konstituce; povaha
4. státní soustava 5. ústava,
konstituce; —ional [ˌkonsti-
ˈtjuːšnl] a 1. konstituční,
vrozený 2. ústavní, konsti-
tuční □ s hov. zdravotní
procházka; —ive [ˈkonstit-
juːtiv] a konstitutivní, usta-
vující; podstatný
constrain [kənˈstrein] vt 1. při-,
nutit (to k) 2. vynutit co
3. držet v mezích; tísnit
4. poutat, věznit obv. fig.,
—ed [kənˈstreind] a 1. vy-,
nucený 2. stísněný, rozpačitý;
—t [kənˈstreint] s 1. nátlak,
donucení 2. stísněnost; roz-
paky
constrict [kənˈstrikt] vt 1. stisk-
nout, s-, u|táhnout 2. sevřít;
—ion [kənˈstrikšən] s stažení,
sevření, stisknutí; —or [kən-
ˈstriktə] s svěrač sval
construct [kənˈstralt] vt 1. po-
stavit, vy-, z|budovat 2. kon-
struovat stroj 3. vy-, tvořit
4. geom. sestrojit; —ion [kən-
ˈstrakšən] s 1. stavění, vý-
stavba, budování 2. stavba,
konstrukce 3. výtvor 4. gram.

vazba 5. geom. sestrojení
6. výklad, smysl; i práv. ♦
economic, housing, socialist, ~
hospodářská, bytová, socialistická výstavba: *to put
a good, bad,* ~ *on* dá(va)t
správný, nesprávný význam
čemu; *under, in the course
of,* ~ ve stavbě; —ive [kən-
ǀstraktiv] *a* 1. stavební; konstruktérský 2. tvořivý, konstruktivní (*criticism* kritika)
3. (logicky) vy-, odǀvozený;
—or [kənǀstraktə] *s* 1. stavitel, budovatel 2. konstruktér stroje
construe [kənǀstru:] *vt* 1. škol.
překládat (doslovně); rozebírat 2. gram., pas. pojit se
(*with* s) 3. vyložit, vykládat;
i práv.; chápat 4. (logicky)
do-, vyǀvozovat □ *vi* 5. *the
sentence does not* ~ ta věta
není (gramaticky) správná
consul [ǀkonsəl] *s* konzul; —ar
[ǀkonsjulə] *a* 1. konzulární
2. hist. konzulský; —ate[ǀkon-
sjulit] *s* konzulát
consult [kənǀsalt] *vt & i* 1. po-,
radit se (*with* s; *upon, about*
o čem) konzultovat s 2. podívat se (*with* do, na) 3. brát
ohled nač ♦ *-ing room* ordinace; —ation [ǀkonsəlǀteišən]
s porada, konzultace; —ative
[kənǀsaltətiv] *a* poradní
consumǀe [kənǀsju:m] *vt & i*
1. strávit, stravovat; vy-,
sǀpotřebovat 2. sníst, z-, konzumovat; —er [kənǀsju:mə]
s 1. spotřebitel, konzument
2. *atr* spotřební (*goods, price*
zboží, cena)
consummatǀe *vt* [ǀkonsameit]

dovršit, dokončit □ *a* [kən-
ǀsamit] dokonalý; úplný;
—ion [ǀkonsaǀmeišən] *s* 1.
dovršení, dokončení 2. konec
consumptǀion [kənǀsampšən]
s 1. spotřeba; odbyt 2. souchotiny, lid. úbytě 3. strávení,
zničení (*by fire* ohněm); —ive
(kənǀsamptiv) *a* 1. souchotinářský 2. ničivý 3. nákladný
□ *s* souchotinář, hov. tuberák
contact *s* [ǀkontækt] 1. styk,
kontakt; i fig.; dotyk; i mat.
2. el. spojení, kontakt 3. pl.
am. (osobní) styk, -y ♦
point of ~ styčný bod □
vt & i [kənǀtækt] am. 1. stýkat se 2. hov. navázat (obchodní) styk s
contagiǀon [kənǀteidžən] *s* nakaza; —ous [kənǀteidžəs] *a*
nakažlivý, sdělný
contain [kənǀtein] *vt* 1. obsahovat 2. mat. být dělitelný,
obsažen beze zbytku 3. geom.
svírat úhel 4. ovládnout (*o.s.*
se), zdržet (se); —er [kən-
ǀteinə] *s* 1. obal, nádoba
2. přepravní skříň
contaminatǀe [kənǀtæmineit] *vt*
1. znečistit, kontaminovat,
smísit 2. fig. poskvrnit; —ion
[kənǀtæmiǀneišən] *s* 1. znečištění 2. fig. poskvrna 3. nečistota 4. kontaminace, smíšení
contemn [kənǀtem] *vt* kniž. 1.
pohrdat čím 2. zlehčovat
contemplatǀe [ǀkontempleit]
vt & i 1. (zamyšleně) pozorovat; fil. zírat, kontemplovat
2. rozjímat, uvažovat, přemýšlet (o) 3. očekávat 4. zamýšlet; —ion [ǀkontemǀplei-

šən] **s 1.** pozorování; fil.
zírání, kontemplování **2.** rozjímání, přemítání, kontemplace (*on o*) **3.** očekávání
4. záměr: *in* ~ v plánu; —**ive**
[ˈkontempleitiv] *a* **1.** kontemplativní, rozjímavý **2.**
~ *of* pozorující co, hledící na
contempora|neous [kənˌtempə
ˈreinjəs] *a* současný, soudobý
(*with* s) obv. o věcech; —**ry**
[kənˈtempərəri] *a* současný,
soudobý (*with* s) obv. o osobách
□ *s* současník, vrstevník
contempt [kənˈtempt] *s* opovržení, pohrdání ♦ ~ *of court*
neuposlechnutí soudu; —**ible**
[kənˈtemptəbl] *a* opovrženíhodný; —**uous** [kənˈtemptjuəs] *a* pohrdavý, opovržlivý
contend [kənˈtend] *vi & t* **1.**
zápasit (*for* oč) **2.** přít se
(*about* oč), tvrdit co
content[1] [ˈkontent] *s* **1.** pl. -*s*
[-s] obsah (knihy) (*of a bottle*
láhve) **2.** obsah (*of a speech*
řeči) **3.** objem ♦ *table of* -*s*
obsah v knize
content[2] [kənˈtent] *a* **1.** spokojený **2.** ochoten □ *s* [ˈkontent]
spokojenost ♦ *to one's heart's*
~ co srdce n. hrdlo ráčí □
vt **1.** uspokojit **2.** ~ *o.s.* spokojit se; —**ed** [kənˈtentid] *a*
spokojený; —**ment** [kənˈtentmənt] *s* spokojenost
content|ion [kənˈtenšən] *s* **1.**
svár, spor, hádka; boj **2.**
předmět sporu; —**ious** [kən
ˈtenšəs] *a* **1.** svárlivý **2.**
sporný
contest *vt & i* [kənˈtest] **1.** závodit, soutěžit, bojovat (*for
a prize* o cenu) **2.** popírat

3. bojovat oč **4.** přít se
(*with, against* s kým) □ *s*
[ˈkontest] zápas, boj, utkání
context [ˈkontekst] *s* souvislost,
kontext; —**ual** [konˈtekstjuəl]
a kontextový; —**ure** [kon
ˈteksčə] *s* **1.** vazba, stavba
2. složení, pletivo
contigu|ity [ˌkontiˈgjuːiti] *s* **1.**
psych. styčnost, kontiguita
2. souvislost; —**ous** [kən
ˈtigjuəs] *a* psych. styčný
contin|ence [ˈkontinəns] *s* zdrželivost; —**ent** [ˈkontinənt] *a*
1. kniž. zdrželivý **2.** souvislý
□ *s* **1.** pevnina; světadíl **2.**
the C~ Evropa pro Angličana;
—**ental** [ˌkontiˈnentl] *a* pevninský, kontinentální; ~ *climate* vnitrozemské podnebí □
s kontinentálec
conting|ency [kənˈtindžənsi] *s*
1. nahodilost, kontingence;
i fil. **2.** možnost, eventualita
3. nepředvídaná skutečnost
4. souvislost; —**ent** [kən
ˈtindžənt] *a* **1.** nahodilý, kontingentní; i fil. **2.** případný,
eventuální **3.** podmíněný (*on*
čím) □ *s* **1.** náhoda, eventualita **2.** kontingent; kvóta
continu|al [kənˈtinjuəl] *a* ustavičný, nepřetržitý; —**ance**
[kənˈtinjuəns] *s* **1.** trvání,
průběh **2.** pokračování **3.**
pobyt **4.** am. odročení; —**ation**
[kənˌtinjuˈeišən] *s* **1.** pokra
čování **2.** trvání **3.** prodlou
žení; prolongace
continue [kənˈtinjuː] *vi & t*
pokračovat (*in* v) **2.** se-, vy-,
trvat (v), zůstat **3.** práv.
odročit **4.** geom. prodloužit
5. pas. ponechat (*in office*

v úřadě) ♦ *to ~ to be* stále
být; *to be -ed* pokračování po-
známka pod textem; *to ~ to do*
n. *doing* dále dělat; **—ity**
[ˌkontiˈnju:iti] *s* **1.** souvislost,
nepřetržitost, kontinuita **2.**
film. scénário; **—ous** [kənˈtinjuəs] *a* souvislý, nepře-
tržitý; spojitý (*function* funk-
ce); **—um** [kənˈtinjuəm] *s*
odb. kontinuum

contort [kənˈto:t] *vt* po-, z|krou-
tit, z|křivit; **—ion** [kənˈto:-
šən] *s* po-, z|kroucení,
z|křivení

contour [ˈkontuə] *s* obrys, kon-
tura: ~ *line* vrstevnice;
~ *map* vrstevnicový plán

contra [ˈkontrə] *adv & prep & s*
zř. proti

contraband [ˈkontrəbænd] *s* **1.**
pašované zboží **2.** podloud-
nictví **3.** ~ (*of war*) (válečný)
kontraband

contrabass [ˈkontrəˈbeis] *s* hud.
basa, kontrabas

contract *s* [ˈkontrækt] smlouva,
kontrakt; smluvní poměr □
vt & i [kənˈtrækt] **1.** uzavřít
smlouvu, smluvit, dohodnout
se o **2.** uzavřít sňatek, přátel-
ství **3.** dostat, chytit, osvojit
si, brát na sebe **4.** stahovat
(se), smršťovat se **5.** zúžit;
zmenšit; omezit; **—ile** [kən-
ˈtræktail] *a* s-, v|tažitelný;
—ion [kənˈtrækšən] *s* **1.** sta-
žení, zkrácení, smrštění, kon-
trakce **2.** uzavření sňatku ap.
3. gram. stažené slovo; zkrat-
ka; **—or** [kənˈtræktə] *s* **1.** pod-
nikatel; dodavatel; kontra-
hent **2.** stahovač sval; **—ual**
[kənˈtræktjuəl] *a* smluvní

contradict [ˌkontrəˈdikt] *vt & i* **1.**
odporovat komu (*each other* si)
2. popřít; **—ion** [ˌkontrəˈdik-
šən] *s* **1.** rozpor, protiklad;
log. kontradikce **2.** odpor ♦ ~
in terms log. contradictio in
adiecto; **—ory** [ˌkontrəˈdik-
təri] *a* **1.** log. kontradiktorický
2. odporující (*to* komu, čemu),
protikladný

contradistinguish [ˌkontrədis-
ˈtiŋgwiš] *vt* od-. roz|lišovat
(*from* od)

contralto [kənˈtræltou] *s* pl. *-s*
[-z] **1.** kontraalt **2.** kontra-
altistka

contrapunt|al [ˌkontrəˈpantl] *a*
hud. kontrapunkt|ní, -ický;
—ist [ˈkontrəpantist] *s* kon-
trapunktik

contrari|ety [ˌkontrəˈraiəti] *s*
1. rozpor (*to* s), protiklad (k)
2. nesrovnalost **3.** nepřízeň
4. log. kontrárnost; **—wise**
[ˈkontrəriwaiz] *adv* naopak,
obráceně

contrar|y [ˈkontrəri] *a* **1.** opač-
ný, protivný **2.** log. kontrární
3. [kənˈtreəri] svéhlavý, pali-
čatý ♦ ~ *to* proti čemu □
s jen *the ~* opak ♦ *by -ies*
naopak, opačně; *on the ~*
naopak; *to the ~* opačn|ý; -ě;
opak □ *adv* proti

contrast *vt & i* [kənˈtræst] **1.**
odrážet se (*with* od), kon-
trastovat, být v rozporu (s)
2. stavět proti sobě **3.** řeč. po-
rovnat □ *s* [ˈkontræst] **1.** kon-
trast, rozdíl **2.** rozpor, proti-
klad ♦ *in ~ to* na rozdíl od

contraven|e [ˌkontrəˈvi:n] *vt* **1.**
jednat proti zákonu, porušo-
vat **2.** odporovat **3.** popřít;

—**tion** [ˌkontrə'venšən] *s* přestoupení, porušení čeho

contribut|e [kən'tribju:t] *vt & i* přisp|ět, -ívat (*to* k; na); —**ion** [ˌkontri'bju:šən] *s* 1. přispívání 2. příspěvek 3. kontribuce; —**or** [kən'tribjutə] *s* 1. přispěvatel 2. poplatník

contrit|e ['kontrait] *a* kajíc|í, -ný; —**ion** [kən'trišən] *s* kajícnost

contriv|ance [kən'traivəns] *s* 1. zařízení, vynález 2. vynalézavost, důvtip 3. úmysl, záměr 4. lest; —**e** [kən'traiv] *vt & i* 1. vymyslit, vynalézt 2. pejor. z-, osnovat 3. provést, docílit, podařit se

control [kən'troul] *vt* (-ll-) 1. ovládat (*o.s.* se); řídit, upravit 2. kontrolovat, dohlížet na □ *s* 1. dohled, dozor (*over* nad) 2. vláda, kontrola (*over* nad), řízení čeho 3. pl. -*s* řízení, řídící zařízení; rozvodná deska 4. *atr* kontrolní; regulační (*experiment* pokus) ♦ *beyond* ~ neovladatelný, nekontrolovatelný; bez dozoru; *exchange* ~ devizová kontrola; *to get under* ~ zvládnout; *government* ~ vládní dozor; ~ *signal* aut. dopravní značka; ~ *room* el. rozvodna; *under* ~ pod kontrolou; pod kompetencí; —**lable** [kən'trouləbl] *a* 1. řiditelný 2. kontrolovatelný; —**ler** [kən'troulə] *s* 1. vrchní účetní, podnikový hospodář, kontrolor 2. el. kontrolér

controvers|ial [ˌkontrə'və:šəl] *a* 1. sporný 2. polemický 3.

hašteřivý; —**y** ['kontrəvə:si] *s* spor, polemika, kontroverze: *beyond* ~ nesporně

controvert ['kontrəvə:t] *vt* 1. popírat, vyvracet 2. přít se o, polemizovat o

contumac|ious [ˌkontju:'meišəs] *a* 1. vzpurný 2. práv. nepřítomný; kontumační; —**y** ['kontjuməsi] *s* 1. neposlušnost, vzpurnost 2. práv. nedostavení se k soudu

contumel|ious [ˌkontju'mi:ljəs] *a* urážlivý; —**y** ['kontju:mli] *s* urážka, pohana

contus|e [kən'tju:z] *vt* pohmoždit; —**ion** [kən'tju:žən] *s* pohmožděnina

conundrum [kə'nandrəm] *s* hádanka

convalesc|e [ˌkonvə'les] *vi* zotavit se; —**ence** [ˌkonvə'lesns] *s* rekonvalescence, zotavení; —**ent** [ˌkonvə'lesnt] *a* zotavující se □ *s* rekonvalescent

convection [kən'vekšən] *s* fyz. proudění, převod, vedení, konvekce

convene [kən'vi:n] *vt* 1. shromáždit se; sejít se □ *vt* 2. svolat (*a meeting* schůzi)

conveni|ence [kən'vi:njəns] *s* 1. výhoda, vý-, v|hodnost 2. pohodlí 3. obv. pl. vymoženosti, zařízení 4. arch. příležitost dostavník ♦ *at your earliest* ~ při nejbližší příležitosti; —**ent** [kən'vi:njənt] *a* 1. vhodný 2. am., ir. ~ *to* (šikovně) blízko

convent ['konvənt] *s* klášter ženský; —**icle** [kən'ventikl] *s* tajné shromáždění; —**ion** [kən'venšən] *s* 1. shromáž-

dění, konference, konvent 2.
dohoda, úmluva 3. konvence,
společenská zvyklost; —ional
[kən|venšənl] a 1. konvenční
2. smluvní
converg|e [kən|ve:dž] *vi & t* kon-
vergovat, sbíhat se; —ence
[kən|və:dž|əns], —ency [-ən-
si] *s* konvergence, sbíhání;
—ent [kən|və:džənt] *a* kon-
vergen|tní, -ční, sbíhavý
convers|able [kən|və:səbl] *a* 1.
hovorný 2. někdo, s nímž si
člověk může pohovořit; —ant
[kən|və:sənt] *a* sběhlý (*in* v),
obeznámený (*with* s); —ation
[ˌkonvə|seišən] *s* roz-, hovor,
konverzace; —ational [ˌkon-
və|seišənl] *a* 1. povídavý,
hovorný 2. hovorový, kon-
verzační; —e¹ *vi* [kən|və:s]
rozmlouvat, konverzovat □
s [|konvə:s] 1. arch. rozmluva
2. styk
convers|e² *a* [|konvə:s] obráce-
ný, opačný □ *s* 1. opak
2. log. obrat (soudu); —ely
[|konvə:sli] *adv* obráceně,
(a) naopak; —ion [kən|və:šən]
s 1. z-, pře|měna 2. log. obrat
(soudu) 3. fin., gram. konverze
4. převod, přepočítání 5. smě-
na, zpeněžení 5. práv. rušení
držby 7. círk. obrácení, kon-
verze 8. získání (*to* pro)
convert *vt* [kən|və:t] 1. z-,
pře|měnit 2. log. obrátit (soud)
3. fin., gram. konvertovat 4.
převést, přepočítat 5. směnit
6. práv. rušit držbu 7. círk
obrátit, konvertovat 8. získat
(*to* pro) □ *s* [|konvə:t] círk.
konvertita; —er [kən|və:tə]
s 1. konvertor, besemerovací

hruška 2. el. měnič; —ible
[kən|və:təbl] *a* 1. zaměnitelný
2. přeměnitelný 3. fin. směni-
telný, konvertibilní
convex [|kon|veks] *a* vypouklý
konvexní
convey [kən|vei] *vt* 1. do-,
pře|pravovat 2. vést, roz-
vádět 3. sděl|it, -ovat 4. práv.
převést (*to* na), připsat komu
5. euf. zabrat, vypůjčit si
ukrást; —ance [kən|veiəns] *s*
1. do-, pře|prava, převoz 2.
vedení, rozvádění 3. sdělo-
vání; přenášení 4. dopravní
prostředek, povoz 5. práv.
převod(ní listina), odstup;
—er [kən|veiə] *s* transportér
convict *vt* [kən|vikt] usvědčit
(*of* z); odsoudit □ *s* [|konvikt]
trestanec; —ion [kən|vikšən]
s 1. usvědčení 2. rozsudek
3. přesvědčení ♦ *to carry* ~
být přesvědčivý; *in the* ~
that pevně přesvědčen, že
convinc|e [kən|vins] *vt* přesvěd-
čit (*of* o; *o.s.* se); —ing [kən-
|vinsiŋ] *a* přesvědčivý
convivial [kən|viviəl] *a* stolní,
pohostinný; družný, veselý;
—ity [kənˌvivi|æliti] *s* po-
hostinnost; družnost, veselí
convocation [ˌkonvə|keišən] *s*
1. svolání 2. shromáždění 3.
brit. círk. synod 4. univ. rada
convoke [kən|vouk] *vt* svolat
convolut|e [|konvəlu:t] *a* s-,
za|vinutý □ *s* závit; —ed
[|konvəlu:tid] *a* = *convolute*
a; —ion [ˌkonvə|lu:šən] *s*
1. s-, za|vinutí 2. závit
convolvul|us [kən|volvjuləs] *s*
pl. *-uses* [-əsiz], *-i* [-ai] bot.
svlačec

convoy [ˈkonvoi] *vt* doprovázet (konvojem) □ *s* **1.** konvoj **2.** kolona

convuls|e [kənˈvals] *vt* **1.** zachvátit křečí **2.** fig. zmítat; —**ion** [kənˈvalšən] *s* **1.** obv. pl. křeče **2.** fig. záchvat **3.** pl. nepokoj, vření; —**ive** [kənˈvalsiv] *a* křečovitý, konvulzívní

con|y, —ey [ˈkouni] *s* **1.** arch. králík **2.** obch. králičina

coo [ku:] *vi & t* vrkat; cukrovat (se) □ *s* vrkání

cook [kuk] *vt & i* vařit (se); ~**up 1.** uvařit **2.** fig. spíchnout, ohřát **3.** přičesat, nakašírovat účty □ *s* kuchař, -ka; —**er** [ˈkukə] *s* **1.** sporák; vařič **2.** hrnec, nádoba (na vaření) **3.** (ovoce) na vaření, zavařování; —**ery** [ˈkukəri] *s* kuchařství: ˈ—**ery-book** *s* kuchařská kniha; ~ **-house** [ˈkukhaus] *s* dolní kuchyně; —**ie, —y** [ˈkuki] *s* am. cukroví, čajové pečivo; ~ **-shop** [ˈkukšop] *s* arch. jídelna, traktér, krčma; —**y** [ˈkuki] *s* **1.** hov. kuchařka **2.** = -ie

cooking [ˈkukiŋ] *s* kuchyň, vaření; ˈ~ **-range,** ˈ~ **-stove** *s* sporák

cool [ku:l] *a* **1.** chlad|ný, -ivý; svěží **2.** klidný **3.** upjatý, chladný **4.** neomalený, drzý **5.** pouhý (*thousand* tisícovka) ♦ *to get* ~ ochladit se; *keep* ~! jen klid!; *in* ~ *blood* chladnokrevně □ *s* chlad; chládek □ *vt & i* ~ (*down*) ochladit (se); osvěžit (se); z-, o|chladnout; i fig.; —**ing** [ˈku:liŋ] *s* chlazení □ *a* chladivý; ~ **-headed**

[ˈku:lˈhedid] *a* chladnokrevný

cool|ie, —y [ˈku:li] *s* kuli

coomb, ˈ—e [ku:m] *s* brit. strž

coon [ku:n] *s* am. **1.** zool. mýval; přezdívka whigů **2.** syčák **3.** am. negr, černouš, čerňák, tmavouš pohrdlivě: ~ *song* černošská píseň

coop [ku:p] *s* **1.** kukaň **2.** kurník, výběh □ *vt* dát do kukaně, na kurník, do výběhu; ~ **up,** in stěsnat, vmáčknout; —**er** [ˈku:pə] *s* bednář; —**erage** [ˈku:pəridž] *s* bednářství

co-op [kouˈop] *s* zkr. hov. družstvo, konzum

co-operat|e [kouˈopəreit] *vi* spolupracovat; —**ion** [kouˌopəˈreišən] *s* **1.** spolupráce, součinnost **2.** družstvo: *farmers', handicraft, housing and building,* ~ zemědělské, řemeslnické, stavební družstvo; —**ive** [kouˈopərətiv] *a* **1.** spolupůsobící; kooperativní **2.** družstevní: ~ *society* spotřební družstvo; ~ *store* konzum; —**or** [kouˈopəreitə] *s* **1.** spolupracovník **2.** družstevník

co-opt [kouˈopt] *vt* kooptovat; —**ation** [ˌkouopˈteišən] *s* kooptace

co-ordin|al [kouˈo:dinl] *a* souřadnicový; —**ate** *a* [kouˈo:d-nit] **1.** téhož řádu **2.** gram. souřadn|ý (*clauses* -é větné členy) □ *s* souřadnice □ *vt* [kouˈo:dineit] koordinovat, uspořádat; —**ation** [kouˌo:di-ˈneišən] *s* koordinace, uspořádání

coot [ku:t] *s* zool. lyska

cop¹ [kop] *s* **1.** cívka **2.** kupka □ *vt* kopit

cop² [kop] zkr. sl. = *copper²*

copartner [ˈkouˈpa:tnə] *s* společník, spolupodílník; **—ship** [ˈkouˈpa:tnəšip] *s* podílnictví

cope¹ [koup] *s* **1.** círk. pluviál **2.** fig. příkrov ♦ ~ *of heaven* (nebes)týn, nebeská báň

cope² [koup] *vi* **1.** měřit se (*with* s) **2.** zdolat (*with* co), vyrovnat se (s) **3.** překlenout

copeck [ˈkoupek] *s* kopejka

Copenhagen [ˌkoupnˈheigən] *s* (m) Kodaň

copious [ˈkoupjəs] *a* bohatý, obsažný

copper¹ [ˈkopə] *s* **1.** měď **2.** měděná mince, hov. měďák penny, cent **3.** kotel, měděnec **4.** *atr* měděný □ *vt* **1.** poměďovat **2.** pobít mědí; **—plate** [ˈkopəpleit] *s* mědirytina: ~ *writing* kaligrafické písmo

copper² [ˈkopə] *s* sl. polda, policajt

coppice [ˈkopis] *s* mlází, podrost

copra [ˈkoprə] *s* kopra

copse [kops] *s* brit. = *coppice*

copul|a [ˈkopjulə] *s* odb. spona, kopula; **—ate** [ˈkopjuleit] *vi* pářit se; **—ation** [ˌkopjuˈleišən] *s* **1.** páření **2.** gram., log. spojení

copy [ˈkopi] *s* **1.** opis, kopie **2.** výtisk; separát **3.** číslo časopisu **4.** předloha **5.** typ. rukopis **6.** námět ♦ *fair* ~ čistopis; *rough* ~ koncept □ *vt & i* **1.** opsat, opisovat **2.** napodobit **3.** o-, kopírovat **4.** reprodukovat; **~ -book** [ˈkopibuk] *s* sešit; **—hold** [ˈkopihould] *s* brit. (zaknihovaný) nájem (statku); **—ist** [ˈkopiist] *s* **1.** opisovač **2.** napodobitel; **—right** [ˈkopirait] *s* autorské, nakladatelské právo □ *a* chráněný □ *vt* chránit autorským n. nakladatelským právem

coquet, —te¹ [kouˈket] *vi* (-tt-) koketovat; **—ry** [ˈkoukitri] *s* koket|ování; -érie; **—te²** [kouˈket] *s* koket(k)a □ *vi* koketovat, **—tish** [kouˈketiš] *a* koketný

coral [ˈkorəl] *s* **1.** korál **2.** *atr* korálový

corbel [ˈko:bəl] *s* stav. krakorec

cord [ko:d] *s* **1.** provázek, motouz **2.** provaz, lano **3.** el. šňůra **4.** sáh (dřeva) **5.** text: kord ♦ *spinal* ~ mícha; *vocal -s* hlasivky; *umbilical* ~ pupeční šňúra □ *vt* **1.** ~ (*up*) s-, pře|vázat (provazem) **2.** srovnat (dřevo) do sáhů; **—age** [ˈko:didž] *s* nám. lanoví

cordial [ˈko:djəl] *a* **1.** srdečný, upřímný **2.** posilující □ *s* posilující lék; likér; **—ity** [ˌko:diˈæliti] *s* **1.** srdečnost, upřímnost **2.** přátelský poměr

Cordilleras, *the* [ˌko:diˈljeərəz] *s pl.* (h) Kordillery

cordon [ˈko:dn] *s* **1.** kordón policie; strom **2.** (řádová) stužka **3.** stav. římsa

corduroy [ˈko:dəroi] *s* **1.** manšestr **2.** pl. hov. manšestrovky ♦ ~ *road* am. hať cesta dlážděná kulatinou

core [ko:] *s* **1.** jaderník; ohryzek **2.** odb. jádro **3.** fig. nitro, morek □ *vt* vykrajovat

Corinth [ˈkorinθ] *s* (m) Korint; **—ian** [kəˈrinθiən] *a* korintský
Coriolanus [ˌkoriəˈleinəs] *s* Koriolán(us)
cork [ko:k] *s* 1. korek 2. zátka 3. *atr* korkový: ~ *jacket* záchranná vesta □ *vt* zazátkovat; **—screw** [ˈko:kskru:] *s* vývrtka; **—y** [ˈko:ḳi] *a* 1. korkový 2. hov. lehký, bujný, dovádivý
cormorant [ˈko:mərənt] *s* 1. zool. kormorán 2. nenasyta; hltavec, dravec
corn¹ [ko:n] *s* 1. obilí 2. zrn|o, kol. -í 3. am. *(Indian)* ~ kukuřice 4. skot. oves; **~-bread** *s* am. kukuřičný chléb; **~-chandler** [ˈko:n-ˌča:ndlə] *s* překupník obilí; **~-crake** [ˈko:nkreik] *s* sluka polní; **~-exchange** [ˈko:niks-ˌčeindž] *s* plodinová burza; **~-flour** [ˈko:nflauə] *s* kukuřičná n. rýžová mouka; **~-flower** [ˈko:nflauə] *s* chrpa; **~-laws** [ˈko:nlo:z] *s* obilní zákony proti dovozu do Anglie 1361 až 1846
corn² [ko:n] *s* kuří oko
corn³ [ko:n] *vt* nasolit (maso): *-ed beef* hovězí konzerva
cornea [ˈko:niə] *s* rohovka
cornel [ˈko:nəl] *s* bot. dřín
cornelian [ko:ˈni:ljən] *s* min. karneol
corner [ˈko:nə] *s* 1. roh, i kop., kout 2. nároží 3. zákoutí, kout, -ek 4. tíseň 5. obch. skoupení zboží, vyhánění cen 6. *atr* rohový, nárožní ♦ *to cut off a* ~ říznout roh; *to drive s.o. into a* ~ vehnat koho do úzkých: *hole and* ~

transactions obchody pod rukou; *done in a* ~ provedený potajmu; *a tight* ~ nebezpečná tíseň; *to turn the* ~ zahnout za roh; i fig. □ *vt & i* 1. vehnat do úzkých 2. obch. skoupit zboží, vyhnat ceny; **~-stone** [ˈko:nəstoun] *s* základní, fig. úhelný kámen
cornet [ˈko:nit] *s* 1. hud. kornet, roh 2. kornout
cornice [ˈko:nis] *s* 1. římsa 2. převis sněhový
Cornish [ˈko:niš] *a* cornwallský □ *s* cornwallština
cornucopia [ˌko:njuˈkoupjə] *s* roh hojnosti
corolla [kəˈrolə] *s* bot. okvětí, korunka
corollary [kəˈroləri] *s* log. korolár důsledek soudu
coron|a [kəˈrounə] *s* pl. *-ae* [-i:] 1. astr. koróna 2. anat., bot. korunka 3. kruhový lustr
coronary [ˈkorənəri] *a* med. věnčit|ý *(artery* -á tepna; ~ *thrombosis* [θromˈbousis] infarkt)
coronation [ˌkorəˈneišən] *s* korunovace
coroner [ˈkorənə] *s* ohledač mrtvol(y)
coronet [ˈkorənit] *s* 1. korunka 2. čelenka 3. vínek
corporal [ˈko:pərəl] *a* 1. tělesný *(punishment* trest) 2. arch. osobní □ *s* desátník, lid. kaprál; **—ity** [ˌko:pəˈræliti] *s* 1. tělesnost 2. pl. tělesné potřeby
corporat|e [ˈko:pərit] *a* 1. korporační, statutární: *body* ~, ~ *body* právnická osoba, korporace; ~ *town* statutární město 2. korporativní, spo-

lečný; —ion [ˌkoːpəˈreišən] *s* 1. společenství 2. společnost, společenstvo, sdružení, korporace 3. hist. cech 4. zastupitelstvo (*municipal* ~ městské z.) 5. am. obchodní n. akciová společnost 6. hov. panděro

corporeal [koːˈpoːriəl] *a* 1. tělesný 2. hmotný

corps (sg. koː, pl. koːz) *s* pl. = sg. armádní sbor

corpse [koːps] *s* mrtvola

corpul|ence [ˈkoːpjuləns], —**en-cy** [-ənsi] *s* tělnatost, otylost; —**ent** [ˈkoːpjulənt] *a* tělnatý, otylý

corpusc|le [ˈkoːpasl] *s* 1. tělísko 2. korpuskule; —**ular** [koːˈpaskjulə] *a* korpuskulární; —**ule** [koːˈpaskjuːl] *s* korpuskule

corral [koˈraːl] *s* am. 1. dobytčí ohrada 2. vozová hradba □ *vt* (-ll-) 1. srazit ve vozovou hradbu 2. uzavřít do ohrady

correct [kəˈrekt] *a* 1. správný 2. přesný 3. bezvadný, korektní □ *vt* 1. oprav|it, -ovat, korigovat 2. napravit omyl 3. po-, kárat, napomenout 4. po-, trestat 5. fyz. přepočítat (*to* na); —**ion** [kəˈrekšən] *s* 1. oprava, korektura 2. trest ♦ *house of* ~ káznice; *under* ~ s výhradou; —**ive** [kəˈrektiv] *a* opravný, nápravný □ *s* korektiv; —**ness** [kəˈrektnis] *s* 1. správnost 2. přesnost 3. bezúhonnost, korektnost: —**or** [kəˈrektə] *s* oprávce, kritik ♦ brit. ~ *of the press* typ. korektor

correlat|e [ˈkoriˌleit] *s* korelát, souvztažný jev □ *vi & t* mít (vzájemný) vztah; —**ion** [ˌkoriˈleišən] *s* 1. korelace, souvztah 2. usouvztažnění; —**ive** [koˈrelətiv] *a* korelativní, souvztažný

correspond [ˌkorisˈpond] *vi* 1. odpovídat (*with*, *to* čemu), si, shodovat se, souhlasit (s) 2. znamenat 3. dopisovat (si), psát komu, korespondovat; —**ence** [ˌkorisˈpondəns] *s* 1. shoda, souhlas 2. písemný styk, korespondence ♦ *to teach by* ~ vyučovat dálkově; —**ent** [ˌkorisˈpondənt] *s* dopisovatel, korespondent

corridor [ˈkoridoː] *s* 1. chodba 2. chodbička: ~ *train* průchodní vlak jako u nás 3. pavlač 4. koridor

corrigend|um [ˌkoriˈdžend|əm] *s* obv. pl. -*a* [-ə] oprava tiskové chyby

Corr. Mem. = *Corresponding Member* člen korespondent

corroborat|e [kəˈrobəreit] *vt* potvrdit; podepřít, doložit; —**ion** [kəˌrobəˈreišən] *s* potvrzení; doklad, podpora; —**ive** [kəˈrobərətiv] *a* potvrzující

corro|de [kəˈroud] *vt & i* 1. rozež|rat, -írat 2. geol. rozrušovat, korodovat 3. leptat; —**sion** [kəˈroužən] *s* 1. rozežírání, rozrušování 2. odb. koroze 3. leptání; —**sive** [kəˈrousiv] *a* 1. korozívní 2. rozežírající; ničivý 3. leptavý

corrugat|e [ˈkorugeit] *vt & i* 1. svraštit 2. zvrásnit ♦ -*ed iron*, *paper*, *cardboard* vlnit|ý plech, papír, -á le-

penka; —ion [ˌkoruˈgeišən] s
1. svraštění; zvrásnění 2.
rýha; vrása
corrupt [kəˈrapt] a 1. zkažený
2. úplatný, korumpovaný 3.
porušený text ♦ ~ practices
úplatkářství □ vt & i 1.
narušit, zkazit 2. podplatit,
korumpovat; —ible [kəˈrapt-
əbl] a 1. pomíjitelný 2. úplat-
ný; —ion [kəˈrapšən] s 1. roz-
klad 2. zkaženost 3. úplatnost
corsage [koːˈsaːž] s 1. živůtek
šatů 2. am. květina na šaty
corsair [ˈkoːseə] s korzár
cors|et [ˈkoːsit] s korzet, šněro-
vačka; —let, —elet [ˈkoːslit]
s 1. korzelet, šněrovačka 2.
krunýř
cort|ex [ˈkoːtˌeks] s pl. -ices
[-isiːz] 1. kůra (mozková) 2.
bot. kůra; —ical [ˈkoːtikəl] a
kortikální, korový
corundum [kəˈrandəm] s korund
coruscate [ˈkorəskeit] vi třpytit
se, jiskřit se; i fig.
corvette [koːˈvet] s nám. korveta
corvine [ˈkoːvain] a 1. havraní
2. havranovitý
corymb [ˈkorim(b)] s bot. cho-
cholík
coryphae|us [ˌkoriˈfiːˌəs] s pl. -i
[-ai] náčelník sboru; kory-
fej; i fig.
cos = cosine cos
cosec = cosecant cosec
cosecant [ˈkouˈsiːkənt] s mat.
kosekans
cosine [ˈkousain] s mat. kosinus
cosmetic [kozˈmetik] a & s
kosmetický (přípravek)
cosmic [ˈkozmik] a kosmický,
vesmírný
cosmo|gony [kozˈmogəni] s kos-

mogonie; —logy [kozˈmolǝd-
ži] s kosmologie; —naut
[ˈkosmonoːt] s kosmonaut;
—politan [ˌkozməˈpolitən] a
kosmopolitní □ s kosmopoli-
ta, světoobčan: —political
[ˌkozmopəˈlitikəl] a kosmo-
politický
cosmos [ˈkozmos] s vesmír,
kosmos
Cossack [ˈkosæk] s kozák
cost* [kost] vi 1. stát: ~ what it
may ať to stojí co stojí □ vt
2. kalkulovat □ s 1. náklady,
výlohy, cena 2. obv. pl. útraty,
výdaje 3. atr provozní ♦ at
all -s, at any ~ za každou
cenu; at the ~ of za cenu čeho;
the ~ of living, living -s životní
náklady; ~ price nákupní, vý-
robní cena; prime, net, ~ jed-
nicové náklady výrobní; to
one's ~ z vlastní zkušenosti
costal [ˈkostl] a žeberní
coster(monger) [ˈkostəˌmaŋgə] s
brit. pouliční prodavač ovoce
n. zeleniny n. ryb
costly [ˈkostli] a drahý, nákladný
costume [ˈkostjuːm] s 1. kroj
2. úbor, kostým □ vt 1. kro-
jovat 2. obléci do historických
kostýmů
cosy, —zy [ˈkouzi] a útulný □ s
(ˈteə-) ~ čajová panenka
na konvici
cot¹ [kot] s 1. lůžko lehké n.
visuté 2. dětská postýlka
cot² [kot] s 1. bás. chýška 2. =
cote
cot³ = cotangent cot
cotangent [ˈkouˈtændžənt] s mat.
kotangens
cote [kout] s kotec: ˈdove- ~
holubník; ˈhen- ~ kurník;

¹*pig-* ~ chlívek; ¹*sheep-* ~ ovčín

coterie [ˈkoutəri] *s* kotérie; kroužek

cothurn|us [kouˈθəːnəs] *s* pl. *-i* [-ai] koturn

cottage [ˈkotidž] *s* **1.** chalupa **2.** (rodinný) domek **3.** chata, vilka

cotton [ˈkotn] *s* **1.** bavlna **2.** bavlnka *nit* ♦ ~ *industry* bavlnářský průmysl; ~ *-mill* [ˈkotnmil] *s* přádelna; ~ *-plant* [ˈkotnplɑːnt] *s* bavlník; ~ *-spinner* [ˈkotnˌspinə] *s* přadlák; přadlena; ~ *-wool* [ˈkotnˈwul] *s* vata; ~ *yarn* bavlněná příze

cotyledon [ˌkotiˈliːdən] *s* bot. děloha

couch [kauč] *s* **1.** pohovka, gauč; lehátko **2.** bás. lože □ *vt* **1.** arch., bás. uložit; ležet, odpočívat **2.** založit kopí **3.** sklonit **4.** vyjádřit (*in words* slovy) **5.** skrčit se (ke skoku) **6.** číhat v záloze

cougar [ˈkuːgə] *s* zool. kaguár, puma

cough [kof] *s* kašel □ *vi* **1.** kašlat **2.** ~ *up* vykašlat ♦ *to give a (slight)* ~ zakašlat

could [kud, oslab. kəd] *podmiňovací způsob & pt od can*

couldn't [ˈkudnt] = *could not*

coulisse [kuːˈliːs] *s* obv. pl. **1.** kulisa **2.** zákulisí

coulomb [ˈkuːlom] *s* el. coulomb

council [ˈkaunsl] *s* **1.** rada: *city* ~ městská rada; *privy* ~ státní rada; *works'* ~ dílenská n. závodní rada **2.** círk. koncil; **-lor** [ˈkaunsilə] *s* **1.** rada, člen rady **2.** radní *města*

counsel [ˈkaunsəl] *s* **1.** porada **2.** rada **3.** záměr **4.** právní zástupce **5.** kol. advokátní rada ♦ *to keep one's own* ~ tajit své úmysly; *King's, Queen's, C~* korunní, královský rada; *to take* ~ *with* kniž. poradit se s □ *vt* (-ll-) radit *komu, k čemu*; **-lor** [ˈkaunslə] *s* **1.** poradce, rádce **2.** ir., am. advokát

count¹ [kaunt] *vt & i* **1.** počítat (*ten* to desíti; *from, to* od, do); am. počítat *myslit* **2.** spočítat (si) **3.** považovat **4.** počítat se, být důležitý ♦ *to* ~ *as* počítat za; *to* ~ *for much (little)* (ne)stát za mnoho; *not -ing* nepočítaje, vyjma; ~ *in* započítat; ~ *on* počítat s *čím*; ~ *out* odpočítat; ~ *over* přepočítat; ~ *up* sečíst, spočítat □ *s* **1.** sčítání **2.** počet **3.** odhad **4.** bod (žaloby) ♦ *to keep (lose)* ~ *of* (ne)počítat se *čeho*; *to take* ~ sport. být odpočítán; *to take some* ~ *of* dát nač; **-able** [ˈkauntəbl] *a* počítatelný; ¹*-ing-house*, am. ¹~*-room* *s* účtárna

count² [kaunt] *s* hrabě

countenance [ˈkauntinəns] *s* **1.** vzezření; tvář **2.** (duševní) klid **3.** povzbuzení, přízeň ♦ *to keep (one's)* ~ zachovat vážnost; *to lose* ~ ztratit klid; *to put out of* ~ přivést do rozpaků; vyvést z míry □ *vt* povzbuzovat, podporovat

counter¹ [ˈkauntə] *s* **1.** pult **2.** přepážka, okénko **3.** žeton, jeton **4.** kostka v dámě, pěšák v šachu

counter² [ˈkauntə] a opačný, protivný □ adv obráceně: ~ to proti □ vt & i čelit; mluvit proti

counteract [ˌkauntəˈrækt] vt & i působit proti čemu, rušit, paralyzovat; —ion [ˌkauntəˈrækšən] s odpor, protiakce

counter|-attack [ˈkauntərəˌtæk] s protiútok □ vt & i protiútočit; —balance s [ˈkauntəˌbæləns] protiváha □ vt [ˌkauntəˈbæləns] vyvážit; —charge [ˈkauntəča:dž] s 1. protižaloba 2. protiútok; ~ -claim [ˈkauntəkleim] s obch. protipohledávka; ~ -clock-wise [ˌkauntəˈklokwaiz] adv proti směru hodinových ručiček; ~ -espionage [ˌkauntərˈespiənaːž] s protišpionáž; —feit [ˈkauntəfit] a 1. padělaný 2. předstíraný □ s 1. padělek; napodobenina 2. podvodník □ vt 1. padělat; napodobit 2. předstírat; —foil [ˈkauntəfoil] s kontrolní útržek; —mand [ˌkauntəˈmaːnd] vt odvolat, zrušit □ s odvolání, zrušení; —march [ˈkauntəmaːč] s 1. ústup 2. protichod □ vi & t 1. ustupovat 2. jít protichodem; —mine [ˈkauntəmain] s podkop; i fig. □ vt & i [ˌkauntəˈmain] udělat podkop (pod); —pane [ˈkauntəpein] s (ložní) pokrývka, přehoz; —part [ˈkauntəpaːt] s protějšek; —point [ˈkauntəpoint] s kontrapunkt; —poise [ˈkauntəpoiz] s 1. protiváha 2. rovnováha □ vt vyvážit; ~ -reformation [ˈkauntərefəˈmeišən] s proti-

reformace; ~ -revolution [ˈkauntərevəˌluːšən] s kontrarevoluce; —sign [ˈkauntəsain] s 1. voj. heslo 2. spolupodpis □ vt spolupodepsat; —stroke [ˈkauntəstrouk] s protiúder; —vail [ˈkauntəveil] vt & i vyrovnat (se); —work vi & t [ˌkauntəˈwəːk] 1. působit, pracovat proti 2. zhatit, zmařit □ s [ˈkauntəwəːk] voj. překážka

countess [ˈkauntis] s hraběnka

countless [ˈkauntlis] a nespočetný

country [ˈkantri] s 1. země; kraj; vlast 2. the ~ venkov ♦ ~ dance lidový tanec; in the ~ na venkově; ~ -house [ˈkantriˌhaus] s venkovské sídlo; —man [ˈkantrimən] s pl. -men [-mən] 1. venkovan 2. krajan; ~ -side [ˈkantriˌsaid] s venkov, krajina; —woman [ˈkantriˌwumən] s pl. -women [-ˌwimin] 1. venkovanka 2. krajanka

county [ˈkaunti] s 1. brit. hrabství 2. am. okres, kraj, distrikt

coup [kuː] s úder, rána; ráz: ~ d'état [ˈkuːdeiˈtaː] (státní) převrat

coupé [ˈkuːpei] s 1. (dvousedadlové) auto, kočár 2. brit. žel. kupátko, poloviční kupé

coupl|e [ˈkapl] s 1. pár, dvojice: a married ~ manželé 2. pl. = sg. párek zvířat 3. pár, několik (of pounds liber) □ vt & i 1. pojit (se), spojovat (po dvou) 2. kuplovat vozy 3. s-, párovat 4. pářit se; —et [ˈkaplit] s dvojverší

coupon [ˈkuːpon] *s* **1.** ústřižek, kupón **2.** (zásobovací) lístek
courage [ˈkaridž] *s* odvaha: *to take, pluck up, muster up*, ~ dodat si odvahy; —**ous** [kəˈreidžəs] *a* odvážný, udatný
courier [ˈkuriə] *s* **1.** kurýr **2.** vedoucí výpravy
cours|e [koːs] *s* **1.** běh, průběh, postup **2.** směr, kurs **3.** tok **4.** závodní dráha **5.** cesta, možnost **6.** kurs učební **7.** kúra léčebná **8.** chod jídla **9.** kurs měny **10.** lov. štvan|í, -ice **11.** vrstva, řada cihel ap. ♦ *by ~ of* obvyklým postupem, podle; *in due* ~ v pravý čas; *řádně; it is in* ~ *of construction* právě se staví; *in the* ~ *of* během, při; *as a matter of* ~ samozřejmě; *of* ~ ovšem; *to run its* ~ mít přirozený průběh; *let take one's* ~ nechat volný průběh čemu; *upward* ~ pohyb vzhůru □ *vt* **1.** lov. honit; fig. stíhat □ *vi* **2.** řinout se; proudit **3.** hnát se, prohánět se (na koni); —**er** [ˈkoːsə] *s* bás. oř
court [koːt] *s* **1.** dvůr domu **2.** nádvoří hradu ap. **3.** dvorana, sál **4.** (královský) dvůr **5.** soud(ní dvůr) **6.** dvorec; hřiště **7.** správní rada; správní ředitelství podniku **8.** pozornost, přízeň ♦ *to clear the* ~ vyklidit soudní síň; *out of* ~ mimosoudn|í, -ě; *to pay* ~ *to* věnovat přízeň komu; *to take a case to* ~ předložit věc soudu □ *vt* **1.** ucházet se oč; o ženu **2.**

předcházet si koho **3.** hov. žalovat koho ♦ —*ing couple* milenci; —**eous** [ˈkəːtjəs] *a* dvorný; zdvořilý; —**esan**, —**ezan** [ˌkoːtiˈzæn] *s* milostnice, kurtizána; —**esy** [ˈkəːtisi] *s* **1.** zdvořilost, laskavost **2.** svolení: *by the* ~ *of* s (laskavým) svolením koho; —**ier** [ˈkoːtjə] *s* dvořan; —**ly** [ˈkoːtli] *a* **1.** uhlazený, vytříbený; dvorský **2.** dvořanský, úslužný, lichotný □ *adv* uhlazeně; ~ **martial** [ˈkoːtˈmaːšəl] *s* pl. *courts martial* stanný, válečný soud; |~-|**martial** *vt* odsoudit před stanným soudem; —**ship** [ˈkoːtšip] *s* námluvy; —**yard** [ˈkoːtˈjaːd] *s* **1.** dvůr, dvorek **2.** nádvoří
cousin [ˈkazn] *s* bratranec; sestřenice: *second* ~ druhý bratranec, sestřenice
cove [kouv] *s* **1.** mělká zátoka **2.** am. soutěska **3.** zákoutí
covenant [ˈkavinənt] *s* smlouva □ *vi* **1.** zavázat se □ *vt* **2.** sjednat
cover [ˈkavə] *vt* **1.** krýt (si) **2.** při-, za|krýt (*o.s.* se; *with* čím) **3.** pokrýt; potáhnout (*with leather* kůží); polepit; obalit **4.** zaplavit; i fig. **5.** s-, za|krýt, zastřít **6.** namířit (*s.o. with* na koho čím) **7.** urazit (*a distance* vzdálenost) **8.** obsahovat, zahrnovat ♦ *to remain -ed* nechat na hlavě; ~ **in 1.** zastřešit **2.** zasypat; ~ **over** zakrýt (*a hole* díru); ~ **up** při-, za|krýt (se) (*one's tracks* čí stopy) □ *s* **1.** pokrývka **2.** obal, obálka.

deska knihy **3.** uzávěr, víko, víčko; příklop **4.** poklička **5.** obch. krytí **6.** úkryt, ochrana **7.** záminka ♦ *to break* ~ vyjít z úkrytu; *from* ~ *to* ~ od první do poslední stránky; *-s were laid for four* bylo prostřeno pro čtyři; *to take* ~ s-, u|krýt se; *under* ~ *of* a) pod ochranou (*night* noci) b) pod záminkou čeho c) do úkrytu d) pod střechou; *under the same* ~ v příloze; *under separate* ~ odděleně; —**age** [ˈkavəridž] *s* **1.** fin., poj. krytí: *gold* ~ krytí zlatem **2.** působení, dosah, pole působnosti; —**ing** [ˈkavəriŋ] *s* **1.** clona, kryt **3.** pokrývka ♦ ~ *party* voj. zajišťovací jednotka; —**let** [ˈkavəlit] *s* (ložní) pokrývka, přehoz

covert *s* [ˈkavə] **1.** úkryt; houští **2.** pl. odb. prach peří □ *a* [ˈkavət] skrytý

covet [ˈkavit] *vt* toužit po, horoucně si přát co; —**ous** [ˈkavitəs] *a* **1.** žádostivý (*of* čeho) **2.** chamtivý

covey [ˈkavi] *s* hejno obv. koroptví

cow[1] [kau] *s* kráva; ~ **-boy** [ˈkauboi] *s* am. pasák (krəv), kovboj; ~ **-herd** [ˈkauhə:d] *s* brit. pasák (krav); ~ **-hide** [ˈkauhaid] *s* hovězí useň; ~ **-pox** [ˈkaupoks] *s* kravské neštovice; —**slip** [ˈkauslip] *s* petrklíč, prvosenka

cow[2] [kau] *vt* z-, vy|děsit

coward [ˈkauəd] *s* zbabělec □ *a* zbabělý; —**ice** [ˈkauədis] *s* zbabělost; —**ly** [ˈkauədli] *a* zbabělý □ *adv* zbaběle

cower [ˈkauə] *vi* krčit se

cowl [kaul] *s* **1.** kutna **2.** kápě, kukla

cox [koks] = hov. *coxswain*

coxcomb [ˈkokskoum] *s* **1.** honimír **2.** zast. šaškovská čepice

coxswain [ˈkokswein, ˈkoksn] *s* kormidelník

coy [koi] *a* **1.** stydlivý, upejpavý **2.** plachý

coyote [ˈkoiout] *s* stepní vlk kojot

cozen [ˈkazn] *vt & i* kniž. oklamat, ošidit

cp. = *compare* srv.

cr = **1.** *creditor* **2.** *credit*

crab [kræb] *s* **1.** krab **2.** astr. *C*~ Rak **3.** rumpál **4.** plané jablko **5.** mrzout ♦ *to catch a* ~ sport. chytat kraba zabrat hluboko veslem □ *vt* (-bb-) hov. zostudit; —**bed** [ˈkræbid] *a* **1.** nadrápaný, kostrbatý **2.** mrzutý, rozmrzelý **3.** zamotaný; duchamorný

crack [kræk] *vt* **1.** narazit, hov. nakřápnout; rozbít **2.** louskat, rozlousknout ořech □ *vi* **3.** třesknout, prásknout; lupnout **4.** puknout, prask|nout, -at **5.** zlomit se; mutovat **6.** hov. vybuchnout, selhat **7.** tech. krakovat ♦ *to* ~ *a bottle* porazit láhev vypít; *to* ~ *fingers* lusk|nout, -at prsty; *to* ~ *a joke* vykládat, utrousit vtip; ~ *on* hov. uhánět; ~ *up* hov. vynášet, vychvalovat □ *s* **1.** třesk, -nutí; prásknutí; lupnutí **2.** sl. vtip **3.** hov. lípanec **4.** trhlina, puklina **5.** pl. vada **6.** mutování **7.** potrhlost **8.** hov. kadet, eso ♦ *in a* ~ v tu ránu □ *a* hov. bezva; —**ed** [krækt] *a* **1.**

puklý, prasklý; rozpukaný
2. pošramocený 3. hov. střelený 4. křaplavý hlas; —er
[¹krækə] s obv. pl. 1. žertovná
petarda; třaskavý bonbón
2. am. sušenka; —le [¹krækl]
vi 1. praskat □ vt2. louskat □
s třeskot; —y [¹kræki] a 1.
popraskaný 2. křehký 3. hov.
střelený, praštěný

cradle [¹kreidl] s 1. kolébka;
i fig. 2. krabice u kosy □ vt
1. kolébat, houpat v náručí 2.
sekat hrabicí

craft [kra:ft] s 1. řemeslo;
živnost 2. arch. umění, dovednost 3. pejor. chytrost;
úskok, lest 4. kol. (small) ~
(malé) lodě; loď; —sman
[¹kra:ftsmən] s pl. -men [-mən]
1. řemeslník 2. umělec; —smanship [¹kra:ftsmənšip] s dovednost, umění; —y [¹kra:fti] a prohnaný, zchytralý

crag [kræg] s 1. útes 2. skalisko,
úskalí; —ged [¹krægid], —gy
[¹krægi] a 1. strmý 2. skalnatý, rozeklaný

crake [kreik] s zool. chřástal

cram [kræm] vt (-mm-) 1.
cpát (si), nacpat (se), napěchovat (into do) 2. škol. sl.-
narvat, na-, hustit do koho;
na-, biflovat, našrotit

cramp¹ [kræmp] s (am. obv. pl.)
křeč □ vt postihnout křečí

cramp² [kræmp] s 1. kramle 2.
svěrák □ vt 1. ochromit
2. ~ (up) stěsnat (do) 3.
spojit kramli; —ed [¹kræmpt]
a 1. úzký 2. stěsnaný 3. úzkoprsý

crampons [¹kræmpənz] s pl 1.
stupačky 2. náledníky

cranberry [¹krænbəri] s brusinka
crane [krein] s jeřáb □ vt & i
1. zvedat (jeřábem) 2. natahovat krk 3. hov. zarazit
se (at před překážkou)

crani|al [¹kreinjəl] a lebeční;
—um [¹kreinjəm] s pl. -a
[-ə] med. lebka

crank [kræŋk] s 1. klika 2. zalomená hřídel 3. zákrut 4.
šprým, slovní hříčka 5. vrtoch 6. hov. pošuk □ vt
& i 1. zalomit 2. vinout se
3. film. točit 4. ~ (up) natočit
(an engine motor) □ a 1. nám.
vratký 2. rozhrkaný; —y
[¹kræŋki] a 1. marodivý 2.
vratký 3. .rozviklaný 4. pohrkaný, potrhlý 5. křivolaký

cranny [¹kræni] s skulina

crape [kreip] s 1. krep, flór 2.
smuteční páska

crapulence [¹kræpjuləns] s kocovina

crash [kræš] vi & t 1. řítit se
(through kudy) 2. zřítit se,
havarovat 3. fig. zhroutit se,
zkrachovat 4. třesknout; zaburácet 5. vrazit (into do),
najet (na) 6. narazit (on na);
~ in prolomit se □ s 1. třesk,
-ot, praskot, řinčení; za-,
burácení hromu 2. zřícení,
havárie 3. pád, zhroucení;
krach

crass [kræs] a kniž. hrubý
crate [kreit] s 1. dopravní klec;
basa 2. proutěný obal

crater [¹kreitə] s 1. jícen, kráter 2. hist. měsidlo

cravat [krə¹væt] s 1. arch. nákrčník 2. obch. vázanka 3.
šátek na krk dámský

crave [kreiv] *vt & i* **1.** vyprošovat si, vyžádat si **2.** dychtit (*for* po)

craven [ˈkreivən] *a* zbabělý □ *s* zbabělec

craw [kro:] *s* vole

crawfish [ˈkro:fiš] *s* = *crayfish*

crawl [kro:l] *vi* **1.** plazit se **2.** hemžit se čím ♦ *to make s.o.* ~ nahnat komu husí kůži □ *s* **1.** plazení **2.** sport. *the* ~ kraul; —**er** [ˈkro:lə] *s* **1.** sport. kraulař **2.** pl. šatičky pro batole

crayfish [ˈkreifiš] *s* rak

crayon [ˈkreiən] *s* **1.** barevná tužka, pastelka **2.** um. pastel □ *vt* kreslit (pastelkou)

craz|e [kreiz] *vt* pomátnout, uvést v šílenství □ *s* fig. vášeň, móda, blázněním (*for* po); —**ed** [kreizd] *a* pobláyzněný; —**y** [ˈkreizi] *a* **1.** bláznivý, blázen (*about* do čeho) **2.** zchátralý, sešlý ♦ ~ *pavement* mozaiková dlažba z nestejných, velkých kamenů

creak [kri:k] *vi* za-, vrzat, za-, skřípat □ *s* vrzání, za-, skřípání; —**y** [ˈkri:ki] *a* vrzavý

cream [kri:m] *s* **1.** smetana **2.** krém **3.** fig. smetánka; vrchol (*of* čeho) **4.** *atr* smetanov|ý; -ě žlutý □ *vt* **1.** sbírat smetanu □ *vi* **2.** ustát se **3.** dát smetanu do; —**ery** [ˈkri:məri] *s* mlékárna; —**y** [ˈkri:mi] *a* smetanový; krémový

creas|e [kri:s] *s* **1.** puk **2.** pomačkání □ *vt & i* **1.** z-, mačkat (se); *badly -ed* hrozně zmačkaný **2.** nažehlit; *well -ed* nažehlený

creat|e [kriˈeit] *vt* **1.** stvořit **2.** vy-, tvořit **3.** jmenovat šlechticem; —**ion** [kriˈeišən] *s* **1.** stvoření **2.** tvoření, tvorba; vznik **3.** výtvor; —**ive** [kriˈeitiv] *a* tvořivý, tvůrčí; —**or** [kriˈeitə] *s* **1.** stvořitel **2.** tvůrce; —**ure** [ˈkri:čə] *s* **1.** stvoření, tvor, bytost **2.** výtvor **3.** nestvůra, kreatura **4.** am. dobytče

crèche [kreiš] *s* jesle dětské

creden|ce [ˈkri:dəns] *s* víra, důvěra ♦ *to give* ~ *to* důvěřovat komu; *letter of* ~ pověřovací list; —**tials** [kriˈdenšəlz] *s* pl. pověřovací listy

credible [ˈkredəbl] *a* **1.** věrohodný **2.** důvěryhodný

credit [ˈkredit] *s* **1.** důvěra, dobrá pověst, kredit **2.** obch. úvěr, kredit **3.** zásluha (*of* oč); čest **4.** víra **5.** zůstatek ve prospěch **6.** úč. strana „dal" ♦ *to add to one's* ~ přidat cti komu; *to allow* ~ povolit, dát úvěr; *to be to one's* ~ být komu ke cti; *to do s.o.* ~, *to do* ~ *to s.o.* dělat komu čest; *to extend* ~ prodloužit úvěr; poskytnout úvěr (*to* komu); *to give, grant, s.o.* ~ povolit, dát komu úvěr; *to give* ~ *to* věřit komu; *letter of* ~ akreditiv; *long* ~ dlouhodobý úvěr; ~ *note* dobropis; *on* ~ na úvěr; *to put, place,* ~ *in* dávat víru čemu; *to put, pass, to one's* ~ připsat komu ve prospěch; ~ *sales* prodej na úvěr; *to stretch a* ~ překročit úvěr; *vote of* ~ mimořádný úvěr □ *vt* **1.** ~ *s.o. with,* ~ *s.t. to s.o.* připsat komu ve pro-

spěch co, kreditovat koho
čím; **2.** dát komu na úvěr
3. věřit, mít důvěru v; **—able**
[ˈkreditəbl] *a* chvályhodný;
—or [ˈkreditə] *s* **1.** věřitel
2. úč. (zkr. *Cr*) strana „dal"
credo [ˈkriːdou] *s* pl. *-s* [-z] kniž.
krédo
credul|ity [kriˈdjuːliti] *s* dů-
věřivost, lehkověrnost; **—ous**
[ˈkredjuləs] *a* důvěřivý, leh-
kověrný
creed [kriːd] *s* **1.** vyznání (víry),
krédo **2.** učení
creek [kriːk] *s* **1.** brit., úzká zá-
toka **2.** brit. přístavní útulek
3. am. potok **4.** zákoutí
creep* [kriːp] *vi* **1.** plížit se,
plazit se **2.** šourat se; **~ away**
odplížit se, odkrást se; **~**
into vplížit se, vkrást se,
vloudit se do ♦ *to make one's*
flesh **~** nahnat komu husí
kůži □ *s* hov. *to give s.o. the -s*
nahnat komu husí kůži; **—er**
[ˈkriːpə] *s* popínavá rostlina
cremat|e [kriˈmeit] *vt* zpopelnit,
pohřbít žehem; **—ion** [kri-
ˈmeišən] *s* kremace, pohřeb
žehem; **—orium** [ˌkreməˈtoː-
riəm] *s* pl. *-oriums* [-oːriəmz],
-oria [-oːriə], **—ory** [ˈkremə-
təri] *s* krematorium
Creole, c~ [ˈkriːoul] *s* kreol;
-ka
creosote [ˈkriəsout] *s* chem. kre-
ozot
crepe [kreip] *s* krep: **~** *de*
Chine [ˈkreipdəˈšiːn] krepde-
šín; **~** *rubber* přírodní, surová
guma; **~** *paper* krepový pa-
pír
crept [krept] *pt & pp* od *to*
creep

crepuscular [kriˈpaskjulə] *a* sou-
mračný, zešeřelý
crescendo [kriˈšendou] *adv & a*
& s pl. hud. *-s* [z] crescendo
crescent [ˈkresnt] *s* **1.** srpek,
půlměsíc **2.** (polokruhovitá)
ulice □ *a* **1.** půlměsícový **2.**
rostoucí
cress [kres] *s* řeřicha
cresset [ˈkresit] *s* hist. (smolný)
kotel, světelný koš
Cressy [ˈkresi] *s* (m) Kreščak
bitva 1346
crest [krest] *s* **1.** hřebínek **2.**
chochol **3.** hřeben vlny **4.**
(šlechtická) korunka, erbovní
přílba; **—fallen** [ˈkrestˌfoːlən]
a (se) schlíplý(m hřebínkem)
cretaceous [kriˈteišəs] *a* křídový
Cret|an [ˈkriːtən] *a* krétský □
s Kréťan; **—e** [kriːt] *s* (o)
Kréta
cretin [ˈkretin] *s* kretén, blbec
cretonne [kreˈton] *s* kreton
crevasse [kriˈvæs] *s* rozsedlina
crevice [ˈkrevis] *s* štěrbina,
trhlina
crew[1] [kruː] *s* **1.** posádka **2.**
mužstvo, osazenstvo; pra-
covní četa, parta **3.** pejor.
sebranka
crew[2] [kruː] *pt* od *to crow*
crib [krib] *s* **1.** jesle **2.** dětská
postýlka **3.** chatrč **4.** horn.
výdřeva **5.** bednění, šalování
6. škol. hov. tahák □ *vt & i*
(-bb-) **1.** vecpat **2.** dát jesle do
chléva **3.** hov. užívat taháky,
opisovat **4.** vykrádat (au-
tory), vydávat za své
cricket[1] [ˈkrikit] *s* cvrček
cricket[2] [ˈkrikit] *s* kriket
crier [ˈkraiə] *s* **1.** vyvolávač **2.**
křikloun

crim|e [kraim] *s* zločin; —inal
[ˈkriminl] *s* zločinec ☐ *a* 1.
zločinný 2. trestní; —inate
[ˈkrimineit] *vt* 1. obvinit ze
zločinu 2. usvědčit (*o.s.* se) ze
zločinu 3. odsuzovat (jako
zločin)
Crime|a [kraiˈmiə] *s* Krym;
—an [kraiˈmiən] *a* krymský
crimp¹ [krimp] *s* verbíř ☐ *vt*
verbovat
crimp² [krimp] *vt* 1. kadeřit,
napalovat vlasy 2. plisovat
crimson [ˈkrimzn] *a* rudý, kar-
mínový ☐ *vi* 1. zrudnout ☐
vt 2. rudě zbarvit
cringe [krindž] *vi* krčit se,
hrbit se (*to* před)
crinkle [ˈkriŋkl] *vi & t* klikatit
se; svíjet se ☐ *s* záhyb,
smyčka
crinoline [ˈkrinəliːn] *s* krinolína
cripple [ˈkripl] *s* mrzák ☐ *vt* 1.
zmrzačit 2. ochromit; zbavit
(*of* čeho) ☐ *vi* 3. pajdat
cris|is [ˈkraisis] *s* pl. -*es* [-iːz]
krize
crisp [krisp] *a* 1. kadeřavý 2.
křehký 3. chrupavý sníh 4.
ostrý vzduch 5. rázný ☐ *vt & i*
1. zkadeřit 2. zmrazivět;
zkřehnout 3. chrupat ☐ *s*
pl. brit. smažené brambůrky,
lupínky
criss-cross [ˈkriskros] *a* kříž-
kový ☐ *adv* křížem krážem
criteri|on [kraiˈtiəriən] *s* pl.
-*a* [-ə] kritérium, měřítko,
kniž. sudidlo
critic [ˈkritik] *s* kritik; —al
[ˈkritikəl] *a* kritický; rozho-
dující; —ism [ˈkritisizəm] *s*
kritika, posudek; —ize [ˈkri-
tisaiz]*vt* kritizovat, posuzovat

critique [kriˈtiːk] *s* 1. kritická
studie; kritika, recenze 2. kri-
tika slovesný druh
croak [krouk] *vi* 1. kuňkat 2.
krákat; —er [ˈkroukə] *s* fig.
sýček
Croat [ˈkrouət] *s* Chorvat; —ia
[krouˈeišjə] *s* Chorvatsko;
—ian [krouˈeišjən] *a* chorvat-
ský ☐ *s* chorvatština
crochet [ˈkroušei] *s* háčkování
☐ *vt & i* háčkovat
crock¹ [krok] *s* 1. hliněný hrnec,
džbán 2. střípek; —ery [ˈkro-
kəri] *s* hliněné nádobí
crock² [krok] *s* 1. herka 2. hov.
kripl ☐ *vt & i* zmrzačit (se)
crocodile [ˈkrokədail] *s* kroko-
dýl
crocus [ˈkroukəs] *s*. krokus,
šafrán
croft [kroft] *s* 1. políčko 2. skot.
kopanina; —er [ˈkroftə] *s*
skot. kopaničář
crone [kroun] *s* babizna
crony [ˈkrouni] *s* kamarád
crook [kruk] *s* 1. hůl, berla 2.
hák 3. zákrut 4. hov. darebák;
podvodník ☐ *vt & i* ohýbat
(se); —ed [ˈkrukid] *a* 1.
křivý, zkřivený 2. ohnutý 3.
pokřivený, nečestný 4. neka-
lého původu
croon [kruːn] *vi & t* broukat si;
pobrukovat si polohlas|em,
-ně (si) zpívat, prozpěvovat,
pobzukovat
crop [krop] *s* 1. úroda, i fig.
žeň, sklizeň, výnos 2. celá
kůže n. useň 3. vole 4. bičiště
5. stříhání nakrátko vlasů ☐
vt & i (-pp-) 1. sklízet; dávat
úrodu 2. osít, osázet 3. oku-
sovat trávu 4. ostříhat na-

krátko 5. kupírovat 6. ose-
kat, ořezat; ~ out nov. vy-
cházet na povrch o žíle; ~ up
1. objevit se, vynořit se 2. =
= ~ out
croquet [ˈkroukei] s kroket hra
croquette [krouˈket] s kroketa
crosier, —zi— [ˈkroužə] s bis-
kupská berla
cross [kros] s 1. kříž; -ek 2. fig.
kříž 3. křížení 4. kříženec □
□ vt & i 1. z-, křížit 2. po-,
křižovat (o.s. se) 3. přejít,
přejet, přeplout, překročit 4.
potkat (each other se) 5. pro-
tínat se 6. přeškrtnout ⁕ to ~
a cheque křižovat šek; to ~
one's mind přijít komu na
mysl; ~ purposes nedorozu-
mění; to be at ~ purposes
nerozumět si, mít na mysli
různé věci, hov. jeden o voze,
druhý o koze; ~ reference
(vzájemný) odkaz □ a 1. hov.
mrzutý; rozzlobený 2. jen
atr opačný, protivný 3. šikmý,
příčný; křížem 4. vzájemný
□ adv napříč; ~ -bar [ˈkros-
ba:] s kop. břevno; ~ -beam
[ˈkrosbi:m] s nosník; ~ -bow
[ˈkrosbou] s hist. kuše, samo-
stříl; ~ -bred [ˈkrosbred] a
křížený; ~ -breed [ˈkrosbri:d]
s míšenec; křženec □ vt
křížit; ~ -country [ˈkrosˈkantri]
a přespolní (race běh);
~ -examination[ˈkrosigˌzæmiˈneišən]
s křížový výslech;
~ -examine [ˈkrosigˈzæminǀ] vt
podrobit křížovému výslechu;
~ -eyed [ˈkrosaid] a šilhavý
dovnitř; ~ -fire [ˈkrosˌfaiə] s
křížový oheň; **-ing** [ˈkrosiŋ]
s 1. křižování 2. cesta, plavba

přes 3. křížení 4. křižovatka
5.ˈpřechod 6. průsečík 7. kří-
žová klenba; ~ -legged [ˈkros-
legd] a se skříženýma no-
hama; —ly [ˈkrosli] adv 1.
napříč, proti 2. nazlobeně;
~ -question [ˈkrosˈkwesčən] vt
= ~ -examine; ~ -road [ˈkros-
roud] s rozcestí; ~ -section
[ˈkrosˌsekšən] s příčný řez;
průřez; ~ -stitch [ˈkrosstič] s
křížkový steh; ~ -wise [ˈkros-
waiz] adv křížem; ~ -word
puzzle [ˈkroswə:dˈpazl] s kří-
žovka
crotch [kroč] s rozsocha, vid-
lice; —et [ˈkročit] s 1. čtvr-
ťová nota 2. vrtoch 3. há-
ček
crouch [krauč] vi 1. při-, s-,
krčit se 2. hrbit se
croup[1] [kru:p] s med. krup,
záškrt
croup[2] [kru:p] s zadek, kříž
koně
crow [krou] s 1. vrána 2. =
= ~ -bar 3. kokrhání 4. výs-
kání o děcku □ vi* 1. kokrhat
2. výskat o děcku 3. jásat
(over nad); ~ -bar [ˈkrouba:]
s sochor
crowd [kraud] s 1. zástup, dav
2. hov. parta 3. hov. spousta,
moře čeho □ vi & t 1. nacpat,
stísnit (se) 2. mačkat se,
hemžit se 3. v-, tlačit (se),
cpát (se) (in, into do; through
kudy) 4. přeplnit, přecpat
(with čím); ~ out vytlačit;
~ round shluknout se, tísnit
se kolem
crowded [ˈkraudid] a nabitý,
přeplněný
crown [kraun] s 1. koruna

2. věnec 3. korunka květu, zubu 4. temeno 5. dýnko 6. *atr* korunní ♦ *to succeed, relinquish, the* ~ stát se králem, vzdát se koruny ☐ *vt* 1. korunovat 2. o-, věnčit 3: dovršit ♦ *to* ~ *all* na dovršení všeho; *to* ~ *a tooth* dát (si) korunku (na zub)

crucial [ˈkru:šjəl] *a* rozhod|ný, -ující, kritický

crucible [ˈkru:sibl] *s* 1. chem. kelímek; tyglík 2. fig. zkušební oheň

crucif|ix [ˈkru:sifiks] *s* kříž, krucifix; —ixion [ˌkru:siˈfikšən] *s* ukřižování; —y [ˈkru:sifai] *vt* ukřižovat

crude [kru:d] *a* 1. surový (*oil* nafta) 2. hrubý; nezpracovaný 3. nestrávený, nezažitý; i fig. 4. nezralý plod

cruel [kruəl] *a* krutý, surový; nelidský; —ty [ˈkruəlti] *s* hrubost, ukrutnost, surovost

cruet [ˈkru:it] *s* karafa; ~ stand [ˈkru:itstænd] *s* stojánek na ocet a olej

cruis|e [kru:z] *vi* křižovat, plavit se křížem krážem ☐ *s* plavba, křižování; —er [ˈkru:zə] *s* křižník

crumb [kram] *s* 1. střídka 2. drob|ek, -eček; pl. strouhanka ☐ *vt* 1. nadrobit 2. obalit strouhankou; —le [ˈkrambl] *vt & i* drobit (se); —ly [ˈkrambli] *a* drobivý

crumpet [ˈkrampit] *s* lívanec

crumple [ˈkrampl] *vi & t* zmačkat (se), zmuchlat (se); ~ up a) zmačkat b) rozdrtit c) zhroutit se; i fig.

crunch [kranč] *vt & i* chr(o)u-

pat, kř(o)upat, drtit ☐ *s* křupnutí

crusad|e [kruˈseid] *s* křížová výprava, válka ☐ *vi* podniknout n. účastnit se křížové výpravy; —er [kruˈseidə] *s* křižák

crush [kraš] *vt & i* 1. roz-, drtit, roz-, mačkat 2. z-, mačkat (se) 3. vecpat, vtlačit (se) (*into* do) 4. protlačit se (*into* do); ~ down rozdrtit; i fig.; ~ out vymačkat, vytlačit; ~ up z-, roz|mačkat ☐ *s* tlačenice, nával

crust [krast] *s* 1. kůrka 2. škraloup 3. strup 4. zool. krunýř ♦ ~ *of the earth* zemská kůra ☐ *vt & i* 1. pokrýt ledem, škraloupem 2. okorat; i fig., —acean [krasˈteišjən] *s & a* korýš; -ovitý; —y [ˈkrasti] *a* 1. kornatý, okoralý 2. popudlivý

crutch [krač] *s* berla

crux [kraks] *s* pl. -es [-iz] n. cruces [ˈkru:si:z] kniž. problém

cry [krai] *vi* 1. křičet, z-, volat (*for help* o pomoc); prosit (*for bread* o chléb) 2. vyvolávat, vykřikovat 3. plakat, brečet (*over* nad) ♦ ~ *halves in* dožadovat se podílu na; ~ *wolf* křičet na poplach; ~ down 1. umlčet, ukřičet 2. pomlouvat; ~ off odvolat co; ~ out vykřiknout; ~ up vynášet, vychvalovat ☐ *s* 1. vý-, křik; volání oč 2. pokřik, -ování; řev 3. vyvolávání zboží 4. pláč, nářek ♦ *a far* ~ *from* daleko od; *within* ~ *of* na doslech od

crypt [kript] *s* krypta

crypto|gam [ˈkriptougæm] *s* tajnosnubná rostlina; **—gram** [ˈkriptougræm] *s* kryptogram
crystal [ˈkristl] *s* 1. min. krystal 2. křišťál(ové sklo) □ *a* 1. krystalový (*set* přijímač) 2. křišťálový; **—line** [ˈkristəlain] *a* 1. fig. křišťálový 2. krystalický; **—lization** [ˌkristəlaiˈzeišən] *s* krystalizace; **—lize** [ˈkristəlaiz] *vi & t* vy-, krystalizovat (*into* v)
cu., cub. = *cubic* index[3]
cub [kab] *s* 1. lištička; medvídě, lvíče, tygří mládě 2. nezvedenec
Cub|a [ˈkju:bə] *s* (o) Kuba; **—an** [ˈkju:bən] *a* kubánský □ *s* Kubánec
cub|e [kju:b] *s* 1. krychle 2. kostka 3. mat. třetí mocnina: ~ *root* třetí odmocnina □ *vt* 1. umocnit na třetí 2. vypočítat krychlový obsah 3. dláždit kostkami; **—ic** [ˈkju:bik] *a* kubický, třetího stupně; **—ical** [ˈkju:bikəl] *a* krychlový
cubism [ˈkju:bizəm] *s* um. kubismus
cubit [ˈkju:bit] *s* loket = = 18—22 palců
cuckold [ˈkakəld] *s* paroháč □ *vt* nasadit parohy
cuckoo [ˈkuku:] *s* kukačka □ *int* [ˈkuˈku:] kuku: ~ *cry* kukání
cucumber [ˈkju:kəmbə] *s* okurka
cud [kad] *s* žvanec: *to chew the* ~ přežvykovat; fig. probírat se vzpomínkami
cuddle [ˈkadl] *vt* 1. chovat v náručí; hýčkat □ *vi* 2. uhnízdit se, schoulit se
cudgel [ˈkadžəl] *s* klacek, pa-

lice: *to take up the* -*s for* řeč., fig. pozvednout zbraň na čí obranu
cue[1] [kju:] *s* div. narážka
cue[2] [kju:] *s* 1. cop 2. tágo
cuff[1] [kaf] *s* manžeta
cuff[2] [kaf] *s* facka, kniž. políček □ *vt* dát facku, zfackovat
cuirass [kwiˈræs] *s* kyrys; **—ier** [ˌkwirəˈsiə] *s* kyrysník
cuisine [kwiˈzi:n] *s* kuchyň
culinary [ˈkalinəri] *a* kuchařský; kuchyňský
cull [kal] *vt* kniž. 1. na-, trhat kvítí 2. vybrat, vyřadit
culmin|ate [ˈkalmineit] *vi* vrcholit, kulminovat; **—ation** [ˌkalmiˈneišən] *s* vrcholení, kulminace
culpable [ˈkalpəbl] *a* 1. trestuhodný 2. vinný
culprit [ˈkalprit] *s* 1. obžalovaný 2. viník
cult [kalt] *s* kult
cultivat|e [ˈkaltiveit] *vt* 1. obdělávat půdu 2. šlechtit 3. pěstovat; **—ion** [ˌkaltiˈveišən] *s* 1. obdělávání (půdy) 2. šlechtění 3. pěstování; **—or** [ˈkaltiveitə] *s* 1. zemědělec 2. pěstitel 3. tech. pluh, kultivátor
cultur|al [ˈkalčərəl] *a* kulturní; **—e** [ˈkalčə] *s* 1. kultura, i biol., vzdělanost 2. pěstování 3. obdělávání (půdy); **—ed** [ˈkalčəd] *a* vzdělaný, kultivovaný
culvert [ˈkalvət] *s* 1. propust, -ek 2. kanál pro kabel
cumber [ˈkambə] *vt* 1. bránit, překážet 2. pře-, za|těžovat □ *s* kniž. zábrana; **—some** [ˈkambəsəm], **cumbrous**

['kambrəs] *a* 1. těžkopádný 2. neskladný

cum(m)in ['kamin] *s* kmín

cumulat|e ['kju:mjuleit] *vt & i* hromadit (se); —**ive** ['kju:-mjulətiv] *a* 1. ú-, sou|hrnný 2. kumulativní

cuneiform ['kju:niifo:m] *a* klínový □ *s* klínové písmo

cunning ['kaniŋ] *a* 1. zchytralý, prohnaný, mazaný 2. am. hov. milý 3. dovedný □ *s* 1. prohnanost 2. dovednost

cup [kap] *s* 1. šálek 2. sport. pohár 3. číše; —**ful** ['kap-ful] *s* šálek (*of* čeho)

cupboard ['kabəd] *s* kredenc

cupidity [kju:'piditi] *s* chamtivost

cupola ['kju:pələ] *s* kopule, báň

cupr|eous ['kju:priəs] *a* měděný; —**ic** ['kju:prik] *a* měďnatý

curable ['kjuərəbl] *a* vyléčitelný

curat|e ['kjuərit] *s* vikář, zástupce faráře; —**or** [kjuə-'reitə] *s* 1. ředitel, kustod muzea 2. práv. kurátor, opatrovník 3. brit. člen kuratoria

curb [kə:b] *s* 1. udidlo 2. obruběň studně

curd [kə:d] *s* tvaroh; sražené mléko; —**le** ['kə:dl] *vt & i* srazit (se); i fig.; —**y** ['kə:di] *a* tvarohovitý; jako sedlé mléko

cure [kjuə] *s* 1. lék (*for* proti) 2. léčba, vyléčení; kúra, dieta 3. duchovní péče 4. vulkanizace □ *vt & i* 1. vy-, léčit; i fig. 2. nakládat, nasolovat, udit 3. vulkanizovat

curfew ['kə:fju:] *s* 1. hist. večerní zvonění ke zhašení ohňů 2. zákaz vycházet z domu, policejní hodina za stanného práva

curi|osity [ˌkjuəri'ositi] *s* 1. zvědavost; všetečnost 2. kuriozita, rarita; —**ous** ['kjuəriəs] *a* 1. zvědavý; všetečný 2. podivný ♦ *I am* ~ *to know* rád bych věděl

curl [kə:l] *s* 1. kadeř 2. kroužek dýmu □ *vt & i* 1. kadeřit, natáčet 2. vinout se 3. čeřit vodu 4. schoulit se ♦ *to* ~ *one's lips* ohrnovat rty; ~ **up** 1. zkroutit (se) 2. sport zhroutit se; —**ing-irons** ['kə:-liŋˌaiənz], —**ing-tongs** ['kə:-liŋtoŋz] *s* želízko, kadeřítko, hov. kulma

curmudgeon [kə:'madžən] *s* skrblík

currant ['karənt] *s* 1. rybíz 2. rozinka

curr|ency ['karənsi] *s* 1. oběživo, měna 2. oběh, kurs 3. fig. rozšíření; životnost 4. *atr* valutový, devizový, měnový; —**ent** ['karənt] *a* 1. běžný 2. tento (*week* týden) □ *s* 1. proud (*alternating, direct* střídavý, jednosměrný) 2. tah 3. fig. běh

curriculum [kə'rikjuləm] *s* rozvrh hodin; studijní plán ♦ ~ *vitae* ['vaiti] lat. curriculum vitae, životopis

currier ['kariə] *s* jirchář

curry ['kari] *vt* hřebelcovat koně ♦ *to* ~ *favour with s.o.* podlízat komu, dolízat ke komu

curs|e [kə:s] *s* 1. kletba 2. klení 3. rouhání □ *vt & i* 1. proklínat 2. klít 3. rouhat se; —ed [ˈkəːsid] a prokletý; zatracený, hromský

cursory [ˈkəːsəri] a zběžný, letmý

curt [kəːt] a úsečný, strohý

curtail [kəːˈteil] vt 1. zkrátit 2. omezit, snížit

curtain [ˈkəːtn] s 1. záclona 2. opona 3. clona ♦ to draw the -s s-, za|táhnout záclony; iron ~ železná opona; ~ of fire palebná přehrada □ vt pověsit záclony; ~ off oddělit záclonou

curts|y, —ey [ˈkəːtsi] s poklonka, pukrle □ vi = to drop a ~ udělat pukrlátko

curv|ature [ˈkəːvəčə] s 1. zakřivení 2. obllouk ♦ ~ of the spine zkřivení páteře; —e [kəːv] s 1. křivka 2. zakřivení 3. zatáčka, ohyb 4. geom. křivítko □ vt & i 1. zakřivit 2. zatáčet se

cushion [ˈkušən] s poduška, polštář, -ek □ vt 1. usadit na podušku, -y 2. u-, tutlat

cusp [kasp] s geom. vrchol

cuspidor [ˈkaspidoː] s am. plivátko

custard [ˈkastəd] s 1. vaječný krém 2. svítek

custod|ian [kasˈtoudjən] s 1. správce budovy 2. opatrovník 3. poručník; —y [ˈkastədi] s 1. péče 2. poručnictví 3. (soudní) vazba

custom [ˈkastəm] s 1. zvyk, obyčej 2. práv. zvyklost; obch. uzance 3. pl. clo; celnice 4. obch. (přízeň): to withdraw one's ~ from přestat nakupovat u 5. atr am. zakázkový ♦ -(s) duty clo; -s examina-

tion celní prohlídka; -s officer celní úředník; to pass through the -s být celně odbaven; -s warrant kopie celní prohlášky; ~ -house [ˈkastəmhaus] s celnice

custom|ary [ˈkastəməri] a obvyklý: to be ~ být zvykem; —er [ˈkastəmə] s zákazník

cut* [kat] vt & i (-tt-) 1. řezat, krájet; stříhat nůžkami; sekat; rýt; tesat; brousit sklo: s.t. -s well něco se řeže atd. dobře 2. kácet strom; štípat dříví 3. prořezávat se o zubech 4. roz|řezat, -krájet, -stříhat, -sekat, -štípat (into pieces na kusy) 5. vy|řezávat, -sekat, -rýt (in v; into do) 6. ukrojit (si), uříznout (si) co, čeho; oříznout, rozřezat knihu; nastříhat na šaty; sestřihovat film; posekat obilí; vykopat příkop; prorazit tunel 7. fig. švihnout; geom. protínat se; snímat karty; sport. řezat míč 8. fig. omezit, zkrátit; snížit ceny 9. fig., hov. mazat, letět, hnát se (after za) 10. fig. ulejvat se z čeho, nechodit na 11. fig. ani si nevšimnout koho 12. hov. namířit si to (across přes) 13. proříznout, proseknout (through co) ♦ ~ a caper skákat radostí; ~ and come again hov. dá(va)t si; ~ a corner říznout zatáčku; pl. fig. řezat z-y bezohledně jednat; ~ s.o. dead ani si koho nevšimnout; ~ a poor figure dělat bídný dojem; ~ it fine hov. vyčíhnout si to; ~ loose a) odříznout b) postavit se na vlastní nohy;

~ *the record* brit. zlomit rekord; ~ *and run* hov. sebrat se a utéci; ~ *short* a) zkrátit b) přervat c) přetrhnout řeč komu; ~ **at** 1. seknout, tnout po 2. fig. zhatit, zničit; ~ **away** 1. odříznout co 2. hov. prch|-nout, -at; ~ **down** 1. skácet strom 2. srazit koho 3. fig. sklátit, skosit koho 4. seříznout, snížit 5. zkrátit; ~ **in** 1. vskočit do řeči 2. vrazit mezi 3. viz 5.; ~ **into** 1. vskočit do řeči 2. viz 4.; ~ **off** 1. uříznout, ustřihnout 2. přerušit spojení 3. odpojit plyn 4. odříznout; i voj. 5. fig. sklátit, skosit koho 6. *with a shilling* vydědit 7. *a corner* hov. říznout zatáčku; ~ **out** 1. vystřihnout (si) 2. nastřihat na šaty 3. vyříznout (si) (*of* z čeho) 4. fig. zbavit se soupeře 5. odříznout loď od přístavu 6. hov. vypustit detail 7. nechat čeho, přestat dělat 8. pas. *to be* ~ *out for* být (dělán) na práci; ~ **under** obch. podbízet, prodat pod cenou; ~ **up** 1. roz|řezat, -krájet, -střihat 2. fig. voj. rozbít, zničit 3. fig. strhat kritikou 4. fig. postihnout koho (*badly* zle) 5. *rough* hov. udělat rámus, být vzteklý 6. *well* hov. nechat po sobě pořádný **majetek**

cut² [kat] *s* 1. říznutí; stříhání; seknutí; škrábnutí; šleh(nutí) 2. řez(ná rána); sek, sečná rána 3. výkop v zemi; min. vryp 4. řízek, plátek masa; tříska, špona kovu; výnos stříže; těžba dřeva 5. výbrus;

rytina, ve složenině -ryt; střih módní; tvar 6. zkratka cesty; sestřih filmu 7. fig. špička (*at* na koho) 8. fig. snížení cen, platů 9. fig., sport. řezaný míč; snímání karet 10. fig., hov. nechození na, ulejvání se z čeho; nevšímání, ignorování koho ♦ *to give s.o. the* ~ *direct* hov. ani si nevšimnout, ignorovat koho; *a hair* ~ stříhání vlasů; *a short* ~ zkratka, nadjíždka, nadcházka ; ~ **-away** [ˈkatəwəi] *s* žaket; ~ **-down** [ˈkatdaun] *s* snížení, redukce; —**ter** [ˈkatə] *s* 1. střihač; kráječ kůže 2. fréza 3. šalupa; —**ting** [ˈkatiŋ] *s* 1. vý-, prů|kop 2. řezání, braní třísky; tříska 3. výstřižek 4. ústřižek, vzorek 5. *atr* řezný; ~ **-out** [ˈkataut] *s* el. automatický vypínač

cutaneous [kjuˈteinjəs] *a* kožní

cute [kjuːt] *a* hov. čimanský, šikovný

cuticle [ˈkjuːtikl] *s* pokožka

cutlass [ˈkatləs] *s* palaš, šavle

cutler [ˈkatlə] *s* nožíř; —**y** [ˈkatləri] *s* 1. nožířství 2. nožířské zboží

cuttle [ˈkatl] *s* obyč. !~ *-fish* sépie

cwt = *hundredweight*

cycl|e [ˈsaikl] *s* 1. cyklus 2. zkr. jízdní kolo ▢ *vi* jezdit na kole; —**ic(al)** [ˈsaiklik(əl)] *a* cyklický; —**ing** [ˈsaikliŋ] *s* cyklistika; jízda na kole; —**ist** [ˈsaiklist] *s* cyklista, hov. kolečkář

cyclone [ˈsaikloun] *s* smršť, cyklón

cyclop(a)edia [ˌsaiklǝˈpi:djǝ] = *encyclop(a)edia*
cyclostyle [ˈsaiklǝstail] *s* cyklostyl □ *vt* na-, cyklostylovat
cylind|er [ˈsilindǝ] *s* válec; cylindr; **—rical** [siˈlindrikǝl] *a* válcovitý, cylindrický
cymbal [ˈsimbǝl] *s* činel, obyč. pl. -y
cymbalo [ˈsimbǝlou] *s* pl. -*s* [-z] cymbál
cyme [saim] *s* bot. vrcholík
Cymric [ˈkimrik] *a* welšský
cynic [ˈsinik] *a* fil. *C~* kynický □ *s* **1.** fil. *C~* kynik **2.** cynik; **—al** [ˈsinikǝl] *a* cynický; **—ism** [ˈsinisizǝm] *s* cynismus
cypress [ˈsaipris] *s* cypřiš
Cypr|ian [ˈsipriǝn], **-iote** [ˈsipriout] *a* kyperský; *s* Kypřan;

—us [ˈsaiprǝs] *s* (o) Kypr
Cyril [ˈsiril] *s* Cyril; **—lic** [siˈrilik] *a* jen ~ *alphabet* cyrilice
cyst [sist] *s* med. cysta; **—itis** [sisˈtaitis] *s* med. zánět močového měchýře
cytology [saiˈtolǝdži] *s* cytologie, nauka o buňce
czar [za:] *s* car; **—evitch,** **—ewich** [ˈza:riwič] *s* carevič; **—ina** [za:ˈri:nǝ] *s* carevna
Czech [ček] *s* **1.** Čech **2.** čeština □ *a* český
Czechoslovak [ˈčekouˈslouvæk] *a* československý □ *s* Čechoslovák; *Czechoslovak Socialist Republic* Československá socialistická republika; **—ia** [ˈčekouslouˈvækiǝ] *s* Československo

D

D, d [di:] *s* **1.** písmeno d **2.** hud. d druhý tón stupnice C-dur **3.** hud. struna d
d. = **1.** *died* zemřel **2.** penny, pence
d. = *damn (d-d, damned)*
dab [dæb] *vt & i* (-bb-) **1.** lehce se dotknout, přetřít, nanést **2.** ťukat, klovat **3.** pokropit □ *s* **1.** ťuknutí **2.** (jemné) přetření, nanesení **3.** 'skvrnka, kapka **4.** zool. platejs **5.** hov. znalec; **—ble** [ˈdæbl] *vt & i* **1.** smočit, postříkat **2.** šplíchat (se) **3.** hudlařit
dace [deis] *s* bělice ryba
dachshund [ˈdækshund] *s* jezevčík

dad [dæd] *s* tatíček, taťka, táta
daddle [ˈdædl] viz *diddle*
daddy [ˈdædi] *s* tatínek, táta
dado [ˈdeidou] *s* pl. -*es*, -*s* stav. dřík sloupu, podstavec pomníku, ostění, deštění
daffodil [ˈdæfǝdil] *s* narcis
daft [da:ft] *a* pošetilý, ztřeštěný, hloupý
dagger [ˈdægǝ] *s* dýka ♦ *to look -s* koukat jako by chtěl očima probodnout □ *vt* probodnout dýkou
dago [ˈdeigou] *s* am. přezdívka Španělům, Italům, Portugalcům
dahlia [ˈdeiljǝ] *s* jiřina
daily [ˈdeili] *a & adv* denní, denně □ *s* deník noviny

dainty [ˈdeinti] *a* 1. mlsný,
vybíravý 2. uhlazený, roz-
košný, okouzlující 3. chutný
☐ *s* lahůdka
dairy [ˈdeəri] *s* 1. mlékárna
2. mlékařství; —ing [ˈdeə-
riiŋ] *s* mlékařství; |~ -maid
s mlékařka; |~ -man *s* mlékař
daisy [ˈdeizi] *s* chudobka
Dak. = *Dakota*
dale [deil] *s* bás., dial. údolí
dalliance [ˈdæliəns] *s* milkování,
laškování, žertování
dally [ˈdæli] *vi* 1. laškovat 2.
zahrávat si 3. mrhat časem;
otálet, odkládat
Dalmatian [dælˈmeišjən] *a* dal-
matský ☐ *s* Dalmatinec
dam¹ [dæm] *s* hráz ☐ *vt* (-mm-):
to ~ up 1. přehradit 2. na-
držet vodu
dam² [dæm] *s* samice
damage [ˈdæmidž] *s* škoda,
ztráta; *-s* náhrada škody ♦
to make good the ~ odškodnit;
to receive -s dostat náhradu;
I'll stand the ~ zaplatím ☐
vt poškodit, zničit, zkazit;
in a -d state ve špatném stavu
Damascene [ˈdæməsi:n] *a* 1.
damascenský 2. damaškový
☐ *s* obyvatel Damašku
damask [ˈdæməsk] *s* 1. damašek
2. damascenská ocel 3. same-
tová červeň ☐ *a* 1. damascen-
ský (*steel* ocel) 2. damaškový
☐ *vt* 1. damaškově tkát 2.
pokrýt ruměncem
dame [deim] *s* 1. arch., bás. dáma,
paní 2. starší žena, matróna
3. správkyně etonského penzio-
nátu
dammit [ˈdæmit] = *damn it*
zpropadeně

damn [dæm] *vt & i* 1. odsoudit
2. zatratit, proklít 3. chladně
přijmout, vypískat divadelní
hru; —able [ˈdæmnəbl] *a*
odsouzeníhodný; —ation
[dæmˈneišən] *s* odsouzení, za-
tracení; —ed [dæmd] *a* 1.
zatracený 2. odsouzeníhodný
damp [dæmp] *s* 1. vlhko 2. sklí-
čenost ☐ *a* 1. vlhký 2. arch.
sklíčený, malomyslný ☐ *vt*
1. (při)dusit, ztlumit 2.
zvlhčit; —er [ˈdæmpə] *s* 1.
dusítko, tlumič 2. zarážka
(u kamen)
dance [da:ns] *vi & t* tančit ♦
to ~ attendance upon obska-
kovat koho ☐ *s* tanec ♦
~ of doom osudný tanec,
tanec smrti; —er [ˈda:nsə] *s*
tanečník
dandelion [ˈdændilaiən] *s* pam-
peliška
dandle [ˈdændl] *vt* hýčkat dítě
dandr|uff, -iff [ˈdændrəf, -if] *s*
lupy
dandy [ˈdændi] *s* švihák
Dan|e [dein] *s* Dán; —ish [ˈdei-
niš] *a* dánský ☐ *s* dánština
danger [ˈdeindžə] *s* nebezpečí
♦ *signal is at ~* signál je na
„stůj"; —ous [ˈdeindžrəs] *a*
nebezpečný
dangle [ˈdæŋgl] *vi* 1. viset,
klátit se, houpat se 2. potu-
lovat se 3. jít za kým, věšet
se na paty ☐ *vt* 4. volně
pověsit; *~ about* (round,
after) věšet se na koho, běhat
za kým
Danube, *the* [ˈdænju:b] *s* Dunaj
dapper [ˈdæpə] *a* 1. úhledný,
úpravný 2. mrštný
dapple [ˈdæpl] *s* 1. (barevná)

skvrna **2.** kropenaté zvíře ☐ *vt* grošovat ☐ *a* kropenatý, skvrnitý, pestrý

dar|e* [deə] *vi & t* **1.** smět **2.** odvážit se, pokusit se **3.** vzdorovat **4.** vyzvat (k boji) ♦ *I ~ say* myslil bych, snad; |**~ -devil** *s* odvážný, odvážlivec; **—ing** ['deəriŋ] *a* odvážný, smělý ☐ *s* odvaha, smělost, opovážlivost

dark [da:k] *a* **1.** temný, tmavý, šerý **2.** tajemný; tajný, skrytý **3.** neznámý **4.** smutný, ponurý, chmurný ☐ *~ horse* soutěžitel, který neočekávaně vyhraje; *to keep ~* chovat v tajnosti ☐ *s* tma, temno(ta), nevědomost ♦ *in the ~* v nejistotě; **—en** ['da:kən] *vi & t* **1.** zatemnit **2.** stmívat se **3.** pomást **4.** pošpinit; **—ness** ['da:knis] *s* **1.** temno(ta) **2.** peklo; **—-room** *s* temná komora; **—some** ['da:ksəm] *a* **1.** temný, šerý **2.** bás. ponurý; **—(e)y** ['da:ki] *s* lid. černoch, negr

darling ['da:liŋ] *s* miláček ☐ *a* milovaný, drahý

darn¹ [da:n] *vt & i* spravovat, látat ☐ **1.** látání **2.** steh; **—ing needle** látací jehla

darn² [da:n] *vt* (pro)klít, zatratit ♦ *the -ed thing* zpropadená věc

dart [da:t] *s* oštěp, šíp, šipka; žihadlo ☐ *vt & i* **1.** vrhat (se), házet, metat, vystřelovat **2.** vypouštět, vysílat (*glance* pohled, *flash* záblesk) **3.** vyrazit, odletět

dash [dæš] *vt & i* **1.** rozbít, roztříštit (*to pieces* na kusy),

zničit **2.** tlouci, klepat; vrhat (*~ away* odhodit; *~ out* vyrazit; *~ against* mrštit o; *~ upon* nanést barvu, házet co, šplíchat na; *~ into* vrazit do) **3.** vychrstnout, postříkat **4.** rozředit **5.** zmařit (*one's hopes* něčí naděje) **6.** zbavit odvahy, zastrašit, zmást **7.** rychle načrtnout, napsat *(down)* **8.** podtrhnout trhaně, vyčárkovat **9.** zahanbit **10.** prudce padat; pohybovat se; vrhnout se, **v**yrazit (*from the room* z místnosti) **11.** srazit se (*against, upon* s); vrazit (*into* do) ☐ *s* **1.** spěch, úprk; nápor **2.** škrtnutí **3.** úder, rána do vody **4.** šplíchnutí, stříknutí **5.** příměs **6.** ráznost, oživení **7.** srážka **8.** črta **9.** pomlčka **10.** nádech **11.** ráznost **12.** okázalost ♦ *to cut a ~* chovat se okázale ve společnosti; *~ -board s* **1.** blatník **2.** palubní *n.* kontrolní deska auta ap.; **—er** [dæšə] *s* **1.** odvážlivec **2.** stloukač másla v máselnici **3.** am. blatník; **—ing** ['dæšiŋ] *a* **1.** rázný **2.** okázalý, skvělý **3.** třesticí

dastard ['dæstəd] *s* zbabělec; **—ly** ['dæstədli] *a* zbabělý

data ['deitə] *s* pl. viz *datum*

date¹ [deit] *s* datle plod i strom

date² [deit] *s* datum ♦ *out of ~* zastaralý, nemoderní; *to go out of ~* zastarat; *up to ~* nejnovější; *to bear ~* být datován; *to have a ~ with* mít schůzku s ☐ *vi* datovat (se); |**~ -book** *s* deník; **—less** ['deitlis] *a* **1.** bez

data 2. nekonečný 3. nepamětný, pradávný
datum [ˈdeitəm] s pl. data [ˈdeitə] údaj
daub [doːb] vt & i 1. zamazat 2. mazat kreslit ☐ s mazanice, šmír
daughter [ˈdoːtə] s dcera; ~-in-law s snacha
daunt [doːnt] vt polekat, zastrašit; —less [ˈdoːntlis] a neohrožený, nebojácný
David [ˈdeivid] s David
daw [doː] s kavka
dawdle [ˈdoːdl] vi & t lelkovat, zahálet
dawn [doːn] vi svítat, rozednívat se ☐ s 1. svítání, úsvit 2. počátek
day [dei] s 1. den, denní světlo 2. věk, čas, lhůta ♦ all (the) ~ celý den; Nationalization D~ Den znárodnění; Czechoslovak commemoration ~ památný den ČSSR; World Youth D~ Světový den mládeže; the other ~ onehdy, nedávno; this ~ dnes; this ~ week (month) ode dneška za týden (za měsíc); the ~ before yesterday předevčírem; to-~ dnes; every ~ každý den; every other ~ obden; up to this ~ do dneška; from ~ to ~ ode dne ke dni; twice a ~ dvakrát denně; -s of grace obch. respektní dny tři dny po splatnosti směnky; birth~ narozeniny; Thanksgiving D~ Den díkůvzdání; to carry n. win the ~ dobýt vítězství; to lose the ~ prohrát; in -s to come v budoucnosti; present-~ moderní, současný;

~-boarder [ˈdeiˌboːdə] s denní strávník; ~-book s deník obch.; ~-break [ˈdeibreik] s svítání; ~-fly [ˈdeiflai] s jepice; ~-labourer [ˈdeiˌleibərə] s nádeník; ~-long a celodenní, po celý den; ~-time s denní doba
daze [deiz] vt oslnit, omámit, pomást
dazzle [ˈdæzl] vt & i 1. oslnit 2. zmást leskem
D.C.L. = Doctor of Civil law
D.D. = 1. Doctor of Divinity 2. dono dedit dal darem (též d.d.)
deacon [ˈdiːkən] s diákon, jáhen; —ess [ˈdiːkənis] s diákonka
dead [ded] a 1. mrtvý, zemřelý, bez života 2. bez citu, necitlivý (hand ruka) 3. zastaralý, minulý (~ language mrtvý jazyk) 4. jalový 5. pustý 6. tichý 7. tvrdý, hluboký spánek ♦ ~ letter 1. nedoručitelný dopis 2. mrtvá litera ☐ adv zcela, naprosto, hluboce; ~-alive [ˈdedəˈlaiv] a malátný, bez ducha, k smrti nudný o lidech; ~ drunk [ˈdedˈdraŋk] opilý na mol; —en [ˈdedn] vt & i 1. umrtvit (se) 2. zmírnit, zmenšit rychlost 3. otupit 4. utlumit, zeslabit; ~-fire [ˈdedfaiə] s oheň sv. Eliáše; ~-head [ˈdedhed] s slepý pasažér cestující na černo; ~-heat [ˈdedˈhiːt] s nerozhodný běh o závod; ~-light s nám. okenice chránící okno kabiny při bouři; —ly [ˈdedli] a & adv 1. smrtelný, smrtící 2. úhlavní; ~-lock s uváz-

nutí, mrtvý bod; |~ -point,
|~ -center s mrtvý bod;
~ season mrtvá sezóna;
~ tired ['ded|taiəd] na smrt
unavený; ~ weight ['ded-
|weit] mrtvá váha
deaf [def] a hluchý ♦ ~ and
dumb hluchoněmý; ~ as adder
n. *post* fig. hluchý jako
pařez; —en ['defn] vt ohlušit,
učinit hluchým; ~ -mute
['def|mju:t] a hluchoněmý
deal [di:l] s 1. část, množství
2. díl 3. lid. obchod 4. jednání
5. rozdělení 6. úděl ♦ a great ~
velmi mnoho □ vt & i * 1.
(roz)dělit, rozdat (*out cards*
karty) 2. obchodovat (*in* v)
3. jednat 4. chovat se 5. zá-
pasit 6. udělit ♦ *to ~ a blow*
zasadit ránu; —er [di:lə] s
1. obchodník 2. rozdíleč karet
♦ double ~ obojetník; *retail* ~
maloobchodník; *wholesale* ~
velkoobchodník; —ing ['di:-
liŋ] s 1. dělení 2. obchodování
3. jednání 4. pl. styk, obco-
vání
dean [di:n] s děkan
dear [diə] a 1. drahý, vzácný
2. milý, milovaný □ s milá-
ček, drahoušek □ adv draze
(*to pay ~ for one's experience,*
errors zaplatit draze za zku-
šenost, chyby)
dearth [də:θ] s 1. zast. drahota
2. nouze
death [deθ] s 1. smrt, úmrtí;
zánik 2. zbavení občanských
práv 3. vražda, krveprolití
♦ *pale as ~* smrtelně bledý;
at ~'s door blízek smrti; *to*
put to ~ zabít; |~ -bed s
smrtelná postel, poslední ho-

dinka; |~ -bell s umíráček;
~ -blow ['deθblou] s smrtelná
rána; —less ['deθlis] a ne-
smrtelný; —ly ['deθli] a
smrtelný, hrobový
debar [di|ba:] vt (-rr) 1. vyloučit,
zbavit 2. zabránit, překážet
debark [di|ba:k] vt & i vylodit
(se)
debase [di|beis] vt 1. zlehčit,
ponížit 2. padělat mince 3.
zkazit; —ment s zlehčení,
zhoršení, znehodnocení
debate [di|beit] vt rokovat, vést
spor □ s spor
debauch [di|bo:č] vt & i 1.
svést, zprznit 2. hýřit 3.
zkazit □ s 1. hýření 2. smil-
stvo, smyslnost; —ee [|debo:-
|či:] s smilník, prostopášník;
—ery |di|bo:čəri] s 1. hýření
2. smilstvo 3. prostopášnost
debenture [di|benčə] s dlužní
úpis; list návratného cla; am.
nezajištěné závazky společ-
nosti
debilitate [di|biliteit] vt zeslabit,
vysílit; —ity [di|biliti] s sla-
bost
debit ['debit] s dlužní položka
□ vt připsat na vrub
debris ['debri:] s trosky, zbyt-
ky
debt [det] s 1. dluh, pohledávka
2. hřích ♦ *to be in -s* mít
dluhy; *to run in(to) -s* za-
dlužit se; *to set off a ~* vy-
rovnat dluh; *-s receivable*
nedoplatky; —or ['detə] s
dlužník
decade ['dekeid] s desetiletí
decad|ence ['dekədəns] s úpa-
dek; —ent ['dekədənt] a upa-
dající, úpadkový, dekadentní

decagram(me) [ˈdekəgræm] *s* dekagram

decalogue [ˈdekəlog] *s* desatero (přikázání)

decamp [diˈkæmp] *vi* opustit tábor, utéci; zrušit tábor, přestat tábořit

decant [diˈkænt] *vt* stáčet, lít; —er [diˈkæntə] *s* karafa, láhev

decapitat|e [diˈkæpiteit] *vt* stít; —ion [diˌkæpiˈteišən] *s* stětí

decay [diˈkei] *vi & t* 1. upadat, chátrat, rozpadat se 2. hynout 3. tlít □ *s* 1. úpadek 2. rozklad 3. (vy)hynutí 4. shnilá tkáň

decease [diˈsi:s] *s* skon, smrt, úmrtí □ *vi* zemřít, skonat

deceit [diˈsi:t] *s* klam, podvod

deceive [diˈsi:v] *vt & i* klamat, podvádět

December [diˈsembə] *s* prosinec

decency [ˈdi:snsi] *s* slušnost, úhlednost, patřičnost

decent [ˈdi:snt] *a* 1. slušný 2. patřičný, přiměřený; značný

decentralize [di:ˈsentrəlaiz] *vt* decentralizovat

decept|ion [diˈsepšən] *s* klam, podvod; —ive [diˈseptiv] *a* klamný, podvodný

decid|e [diˈsaid] *vt & i* rozhodnout (se) (*between* mezi; *for, in favour of* pro, *against* proti); —ed [diˈsaidid] *a* rozhodný; nesporný

decimal [ˈdesiməl] *a* desetinný: ~ fraction desetinný zlomek

deci|meter, -metre [ˈdesiˌmi:tə] *s* decimetr

decipher [diˈsaifə] *vt* dešifrovat, rozluštit

decis|ion [diˈsižən] *s* 1. roz-

hodnutí 2. usnesení 3. rozhodnost; —ive [diˈsaisiv] *a* rozhodující, rozhodný

deck [dek] *s* 1. paluba 2. svazek karet 3. am. střecha vagónu □ *vt* 1. pokrýt, prostřít 2. ozdobit (*a street with flags* ulici vlajkami) 3. ošatit 4. opatřit palubou

declaim [diˈkleim] *vi & t* deklamovat, řečnit

declamat|ion [ˌdekləˈmeišən] *s* deklamace, proslov; —ory [diˈklæmətəri] *a* deklamační, řečnický

declaration [ˌdekləˈreišən] *s* prohlášení, deklarace

declare [diˈkleə] *vt & i* 1. prohlásit (se), vyhlásit (*war (up)on* válku komu) 2. odhalit 3. proclít ♦ *to* ~ *null and void* prohlásit za neplatné; ~ *for,* against vyslovit se pro, proti; ~ off odvolat, zrušit

declension [diˈklenšən] *s* 1. svah 2. úpadek, zhoršení 3. gram. skloňování

declination [ˌdekliˈneišən] *s* 1. fyz. deklinace 2. úpadek 3. úklon 4. odmítnutí

decline [diˈklain] *vi & t* 1. sklonit se, odchýlit se, ohýbat se 2. odpírat, odmítat 3. skloňovat 4. klesnout mravně 5. odpadnout, upadat, zhoršit se □ *s* 1. úpadek 2. svah 3. pokles cen 4. ubývání, úbytek sil, chřadnutí, úbytě

declivity [diˈkliviti] *s* svah, sklon

decoction [diˈkokšən] *s* odvar

decolo(u)rize [diˈkaləreiz] *vt* odbarvit

decompose [ˌdi:kəmˈpouz] *vt & i* rozložit (se) v prvky

decontaminate [ˌdi:kənˈtæmineit] *vt* odplynovat, zbavit radioaktivity po atomovém výbuchu ap.

decorat|e [ˈdekəreit] *vt & i* 1. ozdobit 2. vyznamenat, dekorovat; **—ion** [ˌdekəˈreišən] *s* výzdoba; vyznamenání; **—ive** [ˈdekərətiv] *a* ozdobný, dekorační, ornamentální

decorum [diˈko:rəm] *s* 1. důstojnost 2. uhlazenost, slušnost

decoy [diˈkoi] *s* 1. vnadidlo, lákadlo 2. lákač □ *vt & i* vnadit, lákat

decrease *vi & t* [diˈkri:s] ubývat, zmenšovat (se) □ *s* [ˈdikri:s] zmenšení, úbytek

decree [diˈkri:] *s* úřední nařízení, výnos, dekret □ *vt* rozhodnout, nařídit

decrepit [diˈkrepit] *a* 1. sešlý věkem, vyžilý 2. vyčerpaný, utahaný

decry [diˈkrai] *vt* hanobit, potupit

decussate [diˈkaseit] *vt & i* křížem přeříznout, přestřihnout

dedicat|e [ˈdedikeit] *vt & i* věnovat, zasvětit; **—ion** [ˌdediˈkeišən] *s* věnování; **—ory** [ˈdedikətəri] *a* věnovací

deduce [diˈdju:s] *vt* odvodit, vyvodit usuzováním, dedukovat

deduct [diˈdakt] *vt* odečíst, odrazit (*amount* částku) ♦ *after -ing charges* po odečtení výdajů; **—ion** [diˈdakšən] *s* 1. odečtení, srážka, sleva 2. usuzování, uzavírání, dedukce, zjištění ♦ *all -s made* po odečtení všech výdajů

deed [di:d] *s* 1. čin, skutek, výkon 2. práv. smlouva, listina 3. fakt; *in|*— vskutku □ *vt* upsat, postoupit; **—less** [ˈdi:dlis] *a* nečinný, nevýkonný

deem [di:m] *vt & i* soudit, myslit

deep [di:p] *a* 1. hluboký 2. široký, obsáhlý 3. temný, nesrozumitelný, nezbadatelný 4. vážný, slavnostní 5. chytrý 6. ponořený, zabraný 7. výstřední, krajní 8. bohatý, plný o barvách 9. podkožní □ *s* 1. hlubina, propast 2. bás. moře 3. tajemství □ *adv* hluboko ♦ *to read ~ into the night* číst dlouho do noci; **—en** [ˈdi:pən] *vt & i* prohloubit (se); **—mined** [ˈdi:pmaind] *a* hlubinný (*coal* uhlí); **-read** [ˈdi:pred] *a* sočtělý; **-rooted** [ˈdi:pˈru:tid] *a* zakořeněný

deer [diə] *s* 1. jelen (*red ~*), srna 2. vysoká zvěř; *fallow ~* daněk; **~-field** [ˈdiəfi:ld] *s* obora; **~-hound** [ˈdiəhaund] *s* velký lovecký pes; |**~'s foot** jemná tráva; |**~-skin** *s* jelenice; **~-stalking** [ˈdiəˌsto:kiŋ] *s* stopování zvěře

deface [diˈfeis] *vt* 1. znetvořit 2. diskreditovat 3. učinit nečitelným, vymazat; **—ment** *s* znetvoření, vymazání

defalcat|e [diˈfælkeit] *vt* 1. zpronevěřit 2. zmenšit, zkrátit 3. zkomolit; **—ion** [ˌdiˈfælˈkeišən] *s* 1. zpronevěra peněz 2. zmenšení, zkrácení

defam|ation [ˌdefəˈmeišən] *s* pomluva, pohanění, potupení;

—e [di'feim] *vt* pomluvit, na cti utrhat

default [di'fo:lt] *s* chyba, opomenutí; (za)nedbání; nezaplacení ♦ *in* ~ *of* z nedostatku čeho ☐ *vi & t* 1. opomenout, nedostát závazku 2. nedostavit se k soudu

defeas|ance [di'fi:zəns] *s* práv. zrušení, —**ible** [di'fi:zəbl] *a* zrušitelný

defeat [di'fi:t] *vt* 1. porazit, přemoci 2. překazit 3. práv. zrušit ☐ *s* 1. porážka, přemožení 2. práv. zrušení; —**ism** [di'fi:tizəm] *s* poraženectví

defect [di'fekt] *s* nedostatek, vada; —**ion** [di'fekšən] *s* 1. nedostatek 2. odpadnutí (*from* od); —**ive** [di'fektiv] *a* neúplný, chybný

defen|ce [di'fens] *s* 1. obrana 2. obhajoba 3. pl. opevnění 4. brannost ♦ ~ *war* obranná válka; *National D*~ *Day* Den brannosti; *line of* ~ obranná linie

defend [di'fend] *vt & i* 1. bránit (se) (*from* před) 2. hájit (se); —**ant** [di'fendənt]*s* práv. obžalovaný, obviněný; —**er** [di'fendə] *s* obránce, obhájce ♦ ~ *of peace* obránce míru

defens|e [di'fens] srv. *defence*; *s* obrana; —**ive** [di'fensiv] *a* obranný

defer [di'fə:] *vt & i* (-rr-) 1. odložit 2. povolit, podřídit se ♦ *-red rebate* obch. dodatečná srážka; —**ence** [ˈdefərəns] *s* úcta, ohled, šetrnost ♦ *in* ~ *to* z úcty k; —**ment** *s* odklad

defi|ance [di'faiəns] *s* 1. vyzvání

k boji 2. odpor, vzdor 3. neposlušnost ♦ *in* ~ *of* navzdory komu, bez ohledu na; *to bid* ~ *to* n. *to set at* ~ neposlechnout, jednat v odporu k; —**ant** [di'faiənt] *a* vyzývavý, vzdorný

defici|ency [di'fišənsi] *s* nedostatek; schodek, deficit, manko; —**ent** [di'fišənt] *a* nedostatečný, vadný, kusý ♦ *to be* ~ *in weight* nedostávat se na váze; *mentally* ~ slabomyslný

deficit [ˈdefisit] *s* deficit, schodek

defile *vt* [di'fail] 1. pošpinit, poskvrnit 2. zneuctít 3. defilovat ☐ *s* [ˈdi:fail] soutěska, průsmyk

define [di'fain] *vt* 1. ohraničit 2. ujasnit 3. určit, definovat

definit|e [ˈdefinit] *a* 1. určitý 2. jasný, nesporný ♦ ~ *article* gram. určitý člen; —**ion** [ˌdefiˈnišən] *s* výměr; pojem, definice; —**ive** [di'finitiv] *a* s konečnou platností, definitivní

deflat|e [di:ˈfleit] *vt & i* 1. vypustit vzduch 2. provést deflaci peněz; —**ion** [di:-ˈfleišən] *s* deflace

deflect [di'flekt] *vt & i* odchýlit (se), odklonit (se) (*from* od); —**ion** [di'flekšən] *s* odchylka, odklon

deflexion viz *deflection*

defloration [ˌdi:flo:ˈreišən] *s* 1. zbavení květů 2. znásilnění, zprznění

deflower [di:ˈflauə] *vt* 1. zbavit panenství, znásilnit 2. zničit 3. zbavit květů

deform [di'fo:m] *vt* 1. znetvořit (se) 2. zohyzdit (se) 3. zmrzačit (se); —ation [ˌdiːfoːˈmei-šən] s znetvoření; —ity [diːˈfoːmiti] s znetvoření, zmrzačení, tělesná vada

defraud [diˈfroːd] vt podvést, oklamat, zpronevěřit

defray [diˈfrei] vt zapravit (the expenses výdaje)

defroster [diˈfrostə] s odmrazovač

deft [deft] a 1. obratný, hbitý 2. švarný

defy [diˈfai] vt 1. vyzvat (k boji) 2. vzdorovat, neuposlechnout (one's parents rodičů, the law zákona) 3. překážet 4. nedovolovat

degauss [diːˈgaus] vt odmagnetizovat loď

degener|acy [diˈdženərəsi] s zvrhlost, úpadek, degenerace; —ate a [diˈdženərit] zvrhlý, degenerovaný □ s zvrhlík, degenerovaný člověk n. zvíře □ vi [diˈdženəreit] zvrhnout se, degenerovat; —ation [diˌdženəˈreišən] s zvrhlost, úpadek, degenerace

degrad|ation [ˌdegrəˈdeišən] s 1. sesazení, degradace 2. ponížení; —e [diˈgreid] vt 1. sesadit, zbavit úřadu, degradovat 2. ponížit 3. zvrhnout se

degree [diˈgriː] s 1. stupeň 2. hodnost 3. příbuzenství, koleno (in the third v třetím kolenu) 4. akademická hodnost ♦ by -s postupně; to take one's ~ dosáhnout akademické hodnosti; to a high n. last ~ značně; honorary ~ čestný titul (akademický)

dehydrated [diːˈhaidreitid] a sušený (eggs vejce)

de-icer [diːˈaisə] s odmrazovač

deify [ˈdiːifai] vt zbožnit, zbožňovat

deign [dein] vi & t ráčit

deity [ˈdiːiti] s božstvo, božství

deject [diˈdžekt] vt sklíčit; —a [diˈdžektə] s pl. výměšky; —ion [diˈdžekšən] s 1. sklíčenost, deprese 2. výměty

Del. = Delaware stát v USA

delaine [dəˈlein] s delén vlněná látka

delay [diˈlei] vt & i 1. odkládat; otálet, váhat 2. bránit, zdržovat 3. zpozdit (se) □ s 1. odklad 2. překážka 3. zpoždění

delect|able [diˈlektəbl] a rozkošný, příjemný; —ation [ˌdiːlekˈteišən] s rozkoš, potěšení

deleg|acy [ˈdeligəsi] s poselstvo, delegace; (způsob) zastoupení; —ate s [ˈdeligit] delegát □ vt [ˈdeligeit] vyslat; zplnomocnit, delegovat; —ation [ˌdeliˈgeišən] s delegace, poselstvo

delete [diˈliːt] vt & i vyškrtnout, odstranit ♦ to ~ from agenda vzít z pořadu

deliberat|e a [diˈlibərit] rozvážný, opatrný; dobře uvážený, záměrný □ vt & i [diˈlibəreit] uvažovat; radit se, rokovat; —ion [diˌlibəˈreišən] s 1. úvaha 2. rokování

delic|acy [ˈdelikəsi] s 1. jemnost, šetrnost, delikátnost 2. lahůdka 3. slabost 4. vybranost; —ate [ˈdelikit] a 1. jemný, choulostivý; citlivý, křehký, útlý 2. lahodný, chutný

3. přepychový 4. ostýchavý;
—ious [di'lišəs] a rozkošný,
lahodný
delicatessen [ˌdelikə'tesn] s la-
hůdkářský obchod
delight [di'lait] s rozkoš, potě-
šení, radost □ vt & i radovat
se (in z), potěšit; —ful
[di'laitful] a rozkošný, potě-
šitelný
delimitation [diˌlimi'teišən] s vy-
mezení hranic; delimitace
delineate [di'linieit] vt 1. na-
črtnout 2. vylíčit
delinqu|ency [di'liŋkwənsi] s 1.
přečin, zločinnost 2. zane-
dbání povinnosti 3. chyba;
—ent [di'liŋkwənt] a & s ne-
pamětlivý povinnosti; zlo-
činec
delir|ious [di'liriəs] a pomatený,
šílený; třeštící, stižený deli-
riem; —ium [di'liriəm] s pl.
-iums [-iəmz], -ia [-iə] deli-
rium
deliver [di'livə] vt 1. vysvobodit
(from z), zbavit, zachránit
2. dát; vzdát se, opustit,
rezignovat 3. ulehčit ženě při
porodu 4. sdělit 5. odevzdat,
doručit dopis 6. předložit účet
7. práv. předat (formálně)
8. vypustit; zasadit (a blow
ránu) 9. pronést (a speech řeč)
♦ to be -ed of a child porodit;
—ance [di'livərəns] s 1. vy-
svobození, vykoupení 2. do-
poručení 3. sdělení, prohlá-
šení; tvrzení 4. porod; —er
[di'livərə] s 1. zachránce,
vysvoboditel 2. doručitel; —y
[di'livəri] s 1. vysvobození
2. dodání, doručení, doprava
3. přednášení 4. předání věci

5. porod ♦ cash on ~ placení
při dodání, na dobírku; —y-
book s obch. potvrzovací kníž-
ka; —y-note s dodací list;
—y-order s vydací příkaz;
—y-van s dodávkový vůz
delude [di'lu:d] vt 1. oklamat,
podvést 2. zast. zmařit
deluge ['delju:dž] s povodeň,
zátopa, záplava; the D~ po-
topa □ vt zaplavit
delus|ion [di'lu:žən] s blud,
klam, mámení; —ive [di'lu:-
siv] a klamný
delve [delv] vt & i arch. 1. kopat
2. bádat
demagog|ue ['deməgog] s de-
magog; —y ['deməgogi] s
demagogie
demand [di'ma:nd] vt žádat
(of, from od), požadovat, vy-
žadovat □ vi tázat se □ s
1. žádost, přání 2. poptávka
(after, for po) 3. požadavek
4. pohledávka, nárok ♦ pay-
able on ~ splatný na požá-
dání; in ~ hledaný, žádaný;
~ deposits volné vklady
demarcation [ˌdi:ma:'keišən] s
ohraničení ♦ line of ~ hra-
niční čára
demean [di'mi:n] vt 1. ponížit
2. zvr. chovat se; zadat si,
snížit se; —our, am. —or
[di'mi:nə] s chování, mravy
demented [di'mentid] a poma-
tený
demerit [di:'merit] s chyba,
vada, slabá stránka
demesne [di'mein] s 1. práv. ma-
jetnictví pozemku 2. krajina,
říše, doména; okruh činnosti
demilitarize ['di:'militəraiz] vt
demilitarizovat

demise [di¦maiz] *s* 1. odkaz 2. pronajmutí 3. postoupení koruny následníkovi 4. smrt krále □ *vt & i* odkázat, postoupit statek

demission [di¦mišən] *s* rezignace, abdikace, demise

demobbed [di:¦mobd] *a* hov. demobilizovaný

demobilize [di¦moubilaiz] *vt* voj. demobilizovat

democr|acy [di¦mokrəsi] *s* demokracie (*people's* ~ lidová demokracie); **—at** [¦deməkræt] *s* demokrat; **—atic(al)** [¦demə¦krætik(əl)] *a* demokratický

demoli|sh [di¦moliš] *vt* 1. (z)bořit, (z)ničit 2. lid. strávit, „zbaštit"; **—tion** [¦demə¦lišən] *s* (z)ničení, (z)bourání

demon [¦di:mən] *s* démon, zloduch

demonstr|ate [¦demənstreit] *vt* ukázat, dokázat; znázornit, demonstrovat; **—ation** [¦deməns¦treišən] *s* 1. znázornění 2. důkaz 3. ukázka, demonstrace; **—ationist** [¦deməns¦treišənist] *s* demonstrant; **—ative** [di¦monstrətiv] *a* 1. dokazující, ozřejmující; přesvědčivý, průkazný 2. gram. ukazovací 3. bezděčný 4. vášnivý □ *s* gram. zájmeno ukazovací

demoraliz|ation [di¦morəlai¦zeišən] *s* znemravnění, zvrhlost; **—e** [di¦morəlaiz] *vt* znemravnit

demur [di¦mə:] *vi* 1. činit potíže, uvádět námitky 2. zast. otálet, váhat, být na rozpacích; **—e** [di¦mjuə] *a* 1. klidný 2.

vážný 3. upejpavý; **—rage** [di¦maridž] *s* zadržení lodi přes dobu potřebnou k vyložení n. naložení nákladu; náhrada za zdržení, zdržné

den [den] *s* doupě, skrýš

denationalize [di:¦næšnəlaiz] *vt* odnárodnit

denaz|ification [di¦na:cifi¦keišən] *s* denacifikace; **—ify** [di:¦na:cifai] *vt* denacifikovat

denial [di¦naiəl] *s* popření, odmítnutí

denigrate [¦denigreit] *vt* očernit

Denmark [¦denma:k] *s* Dánsko (z)

denominat|e *vt* [di¦nomineit] nazvat, pojmenovat □ *a* [di¦nominət] arch. nazvaný; **—ion** [di¦nomi¦neišən] *s* 1. název, označení, titul 2. sekta, vyznání, denominace; **—or** [di¦nomineitə] *s* 1. jmenovatel 2. pojmenovatel

denot|ation [¦di:nou¦teišən] *s* 1. označení 2. význam; **—e** [di¦nout] *vt* (o)značit, znamenat, být znakem

denounce [di¦nauns] *vt* 1. hrozit 2. udat, žalovat 3. arch. prohlásit 4. vypovědět smlouvu; **—ment** *s* 1. hrozba 2. žaloba 3. vypovězení smlouvy

dens|e [dens] *a* 1. hustý 2. neproniknutelný 3. nechápavý, tupý; **—ity** [¦densiti] *s* 1. hustota 2. tupost

dent [dent] *s* zářez, vroubek, zoubek □ *vt* vroubkovat, zoubkovat; **—al** [¦dentl] zubní □ *s* zubní souhláska; **—ate** [¦denteit] *a* bot. zool. zoubkovaný, **zubatý**; **—ifri-**

ce [ˈdentifris] s zubní pasta;
—ist [ˈdentist] s zubní lékař;
—istry [ˈdentistri] s zubní
lékařství

denud|ate [diˈnjudeit] vt obna-
žit, zbavit (of čeho); —ation
[ˌdi:njuˈdeišən] s 1. obnažení
2. geol. denudace

denunciate [diˈnansieit] vt & i
udat, denuncovat

deny [diˈnai] vt 1. popřít, za-
přít 2. zamítnout 3. odepřít
4. zvr. odpírat si, zapřít se

depart [diˈpa:t] vi 1. odejít,
odcestovat (from z) 2. odlou-
čit se od (from) 3. zemřít 4.
odchýlit se; lišit se, různit se;
rozcházet se v; —ment s 1.
odpor 2. oddíl, oddělení;
—ure [diˈpa:čə] s 1. odchod,
odjezd 2. odchylka (from od)
3. začátek činnosti 4. arch.
smrt

depend [diˈpend] vi 1. záviset
(upon na) 2. viset 3. spoleh-
nout se (on, upon na) 4. čekat
vyřízení; —ance, —ence [di-
pendəns] s 1. závislost, od-
vislost 2. spoléhání, důvěra;
—ency [diˈpendənsi] s 1. zá-
vislost 2. závislá země; —ent
[diˈpendənt] a 1. závislý
(on, upon na) 2. visící 3.
spoléhající se

depict [diˈpikt] vt 1. zobrazit
2. (vy)líčit

deplet|e [diˈpli:t] vt 1. vyprázd-
nit 2. vyčerpat; —ion [di-
ˈpli:šən] s vyprázdnění, vy-
čerpání

deplor|able [diˈplo:rəbl] a ža-
lostný, ubohý, politováníhod-
ný; —e [diˈplo:] vt želet,
oplakávat

deploy [diˈploi] vt & i rozvinout
šik, řady

deplume [diˈplu:m] vt oškubat

deponent [diˈpounənt] s 1. pří-
sežný svědek 2. deponentní
sloveso

depopulate [diˈpopjuleit] vt vy-
lidnit

deport [diˈpo:t] vt poslat do vy-
hnanství, deportovat; —ation
[ˌdi:po:ˈteišən] s deportace;
—ee [ˌdipo:ˈti:] s vyhnanec;
—ment s chování

depos|al [diˈpouzl] s sesazení;
—e [diˈpouz] vt & i 1. se-
sadit 2. přísežně svědčit

depos|it [diˈpozit] vt 1. uložit
v bance 2. složit, uskladnit
3. klást vejce 4. naplavit,
nanést ☐ s svěřená věc; zá-
ruka; vklad, záloha; —ition
[ˌdepəˈzišən] s 1. sesazení 2.
svědectví 3. uložení 4. nános
5. práv. přísežné svědectví,
výpověď; —itor [diˈpozitə]
s vkladatel; —itory [diˈpozi-
təri] s skladiště

depot [ˈdepou] s 1. skladiště
2. zástava 3. am. železniční
stanice 4. voj. hlavní stan
pluku

deprav|ation [ˌdeprəˈveišən] s
zkaženost, zvrhlost; —e [di-
ˈpreiv] vt zkazit mravně; —ity
[diˈpræviti] s zkaženost, zvrh-
lost

deprecat|e [ˈdeprikeit] vt 1. upro-
sit, prosit za odvrácení, od-
vrátit 2. odsuzovat; —ion
[ˌdepriˈkeišən] s omluva, od-
prošení, prosba za odvrácení;
odsuzování, nesouhlas; —ory
[ˈdeprikətəri] a omluvný, od-
prošující

depreciat|e [di'pri:šieit] *vt & i*
snížit cenu, klesat v ceně;
podceňovat, znehodnotit;
—**ion** [di₁pri:ši'eišən] *s* 1.
zlevnění 2. podceňování, zne-
hodnocení
depredation [₁depri'deišən] *s* lou-
pení, pustošení, plenění
depress [di'pres] *vt* 1. stlačit,
snížit výšku hlasu, clonu ap.
2. sklíčit 3. pokořit; —**ion**
[di'prešən] *s* 1. stlačení 2. pro-
láklina 3. sklíčenost, ochab-
lost 4. snížení 5. klesání cen
6. deprese, krize
depriv|ation [₁depri'veišən] *s*
zbavení, ztráta, škoda; —**e**
[di'praiv] *vt* zbavit, oloupit
o, odnít *(of)*
depth [depθ] *s* 1. hloubka, pro-
past 2. šířka 3. temnost 4.
ostrovtip 5. fig. hloubka myš-
lenky, citu (~ *of feeling*) ♦ *in
the* ~ *of winter* uprostřed
zimy; *from the* ~ *of* zhloubi;
to be out of one's ~ nestačit
deput|ation [₁depju'teišən] *s* de-
putace; —**e** [di'pju:t] *vt* 1.
vyslat 2. pověřit úkolem,
úřadem 3. ustanovit zástup-
cem; —**y** ['depjuti] *s* 1.
zástupce, náměstek 2. zplno-
mocněnec 3. delegát 4. po-
slanec *(people's* ~ lidový
poslanec) ♦ *by* ~ z pově-
ření
derail [di'reil] *vt & i* vykolejit
(se), vyšinout (se) z kolejí
derange [di'reindž] *vt* 1. uvést
v nepořádek 2. rušit v činnosti
3. pomást; —**ment** *s* nepořá-
dek, zmatek, pomatení
de-ration [di:'reišən] *vt* uvolnit
z vázaného obchodu, dát na

volný trh, zrušit lístkový
systém
Derby ['da:bi] *the* ~ derby
velké dostihy (původně koňské
dostihy v anglickém Epsomu);
d~ (hat) ['də:bi] am. tvrdý
klobouk, lid. tvrďas, buřinka
derelict ['derilikt] *a* 1. opuštěný
2. am. nevěrný, nedbalý □
s 1. opuštěná loď 2. opuštěná
věc, osoba 3. am. nedbalec
deride [di'raid] *vt* posmívat se
derision [di'rižən] *s* posměch,
výsměch
deriv|ation [₁deri'veišən] *s* od-
vození, původ; —**e** [di'raiv]
vt odvodit *(from* od) □ *vi* být
odvozen, pocházet od
derogat|e ['derəgeit] *vt & i* 1.
pozbýt hodnosti 2. snižovat
(se) 3. zmenšovat zásluhy;
ubrat *(from* z); —**ion** [₁derə-
'geišən] *s* křivda, zlehčení,
hanba
derrick ['derik] *s* lodní jeřáb
desalt [di:'so:lt] *vt* odsolovat,
zbavit solí
descale [di:'skeil] *vt* zbavit ko-
telního kamene
descant *s* ['deskænt] 1. hud.
melodie, diskant, zpěv 2.
rozprava □ *vi* [dis'kænt] 1.
zpívat diskantem 2. rozprá-
vět ze široka
descend [di'send] *vi & t* 1. se-
stoupit, klesat 2. přejít od
všeobecného k jednotlivému 3. na-
padnout, udeřit *(upon* na) 4.
snížit se *(to fraud* k podvodu)
5. pocházet *(from* z) ♦ *in
-ing order* sestupně; —**ant**
[di'sendənt] *s* potomek
descent [di'sent] *s* 1. sestup 2.
původ 3. svah, stráň, spád

4. napadení, útok **5.** převod dědictví

describe [dis'kraib] *vt* **1.** popisovat **2.** kreslit geometrické obrazce, nakreslit

descript|ion [dis'kripšən] *s* **1.** popis, vylíčení **2.** třída, druh **3.** značka; **—ive** [dis'kriptiv] *a* popisný

descry [dis'krai] *vt* matně poznávat; objevit, odhalit

desert¹ [di'zə:t] *s* zásluha

desert² [di'zə:t] *vt & i* opustit, zběhnout; **—ion** [di'zə:šən] *s* zběhnutí, dezerce

desert³ ['dezət] poušť □ *a* pustý, neobydlený

deserv|e [di'zə:v] *vt & i* zasloužit (si), být hoden (*a reward* odměny); **—ing** [di'zə:viŋ] *s* zásluha

desiccate ['desikeit] *vt & i* vysušit

desiderate [di'zidəreit] *vt* **1.** pohřešovat **2.** potřebovat **3.** žádat

design [di'zain] *vt & i* **1.** načrtnout, plánovat **2.** zamýšlet **3.** určit, stanovit **4.** provést □ *s* **1.** plán, záměr, účel **2.** úmysl **3.** tajemství, komplot **4.** náčrt(ek), rys; návrh, vzor **5.** zálusk (*upon* na); **—ate** *a* ['dezignit] určený, designovaný □ *vt* ['dezigneit] **1.** označit **2.** ustanovit **3.** určit; **—ation** [,dezig'neišən] *s* označení, určení; jméno, název; **—er** [di'zainə] *s* **1.** kreslič plánů **2.** konstruktér, návrhář

desir|able [di'zaiərəbl] *a* žádoucí, toužebný; vhodný; **—e** [di'zaiə] *vt* **1.** toužit, přát si **2.** žádat, poručit □ *s* **1.** touha,

přání (*for, of* čeho) **2.** prosba, žádost; **—ous** [di'zaiərəs] *a* žádostivý (*of* čeho)

desist [di'zist] *vi* upustit (*from* od), přestat

desk [desk] *s* psací stůl

desol|ate *a* [desolit] opuštěný, pustý; vylidněný □ *vt* ['desoleit] **1.** vylidnit, opustit **2.** zpustošit, zničit; **—ation** [,desə'leišən] *s* **1.** zpustošení, zničení **2.** zármutek **3.** opuštěnost

despair [dis'peə] *vi* zoufat si (*of* nad) □ *s* zoufalství, beznadějnost

despatch viz *dispatch*

desperado [,despə'ra:dou] *s* člověk všeho schopný, desperát

desperat|e ['despərit] *a* **1.** zoufalý, beznadějný **2.** všeho schopný; **—ion** [,despə'reišən] *s* zoufalství

despicable ['despikəbl] *a* opovrženíhodný, špatný

despise [dis'paiz] *vt* pohrdat

despite [dis'pait] *s* vzdor, odpor ♦ *in* ~ *of* přes, navzdory; **—ful** [dis'paitful] *a* zlomyslný, krutý

despoil [dis'poil] *vt* oloupit o, zbavit (*of* čeho), obrat

despond [dis'pond] *vi* (z)malomyslnět (*at* nad); **—ent** [dis'pondənt] *a* malomyslný

despot ['despot] *s* krutovládce, despota; **—ic** [des'potik] *a* despotický, krutovládný; **—ism** ['despətizəm] *s* krutovláda, despotismus

dessert [di'zə:t] *s* dezert, zákusek; **~-spoon** *s* lžička na dezert

destin|ation [,desti'neišən] *s* ur-

čení, cíl; —e [ˈdestin] vt určit
(for k, pro); —y [ˈdestini]
s 1. určení 2. osud

destitute [ˈdestitjuːt] a zbavený
čeho, postrádající (of); opuštěný, nuzný

destroy [disˈtroi] vt 1. vyhladit,
zničit 2. zbořit, zpustošit
3. zkazit; —er [disˈtroiə] s
torpédoborec

destruct|ion [disˈtrakšən] s zboření, zničení, zkáza; —ive
[disˈtraktiv] a ničivý, rušivý, zhoubný; —or [disˈtraktə] s pec na spalování odpadků

desultory [ˈdesəltəri] a těkavý,
nestálý

detach [diˈtæč] vt 1. oddělit
(from od) 2. nám. odvelet,
odeslat (ship loď, regiment
pluk); —ment s 1. oddělení,
odloučení 2. odeslání vojska
nebo loďstva 3. jednotka, družstvo

detail [ˈdiːteil] s podrobnost,
detail ♦ in ~ podrobně;
by ~ jednotlivě □ vt podrobně (vy)líčit

detain [diˈtein] vt (za) držet ve
vazbě, zdržovat, nepustit, nechat čekat; —ee [ˌditeiˈniː] s
zadržená osoba

detect [diˈtekt] vt objevit, odhalit, odkrýt; vypátrat; —ion
[diˈtekšən] s odhalení, odkrytí; —ive [diˈtektiv] s detektiv

detention [diˈtenšən] s 1. zadržení 2. uvěznění, trestní vazba ♦ ~ on remand vyšetřovací vazba

deter [diˈtəː] vt (-rr-) odstrašit
(from od)

deterior|ate [diˈtiəriəreit] vt & i
zhoršit (se); —ation [diˌtiəriəˈreišən] s zhoršení (of
living conditions životních
podmínek)

determin|ant [diˈtəːminənt] s 1.
určovatel 2. mat. determinant; —ation [diˌtəːmiˈneišən] s 1. rozhodnutí, odhodlání 2. určení, stanovení 3.
práv. výměr 4. směr, snaha;
—ative [diˈtəːminətiv] a určující □ s určovatel; —e [diˈtəːmin] vt & i 1. určit,
vymezit 2. rozhodnout (se)
3. (u)končit; —ed [diˈtəːmind] a rozhodnutý, odhodlaný

deterrent [diˈterənt] s odstrašující prostředek

detest [diˈtest] vt 1. ošklivit si,
štítit se 2. nenávidět; —able
[diˈtestəbl] a ohavný, mrzký;
—ation [ˌdiːtesˈteišən] s ošklivost, hnus

dethrone [diˈθroun] vt zbavit
trůnu

detonat|e [ˈdetouneit] vt & t
vybuchnout; —ion [ˌdetouˈneišən] s výbuch

detract [diˈtrækt] vt 1. ubrat,
zkrátit 2. na cti utrhat, pomlouvat, zlehčovat; —ion
[diˈtrækšən] s zlehčování, pomluva

detriment [ˈdetrimənt] s škoda,
úbytek, újma

detrition [diˈtrišən] s opotřebování hlavně třením

deuce [djuːs] s 1. ďábel, ďas 2.
mor 3. karetní dvojka (též na
kostce n. dominu) ♦ ~ a bit
vůbec ne 4. shoda v tenise

devastat|e [ˈdevəsteit] vt zpusto-

šit, zničit; —ion [ˌdevos-
ˈteišən] s zpustošení, zničení
develop [diˈveləp] vt & i 1.
vyvinout se (*from* z) 2. vyvo-
làt fotografii; —er [diˈveləpə] s
1. vyvolávač 2. vývojka;
—ment s vývoj
deviat|e [ˈdiːviˌeit] vi uchýlit se
(*from* od) □ vt způsobit
úchylku; —ion [ˌdiːviˈeišən]
s úchylka, odchýlení; —ionist
[ˌdiːviˈeišˌnist] s úchylkář
device [diˈvais] s 1. zařízení, dů-
mysl; vynález; schéma, heslo;
plán 2. úskok 3. pl. vůle, žá-
dost ♦ *to leave a person to his
own* -*s* zanechat koho sobě
samému, nepomoci mu
devil [ˈdevl] s 1. ďábel, čert 2.
démon 3. fig. energický člo-
věk 4. poslíček v tiskárně
(*printer's* ~) 5. ubožák (*poor
~*) ♦ *the* ~! u ďábla; *the
~ and all* vše špatné; *between
the ~ and the deep sea* mezi
čertem a ďáblem; *to give the
~ his due* dát čertu, co mu
patří; *to hold a candle to the* ~
zapálit svíčku čertovi □ vt
(-ll-) 1. lid. soužit, obtěžo-
vat 2. smažit s kořením;
|~-**dodger** s sl. kazatel, farář;
—**ish** [ˈdevliš] a 1. ďábelský
2. lid. zatracený; |—**kin** s
čertík, šotek; —**ment** s čer-
tovina, zlomyslnost; —**ry**,
—**try** [ˈdevlri, -tri] s ďábelství,
čertovství; černá magie; da-
rebáctví
devious [ˈdiːviəs] a 1. odchylu-
jící se, odbočující; vinoucí
se (*path* cesta), klikatý 2.
bludný
devise [diˈvaiz] vt & i 1. vyna-

lézat, vymýšlet 2. plánovat
3. práv. odkázat 4. zast. věš-
tit, tušit □ s odkaz, poslední
vůle, závět
devoid [diˈvoid] a zbavený,
prostý (*of* čeho)
devolve [diˈvolv] vt & i 1. sva-
lit (*upon* na) 2. převést, pře-
dat majetkové právo, přejít,
připadnout (*on, upon* na)
devot|e [diˈvout] vt zasvětit,
věnovat; —**ed** [diˈvoutid] a
1. věnovaný 2. oddaný, věrný
3. obětavý, zasvěcený; —**ee**
[ˌdevouˈtiː] s zasvěcenec, cti-
tel; —**ion** [diˈvoušən] s 1.
oddanost, zbožnost; úcta 2.
bohoslužba
devour [diˈvauə] vt 1. pohltit,
pozřít 2. zničit 3. zahubit
o ohni, meči, moru
devout [diˈvaut] a zbožný; od-
daný; upřímný, srdečný,
vroucí
dew [djuː] s rosa □ vt porosit,
zvlhčit; ~-**berry** [ˈdjuːberi]
s druh ostružiny; ~-**lap**
[ˈdjuːlæp] s lalok; |~-**point**
s rosný bod; —**y** [djuːi] a
rosný, porosený
dexter [ˈdekstə] a pravý; —**ity**
[deksˈteriti] s zručnost, ob-
ratnost, bystrost, hbitost;
—**ous** [ˈdekstərəs] a zručný,
obratný; bystrý; hbitý
dextran [ˈdekstrən], **dextrone**
[ˈdekstroun] s umělá krev
diabetes [ˌdaiəˈbiːtiːz] s cukrov-
ka
diabolic, —**al** [ˌdaiəˈbolik(əl)] a
ďábelský
diadem [ˈdaiədem] s čelenka,
diadém
diagnos|e [ˈdaiəgnouz] vt & i

zjistit diagnózou, učinit diag-
nózu, rozpoznat nemoc; **—is**
[ˌdaiəgˈnousis] *s* pl. *-ses* [-siːz]
diagnóza
diagonal [daiˈægənl] *a* úhlo-
příčný □ *s* úhlopříčka ♦ **~** *of
the face* úhlopříčka stěny;
solid **~** tělesná úhlopříčka
diagram [ˈdaiəgræm] *s* diagram
dial [ˈdaiəl] *s* 1. sluneční hodiny
2. ciferník 3. sl. obličej □ *vt*
(-ll-) vytočit číslo telefonu
dialect [ˈdaiəlekt] *s* nářečí, dia-
lekt; **—ic**, **—ical** [ˌdaiəˈlektik,
-tikəl] *a* dialektický (*materia-
lism* materialismus); **—ic**,
—ics [ˌdaiəˈlektik(s)] *s* dia-
lektika
dialogue [ˈdaiəlog] *s* dialog,
rozmluva
diameter [daiˈæmitə] *s* průměr
diamond [ˈdaiəmənd] *s* 1. dia-
mant 2. kosočtverec 3. karetní
kule, káro
Diana [daiˈænə] *s* Diana
diaper [ˈdaiəpə] *s* 1. plátno na
utěrky 2. ručník, plínka □
vt tkát zvláštním způsobem
v (koso)čtverečkách
diaphragm [ˈdaiəfræm] *s* 1. brá-
nice 2. přepážka, stěna
diarrhea, diarrhoea [ˌdaiəˈriə] *s*
průjem
diary [ˈdaiəri] *s* deník
dibble [ˈdibl] *s* roubík štěpařský
dice [dais] *s* (pl. od *die*) kostky ♦
to play at **~** hrát v kostky □
vt & i 1. hrát v kostky 2. krá-
jet na kostky 3. kostkovat;
~ -insulator [ˈdaisinsjuleitə]
s porcelánový izolátor
Dick, -ie [ˈdik(i)] *s* dem. od
Richard
dickens [ˈdikinz] *s* hov. ďábel,

čert, ďas ♦ *what the* **~** kýho
ďasa!
dick(e)y [ˈdik(i)] *s* (pl. *-eys*,
-ies) 1. lid. osel 2. ptáček 3.
náprsenka 4. zástěra 5. koz-
lík sedadla vozky 6. sedadlo
pro služebníka vzadu kočáru
dictat|e *vt* [dikˈteit] 1. diktovat
2. předpisovat, nařídit □ *s*
[ˈdikteit] diktát, předpis, na-
řízení; **—ion** [dikˈteišən] *s*
diktát; **—or** [dikˈteitə] *s* dik-
tátor; **—orship** [dikˈteitəšip]
s diktatura (*police, military*
policejní, vojenská)
diction [ˈdikšən] *s* dikce, sloh,
výraz; **—ary** [ˈdikšənri] *s*
slovník
did [did] *pt* viz *do*
didactics [diˈdæktiks] *s* didak-
tika
diddle [ˈdidl] *vi* hov. batolit se
□ *vt* (o)šidit
didst [didst] 2. os. sg. *pt*, viz
do
die¹ [dai] *vi* 1. zemřít (*of* na)
2. odumřít (*to the world* světu)
3. toužit, mřít touhou po
(*to be dying for*) ♦ *to* **~** *a
beggar* zemřít jako žebrák;
to **~** *a glorious death* zemřít
slavnou smrtí; *to* **~** *game* n.
hard bojovat se smrtí; *to* **~**
in one's bed zemřít přirozenou
smrtí; *to* **~** *in one's shoes*
(n. *by violence*) zemřít násil-
nou smrtí; **~** *away* odumřít,
upadnout v zapomenutí; **~**
down zmírat, odumírat; **~**
off vymřít; **~ out** vymřít, vy-
hynout
die² [dai] *s* 1. pl. *dice* kostka;
the **~** *is cast* kostka je vržena;
upon the **~** v sázku 2. pl.

dies stav. dřík sloupu 3. ražební matrice, razidlo

diet [ˈdaiət] *s* 1. dieta 2. sněm, kongres; shromáždění ☐ *vt & i* držet dietu, stravovat se dietně

differ [ˈdifə] *vi* 1. lišit se (*from* od) 2. nesouhlasit (*from, with* s) 3. hádat se (*with* s) ♦ *I beg to ~* nesouhlasím; **—ence** [ˈdifrəns] *s* 1. rozdíl 2. odlišnost 3. nesouhlas ♦ *it makes a great ~* je to důležité; **—ent** [ˈdifrənt] *a* rozdílný, odlišný (*from, to, than* od), nepodobný, neobvyklý; **—ential** [ˌdifəˈrenšəl] *a* různící se, různý ☐ *s* 1. diferenciál 2. vyrovnávací soukolí; **—entiate** [ˌdifəˈrenšieit] *vt & i* různit (se), diferencovat (se), rozlišovat (se)

difficult [ˈdifikəlt] *a* obtížný, nesnadný; **—y** [ˈdifikəlti] *s* nesnáz, obtíž

diffid|ence [ˈdifidəns] *s* nedůvěra; **—ent** [ˈdifidənt] *a* nedůvěřivý

diffus|e *vt & i* [diˈfju:z] 1. rozlít 2. fig. rozšířit, rozptýlit ☐ *a* [diˈfju:s] rozšířený; rozvláčný sloh; **—ion** [diˈfju:žən] *s* 1. rozlití, difúze 2. rozvláčnost

dig* [dig] *vt & i* 1. kopat 2. rýt 3. vrtat, šťárat, hrabat; dloubat (*in the ribs* do žeber) 4. lid. dřít, lopotit se 5. am. dřít studovat ♦ *~ in* zakopat; *to ~ one's spurs into a horse* vrazit koni ostruhy; *~ out* vykopat; *~ up* vykopat (*potatoes* brambory) ☐ *s* rýpnutí, dloubnutí (*in the ribs* do žeber)

digest *s* [ˈdaidžest] 1. souhrn, kompendium, sbírka, výtah z knihy, zhuštění 2. práv. sbírka (zákonů) ☐ *vt & i* [diˈdžest] 1. roztřídit, kodifikovat 2. promyslit 3. rozpustit 4. osvojit si 5. snášet, trpět 6. strávit; **—ion** [diˈdžesčən] *s* zažívání; **—ive** [diˈdžestiv] *a* zažívací ☐ *s* prostředek pro trávení

digging [ˈdigiŋ] *s* 1. kopání 2. pl. vykopávka 3. pl. naleziště kovů, drahokamů 4. pl. hov. doupě, obydlí

digni|fy [ˈdignifai] *vt* uctít, poctít, povýšit; **—tary** [ˈdignitəri] *s* hodnostář; **—ty** [ˈdigniti] *s* 1. hodnost 2. důstojnost, důstojné chování 3. ctihodnost, vážnost

digress [daiˈgres] *vi* uchýlit se; **—ion** [daiˈgrešən] *s* úchylka

dike [daik] *s* 1. příkop 2. hráz, násep 3. geol. žíla

diktat [ˈdikta:t] *s*: *the Munich ~* Mnichovský diktát

dilacerate [diˈlæsəreit] *vt* roztrhat na kusy, rozsápat

dilapidation [diˌlæpiˈdeišən] *s* zkáza, úpadek, promarnění

dilat|e [daiˈleit] *vt & i* 1. rozšířit (se), rozevřít, zvětšit 2. zast. obšírně hovořit; **—ion** [daiˈleišən] *s* rozšíření; **—ory** [ˈdilətəri] *a* zdlouhavý, liknavý, pomalý

dilig|ence [ˈdilidžəns] *s* píle, horlivost; **—ent** [ˈdilidžənt] *a* pilný, přičinlivý, horlivý

dill [dil] *s* kopr

diluent [ˈdiljuənt] *s* rozpouštědlo

dilut|e [daiˈlju:t] *vt* 1. rozředit

2. zmírnit; **—ee** [ˌdailjuːˈtiː:] *s* nezapracovaný dělník; **—ion** [daiˈljuːʃən] *s* **1.** rozředění **2.** roztok **3.** fig. zeslabení **4.** přijímání nezapracovaných dělníků

dim [dim] *a* **1.** nejasný, temný, šerý **2.** slabý o zvuku **3.** zkalený **4.** otupělý **5.** ponurý ♦ *to take a ~ view of* hov. dívat se černě na □ *vt & i* (-mm-) (za)kalit, šeřit se, ztemnit (se); *~ out v & s* **1.** částečně zatemnit, přitlumit světla **2.** částečné zatemnění

dime [daim] *s* am. americká mince 10 centů

dimension [diˈmenʃən] *s* objem, rozsah, rozměr, dimenze

dimin|ish [diˈminiʃ] *vt & i* **1.** zmenšit (se), snížit **2.** hud. snížit o půl tónu **3.** tenčit se, scvrkat se; **—ution** [ˌdimiˈnjuːʃən] s **1.** zmenšení, úbytek **2.** ponížení

dimple [ˈdimpl] *s* důlek v tváři

din [din] *s* hlomoz, hřmot, hluk □ *vt & i* (-nn-) **1.** ohlušit **2.** vtlouci do paměti opakováním

din|e [dain] *vi & t* obědvat, jíst; **—er** [ˈdainə] *s* **1.** obědvající **2.** jídelní vůz; **—ing-room** [ˈdainiŋrum] *s* jídelna

ding [diŋ] *vi & t* bít, zvonit; *~ -dong* [ˈdiŋˈdoŋ] *s* bim, bam □ *a* se střídavým průběhem: *a ~ race* napínavý závod

dingle [ˈdiŋgl] *s* rokle

dingo [ˈdiŋgou] *s* dingo divoký pes australský

dingy [ˈdindʒi] *a* **1.** špinavý, nečistý **2.** pochybný o charakteru **3.** ošumělý

dinkum [ˈdinkəm] *s* dřina □ *a* austr. ryzí

dinner [ˈdinə] *s* **1.** hlavní jídlo dne **2.** hostina

dint [dint] *s* **1.** rána, úder **2.** síla **3.** zub, vrub ♦ *by ~ of* pomocí čeho

diocese [ˈdaiəsis] *s* diecéze

dip [dip] *vt* (-pp-) **1.** namočit **2.** ponořit, potopit **3.** snížit, spustit (*flag* vlajku) **4.** zhotovit svíčku **5.** nabírat, vybírat **6.** číst povrchně, prolistovat **7.** lid. namočit do dluhů **8.** prohlédnout si zběžně, povrchně, letmo (*into the book* knihu); *to ~ headlights* přitlumit světla auta □ *vi* (-pp-) **9.** namočit se **10.** ponořit se, potopit se **11.** zacházet (*the sun -s below the sea* slunce zachází za moře) **12.** svažovat se □ *s* **1.** ponoření, namočení **2.** svah **3.** lid. koupel *v moři* **4.** astr. represe horizontu úhel magnetické střelky s horizontem **5.** geol. sklon vrstvy **6.** svíčka **7.** pokles cen

diphtheria [difˈθiəriə] *s* záškrt

diphthong [ˈdifθoŋ] *s* fon. dvojhláska

diplom|a [diˈploumə] *s* diplom; **—acy** [diˈplouməsi] *s* diplomacie; **—at** [ˈdipləmæt] *s* diplomat; **—atic** [ˌdipləˈmætik] *a* diplomatický

dipper [ˈdipə] *s* **1.** naběračka, lžíce **2.** zool. skorec vodní

dire [ˈdaiə] *a* hrozný, strašný, příšerný

direct [diˈrekt] *vt & i* **1.** adresovat, oslovit **2.** zaslat **3.** namířit, zaměřit (*one's attention to* pozornost k, na)

4. ukázat cestu 5. dát příkaz, rozkaz 6. řídit, kontrolovat; ovládat □ *a* 1. přímý, rovný 2. bezprostřední, osobní □ *adv* přímo; —**ion** [diˈrekšən] *s* 1. směr, řízení 2. rozkaz 3. adresa na dopisu, balíčku 4. pl. směrnice, nařízení; —**ly** [diˈrektli] *adv* přímo; —**or** [diˈrektə] *s* ředitel; —**ory** [diˈrektəri] *a* řídící □ *s* 1. direktorium 2. vodítko, ukazatel 3. adresář, telefonní seznam

dirge [də:dž] *s* žalozpěv

dirigible [ˈdiridžəbl] *a* řiditelný

dirk [də:k] *vt* probodnout □ *s* dýka

dirt [də:t] *s* 1. bláto, špína, nečistota 2. chátra 3. sprostota ♦ *to eat* ~ nechat si líbit urážky; |~-**cheap** *a* velmi laciný; —**y** [ˈdə:ti] *a* 1. špinavý, nečistý 2. zamlžený o počasí 3. sprostý, oplzlý 4. nejasný, nečistý o barvě

dis|ability [ˌdisəˈbiliti] *s* neschopnost, nezpůsobilost, slabost; —**able** [disˈeibl] *vt* zbavit schopnosti, oslabit; zmrzačit; zničit

disabuse [ˌdisəˈbju:z] *vt* vyvést z klamu

disaccord [ˌdisəˈko:d] *vi* nesouhlasit □ *s* nesouhlas

disadvantage [ˌdisədˈva:ntidž] *s* nevýhoda, škoda, ztráta

disaffection [ˌdisəˈfekšən] *s* 1. odcizení se 2. nespokojenost

disaffirm [ˌdisəˈfə:m] *vt* 1. popírat 2. práv. odmítnout schválení, zvrátit soudní rozhodnutí

disagree [ˌdisəˈgri:] *vi* 1. nesouhlasit (*with* s) 2. odporovat hádat se 3. nesvědčit (*with*

komu); —**able** [ˌdisəˈgriəbl] *a* nepříjemný, protivný

disallow [ˌdisəˈlau] *vt* zamítnout

disappear [ˌdisəˈpiə] *vi* zmizet; —**ance** [ˌdisəˈpiərəns] *s* zmizení

disappoint [ˌdisəˈpoint] *vt* 1. zklamat 2. zmařit 3. připravit (*of* o); —**ment** *s* zklamání

disapprove [ˌdisəˈpru:v] *vt & i* 1. neschválit 2. pokárat, odsoudit

disarm [disˈa:m] *vt & i* odzbrojit; —**ament** [disˈa:məmənt] *s* odzbrojení ♦ ~ *proposal* návrh na odzbrojení

disarrange [ˈdisəˈreindž] *vt* uvést v nepořádek, zmatek; přeházet, rozházet

disarray [ˈdisəˈrei] *vt* 1. uvést v nepořádek 2. odstrojit se □ *s* nepořádek, zmatek

disast|er [diˈza:stə] *s* neštěstí, pohroma; —**rous** [diˈza:strəs] *a* nešťastný, zlověstný

disavow [ˈdisəˈvau] *vt* popřít, neuznat; —**al** [ˈdisəˈvauəl] *s* popření, zapření

disband [disˈbænd] *vt & i* 1. rozpustit (*an army* vojsko) 2. rozptýlit, rozejít se

disbar [disˈba:] *vt* (-rr-) vyloučit z advokátského stavu

disbelie|f [ˈdisbiˈli:f] *s* nedůvěra, pochybnost; —**ve** [ˈdisbiˈli:v] *vt & i* nevěřit

disburden [disˈbə:dn] *vt & i* zbavit břemene, složit zboží, ulehčit (si)

disburse [disˈbə:s] *vt* vyplatit; —**ment** *s* vyplacení, výloha

disc viz **disk**

discard [disˈka:d] *vt & i* 1. odložit kartu; odhodit (*clothes* šaty); vzdát se (*habit* zvyku) **2.** propustit

discern [di'sə:n] *vt & i* rozeznat, poznat; rozlišovat (*between* mezi); **—ment** *s* bystrost, soudnost

discharge [dis'ča:dž] *vt & i* **1.** složit náklad lodi **2.** zbavit (se) (*of* koho, čeho) **3.** uvolnit **4.** vystřelit (*a gun* z pušky) **5.** propustit (*from* z) **6.** zaplatit (*a debt* dluh) **7.** osvobodit (*a prisoner* vězně) **8.** práv. zrušit **9.** odbarvit ♦ *to ~ one's engagements* splnit své závazky □ *s* **1.** složení, vyložení zboží **2.** zbavení **3.** osvobození **4.** propuštění **5.** vystřelení, výstřel **6.** zaplacení **7.** fyz. vybití elektřiny, výboj **8.** vysvědčení na odchodnou **9.** výtok, hnis

disciple [di'saipl] *s* žák, stoupenec

disciplin|ary ['disiplinəri] *a* kázeňský, disciplinární; **—e** ['disiplin] *s* **1.** kázeň, řád **2.** výcvik, výchova; věda, disciplína **3.** potrestání □ *vt* cvičit; vést ke kázni, trestat; vzdělávat

disclaim [dis'kleim] *vi & t* zříci se, popřít, **—er** [dis'kleimə] *s* **1.** zapírač **2.** odvolání, zřeknutí se

disclos|e [dis'klouz] *vt* **1.** objevit, odkrýt, odhalit (*a group of terrorists* skupinu teroristů) **2.** prozradit; **—ure** [dis'kloužə] *s* odhalení, dělení

disco|lour, am. **-lor** [dis'kalə] *vt & i* odbarvit, změnit barvu

discomfit [dis'kamfit] *vt* **1.** zmást **2.** porazit **3.** zmařit

discomfort [dis'kamfət] *vt* rozmrzet, znepokojovat □ *s* **1.** nepohodlí **2.** neklid, sklíčenost; **—able** [dis'kamfətəbl] *a* nepohodlný

discompose [ˌdiskəm'pouz] *vt* **1.** uvést ve zmatek **2.** znepokojit, rozrušit

disconcert [ˌdiskən'sə:t] *vt* **1.** uvrhnout ve zmatek **3.** uvést do rozpaků **3.** zkřížit plán

disconnect [ˌdiskə'nekt] *vt* rozpojit, odloučit; **—ed** ['diskə'nektid] *a* přerušený, nesouvislý; **—ion** [ˌdiskə'nekšən] *s* rozpojení, odloučení, přerušení

disconsolate [dis'konsəlit] *a* bezútěšný, smutný

discontent ['diskən'tent] *a* nespokojený □ *s* nespokojenost; **—ed** ['diskən'tentid] *a* nespokojený

discontinu|e ['diskən'tinju:] *vt & i* **1.** přerušit **2.** zastavit (se); **—ity** ['disˌkonti'njuiti] *s* nesouvislost; **—ous** ['diskən'tinjuəs] *a* nesouvislý, přerušený

discord ['disko:d] *s* **1.** neshoda, spor **2.** hud. nesouzvuk, disonance; **—ant** [dis'ko:dənt] *a* **1.** nesouhlasící **2.** hud. disharmonický

discount *vt & i* [dis'kaunt] **1.** odečíst **2.** diskontovat, prodat směnku se srážkou **3.** podceňovat, nedbat, ignorovat □ *s* ['diskaunt] srážka, sleva, skonto; *~ rate* (*rate of ~*) diskontní sazba ♦ *at a ~* pod nominální hodnotu; *to lower (raise) the ~* snížit (zvýšit) diskont

discourage [dis'karidž] *vt* zbavit odvahy (*from* k), odstrašit, odradit; —ment *s* zastrašení

discourse [dis'ko:s] *s* 1. rozprava 2. pojednání □ *vi & t* 1. mluvit, pojednávat (*of*, *upon* o) 2. arch. vypravovat

discover [dis'kavə] *vt* odhalit, odkrýt, objevit; —y [dis-'kavəri] *s* objev, odhalení

discredit [dis'kredit] *vt* 1. nevěřit 2. zničit důvěru, víru v 3. zlehčit □ *s* 1. špatná pověst, reputace 2. nedůvěra, pochyba 3. obch. nedostatek úvěru

discreet [dis'kri:t] *a* mlčelivý, diskrétní, taktní

discrepancy [dis'krepənsi] *s* 1. neshoda, rozpor 2. nepravidelný chod

discretion [dis'krešən] *s* 1. prozíravost 2. rozvaha, opatrnost, obezřetnost 3. mlčelivost 4. soudnost, úsudek 5. zdání ♦ *at* ~ podle libosti

discriminat|e [dis'krimineit] *vt & i* rozlišit (*from* od); —ion [dis,krimi'neišən] *s* rozlišení, diskriminace (*racial* ~ rasová diskriminace)

discursive [dis'kə:siv] *a* 1. rozvláčný 2. usuzovací, soudný, 3. těkavý

discuss [dis'kas] *vt* 1. vyměňovat názory, jednat; rokovat, diskutovat 2. zast. vysvětlit, prohlásit 3. lid. s požitkem strávit jídlo, víno; —ion [dis-'kašən] *s* rokování, diskuse

disdain [dis'dein] *vt* pohrdat □ *s* pohrdání, nevážnost; —ful

[dis'deinful] *a* pyšný, pohrdlivý

disease [di'zi:z] *s* nemoc, nákaza □ *vt* nakazit

disembark ['disim'ba:k] *vt & i* vylodit, přistát; vyložit z lodi; —ment *s* vylodění

disembowel [,disim'bauəl] *vt* vykuchat

disengage ['disin'geidž] *vt & i* vyprostit (se), zbavit (se) (*from* čeho)

disestablishment [,disis'tæblišmənt] *s* odluka církve od státu

disesteem [,disis'ti:m] *vt* nevážit si, nectít □ *s* nevážnost

disfavour ['dis'feivə] *s* nepřízeň, nelibost, nesouhlas

disfigure [dis'figə] *vt* znetvořit, zmrzačit

disfranchise ['dis'frænčaiz] *vt* zbavit volebního práva

disgorge [dis'go:dž] *vt & i* 1. vyvrhnout, dávit (se) 2. chrlit, vylévat, vlévat (*itself* se) 3. vydat lup

disgrace [dis'greis] *s* nemilost, hanba □ *vt* zneuctít, přivést do hanby; —ful [dis'greisful] *a* mrzký, bezbožný hanebný

disguise [dis'gaiz] *vt* 1. přestrojit se 2. zakrýt, zamaskovat 3. tajit; přeměnit □ *s* 1. přestrojení, maska 2. přetvářka 3. zapřená

disgust [dis'gast] *vt* znechutit (*with*, *at* čím), zošklivit □ *s* 1. ošklivost, hnus 2. zklamání; —ing [dis'gastiŋ] *a* hnusný, protivný, odporný

dish [diš] *s* 1. mísa, nádoba 2. jídlo 3. arch. šálek (*of tea* čaje) 4. pl. nádobí ♦ ~ *of gossip* klep, klepání, hovor □ *vt & i* **1.** dát do mísy, předložit **2.** vyhloubit jako mísu **3.** obejít, vymanévrovat, překonat soupeře; ~ **-cloth** [ˈdiš-kloθ] *s* utěrka na nádobí; ~ **-cover** [ˈdišˌkavə] *s* příklop na mísu; ~ **gravy** [ˈgreivi] masná omáčka; ~ **-towel** [ˈdišˌtauəl] *s* utěrka na nádobí

disharmony [ˈdisˈha:məni] *s* **1.** nesouzvuk, disharmonie **2.** rozpor, nesoulad

dishearten [disˈha:tn] *vt* zbavit odvahy, zmužilosti, sklíčit

dishonest [disˈonist] *a* nepoctivý, nepoctivý; —**y** [disˈonisti] *s* nepoctivost

dishonour [disˈonə] *s* hanba, nečest, potupa ♦ ~ *of bill* nezaplacení směnky □ *vt* **1.** zbavit cti, zneuctít, potupit **2.** nezaplatit (*a bill* směnku); —**able** [disˈonərəbl] *a* ne(po)čestný

disillusionize [ˌdisiˈlu:žənaiz] *vt* zbavit iluze, rozčarovat

disincline [ˈdisinˈklain] *vt & i* odvrátit (se), znechutit (*for* co)

disinfect [ˌdisinˈfekt] *vt* dezinfikovat; —**ion** [ˌdisinˈfekšən] *s* dezinfekce

disinfestation [ˈdisinfesˈteišən] *s* odmoření, odhmyzení

disinherit [ˈdisinˈherit] *vt* vydědit (*of* z)

disintegrate [disˈintigreit] *vt & i* oddělit, rozložit; rozpadnout se

disinterested [disˈintristid] *a* nestranný, nezúčastněný

disjoin [disˈdžoin] *vt & i* vykloubit, rozpojit; rozdělit, rozebrat

disjunct [disˈdžaŋkt] *a* nesouvislý, rozpojený; —**ion** [disˈdžaŋkšən] *s* rozpojení, rozdělení

disk [disk] *s* disk, kotouč; (gramofonová) deska

dislike [disˈlaik] *vt* nelíbit se, nesouhlasit □ *s* odpor, nechuť

dislocat|e [ˈdisləkeit] *vt* **1.** vymknout, vykloubit **2.** přemístit **3.** porušit; —**ien** [ˌdisləˈkeišən] *s* **1.** vykloubení, **2.** porušení **3.** zmatek **4.** voj. rozmístnění, dislokace

dislodge [disˈlodž] *vt & i* vytlačit z postavení

disloyal [ˈdisˈloiəl] *a* nevěrný, věrolomný, neloajální; —**ty** [ˈdisˈloiəlti] *s* nevěrnost, neloajálnost

dismal [ˈdizməl] *a* skličující, ponurý, hrozný

dismantle [disˈmæntl] *vt* **1.** zbavit šatu, svléci **2.** zbavit nábytku, zařízení (*a house* dům), rozebrat

dismay [disˈmei] *vt* polekat, postrašit, poděsit □ *s* strach, zděšení

dismember [disˈmembə] *vt* rozkouskovat, rozdělit; —**ment** *s* rozštěpení (*of a country* země)

dismiss [disˈmis] *vt* **1.** propustit (*from office* z úřadu) **2.** zanechat čeho, odložit **3.** rozpustit schůzi **4.** zamítnout žalobu; —**al**, —**ion** [disˈmiˌsəl, -šən] *s* **1.** propuštění **2.** zamítnutí

dismount [ˈdisˈmaunt] *vi* sestoupit s koně, motocyklu ap. — *vt* sejmout, rozebrat, rozmontovat

disobed|ience [ˌdisəˈbiːdjəns] *s* neposlušnost; **—ent** [ˌdisəˈbiː-djənt] *a* neposlušný

disobey [ˈdisəˈbei] *vt & i* neuposlechnout

disobliging [ˈdisəˈblaidžiŋ] *a* neúslužný, neochotný

disorder [disˈoːdə] *s* **1.** nepořádek, zmatek **2.** porucha zdraví, nemoc; *mental* ~ pomatenost ▢ *vt* způsobit zmatek, uvést v nepořádek

disorganize [disˈoːgənaiz] *vt* uvést v nepořádek, způsobit zmatek, rozklad

disown [disˈoun] *vt* neuznat, odmítnout; zapřít, nehlásit se k

disparage [disˈpæridž] *vt* snižovat, zlehčovat; **—ment** *s* snižování, zlehčování

dispar|ate [ˈdispərit] *a* nestejný, nesrovnatelný, neslučitelný; **—ity** [disˈpæriti] *s* nestejnost, nerovnost; rozdílnost

dispatch [disˈpæč] *vt* **1.** poslat, odeslat (*a message* poselství) **2.** rychle vyřídit (*business* obchod), vypravit **3.** rychle sníst (*one's dinner* oběd) **4.** zabít, dorazit, odpravit ▢ *vi* **5.** arch. pospíšit si ▢ *s* **1.** odeslání, vyslání **2.** propuštění **3.** rychlé vyřízení **4.** poselství **5.** doprava **6.** zabití **7.** zpráva; |~ **-note** *s* spediční účet, průvodka

dispel [disˈpəl] *vt* (-ll-) rozptýlit, rozehnat; zahnat

dispens|able [disˈpensəbl] *a* prominutelný, pominutelný, postradatelný; **—ary** [disˈpensəri] *s* dispenzář, lékárna pro chudé; **—ation** [ˌdispenˈsei-

šən] *s* **1.** udělení **2.** prominutí, odpuštění; **—atory** [disˈpensətəri] *s* **1.** sbírka lékařských předpisů **2.** dispenzář; **—e** [disˈpens] *vt* **1.** rozdílet **2.** prominout (*from* co) **3.** vzdát se, vyprostit se; udělat bez, obejít se (*with* bez) **4.** připravovat a vydávat léky **5.** vykonávat spravedlnost

dispers|e [disˈpəːs] *vt & i* **1.** rozptýlit (se) **2.** rozdělit (se) **3.** rozsít **4.** roztrousit **5.** rozčlenit; **—ion** [disˈpəːšən] *s* rozptýlení, rozptyl, disperze, diaspora

displace [disˈpleis] *vt* **1.** přemístit, posunout **2.** přeložit **3.** propustit z úřadu, sesadit **4.** zast. vyhnat: *-d persons* bezdomovci; **—ment** *s* **1.** přemístění, přeložení **2.** nahrazení **3.** výtlak

display [disˈplei] *vt* **1.** rozestřít **2.** ukazovat (se); vystrčit prapor; vystavit zboží, projevit **3.** stavět na odiv ▢ *s* **1.** výstava, výklad zboží **2.** podívaná **3.** okázalost

displeas|e [disˈpliːz] *vt* nelíbit se, urazit, nebýt po chuti; **—ure** [disˈpležə] *s* nelibost, rozmrzení; pohoršení, nevole; nepříjemnost; urážka

dispos|able [disˈpouzəbl] *a* použivatelný; **—al** [disˈpouzəl] *s* uspořádání; příkaz, opatření, dispozice; použití ◆ *at one's* ~ k použití, k dispozici, k službám; **—e** [disˈpouz] *vt & i* **1.** rozdělit, uspořádat **2.** uzpůsobit; naladit (*well*, *ill*, *-d* dobře, špatně naladěn) **3.** být nakloněn, naklonit (*to* k), být hotov (*for* k) **4.** dát směr, tendenci (*to* čemu) **5.** určovat běh událostí **6.** naložit s čím, disponovat čím *(of)* **7.** zařídit, ukončit; zabít, zničit **8.** spotřebovat potravu **9.** skoncovat; **—ition** [ˌdispəˈzišən] *s* **1.** uspořádání **2.** pl. přípravy, dispozice **3.** nařízení **4.** schopnost **5.** nálada **6.** povaha, sklon **7.** stav (zdraví)

dispossess [ˈdispəˈzes] *vt* zbavit statku, pozemku; vyloučit; vypudit

dispraise [disˈpreiz] *vt* neschvalovat; hanět, tupit □ *s* hana, potupa

disproof [ˈdisˈpru:f] *s* vyvrácení

disproportion [ˈdisprəˈpo:šən] *s* nepoměr

disprove [ˈdisˈpru:v] *vt* vyvrátit

disput|able [disˈpju:təbl] *a* sporný; **—ant** [disˈpju:tənt] *s* rokovatel, disputant, debatér; **—ation** [ˌdispju:ˈteišən] *s* učený spor, disputace; **—ative** [disˈpju:tətiv] *a* hádavý; **—e** [disˈpju:t] *vi* rokovat, debatovat (*with, against s.o.* s kým, *on, about s.t.* o čem) — *vt* **1.** přít se **2.** odporovat; vyvracet **3.** dokazovat **4.** pochybovat **5.** zápasit o **6.** zmařit se □ *s* spor, disputace, hádka ♦ *beyond, past, without,* ~ nesporný, -ě

disquali|fication [disˌkwolifiˈkeišən] *s* znehodnocení, diskvalifikace; **—fy** [disˈkwolifai] *vt* učinit n. prohlásit neschopným (*for* k)

disquietude [disˈkwaiitju:d] *s* nespokojenost, neklid

disregard [ˈdisriˈga:d] *vt* nedbat, nevšímat si □ *s* nedbání (*of* čeho), nevšímavost, pohrdání (*for* čím)

disrelish [disˈreliš] *s* odpor, nechuť

disreput|able [disˈrepjutəbl] *a* nepočestný, hanebný; vykřičený; **—ation** [ˌdisripjuˈteišən] *s* špatná pověst; **—e** [ˈdisriˈpju:t] *s* špatná pověst

disrespect [ˈdisrisˈpekt] *s* nevážnost, neuctivost □ *vt* nevážit si

disrobe [ˈdisˈroub] *vt & i* svléci (se), odstrojit (se)

disrupt [disˈrapt] *vt & i* roztrhnout (se); **—ion** [disˈrapšən] *s* **1.** roztržení, trhlina **2.** rozkol; **—ive** [disˈraptiv] *a* rozvratný

dissatisfaction [ˈdisˌsætisˈfækšən] *s* nespokojenost

dissect [diˈsekt] *vt* **1.** rozřezat, (roz)pitvat **2.** analyzovat, kriticky rozebrat

dissembl|ance [diˈsembləns] *s* nepodobnost, přetvářka, předstírání; **—e** [diˈsembl] *vt & i* **1.** přetvařovat se, předstírat **2.** přejít bez povšimnutí (*wrongs* chyby), ignorovat; nezmínit se

disseminate [diˈsemineit] *vt* šířit nauku; rozsévat □ *vi* rozšířit (se)

dissension [diˈsenšən] *s* neshoda, svár, rozkol

dissent [diˈsent] *vi* círk. nesouhlasit (*from* s) □ *s* **1.** nesouhlas **2.** círk. rozkol; **—er**

[di'sentə] *s* 1. rozkolník, jinověrec 2. am. opozičník

dissert [di'sə:t] *vi & t* rozprávět, pojednávat (*upon* o); **—ation** [ˌdisə'teišən] *s* rozprava, pojednání

dissever [dis'sevə] *vt & i* odtrhnout, odloučit, rozloučit

dissid|ence ['disidəns] *s* neshoda, rozkol; **—ent** ['disidənt] *a* nesouhlasící, odchylný □ *s* rozkolník, jinověrec

dissimil|ar ['di'similə] *a* nepodobný, různý; **—itude** [ˌdisi'militju:d] *s* nepodobnost, různost

dissimulat|e [di'simjuleit] *vt & i* předstírat, přetvařovat se; **—ion** [diˌsimju'leišən] *s* přetvářka

dissipate ['disipeit] *vt & i* 1. lit., fig. rozptýlit (se) 2. rozmrhat, utratit, promarnit

dissociate [di'soušieit] *vt & i* 1. odloučit, přerušit styk, spojení (*o.s. from* s) 2. chem. rozložit

dissolution [ˌdisə'lu:šən] *s* 1. rozpuštění 2. rozklad 3. rozvázání, rozloučení manželství, spolku 4. smrt

dissolv|e [di'zolv] *vt & i* 1. rozložit (se), zničit 2. rozpojit 3. rozpustit (se), roztavit 4. rozřešit 5. práv. zrušit 6. mizet, blednout; **—ent** [di'zolvənt] *s* rozpouštědlo

disson|ance ['disənəns] *s* nesouzvuk, neshoda; **—ant** ['disənənt] *a* nesouzvučný, nelibozvučný; nesouladný

dissuade [di'sweid] *vt* zrazovat, odrazovat (*from* od)

dissuasion [di'sweižən] *s* zrazování, výstraha

distaff ['dista:f] *s* 1. kužel, přeslice 2. ženská práce ♦ *by* ~ po přeslici

distance ['distəns] *s* 1. vzdálenost, dálka 2. chlad, rezervovanost ♦ *to keep one's* ~ držet se v uctivé vzdálenosti; *within striking* ~ v dosahu; *in* n. *at, to, from, a* ~ v dálce, do dálky, z dálky

distant ['distənt] *a* 1. vzdálený (*from* od), daleký 2. zdrželivý, rezervovaný

distaste ['dis'teist] *s* odpor, nechuť (*for* k); **—ful** [dis'teistful] *a* nepříjemný, odporný, hnusný

distemper [dis'tempə] *s* 1. špatná nálada, nevrlost 2. churavost, nevolnost 3. fig. politický n. sociální zmatek 4. mal. temperová malba 5. rozrušení 6. psinka □ *vt* 1. rozrušit zdraví, duševně 2. roztrpčit, rozladit 3. mal. malovat temperou

distend [dis'tend] *vt & i* roztáhnout (se), nafouknout (se), šířit (se)

distil [dis'til] *vi* (-ll-) kapat □ *vt* (-ll-) překapovat, destilovat; **—late** ['distilit] *s* chem. destilát; **—lation** [ˌdisti'leišən] *s* destilace, překapávání; **—ler** [dis'tilə] *s* 1. lihovarník, 2. destilační přístroj; **—lery** *s* lihovar

distinct [dis'tiŋkt] *a* 1. odlišný (*from* od), rozdílný 2. jasný, patrný, určitý 3. rozhodný, pozitivní *improvement* zlepšení); **—ion** [dis'tiŋkšən] *s* 1. rozdíl, rozlišování 2. přednost, zvláštnost 3. vyznamenání, výtečnost ♦ *people of* ~ znamenití lidé; *to draw a* ~ činit rozdíl; —ive [dis'tiŋktiv] *a* zvláštní, význačný

distinguish [dis'tiŋgwiš] *vt & i* 1. rozeznávat 2. rozlišovat 3. vyznamenávat (se), vyniknout 4. označovat, vyznačovat; —ed [dis'tiŋgwišt] *a* slavný, významný, vynikající

distort [dis'to:t] *vt* zkřivit, překroutit; —ion [dis'to:šən] *s* 1. zkroucení, překroucení 2. zkreslení; —ionist [dis'to:-šənist] *s* 1. karikaturista 2. akrobat

distract [dis'trækt] *vt* 1. odvrátit (*attention from* pozornost od), rozptýlit mysl 2. zmást ♦ *to drive -ed* dohnat k šílenství; —ion [dis'trækšən] *s* 1. rozptýlení mysli 2. odvrácení 3. zmatek, pomatení 4. zábava, pobavení

distrain [dis'trein] *vt & i* zabavit, obstavit

distress [dis'tres] *s* 1. bolest, zármutek 2. nouze, tíseň peněžní 3. nesnáz 4. vyčerpání, únava 5. práv. zabavení, obstavení; ~ *-gun* [dis'tresgan], ~ *-rocket* [dis'tresrokit] *s* poplašné znamení z lodi při nebezpečí □ *vt* 1. soužit, mučit vyčerpat 2. přinutit 3. práv. zabavit

distribut|e [dis'tribju:t] *vt* rozdělit (*to, among* komu); roztřídit; rozdat, být rozšířen; —ary [dis'tribjutəri] *s* odbočka; —ion [ˌdistri'bju:šən] *s* rozdělení, rozšíření, (us)pořádání

district ['distrikt] *s* 1. okres 2. obvod, oblast ♦ ~ *of administration* správní obvod; ~ *heating* dálkové topení

distrust [dis'trast] *vt* nedůvěřovat □ *s* nedůvěra

disturb [dis'tə:b] *vt* 1. vyrušit 2. znepokojit, zneklidnit 3. pobouřit; —ance [dis'tə:bəns] *s* 1. (po)rušení 2. zmatení, pomatení 3. výtržnost

disunion ['dis'ju:njən] *s* 1. nesvornost, nejednotnost, rozkol 2. odloučení, odloučenost

disunite ['disju'nait] *vt* rozdvojit (se), znesvářit

disuse ['dis'ju:s] *s* neužívání □ *vt* ['dis'ju:z] neužívat

disvalue [dis'vælju:] *vt* znehodnotit

ditch [dič] *s* strouha, příkop, stoka ♦ *to die in the last* ~ hájit pozici (lit. n. fig.) doposledka □ *vt* vykopat příkop

ditto ['ditou] *a & s* dříve jmenované, totéž □ *adv* stejně, jako předtím

ditty ['diti] *s* popěvek, písnička

diuretic [ˌdaijuə'retik] *a* močopudný lék

divaricate [dai'værikeit] *vi* rozpoltit, rozštěpit; odbočit □ *a* rozštěpený, rozpoltěný

div|e [daiv] *vi* 1. ponořit se 2. vniknout hluboko, zahloubat se (*into* do) □ *s* ponoření, potopení; |~ *-bomber s* hloubkové bombardovací letadlo; —er ['daivə] *s* 1. potápěč 2. zool. potáplice; —ing-bell *s* potápěčský zvon

diverg|e [dai'və:dž] *vi* 1. rozbíhat se 2. lišit se; —ence [dai'və:džəns] *s* rozcházení se, neshoda; —ent [dai|və:-džənt] a rozbíhavý, divergentní

divers|e [dai|və:s] a rozdílný (from od), různý, rozličný, rozmanitý; —ify [dai|və:sifai] vt rozrůznit, odlišit; —ion [dai|və:šən] s 1. odchýlení, odchylka 2. rozptýlení mysli, zábava 3. diverze; —ionist [dai|və:šənist] s diverzant; —ity [dai|və:siti] s rozličnost, různost, rozmanitost

divert [dai|və:t] vt 1. odchýlit 2. odvrátit pozornost ap. 3. rozptýlit, pobavit; —ing [dai|və:tiŋ] a zábavný

divest [dai|vest] vt 1. svléci (of z) 2. zbavit (s.o. of his rights koho práv); obrat

divid|able [di|vaidəbl] a dělitelný; —e [di|vaid] vt 1. (roz)dělit (into v); odloučit (from od) 2. znepřátelit 3. roztřídit □ vi 4. rozdělit se 5. rozdvojit se, rozcházet se 6. mít podíl na, účastnit se 7. hlasovat □ s 1. lid. rozdělení 2. am. vodní předěl; —end [|dividend] s 1. mat. dělenec 2. podíl na zisku, dividenda; —er [di|vaidə] s 1. dělitel 2. pl. odpichovátko (a pair of -s)

divination [|divi|neišən] s předpovídání, věštění, tušení

divin|e [di|vain] a božský □ s duchovní, kněz □ vt & i tušit, odhalit; předvídat, věštit; —ing rod n. stick virgule; —ity [di|viniti] s 1. božství, božstvo 2. bohosloví

divis|ible [di|vizəbl] a dělitelný; —ion [di|vižən] s 1. dělení,

dělba 2. oddíl 3. neshoda, rozkol 4. hlasování (ve sněmovně) 5. dělicí čára, hranice 6. voj. divize; armoured ~ pancéřová divize; infantry ~ pěší divize; —or [di|vaizə] s dělitel

divorce [di|vo:s] s 1. práv. rozvod 2. rozdělení □ vt rozvést manželství

divulge [dai|valdž] vt rozhlásit, rozšířit; prozradit tajemství

divulsion [dai|valšən] s odtržení

dizz|y [|dizi] a 1. závrativý 2. zmámený 3. pošetilý; —iness [|dizinis] s závrať

D. Lit. = Doctor of Literature

do* [du:] vt 1. učinit, dělat, (vy)konat 2. způsobit 3. skončit, dokončit (I have done writing dopsal jsem) 4. vařit, smažit 5. přeložit (into do) 6. hrát roli 7. vyčerpat, unavit 8. hov. sloužit 9. hov. klamat, podvést 10. lid. vidět, prohlédnout si, navštívit 11. hodit se, vyhovovat (that would ~ me very well to by se mi dobře hodilo) 12. vykonat (journey cestu), urazit (distance vzdálenost) □ vi 13. činit 14. ukončit, přestat (let us have done with it skoncujme s tím) 15. chovat se 16. prospívat 17. dostačit (that will ~ to postačí) 18. hov. pečovat, starat se, opatřit; to ~ a favour prokázat laskavost 19. dařit se, mít se (how ~ you ~ ? jak se máte?) ♦ to ~ one's best ze všech sil se přičinit; to ~ one's hair učesat se; a to·~ povyk;

well-to-~ bohatý, zámožný; ~-*all* s faktótum; ~-*nothing* s lenoch; ~ **again** opakovat; ~ **away with** zast. 1. odklidit, odhodit, zbavit se 2. zabít 3. zničit; ~ **for** 1. udělat konec 2. zničit 3. zabít 4. sl. přemoci; ~ **in** sl. zničit, zavraždit; ~ **off** svléci; ~ **out** vyčistit, zamést; ~ **over** opakovat (si); ~ **up** 1. upravit 2. obnovit, spravit 3. zabalit, složit 4. unavit 5. zapnout (~ *up a bodice* živůtek); ~ **with** 1. vystát (*I can't* ~ *with him* nemohu ho vystát) 2. spokojit se, smířit se 3. stýkat se, jednat; ~ **without** obejít se bez, pohřešovat, postrádat; —**er** [ˈduə] s činitel; —**ing** [ˈduːiŋ] s 1. konání, počínání 2. pl. jednání, věci, události

docile [ˈdousail] a učelivý

dock¹ [dok] s 1. ohon 2. přistřižený ohon, pahýl 3. podocasní řemen koně □ *vt* 1. přistřihnout ocas, vlasy 2. zbavit (*of* čeho) 3. omezit

dock² [dok] s dok, rejda, loděnice ♦ *dry* ~ suchý dok; *floating* ~ plovoucí dok □ *vt* dopravit do doku, opatřit doky — *vi* přijít, dostat se do doku, do loděnice; —**age** [ˈdokidž] s poplatek za dok; ~-**dues** [ˈdokdjuːz], ~ **charges** s poplatky za použití doku; ~-**warrant** [ˈdokworənt] s skladištní lístek; ~-**yard** [ˈdokjaːd] s loděnice

dock³ [dok] s lavice obžalovaných

docket [ˈdokit] s 1. práv. trestní rejstřík 2. poznamenání obsahu na zásilce n. dopisu 3. lístek, cedulka, nálepka 4. nadpis, výtah ze spisu 5. poukaz (na textilie) □ *vt* 1. práv. zapsat do trestního rejstříku 2. opatřit zboží adresním lístkem 3. poznamenat, zapsat

doctor [ˈdoktə] s 1. doktor, lékař □ *vt* 1. udělit doktorský titul 2. léčit 3. falšovat

doctrin|aire [ˌdoktriˈneə] s doktrinář; —**e** [ˈdoktrin] s nauka, doktrína

document [ˈdokjumənt] s listina, doklad, průkaz □ *vt* prokázat, doložit, dokumentovat; -**alist** [ˌdokjuˈmentəlist] s dokumentátor; —**ary** [ˌdokjuˈmentəri] a doložený, prokázaný, dokumentární; —**ation** [ˌdokjumənˈteišən] s dokumentace; —**ator** [ˈdokjumənteitə] s dokumentátor

dodg|e [dodž] *vi* 1. uhnout se 2. vyhýbat se povinnosti 3. vytáčet se □ *vt* 4. pohrávat si (*with* s) 5. vytáčet se □ s vytáčka, úskok; —**er** [ˈdodžə] s pletichář, úskočný člověk

doe [dou] s srna, laň

dog [dog] s 1. pes 2. mech. hák, skoba; nárazník 3. železná trínožka v krbu 4. fig. ničema ♦ *to go the* -*s* přijít na mizinu; *every* ~ *has his day* každému někdy slunce svítí; *it rains cats and* -*s* leje jako z konve; *to lead a* ~*'s life* vést psí život □ *vt* (-gg-) šlapat na paty, být v patách, stopovat, pronásledovat; ~ -cart ['dog-ka:t] s dvoukolka; ~ -cheap a velmi levný; ~ -collar ['dog-kolə] s obojek, vysoký límec; ~ -flea ['dogfli:] s klíště; ~ -fox s lišák; —ged ['dogid] a svéhlavý; —gie, —gy ['dogi] s psíček; ~'s -ear s oslí ucho u listu knihy; ~ -tooth ['dog-tu:θ] s špičák

dogma ['dogmə] s dogma, článek víry; —tic [dog'mætik] a dogmatický, věroučný

doily ['doili] s servítek, ubrousek pod zákusky; malá pokrývečka

doing viz *do*

dole [doul] s 1. příděl, podíl, dárek 2. podpora v nezaměstnanosti 3. dar 4. arch. úděl 5. bás. nářek, zármutek, žal □ vt podělovat; —ful ['doulful] a truchlivý

doll [dol] s loutka také fig. zvl. o ženě; | ~ -house toys nábytek n. nádobíčko pro panenku

dollar ['dolə] s dolar

dolly ['doli] s 1. loutka dětský název za *doll* 2. dial. pračka 3. vozíček na klády ap.

dolorous ['dolərəs] a bolestný, smutný

dolphin ['dolfin] s delfín

dolt [doult] s ťulpas, hňup, pitomec

domain [də'mein] s panství, okruh, doména

dome [doum] s 1. kopule, báň 2. chrám, dóm

domesday ['du:mzdei] s soudný den

domestic [də'mestik] a 1. domácí 2. krotký □ 1. sluha 2. pl. domácí výrobky; —ate [də-

|mestikeit] vt & i zdomácnit, ochočit

domicil|e ['domisail] s bydliště, sídlo; —iary [,domi'siljəri] a domovní (*search* prohlídka); —iate [,domi'silieit] vt & i ochočit ♦ to ~ a bill učinit směnku splatnou

domin|ance, -ancy ['domi-nəns(i)] s panování, nadvláda, autorita; **-ant** ['dominənt] a 1. vládnoucí, převládající 2. hud. dominantní □ s hud. dominanta; —ate ['domineit] vt & i vládnout, panovat; převládat; —ation [,domi-'neišən] s panování, nadvláda, převaha; —ative ['dominə-tiv] a vládnoucí, pánovitý; —ator ['domineitə] s vládce; —eer [,domi'niə] vi & t zpupně si vést, zpupně vládnout

Dominican [də'minikən] a dominikánský □ s dominikán

dominion [də'minjən] s 1. vláda 2. država 3. dominium, samosprávná kolonie

domino ['dominou] s 1. domino oblek 2. pl. hra domino

don [don] vt (-nn-) obléknout si □ s 1. španělský šlechtic 2. universitní profesor

donat|e [dou'neit] vt & i zvl. am. (po)darovat, věnovat; —ion [dou'neišən] s dar, věnování

done [dan] pp viz *do*

donkey ['donki] s osel

donor ['dounə] s 1. dárce 2. med. dárce krve

don't [dount] = *do not*

doom [du:m] s 1. záhuba, zkáza 2. zast. rozsudek 3. poslední soud **4. osud** □ *vt* **1.** odsoudit **2.** zatratit **3.** určit *osud*

door [do:] *s* **1.** dveře **2.** vchod, brána ♦ *to lay at a person's* ~ přisuzovat, klást komu za vinu; *front* ~ domovní dveře; *next* ~ vedle; *next* ~ *to* fig. téměř, blízko; *to show s.o. the* ~ fig. vyhodit koho; *out of* -*s* venku; *in* -*s*, *within* -*s* doma; |~-**bell** *s* zvonek u dveří; ~-**handle** [ˈdo:hændl] *s* dveřní klika; ~-**keeper** [ˈdo:-ˌki:pə] *s* vrátný; ~-**mat** [ˈdo:-mæt] *s* rohožka; |~-**money** *s* vstupné; |~-**plate** [ˈdo:-pleit] *s* dveřní štítek; ~-**post** [ˈdo:poust] *s* veřeje; |~-**sill** *s* práh; ~-**way** [ˈdo:wei] *s* vchod

dope [doup] *s* **1.** hustá kapalina, lak **2.** sl. narkotikum, opium **3.** pohonná směs **4.** am. sl. důvěrná informace □ *vt* **1.** lakovat **2.** omámit narkotikem

dormant [ˈdo:mənt] *a* spící, odpočívající ♦ ~ *partner* obch. tichý společník

dor|mouse [ˈdo:maus] *s* pl. -*mice* [-mais] plch

dorsal [ˈdo:səl] *a* hřbetní

dos|e [dous] *s* dávka □ *vt & i* **1.** dávat n. brát lék po dávkách **2.** křtít víno ♦ -*ing hour* policejní hodina

dost [dast] arch. *2. os. sg. indikativu pres* od *do*

dot [dot] *s* **1.** bod, tečka **2.** skvrna **3.** hud. tečka u noty, nad notou □ *vt & i* (-tt-) vytečkovat, posít čím ♦ *to* ~ *and dash* čerchovat

dot|age [ˈdoutidʒ] *s* senilnost,

dětinství; —**ation** [doˈteiʃən] *s* nadace, věno; —**e** [dout] *vi* **1.** dětinštět **2.** bláznivě milovat (*on*, *upon* koho); —**ing** [ˈdoutiŋ] *a* **1.** bláznivě zamilovaný, zbláznéný **2.** dětinský

doth [daθ] arch. *3. os. sg. pres* viz *do*

double [ˈdabl] *a* **1.** dvojí, dvojitý, dvojnásobný **2.** obojetný **3.** neupřímný, falešný ♦ *to talk* ~ mluvit dvojsmyslně; *to see* ~ vidět dvojitě; *to sleep* ~ spát po dvou v posteli; ~ *bottom* kýlová chodba; ~ *entry* podvojné účetnictví; ~ *summer time* letní čas posunutý o dvě hodiny □ *s* **1.** dvojnásobek **2.** dvojník též o herci **3.** zrychlený krok **4.** klička, zákrut **5.** sport. *mixed* -*s* hra smíšených dvojic □ *vt & i* **1.** zdvojit, zdvojnásobit (se) **2.** složit dvojatě **3.** hrát jako dvojník; hrát dvě role **4.** am. objet, kličkovat **5.** klusat ♦ *to* ~ *one's fists* zatnout pěsti; ~ **up 1.** skládat, přehýbat **2.** skrčit se **3.** běžet oklikou; ~-**breasted** [ˈdablˈbrestid] *a* dvouřadový o kabátu; ~-**dealer** [ˈdablˈdi:lə] *s* ošemetník, ramenář; ~-**edged** [ˈdablˈedʒd] *a* dvojsečný; ~-**faced** [ˈdablˈfeist] *a* pokrytecký; ~-**minded** [ˈdablˈmaindid] *a* kolísavý, podvodný; ~-**quick** [ˈdablˈkwik] *s & vi* **1.** voj. útočný běh **2.** pohybovat se útočným během; ~-**reed** [ˈdablˈri:d] *a* dvojjazýčkový o hud. nástroji; ~ **salt** chem. podvojná

sůl; ~ **star** dvojhvězda; ~ **talk** prázdná, mnohomluvná řeč
doublet [ˈdablit] *s* 1. jeden z páru, pár, duplikát 2. kazajka 3. pl. totéž číslo na dvou kostkách vržených současně 4. falešný drahokam
doubly [ˈdabli] *adv* 1. dvojitě, dvojnásobně 2. obojetně, falešně
doubt [daut] *vi & t* pochybovat *(about, of* o) □ *s* 1. pochyba 2. obava 3. nejistota 4. zast. podezření ♦ *without* ~ *(no* ~, *out of* ~ *)* bezpochyby; —**ful** [ˈdautful] *a* pochybný, pochybovačný; —**less** [ˈdautlis] *a* nepochybný
dough [dou] *s* těsto; —**boy** [ˈdouboi] *s* lid. 1. knedlík 2. am. pěšák; —**y** [ˈdoui] *a* těstový
doughty [ˈdauti] *a* chrabrý, srdnatý
douse [daus] *vt* 1. hodit, strčit do vody; namočit 2. lid. odebrat 3. sl. *to* ~ *the glim* zhasnout 4. nám. spustit plachty □ *vi* 5. ponořit se do vody, zmáčet se
dove [dav] *s* holub, holubice ♦ ~ *of peace* holubice míru; ~ **-cot** [ˈdavkot] n. ~ **house** holubník; ~ **tail** [ˈdavteil] rybinka, čep
dowager [ˈdauədžə] *s* zámožná vdova ♦ *Queen* ~ královna matka
dowdy [ˈdaudi] *a* staromódní, ucouraný □ *s* coura
dower [ˈdauə] *s* 1. věno 2. vdovský podíl; —**y** [ˈdauəri] viz *dowry*
down[1] [daun] *adv* dolů, dole ♦ *to get* n. *set* ~ sestoupit

s vozu; *to write* ~ napsat; *to shout* n. *hiss* ~ umlčet; *up and* ~ nahoru a dolů; *upside* ~ vzhůru nohama; *to be* ~ *upon* nevražit na; *bread is* ~ chléb je lacinější; ~ *and out* bezmocný; *to run* ~ *a person* snižovat koho □ *a* 1. svažující se 2. dolejší 3. nízký □ *prep* do, po, s; ~ *town* do města; ~ *the wind* po větru □ *vt & i* složit; srazit, shodit; sestřelit; ~ **-bow** [ˈdaunbou] *s* hud. tah smyčcem dolů ke špičce; —**cast** [ˈdaunka:st] *a & s* 1. sklopený zrak 2. sklíčený 3. převržení 4. sklíčený pohled 5. ventilační šachta v dolech; —**fall** [ˈdaunfo:l] *s* 1. liják 2. past 3. pád, úpadek; ~ **-hearted** [ˈdaunˈha:tid] *a* malomyslný; —**hill** *adv, a, s* 1. s kopce 2. svažující se 3. svah; —**pour** [ˈdaunpo:] *s* liják; —**right** [ˈdaunrait] *a* 1. přímý, otevřený 2. úplný, naprostý, rozhodný; —**stairs** [ˈdaunˈsteəz] *adv* po schodech dolů, dole, v přízemí; —**stream** [ˈdaunˈstri:m] *a & adv* směřující po proudu; —**throw** [ˈdaunˈθrou] *s* převrhnutí; —**train** *s* vlak vyjíždějící z hlavního města; —**trodden** [ˈdaunˌtrodn] *a* utlačovaný; —**ward(s)** [ˈdaunwəd(z)] *adv* dolů
downy [ˈdauni] *a* 1. ochmýřený 2. jemný, hebký 3. chytrý
dowry [ˈdauəri] *s* 1. věno, podíl 2. dar 3. nadání
doxology [dokˈsolədži] *s* chvalozpěv

doze [douz] *vi & t* dřímat, klímat □ *s* dřímota
dozen [dazn] *s* tucet zkr. *doz.*
♦ *to talk nineteen to the* ~ mluvit ustavičně
Dr. = **1.** *Debtor* **2.** *Doctor*
drab [dræb] *s* **1.** tlustá vlněná látka hnědožluté barvy **2.** hnědožlutá barva **3.** fádnost, jednotvárnost □ *a* **1.** hnědožlutý **2.** jednotvárný, nudný
drachm [dræm] *s* **1.** drachma **2.** jednotka váhy **3.** špetka
draff [dræf] *s* pomyje, odpadky
draft, draught [dra:ft] *s* **1.** trata, směnka **2.** odbyt, odběr **3.** náčrt, nákres; koncept **4.** kopie dokumentu **5.** voj. hlouček, skupina ♦ *to make a* ~ *on* vydat tratu na □ *vt* **1.** načrtnout, koncipovat **2.** voj. vyslat oddíl; odvádět **3.** odtáhnout □ *a* tažný
drag [dræg] *vt & i* (-gg-) **1.** táhnout (se), vléci (se) **2.** lovit, hledat vlečnou sítí **3.** brzdit, váznout ♦ *to* ~ *one's feet* (am. fig.) loudat se; ~ *out* protahovat; ~ *up (a child)* nepečlivě vychovávat □ *s* **1.** vlečení, táhnutí **2.** vláčecí brány **3.** dopravní saně **4.** vlečná síť **5.** hák na hledání utopených **6.** hnojné vidle **7.** překážka, odpor; brzda podkovovitá, zarážka **8.** valníček; —**gle** [ˈdrægl] *vt & i* ucourat (se)
dragon [ˈdrægən] *s* drak; ~ **-fly** [ˈdrægənflai] *s* šídlo, vážka
dragoon [drəˈgu:n] *s* dragoun □ *vt* trestat vojskem, pronásledovat
drain [drein] *vt* **1.** odvodňovat

(off, away) **2.** vysušovat **3.** vymačkat, vysát peníze z — *vi* **4.** odtékat **5.** vysušit se, odvodňovat se, vylévat se □ *s* **1.** odvodnění **2.** stoka, odpad **3.** doušek; —**age** [ˈdreinidž] *s* odvodnění
drake [dreik] *s* **1.** kačer **2.** májová muška
dram [dræm] *s* **1.** jednotka váhy **2.** doušek **3.** špetka; '—**shop** *s* výčep
drama [ˈdra:mə] *s* drama; —**tic** [drəˈmætik] *a* dramatický; —**tist** [ˈdræmətist] *s* dramatik; —**tize** [ˈdræmətaiz] *vt* dramatizovat
drank [dræŋk] *pt* viz *drink*
drap|e [dreip] *vt* **1.** pokrýt, ozdobit, ověsit látkou **2.** ozdobně složit, utvořit závěs □ *s* závěs, opona; —**er** [ˈdreipə] *s* obchodník tkaninami, soukeník; —**ery** [ˈdreipəri] *s* **1.** sukno **2.** soukenictví **3.** závěs, drapérie
drastic [ˈdræstik] *a* prudký, drastický
draught n. **draft** [dra:ft] *s* **1.** tah **2.** průvan **3.** doušek **4.** nákres **5.** směnka, trata **6.** voj. odvod **7.** pl. hra v dámu; '~ **-beer** *s* pivo od čepu; ~ **cattle** tažný dobytek; ~ **net** vlečná síť; ~ **-proof** [ˈdra:ftpru:f] *a* zajištěný proti průvanu; —**sman** [ˈdra:ftsmən] *s* kreslič
draw*1 [dro:] *vt* **1.** táhnout, tahat **2.** vábit, přitahovat **3.** vtáhnout, inhalovat **4.** stáhnout záclonu **5.** znetvořit **6.** vléci v síti **7.** zatáhnout za uzdu **8.** vytáhnout, vyjmout **9.** čerpat vodu, čepovat,

stáčet **10.** brát plat **11.** na-
črtnout, (na)kreslit; popsat
slovy **12.** napnout luk **13.**
losovat *(lots)* □ *vi* **14.** pohy-
bovat se, blížit se **15.** táhnout,
přitahovat **16.** stáhnout se,
scvrknout se **17.** vyloužit čaj
18. vydat směnku, tratu **19.**
vyslídit o psu **20.** vyzvednout
si peníze **21.** projevit se ♦
to ~ a deep breath hluboce
vydechnout; *to ~ one's last
breath* zemřít; *to ~ the cloth*
sklidit se stolu; *to ~ attention*
upoutat pozornost; *to ~ a bill
of exchange* vydat směnku;
to ~ consequences vyvodit
důsledky; *to ~ conclusions*
činit závěry; *to ~ distinction*
formulovat rozdíl; *to ~ blank*
udělat zbytečný tah; *to ~ fowl*
vykuchat drůbež; *~ away* od-
cizit; *~ forth* vyvléci; *~ in*
1. vtáhnout, přivábit **2.** kon-
čit den **3.** krátit se o dnech;
~ off odvolat vojsko; *~ on*
navléci na sebe, přivábit;
~ out **1.** vytáhnout **2.** pro-
dloužit; *— up* **1.** koncipovat
2. dohonit, stihnout **3.** za-
stavit se **4.** seřadit **5.** *~ up
a record* pořídit zápis
draw² [dro:] *s* **1.** táhnutí, tažení,
tah **2.** výtah **3.** tažená částka
4. atrakce; **—back** [ˈdro:bæk]
s **1.** nedostatek, vada **2.** ne-
výhoda, neúspěch; ˈ**—bore**
s díra; *~ -board* [ˈdro:bo:d] *s*
rýsovací prkno: *~ -bridge*
[ˈdro:bridž] *s* padací most;
—ee [dro:ˈi:] *s* trasát; **—er**
[ˈdro:ə] *s* **1.** trasant **2.** [dro:]
zásuvka **3.** kreslič **4.** sklepník
5. pl. spodky **6.** *chest of -s*

prádelník; **—ing** [ˈdro:iŋ] *s*
1. tahání, čerpání **2.** kreslení,
kresba; ˈ**~ -pin** *s* napínáček
drawl [dro:l] *vt & i* pomalu
mluvit □ *s* zdlouhavá řeč
drawn [dro:n] *pp* viz *draw*
dread [dred] *vt & i* hrozit se □
s hrůza, strach; **—ful** [ˈdred-
ful] *a* hrozný, strašný □ *s*
senzační povídka, krvák;
—nought, —naught [ˈdred-
no:t] *s* **1.** neohrožený člověk
2. teplý oděv **3.** bitevní loď
dream [dri:m] *s* sen, snění □
vi & t* snít *(of* o); **—er**
[dri:mə] *s* snílek; **—y** [ˈdri:mi]
a snivý, snový; nepraktický
dreary [ˈdriəri] *a* chmurný, bez-
útěšný
dredg|e [dredž] *s* **1.** vlečná síť
2. bagr; **—er** [ˈdredžə] *s* **1.**
posýpátko **2.** lovec ústřic
3. říční bagr ♦ *bucket ~*
podvodní, lžícovitý bagr
dreg [dreg] *s* **1.** pl. kal, sedlina,
spodina **2.** sg. zbytek
drench [dren|č, -š] *vt* promočit,
nasáknout ♦ *to get -ed* pro-
moknout □ *s* **1.** pití dobytku
lék **2.** namočení, promočení
dress [dres] *vt & i* **1.** obléci (se)
2. připravit, upravit *(to ~
one's hair* učesat se) **3.** vy-
zdobit, vystrojit **4.** vzdělávat
5. voj. seřadit (se) **6.** obvázat
ránu; *~. up, out* vystrojit se
□ *s* šat, oblek ♦ *evening ~*
večerní oblek; *full ~* salónní
oblek □ *a* šatový, oblekový;
~ circle [ˈdresˈsə:k l] první
balkón; *~ -coat* [ˈdresˈkout]
s frak; **—er** [ˈdresə] *s* **1.** kre-
denc **2.** prádelník (se zrcad-
lem), šatník **3.** asistent operu-

jícího lékaře; **—ing** [ˈdresiŋ]
s 1. strojení, úprava 2. šat
3. hnůj 4. obvaz 5. potrestání,
pokárání 6. omáčka, šťáva,
nádivka ap.; **—ing-case** [ˈdrə-
siŋkeis] *s* toaletní skříňka;
—ing-gown [ˈdresiŋgaun] *s*
župan; **—ing-table** *s* toaletní
stolek; **—ing station** obva-
ziště; **~-maker** [ˈdresˌmeikə]
s švadlena

drew [dru:] *pt,* viz *draw*

dribble [ˈdribl] *vi & t* 1. kapat,
nechat kapat 2. poslintat 3.
kop. driblovat

drier, driest *comp, sup,* viz *dry*

drift [drift] *s* 1. unášení proudem,
větrem 2. proud 3. odchylka
lodi, střely. 4. vyhánění do-
bytka 5. postup; tendence,
popud 6. účel, význam 7. cíl
8. závěj, náplav 9. liják 10.
kutací štola ♦ ~ *towards war*
válečné štvaní □ *vi & t*
nahnat, navát, hromadit se
♦ *to ~ apart* odcizit se; *to ~
into war* vehnat do války;
ˈ**—wood** *s* připlavené dřevo

drill [dril] *s* 1. vrták, nebozez
2. voj. výcvik 3. brázda 4.
secí stroj 5. text. cvilink □
vt & i 1. vrtat 2. cvičit 3. sít,
řádkovat

drink* [driŋk] *vt & i* 1. pít (se),
připít 2. vyprázdnit ♦ *to ~
one's health* připít komu na
zdraví; ~ *away* propít; *to ~
down* n. *under the table* být
zmožen pitím; ~ *in* vpíjet
(se), hloubat, naslouchat
s rozkoší; ~ *off, up* vypít
najednou; *to ~ oneself out of
a situation* spít se do němoty
□ *s* 1. nápoj 2. (na)pití,

doušek; **—able** [ˈdriŋkəbl] *a*
pitný □ *s* obv. pl. nápoj

drip [drip] *vt & i* (-pp-) kapat,
mokvat □ *s* kapání, kapka;
okap; **—stone** [ˈdripstoun] *s*
okap, římsa nad dveřmi

dripping [ˈdripiŋ] *s* 1. kapání
2. vypečený tuk; šťáva z ma-
sa; **~-flap** *s* okap; **~-pan**
[ˈdripiŋpæn] *s* pekáč

drive* [draiv] *vt & i* 1. hnát (se)
2. nutit (se) 3. jet, vézt se
4. řídit auto ap. ♦ *to ~ into
a corner* fig. zahnat do úzkých;
to ~ a nail zatlouci hřebík;
to let ~ (at) mířit ránu na;
to ~ mad dohnat k šílenství;
to ~ a good bargain udělat
dobrý obchod □ *s* 1. hnaní
2. projížďka, jízda 3. cesta
pro provozy, jízdní dráha 4.
sehnání dohromady zvířat 5.
popud, tendence 6. sl. podbí-
zení cen 7. sport. rána, úder míče
8. am. doprava dřeva po řece

drivel [ˈdrivl] *vi & t* 1. slintat,
smrkat 2. mluvit hloupě,
žvanit □ *s* 1. slina 2. žvanění

driven [ˈdrivn] *pp* viz *drive*

driver [ˈdraivə] *s* 1. vozka, řidič,
šofér 2. mech. hnací kolo

driving [ˈdraiviŋ] *a* hnací;
ˈ**~-belt** *s* hnací řemen;
~-putter [ˈdraiviŋˌpatə] *s* gol-
fová hůl; **~ -wheel** [ˈdraiviŋ-
wi:l] *s* hnací kolo

drizzle [ˈdrizl] *vi & t* mžít,
mrholit □ *s* mžení

droll [droul] *a* směšný, podivný
□ *s* šašek, čtverák □ *vi*
žertovat; **—ery** [ˈdrouləri] *s*
taškařice, žert, šprýmování;
ˈ**~—looking** *a* směšně vyhlí-
žející

drome [droum] = *airdrome*
dromedary [ˈdramədəri] *s* velbloud jednohrbý
dron|e [droun] *s* 1. trubec 2. lenoch 3. bzučení, hukot 4. dálkově řízené letadlo bez pilota □ *vi & t* bzučet, hučet; **—er** [ˈdrounə] *s* bzučák
droop [dru:p] *vi & t* 1. viset zvadle, klesat vysílením ap. 2. umdlévat 3. sklonit hlavu
drop [drop] *s* 1. kapka 2. pád, pokles 3. opona (též ~ *-curtain*), závěrečná scéna 4. seskok padákem ♦ *to take a ~* napít se; *ear -s* přívěsky náušnic □ *vt* (-pp-) 1. ukápnout 2. upustit 3. porodit, vrhnout (*a lamb* jehně) 4. poslat, napsat *(~ a line)* 5. spustit oponu 6. nám. nechat za sebou 7. porazit, srazit □ *vi* (-pp-) 8. kapat 9. padat, upadnout (v jiný stav; *he -ped asleep* usnul) 10. klesat 11. padnout mrtev 12. neočekávaně přijít 13. přestat 14. sklopit oči 15. narodit se o zvířatech 16. složit, vysadit z vozu, z letadla 17. hodit do poštovní schránky ♦ *-ped eggs* sázená vejce; *to ~ bombs* shazovat bomby; *to ~ on one's knee* padnout na kolena, kleknout; *to ~ money over a transaction* přijít o peníze při transakci; *ready to ~* velmi vyčerpán; *to ~ a word* hov. ztratit slovo; *to ~ anchor* zakotvit; **~ away** odejít; **~ in** vejít, navštívit; **~ off** odejít, usnout; **~ on, across** potrestat; **~ out** zmizet, vynechat; **|~off,** **|~ -out** *s* výkop

při kopané; **—ping** [ˈdropiŋ] *s* 1. kapání 2. pl. trus; **~-shutter** [ˈdropˌšatə] *s* momentní uzávěrka fot. přístroje; **—sy** [ˈdropsi] *s* vodnatelnost
droplet [ˈdroplit] *s* kapička ♦ *~ infection* kapénková infekce
dros(h)ky [ˈdroški] *s* drožka
dross [dros] *s* struska, škvár
drought [draut] *s* 1. sucho 2. dial. žízeň
drove [drouv] *s* 1. stádo, hejno 2. dav
drown [draun] *vi* 1. utopit se □ *vt* 2. potopit, zatopit 3. přemoci, přehlušit
drows|e [drauz] *vi & t* dřímat, podřimovat; **—y** [ˈdrauzi] *a* ospalý, netečný
drub [drab] *vt & i* (-bb-) natlouci komu; **—bing** [ˈdrabiŋ] *s* bití, výprask
drudge [dradž] *vi* dřít se, lopotit se; **—ry** [ˈdradžəri] *s* dřina, lopota
drug [drag] *s* 1. lék, medicína 2. neodbytné zboží, ležák □ *vt* (-gg-) 1. namíchat lék s jedy 2. otrávit jídlo 3. dát n. brát narkotika; **—gist** [ˈdragist] *s* 1. drogista 2. am. lékárník; |**~-store** *s* am. drogerie, lékárna současně i trafika, parfumerie a bufet
drum [dram] *s* 1. buben 2. kotel 3. bubnování ·4. anat. ušní bubínek □ *vi* (-mm-) bubnovat; **—beat** [ˈdrambi:t] *s* bubnování; **—fire** [ˈdramˌfaiə] *s* bubnová palba; **~-head** [ˈdramhed] *s* kůže bubnu; **~ -major** [ˈdramˈmeidžə] *s* plukovní bubeník; **—mer**

[ˈdramə] *s* 1. bubeník 2. am. obchodní cestující; ~ **-stick** [ˈdramstik] *s* palička na bubnování

drunk [draŋk] *pp* viz *drink* □ *a* opilý □ *s* opilec; — **ard** [ˈdraŋkəd] *s* opilec; — **en** [ˈdraŋkən] *pp* od *drink* □ *a* opilý

drupe [dru:p] *s* peckovice

dry [drai] *a* 1. suchý, vyprahlý 2. žíznivý 3. přísný, střízlivý 4. nudný ♦ *bone* ~ úplně suchý □ *vt & i* sušit (se), uschnout; ~ **battery** suchá baterie; ~ **cell** suchý článek; ~ **dock** suchý dok; ~ **goods** am. textilní zboží, všechno zboží kromě tekutin; ~ **nurse** chůva; ~ **-salter** [ˈdraiˌso:ltə] *s* drogista; ~ **shod** [ˈdraiˌšod] *a*, *adv* suchou nohou; — **ing house** sušárna

D. Sc. = *Doctor of Science*

dual [ˈdjuəl] *a* dvojný, dvojnásobný; — **ity** [djuˈæliti] *s* podvojnost

dub [dab] *vt* (-bb-) 1. pasovat na rytíře 2. jmenovat, titulovat; opatřit titulky, dabovat (film) 3. tlouci, dunět 4. vířit o bubnu; ~ *out* uhladit; — **bing** *s* dabování

dub|ious [ˈdju:bjəs] *a* pochybný, nejistý; — **itation** [ˌdju:biˈteišən] *s* pochybování, pochybnost

ducat [ˈdakət] *s* dukát

duch|ess [ˈdačis] *s* vévodkyně; — **y** [ˈdači] *s* vévodství

duck [dak] *s* 1. kachna 2. miláček, drahoušek 3. kaňafas □ *lame* ~ neschopný člověk; ~ *and drake* dělání šipek na

vodě; *to play* ~*s and drakes with one's money* divoce utrácet; *she is perfect* ~ je velmi hezká □ *vt & i* 1. ponořit (se) 2. poklonkovat 3. am. vyhnout se; — **ling** [ˈdakliŋ] *s* kachňátko

duct [dakt] *s* 1. kanál 2. céva; — **ile** [ˈdaktail] *a* tažný, kujný

dud [dad] *s* sl. 1. strašák 2. šat, pl. šaty, „hadry" 3. marný plán, rána vedle

dudgeon [ˈdadžən] *s* 1. zlost, dopal 2. zast. dýka

due [dju:] *a* 1. povinen, povinný; dlužen 2. přiměřený, patřičný, náležitý 3. splatný 4. mající přijet, přijít ♦ *to fall* n. *become* ~ stát se splatným; *it is* ~ *to* nutno to přičíst čemu; *in* ~ *course* v pravý čas □ *s* 1. povinnost, patřičnost 2. právo 3. pl. poplatky, dávky □ *adv* přímo, přesně ♦ ~ *east* přímo na východ

duel [ˈdjuəl] *s* souboj

duet [djuˈet] *s* hud. dueto, dvojzpěv

dug[1] [dag] *pt*, *pp* viz *dig*; ~ **-out** [ˈdagaut] *s* 1. kánoe vyhloubená z kmene 2. jeskyně 3. zákop, kryt 4. útulek, úkryt, přístřeší

dug[2] [dag] *s* 1. cecek, vemeno 2. prsní bradavka

duke [dju:k] *s* vévoda

dull [dal] *a* 1. hloupý 2. těžkopádný 3. tupý, nechápavý 4. mdlý 5. nudný 6. kalný ♦ *to feel* ~ cítit se nesvůj □ *vt & i* otupit, otupět

duly [ˈdju:li] *adv* náležitě, povinně

dumb [dam] *a* němý ♦ *the* ~

němí; *the deaf and* ~ hlucho-
němí; *to strike* ~ ohromit;
a ~ *dog* mlčelivý člověk;
|~ -**bell** *s* činka; —**found**
[dam|faund] *vt & i* umlčet;
ohromit, omráčit, ~ **show**
[ˈdam|šou] němohra
dummy [ˈdami] *s* 1. vosková
figura, hastroš, loutka 2.
hlupák, ťulpas 3. nastrčená
osoba 4. školní náboj ♦
baby's ~ šidítko
dump [damp] *s* 1. zadumání,
zaraženost 2. am. smetiště
3. voj. skladiště střeliva ☐
vt & i 1. složit s vozu 2.
upustit 3. vysypat, uskladnit
4. obch. podbízet; —**ling**
[ˈdamplin] *s* knedlík
dun[1] [dan] *vt & i* (-nn-) upomí-
nat ☐ *s* 1. neodbytný věřitel
2. upomínka
dun[2] [dan] *a* tmavohnědý ☐ *s*
1. tmavohnědá barva 2. hně-
douš
dunce [dans] *s* hlupec
dune [dju:n] *s* duna
dung [daŋ] *s* hnůj ☐ *vt* hnojit;
|~ -**hill** n. ~ -**yard** [ˈdaŋja:d]
s hnojiště
dungeon [ˈdandžən] *s* 1. vězení
2. hradní věž, hladomorna
dunk [daŋk] *vt & i* am. namáčet
(chléb ap.) do polévky při jídle
dupe [dju:p] *s* hlupák ☐ *vt*
podvést, oklamat, ošálit
duplicate *vt* [ˈdju:plikeit] zdvoj-
(násob)it; zhotovit opis, dup-
likát ☐ *a* [ˈdju:plikit] dvojitý
☐ *s* duplikát
dur|able [ˈdjuərəbl] *a* trvanlivý;
—**ation** [djuəˈreišən] *s* trvání
duress [djuəˈres] *s* 1. tuhá vazba
2. nátlak, násilí

Durham [ˈdarəm] *s* Durham (m)
during [ˈdjuəriŋ] *prep* během, za
durst [də:st] *pt* od *dare*
dusk [dask] *s* šeření, setmění,
soumrak; —**y** [ˈdaski] *a* tma-
vý, šerý
dust [dast] *s* 1. prach 2. sl.
prachy ♦ *to raise a* ~ zvířit
prach; *to throw* ~ *into one's
eyes* sypat· písek do očí ☐
vt & i 1. vyprášit 2. oprášit:
to ~ *one's jacket* fig. dát komu
na frak; ~ -**basket** [ˈdastba:-
skit] *s* koš na smetí; ~ -**brush**
[ˈdastbraš] *s* smeták; ~ -**di-
sease** silikóza; —**er** [ˈdastə] *s*
utěrka na prach; |—**man** *s*
metař; ~ -**pan** [ˈdastpæn] *s*
lopatka na smetí; —**y** [ˈdasti]
a zaprášený
Dutch [dač] *a* holandský ☐ *s*
1. holandština 2. *the* ~ Ho-
lanďané; —**man** [ˈdačmən] *s*
Holanďan
duteous [ˈdju:tjəs] *a* uctivý,
poslušný
dutiful [ˈdju:tiful] *a* povinný,
poslušný; uctivý
duty [ˈdju:ty] *s* 1. povinnost 2.
úcta 3. clo, poplatek 4. zá-
vazek 5. náb. služba boží
♦ ~ *free* beze cla; ~ *paid*
vycleno; *to be liable to* ~
podléhat clu; *to levy* n. *collect
a* ~ vybírat clo; *off* ~ mimo
službu; *on* ~ ve službě;
preferential ~ preferenční clo;
prohibitory n. *protective* ~
ochranné clo; *stamp* ~ poš-
tovné, kolkovné
dwarf [dwo:f] *s* trpaslík ☐ *vt & i*
zakrnět ☐ *a* zakrnělý
dwell* [dwel] *vi* 1. přebývat,
bydlit, žít 2. obírat se; dávat

důraz (*on, upon* na); obšírně vykládat 3. pozorně poslouchat; **—ing** [ˈdweliŋ] *s* přibytek, obydlí, bydliště

dwindle [ˈdwindl] *vi* menšit se, mizet □ *s* ubývání

dwt = *pennyweight*

dye [dai] *s* barva □ *vt & i* barvit

dying [ˈdaiiŋ] *a* umírající, smrtelný □ *s* barvení

dyke [daik] viz *dike*

dynamic [daiˈnæmik] *a* dynamický, rozpínavý, mocný; **—s** [daiˈnæmiks] *s* dynamika

dynamite [ˈdainəmait] *s* dynamit

dynamo [ˈdainəmou] *s* dynamo

dynasty [ˈdinəsti] *s* dynastie, panovnický rod

dysentery [ˈdisntri] *s* úplavice

E

E, e [i:] **1.** písmeno e **2.** hud. třetí tón stupnice C-dur, nota e **3.** struna e

each [i:č] *a & pron* každý z urč. počtu ♦ ~ *of us* každý z nás; ~ *other* jeden druhého, navzájem

eager [ˈi:gə] *a* **1.** chtivý, dychtivý **2.** posedlý (*after, for, about* po)

eagle [ˈi:gl] *s* **1.** orel **2.** zlatý desítidolar; ~ **-owl** [ˈi:glˈaul] *s* výr

ear [iə] *s* **1.** ucho **2.** sluch **3.** klas **4.** poutko □ *vi* vyhánět do klasů, metat klasy ♦ ~ *for music* hudební sluch; *to give* ~ *to* popřát sluchu, naslouchat; *to prick up one's* **-s** nastražit uši; *over head and* **-s** až po uši, hluboce (ponořen); *to set by the* **-s** znepřátelit; ~ **-ache** [ˈiəreik] *s* bolest v uších; |~ **-drum** *s* ušní bubínek; **—mark** [ˈiəma:k] *vt* označit; ~ **-phone** [ˈiəfoun] *s* sluchátko; ~ **-ring** [ˈiəriŋ], |~ **-drop** *s* náušnice; **—shot** [ˈiə-

šot] *s* doslech; ~ **-trumpet** [ˈiəˌtrampit] *s* naslouchátko; ~ **-wax** [ˈiəwæks] *s* ušní maz; ~ **-wig** [ˈiəwig] *s* škvor

earl [ə:l] *s* hrabě

early [ˈə:li] *a* **1.** časný, raný **2.** dávný ♦ *at your earliest convenience* co nejdříve; *the* ~ *part of the century* počátek století

earn [ə:n] *vt* **1.** vydělat si (*one's living* na živobytí) **2.** zasloužit si **3.** získat; **—ings** [ˈə:niŋz] *s* výdělek

earnest [ˈə:nist] *a* vážný, horlivý, vroucí ♦ *he is* ~ *to know* rád by věděl; *to be very* ~ *with* velmi naléhat na □ *s* **1.** vážnost (*I am in* ~ myslím to vážně) **2.** zástava **3.** závdavek; **—ness** [ˈə:nistnis] *s* vážnost, naléhavost

earth [ə:θ] *s* **1.** země, pevnina; svět **2.** kraj **3.** hlína, půda **4.** doupě **5.** fig. pozemské věci ♦ *to move heaven and* ~ fig. vyvinout velké úsilí; *to* *come back to* ~ fig. vrátit se ke skutečnosti; ~ **-board** [ˈɘ:θbo:d] *s* radlice; ~ **-bound** [ˈɘ:θbaund] *a* pozemský; ‖~ **-bred** *a* nízký, sprostý; **—en** [ˈɘ:θɘn] *a* hliněný; **—enware** [ˈɘ:θɘnweɘ] *s* hliněné zboží, kamenné nádobí; **—ling** [ˈɘ:θliŋ] *s* pozemšťan; **—ly** [ˈɘ:θli] *a* 1. pozemský 2. světský 3. smrtelný 4. možný, myslitelný ♦ *no* ~ *use* vůbec žádný užitek; **—quake** [ˈɘ:θkweik] *s* zemětřesení; **—worm** [ˈɘ:θwɘ:m] *s* deštovka, žížala

case [i:z] *s* 1. klid, pokoj 2. pohodlí 3. nenucenost ♦ *at* ~ pohov!; *to take* ~ pohovět si; *to set at* ~ upokojit; *to live at* ~ žít v pohodlí □ *vt & i* 1. ulevit, ulehčit; zbavit (*of* čeho) 2. ukonejšit 3. povolit (*the coat* kabát); **—ful** [ˈi:zful] *a* klidný, pohodlný, pokojný, uklidňující; **—ment** *s* 1. ulehčení 2. právo průchodní, užívání cesty přes soukromý majetek

casel [ˈi:zl] *s* podstavec malířský

easiness [ˈi:zinis] *s* 1. snadnost 2. pohodlí 3. nenucenost, ochota

east [i:st] *s* 1. východ 2. Orient ♦ *Near, Far* ~ Blízký, Daleký východ; *to the* ~ východně □ *a* východní □ *adv* na východ; **—erly** [ˈi:stɘli] *a* východní; **—ern** [ˈi:stɘn] *a* východní, orientální; **—ward** [ˈi:stwɘd] *a* východní □ *s* východ; **—ward(s)** [ˈi:stwɘd(z)] *adv* směrem k východu

Easter [ˈi:stɘ] *s* velikonoce □ *a* velikonoční; ~ **-eve** *s* Bílá sobota; ~ **Sunday** Boží hod velikonoční

easy [ˈi:zi] *a* 1. snadný 2. pohodlný 3. klidný 4. bezstarostný 5. shovívavý 6. povolný, ochotný 7. obch. málo žádané o zboží; klidný trh ♦ *to make* ~ usnadnit, uspokojit; *to take it* ~ brát na lehkou váhu; ~ **-chair** [ˈi:ziˈčeɘ] *s* lenoška; ‖~ **-going** *a* bezstarostný

eat* [i:t] *vt & i* 1. jíst; žrát 2. polykat 3. strávit 4. užírat, hlodat 5. postupně spotřebovat ♦ *to* ~ *one's words* odvolat pokorně; *to* ~ *humble pie* pokorně se omluvit, podřídit se; *to* ~ *crow* 1. špatně pořídit 2. přijmout něco dříve odmítané; *to* ~ *one's heart out* užírat se uvnitř; ~ **away** užírat, zničit postupně; ~ **in** zažrat se do o kyselině ap.; ~ **off** sežrat; ~ **out** jíst, obědvat ve městě; **—able** [ˈi:tɘbl] *a* jedlý □ *s* pl. potraviny; **—ing-house** *s* jídelna, restaurant

eaves [i:vz] *s* pl. okap; **—drop** [ˈi:vzdrop] *vt* 1. stát pod okapem 2. tajně naslouchat: **—dropper** *s* naslouchač, slidil

ebb [eb] *s* 1. odliv 2. úpadek □ *vi* odtékat, upadat

ebony [ˈebɘni] *s* ebenové dřevo

ebriety [iˈbraiɘti] *s* opilost

ebulli|ent [iˈbaljɘnt] *a* kypící, vroucí; **—tion** [ˌebɘˈlišɘn] *s* vzkypění, vření

E. C. = 1. *East Central (Postal District)* 2. *Established Church* státní církev

eccentric, -al [ikˈsentrik(ɘl)] *a*

výstřední; odstředivý □ *s*
1. **výstředný** kotouč 2. vý-
střední člověk; —**ity** [ˌek-
sen'trisiti] *s* výstřednost
ecclesiastic [ikˌli:ziˈæstik] *a* cír-
kevní duchovenský □ *s* du-
chovní, kněz
echelon [ˈešəlon] *s* voj. stupňo-
vitý útvar
echinus [eˈkainəs] *s* mořský
ježek
echo [ˈekou] *s* ozvěna, echo □
vt & i 1. ozývat se 2. opakovat
napodobit; papouškovat
eclectic [ekˈlektik] *a* eklektický
□ *s* eklektik
eclip|se [iˈklips] *s* zatmění, tem-
nota □ *vt & i* zatemnit (se),
zatmít (se); —**tic** [iˈkliptik] *a*
ekliptický □ *s* ekliptika,
sluneční dráha
econom|ic [ˌi:kəˈnomik] *a* hospo-
dářský; —**ical** [ˈi:kəˈnomikəl]
a hospodárný; —**ics** [ˌi:kəˈno-
miks] *s* národohospodářství;
—**ist** [i:ˈkonəmist] *s* národo-
hospodář; —**ize** [i:ˈkonəmaiz]
vt & i šetrně hospodařit;
—**y** [i:ˈkonəmi] *s* 1. hospo-
dářství (*political* ~ národo-
hospodářství) 2. hospodaření
3. hospodárnost
ecru [ekˈru:] *a* béžový □ s béžová
barva
ecstas|y [ˈekstəsi] *s* vytržení
mysli, extáze; —**ize** [ˈekstə-
saiz] *vt* přivést do extáze
Ecua. = *Ecuador* [ˌekwəˈdo:]
eczema [ˈeksimə] *s* opar, vy-
rážka
edacious [iˈdeišəs] *a* žravý, hltavý
E. D. C. = *European Defence
Community* Evropské obran-
né společenství

eddy [ˈedi] *s* vír vodní, větrný,
víření □ *vt & i* vířit
Eden [ˈi:dn] *s* ráj, eden
edge [edž] *s* 1. ostří, hrana 2.
okraj, lem; ořízka knihy 3.
břitkost 4. hřeben (horský)
♦ *to set an* ~ *on* nabrousit;
to set one's teeth on ~ způsobit
trnutí zubů; *this took the* ~ *off
his argument* to otupilo ostří
jeho argumentu □ *vt & i* 1.
nabrousit, naostřit 2. lemo-
vat 3. hraničit 4. ponoukat 5.
přiblížit se po straně 6. otupit
(~ *off*) ♦ *two-*~*d a* dvoj-
sečný; ~ -**bone** [ˈedžboun] *s*
kostřní kost; —**ing** [ˈedžiŋ] *s*
obruba, lem(ování); ~ -**tool**
[ˈedžtu:l] *s* dláto, rydlo;
—**ways**, —**wise** [ˈedžˈweiz,
-waiz] *adv* ze strany; —**y**
[ˈedži] *a* 1. ostrý, ostře vystu-
pující malba; hranatý 2. po-
pudlivý
edible [ˈedibl] *a* jedlý
edict [ˈi:dikt] *s* nařízení; vy-
hláška, edikt
edi|fice [ˈedifis] *s* budova, stav-
ba; —**fy** [ˈedifai] *vt* vzdělávat,
poučovat
edit [ˈedit] *vt* 1. redigovat, vy-
dávat tiskem 2. pořídit ko-
nečnou úpravu filmu; —**ion**
[iˈdišən] *s* vydání knihy;
—**or** [ˈeditə] *s* 1. vydavatel
2. redaktor; —**orial** [ˌediˈto:-
riəl] *a* vydavatelský, redakční
□ *s* článek, úvodník
educ|ate [ˈedjukeit] *vt* vychová-
vat, vzdělávat; —**ation**
[ˌedjuˈkeišən] *s* 1. výchova,
vzdělání 2. školení, školství
♦ *board of* ~ školní rada n.
výbor; —**ational** [ˌedjuˈkei-

šnl] *a* vychovatelský, vzdělávací, výchovný, školský; **—ator** [ˈedjukeitə] *s* vychovatel, vzdělavatel

educe [iˈdjuːs] *vt* vyvést, vyvodit (*from* z)

educt [iˈdakt] *s* výtažek

E.E. = *errors excepted* s výjimkou omylů

eel [iːl] *s* úhoř; **~ -pout** [ˈiːlpaut] *s* mník

e'en = *even*

e'er = *ever*

eerie, eery [ˈiəri] *a* postrašený, bázlivý; podivný, děsivý, pověrčivý

efface [iˈfeis] *vt* 1. smazat, setřít, zahladit 2. zvr. považovat se za nedůležitého; **—ment** *s* vymazání, zahlazení

effect [iˈfekt] *s* 1. účinek, účinnost; výsledek 2. skutečnost 3. dojem 4. účel, smysl 5. pl. majetek, movité věci ◊ *to give* ~ učinit platným; *to take* ~ účinkovat, (za)působit; *for* ~ naoko; *in* ~ vskutku; *of no* ~ marně; *to the* ~ k tomu účelu; *to bring to* n. *carry into*, ~ uskutečnit, vykonat, provést □ *vt* způsobit, vykonat; obstarat; *to* ~ *insurance* pojistit; **—ive** [iˈfektiv] *a* 1. působivý, účinný 2. schopný k službě vojenské 3. skutečný; **—ual** [iˈfektjuəl] *a* působivý, účinný, účelný; **—uate** [iˈfektjueit] *vt* provést, uskutečnit; učinit zadost

effemin|acy [iˈfeminəsi] *s* zženštilost; **—ate** [iˈfeminit] *a* zženštilý, slabošský; smyslný

effervesc|e [ˌefəˈves] *vi* 1. vřít, kypět, pěnit se; bublat, šumět 2. překypovat veselím; **—ence** [ˌefəˈvesns] *s* kypění, šumění; **—ent** [ˌefəˈvesnt] *a* kypící, šumící

effete [eˈfiːt] *a* jalový, neplodný; slabý, vyžilý

effic|acious [ˌefiˈkeišəs] *a* účinný, působivý; **—acy** [ˈefikəsi], **—iency** [iˈfišənsi] *s* účinnost, působivost; **—ient** [iˈfišənt] *a* 1. účinný, působivý 2. výkonný, zdatný, schopný

effigy [ˈefidži] *s* obraz

effloresc|e [ˌefloˈres] *vi* 1. rozkvést 2. chem. (vy)krystalizovat o solích, zvětrat; **—ence** [ˌefloˈresns] *s* 1. rozkvět 2. med. vyrážka 3. zvětrání 4. chem. vykrystalizování; **—ent** [ˌefloˈresnt] *a* 1. rozkvétající 2. zvětrávající 3. vyrážející na povrch

efflu|ence [ˈefluəns] *s* výtok, výron; **—ent** [ˈefluənt] *a* vytékající

effort [ˈefət] *s* 1. úsilí, snaha 2. výkon

effrontery [eˈfrantəri] *s* drzost, nestoudnost

effulg|e [eˈfaldž] *vt & i* zářit, vyzařovat; **—ence** [eˈfaldžəns] *s* záře; **—ent** [eˈfaldžənt] *a* zářivý

effuse¹ [eˈfjuːs] *a* 1. zast. přetékající 2. bot. rozvětvený

effus|e² [eˈfjuːz] *vt & i* 1. vylít, vychrlit, rozšířit (se) 2. vykonávat vliv; **—ion** [iˈfjuːžən] *s* vylití, vychrlení, výlev (srdce)

eft [eft] *s* mlok; **—soon** *adv* arch. hned, potom, opět

e. g. = *for example* (= *exempli gratia*) například

egalitarian [iˌgæliˈteəriən] *a* rovnostářský □ *s* rovnostář

egg [eg] *s* vejce □ *vt* 1. pokrýt, smísit s vejci 2. nutit, ponoukat (*on to an act* k činu) ♦ *he is a bad* ~ je špatný, nepodařený člověk; *hard-boiled, soft-boiled, -s* vejce natvrdo, naměkko; *buttered* n. *scrambled -s* míchaná vejce; *poached -s* sázená vejce; ~ **cleavage** dělení vajíčka; ~ **-cup** [ˈegkap] *s* kalíšek na vejce; |~ **-flip**, |~ **-nog** *s* vaječný koňak; ~ **-whisk** [ˈegwisk] *s* metla na sníh

eglantine [ˈegləntain] *s* šípek

ego|ism [ˈegouizəm] *s* egoismus, sobectví; **—ist** [ˈegouist] *s* sobec, egoista; **—istic(cal)** [ˌegouˈistik(əl)] *a* sobecký; **—tism** [ˈegoutizəm] *s* samolibost, egoismus

egregious [iˈgriːdžəs] *a* 1. ohavný 2. zř. výtečný, znamenitý; ohromný

egress [ˈiːgres] *s* 1. odchod 2. lit., fig. východ 3. astr. konec zatmění

egret [ˈiːgret] *s* 1. volavka bílá 2. chmýří pampelišky, bodláku ap.

Egypt [ˈiːdžipt] *s* Egypt; **—ian** [iˈdžipšən] *a* egyptský □ *s* Egypťan

E. I. = *East India*(n)

eider [ˈaidə] *s* kajka; ~ **-down** [ˈaidədaun] *s* kajčí peří; prachová přikrývka

eight [eit] *a & s* osm; *the Eights* osmy závod osmiveslic ♦ *figure of* ~ osmička na ledě;

—een [ˈeiˈtiːn] *a & s* osmnáct, **—fold** viz *fold*; **—ieth** [ˈeitiiθ] *a & s* osmdesátý; **—y** [ˈeiti] *s & a* osmdesát

Eire [ˈeərə] *s* Irsko

either [ˈaiðə] *a & pron* 1. jeden ze dvou, jeden nebo druhý; *to put the lamp at* ~ *end* dát lampu na jeden konec; ~ *of you can go* jeden z vás může jít 2. každý ze dvou, oba □ *adv & conj* ~ ... *or* buď... anebo; *or*... ~ anebo... též; *not* ~ ani ne; *nor* ~ take ne; *if you do not go, I shall not* ~ nepůjdeš-li ty, já také ne

ejaculat|e [iˈdžækjuleit] *vt* 1. vyrazit ze sebe, vykřiknout 2. vyvrhnout, vystřiknout; **—ion** [iˌdžækjuˈleišən] *s* 1. výkřik 2. výstřik

eject [iˈdžekt] *vt* vyhodit, vyhnat; **—ion** [iˈdžekšən] *s* 1. vyhození, zapuzení 2. vyplivnutí

eke [iːk] *vt* 1. ~ *out* doplnit, nastavit 2. lid. protloukat se

elaborat|e *a* [iˈlæbərit] pracný, pečlivě propracovaný, vypracovaný □ *vt & i* [iˈlæbəreit] vypracovat pečlivě, podrobně, promyslit; **—ion** [iˌlæbəˈreišən] *s* propracování, zpracování

elapse [iˈlæps] *vi* minout, uplynout o čase

elastic [iˈlæstik] *a* 1. pružný, ohebný 2. přizpůsobivý □ *s* pružná tkanina, guma; **—ity** [ˌelæsˈtisiti] *s* pružnost

elat|e [iˈleit] *a* povznesený, hrdý □ *vt* (po)vznést, povzbudit (*with* čím); —**ion** [i'leišən] *s* povznesená nálada

elbow ['elbou] *s* 1. loket 2. ohbí, ohyb ♦ *at the* ~ po ruce, nablízku; *up to the* -*s* v pilné práci; *out at* -*s* obnošený, ošumělý (*coat kabát*), chudý; *to* ~ *one's way through the crowd* razit si lokty cestu davem; □ *vt & i* strkat lokty, tlačit (se); ~ -**grease** ['elbougri:s] *s* těžká práce

elder[1] ['eldə] *a, comp., s* 1. starší o příbuzných nebo dvou označených osobách, pouze v přívlastku: *his* ~ *brother* 2. pl. starší lidé, starci 3. starší (církve); —**ly** ['eldəli] *a* stárnoucí, obstarožní

elder[2] ['eldə] *s* bot. bez; ~-**berries** ['eldə,beriz] *s pl.* bezinky; ~ -**flower** ['eldə,flauə] *s* bezový květ

eldest ['eldist] *a, sup* nejstarší člen rodiny

elect [i'lekt] *a* zvolený, vyvolený; *bride* ~ vyvolená nevěsta, snoubenka □ *s* vyvolenec □ *vt & i* vybrat, zvolit (si); —**ion** [i'lekšən] *s* volba ♦ ~ *campaign* volební kampaň; ~ *district* volební obvod; —**ioneer** [i,lekšə'niə] *vi* shánět hlasy, agitovat před volbami; —**ioneerer** [i,lekšə'niərə] *s* volební agitátor; —**ioneering** [i,lekšə'niəriŋ] *s* volební agitace; —**ive** [i'lektiv] *a* volební, zvolitelný; —**or** [i'lektə] *s* 1. volič (*list of* -*s* volební seznam) 2. kurfiřt; —**orate** [i'lektərit] *s* 1. voličstvo 2 volební okres

3. kurfiřství; —**ress** [i'lektris] *s* volička

electr|ic(al) [i'lektrik(əl)] *a* elektrický □ *s* fyz. špatný elektrovodič ♦ ~ *battery* elektrická baterie; ~ *charge* elektrický náboj; ~ *outlet* elektrická zásuvka; —**ician** [ilek'trišən] *s* elektrotechnik; —**icity** [ilek'trisiti] *s* elektřina; —**ification** [i,lektrifi'keišən] *s* elektrifikace; —**ify** [i'lektrifai] *vt* 1. elektrizovat 2. elektrifikovat

electro|cute [i'lektrəkju:t] *vt* popravit na elektrickém křesle; —**lier** [i,lektrou'liə] *s* elektrický lustr; —**lyte** [i'lektrolait] *s* elektrolyt; —**magnet** [i'lektrou'mægnit] *s* elektromagnet; —**meter** [ilek'tromitə] *s* elektroměr; —**motor** [i'lektrou'moutə] *s* elektromotor

electron [i'lektron] *s* elektron; ~ *microscope, optics* elektronový mikroskop, optika; —**ic** [ilek'tronik] *a* elektronický; ~ *calculator* elektronický počítací stroj; —**ics** [ilek'troniks] *s* elektronika

electuary [i'lektjuəri] *s* med. pročišťující prostředek s medem, lektvar

eleemosynary [,elii:'mosinəri] *a* dobročinný, almužnický

eleg|ance ['eligəns] *s* uhlazenost, elegance, vkus; —**ant** ['eligənt] *a* elegantní, uhlazený, vkusný

elegy ['elidži] *s* žalozpěv, elegie

element ['elimənt] *s* 1. prvek 2. přírodní živel, pralátka 3. el. základy: —**al** [,eli'mentl] *a* 1. základní 2. živelný 3. podstatný; **—ary** [ˌeliˈmentəri] *a* 1. základní 2. prvkový 3. elementární, živelný

elephant [ˈelifənt] *s* slon; **—ine** [ˌeliˈfæntain] *a* sloní; neohrabaný

elevat|e [ˈeliveit] *vt* 1. (po)zdvihnout 2. povznést, povýšit 3. voj. dát náměr; **—ion** [ˌeliˈveišən] *s* 1. zvednutí, vyvýšení, zdvižení 2. astr. elevace 3. zem. výška nad mořem 4. geometrická elevace ♦ *angle of* ~ úhel výškový; **—or** [ˈeliveitə] *s* 1. zdvihač, zdviž 2. výškové kormidlo

eleven [iˈlevn] *a & s* jedenáct; **—th** [iˈlevnθ] *a* jedenáctý

elf [elf] *s*, pl. *elves* [elvz] skřítek; **|~-lock** *s* rozcuchané vlasy

elicit [iˈlisit] *vt* 1. vylákat 2. ~ *from (out of)* odvodit z, zjistit

elide [iˈlaid] *vt* vyloučit, vynechat

elig|ibility [ˌelidžəˈbiliti] *s* volitelnost; **—ible** [ˈelidžəbl] *a* 1. volitelný 2. hodný zvolení 3. vhodný 4. žádoucí

eliminat|e [iˈliminei t] *vt* 1. odstranit, vyloučit (*from* z) 2. ignorovat, **—ion** [iˌlimiˈneišən] *s* vyloučení, odstranění

elision [iˈližən] *s* výpustka, elize

elite [eiˈliːt] *s* vybrané mužstvo; smetánka společnosti, elita

Elizabethan [ˌilizəˈbiːθən] *a* alžbětínský

elk [elk] *s* zool. los

ell [el] *s* loket = 45 in.

ellips|e [iˈlips] *s* elipsa; **—is** [iˈlipsis] *s* pl. *-es* [-iːz] gram. výpustka, elipsa

elm [elm] *s* jilm

elocution [ˌeləˈkjuːšən] *s* přednes, deklamace, řečnické umění; **—ary** [ˌeləˈkjuːšnəri] *a* přednesový, řečnický

elongat|e [ˈiːlɔngeit] *vt & i* prodloužit; **—ion** [ˌiːlɔŋˈgeišən] *s* 1. prodloužení, výběžek 2. astr. elongace

elope [iˈloup] *vi* utéci (*with a lover* s milencem); **—ment** *s* útěk, únos

eloqu|ence [ˈeləkwəns] *s* výmluvnost; **—ent** [ˈeləkwənt] *a* výmluvný

else [els] *a* jiný □ *adv* jinak, sice, mimoto, jinde ♦ *no one* ~ nikdo jiný; *what* ~ *could I say?* co jiného jsem mohl říci? ~ *-where* někde jinde, někam jinam

elucidate [iˈluːsideit] *vt* objasnit, ozřejmit

elu|de [iˈluːd] *vt* vyhnout se, uniknout pozornosti; **—sion** [iˈluːžən] *s* vytáčka, úskok; uniknutí; **—sive** [iˈluːsiv] *a* vyhýbavý, úskočný

elver [ˈelvə] *s* mladý úhoř

elves [elvz] *s* pl. viz *elf*

Elysi|an [iˈlizən] *a* 1. elisejský 2. rajský, blažený; **—um** [iˈliziəm] *s* elysium, ráj

emaciat|e [iˈmeišieit] *vt* (z)hubnout; mořit hladem, vyhladovět koho tak, že zhubne; **—ed** [iˈmeišieitid] *a* vyzáblý; **—ion** [iˌmeisiˈeišən] *s* vyhublost, vychrtlost

emanat|e [ˈeməneit] *vt & t* vy-

zařovat, linout se (*from* z);
—ion [₁emə'neišən] *s* vyza-
řování, výron, emanace
emancipat|e [i'mænsipeit] *vt* vy-
prostit, osvobodit, vymanit
(*from* z); **—ion** [i₁mænsi'pei-
šən] *s* osvobození, emanci-
pace
emasculat|e [i'mæskjuleit] *vt*
1. vykleštit 2. zeslabit 3.
zženštit; **—ion** [i₁mæskju'lei-
šən] *s* 1. vykleštění 2. zženšti-
lost
embalm [im'ba:m] *vt* nabalza-
movat, navonět
embank [im'bæŋk] *vt* obehnat
hrází; **—ment** *s* hráz, ná-
břeží
embargo [em'ba:gou] *s* 1. zákaz
vplutí lodi do přístavu n.
zákaz opustit přístav 2. za-
bavení lodi 3. přerušení lodní
dopravy
embark [im'ba:k] *vt & i* 1.
nalodit (se), vstoupit na loď
2. angažovat (se) v nějakém
podniku (*in*, *on*); **—ation**
[₁emba:'keišən] *s* nalodění,
vstoupení na loď
embarrass [im'bærəs] *vt* 1. zmást,
uvést do rozpaků 2. zabránit
v pohybu, překážet 3. kom-
plikovat 4. zaplést do peněžní
záležitosti; **—ment** *s* rozpaky,
překážka, nesnáz
embassador viz *ambassador*
embassy ['embəsi] *s* vyslanectví
embattle [im'bætl] *vt* 1. při-
pravit, sešikovat k bitvě 2.
opevnit 3. opatřit cimbuřím
embay [im'bei] *vt* zakotvit v zá-
toce
embed [im'bed] *vt* (-dd-) pevně
vsadit do, upevnit, vložit

embellish [im'beliš] *vt* ozdobit,
okrášlit; **—ment** *s* ozdoba,
okrasa
ember ['embə] *s* žhavý uhlík,
žhavý popel
embezzle [im'bezl] *vt* zprone-
věřit; **—ment** *s* zpronevěra;
—r [im'bezlə] *s* defraudant
embitter [im'bitə] *vt* rozhořčit,
roztrpčit
emblaz|e [im'bleiz] *vt* ozdobit
okrášlit; **—on** [im'bleizən]
vt 1. ozdobit erby 2. (skvěle)
okrášlit
emblem ['embləm] *s* znamení,
odznak, symbol; **—atic(al)**
[₁embli'mætik(əl)] *a* obrazný,
symbolický
embody [im'bodi] *vt* 1. ztělesnit,
vyjádřit 2. zahrnovat 3. voj.
povolat (*for training* na cvi-
čení)
embolden [im'bouldən] *vt* dodat
odvahy
embolism ['embəlizəm] *s* ucpání
cév
embosom [im'buzəm] *vt* 1. obe-
jmout 2. obklíčit, uzavřít
emboss [im'bos] *vt* zdobit, ře-
zat reliéfy; **—ment** *s* reliéf
embowel [im'bauəl] *vt* vykuchat
embrace [im'breis] *vt* 1. obe-
jmout (se); milovat (se) 2.
zahrnovat, obsáhnout 3. uví-
tat (*opportunity* příležitost)
4. osvojit si, přijmout (*doctrine*
učení, *cause* věc) 5. souložit □
s objetí
embrasure [im'breižə] *s* střílna,
výklenek okna, dveří
embrocate ['embrokeit] *vt* med.
natřít lékem, masírovat
embroider [im'broidə] *vt & i* 1.
vyšívat 2. zdobit; **—y**

[im'broidəri] *s* vyšívání, vý-
šivka, ozdoba
embroil [im'broil] *vt* vyvolat
zmatek n. spor, zaplést do
čeho; **—ment** *s* zápletka,
spor
embryo ['embriou] *s* zárodek ♦
in ~ v zárodku, nevyvi-
nutý
embus [im'bas] *vt* 1. nastoupit
do autobusu 2. uložit do auta
emend [i:'mend] *vt* opravit,
zlepšit; **—ation** [¡i:men'dei-
šən] *s* oprava, zdokonalení
emerald ['emərəld] *s* smaragd
emerg|e [i'mə:dž] *vi* 1. vynořit
se, vyjít najevo; povstat, vy-
skytnout se 2. zool. líhnout
se z larvy, kukly 3. dostat se
(*from* z); **—ency** [i'mə:džənsi]
s naléhavá potřeba, krize ♦ ~
rations příděly pro naléhavou
potřebu; *state of* ~ výjimečný
stav; **—ent** [i'mə:džənt] *a*
vynořující se; nenadálý, na-
léhavý
emeritus [i:'meritəs] *a* vyslou-
žilý, emeritní, penzionovaný
emery ['eməri] *s* smirek; ~ **pa-
per** smirkový papír
emetic [i'metik] *s* dávidlo
emigr|ant ['emigrənt] *s* vystě-
hovalec; emigrant; **—ate** ['e-
migreit] *vi* vystěhovat se,
emigrovat; **—ation** [¡emi'grei-
šən] *s* vystěhování, vystěho-
valectví, emigrace
émigré ['emigrei] *s* vyhnanec,
emigrant ♦ *to live as an* ~ žít
v emigraci
emin|ence, -ency ['eminəns(i)]
1. znamenitost 2. eminence
titul 3. vyvýšenina, výška;
—ent ['eminənt] *a* 1. vynika-

jící (*for* čím), znamenitý
2. vysoký 3. vznešený
emissary ['emisəri] *s* tajný posel
emission [i'mišən] *s* 1. vyslání
2. výron 3. vydání cenných
papírů, dání do oběhu
emit [i'mit] *vt* (-tt-) 1. vysílat,
vypouštět 2. dát do oběhu
emollient [i'moliənt] *s* med. měk-
čící, mírnící prostředek
emolument [i'moljumənt] *s* 1.
užitek, zisk, výtěžek 2. plat,
příjem
emotion [i'moušən] *s* vzrušení,
pohnutí mysli, emoce; **—al**
[i'moušnl] *s* vzruchový, emoč-
ní, citový
empale [im'peil] zast. viz *impale*
emperor ['empərə] *s* císař
empha|sis ['emfəsis] *s* pl. *-ses*
[-si:z] důraz; významnost,
důležitost; **—size** ['emfəsaiz]
vt zdůrazňovat, položit důraz
nač; **—tic(al)** [im'fætik(əl)] *a*
důrazný, mocný, emfatický
empire ['empaiə] *s* říše, cí-
sařství, vláda (císařská)
empiric [em'pirik] *s* 1. empirik
2. lékař, mastičkář □ *a* = **—al**
[em'pirikəl] *a* empirický, zku-
šenostní
emplacement [im'pleismənt] *s*
1. umístění, postavení 2.
stanoviště děl
employ [im'ploi] *vt* 1. zaměstnat
(*in, upon, on* čím) 2. (vy)užít
3. upotřebit, použít 4. zauj-
mout, věnovat (*time in study*
čas studiu); **—ee** ¡emploi'i:] *s*
zaměstnanec, zaměstnanky-
ně; **—er** [im'ploiə] *s* zaměstna-
vatel; **—ment** *s* zaměstnání,
práce, služba; ~ *book* pra-
covní knížka

emporium [em'po:riəm] *s* 1. tržiště 2. skladiště, sklad zboží 3. obchodní středisko
empower [im'pauə] *vt* zplnomocnit
empress ['empris] *s* císařovna
empty ['empti] *a* 1. prázdný, pustý; neobydlený 2. prostý (*of* čeho) 3. planý 4. marný 5. hov. hladový; *to feel ~* mít hlad; *on an ~ stomach* na hladový žaludek □ *s* 1. prázdný obal, bedna 2. voj. vystřelená nábojnice □ *vt & i* 1. vyprázdnit (se); vysypat, vylít 2. vlévat se (o řece *into* do); |~-|**handed** *a* s prázdnýma rukama; ~-**headed** ['empti'hedid] *a* hloupý
empurple [im'pə:pl] *vt* zbarvit nachově
emul|ate ['emjuleit] *vt* 1. soupeřit, závodit 2. napodobit; —**ation** [emju'leišən] *s* 1. soupeření, závodění 2. řevnivost ♦ *socialist* ~ socialistické soutěžení; —**ative** ['emjulətiv] *a* řevnivý, soupeřivý; —**ator** ['emjuleitə] *s* sok; —**ous** ['emjuləs] *a* ctižádostivý; soupeřivý, řevnivý; žárlivý
emulsion [i'malšən] *s* mléčná tekutina, emulze
enable [i'neibl] *vt* učinit schopným; oprávnit, zmocnit
enact [i'nækt] *vt* 1. uzákonit, rozhodnout, ustanovit 2. (se)-hrát roli; —**ment** *s* nařízení, uzákonění
enamel [i'næməl] *s* smalt, glazura □ *vt* (-ll-) 1. smaltovat 2. pestře zbarvit
enamour [i'næmə] *vt* roznítit

láskou (*of*, *with* k), okouzlit
encage [in'keidž] *vt* zavřít (do klece)
encamp [in'kæmp] *vi & t* položit se táborem, utábořit (se); —**ment** *s* tábor, ležení, táboření
encase [in'keis] *vt* uzavřít do skříňky, umístit
enceinte [ã:ŋ'sẽ:nt] *a* těhotná □ *s* voj. opevněný pás n. prostor
enchain [in'čein] *vt* uvázat na řetěz, spoutat řetězem, držet na řetězu
enchant [in'ča:nt] *vt* okouzlit: —**ing** [in'ča:ntiŋ] *a* okouzlující; ;—**ment** *s* kouzlo, očarování; —**ress** [in'ča:ntris] *s* čarodějka
enchase [in'čeis] *vt* ovroubit, cizelovat
encircle [in'sə:kl] *vt* obklopit, obklíčit; —**ment** *s* obklíčení
enclasp [iŋ'kla:sp] *v* obejmout
enclave ['enkleiv] *s* enkláva
enclitic [in'klitik] *s* gram. příklonka
enclos|e [in'klouz] *vt* 1. uzavřít 2. obklopit, obehnat (*a garden with a fence* zahradu plotem) 3. přiložit ♦ *to ~ within brackets* dát do závorek; *-ed* v příloze, přiloženě; *I ~ a cheque herewith* v příloze zasílám šek; —**ure** [in'kloužə] *s* 1. ohrazení, uzavření 2. ohrada, obora 3. příloha
encomium [en'koumjəm] *s* chvalořeč, chvalozpěv
encompass [in'kampəs] *vt* 1. obklopit, obklíčit 2. obsahovat

encore [oŋ'ko:] *int* ještě jednou, znovu, opakovat! □ *vt* dožadovat se opakování, vyvolat

encounter [in'kauntə] *vt & i* 1. potkat 2. střetnout se, utkat se 3. vyjít vstříc □ *s* 1. srážka, spor 2. utkání, souboj 3. interview 4. setkání (*of* s)

encourage [in'karidž] *vt* 1. povzbudit, podnítit, dodat mysli 2. pěstovat, chovat; udržovat; —**ment** *s* povzbuzení, podpora, přízeň

encroach [in'krouč] *vi* zasahovat do cizích práv, míchat se (*upon, on* do), osobovat si ♦ *to* ~ *upon one's time* využít něčího času; *the sea is -ing upon the land* moře se zařezává do pevniny; —**ment** *s* zasahování do cizích práv

encumb|er [in'kambə] *vt* 1. zatížit, přetížit (*with* čím) 2. překážet 3. zatarasit dřívím 4. zadlužit, zaplést (*with debts* do dluhů); —**rance** [in'kambrəns] *s* 1. překážka, přítěž 2. závislá osoba dítě (*without* ~ bezdětný) 3. břemeno 4. dluh, hypotéka

encyclopaedia [en₁saiklo'pi:diə] *s* encyklopedie, naučný slovník

end [end] *s* 1. konec 2. přítrž 3. mez, hranice; část, strana 4. důsledek, účel; výsledek, závěr; cíl 5. smrt 6. zbytek (*odds and s* zbytky) ♦ *at an* ~ u konce; *in the* ~ konečně, trvale; *on* ~ zpříma; *at a loose* ~ nemající nic na práci, nezaměstnaný; *at one's wit's* ~ s rozumem u konce;

to be at the ~ *of one's tether* být v koncích; *to on* ~ do konce; *to no* ~ marně; *to make both -s meet* žít jen tak tak, sotva vyjít s příjmy; *to get hold of the wrong* ~ *of the stick* chytit něco za nepravý konec; *to get by the* ~ slyšet zvonit o něčem; *to put an* ~ *to,* to make on ~ *of* učinit něčemu konec, skoncovat s; *he is near his* ~ je blízek smrti; *to the* ~ *that* za tím účelem, aby...; *to what* ~ ? k jakému účelu?; ~ *points* krajní body úsečky; *the* ~ *of a table* čelo stolu; *placed* ~ *to* ~ podél, souvisle □ *vt & i* 1. ukončit, skončit (se); učinit konec, přítrž 2. skonat 3. mít výsledek (*in* v); ~ **in** nemít výsledek; ~ **off** ukončit; ~ **with** končit čím; —**ways** ['endweiz] *adv* koncem vzhůru, kolmo, po délce; —**wise** ['endwaiz] = *-ways*

endanger [in'deindžə] *vt* ohrozit

endear [in'diə] *vt* učinit drahým, nalézt zalíbení; —**ment** *s* láska, zalíbení

endeavour [in'devə] *vt & i* usilovat, snažit se (*after, for* o) □ *s* úsilí, snaha

endemic [en'demik] *a* místní

ending ['endiŋ] *s* 1. zakončení, závěr 2. smrt 3. gram. koncovka

endive ['endiv] *s* čekanka štěrbáková

endless ['endlis] *a* 1. nekonečný (*band, chain* pás, řetěz) 2. ustavičný

endors|e [in'do:s] *vt* indosovat,

podepsat na rubu, schválit; —ee [ˌendoːˈsiː] s žiratář, rubopisník; —ement s žirování, rubopis, schválení; *full (special)* ~ vyplněné žiro; *restrictive* ~ rekta žiro; —er [inˈdoːsə] s žirant, převodce, rubopisec

endow [inˈdau] vt odkázat, vybavit, obdařit čím; —ment s věno, nadace

endue [inˈdju] vt 1. vybavit opatřit (*with* čím) 2. ošatit, obléci

endur|able [inˈdjuərəbl] a snesitelný; —ance [inˈdjuərəns] s 1. trpělivost, snášení bolesti 2. trvání 3. vytrvalost 4. statečnost; —e [inˈdjuə] vi & t 1. snášet, podstoupit 2. trpět 3. trvat

E.N.E. = *East-North-East*

enema [ˈenimə] s med. klystýr

enemy [ˈenimi] s nepřítel, odpůrce ♦ *class* ~ třídní nepřítel; *the* ~ *within* vnitřní nepřítel; ~ *agent* nepřátelský agent

energ|etic(al) [ˌenəˈdžetik(əl)] a účinný, rázný; —etics [ˌenəˈdžetiks] s energetika; —ize [ˈenədžaiz] vi & t jednat rázně, dodat ráznosti n. odhodlanosti; —y [ˈenədži] s ráznost, síla, energie; odhodlanost

enervat|e [ˈenəːveit] vt vysílit, zeslabit; —ion [ˌenəːˈveišən] s vyčerpanost, vysílenost

enfeeble [inˈfiːbl] vt oslabit; —ment s vysílení, slabost

enfeoff [inˈfef] vt udělit léno

enfilade [ˌenfiˈleid] s podélné ostřelování, bočná palba

enfold [inˈfould] viz *infold*

enforce [inˈfoːs] vt 1. vynucovat si 2. užít násilí 3. získat násilím 4. provést 5. uvést v platnost (*a contract* smlouvu); —ment s 1. nátlak, násilí 2. naléhavost 3. provádění zákona; ~ *officer* dozorčí úředník, kontrolor; ~ *work* dozor, kontrola nad plněním nařízení

enfranchise [inˈfrænčaiz] vt 1. osvobodit 2. propůjčit občanské n. volební právo; —ment s osvobození, udělení občanského n. volebního práva

engage [inˈgeidž] vt & i 1. zavázat (se) slibem (manželství: *-d couple* snoubenci) 2. najmout (*servant* sluhu) 3. namluvit (si) 4. zvr. zaručit, slíbit (*for* co) 5. zasnoubit 6. vyzvat 7. utkat se 8. zvr. zavázat se, účastnit se, zaměstnat se (*in* čím) 9. připevnit ♦ *an engaging manner* příjemný způsob; —ment s 1. slib 2. závazek, úmluva 3. zasnoubení 4. účastenství 5. boj, utkání 6. schůzka, pozvání 7. zaměstnání ♦ *to make good* n. *to meet one's -s* dostát svým závazkům

engender [inˈdžendə] vt & i 1. plodit 2. tvořit (se), vznikat 3. vzbudit, vyvolat city

engin|e [ˈendžin] s 1. stroj 2. lokomotiva 3. stříkačka ♦ *internal combustion* ~ spalovací motor; ~ **-builder** [ˈendžinˌbildə] s strojník; ~**-driver** [ˈendžinˌdraivə] s strojvůdce; —eer [ˌendžiˈniə] s 1. inženýr, technik 2. strojník 3. strojvůdce **4.** pionýr ☐ *vt* **1.** konstruovat, řídit **2.** přivodit, zavinit, způsobit ♦ *to* ~ *a provocative action* uspořádat provokační akci; —**eering** [ˌendžiˈniəriŋ] *s* strojnictví, inženýrství; —**ery** [ˈendžinəri] *s* stroje, strojní zařízení; —**shaft** [ˈendžinša:ft] *s* píst parostroje

England [ˈiŋglənd] *s* Anglie

English [ˈiŋgliš] *a & adv* anglický; anglicky ☐ *s* **1.** Angličané (*the* ~) **2.** angličtina; —**ize** [ˈiŋglišaiz] *vt* poangličtit; —**man** [ˈiŋglišmən] *s* Angličan; —**woman** [ˈiŋglišwumən] *s* Angličanka

engraft [inˈgra:ft] *vt* štěpovat, (na)roubovat

engrain [inˈgrein] *vt* probarvit (přízi) ♦ *-ed habits* vštípené, zakořeněné, zvyky

engrav|e [inˈgreiv] *vt* **1.** vyrýt, vyřezat **2.** vštípit; —**er** [inˈgreivə] *s* rytec; —**ing** [inˈgreiviŋ] *s* **1.** rytectví **2.** rytina **3.** otisk rytiny

engross [inˈgrous] *vt* **1.** napsat velkým písmem **2.** am. skoupit zásobu **3.** monopolizovat **4.** zabrat pro sebe čas; —**ed** [inˈgroust] *a* zcela zabraný (*by* do); —**ing** *a* zajímavý (*story* příběh)

engulf [inˈgalf] *vt* pohltit

enhance [inˈha:ns] *vt & i* **1.** zvětšit, zvýšit, zlepšit **2.** přehánět, nadsazovat; —**ment** *s* **1.** zvýšení, zvětšení, zlepšení **2.** zdražení

enigma [iˈnigmə] *s* záhada, hádanka; —**tic** [ˌenigˈmætik] *a* záhadný, hádankovitý

enjoin [inˈdžoin] *vt* předepsat, nakázat, poručit, uložit za povinnost

enjoy [inˈdžoi] *vt* **1.** těšit se, mít požitek z **2.** užívat, mít se **3.** zvr. těšit se, být šťasten **4.** mít užitek z ♦ *to* ~ *immunity* požívat imunity; —**ment** *s* potěšení, požitek, radost, užívání, zábava

enkindle [inˈkindl] *vt & i* roznítit, podpálit

enlace [inˈleis] *vt* **1.** olemovat, vroubit **2.** zaplést **3.** obepnout, ovinout

enlarge [inˈla:dž] *vt & i* **1.** zvětšit, rozšířit (se); vyvinout (se), vypracovat **2.** obšírně vykládat, šířit se (*upon* o) **3.** vzmáhat se; —**ment** *s* **1.** zvětšenina, zvětšení, rozšíření **2.** obšírný výklad

enlighten [inˈlaitn] *vt* **1.** osvítit **2.** poučit (*on* o); —**ment** *s* osvícení, osvěta

enlist [inˈlist] *vt & i* **1.** zapsat **2.** přivést na vojnu, naverbovat (se), přihlásit (se) **3.** získat pro věc; —**ment** *s* zápis, odvod

enliven [inˈlaivn] *vt* oživit, oduševnit

enmesh [inˈmeš] *vt* zaplést do léčky

enmity [ˈenmiti] *s* nepřátelství, nenávist

ennoble [iˈnoubl] *vt* **1.** zušlechtit, povznést **2.** povýšit na šlechtice; —**ment** *s* zušlechtění, povznesení

ennui [ã:ˈnwi:] *s* unavenost, nuda

enorm|ity [iˈno:miti] *s* **1.** ohavnost, zločin **2.** hrůznost: —**ous**

[i'no:məs] *a* 1. ohromný 2. ohavný, zvrácený

enough [i'naf] *a* dostatečný □ *adv* dosti □ *s* dostatek ♦ *I have had ~ of him* měl jsem ho dost; *I had ~ to do* měl jsem dost práce; *you know well ~ what I mean* víš dost dobře, co míním; *ready ~ až příliš ochotný; like ~* dosti možná

enounce [i:'nauns] *vt* vyhlásit, oznámit

enquire [in'kwaiə] viz *inquire*

enquiry [in'kwaiəri] viz *inquiry*

enrage [in'reidž] *vt & i* rozzuřit (se)

enrapture [in'ræpčə] *vt* nadchnout, okouzlit

enregister [in'redžistə] *vt* zaznamenat, zaregistrovat

enrich [in'rič] *vt* 1. obohatit 2. ozdobit 3. zúrodnit

enrobe [in'roub] *vt* odít

enrol [in'roul] *vt* (-ll-) zapsat (do seznamu); —**ment** *s* zápis

ensconce [in'skons] *vt* 1. skrýt se za náspy 2. zařídit se, usadit se pohodlně

ensemble [ã:n'sã:mbl] *adv* dohromady, celkem □ *s* 1. celek 2. hud. ensemble

ensign ['ensain] *s* 1. prapor, korouhev, (od)znak 2. praporečník

enslave [in'sleiv] *vt* zotročit; —**ment** *s* zotročení, otroctví

ensnare [in'sneə] *vt* vlákat do léčky

ensue [in'sju:] *vt & i* následovat, vyplývat (*from, on* z); stíhat, hledat

ensure [in'šuə] *vt* 1. zabezpečit

(*from, against* proti) 2. pojistit 3. zajistit

entail [in'teil] *vt* 1. stanovit dědičnost 2. způsobit; činit nezbytným □ *s* majorátní právo

entangle [in'tæŋgl] *vt* zamotat, zaplést do nesnází, chytit (do léčky); —**ment** *s* 1. zauzlení, zápletka 2. překážka

enter ['entə] *vi & t* 1. vstoupit, vejít, přijít (*the room* do místnosti) 2. vložit, zapsat do knih 3. dát (se) zapsat 4. stát se členem, vstoupit (*the army* do armády) 5. uvést (*with* k) 6. zadat žalobu ♦ *to ~ into* pustit se do; *to ~ into business relations* vejít v obchodní spojení; *to ~ a protest* vznést námitky; *to ~ into partnership* vstoupit do spolku; *to ~ one's head* přijít na mysl; *~ on* začít (*process* proces), pojednat o, převzít majetek, úřad; *to ~ upon a new life* počít nový život

enteric [en'terik] *a* med. střevní

enterpris|e ['entəpraiz] *s* 1. podnik 2. podnikavost; —**ing** ['entəpraiziŋ] *a* podnikavý

entertain [,entə'tein] *vt* 1. bavit (*with* čím) 2. hostit 3. chovat v mysli (*an idea* myšlenku), uvážit ♦ *to ~ a proposal* uvažovat o návrhu; *to ~ an action* práv. projednávat žalobu; —**ment** *s* 1. pohoštění 2. zábava 3. zacházení

enthral(l) [in'θro:l] *vt* porobit; —**ment** *s* poroba

enthrone [in'θroun] *vt* nastolit, instalovat; —**ment** *s* nastolení, instalace biskupa

enthuse [in'θju:z] vt & i lid.
učinit, stát se nadšeným,
nadchnout se

enthusi|asm [in'θju:ziæzəm] s
nadšení; —ast [in'θju:ziæst]
s nadšenec; —astic [in₁θju:-
zi'æstik] a nadšený, zanícený

entice [in'tais] vt lákat, vábit;
pokoušet, svádět; —ment s
svádění, lákání; pokušení;
—r [in'taisə] s pokušitel,
svůdce

entire [in'taiə] 1. úplný, ne-
dílný 2. neporušený 3. pouhý
4. nevykleštěný 5. čistý 6.
nesmířený 7. nezlomený, ne-
poškozený; —ty [in'taiəti] s
úplnost, celost, souhrn

entitle [in'taitl] vt 1. oprávnit
(to k) 2. nazvat, titulovat

entity ['entiti] s jsoucnost, byt-
nost

entomb [in'tu:m] vt uložit do
hrobky, pohřbít

entrails ['entreilz] s pl. vnitř-
nosti, útroby

entrain [in'trein] vt & i naklá-
dat, vstoupit do vlaku o voj-
sku

entrance¹ ['entrəns] s 1. vstup,
vchod, dveře 2. přístup 3.
úvod (to k) 4. převzetí 5.
vstupné (~ fee, money);
~ duty dovozní clo

entrance² [in'tra:ns] vt okouzlit,
uvést do transu

entrap [in'træp] vt (-pp-) chytit
do pasti

entreat [in'tri:t] vt & i 1. prosit,
naléhavě žádat 2. zapřísahat
3. arch. jednat s; —y [in'tri:ti]
s žádost, prosba

entrench, in— [in'trenč] vt & i
voj. zakopat se obklíčit n.

opatřit zákopy; —ment s
zákopové postavení

en|trust, in— [in'trast] vt svěřit,
pověřit (with čím)

entry ['entri] s 1. vstup, vjezd
2. záznam 3. uvázání se
v držbu 4. dveře, vrata; ústí
řeky 5. položka 6. seznam
soutěžících ♦ book-keeping by
single and double ~ jednotné
a podvojné účetnictví; to
make an ~ of zapsat položku
do obchodní knihy

entwine [in'twain] vt & i pro-
plést, ověnčit

entwist [in'twist] vt ovinout

enucleat|e [i'nju:klieit] vt roz-
lousknout, rozluštit; —ion
[i₁nju:kli'eišən] s rozluštění

enumerat|e [i'nju:məreit] vt vy-
počítat, vyjmenovat; —ion
[i₁nju:mə'reišən] s 1. vypočí-
tání, výpočet 2. vyjmeno-
vání

enunciat|e [i'nansieit] vt & i
1. prohlásit, konstatovat 2.
přesně vyložit 3. vyslovit;
—ion [i₁nansi'eišən] s 1. pro-
hlášení, konstatování 2. vý-
slovnost

envelop [in'veləp] vt 1. zabalit
2. zahalit, zakrýt; —e ['envi-
loup] s obálka; obal; povlak

envenom [in'venəm] vt napustit
jedem, otrávit

envi|able ['enviəbl] a záviděníhodný;
—ous ['enviəs] a zá-
vistivý

environ [in'vaiərən] vt obklopit;
—ment s 1. obklíčení 2. okolí
(též pl.) 3. prostředí

envisage [in'vizidž] vt konfron-
tovat, stavět před oči; čelit;
obírat se otázkou

envoy [ˈenvoi] *s* vyslanec

envy [ˈenvi] *s* 1. závist (*of*, *to* k) 2. touha, žádost □ *vt* & *i* 1. závidět 2. žárlit (*at* na) 3. nevražit, brojit (*against* proti)

enwrap [inˈræp] *vt* (-pp-) zabalit, obalit

E. & O.E. = *errors and omissions excepted* s výhradou opominutí a chyb

eon viz aeon

epau|let, -lette [ˈepoulet] *s* epoleta, nárameník

ephemeral [iˈfemərəl] *a* krátce trvající, pomíjející, jepičí

epic, -al [ˈepik(əl)] *a* epický, výpravný

epicene [ˈepisiːn] *a* 1. dvoupohlavní 2. gram. obojího rodu

epicur|e [ˈepikjuə] *s* labužník; —ean [ˌepikjuəˈriːən] *a* epikurejský □ *s* epikurejec

epidemic(al) [ˌepiˈdemik(əl)] *a* nakažlivý, epidemický

epiglottis [ˌepiˈglotis] *s* příklopek hrtanový, epiglotis

epigon [ˈepigoun] *s* epigon, napodobitel

epigram [ˈepigræm] *s* epigram

epigraph [ˈepigraːf] *s* 1. nápis 2. moto

epilep|sy [ˈepilepsi] *s* padoucnice; —tic [ˌepiˈleptik] *a* epileptický, stižený padoucnicí □ *s* epileptik

epilogue [ˈepilog] *s* doslov

Epiphany [iˈpifəni] *s* Zjevení Páně, svátek Tří králů

episcop|acy [iˈpiskəpəsi] *s* biskupství; *the* ~ biskupové; —al [iˈpiskəpəl] *a* biskupský; —alian [iˌpiskəˈpeiljən] *a* biskupský, episkopální □ *s* pří-

slušník episkopální církve; —ate [iˈpiskəpit] *s* 1. episkopát, biskupství 2. *the* ~ biskupové

episode [ˈepisoud] *s* epizoda, vedlejší děj

epist|le [iˈpisl] *s* list, epištola; —olary [iˈpistələri] *a* písemný

epitaph [ˈepitaːf] *s* náhrobní nápis

epithet [ˈepiθet] *s* přízvisko, přídomek, epiteton

epitom|e [iˈpitəmi] *s* výtah. výpis; —ize [iˈpitəmaiz] *vt* shrnout, udělat výtah

epos [ˈepos] *s* epos

Epsom salt [ˈepsəm ˈsoːlt] *s* hořká sůl, projímadlo

equab|le [ˈekwəbl] *a* stejný, stejnoměrný; vyrovnaný; —ility [ˌekwəˈbiliti] *s* stejnoměrnost, vyrovnanost

equal [ˈiːkwəl] *a* 1. rovný, stejný 2. rovnající se, úměrný (*with*, *to* čemu) 3. vyrovnaný 4. lhostejný 5. spravedlivý 6. rovný v hodnosti postavení ap. ♦ *twice three is* ~ *to six* 2 × 3 = 6; *to be* ~ *to doing* být mocen čeho □ *s* 1. osoba stejného stavu, hodnosti ap.; *my* -s mně rovní 2. vrstevník □ *vt* (-ll-) být roven, rovnat se (*with* komu); —ity [iːˈkwoliti] *s* rovnost, stejnost; —ization [ˌiːkwəlaiˈzeišən] *s* vyrovnání, rovnováha; —ize [ˈiːkwəlaiz] *vt* 1. vyrovnat 2. učinit stejným, konstantním, rovnat se (*to*, *with* čemu); —izer [ˈiːkwəlaizə] *s* vyrovnávač

equanimity [ˌiːkwəˈnimiti] *s*

klidná mysl, lhostejnost; rezignace

equat|e [i'kweit] *vt* považovat za stejné, činit rovným, stejným; **—ion** [i'kweišən] *s* 1. rovnost, rovnováha, vyrovnání 2. mat. rovnice

equator [i'kweitə] *s* rovník; **—ial** [,ekwə'to:riəl] *a* rovníkový □ *s* astr. ekvatoriál dalekohled

equestri|an [i'kwestriən] *a* jezdec; **—enne** [i,kwestri'en] *s* jezdkyně na koni

equiangular [,i:kwi'æŋgjulə] *a* stejnoúhelný

equidistant [i:kwi'distənt] *a* stejně vzdálený

equilateral ['i:kwi'lætərəl] *a* rovnostranný

equilibr|ate [,i:kwi'laibreit] *vt* uvést v rovnováhu, vyrovnat; vyvážit; **—ist** [i:'kwilibrist] *s* ekvilibrista, akrobat; **—ium** [,i:kwi'libriəm] *s* rovnováha

equine ['i:kwain] *a* koňský □ *s* kůň

equi|noctial [,i:kwi'nokšəl] *a* 1. rovnodenní 2. rovníkový; **—nox** ['i:kwinoks] *s* rovnodennost

equip [i'kwip] *vt* (-pp-) vystrojit, vyzbrojit, vybavit (*with* čím); **—age** ['ekwipidž] *s* 1. výzbroj, výstroj 2. náčiní 3. ekvipáž; **—ment** *s* 1. vybavení, výprava, výzbroj 2. vozový park železniční 3. povahové vybavení člověka

equipoise ['ekwipoiz] *s* rovnováha, protiváha

equipoll|ence [,i:kwi'poləns] *s* rovnomocnost, rovnocennost;

—ent [,i:kwi'polənt] *a* rovnocenný, rovnomocný

equipotential [,i:kwipə'tenšəl] *a* rovnomocný

equitable ['ekwitəbl] *a* spravedlivý, slušný, nestranný

equity ['ekwiti] *s* 1. slušnost 2. apelační právo 3. herecký odborový svaz ♦ *in* ~ po právu

equival|ence [i'kwivələns] *s* rovnomocnost, rovnocennost; **—ent** [i'kwivələnt] *a* rovnomocný, rovnocenný; rovný, ekvivalentní, shodující se

equivoc|al [i'kwivəkəl] *a* 1. dvojsmyslný 2. nejistý, pochybný 3. sporný, podezřelý; **—ate** [i'kwivəkeit] *vi* obojetně mluvit; **—ation** [i,kwivə'keišən] *s* dvojsmyslnost, obojetnost

era ['iərə] *s* letopočet, období, věk, éra

eradiate [i'reidieit] *vi & t* vyzařovat

eradicate [i'rædikeit] *vt* vyhladit, vykořenit

eras|e [i'reiz] *vt* 1. vyškrábat, vymazat, vyškrtnout; vyhladit 2. zrušit; **—ement** *s* vyškrábání, vymazání; **—er** [i'reizə] *s* 1. guma, pryž 2. nožík na vyškrabování n. zmizík; **—ure** [i'reižə] *s* vymazání, výmaz

ere [eə] *conj* 1. dříve, předtím 2. dříve než □ *prep* před; ~ *long* zakrátko; ~ *now* kdysi; ~ *while* dříve, kdysi

erect [i'rekt] *a* přímý, vzpřímený, kolmý □ *vt* 1. vztyčit, vzpřímit 2. založit, zbudovat 3. povzbudit; **—ion** [i'rekšən] *s* **1.** vztyčení **2.** založení, zřízení **3.** erekce, ztopoření

eremite [ˈerimait] *s* poustevník

ergot [ˈlə:gət] *s* námel

erica [ˈerikə] *s* vřes, erika

Erin [ˈiərin] *s* bás. Irsko

ermine [ˈlə:min] *s* hranostaj, hermelín

erode [iˈroud] *vt* vyžírat rzí, užírat

Eros [ˈeros] *s* Erós

erosion [iˈroužən] *s* **1.** užírání, kostižer **2.** geol. eroze

erotic [iˈrotik] *a* erotický, milostný □ *s* milostná báseň

erot|icism, **—ismus** [eˈrotisizəm, ˈerotizəm] *s* erotismus

err [ə:] *vi* **1.** chybovat **2.** (z)bloudit **3.** hřešit

errand [ˈerənd] *s* poselství, úkol ♦ *to go on an ~* vyřizovat vzkazy, poselství ap.; ǀ*~ -boy s* poslíček

errant [ˈerənt] *a* potulný, bloudící; *knight ~* bludný rytíř

errata [eˈra:tə] *s* pl. viz *erratum*

erratic [iˈrætik] *a* **1.** bludný, nesprávný **2.** nestálý, nejistý, neurčitý

erratum [eˈra:təm] *s* pl. *-a* [iˈreitə] tisková chyba

erroneous [iˈrounjəs] *a* chybný, nesprávný

error [ˈerə] *s* **1.** chyba **2.** omyl **3.** odchylka; dluh ♦ *~ in defect (excess)* mat. chyba dolů (nahoru); *to commit an ~* dopustit se chyby

Erse [ə:s] *s* keltské nářečí irské, gaelština

erst [ə:st] arch. kdysi, dříve

erubescent [ˌeruˈbesnt] *a* červenající se, rdící se

eructation [ˌiːrakˈteišən] *s* **1.** krkání, **2.** soptění

erudit|e [ˈeruːdait] *a* učený, vzdělaný; **—ion** [ˌeruːˈdišən] *s* učenost, vzdělání

erupt [iˈrapt] *vi & t* **1.** vybuchnout **2.** vyrazit o sopce **3.** prořezávat se o zubech; **—ion** [iˈrapšən] *s* **1.** výbuch, erupce **2.** med. vyrážka; **—ive** [iˈraptiv] *a* **1.** výbušný, sopečný **2.** vyrážkový

escalator [ˈeskəleitə] *s* pohyblivé schodiště

escape [isˈkeip] *vi & t* **1.** utéci, uniknout **2.** vyváznout **3.** ucházet o plynu ♦ *to ~ for life* spasit se útěkem; *this matter -d my notice* tato věc unikla mé pozornosti □ *s* **1.** uniknutí, útěk **2.** ucházení plynu **3.** výmluva **4.** bot. divoce rostoucí rostlina; **—e** [ˌiskeiˈpiː] *s* uprchlík; **—ment** *s* hodinový nepokoj

escarp [isˈka:p] *s* škarpa □ *vt* voj. opatřit valem; **—ment** *s* **1.** svah, úbočí, val **2.** voj. stěny zákopu

eschar [ˈeska:] *s* med. strup; příškvarek

eschatology [ˌeskəˈtolədži] *s* eschatologie nauka o posledních věcech člověka a vesmíru

eschew [isˈču:] *vt* vystříhat se

escort *s* [ˈesko:t] **1.** průvod **2.** ochrana □ *vt* [isˈko:t] **1.** chránit **2.** (do)provázet, eskortovat

esculent [ˈeskjulənt] *a* jedlý □ *s* potravina

escutcheon [isˈkačən] *s* erb, štít; štítek na klíčové dírce

Eskim|auan, -oan [ˈeskimouən] a eskymácký

Es|kimo, -quimau [ˈeskimou] s Eskymák

esoterik [ˌesouˈterik] a esoterický, tajný, důvěrný □ s zasvěcenec

especial [isˈpešəl] a zvláštní; přední, hlavní

Esperanto [ˌespəˈræntou] s esperanto

espial [isˈpaiəl] s vyzvědač

espionage [ˌespiəˈnaːž] s špionáž, špehování, vyzvědačství; ~ agency špionážní agentura

esplanade [ˌespləˈneid] s promenáda

espous|al [isˈpauzəl] s 1. zasnoubení 2. hájení, podpora (of čeho); —e [isˈpauz] vt 1. zasnoubit, vstoupit v sňatek 2. zastávat se věci

espy [isˈpai] vt zpozorovat; vypátrat, vyslídit

Esq. = Esquire [isˈkwaiə] Vážený pán psáno v adrese za příjmením

essay vt [eˈsei] pokusit se, (vy)-zkoušet □ s [ˈesei] esej, literární úvaha; —ist [ˈeseiist] s esejista

essence [ˈesns] s 1. podstata, bytí 2. treść, silice 3. voňavka

essential [iˈsenšəl] a 1. podstatný 2. čirý, éterický □ s 1. treść, podstata 2. podstatný rys 3. pl. podstatné okolnosti, náležitosti, části

establish [isˈtæbliš] vt 1. zavést, zařídit (business obchod) 2. upevnit, utvrdit 3. ustanovit (officers úředníky, law zákon) 4. založit (colony kolonii, state stát) 5. získat (a reputa-tion pověst) 6. zvr. usadit se, zařídit si živnost ♦ -ed pevně ustanovený; -ed church státní církev; —ment s 1. upevnění 2. potvrzení 3. nařízení 4. zákonné zřízení 5. církevní zřízení 6. firma, závod, ústav 7. domácnost, bydliště 8. stav vojska ♦ to keep a large ~ vést nákladný dům; branch-~ pobočka; war ~ válečná síla

estate [isˈteit] s 1. stav 2. poměry, hodnost 3. majetek 4. statek, panství ♦ to come to man's ~ nabýt zletilosti; ~ agent správce statku, zprostředkovatel koupě realit

esteem [isˈtiːm] vt cenit, vážit si, ctít □ s úcta, ocenění, příznivé mínění, cena

estim|able [ˈestiməbl] a úctyhodný, cenný; —ate vt & i [ˈestimeit] ocenit, odhadnout (at na) □ s [ˈestimit] odhad, ocenění; rough ~ přibližný, hrubý, odhad; the E~s státní rozpočet; —ation [ˌestiˈmeišən] s 1. odhad, ocenění 2. mínění, posudek 3. vážnost, čest; —ator [ˈestimeitə] s odhadce

estiv|al [ˈestivl] a letní (flowers květiny; —ate [ˈestiveit] vi (s)trávit léto

estop [isˈtop] vt (-pp-) práv. zastavit, zabránit (from čemu)

estrade [esˈtraːd] s vyvýšené místo, estráda

estrange [isˈtreindž] vt 1. odcizit (from komu) 2. odvrátit 3. oddělit; —ment s odcizení

estray [isˈtrei] s zaběhlý dobytek

estuary [ˈestjuəri] *s* ústí řeky, zátoka

etc. = *and so forth (= et cetera)* a tak dále

et cetera [itˈsetrə] a tak dále, zkr. atd.

etch [eč] *vt & i* leptat; —ing [ˈečiŋ] *s* leptání; lept, rytina

etern|al [iːˈtəːnl] *a* věčný, neproměnný, nekonečný; —ity [iːˈtəːniti] *s* věčnost; —ize [iːˈtəːnaiz] *vt* zvěčnit

ether [ˈiːθə] *s* éter, obloha; —eal [iːˈθiəriəl] *a* éterický, nebeský; vzdušný, lehký; —ize [ˈiːθəraiz] *vt* 1. proměnit v éter 2. uspat éterem

ethic, -al [ˈeθik(əl)] *a* etický; —s [ˈeθiks] *s* pl. etika, mravověda

Ethiop|ia [ˌiːθiˈoupjə] *s* Etiopie; —ian [ˌiːθiˈoupjən] *a* etiopský; —ic [ˌiːθiˈopik] *a* etiopský □ *s* stará etiopština

ethnic [ˈeθnik] *a* 1. národopisný 2. pohanský

ethno|graphy [eθˈnogrəfi] *s* národopis, etnografie; —logy [eθˈnolədži] *s* národověda, etnologie

etiolation [ˌiːtioˈleišən] *s* blednutí, chřadnutí

etiquette [ˌetiˈket] *s* etiketa

Eton [ˈiːtn] *s* Eton (m)

etymology [ˌetiˈmolədži] *s* etymologie

Eucharist [ˈjuːkərist] *s* 1. círk. eucharistie, svátost oltářní 2. večeře Páně

Eugen|e [ˈjuːdžiːn] *s* Evžen (mj); —ia [juːˈdžiːnjə] *s* Evženie (žj)

eugenics [juːˈdženiks] *s* eugenika

eulog|ist [ˈjuːlədžist] *s* chvalořečník; —y [ˈjuːlədži] *s* chvalořeč

eunuch [ˈjuːnək] *s* eunuch, kleštěnec

euphem|istic [ˌjuːfiˈmistik] & eufemistický, lepomluvný; —ize [ˈjuːfimaiz] *vt & i* eufemizovat

euphon|y [ˈjuːfəni] *s* libozvuk, eufonie; —ic [juːˈfonik] *a* libozvučný, eufonický

euphuism [ˈjuːfjuːizəm] *s* eufuismus, nabubřelý sloh

Eurasian [juəˈreižjən] *a* euroasijský

Europ|e [ˈjuərəp] *s* Evropa; —ean [ˌjuərəˈpiːən] *a* evropský □ *s* Evropan; -eanize [ˌjuərəˈpiːənaiz] *vt* evropanizovat, poevropštit

Euston [ˈjuːstən] *s* Euston londýnská čtvrť

evacu|ate [iˈvækjueit] *vt & i* 1. vyprázdnit žaludek 2. pročistit 3. vystěhovat (se); —ant [iˈvækjuənt] *s* projímadlo; —ation [iˌvækjuˈeišən] *s* 1. vyprázdnění 2. průjem 3. vyklizení, evakuace; —ee [iˌvækjuːˈiː] *s* evakuovaný, evakuant

evade [iˈveid] *vi & t* vyhnout se (*duty* povinnosti, *obligation* závazku), obejít (*the law* zákon), vytáčet se, uniknout (*s.o.* někomu)

evaluate [iˈvæljueit] *vt* zhodnotit, odhadnout cenu

evanesce [ˌiːvəˈnes] *vi* zmizet jak pára, ztratit se

evangel [iˈvændžəl] *s* arch. 1. evangelium 2. evangelista; —ic(al) [ˌiːvænˈdželik(əl)] *a*

evangelický; —ist [i¹vændži-
list] s evangelista; —ize
[i¹vændžilaiz] vt kázat evan-
gelium, obracet na křesťan-
ství

evaporat|e [i¹væpəreit] vi & t
vypařit, odpařit (se), (pro)-
měnit (se) v páru; —ion
[i₁væpə¹reišən] s vypařování

evas|ion [i¹veižən] s vyhnutí se,
vytáčka; —ive [i¹veisiv] a
vyhýbavý

Eve [i:v] s Eva [žj]

eve [i:v] s bás. večer, svatvečer
♦ on the ~ of the elections
v předvečer voleb

even [¹i:vən] a 1. rovný, vodo-
rovný 2. plochý 3. stejný
4. sudý 5. pěkný (bargain
obchod) 6. ve stejné rovině
7. spravedlivý 8. klidný,
vyrovnaný ♦ to be ~ být
bez dluhů; to be ~ with být
s někým kvit; to lay ~ with
the ground srovnat se zemí;
to part ~ hands stejně se
rozdělit; ~ date totéž datum
□ adv 1. stejně 2. právě
3. dokonce ♦ ~ as ba jako;
~ as if ba jakoby; ~ down
rovně dolů; ~ that dejme
tomu; ~ though i kdyby;
~ what cokoli; ~ where
kdekoli; not ~ ba ani □
vt & i urovnat (se), vyrovnat
(se); ~ down kolmý, přímý,
čirý; ~ page sudá stránka
knihy; ~ -toed [¹i:vəntoud]
a sudoprstý

evening [¹i:vniŋ] s večer;
~ dress večerní úbor; ~ star
večernice

event [i¹vent] s 1. událost, pří-
hoda, případ 2. výsledek ♦ at

all -s v každém případě, ať
se stane cokoli; in the ~ of
his death jestliže zemře; —ful
[i¹ventful] a bohatý událost-
mi, památný

eventual [i¹ventjuəl] a možný,
nahodilý, konečný; —ity
[i₁ventju¹æliti] s možnost,
eventualita

ever [¹evə] adv vždy, kdy,
někdy, jakkoli ♦ for ~ na-
vždy, navěky; ~ more vždy;
~ after, ~ since od té doby,
vždycky; ~ and anon tu
a tam, někdy; ~ before ode-
dávna; ~ so jakkoli; ~ so
little sebemenší; —green
a & s 1. stále zelený 2.
trvalka stále zelený strom n.
keř; —lasting [₁evə¹la:stiŋ] a
věčný; |—|more adv usta-
vičně, věčně

eversion [i¹və:šən] s vyvrácení

every [¹evri] a (též -one, -body)
každý ♦ ~ other day obden;
~ now and then, ~ now and
again čas od času; —day
a & adv 1. každý den, denně
2. všední, obvyklý; —thing
vše; —way každým způso-
bem, v každém směru;
—where všude

evict [i:¹vikt] vt práv. soudně
vystěhovat, zbavit majetku

evid|ence [¹evidəns] s 1. svě-
dectví 2. důkaz (of, for čeho)
3. svědek 4. očividnost, zřej-
most ♦ to bear ~ to dosvědčit
□ vt 1. dokázat 2. oznámit;
—ent [¹evidənt] a (samo)-
zřejmý, očividný; —ential
[₁evi¹denšəl] a průkazný

evil [¹i:vl] a zlý, špatný; the
E~ one ďábel □ adv špatně

□ *s* zlo, neštěstí; **~ -affected** [ˈiːvl-eˈfektid] *a* rozhněvaný; **~ -doer** [ˈiːvlˈduːə] *s* hříšník, zločinec; **—minded**[ˈiːvlˈmaindid] *a* zlovolný; ˈ**~ -ˈspeaking** *a & s* 1. prostořeký 2. pomluva

evince [iˈvins] *vt* dát najevo, svědčit, projevit

eviscerate [iˈvisəreit] *vt* vyvrhnout, vykuchat

evit|able [ˈevitəbl] *a* vyhnutelný; **—ation** [ˌeviˈteišən] *s* vyhnutí

evocation [ˌevoˈkeišən] *s* vyvolání duchů, vzpomínek

evoke [iˈvouk] *vt* vyvolat (*spirits* duchy), vzbudit (*admiration* obdiv)

evolution [ˌiːvəˈluːšən] *s* 1. rozvinutí 2. vývoj ♦ (*of roots*) mat. odmocňování; *theory of ~* vývojová teorie; **—ary** [ˌiːvəˈluːšnəri] *a* vývojový, evoluční

evolve [ˈiːvolv] *vt & i* 1. rozvinout, vyvinout (se) 2. odkrýt (se), objevit 3. dedukovat 4. vydávat teplo

evulsion [iˈvalšən] *s* vyrvání, vytržení

ewe [juː] *s* ovce samice, bahnice ♦ *one's ~ lamb* nejdražší majetek

ewer [ˈjuə] *s* konvice, džbán

exacerbat|e [əksˈæsəːbeit] *vt* 1. roztrpčit, podráždit 2. přitížit, zhoršit; **—ion** [eksˌæsəːˈbeišən] *s* 1. roztrpčení 2. zhoršení

exact [igˈzækt] *a* přesný; pravý, určitý, exaktní □ *vt* 1. vymáhat (*from* od) 2. žádat, požadovat; **—er, —or** [igˈzæktə] *s* vymahač, vyděrač; **—ion** [igˈzækšən] *s* vymáhání, vydírání; požadavek; **—ness** [igˈzæktnis] *s* přesnost, svědomitost

exaggerat|e [igˈzædžəreit] *vt & i* přehánět, nadsazovat; **—ion** [igˌzædžəˈreišən] *s* nadsázka

exalt [igˈzoːlt] *vt* 1. zvednout 2. povýšit 3. vyvýšit, velebit (*to the skies* do nebe); **—ation** [ˌegzoːlˈteišən] *s* vynášení, povznesení, nadšení

exam [igˈzæm] *s* lid. zkr. = *examination*

examin|ation [igˌzæmiˈneišən] *s* 1. zkouška 2. výslech 3. zkoumání, výzkum (*into* čeho), lékařská prohlídka ♦ *to undergo* (n. *sit for*) *an ~* podrobit se zkoušce; **—e** [igˈzæmin] *vt* 1. zkoušet (*in* z) 2. vyslýchat (*on* o) 3. zkoumat (*into* co); **—er** [igˈzæminə] *s* zkoušející, vyšetřující

example [igˈzaːmpl] *s* 1. příklad 2. vzor ♦ *for ~* například; *to set an ~* dát za vzor; *to take ~ by* řídit se čím; *to make an ~ of* potrestat pro výstrahu

exasperat|e [igˈzaːspəreit] *vt* 1. rozhořčit, popudit, dráždit 2. zhoršit; **—ion** [igˌzaːspəˈreišən] *s* rozhořčení, zlost, hněv

excavat|e [ˈekskəveit] *vt* vyhloubit, vykopat; **—ion** [ˌekskəˈveišən] *s* vykopávka, výkop; jáma

exceed [ikˈsiːd] *vt & i* 1. převyšovat, předčit 2. převládat, vynikat 3. přesahovat míru v jídle ap.: nemírně něco dělat;

—ingly [ik⁻si:diŋli] *adv* neobyčejně, nadmíru

excel [ik⁻sel] *vt & i* (-ll-) vynikat, předčit (*in, at* v); **—lence, -cy** [⁻eksələns(i)] *s* výbornost, výtečnost; **—lent** [⁻eksələnt] *a* výborný, znamenitý

except [ik⁻sept] *vt & i* 1. vyjmout, vyloučit 2. namítat (*against* proti) ☐ *prep* vyjma, vyjímaje, kromě; až na; leč by; **—ing** [ik⁻septiŋ] *prep* vyjma, vyjímaje, kromě; **—ion** [ik⁻sepšən] *s* výjimka (*from, to* z), námitka (*against, to, at* proti čemu) ♦ *to take ~ to* vznést námitky, namítat; **—ionable** [ik⁻sepšnəbl] *a* závadný; sporný; hodný hany; **—ional** [ik⁻sepšənl] *a* výjimečný, neobyčejný

excerpt *vt* [ek⁻sə:pt] vybírat, citovat (*from* z), dělat výpisky ☐ *s* [⁻eksə:pt] výňatek, citát; **—ion** [ek⁻sə:pšən] *s* výňatek, citát, výtah

excess [ik⁻ses] *s* přílišnost, přemíra, hojnost; nadměrnost, přebytek; příplatek ♦ *to ~* přes míru, do krajnosti; *to carry to ~* přehánět; *in ~ of* více než; **—ive** [ik⁻sesiv] *a* nadměrný, přílišný

exchange [iks⁻čeindž] *s* 1. výměna 2. náhrada 3. burza 4. (telefonní) centrála (*telephone ~*) 5. směnka, trata (*bill of ~*) 6. peněžní obrat 7. kurs bankovní ♦ *first of ~* první směnka; *account of ~* směnečné konto; *under the ~* podle kursovního záznamu; *rate* n. *course, of ~* přepočítávací kurs; *at the ~ of* za kurs; *foreign -s* valuty, devizy; *~ usage* burzovní uzance ☐ *vt & i* 1. vyměnit (*for* za), vyměnit navzájem (*blows* rány, *words* slova, *glances* pohledy) 2. proměnit (*for* za) 3. voj. být přeložen kam; **—able** [iks⁻čeindžəbl] *a* vyměnitelný, zaměnitelný

exchequer [iks⁻čekə] *s* státní pokladna, finanční komora; *~ bill* pokladniční poukázka; *Chancellor of E~* brit. ministr financí

excise[1] [ek⁻saiz] *s* potravní daň, akcíz ☐ *vt* 1. zdanit, vymáhat daně 2. vyhladit literární dílo; *~ licence* povolení (k prodeji) lihovin; **—man** [ek⁻saizmæn] *s* výběrčí daní

excis|e[2] [ek⁻saiz] *vt* vyříznout, odstranit; vyhladit; **—ion** [ek⁻sižən] *s* vyříznutí

excit|ability [ik₁saitə⁻biliti] *s* popopudlivost, podrážděnost; **—ant** [⁻eksitənt] *a* dráždivý, podněcující ☐ *s* dráždidlo; **—ation** [₁eksi⁻teišən] *s* dráždění, povzbuzování; **—e** [ik⁻sait] *vt* povzbudit, podnítit (*to* k); rozčilit, podráždit; **—ement** [ik⁻saitmənt] *s* 1. vzrušení, rozčilení; podráždění 2. povzbuzení

exclaim [iks⁻kleim] *vi & t* zvolat, křičet; horlit (*against* proti)

exclamat|ion [₁eksklə⁻meišən] *s* 1. zvolání, výkřik 2. gram. *mark* n. *note of ~* vykřičník (též *~ point*); **—ory** [eks⁻klæmətəri] *a* zvolací; křiklavý

exclu|de [iks'klu:d] *vt* **1.** vyloučit, vyjmout **2.** vyhodit, vyhnat; znemožnit; **—sion** [iks'klu:žen] *s* **1.** vyloučení **2.** zamítnutí **3.** výluka; **—sive** [iks'klu:siv] *a* vylučující, výlučný; uzavřený, výhradní

excogitat|e [eks'kodžiteit] *vt* vymýšlet; sestrojit; **—ion** [eks-ikodži'teišen] *s* vymýšlení, výmysl; vynález

excommunic|ate [ˌekske'mju:ni-keit] *vt* vyloučit, dát do klatby; **—ation** ['ekske-ˌmju:ni'keišen] *s* vyloučení (z církve), exkomunikace

excoriate [eks'ko:rieit] *vt* odřít kůži

excrement ['ekskriment] *s* výkal

excresc|ence [iks'kresns] *s* **1.** výrůstek **2.** abnormální vzrůst **—ent** [iks'kresnt] *a* abnormálně narůstající, přebytečný

excreta [eks'kri:te] *s* pl. výmětky, výkaly

excret|e [eks'kri:t] *vt* vyměšovat **—ion** [eks'kri:šen] *s* výmětek, kal □ *s* vyměšovací orgán

excruciat|e [iks'kru:šieit] *vt* trýznit, mučit; **—ion** [iksˌkru:-ši'eišen] *s* mučení, muka

exculp|ate ['ekskalpeit] *vt* ospravedlnit, omluvit; **—able** [iks-'kalpebl] *a* ospravedlnitelný, omluvitelný; **—ation** [ˌeks-kal'peišen] *s* ospravedlnění, omluva

excurs|ion [iks'ke:šen] *s* **1.** výlet, výletníci **2.** výprava **3.** zacházka **4.** astr. odchylka; **—ionist** [iks'ke:šnist] *s* výletník; **—ive** [eks'ke:siv] *a* zabíhavý, toulavý; uchylující se

excus|atory [iks'kju:zeteri] *a* omluvný; **—e** *vt* [iks'kju:z] **1.** omluvit **2.** ospravedlnit **3.** odpustit **4.** slevit **5.** zvr. omluvit se □ *s* [iks'kju:s] omluva

execr|able ['eksikrebl] *a* hanebný, mrzký, zlořečený; **—ate** ['eksikreit] *vt & i* zlořečit, proklínat, zatracovat; **—ation** [ˌeksi'kreišen] *s* zatracení, zlořečení, prokletí

execut|e ['eksikju:t] *vt* **1.** provést, vykonat (*plan* plán, *command* rozkaz) **2.** zastávat (*office* úřad) **3.** přednést (*musical composition* hudební skladbu) **4.** učinit platným podepsáním, zapečetěním ap., vyřídit (*an order* objednávku) **5.** popravit; **—er** viz *-or*; **—ion** [ˌeksi'kju:šen] *s* **1.** vykonání, provedení **2.** poprava; **—ioner** [ˌeksi'kju:šne] *s* kat; **—ive** [ig'zekjutiv] *a* výkonný, exekutivní □ *s* exekutiva; **—or** [ig'zekjute] *s* **1.** vykonavatel poslední vůle **2.** kat

exeges|is [ˌeksi'dži:sis] *s* pl. *-es* [-si:z] exegeze, výklad

exempl|ar [ig'zemple] *s* příklad, vzor, typ; **—ary** [ig'zemp-leri] *a* **1.** vzorný, typický **2.** výstražný, sloužící pro výstrahu; **—ification** [igˌzempli-fi'keišen] *s* znázornění, ukázka; **—ify** [ig'zemplifai] *vt* **1.** znázornit příkladem **2.** sloužit za vzor **3.** vyhotovit ověřený opis

exempt [ig'zempt] *a* vyňatý z, vyloučený; osvobozený (*from* od) □ *vt* osvobodit (*from paying taxes* od placení daní), zprostit; —ion [ig'zempšən] s osvobození, zproštění, výjimka

exequatur [ˌeksi'kweitə] s exequatur uznání konzula n. vyslance cizí vládou

exequies ['eksikwiz] s pl. pohřební obřady

exercise ['eksəsaiz] s 1. cvičení, výcvik 2. zaměstnání denní 3. použití, pohyb (of muscles svalů) □ vt & i 1. cvičit (se) 2. použít 3. zaměstnat 4. vykonávat, zastávat úřad, funkci 5. trápit se, soužit se

exert [ig'zə:t] vt 1. vynaložit sílu, schopnost 2. použít, ukázat 3. zvr. snažit se, vynaložit všechny své síly (to do k); —ion [ig'zə:šən] s vynaložení sil, úsilí

exeunt ['eksiant] vi pl. odejdou z jeviště

exfoliate [eks'foulieit] vt & i odlupovat (se)

exhal|ation [ˌekshə'leišən] s 1. výpar, pára, vypařování 2. výdech 3. výbuch hněvu; —e [eks'heil] vt & i 1. vypařit (se), vyprchat 2. vybuchnout

exhaust [ig'zo:st] vt vyčerpat (possibilities možnosti), vyprázdnit, rozebrat (of co) □ s 1. výfuk 2. vyčerpání vzduchu; ~ silencer tlumič; —ion [ig'zo:sčən] s vyčerpání, vysílení; —ive [ig'zo:stiv] a vyčerpávající (of co), obsažný

exhibit [ig'zibit] vt & i 1. ukázat, vyložit, vystavovat na odiv 2. dát najevo, projevit 3. vznést žalobu □ s 1. vysta-

vení 2. vystavený předmět 3. práv. doličný předmět; —ion [ˌeksi'bišən] s 1. vystavení, výstava 2. nadace, stipendium ◊ to make an ~ of oneself chovat se bláhově; —ioner [ˌeksi'bišnə] s stipendista; —or [ig'zibitə] s vystavovatel

exhilar|ate [ig'ziləreit] vt rozveselit, potěšit; —ation [igˌzilə'reišən] s rozjaření, veselí

exhort [ig'zo:t] vt & i 1. napomínat, varovat; radit 2. povzbuzovat (to k); —ation [ˌegzo:'teišən] s napomenutí, rada

exhum|e [eks'hju:m] vt vykopat, exhumovat; —ation [ˌekshju:'meišən] s vykopání, exhumace

exig|ence, -ency ['eksidžəns(i)] s 1. potřeba, nutnost 2. požadavek 3. krajní nouze; —ent ['eksidžənt] a potřebný, naléhavý, vážný; ~ of vyžadující čeho

exiguous [eg'zigjuəs] a nepatrný, malý, skrovný

exile ['eksail] s 1. vyhnanství, emigrace 2. vyhnanec, psanec □ vt vyhnat, vypovědět (from z)

exist [ig'zist] vi existovat, být; žít, trvat; —ence [ig'zistəns] s existence, bytí, život; —ent [ig'zistənt] a existující, jsoucí, skutečný; —ential [ˌegzis'tenšəl] a existenciální; —entialism [ˌegzis'tenšəlizm] s existencionalismus

exit ['eksit] vi sg. odejde z jeviště □ s 1. východ 2. odchod hercův z jeviště 3. odchod, smrt

exonerat|e [ig¹zonəreit] *vt* zprostit viny, očistit, osvobodit; **—ion** [ig¹zonə¹reišən] *s* rehabilitace, zbavení viny

exorbitan|ce, -cy [ig¹zo:bitəns(i)] *s* přemrštěnost, nemírnost; **—ant** [ig¹zo:bitənt] *a* přemrštěný, nemírný

exorc|ise, -ize [¹ekso:saiz] *vt* zaklínat, vymítat duchy; **—ism** [¹ekso:sizəm] *s* zaklínání, vymítaní duchů

exordium [ek¹so:djəm] *s* úvod zvl. řeči

exoteric [¸eksou¹terik] *a* 1. vnější 2. srozumitelný

exotic [eg¹zotik] *a* cizokrajný, exotický □ *s* cizokrajná věc

expand [iks¹pænd] *vt & i* 1. rozkládat, rozložit (se) 2. rozpínat (se) 3. mat. rozvést rovnici 4. zvětšit se, šířit se 5. roztahovat 6. obšírně vykládat

expans|e [iks¹pæns] *s* prostor, rozloha; **—ibility** [iks¸pænsə¹biliti] *s* rozpínavost; **—ion** [iks¹pænšən] *s* 1. rozpětí, expanze 2. prostor 3. mat. rozvedení rovnice; **—ive** [iks¹pænsiv] *a* rozpínavý, obsáhlý

expatiate [eks¹peišieit] *vi* široce vykládat, šířit se (*on* o)

expatriat|e *a & s* [eks¹pætriət] 1. vyobcovaný, vyhoštěný 2. vyhoštěnec □ *vt & i* [eks¹pætrieit] vyobcovat z vlasti, vystěhovat (se); **—ion** [eks¸pætri¹eišən] *s* vyobcování, vyhoštění z vlasti

expect [iks¹pekt] *vt* 1. očekávat, čekat 2. doufat 3. předpokládat, myslit; **—anc|e, -cy** [iks-

¹pektəns(i)] *s* očekávání, naděje, **—ant** [iks¹pektənt] *a* čekající, očekávající (*of* co), předpokládaný □ *s* čekatel na místo; **—ation** [¸ekspek¹teišən] *s* 1. očekávání 2. naděje 3. pravděpodobnost 4. pl. naděje na dědictví ♦ *beyond* n. *contrary to* ~ nad očekávání; *to fall short of* ~ zklamat se v naději

expectorat|e [eks¹pektəreit] *vt & i* 1. kašlat hleny, chrchlat 2. am. plivat; **—ion** [eks¸pektə¹reišən] *s* chrchlání, chrchel

expedi|ence, -ency [iks¹pi:djəns(i)] *s* 1. prospěšnost, vhodnost, účelnost 2. rychlost, spěch 3. podnik 4. prostředek; **—ent** [iks¹pi:djənt] *a* 1. prospěšný 2. účelný, vhodný 3. spěšný □ *s* vhodný prostředek, pomůcka; vynalézavost

expedit|e [¹ekspidait] *vt* 1. urychlit 2. odeslat; **—ion** [¸ekspi-¹dišən] *s* 1. výprava 2. (rychlé) vyřízení, odeslání; **—ious** [¸ekspi¹dišəs] *a* rychlý

expel [iks¹pel] *vt* (-ll-) vyhnat (*from* z), vyobcovat, vyloučit (*a student from college* studenta z koleje); **—lee** [¸ekspe¹li:] *s* vyhoštěnec, vyhnanec

expend [iks¹pend] *vt* spotřebovat, strávit; utratit peníze; **—iture** [iks¹pendičə] *s* 1. výloha, výdaj (*military* -*s* válečné výdaje) 2. útrata 3. spotřeba

expens|e [iks¹pens] *s* 1. vydání, útrata 2. pl. výdaje 3. odměna 4. účet 5. cestovní výlohy ♦ *at the* ~ *of* na účet, na útraty; *free of* ~ franko; *working* -*s* režie; *out of pocket* -*s* hotová vydání; —ive [iks-ˈpensiv] *a* drahý, nákladný

experienc|e [iksˈpiəriəns] *s* 1. zkušenost 2. obv. pl. (nábožensky) zážitek; *exchange of* -*s* výměna zkušeností □ *vt* zkusit, podstoupit, vyzkoušet ♦ *to* ~ *a loss* utrpět ztrátu; —ed [iksˈpiəriənst] *a* zkušený, zběhlý (*in* v)

experiment [iksˈperimənt] *s* pokus □ *vi* dělat pokusy, experimentovat (*on, with* s); —al [eks₁periˈmentl] *a* pokusný, zkušební; —ation [eks₁perimenˈteišən] *s* pokusnictví, experimentování

expert [ˈekspə:t] *a* znalý, zkušený, zběhlý (*in, at* v) □ *s* znalec, odborník; ~ *evidence* znalecký posudek; — ise [₁ekspəˈti:z] *s* expertiza, odbornost

expi|able [ˈekspiəbl] *a* smiřitelný; —ate [ˈekspieit] *vt* odpykat, napravit; zaplatit; —ation [₁ekspiˈeišən] *s* odpykání, usmíření, pokání; —atory [ˈekspiətəri] *a* smírný, kajícný

expirat|ion [₁ekspaiəˈreišən] *s* 1. vydechnutí 2. skonání 3. vypršení lhůty; —ory [iks-ˈpaiərətəri] *a* výdechový

expir|e [iksˈpaiə] *vt & i* 1. vydechnout 2. zemřít 3. přestat, vypršet o lhůtě; —y [iks-ˈpaiəri] *s* 1. vypršení lhůty, času, smlouvy 2. arch. smrt

explain [iksˈplein] *vt & i* 1. vysvětlit, vyložit 2. zvr.

jasně se vyjádřit; ~away vymluvit

explanat|ion [₁ekspləˈneišən] *s* 1. výklad, vysvětlení 2. pl. vysvětlivky, legenda; —ory [iksˈplænətəri] *a* vysvětlovací, vysvětlující ♦ ~ *notes* vysvětlivky

expletive [eksˈpli:tiv] *a* doplňující, doplňovací □ *s* 1. doplnění, výplň 2. kletba, zaklení

explic|able [ˈeksplikəbl] *a* vysvětlitelný; —ate [ˈeksplikeit] *vt* vysvětlit, rozvinout, rozebrat myšlenku; —ation [₁ekspliˈkeišən] *s* vysvětlení; —atory [eksˈplikətəri] *a* vysvětlovací, vysvětlující; —it [iksˈplisit] *a* výslovný, jasný; zřejmý; určitý

explode [iksˈploud] *vt & i* vybuchnout, prasknout, vyhodit do povětří, explodovat

exploit [ˈeksploit] *s* hrdinský čin □ *vt* 1. těžit uhlí 2. využít, vykořisťovat; —ation [₁eksploiˈteišən] *s* využití, vykořisťování

explorat|ion [₁eksploˈreišən] *s* výzkum, bádání; —ory [eks-ˈplo:rətəri] *a* výzkumný

explor|e [iksˈplo:] *vt* pátrat, zkoumat, vyšetřovat; —er [iksˈplo:rə] *s* badatel

explos|ion [iksˈploužən] *s* 1. výbuch 2. fig. výbuch, vzplanutí citů; —ive [iksˈplousiv] *a* výbušný □ *s* 1. třaskavina 2. fon. explozíva

exponent [eksˈpounənt] *s* 1. vykladač 2. udavatel 3. hlasatel 4. mocnitel 5. typ

export *vt* [eksˈpo:t] vyvážet

zboží do ciziny □ *s* [ˈekspo:t]
1. vývoz, vyvážení 2. pl.
vývozní zboží; **—ation** [ˌeks-
po:ˈteišən] *s* vývoz; **—er**
[eksˈpo:tə] *s* vývozce; **~trade**
vývozní obchod
expos|e [iksˈpouz] *vt* **1.** vysta-
vovat (*for sale* na prodej,
for show na podívanou) **2.**
odložit, opustit; vyhnat **3.**
vyložit (*a card* kartu) **4.** fot.
exponovat **5.** odhalit (*the
antistate activities* protistátní
činnost); **—ed** [iksˈpouzd] *a*
nechráněný, nekrytý; **~** *to
terror* vystavený teroru;
—ition [ˌekspəˈzišən] *s* **1.**
výstava zboží **2.** výklad, vy-
světlení **3.** opuštění **4.** poloha;
—itive, —itory [eksˈpozˌitiv,
-itəri] *a* vysvětlující, vyklá-
dající; **—itor** [eksˈpozitə] *s*
vykládač, komentátor
expostulat|e [iksˈpostjuleit] *vi*
domlouvat, přít se (*with* s);
—ion [iksˌpostjuˈleišən] *s* do-
mluva, protest
exposure [iksˈpoužə] *s* **1.** vý-
stava, vystavení **2.** poloha
3. opuštění **4.** odhalení;
public **~** blamáž **5.** fot. expo-
zice, osvit
expound [iksˈpaund] *vt* vysvět-
lit, vyložit (*a theory* teorii,
a text text)
express [iksˈpres] *a* **1.** jasný,
zřetelný **2.** určitý **3.** výslovný
4. rychlý (**~** *train* rychlík;
~ *delivery* spěšné dodání) □
adv rychle □ *s* **1.** rychlý
posel **2.** poselství **3.** doprava
rychlozboží □ *vt* **1.** vyslovit,
vyjádřit **2.** konstatovat, pro-
hlásit **3.** označit **4.** vytlačit

♦ *to* **~** *gratification* vyjádřit
uspokojení; *to* **~** *oneself
strongly* vyjádřit rozhodný
nesouhlas; **—ion** [iksˈprešən]
s **1.** vyjádření, výraz; *beyond*
n. *past* **~** nevylíčitelný **2.**
hudební n. umělecká inter-
pretace **3.** vytlačení; **—ive**
[iksˈpresiv] *a* vyjadřující (*of*
co), výrazný (*look* pohled);
znamenitý; **—ively** [iksˈpre-
sivli] *adv* zřetelně, jasně
expropriat|e [eksˈprouprieit] *vt*
vyvlastnit; **—ion** [eksˌprou-
priˈeišən] *s* vyvlastnění
expulsion [iksˈpalšən] *s* vyhnání,
vyloučení (*of members* členů)
expunction [iksˈpaŋkšən] *s* vy-
mazání, výmaz z knih
expunge [eksˈpandž] *vt* vyma-
zat, vypustit
expurgat|e [ˈekspə:geit] *vt* očis-
tit, odstranit vadné části knihy;
—ion [ˌekspə:ˈgeišən] *s* očiš-
tění, očista; **—ory** [eksˈpə:-
gətəri] *a* očistný, odstraňující
závadná místa knihy
exquisite [ˈekskwizit] *a* **1.** vý-
borný, výtečný **2.** vybraný
3. prudký, ostrý (*pain* bolest),
neobyčejný □ *s* švihák
exsiccate [ˈeksikeit] *vt* & *i*
vysušit
extant [eksˈtænt] *a* existující
extemporal, extemporaneous
[eksˈtempərəl, eksˌtempəˈrei-
njəs] *a* **1.** spatra řeč **2.** mluvící
spatra, bez přípravy **3.** příle-
žitostný
extempor|ary [iksˈtempərəri] *a*
1. spatra, bez přípravy **2.**
náhlý, neočekávaný; **—e**
[eksˈtempəri] *adv* spatra, bez
přípravy; **—ize** [iksˈtempə-

raiz] *vt & i* improvizovat,
dělat něco bez přípravy, mluvit spatra
extend [iks'tend] *vt* 1. prostírat
se 2. rozšířit, zvětšit 3. natáhnout, prodloužit, (roz)-
táhnout se 4. prokázat (*kindness* laskavost), nabídnout
5. obšírně vypsat, rozepsat
6. voj. utvořit rozptýlenou
sestavu ♦ *to ~ credit* rozšířit
úvěr; —**ed** [iks'tendid] *a*
vysunutý
extens|ibility [iks,tensə'biliti] *a*
roztažitelnost; —**ile** [eks'tensail] *a* tažný, roztažitelný;
posunutelný; —**ion** [iks'tenšən] *s* 1. prodloužení, roztažení 2. zvětšení, rozšíření;
—**ive** [iks'tensiv] *a* rozsáhlý,
rozlehlý; obsáhlý; prostorný,
velký
extent [iks'tent] *s* 1. rozsáhlost,
rozlehlost, rozloha, prostor
2. míra, stupeň ♦ *to a great ~*
do značné míry; *to such an ~*
do takové výše
extenuat|e [eks'tenjueit] *vt* 1.
zmenšit; zmírnit, oslabit, polehčit 2. podcenit 3. ztenčit
4. omluvit; —**ing** *a* polehčující (*circumstances* okolnosti);
—**ion** [eks,tenju'eišən] *s*
zmenšení, polehčení, zmírnění
exterior [eks'tiəriə] *a* 1. vnější
2. zahraniční □ *s* vnějšek
exterminat|e [eks'tə:mineit] *vt*
vyhladit, vyhubit, zničit;
—**ion** [eks,tə:mi'neišən] *s* vyhlazení, vyhubení; —**ory** [eks'tə:minətəri] *a* vyhlazovací
external [eks'tə:nl] *a* 1. vnější
2. povrchní 3. cizozemský

(*trade* obchod) 4. vedlejší □ *s*
pl. vnější okolnosti, vedlejší
věci; obřadnosti
extinct [iks'tiŋkt] *a* 1. vyhaslý
2. vymřelý, vyhynulý; —**ion**
[iks'tiŋkšən] *s* 1. vyhasnutí,
uhašení 2. vyhlazení, zrušení
3. vymření
extinguish [iks'tiŋgwiš] *vt* 1.
uhasit, udusit 2. umlčet 3.
zničit, vyhladit 4. vymazat
dluh; —**er** [iks'tiŋgwišə] *s*
1. hasidlo 2. hasicí přístroj
3. zhasínač svíček 4. tlumič;
—**ment** *s* 1. uhašení 2. zánik
extirpat|e ['ekstə:peit] *vt* vyhladit, vykořenit, zničit;
—**ion** [,ekstə:'peišən] *s* vyhlazení; —**or** ['ekstə:peitə] *s*
1. vyhubitel 2. plečka n.
zařízení na dobývání kořenů
ap. ze země
extol [iks'tol] *vt* [-ll-] vynášet,
vychvalovat, velebit
extort [iks'to:t] *vt* vynucovat,
vydírat; utiskovat; —**er** [iks'to:tə] *s* vyděrač, lichvář;
—**ion** [iks'to:šən] *s* vyděračství, vydírání; —**ioner**,
—**ionist** [iks'to:šnə, iks'to:šnist] *s* vyděrač
extra ['ekstrə] *a* dodatečný,
mimořádný, vedlejší □ *s* pl.
vedlejší příjmy, útraty □
adv mimo, zvlášť
extract *vt & i* [iks'trækt] 1.
vytáhnout, vyjmout; dobývat ze země; vylisovat z 2.
citovat 3. odvodit, dedukovat
(*from* z) 4. získat 5. mat.
odmocnit □ *s* ['ekstrækt]
1. výtažek, výtah, treść 2.
výpis (*of account* účtu); —**ion**
[iks'trækšən] *s* 1. vytažení

zubu **2.** výtažek, tresť **3.** původ, rod **4.** mat. odmocnění
extradit|e [ˈekstrədait] *vt* vydat stíhaného úřadům; **—ion** [ˌekstrəˈdišən] *s* vydání (*of fugitives* uprchlíků)
extraneous [eksˈtreinjəs] *a* nepatřící k věci, cizího původu, cizí
extraordinar|y [iksˈtro:dnri] *a* mimořádný, zvláštní; **—ies** [-iz] *pl.* mimořádné věci, vydání, mimořádný příplatek vojsku
extravag|ance, -ancy [iksˈtrævigəns(i)] *s* výstřednost, prostopášnost; **—ant** [iksˈtrævigənt] *a* výstřední, marnotratný
extreme [iksˈtri:m] *a* **1.** krajní **2.** poslední **3.** nejvyšší, svrchovaný **4.** přemrštěný, radikální □ *s* první n. poslední člen řady, krajnost, extrém ♦ *in the* ~ v krajním případě, mimořádně; ~ *case* krajní případ; *to run to an* ~ zabíhat do krajnosti; **—ly** [iksˈtri:mli] *adv* neobyčejně, do krajnosti
extrem|ist [iksˈtri:mist] *s* radikál, extremista; **—ity** [iksˈtremiti] *s* **1.** nejzazší konec, krajní stupeň **2.** končetina
extricat|e [ˈekstrikeit] *vt* **1.** vymotat, vyprostit (*from, out, of* z) **2.** chem. uvolnit plyn; **—ion** [ˌekstriˈkeišən] *s* vymotání, vyproštění
extrinsic [eksˈtrinsik] *a* vnější, nepatřící (*to* k)
extru|de [eksˈtru:d] *vt & i* vystrčit (*from* z); **—sion** [eksˈtru:žən] *s* vystrčení, vypu-

zení, vyvržení; **—sive** [eksˈtru:siv] *a* expulzívní, výbojný
exuber|ance [igˈzju:bərəns] *s* **1.** hojnost, plnost, bohatost **2.** bujnost **3.** přílišnost; **—ant** [igˈzju:bərənt] *a* hojný, bohatý, bujný; **—ate** [igˈzju:bəreit] *vi* oplývat
exud|ate [ˈeksjudeit] *s* výpotek; **—ation** [ˌeksjuˈdeišən] *s* výpotek, výměšek; **—e** [igˈzju:d] *vt & i* (vy)potit (se), vylučovat, vyměšovat
exult [igˈzalt] *vi* radovat se (*at, in* nad); jásat, plesat (*over* nad); **—ation** [ˌegzalˈteišən] *s* jásot, jásání, plesání
exuviae [igˈzju:vii:] *s pl.* svléknutá kůže zvířecí, pokožka
eye [ai] *s* **1.** oko **2.** zrak, vidění, zírání **3.** pozornost, vnímání **4.** mínění **5.** nejdůležitější část, místo, umístění **6.** očko, ucho jehly, poupě, dírka, smyčka ap. ♦ *-s front!* přímo hleď!; *-s right (left)!* vpravo (vlevo) hleď!; *mind your* ~ dej pozor; *with an* ~ *to* se zřetelem k; *to shut -s to* zamhouřit oči nad; *to see* ~ *to* ~ souhlasit ve všem; *to keep an* ~ *on* nespustit z očí; *to be all -s* mít oči navrch hlavy; *to make -s at* dělat zamilované oči na; *to change -s* zamilovat se navzájem; *sheep's -s* zamilované pohledy; *up to the -s* hluboce (zabrán do); *my -(s)!* probůh!; *in the -s of* podle úsudku; *in the* ~ *of the law* na stanovisku zákona; *to throw dust in the -s of* fig.

sypat komu písek do očí; *to catch a person's* ~ upoutat pozornost; *to have an* ~ *for* mít smysl pro, mít čich na (*people* lidi) □ *vt* pozorovat bedlivě; —**ball** [ˈaiboːl] *s* oční bulva; —**beam** [ˈaibiːm] *s* pohled oka; —**brow** [ˈaibrau] *s* brvy, obočí; ~ -**flap** [ˈaiflæp] *s* náočník (koňský); — -**glasses** [ˈaiglaːsiz] *s* brýle; —**lash** [ˈailæš] *s* řasa; —**let** [ˈailit] *s* dírka, skulina; očko, poutko; —**lid** [ˈailid] *s* oční víčko;

~ -**opener** [ˈaiˌoupnə] *s* překvapující n. osvětlující okolnost; —**piece** [ˈaipiːs] *s* okulár; —**shot** [ˈaišot] *s* dohled, dostřel; —**sore** [ˈaisoː] *s* trn v oku fig.; —**strain** [ˈaistrein] *s* oční napětí; ~ -**tentacles** [ˈaitentəklz] *s* oční tykadla, stopky oční; ~ -**tooth** [ˈaituːθ] *s* špičák; ˈ~ -**wink** *s* mrknutí okem; —**witness** [ˈaiˈwitnis] *s* očitý svědek
eyrie, **eyry** [ˈaiəri] *s* hnízdo dravých ptáků

F

F, f [ef] **1.** písmeno f **2.** hud. čtvrtý tón stupnice C-dur **3.** struna f **4.** zkr. *forte, farad farthing, female, feminine*
F. – **1.** *farad* **2.** *Fahrenheit*
F.A. = *Football Association*
f.a.a. = *free of all average*
fabl|e [ˈfeibl] *s* **1.** bajka, pohádka, výmysl **2.** zř. fabule □ *vi* **1.** skládat bajky **2.** vymýšlet si, bájit **3.** předstírat; —**ed** [ˈfeibld] *a* legendární, fiktivní
fabric [ˈfæbrik] *s* **1.** stavba, struktura **2.** látka, tkanina **3.** konstrukce **4.** výtvor, výplod; —**ate** [ˈfæbrikeit] *vt* **1.** stavět, konstruovat **2.** vyrábět **3.** vymýšlet si **4.** padělat listinu; —**ation** [ˌfæbriˈkeišən] *s* **1.** výroba **2.** stavba **3.** výmysl, padělek
fabulous [ˈfæbjuləs] *a* **1.** vybájený, báječný **2.** předstíraný,

fiktivní **3.** překvapující **4.** nesmyslný
facade [fəˈsaːd] *s* průčelí
face [feis] *s* **1.** tvář, obličej **2.** vzezření **3.** povrch, plocha, zevnějšek **4.** průčelí **5.** líc **6.** lid. sebevědomí, odvaha, drzost, smělost **7.** lid. grimasa (*to make* -*s at* ošklíbat se na) **8.** zast. pohled □ *to save one's* ~ uniknout hanbě, pokoření; *to lose* ~ ztratit tvář; *to make, pull, a* ~ fig. dělat posunky, grimasy; ~ *value* nominální cena; *to show one's* ~ objevit se, ukázat se; ~ *to* ~ tváří v tvář; *to set one's* ~ *against* postavit se proti, čelit; ~ *entry* volný vstup; *right (left)* ~ ! vpravo (vlevo) v bok!; *about* ~ ! čelem vzad!; *in the* ~ *of day* otevřeně, veřejně; *to one's* ~ do tváře; *to have* ~ *to say*

mít tu drzost říci něco; *on the ~ of it* soudě podle vzhledu; *~ of affairs* stav věcí □ *vt & i* **1.** čelit komu **2.** dívat se určitým směrem **3.** být obrácen čelem, tváří (*towards* k) **4.** obložit **5.** olemovat **6.** uhladit kámen **7.** obrátit kartu lícem navrch **8.** odporovat □ *to ~ matter out* provést věc; *~ down* pohledem umlčet, zarazit; *~ up* vzít prostě na vědomí; *~ -cloth* [ˈfeisklɔθ)] *s* žínka na obličej; *—less* [ˈfeislis] *a* anonymní; ᴵ*~ lift* *s* plastická operace; *—r* [ˈfeisə] *s* **1.** rána do obličeje, políček **2.** nenadálá těžkost

facet [ˈfæsit] *s* broušená ploška drahokamu, faseta

facetious [fəˈsi:šəs] *a* šprýmovný, směšný; čtverácký, bodrý

facial [ˈfeišəl] *a* obličejový, líční

facil|e [ˈfæsail] *a* **1.** snadný **2.** klidný **3.** zast. vlídný; *—itate* [fəˈsiliteit] *vt* usnadnit; *—ity* [fəˈsiliti] *s* **1.** snadnost, plynnost **2.** obratnost **3.** pl. příležitost (*for* k) **4.** pl. zařízení

facing [ˈfeisiŋ] *s* **1.** obložení, lemování **2.** průčelí, fasáda **3.** pl. výložky **4.** směr **5.** obrat, otočení

fascimile [fækˈsimili] *s* faksimile, přesná kopie

fact [fækt] *s* skutečnost, čin, událost ♦ *in ~* vskutku; *matter of ~* skutečnost; *—ion* [ˈfækšən] *s* **1.** politická strana, klika **2.** stranickost, stranictví; *—ious* [ˈfækšəs] *a* stranický, buřičský; *—itious*

[fækˈtišəs] *a* umělý, nepřirozený, strojený

factor [ˈfæktə] *s* **1.** obchodní agent, komisionář **2.** činitel, faktor, složka; *—age* [ˈfæktəridž] *s* **1.** činnost agenta, komisionářství **2.** provize agenta; *—ial* [fækˈto:riəl] *s* mat. faktoriál; *—y* [ˈfæktəri] *s* **1.** továrna **2.** zastupitelství, agentura zahraniční

factotum [fækˈtoutəm] *s* obstaravatel všeho, něčí pravá ruka

factual [ˈfæktjuəl] *a* faktický, skutečný

facultative [ˈfækəltətiv] *a* fakultativní, volitelný, nepovinný

faculty [ˈfækəlti] *s* **1.** schopnost, obratnost; nadání **2.** fakulta, vědecký obor **3.** sbor profesorský aj.

fad [fæd] *s* libůstka, koníček

fad|e [feid] *vi* vadnout, blednout; mizet, přecházet (*in, out* v) □ *vt* způsobit vadnutí, vyblednutí; *—ing* [ˈfeidiŋ] *s* rad. únik

fadge [fædž] *vi* **1.** hodit se **2.** mít úspěch

faeces viz *feces*

Faeroe [ˈfeərou] **Islands**, **Faroes** *s* Farerské ostrovy

fag [fæg] *vi* (-gg-) lopotit se, dřít se — *vt* (-gg-) přetěžovat prací, vyčerpat; posluhovat starším studentům □ *s* **1.** hov. dření, lopocení, dřina **2.** žák, který posluhuje žáku vyšší třídy **3.** dříč **4.** špaček cigareta

fag(g)ot [ˈfægət] *s* **1.** otep chrastí **2.** svazek ocelových prutů **3.** smažená sekaná játra □ *vt* svázat v otep

Fahr. = *Fahrenheit* ['fœrən-
hait]
fail [feil] *vi* 1. chybit, netrefit
2. nestačit, nemít dostatek
(*of* čeho) 3. selhat 4. slábnout,
chřadnout 5. odumřít 6. za-
nedbat 7. učinit úpadek 8.
zklamat, nechat na holičkách
9. nemít úspěch, nezdařit se
(~ *in doing, to do* neudělat) □
vt 10. chybět 11. zklamat 12.
opustit 13. zř. zanedbat □ *s*
opomenutí, nedostatek, ne-
úspěch při zkoušce ♦ *without* ~
zcela, jistě, určitě; —**ing**
['feiliŋ] *s* chyba, nedostatek,
úpadek □ *prep* z nedostatku
čeho (~ *a purchaser, he
rented the farm* poněvadž
nebylo kupce, statek pro-
najal; ~ *his arrival, we shall
stay here* nepřijde-li, zůsta-
neme zde); —**ure** ['feiljə] *s*
1. nedostatek 2. opomenutí
3. neúspěch 4. zhoršení, zka-
žení 5. úpadek 6. neúspěšná
osoba, věc
fain [fein] *pred a* rád, ochotný
□ *adv* s radostí, velmi rád
faint [feint] *a* 1. slabý 2. mdlý
3. bázlivý, bojácný; zbabělý
4. tlumený, nejasný □ *s* 1.
mdloba 2. pl. přiboudlina □
vi 1. omdlít (~ *away*) 2. arch.
umdlévat, vzdávat se;
~ -**heart** ['feintha:t] *s* zba-
bělec; —**hearted** ['feint'ha:tid]
a bázlivý, malomyslný
fair [feə] *a* 1. pěkný, krásný
2. nadějný 3. světlý (*hair*
vlas) 4. čistý, bezvadný 5.
správný, poctivý, slušný
(*play* hra) 6. dobrý (*health*
zdraví) 7. otevřený ♦ *at* ~

prices za levné ceny; *by* ~
means slušnými, dovolenými
prostředky; □ *adv* 1. krásně
2. jasně 3. poctivě 4. levně
□ ~ *and square* lid. otevřený,
-ě, zcela správný, -ě; *to
fight* ~ bojovat slušně, podle
pravidel □ *s* 1. arch. krása;
kráska 2. štěstí 3. trh, veletrh,
výstava ♦ *a day after the* ~
s křížkem po funuse; ~ **copy**
čistopis; |~ -|**haired** *a* blond;
|~ -**hand** *a* pěkného vezzření;
—**ish** ['feəriš] *a* hezký, dobrý,
velký; —**ly** ['feəli] *adv* 1.
pěkně 2. jemně 3. zdvořile
4. slušně 5. jednoduše 6.
snesitelně (*she sings* ~ *well* zpí-
vá snesitelně) 7. rozhodně 8.
dosti; ~ -**minded** ['feə'maind-
id] *a* nepředpojatý, spraved-
livý, čestný; ~**sex** krásné
pohlaví, ženy; ~-**spoken** ['feə-
'spoukən] *a* zdvořilý; —**way**
['feəwei] *s* plavební dráha
v řece, splavná voda; ~
-**weather** ['feə'weðə) *a* týka-
jící se pěkného počasí
fairing ['feəriŋ] *s* tech. snížení
čelního odporu; proudnicový
kryt, proudnicový povrch
fairy ['feəri] *s* víla, čarodějka
□ *a* čarovný; |—**land** *s* po-
hádková říše; ~ -**tale** ['feəri-
teil] *s* pohádka
faith [feiθ] *s* 1. víra (*in* v) 2.
věrnost, spolehlivost 3. dů-
věra 4. čestný slib, dané
slovo (*to give, keep, break,
violate, one's* ~ dát, držet,
zrušit, porušit čestné slovo)
♦ *bad* ~ zlý úmysl; *Punic* ~
fig. zrada; —**ful** ['feiθful] *a*
věrný, poctivý, přesný; věřící,

zbožný; —less ['feiθlis] *a*
nevěřící

fake [feik] *vt & i* 1. hov. padělat;
předstírat, nalíčit 2. nám.
svinout □ *s* 1. závit provazu
2. lid. novinářská kachna,
podvod, padělek 3. filmový
klam

fakir, fakeer ['fa:kiə] *s* fakir

falcon ['fo:lkən] *s* sokol, jestřáb,
—er ['fo:lkənə] *s* sokolník;
—ry ['fo:lkənri] *s* sokol-
nictví

Falkland ['fo:klənd] **Islands** *s*
Falklandské ostrovy

fall*¹ [fo:l] *vi* 1. padat, upad-
nout; skácet se 2. volně viset,
spočinout 3. záviset 4. snížit
se 5. padnout v bitvě 6.
ztratit, klesnout (*stocks fell
several points* akcie klesly
o několik bodů) 7. spadat na,
připadnout na (*Christmas -s
on Friday* vánoce připadnou
na pátek) 8. zhroutit se,
selhat 9. být chycen 10. stát
se 11. rodit se o ovcích 12.
sklopit se (*eyes* oči) 13. zhřešit
♦ *to ~ a prey* stát se kořistí;
to ~ sacrifice to padnout za
oběť; *accent -s on first syllable*
přízvuk spočívá na první
slabice; *the lot fell upon me*
los padl na mne; *to ~ in love*
zamilovat se; *to ~ aboard*
nám. srazit se; *to ~ asleep*
usnout; *to ~ short* neuspět,
nesplnit očekávání, nedospět
někam: *to ~ short of* nedo-
sáhnout cíle, zůstat pozadu,
zklamat; *to ~ calm* utišit se;
to ~ due být splatný; *to ~
flat* nedosáhnout úspěchu, vy-
znít naprázdno; *to ~ foul of*

srazit se s, (po)hádat se s,
napadnout; ~ **away** odpad-
nout,·zmizet; ~ **back** ustou-
pit; ~ **back upon** hojit se na;
uchýlit se k; ~ **behind** opozdit
se; ~ **from** vzdát se, upustit
od; ~ **in** 1. bortit se, pro-
padnout 2. vypršet o lhůtě.
3. voj. vstoupit do řady 4.
vpadnout do noty, souhlasit;
~ **into** upadnout do; ~ **off**
1. odpadnout 2. revoltovat
3. zevšednět 4. zmenšit se;
upadat o zdraví, degenerovat;
~ **on** zahájit boj; pustit se
do jídla; ~ *on one's feet* mít
štěstí; ~ **out** 1. hádat se,
znesvářit se 2. přihodit se
3. končit; ~ **out of** vzdát se
(*habit* zvyku); ~ **through** pro-
padnout, nemít úspěch; ~ **to**
připadnout komu, upadnout
v něčí moc; ~ **upon** vrhnout
se, padnout, přepadnout

fall² [fo:l] *s* 1. pád 2. klesání,
pokles 3. náraz 4. am. podzim
5. vodopád 6. vrh mládat
7. množství pokáceného dříví
8. poklesek 9. lano spojující
kladky v kladkostroji; |~-**out**
s radioaktivní odpad

fallac|ious [fə'leišəs] *a* klamný,
bludný; —y ['fæləsi] *s* blud,
klam, omyl

fallen ['fo:lən] *pt, pp* od *fall¹*

fallible ['fæləbl] *a* mylný, ne-
přesný; klamný

falling ['fo:liŋ] *a* padající □ *s*
pád, klesání, pokles; |~-**down**
s spadnutí; |~-**in** *s* zhroucení;
|~ -**off** *s* odpadnutí; ~ **sick-
ness** n. **evil** padoucnice;
|~-**stone** *s* meteorit, pově-
troň

fallow¹ [ˈfælou] a ladem ležící, neobdělaný, planý ♦ to lie ~ ležet ladem ☐ s úhor ☐ vt podmítnout

fallow² [ˈfælou] a plavý, světlehnědý, bledý; ~-deer [ˈfæloudiə] s daněk

false [fo:ls] a klamný, nesprávný, chybný, falešný (note nota); nevěrný, zrádný ♦ ~ imprisonment nezákonné uvěznění; ~ step chybný krok, přestupek; ~ start špatný start při dostizích; ~ coin, hair, teeth falešné mince, vlasy, zuby; ~-hearted [ˈfo:lsha:tid] a úskočný; —hood [ˈfo:lshud] s 1. nepravdivost, lživost, lhaní 2. faleš 3. nevěra

falsi|fy [ˈfo:lsifai] vt falšovat, padělat; zklamat naději — vi lhát. překrucovat; —fier [ˈfo:lsifaiə] s padělatel; lhář; —ty [ˈfo:lsiti] s lživost, lež, nepravda

falter [ˈfo:ltə] vi & t 1. klopýtat 2. zajíkat se, koktat 3. couvnout, ztratit odvahu ☐ s klopýtavý krok

fame [feim] s pověst, sláva ☐ vt proslavit (as, for jako)

familiar [fəˈmiljə] a 1. důvěrný, intimní, obeznámený (with s), známý (to komu) 2. arch. domácí 3. zdomácnělý 4. všední, obvyklý ♦ ~ spirit domácí skřítek ☐ s důvěrný přítel, důvěrník; —ity [fəmiliˈæriti] s 1. důvěrný styk, intimnost 2. nenucenost 3. pl. důvěrnosti 4. obeznámenost; —ize [fəˈmiljəraiz] v obeznámit, seznámit (with s)

family [ˈfæmili] s 1. rodina,

dům, domácnost 2. rodokmen, původ; čeleď, třída, skupina ♦ of ~ vznešeného původu; ~ hotel rodinný hotel; in a ~ way podomácku; in the ~ way těhotná; ~ tree rodokmen

fam|ine [ˈfæmin] s 1. hlad, hladomor 2. krajní nedostatek (of čeho) ♦ coal ~ uhelná kalamita; ~ prices ceny zvýšené nedostatkem; —ish [ˈfæmiš] vt 1. (vy)hladovět 2. mořit hladem 3. hov. mít hlad

famous [ˈfeiməs] a slavný, pověstný (for čím)

fan [fæn] s 1. vějíř 2. větrák, ventilátor 3. sl. fanoušek 4. sl. vrtule ☐ vt (-nn-) 1. ovívat, ovanout 2. dmychat (into do); převívat obilí 3. vějířovitě rozložit (out the cards karty) ☐ vi 4. vějířovitě se rozprostřít (~ out)

fanatic, —al [fəˈnætik(əl)] a fanatický, blouznivý ☐ s fanatik, horlivec; —ism [fəˈnætisizəm] s fanatismus

fanciful [ˈfænsiful] a blouznivý; fantastický, podivínský; neskutečný

fancy [ˈfænsi] s 1. přelud, fantazie 2. představivost, představa 3. záliba 4. vrtoch, rozmar 5. vkus 6. nápad, myšlenka 7. the ~ fanoušci ♦ to catch the ~ of zalíbit se komu; to take a ~ to, for oblíbit si, zalíbit si co ☐ vt 1. představovat si 2. spíše myslit, předpokládat 3. hov. mít dobrou představu (of o) 4. oblíbit si 5. pěstovat (plants rostliny), chovat (*animals* zvířata) **6.** zvr. mít o sobě vysoké mínění, být domýšlivý ☐ *a* **1.** blouznivý **2.** fantazijní, fantastický **3.** ozdobný zboží **4.** svéhlavý, vrtošivý; **~ artic-les** n. **goods** módní n. přepychové n. galanterní zboží; **~ ball** maškarní ples; **~ colours** živé barvy; **~-dress** [ˈfænsiˈdres] *s* maškarní kostým; **~ fair** dobročinný bazar; |**~ -free** *a* nezamilovaný; **~ -work** [ˈfænsiwəːk] *s* výšivková práce

fanfare [ˈfænfɛə] *s* fanfára, tuš

fang [fæŋ] *s* **1.** tesák **2.** kořen zubu, zub **3.** pazour, spár ☐ *vt* **1.** dial. uchopit, zmocnit se **2.** zalévat pumpu

fanner [ˈfænə] *s* (obilní) vějička

Fanny [ˈfæni] dem. od *Frances*

fantas|m [ˈfæntæzəm] viz *phantasm*; **—tic** [fænˈtæstik] *a* **1.** fantastický **2.** přeludný **3.** podivný; nemožný **4.** vrtošivý **5.** výstřední; **—y** [ˈfæntəsi] *s* **1.** fantazie, představivost, představa **2.** výmysl; přelud, přízrak **3.** rozmar, vrtoch ☐ *vt* představovat si

fantom [ˈfæntəm] viz *phantom*

far [faː] *adv* **1.** daleko **2.** vzdáleně **3.** nesmírně, značně ♦ *by* ~ mnohem; *so* ~, *thus* ~ potud; ~ *be it from me to* jsem dalek toho, abych; ~ *gone* daleko pokročilý; *to go* ~ *to effect* téměř udělat; *from* ~ zdaleka; ~ *better* daleko lepší; ~ *and away* značně; *how* ~ jak daleko; *as* ~ *as* tak daleko jako, až; *as* ~ ~, n. *so* ~ n. *in so* ~ *as*

pokud ☐ *a* vzdálený, daleký ☐ *s* dálka; |**~ -away** *a* **1.** vzdálený **2.** nepřítomný **3.** snivý; |**~ -between** *a* nečastý, řídký; **~ -famed** [ˈfaːˈfeimd] *a* rozhlášený, pověstný; **~ -fetched** [ˈfaːˈfečt] *a* **1.** přinesený zdaleka **2.** za vlasy přitažený, násilný; |**~ -off** *a* vzdálený, daleký; **~ -reaching** [ˈfaːˈriːčiŋ] *a* dalekosáhlý; **~ -seeing** [ˈfaːˈsiːiŋ] *a* prozřetelný; **~ -sighted** [ˈfaːˈsaitid] *a* dalekozraký; prozíravý

Far East [ˈfaːriːst] *s* Daleký východ

Far West [ˈfaːwest] *s* Daleký západ

farc|e [faːs] *s* **1.** fraška, komedie **2.** arch. nádivka ☐ *vt* vycpat, vyplnit; **—ical** [ˈfaːsikəl] *a* fraškovitý, směšný

fare [fɛə] *vi* **1.** bás. jít, putovat, cestovat; *to* ~ *forth on one's journey* bás. vydat se na cestu **2.** žít **3.** přihodit se, obrátit se štěstí **4.** dařit se **5.** živit se, být živen ☐ *s* **1.** jízdné **2.** cestující **3.** pokrm; *bill of* ~ jídelní lístek; **—well** [ˈfɛəˈwel] *int* sbohem! ☐ *s* rozloučení, rozchod ♦ *to bid* ~ dát sbohem

farina [fəˈrainə] *s* **1.** mouka, hrášek, krupice **2.** škrob **3.** bot. pel; **—ceous** [ˌfæriˈneišəs] *a* moučný

farm [faːm] *s* **1.** hospodářství, statek, farma **2.** najatý pozemek, dvůr ♦ *entailed* ~ dědičný statek; ~ *brigade* zemědělská brigáda; ~ *Co-op* (zkr. *-ers' Co-operative*) zemědělské družstvo; ~ *domain*

státní statek, sovchoz □
vt & i 1. brát výtěžek (*of* z)
2. pronajmout 3. starat se,
pečovat 4. hospodařit, obdě-
lávat, vzdělávat půdu; —**er**
[ˈfaːmə] *s* 1. rolník, farmář
2. nájemce ♦ *-s' co-operative*
zemědělské družstvo; —**ery**
[ˈfaːməri] *s* 1. budovy a dvory
statku 2. sídlo 3. rolničení;
—**stead** [ˈfaːmsted] *s* statek,
dvorec; —**yard** [ˈfaːm-jaːd] *s*
dvůr statku
Faroe Islands, Faroes viz *Faeroe
Islands, Faeroes*
farrago [fəˈraːgou] *s* smíšenina,
směska
farrier [ˈfæriə] *s* 1. podkovář
2. zast. veterinář, zvěrolékař
farrow [ˈfærou] *s* vrh podsvin-
čat □ *vt & i* prasit (se)
farther [ˈfaːðə] *a, comp* od *far*:
další, vzdálenější □ *adv* dále,
kromě toho; —**most** [ˈfaːðə-
moust] *a* nejvzdálenější
farthest [ˈfaːðist] *a, sup,* viz
far: nejvzdálenější □ *adv*
nejdále
farthing [ˈfaːðiŋ] *s* čtvrtpenny
F.A.S., f.a.s. = *free alongside
ship*
fasci|a [ˈfæšiə] *s* pl. *-ae* [ˈfæšiiː]
1. páska, obvaz 2. anat.
fascie 3. vývěsní štít 4. stav.
hladký vlys; —**cle** [ˈfæsikl] *s*
1. svazeček, chomáč květů 2.
fascikl, svazek knihy
fascinat|e [ˈfæsineit] *vt & i*
okouzlit; —**ion** [ˌfæsiˈneišən]
s okouzlení, fascinace
fascine [ˈfæsiːn] *s* hať, otep
prutů
Fasc|ism [ˈfæšizəm] *s* fašismus;
—**ist** [ˈfæšist] *s* fašista □ *a*

fašistický; —**ization** [ˌfæši-
ˈzeišən] *s* fašizace
fashion [ˈfæšən] *s* 1. tvar, střih
2. druh 3. chování 4. způsob,
zvyk 5. móda ♦ *after the ~ of*
po způsobu, podle; *to set the ~*
udávat tón ve společnosti;
in ~ v módě; *out of ~* (vyšlý)
z módy, nemoderní □ *vt*
utvořit, dát tvar (*to*), zpra-
covat; —**able** [ˈfæšnəbl] *a*
1. módní 2. zast. uhlazený;
—**er** [ˈfæšənə] *s* 1. uzpůsobo-
vatel, tvůrce 2. krejčí
fast [faːst] *a* 1. pevný 2. tvrdý
(*sleep* spánek) 3. horlivý 4.
rychlý 5. věrný 6. ukvapený
♦ *to make ~* urychlit; *to
play ~ and loose* nedbat
závazků, být nespolehlivý,
jednat neodpovědně; *to stand
~* stát pevně, neustoupit; *to
take ~ hold of* pevně se
zmocnit; *~ train* rychlík;
~ woman lehká ženština; *my
watch is ~* moje hodinky se
předbíhají □ *adv* 1. rychle
2. pevně 3. těsně 4. bezohled-
ně 5. ukvapeně ♦ *to sleep ~*
spát tvrdě □ *s* půst □ *vi*
postit se
fasten [faːsn] *vt* 1. připevnit
(*to* k) 2. upevnit (*on, up*)
3. upřít pohled, naděje 4. přičíst
(*blame upon* vinu komu) □
vi 5. pevně se zmocnit (*on
upon* čeho) 6. upevnit se,
být připevněn; —**er** [ˈfaːsnə]
s přezka, poutko, spona ♦
patent ~ stiskací patentní
knoflík; *quick-~* zip
fastidious [fæsˈtidiəs] *a* vybě-
ravý; choulostivý
fat [fæt] *a* 1. tlustý, tučný

2. úrodný (*soil* půda) **3.** bohatý (*coal* uhlí) **4.** přilnavý, mazlavý (*clay* jíl) **5.** tupý, hloupý **6.** mastný, umaštěný □ *s* **1.** tuk **2.** otylost ♦ *to live on the* ~ *of the land* žít luxusně □ *vt & i* (-tt-) vykrmit, ztučnět; ~ -**guts** [ˈfætgats] *s* korpulentní osoba; ~ -**head** [ˈfæthed] *s* ťulpas

fatal [ˈfeitl] *a* osudný, zhoubný, smrtelný; —**ism** [ˈfeitəlizəm] *s* fatalismus; —**ity** [fəˈtæliti] *s* **1.** osudovost, sudba **2.** nehoda **3.** smrt

fate [feit] *s* **1.** osud **2.** dopuštění **3.** smrt, záhuba; —**ful** [ˈfeitful] *a* **1.** osudný, osudový **2.** důležitý **3.** rozhodný

father [ˈfaːðə] *s* otec, předek ♦ ~ *of lies* dábel; ~ *of his country* otec vlasti □ *vt* **1.** zplodit **2.** přijmout zodpovědnost za **3.** pečovat, otcovsky vládnout **4.** přiřknout otcovství (*upon* komu), prohlásit za původce; ~ -**in-law** [ˈfaːðərinlɔː] *s* tchán; —**hood** [ˈfaːðəhud] *s* otcovství; ǀ —**land** *s* otčina; —**ly** [ˈfaːðəli] *a* otcovský

fathom [ˈfæðəm] *s* sáh 1,829 m □ *vt* **1.** měřit hloubku **2.** proniknout, pochopit (*a mystery* tajemství)

fatigue [fəˈtiːg] *s* **1.** únava **2.** voj. kasárenská mimoslužební práce, pořádkový trest □ *vt & i* unavit (se), obtěžovat; ǀ ~ -**dress** *s* pracovní stejnokroj

fatǀling [ˈfætliŋ] *s* vykrmené mládě, krmník; —**ten** [ˈfætn] *vt* krmit; zúrodnit půdu □

vi ztloustnout; —**tish** [ˈfætiš] *a* obtloustlý; —**ty** [ˈfæti] *a* tlustý, tučný

fatuǀity [fəˈtjuiti] *s* pošetilost, hloupost; —**ous** [ˈfætjuəs] *a* pošetilý, hloupý, nesmyslný

faucǀes [ˈfɔːsiːz] *s pl.* hrtan, jícen; —**et** [ˈfɔːsit] *s* pípa, kohoutek sudu

faugh [fɔː] *int* fuj!

fault [fɔːlt] *s* **1.** chyba, vada, kaz; nedbalost **2.** nedopatření, přestupek **3.** geol. zlom **4.** sport. špatně odpálený míč ♦ *with all* -*s* obch. na kupcovo riziko; *to find* ~ *with* stěžovat si na, kárat; *to be at* ~ být na nepravé stopě, být překvapen; *in* ~ chybující, vinný; *to a* ~ přílišně, velmi □ *vt & i* **1.** obvinit z chyby **2.** geol. vytvořit zlom, zlomit se; —**finder** [ˈfɔːltǀfaində] *s* puntičkář; —**y** [ˈfɔːlti] *a* **1.** chybný, špatný **2.** provinilý

faun [fɔːn] *s* faun

fauna [ˈfɔːnə] *s* fauna, zvířectvo

favour [ˈfeivə] *s* **1.** přízeň, zalíbení **2.** laskavost **3.** pomoc **4.** dopis přijatý (*your* ~ Váš ctěný dopis) **5.** dovolení **6.** půvab **7.** prospěch (*in* ~ *of* ve prospěch) **8.** objednávka **9.** odznak ♦ *to be* n. *stand, high in one's* ~ požívat něčí přízně; *by* ~ *of* laskavostí někoho: *to do the* ~ prokázat laskavost; *under (with)* -*s* s dovolením □ *vt* **1.** prokazovat přízeň, laskavost, přát **2.** poctít **3.** poskytnout výhody, ulehčit; podporovat, stranit **4.** podobat se (*the child-* -*s* *his father* dítě se podobá otci); **—able** [ˈfeivərəbl] *a* 1. příznivý 2. souhlasící 3. slibný 4. vhodný (*for* k, pro) **—er** [ˈfeivərə] *s* příznivec; **—ite** [ˈfeivərit] *a* oblíbený ☐ *s* 1. oblíbenec, oblíbený autor ap. 2. sport. favorit

fawn¹ [fɔ:n] *s* 1. srna, kolouch 2. světlehnědá barva ☐ *vi & t* vrhat kolouchy

fawn² [fɔ:n] *vi* projevovat přítulnost vrtěním ocasu; lísat se

fay [fei] *s* víla

faze [feiz] *vt* am. lid. trápit, zmást, polekat

F.B.I. = *Federation of British Industries* Svaz britského průmyslu 2. am. *Federal Bureau of Investigation* Federální úřad policejní

F.C. = *Football Club*

F. D. = *Defender of the Faith*

fealty [ˈfi:əlti] *s* manská věrnost, oddanost

fear [fiə] *s* strach, bázeň ♦ *for ~ of* aby ne ☐ *vt & i* 1. bát se 2. váhat; **—ful** [ˈfiəful] *a* bojácný, strašlivý; **—less** [ˈfiəlis] *a* nebojácný, odvážný; ˈ**—nought**, ˈ**—naught** *s* 1. nebojácný člověk 2. tlustá vlněná látka

feas|ibility [ˌfi:zəˈbiliti] *s* vykonatelnost, proveditelnost, možnost; **—ible** [ˈfi:zəbl] *a* 1. možný 2. vykonatelný, proveditelný 3. ovladatelný 4. příhodný 5. pravděpodobný

feast [fi:st] *s* 1. slavnost, svátek 2. hostina 3. fig. pochoutka, uspokojení ♦ *movable ~*

pohyblivý svátek ☐ *vi* 1. hodovat ☐ *vt* 2. hostit, častovat 3. potěšit, ukojit

feat [fi:t] *s* čin hrdinský, zvláštní výkon ☐ *a* 1. arch., dial. obratný 2. úhledný, pěkný

feather [ˈfeðə] *s* 1. péro, kosárek; peří 2. lovné ptactvo 3. stav, nálada (*in light ~* ve slavnostní náladě) 4. druh (*bird of a ~*) 5. chmýří ♦ *to show the white ~* projevit zbabělost; *to crop one's -s* pokořit; *a ~ in one's cap* trofej, vyznamenání ☐ *vt* 1. opeřit, ozdobit, vystlat peřím 2. obrátit vesla na plocho ☐ *vi* 3. opeřit se 4. čeřit se 5. větřit o psu ♦ *to ~ one's nest* fig. nacpat si kapsu obohatit se; **~ -bed** [ˈfeðəbed] *s* peřina; **~ -brain** [ˈfeðəbrein] *s* pošetilec; **~ -head** [ˈfeðəhed] *s* lehkomyslný člověk, pošetilec; **~ -stitch** [ˈfeðəstič] *s* rozmarýnkový steh; **~ -weight** [ˈfeðəweit] *s* pérová váha 118—126 lb; **—y** [ˈfeðəri] *a* 1. pernatý 2. lehký 3. triviální

feature [ˈfi:čə] *s* 1. pl. rysy, tahy obličeje 2. vlastnost, vzezření 3. am. přitažlivost 4. hlavní bod programu ☐ *vt* 1. charakterizovat; podobat se, být výrazem n. nápadným rysem čeho 2. zdůrazňovat 3. hrát hlavní roli (*a film* ve filmu); **—d** [ˈfi:čəd] *a* 1. utvářený, mající rysy 2. am. vyložený a inzerovaný jako zvláštní atrakce; **—less** [ˈfi:čəlis] *a* bez zvláštních znaků, bez výrazné formy

feaze¹ [fi:z] *vt & i* dial. roztřepit (se), odřít (se)

febr|ifuge [ˈfebrifju:dž] *s* med. lék proti horečce; **—ile** [ˈfi:brail] *a* horečný

February [ˈfebruəri] *s* únor

feces, faeces [ˈfi:si:z] *s pl.* 1. sedlina, kal 2. výkaly, výměšky

feckless [ˈfeklis] *a* slabý, bezduchý; bezcenný; bezmocný

feculent [ˈfekjulənt] *a* kalný, výkalový, páchnoucí

fecund [ˈfi:kənd] *a* úrodný, plodný; **—ate** [ˈfi:kəndeit] *vt* zúrodnit, oplodnit; **—ity** [fiˈkanditi] *a* úrodnost, plodnost

fed *pt, pp* od *feed*

feder|acy [ˈfedərəsi] *s* svaz, spolek, federace; **—al** [ˈfedərəl] *a* spolkový, svazový, federální; **—alism** [ˈfedərəlizəm] *s* federalismus, spolková soustava; **—alist** [ˈfedərəlist] *s* federalista □ *a* spolkový, svazový; **—alize** [ˈfedərəlaiz] *vt* spojit, proměnit ve spolkový stát; **—ate** [ˈfedərit] *a* spolkový, svazový; **—ation** [ˌfedəˈreišən] *s* 1. svaz, federace 2. spolčení ♦ *World F~ of Democratic Youth* Světová federace demokratické mládeže; *World F~ of Trade Union* Světová odborová federace; **—ative** [ˈfedərətiv] *a* federativní, spolkový

fee [fi:] *s* 1. odměna, honorář 2. poplatek za úřední výkon 3. zápisné, školné, vstupné (*membership ~* členský příspěvek) 4. spropitné 5. práv. dědičný statek, území, léno

□ *vt* zaplatit poplatek, najmout za plat; dát spropitné

feeble [ˈfi:bl] *a* 1. slabý 2. mdlý; 3. nejasný; **~ -minded** [ˈfi:blˈmaindid] *a* slabomyslný

feed¹* [fi:d] *vt* 1. krmit, vyživovat; pást 2. uspokojit, ukojit (*vanity* marnivost) 3. div. sl. napovídat 4. kop. podat ♦ *to ~ the market* zásobovat trh □ *vi* 1. jíst 2. živit se, pást se (*on, upon*) 3. povzbudit ♦ *~ fire* přikládat na oheň; **~ down, close** spást; **~ into, to** nakládat do stroje; **~ on** spotřebovat; **~ up** vykrmit, nasytit

feed² [fi:d] *s* 1. krmení 2. strava, potrava, pokrm 3. krmivo 4. pastva 5. materiál pro stroj ♦ *to have a good ~* vulg. mít dobré žrádlo; *off one's ~* nemající chuť; **—er** [ˈfi:də] *s* 1. krmič 2. jedlík 3. napájecí stroj 4. (dětská) láhev 5. přítok, přívod, zasouvač; **—ing-bottle** [ˈfi:diŋˌbotl] *s* láhev pro kojence; **~ -pipe** [ˈfi:dpaip] *s* požerák, napájecí trubice, přívodné potrubí; |**~ -tank, ~ -trough** [ˈfi:dtro:f] *s* nádrž na vodu pro lokomotivu, koryto

feel* [fi:l] *vt* 1. cítit 2. dotknout se, zkusit 3. voj. rozpoznat nepřítele 4. pocítit (*vengeance* pomstu) □ *vi* 5. cítit se 6. hmatat (*one's way* tápat ve tmě) 7. zdát se (*it -s like rain* zdá se, že bude pršet) 8. mít soucit (*with* s) 9. mít smysl pro (*the beauty*

of a landscape krásu krajiny)
♦ to ~ strongly about mít
určité, pevné mínění o; to ~
the pulse zkoušet puls □ s
1. cítění, pocit 2. hmat 3.
smysl (for pro); —er ['fi:lə]
s 1. tykadlo 2. voj. pátrač
3. pokusný balón; —ing ['fi:-
liŋ] s 1. cítění, pocit, cit;
hmat 2. vědomí, přesvědčení,
mínění ♦ a man of ~ citový
člověk; good ~ náklonnost,
dobrý vztah; ill ~ špatný
vztah, nevraživost, animo-
zita; to speak with ~ mluvit
procítěně □ a citlivý, sou-
citný, upřímný

feet [fi:t] s pl. od foot
feign [fein] vt & i 1. předstírat
2. vymýšlet si
feint [feint] s přetvářka, úskok;
předstíraný útok □ vi před-
stírat útok
fel(d)spar ['fel(d)spa:] s živec
felicit|ate [fi'lisiteit] a šťastný
□ vt 1. blahopřát (on k)
2. učinit šťastným; —ation
[fi‚lisi'teišən] s blahopřání;
—ous [fi'lisitəs] a šťastný;
vhodný; —y [fi'lisiti] s štěstí,
blaženost; úspěch; vhodnost
feline ['fi:lain] a kočičí, kočko-
vitý □ s šelma kočkovitá
fell¹ [fel] s kůže; kštice (of hair
vlasů); ~-monger ['felmaŋ-
gə] s kožišník
fell² [fəl] s brit. bažina
fell³ [fel] vt 1. kácet, porážet
stromy 2. zapošít, obroubit □
s množství klád; —er ['felə]
s drvoštěp
fell⁴ [fel] pt od fall
feller ['felə] s vulg. viz fellow
felloe, felly ['felou, 'feli] s loukoť

fellow ['felou] s 1. druh, kama-
rád; chlapík 2. bližní 3. sou-
časník 4. F~ zvolený člen
koleje, university, literární n. vě-
decké společnosti ♦ ~ traveller
souputník, sympatizující; to
be hail ~ well met with
být v přátelských stycích,
být velmi dobře znám s;
I~-Icountryman s krajan;
~-feeling ['felou'fi:liŋ] s
soucit; —ship ['feloušip] s
1. kamarádství, přátelství
2. sdružení, společnost 3.
círk. společenství, bratrství
4. nadace 5. universitní
členství □ vt & i připus-
tit za člena; spojit se v přá-
telství
felly¹ ['feli] adv krutě
felly² ['feli] s viz felloe
felon ['felən] a krutý, zlotřilý
□ s 1. zločinec 2. zánět puč-
nice nehtové, záděra; —ious
[fi'lounjəs] a zločinný, zvrhlý;
—y ['feləni] s zločin
felspar ['felspa:] viz feldspar
felt¹ [felt] pt, pp od feel
felt² [felt] s 1. plst 2. plstěné
zboží □ vt obložit plstí □
a plstěný (hat klobouk)
fem. = feminine
female ['fi:meil] s žena; samice
□ a ženský; samičí
femin|ality [‚femi'næliti] s žens-
kost; —ine ['feminin] a žen-
ský □ s gram. ženský rod;
—inity [‚femi'niniti] s žens-
kost

fen [fen] s slatina, bažina, močál
fenc|e [fens] s 1. šerm 2. plot 3.
ochrana, ochranné zařízení
na stroje 4. přechovávač kra-
deného zboží 5. obratnost

fend 278 fescue

(v debatě) ♦ *to sit in the* ~
lid. být nerozhodný n. na
vahách, sedět na dvou židlích; *to come down on right
side if* ~ připojit se k vítězi
□ *vt* **1.** oplotit, ohradit;
opevnit **2.** chránit (*from,
against* před) **3.** brit. hájit zvěř
4. zahnat, zapudit (*off, out*)
□ *vi* **5.** šermovat **6.** obchodovat s kradeným zbožím **7.**
obratně manévrovat v diskusi,
odrážet námitky; —**er** [ˈfen-
sə] *s* šermíř; —**ing** [ˈfensiŋ]
s **1.** šermování **2.** bojovná
debata **3.** oplocení **4.** materiál
na ploty ohrady ♦ *on the* ~
se dvěma želízky v ohni, na
dvou židlích
fend [fend] *vt & i* **1.** odrazit **2.**
zapudit **3.** přít se; ~ *for*
starat se o; —**er** [ˈfendə] *s*
ohrádka u krbu, chránič
Fenian [ˈfiːnjən] *s* **1.** hist. příslušník irského vojenského
sboru **2.** člen Fenianského
bratrstva tajná organizace □ *a*
fenianský
fennel [ˈfenl] *s* fenykl
fenny [ˈfeni] *a* slatinný, bažinatý
feoff [fef] *vt* práv. dát v léno;
—**ee** [feˈfiː] *s* práv. leník;
—**er** [ˈfefə] *s* lenní pán
feral [ˈfiərəl] *a* nezkrocený, divoký
Ferdinand [ˈfəːdinənd] *s* Ferdinand
ferine [ˈfiərain] *a* divoký, dravčí
ferment [ˈfəːment] *s* **1.** kvasidlo
2. kvašení **3.** vření, neklid □
vi & t [fəˈment] kvasit, vřít;
způsobit kvašení; —**ation**

[ˌfəːmenˈteišən] *s* **1.** kvašení **2.** neklid, vření
fern [fəːn] *s* kapradí; —**y**
[ˈfəːni] *a* kapradový, plný
kapradí
ferocious [fəˈroušəs] *a* divoký,
zuřivý; —**ity** [fəˈrositi] *s* divokost, zuřivost
ferret [ˈferit] *s* **1.** fretka **2.** bavlněná n. hedvábná stuha
ferriage [ˈferiidž] *s* přívoz, přívozné
ferriferous [feˈrifərəs] *a* železitý, železo obsahující
ferrous [ˈferəs] *a* chem. železitý
ferruginous [feˈruːdžinəs] *a* rezavý, červenohnědý
ferrule [ˈferuːl] *s* kování hole
ferry [ˈferi] *vt & i* přepravit
(se), převézti (se) přes řeku
□ *s* přívoz, převozní člun
(~ *-boat*); —**man** [ˈferimən] *s*
převozník
fertile [ˈfəːtail] *a* **1.** úrodný **2.**
hojný **3.** plodný; —**ity** [fəː-
ˈtiliti] *s* úrodnost, plodnost;
—**ization** [ˌfəːtilaiˈzeišən] *s*
zúrodnění; oplodnění; —**ize**
[ˈfəːtilaiz] *vt* zúrodnit, oplodnit; —**izer** [ˈfəːtilaizə] *s*
umělé hnojivo
ferule [ˈferuːl] *s* **1.** rákoska **2.**
potrestání rákoskou □ *vt*
trestat rákoskou
fervency [ˈfəːvənsi] *s* horlivost,
vroucnost; —**ent** [ˈfəːvənt]
a horlivý, vroucí, žhnoucí
fervid [ˈfəːvid] *a* **1.** žhoucí,
vroucí **2.** horlivý
fervour, am. **-or** [ˈfəːvə] *s*
1. žár, vroucnost **2.** horlivost
fescue [ˈfeskjuː] *s* **1.** učitelovo
ukazovátko **2.** bot. kostřava

festal ['festl] *a* sváteční, radostný

fester ['festə] *vi & t* 1. podebírat se 2. hnisat, hnít, jitřit □ *s* hnisání, sbírání se

festiv|al ['festəvəl] *a* slavnostní, sváteční; ~ *gateway* slavobrána □ *s* slavnost, svátek; *World Youth F~* světový festival mládeže; —**e** ['festiv] *a* slavnostní, veselý; ~ *illumination* slavnostní osvětlení; —**ity** [fes'tiviti] *s* 1. slavnost 2. radost, veselí

festoon [fes'tu:n] *s* věncoví, girlanda □ *vt* ověnčit, ozdobit

fetch¹ [feč] *vt & i* 1. přinést, dojít si pro (*též to go and* ~) 2. dosáhnout, způsobit 3. přivést 4. odvodit 5. lid. zajímat, poutat pozornost 6. prodávat za 7. lid. udeřit 8. vykonat 9. nám. držet se kursu, otočit loď 10. pohněvat ♦ *to* ~ *to and carry* přinést; *to* ~ *breath* zhluboka si vzdychnout; *to* ~ *sigh* vzdychnout si; ~ **in** 1. vnést 2. inkasovat 3. ošidit; ~ **up** 1. zvracet 2. zastavit se 3. vynést (*a price* cenu) 4. vychovat 5. dohonit

fetch² [feč] *s* 1. úskok, trik 2. dvojník; —**er** ['fečə] *s* nosič, sluha; —**ing** ['fečiŋ] *a* lid. půvabný, poutavý, přitažlivý

fête [feit] *s* slavnost, svátek, jmeniny

fetichism víz *fetishism*

fetid ['fetid] *a* smrdutý

fetish, fetich ['fi:tiš] *s* fetiš; —**ism** ['fi:tišizəm] *s* fetišismus

fetlock ['fetlok] *s* spěnka koně

fetter ['fetə] *s* 1. pouto 2. pl. zajetí, poroba □ *vt* spoutat

fettle ['fetl] *vt* 1. dial. dát do pořádku 2. dial. tlouci □ *s* stav. pohotovost

fetus, fee- ['fi:təs] *s* plod, zárodek

feud [fju:d] *s* 1. spor, hádka, svár, krevní msta 2. léno, manství; —**al** ['fju:dl] *a* 1. nepřátelský 2. manský, feudální; —**alism** ['fju:dəlizəm] *s* feudální zřízení; —**ality** [fju:'dæliti] *s* 1. feudální systém 2. léno; —**atory** ['fju:-dətəri] *a* manský □ *s* 1. léno 2. leník, vazal

fever ['fi:və] *s* horečka □ *vt* postihnout horečkou, způsobit horečku; —**ish** ['fi:-vəriš] *a* 1. horečnatý, zimničný 2. rozčilený, vzrušený

few ['fju:] *a & pron* málo, nemnozí ♦ *a* ~ několik; *the* ~ menšina; *not a* ~ nemálo, mnoho; *a good of* ~ hov. dobrých pár, hodně

fez [fez] *s* fez

ff. = 1. *folios* 2. *following pages, verses, etc.* 3. *fortissimo*

F.F.A., f.f.a. = *free from alongside (ship)*

F.G.A., f.g.a. = *free from general average*

fiancé [fi'a:nsei] *s* snoubenec; —**e** [fi'a:nsei] *s* snoubenka

fiasco [fi'æskou] *s* fiasko, nezdar

fiat ['faiət] *s* 1. nařízení, vyhláška 2. povolení, schválení

fib [fib] *s* malá lež, bulík ♦ *to tell* -*s* prášit, lakovat □ *vi* (-bb-) 1. věšet bulíky na nos,

bulíkovat, prášit 2. sl. bít,
tlouci; **—ber** [ˈfibə] *s* prášil
fibre am. **fiber** [ˈfaibə] *s* 1.
vlákno, snítka, vláskový ko-
řínek 2. bot. žilka 3. pod-
statný charakter, struktura
4. vláknoví, žilkování
fickle [ˈfikl] *a* nestálý, vrtošivý
ficti|on [ˈfikšən] *s* 1. smyšlenka,
výmysl 2. románová litera-
tura, beletrie; **—onal** [ˈfik-
šənl] *a* 1. smyšlený, fiktivní;
—tious [fikˈtišəs] *a* 1. smyš-
lený, neskutečný, fiktivní 2.
románový; **—ve** [ˈfiktiv] *a*
fiktivní, smyšlený
fiddle [ˈfidl] *s* 1. lid. housle,
skřipky 2. nám. připevňovač
předmětů na stole 3. sl. napá-
lení, podvedení ♦ *fit as a ~*
zdravý jako ryba □ *vi & t*
lid. hudlařit; sl. napálit, oši-
dit; **~-dedee** [ˈfidldiˈdi:] *int*
& n tradáá!; **~-faddle** [ˈfidl-
ˌfædl] lid. 1. všední věci,
maličkosti 2. lenoch 3. *vi*
lid. hlučet, dělat povyk pro
nic; hrát si s maličkostmi □
int nesmysl!; **—r** [ˈfidlə] *s*
houslista, hudec; **—stick**
[ˈfidlstik] *s* 1. smyčec 2. *int*
povídali, že mu hráli
fidelity [fiˈdeliti] *s* věrnost, poc-
tivost, přesnost; **~ bonus** věr-
nostní přídavek
fidget [ˈfidžit] *vi* vrtět se, být
nepokojný □ *vt* zneklidňo-
vat, obtěžovat □ *s* 1. neklid,
vrtění, ošívání 2. pl. nepokoj,
neklidné pohyby 3. neposeda;
—y [ˈfidžiti] *a* nepokojný,
neklidný
fiduci|al [fiˈdju:šjəl] *a* astr. před-
pokládaný; **—ary** [fiˈdju:-

šjəri] *a* svěřenský; spolehlivý;
důvěrný □ *s* důvěrník
fie [fai] *int* fuj! hanba!
fief [fi:f] *a* práv. léno
field [fi:ld]· *s* 1. pole 2. pozadí,
prostor 3. sportovní břiště;
závodiště; hráči 4. bojiště,
bitva ♦ *in the ~* na bitevním
poli; *to take, keep, the ~* počít
boj, pokračovat v boji; *~
of vision* zorné pole; *~ of
honour* pole cti válečné; **~
-engineering** [ˌendžiˈniəriŋ]
s úprava terénu; **~ events**
polní výcvik; **~ -glass** [ˈfi:ld-
gla:s] *s* triedr, polní kukátko;
~ -hospital [ˈfi:ldˈhospitl] *s*
polní nemocnice; **~ -marshall**
[ˈfi:ldˈma:šəl] *s* polní maršál;
~ -mouse *s* hraboš polní;
~ -piece [ˈfi:ldpi:s] *s* polní
dělo; **~ -work** [ˈfi:ldwə:k] *s*
polní opevnění, práce v te-
rénu
fiend [fi:nd] *s* 1. ďábel, satan
2. nepřítel 3. am. fanoušek;
—ish [ˈfi:ndiš] *a* dábelský,
nepřátelský
fierce [fiəs] *a* 1. divoký, zuřivý,
lítý v boji 2. prudký, vášnivý
fiery [ˈfaiəri] *a* 1. ohnivý 2.
žhnoucí 3. prudký, vášnivý,
prchlivý 4. výbušný, hořlavý,
zápalný
fife [faif] *s* píšťala, malá flétna
□ *vi & t* pískat na píšťalu
fifteen [ˈfifˈti:n] *num* patnáct □
s patnáctka ragbyová
fifth [fifθ] *a* pátý ♦ *~ column*
pátá kolona; *~ wheel of
coach* páté kolo u vozu □ *s*
1. pátá část 2. hud. kvinta;
pátý tón stupnice, dominanta
fifty [ˈfifti] *num* padesát

fig¹ [fig] *s* 1. fík 2. vindra ♦ *I don't care a ~ for* nestarám se ani za mák o; **~ -tree** [ˈfigtri:] *s* fíkovník

fig² [fig] *s* lid. 1. oblek, výstroj 2. podmínka □ *vt* (-gg-) obléci, vystrojit *(out, up)*

fight¹* [fait] *vi & t* 1. bojovat, svést bitvu *(against, with* s) 2. přinutit k boji 3. přít se ♦ *to ~ shy of* stranit se koho; *to ~ one's way* probojovat se, překonat nesnáze; **~ off** zapudit, odehnat; **~ out** vybojovat

fight² [fait] *s* boj, zápas, bitva, srážka, rvačka; bojovnost ♦ *running ~* pohybový boj; *to show ~* jen tak se nevzdat, nepovolit; *sham-~ s* voj. manévr; **—er** [ˈfaitə] *s* 1. zápasník, bojovník, rváč 2. stíhačka

figment [ˈfigmənt] *s* smyšlenka, fikce

figurat|ion [ˌfigjuˈreišən] *s* 1. utváření, sestavení; tvar, zpodoba 2. vyzdobení; **—ive** [ˈfigjurətiv] *a* 1. obrazný, figurativní, přenesený 2. květnatý 3. tajný

figure [ˈfigə] *s* 1. tvar, forma 2. postava 3. obraz, obrazec, vyobrazení v knize 4. představa, fantazie 5. číslice *(target -s* kontrolní čísla) 6. vzor 7. vzezření, zjev 8. lid. číslo, suma 9. hud. figura 10. figura taneční, řečnická, stylistická 11. horoskop ♦ *person of ~* významná osoba; *to cut a poor ~* činit ubohý dojem; *at a low (high) ~* lacino (draze); *~ of fun* figura, směšný člo-

věk □ *vt & i* 1. zobrazit, představit si; naznačit, označit číslicemi 2. utvářet 3. ozdobit postavami; vzorkovat látky, protkávat 4. počítat, vypočítat; plánovat 5. být význačný; **~ out** vyčíslit; **~ up** spočítat

Fiji [ˈfi:ˈdži:] **Islands** Fidžijské ostrovy

filament [ˈfiləmənt] *s* 1. vlákno 2. bot. prašník

filbert [ˈfilbə:t] *s* lískový ořech

filch [filč] *vt* ukrást

file¹ [fail] *s* 1. pilník 2. fig. vypilování, uhlazení 3. sl. sekáč ♦ *to bite* n. *gnaw ~* vylámat si na něčem zuby □ *vt* (vy)-pilovat, uhladit

file² [fail] *s* 1. nit, šňůra, drát navlékací 2. pořadač dopisů, papírů; rám na noviny 3. kartotéka, seznam, svazek novin □ *vt* založit, (za)registrovat, systematicky uspořádat; **~ -cabinet** [ˈfailkæbinit] *s* registratura; **~ -punch** [ˈfailpanč] *s* dírkovač dopisů

file³ [fail] *s* šik, rota, řada ♦ *rank and ~ of an organization* řadoví členové organizace □ *vi* pochodovat v šiku, v řadě □ *vt* nařídit pochod v šiku, sešikovat; **~ away, off** odpochodovat v šiku

fili|al [ˈfiljəl], *a* synovský, dětinský; **—ation** [ˌfiliˈeišən] *s* 1. rod, původ 2. spříznění 3. třídění, rozvětvení

filibuster [ˈfilibastə] *s* 1. válečný dobrodruh 2. am. obstrukčník

filings [ˈfailinz] *s pl.* piliny

fill¹ [fil] *vt & i* 1. naplnit (se), nalévat 2. uspokojit, na-

sytit (*to ~ a demand* uspo-
kojit poptávku) **3.** obsadit
(*the chair* židli) **4.** ucpat, za-
plombovat zub **5.** obch. pro-
vést obchodní příkaz **6.** na-
dmout (se) **7.** vyřídit objed-
návku **8.** zastávat úřad **9.**
dosadit; **~ in** vyplnit n. do-
plnit (zbývající část např. do-
tazníku); **~ out** nadmout (se),
naplnit (se), přibývat, růst;
~ up naplnit (se), vyplnit
doplnit, zabrat
fill² [fil] *s* **1.** plnost **2.** dostatek
3. výplň, vyplnění; **—er** [ˈfi-
lə] *s* **1.** výplněk, nástavek
2. nákyp, plnění **3.** plnič
4. nálevka, trychtýř; **—ing**
[ˈfiliŋ] *s* **1.** vyplnění, výplň
2. nacpávka, plomba zubní **3.**
am. nádivka; **~ station** ben-
zínová pumpa
fillet [ˈfilit] *s* **1.** pásek, stuha
do vlasů **2.** stav. lišta, kroužek
3. závitek masa, roláda **4.**
her. nit, proužek □ *vt* svá-
zat, ozdobit kroužky
fillip [ˈfilip] *vt & i* **1.** louskat
prsty **2.** pobízet, dát podnět,
urgovat □ *s* **1.** lousknutí
prsty **2.** popud, podnět, po-
bídka
filly [ˈfili] *s* **1.** kobylka **2.** žabec
film [film] *s* **1.** tenký povlak n.
vrstva; blána **2.** film **3.** za-
mlžení oka □ *vt & i* **1.**
potáhnout (se) blánou **2.**
filmovat (se); ˈ**~ -star** *s* fil-
mová hvězda; **—y** [ˈfilmi] *a*
1. filmový **2.** mlhavý, za-
mračený
filter [ˈfiltə] *s* cedítko, filtr □
vt & i filtrovat (se)
filth [filθ] *s* **1.** špína, smetí,

bláto **2.** špatné jídlo **3.** ne-
řest, oplzlost; **—y** [ˈfilθi] *a*
špinavý, oplzlý
filtrat|e *vt & i* [ˈfiltreit] filtro-
vat □ *s* [ˈfiltrit] filtrát; **—ion**
[filˈtreišən] *s* filtrace
Fin. = *Finland, Finnish*
fin. = *financial*
fin [fin] *s* ploutev □ *vt* (-nn-)
rozkrájet rybu □ *vi* (-nn-)
pohybovat ploutvemi
final [ˈfainl] *a* **1.** konečný,
závěrečný **2.** rozhodný, roz-
hodující □ *s* závěr, finále,
—ist [ˈfainəlist] *s* sport. fina-
lista; **—ity** [faiˈnæliti] *s* ko-
nečnost, finalita
financ|e [faiˈnæns] *s* **1.** peněžní
hospodářství, finance, dů-
chod **2.** pl. peníze □ *a* finanční
(*capital* kapitál) □ *vt* opatřo-
vat peněžní prostředky, ka-
pitál, financovat; **—ial** [fai-
ˈnænšəl] *a* peněžní, finanční
(*reform* reforma); **—ier** [fai-
ˈnænsiə] *s* finančník
finch [finč] *s* zool. pěnkava
find¹* [faind] *vt* **1.** nalézt **2.**
objevit **3.** zpozorovat **4.** opět
získat **5.** shledat **6.** opatřit,
zásobit □ *vi* **7.** práv. prohlásit,
shledat (*guilty* vinným) ♦ *to*
~ fault nepříznivě kritizovat;
~ in (with) zásobit, vydržovat
čím; **~ out** odkrýt, objevit
find² [faind] *s* nález, objev;
—er [ˈfaində] *s* **1.** nálezce
2. astr., fot. hledáček; **—ing**
[ˈfaindiŋ] *s* **1.** hledání, nález
2. práv. soudní nález **3.** pl.
potřeby **4.** pl. rozhodnutí,
usnesení
fine¹ [fain] *a* **1.** jemný, něžný,
útlý **2.** ušlechtilý, žádoucí,

výtečný 3. krásný 4. módní 5. citlivý 6. zast. chytrý, lstivý, mazaný 7. význačný 8. okázalý, strojený 9. pěkného zevnějšku ♦ ~ *arts* krásné umění □ *adv* dial., lid. prima, fajn □ *vt & i* zjemnit (se), rafinovat; ~ **spun** [ˈfainˌspan] *a* 1. jemně spředený 2. důmyslný

fine² [fain] *s* pokuta, poplatek □ *vt & i* pokutovat

fine³ [fain] *s* zast. konec ♦ *in* ~ závěrem

finery [ˈfainəri] *s* ozdoba, nádhera; nádherný oděv, šperk

finesse [fiˈnes] *s* 1. jemnost, jemný odstín 2. lest, úskok; důvtip □ *vi* užít lsti, vlichotit se

finger [ˈfiŋgə] *s* prst ♦ *to have* (*knowledge etc.*) *at one's -'s end* mít (znalost) v malíčku; *to lay, put one's* ~ (*up*) *on* ukázat na něco prstem; *to look through one's -s at* dívat se skrz prsty na fig.; *to turn, twist, person round one's* ~ otočit si někoho kolem prstu; *my -s itch* svědí mě ruka, jsem netrpělivý, toužím (*to do* udělat); *his -s are all thumbs* má obě ruce levé; *to burn one's -s* fig. pálit si prsty; *to have a* ~ *in the pie* fig. mít v tom prsty; *to let slip through one's -s* něco propást, dát si ujít □ *vt* 1. ohmatat, uchopit 2. brát úplatky, krást 3. hrát s určitým prstokladem, označit prstoklad; ~ **-board** [ˈfiŋgəˌbo:d] *s* klávesnice; **—ing** [ˈfiŋgəriŋ] *s* 1. prstoklad 2.

vlna na pletení punčoch; ~ **-nail** [ˈfiŋgəneil] *s* nehet (*to the -s* úplně); ~ **-post** [ˈfiŋgəpoust] *s* směrový ukazatel; |~ **-print** *s* otisk prstu; ~ **-stall** [ˈfiŋgəstə:l] *s* gumový prst

finical [ˈfinikəl] *a* přepjatý, vybíravý

finish [ˈfiniš] *vt* 1. ukončit, dodělat 2. dojíst, dopít 3. vyčerpat; dorazit, dobít 4. jemně vypracovat □ *vi* 5. končit □ *s* 1. závěr, konec 2. dodělávka, úprava 3. uhlazenost 4. apretura, lak; **—ing line** doběhová čára

finite [ˈfainait] *a* konečný; omezený, ohraničený; určitý

Finland [ˈfinlənd] *s* Finsko (z)

Finn [fin] *s* Fin; **—ic**, **—ish** [ˈfinˌik, -iš] *a* finský □ *s* finština

fir [fə:] *s* jedle, sosna, borovice; ~ **-cone** [ˈfə:koun] *s* sosnová šiška

fir|e [faiə] *s* 1. oheň 2. požár 3. vášeň, zápal, odvaha 4. horečka, zápal 5. topení, topné zařízení 6. lesk 7. palba ♦ ~ *power* palebná síla; ~ *precaution n. prevention* požární zábrana; *to make a* ~ rozdělat oheň, zatopit; *to set* ~ *to* zapálit něco; *to set on* ~ vznítit; *to set Thames on* ~ fig. učinit něco význačného; *to strike* ~ rozkřesat oheň; *to catch n. take,* ~ vznítit se; *to lay a* ~ připravit zátop; *to pour oil on* ~ fig. lít olej do ohně; *on* ~ v ohni, hořící; *under* ~ v bitevním ohni; *to open* ~ zahájit palbu; *be-*

tween two -*s* v dvojí palbě ☐
vt **1.** zapálit **2.** oživit, roz-
ohnit **3.** vzplanout **4.** vypá-
lit ránu **5.** vyhodit do po-
větří **6.** vypalovat cihly **7.**
topit ☐ *vi* **8.** zapálit se,
žhnout **9.** rozohnit se **10.** vypa-
lovat se cihly ap.; ~ **out**
vystřelit, vypálit ránu; ~ **up**
vzplanout; ~ **-arm** [ˈfaiəra:m]
s palná zbraň; ~**-brand**[ˈfaiə-
brænd] *s* **1.** oharek **2.** palič
3. podpalovač, prostředek k
podpalování; ~**-brigade**[ˈfaiə-
briˌgeid] *s* hasičský sbor;
ǀ~**-cracker** *s* prskavka, žab-
ka; ~**-engine** [ˈfaiərˌendžin]
s stříkačka; ~**-guard** [ˈfaiə-
ga:d] *s* kovový rám n. mřížoví
kolem krbu; ǀ~**-hook** *s* po-
hrabáč; ~**-insurance** [ˈfaiə-
rinˌšuərəns] *s* pojištění proti
ohni; ~**-irons** [ˈfaiərˌaiənz]
s souprava ke krbu lopatka,
pohrabáč a kleště; ~**-light**
[ˈfaiəlait] *s* světlo z krbu;
ǀ—**man** *s* hasič, topič; ǀ~
-**new** *a* arch. zbrusu nový;
ǀ~**-policy** *s* pojistka proti
ohni; ǀ~**-proof** *a* ohnivzdor-
ný; ~**-screen** [ˈfaiəskri:n] *s*
plenta proti žáru; —**side**
[ˈfaiəsaid] *s* domácí krb, do-
mov; ǀ~**-wood** *s* palivové
dříví; ǀ~**-works** *s* ohňostroj
firer [ˈfaiərə] *s* žhář, zapalo-
vač
firing [ˈfaiəriŋ] *s* **1.** zapalování,
zatápění **2.** palivo **3.** palba,
střelba; ~ *squad* [ˈfaiəriŋ
skwod] popravčí četa
firkin [ˈfə:kin] *s* **1.** soudek,
vědro **2.** čtvrtka sudu míra
firm [fə:m] *a* pevný, stálý;

odhodlaný ☐ *vt & i* zpevnit
(se), zhutnit, zhutnět ☐ *s*
firma, podnik
firmament [ˈfə:məmənt] *s* ob-
loha, nebesa
first [fə:st] *a* první, přední ☐
adv nejdříve, především ☐ *s*
1. prvopočátek **2.** první rok
vlády, první den měsíce **3.**
obch. prvotřídní jakost **4.**
hud. nejvyšší hlas **5.** vyzna-
menání na universitě ♦ *at*
~ nejprve, nejdříve; ~ **aid**
první pomoc; ǀ~ **-born** *a* prvo-
rozený; ǀ~ **-ǀclass** *a* prvo-
třídní; ~ **-cost** nákupní cena
~ **form** první třída ve škole;
~ **fruits** první plodiny, úroda,
fig. prvotiny; ǀ~ **-ǀhand** *a*
z první ruky; —**ling** [ˈfə:st-
liŋ] *s* prvorozený; —**ly**
[ˈfə:stli] *adv* poprvé; ~ **-rate**
[ˈfə:stˈreit] *a* prvotřídní, vý-
borný
firth [fə:θ] *s* zátoka, ústí
fisc, fisk [fisk] *s* státní poklad;
—**al** [ˈfiskəl] *a* finanční, po-
kladní ☐ *s* státní návladní
fish [fiš] *s* **1.** ryba **2.** kus dřeva
n. železa na vyztužení ♦
pretty kettle of ~ pěkná kaše,
brynda; ~ *out of water* ryba
na suchu; *to drink like a* ~
pít jako duha; *to feed the* -*es*
fig zvracet, mít mořskou
nemoc ☐ *vi & t* **1.** lovit (ryby)
2. vyztužit, vyspravit; ~ **for**
pást po; —**er** [ˈfišə] *s* **1.** rybář
2. zool. skalní kuna; rybařící
zvíře; —**erman** [ˈfišəmən] *s*
rybář; —**ery** [ˈfišəri] *s* rybo-
lov; —**hook** [ˈfišhuk] *s* udice;
ǀ~**-pond** *s* sádka; —**y** [ˈfiši]
s **1.** rybí, rybnatý **2.** vyžilý

3. lid. nespolehlivý, podezřelý **4.** pravděpodobný

fissile ['fisail] *a* štípatelný, štěpný

fission ['fišən] *s* **1.** (roz)štěpení (*of atom* atomu) **2.** biol. dělení buněk □ *vt & i* štěpit (se); **—able** ['fišənəbl] *a* fyz., chem. štěpný

fissure ['fišə] *s* trhlina, štěrbina □ *vt & i* rozštěpit

fist [fist] *s* **1.** pěst **2.** žert. ruka **3.** rukopis ošklivý

fistula ['fistjulə] *s* **1.** rákos, trubice, píšťala **2.** med. píštěl

fit [fit] *s* **1.** záchvat, křeč **2.** vrtoch, rozmar; výbuch hněvu **3.** dobrý střih **4.** pl. padoucnice ♦ *to give one a ~* překvapit, urazit někoho; *to beat one into, give one, -s* dát komu co proto; · *by -s* po chvilkách; *in -s* po chvilkách, v křečích □ *a* **1.** vhodný **2.** přiléhavý **3.** schopný, v dobrém stavu, zdraví ♦ *~ for a king* nejlepší jakosti; · *as ~ as a fiddle* n. *a flea* zdravý jako ryba □ *vt & i* (-tt-) **1.** hodit se, dobře padnout, slušet **2.** souhlasit **3.** vybavit (*with* čím) **4.** přistrojit **5.** přizpůsobit; *~ in* hodit se k sobě, dobře zapadat; *~ on* zkusit oblek; *~ out, up* vypravit, vybavit, vystrojit

fitch [fič] *s* štětec z tchoří srsti; **—et, —ew** ['fičit, 'fiču:] *s* tchoř

fit|ful ['fitful] *a* vrtkavý, nepokojný; křečovitý; **—ment** ['fitmənt] *s* kus nábytku; **—ness** ['fitnis] *s* vhodnost, způsobilost; **—ter** ['fitə] *s*

montér, instalatér; **—tings** ['fitiŋz] *s pl.* zařízení, výprava; ustálení, upevnění; zajištění souřadnicemi

five [faiv] *num* pět, pětka; **~ -and-ten-cents store** *s* am. obchod s jednotnými cenami; **—fold** ['faivfould] *a* pětinásobný

fiver ['faivə] *s* sl. **1.** am. pětidolarová bankovka **2.** pětilibrová bankovka

fix [fiks] *vt & i* **1.** upevnit (se), připevnit (*to* na), přibít **2.** vštípit **3.** upírat (*one's eyes upon* oči na), upnout (*one's thoughts on* myšlenky na) **4.** utkvět, usadit (se) **5.** rozhodnout se (*on, upon* o) **6.** ztuhnout **7.** am. uspořádat, organizovat; připravit; instalovat **8.** zařídit **9.** určit **10.** fot. ustalovat ♦ *-ed capital* stálý kapitál, dlouhodobé investovaný kapitál, fixní (investiční) kapitál; *-ed price shop* jednotkový obchodní dům; *well- ~ ed* (am.) zámožný □ *s* lid. brynda, nesnáz

fixation [fik'seišən] *s* ustaloní, upevnění; zajištění souřadnicemi

fixing ['fiksiŋ] *s* **1.** ustalování, upevňování **2.** pl. am. zařízení příslušenství

fixture ['fiksčə] *s* **1.** připevnění **2.** upevněná n. přibitá věc **3.** dlouholetý příslušník **4.** zavedená věc **5.** pl. inventář **6.** datum sportovní události **7.** vázanost peněz na určitou dobu

fizgig ['fizgig] *s* **1.** flirtující dívka n. žena **2.** hlučný ohňostroj

fizz [fiz] *vi* syčet, šumět □ *s*
1. šumění, sykot 2. ráznost,
odvaha 3. lid. šampaňské
fizzle ['fizl] *vi* 1. syčet, šumět
2. lid. selhat po dobrém startu
□ *s* 1. syčení, šumění 2. ne-
zdar
fl. = *florin*
Fla. = *Florida*
flabbergast ['flæbəga:st] *vt* am.
hov. udivit, překvapit, ohro-
mit neobyčejnými výroky
flabby ['flæbi] *a* ochablý, schlíp-
lý, slabý
flaccid ['flæksid] *a* ochablý,
schlíplý, mdlý
flag[1] [flæg] *s* velká dlaždice □
vt (-gg-) dláždit; — **ging** ['flæ-
giŋ] *s* dláždění
flag[2] ['flæg] *s* kosatec
flag[3] ['flæg] *s* 1. vlajka, prapor
2. ohon psa ♦ *flying of* -*s*
vlajkosláva; *to hoist* ~ vztyčit
vlajku □ *vt* (-gg-) 1. vyvěsit
vlajku 2. signalizovat vlaj-
kou; ¹~-**ship** *s* admirálská
loď
flag[4] [flæg] *vi* (-gg-) 1. schlíple
viset; umdlévat — *vt* 2. (-gg-)
sklíčit na duchu; způsobit
ochabnutí; — **gy** ['flægi] *a*
ochablý
flagell|ant ['flædžilənt] *s* flage-
lant; — **ate** ['flædžəleit] *vt*
mrskat, šlehat
flagitious [flə'džišəs] *a* ohavný,
mrzký, bídný; zločinný
flagon ['flægən] *s* láhev na víno,
likér
flagr|ancy ['fleigrənsi] *s* křikla-
vost, zjevnost; ohavnost;
— **ant** ['fleigrənt] *a* křiklavý,
zjevný, patrný; notorický;
ohavný

flail [fleil] *s* cep □ *vt & i* mlátit
cepem
flair [fleə] *s* vkus, náklonnost,
zalíbení (*for* v); dobrý čich,
instinkt
flak [flæk] *s* protiletadlové dělo-
střelectvo n. dělostřelba
flake [fleik] *s* vločka, pýří,
plátek □ *vt & i* tvořit vločky,
odlupovat se, padat ve vloč-
kách; poprášit moukou, sněhem
flam [flæm] *s* podvod, faleš,
humbuk □ *vt & i* (-mm-)
podvádět
flambeau ['flæmbou] *s* pocho-
deň
flamboyant [flæm'boiənt] *a* bo-
hatě ozdobný, květnatý
flam|e [fleim] *s* 1. plamen, oheň
2. plamen lásky, láska, vášeň
3. žert., lid. miláček, milenec,
milenka ♦ *to fan the* ~ roz-
dmýchat oheň; *to commit to
the* -*s* svěřit ohni, spálit; *to
burst into* ~ náhle vzplanout
□ *vi* 1. planout, plápolat,
zářit 2. propuknout vášeň,
rozvášnit se, vzplanout; —**ing**
['fleimiŋ] *s & a* 1. plápolající,
žhavý 2. vášnivý, horoucí
3. nadsazený, zveličený;
— **ingo** [flə'miŋgou] *s* plame-
ňák; ~ -**projector** ['fleimprə-
ˌdžektə] *s*, ~ -**thrower** ['fleim-
ˌθrouə] *s* plamenomet; —**y**
['fleimi] *a* plamenný
flange [flændž] *s* okraj, obruba
flank [flæŋk] *s* 1. strana, bok;
slabina zvířat 2. voj. křídlo □
vt 1. voj. velet na křídle;
napadnout křídlo 2. být po-
staven na křídle, na boku;
hraničit
flannel ['flænl] *s* 1. flanel 2. pl.

flanelové šaty zvl. kalhoty □ *a* flanelový

flap [flæp] *s* 1. plácnutí, plesknutí 2. mávaní křídlem 3. něco, co volně visí; padací dveře, záložka knihy, klopa kapsy, šos, okraj klobouku, křídlo dveří, chlopeň, skřele ap. 4. voj. klapka, záklopka 5. též hov. vzrušení □ *vt* (-pp-) 1. plácnout, plesknout 2. mávat □ *vi* (-pp-) 3. třepotat se, klátit se ♦ *to ~ one's hat at one side* narazit klobouk na stranu; **~-doodle** [ˈflæpˌduːdl] *s* nesmysl; **—jack** [ˈflæpdžæk] *s* 1. pudřenka 2. am. ovocný koláč; **—per** [ˈflæpə] *s* 1. pleskač 2. plácačka na mouchy 3. vějíř 4. hov. žabec *poněkud výstřední mladá dívka*

flare [fleə] *vi* 1. plápolat 2. ~ *up* fig. vzplanout hněvem 3. vzdouvat se □ *vt* 4. způsobit plápolání, dát znamení ohněm □ *s* 1. plápolání 2. vzplanutí 3. oslňující plamen 4. signálové světlo na moři; **~-up** *s* 1. vzplanutí, záblesk 2. výbuch hněvu

flash [flæš] *vi* 1. vzplanout, zazářit, zatřpytit se; zablesknout se 2. náhle se objevit 3. napadnout (*across*, *into*, *through*, *the mind* myslí) □ *vt* 4. vyzařovat 5. bleskově telegrafovat 6. lid. vystavit na odiv □ *s* 1. vzplanutí, zákmit, záblesk; paprsek 2. okamžik 3. vznět 4. jiskra 5. vystavení 6. zlodějská hantýrka 7. proud vody 8. zdymadlo □ *a* křiklavý, strakatý; **—ing** [ˈflæšiŋ] *s* 1. ple-

chový pás na švu krytiny střechy 2. mžikání; **~-light** *s* bleskové světlo, baterka; **~-point** *s* bod vznícení olejového výparu; **~-spotting section** baterie světlometů; **—y** [ˈflæši] *a* křiklavý, okázalý; povrchní

flask [flaːsk] *s* 1. polní láhev 2. opletená láhev 3. prachovnice; **—et** [ˈflaːskit] *s* 1. koš 2. lahvička

flat¹ [flæt] *a* 1. plochý, rovný; placatý 2. nepochybný, naprostý; přímý, otevřený 3. hladký 4. mdlý, nudný, jednotvárný řeč, neoživený 5. hud. mollový ♦ *to fall ~* selhat, vyjít naprázdno; *to tell ~* říci rovnou, rozhodně; *market is ~* trh je mdlý; *~ beer* vyvětralé pivo □ *adv* 1. ploše 2. přesně □ *s* 1. rovina, plocha 2. nížina, mělčina 3. tupec 4. hud. nota o půl tónu pod přirozenou výškou □ *vt & i* (-tt-) zploštit (se); **~-fish** *s* druh platýzů; **~-foot(ed)** *a* ploskonohý; **~-iron** [ˈflætaiən] *s* žehlička

flat² [flæt] *s* 1. byt 2. poschodí

flatten [ˈflætn] *vt & i* zploštit (se)

flatter [ˈflætə] *vt & i* lichotit, pochlebovat; **—y** [ˈflætəri] *s* lichocení, pochlebování; poklonkování

flatul|ent [ˈflætjulənt] *a* nadmutý, nafoukaný; způsobující větry; **—ence** [ˈflætjuləns] *s* nadýmání

flatus [ˈfleitəs] *s* 1. závan 2. větry ve vnitřnostech

flaunt [floːnt] *vi & t* honosit se.

nafukovat se □ s vypínání, chlouba

flav|our, am. **—or** [ˈfleivə] s 1. vůně, aróma 2. příchuť, chuť □ vt dodat příchuti, vůně; kořenit

flaw[1] [flo:] s 1. trhlina, skulina 2. vada, kaz; formální chyba na listině

flaw[2] [flo:] s náraz větru

flax [flæks] s len, lněné prádlo; **~-comb** [ˈflækskoum] s vochlovačka; **—en** [ˈflæksən] a lněný; **~-seed** [ˈflæks-si:d] s lněné semeno

flay [flei] vt 1. stáhnout kůži, odřít 2. odřít, oloupit 3. též přísně posuzovat 4. oloupat

flea [fli:] s blecha ♦ to send one away with a ~ in the ear nasadit komu brouka do hlavy; **~-bite** [ˈfli:bait] s bleší kousnutí též fig.

fleck [flek] s 1. skvrna, piha 2. snítko □ vt poskvrnit

flection viz flexion

fled pt & pp od flee

fledg|e [fledž] vt & i opeřit (se); **—ling, —eling** [ˈfledžliŋ] s opeřenec, mladé ptáče; nezkušený člověk

flee* [fli:] vi & t utéci, prchnout

fleec|e [fli:s] s 1. rouno, ovčí vlna 2. „beránky" oblaka □ vt 1. stříhat ovci 2. obrat o peníze; **—y** [ˈfli:si] a rounovitý

fleer [fliə] vi & t pošklebovat se □ s pošklebek

fleet[1] [fli:t] vi 1. bás., kniž. mihnout se kolem, přeletět, spěchat 2. nám. změnit směr □ a 1. rychlý, hbitý 2. dial. mělký

fleet[2] [fli:t] s loďstvo

fleet[3] [fli:t] s zátoka

Flem|ing [ˈflemiŋ] s Flám; **—ish** [ˈflemiš] a flámský □ s flámština

flesh [fleš] s 1. maso, tělo; dužina rostlin 2. tělesnost, smyslnost 3. lidstvo 4. příbuzenství ♦ one's own ~ and blood blízcí příbuzní; ~ and fell a) celé tělo b) úplně; to make his ~ creep nahnat strachu; to gain ~ ztloustnout; to lose ~ zhubnout; to put on ~ tloustnout; in ~ masitý; in the ~ zaživa; after the ~ tělesně; ~-coloured [ˈfleš|kaləd] a pleťově zabarvený; ~-fly [ˈflešflai] s masařka; ~-hook [ˈflešhuk] s řeznický hák; **—ing** [ˈflešiŋz] s pl. trikotový šat pleťové barvy; **—ly** [ˈflešli] a 1. tělesný, smrtelný 2. smyslný 3. světský; ~-pot [ˈflešpot] s 1. hrnec na maso 2. pl. hojnost, luxus □ vt 1. krmit, nasytit masem (dogs psy), navnadit 2. rozzuřit, rozohnit, rozběsnit; **—y** [ˈfleši] a 1. tělesný, masitý 2. otylý, kyprý, dužnatý

flew pt od fly

flex [fleks] vt & i ohnout □ s el. připojovací šňůra; **—ibility** [ˌfleksəˈbiliti] s pružnost, ohebnost; **—ible** [ˈfleksəbl] a 1. ohebný 2. přizpůsobitelný; **—ion** [ˈflekšən] s 1. ohnutí, ohýbání 2. gram. flexe, ohýbání; **—uous** [ˈflekšuəs] a 1. točitý, zvlněný 2. vrtkavý; **—ure** [ˈflekšə] s ohyb

flibbertigibbet [ˈflibətiˈdžibit] s

1. klepař, repetilka 2. nestálý, frivolní člověk
flick [flik] *s* 1. šlehnutí bičem 2. trhnutí 3. lousknutí prsty 4. škrábání 5. sl. film (-*s* filmové představení) □ *vt* švihnout □ *vi* těkat, třepetat se; —**er** [ˈflikə] *vi* plápolat, kmitat; dohasínat; těkat; třepetat se □ *vt* třepetat □ *s* 1. plápolání, plápol; mrkající světlo 2. třepot
flier, flyer [ˈflaiə] *s* 1. letec 2. rychlý vůz, vlak ap. 3. stav. křídlo schodiště 4. skok
flight¹ [flait] *s* 1. let, létání 2. hejno, roj; letka 3. plynutí času 4. křídlo schodů 5. vznášení se; výpad 6. mračno šípů □ *vi* ulétnout, rojit se; stěhovat se
flight² [flait] *s* útěk; odběhnutí ♦ ~ *of capital from the country* únik kapitálu ze země; *to put to* ~ zahnat na útěk; *to take (to)* ~ dát se na útěk; —**y** [ˈflaiti] *a* přelétavý, nestálý, vrtkavý; přihlouplý
flimsy [ˈflimzi] *a* křehký; chatrný, fórový, rozviklaný; nepodstatný □ *s* průklepový papír
flinch [flinč] *vi* couvnout, ustoupit; vyhnout se (*from* čemu)
fling* [fliŋ] *vt* 1. mrštit, metat 2. uvrhnout (*into prison* do vězení) 3. odvrhnout 4. vysílat 5. vyhazovat o koni □ *vi* 6. prudce se vrhnout, skočit 7. spílat, hanět ♦ *to* ~ *a fact in one's teeth* vmést komu do tváře; *to* ~ *oneself upon a person's mercy* vydat se komu na milost a nemilost □ *s*

1. hození, vrh 2. skotský tanec 3. prudký pohyb, kopnutí koně ♦ *to have a* ~ *at* pošklebovat se komu; *to have one's* ~ vydovádět se
flint [flint] *s* křemen, pazourek
flip [flip] *vt & i* (-pp-) 1. švihnout, popohnat 2. plesknout 3. lousknout prsty 4. práskat bičem □ *s* švihnutí; ~-**flap** [ˈflipflæp] *s* 1. přemet 2. prskavka
flipp|ancy [ˈflipənsi] *s* prostořekost, lehkomyslnost; —**ant** [ˈflipənt] *a* prostořeký, lehkomyslný; neuctivý
flipper [ˈflipə] *s* ploutev želvy n. tuleně
flirt [fləːt] *vt* 1. mrštit 2. třepetat, mávat vějířem, mrskat ocasem □ *vi* 3. trhavě se pohybovat 4. koketovat □ *s* koketování; —**ation** [fləːˈteišən] *s* koketování
flit [flit] *vi* (-tt-) 1. kmitnout se 2. třepetat se, poletovat (*about* kolem) 3. odstěhovat se, odejít
flitch [flič] *s* šrůta, kus slaniny
flivver [ˈflivə] *s* am. sl. auťáček
float [flout] *s* 1. plovoucí led a jiné předměty; plavák na udici 2. plavidlo, vor 3. lopatka vodního kola 4. zednická lžíce 5. div. dolní rampa světel □ *vi* plovat, vznášet se na vodě □ *vt* 1. plavit 2 zatopit vodou 3. obch. dát na trh, obchodovat, založit obchod 4. obíhat pověst 5. podporovat, nést 6. tanout na mysli ♦ *to* ~ *a loan* vypsat půjčku; —**age** [ˈfloutidž] *s* plavi dlo na řece; část

lodi nad vodou; říční plavba;
—**ing** [ˈfloutiŋ] *a* vznášející se,
plovoucí; měnivý, nestálý ♦
~ *capital* oběžný kapitál
v buržoazní ekonomice; ~ *dock*
plovoucí dok; ~ *light* světelná
bóje; ~ *mine* plovoucí mina;
~ *policy* běžná pojistka;
~ *population* pohyblivé oby-
vatelstvo
flock¹ [flok] *s* chomáč vlny,
kudrna
flock² [flok] *s* stádo, hejno; dav
☐ *vi* shromáždit v dav
floe [flou] *s* kra
flog [flog] *vt* (-gg-) 1. mrskat,
bičovat 2. sl. prodat ☐ *s*
mrskání, bičování, výprask
flood [flʌd] *s* zátopa, povodeň;
the F~ potopa ☐ *vt* zaplavit,
zatopit, zavodňovat; ~ **-gate**
[ˈflʌdgeit] *s* zdymadlo; ~**light**
osvětlení reflektorem
floor [flo:] *s* 1. podlaha 2. země,
dno 3. poschodí (*ground* ~
přízemí) ♦ *to take the* ~ zejm.
am. mluvit v debatě parla-
mentní, vzít si slovo, ujmout se
slova, oslovit shromáždění ☐
vt 1. klást podlahu 2. srazit
k zemi 3. zmást 4. posadit
žáka, který neuměl zodpově-
dět otázku; *to be -ed* pro-
padnout ve škole, při zkoušce;
~ **-cloth** [ˈflo:kloθ] *s* 1. vos-
kové plátno 2. hadr na mytí
podlahy; —**ing** [ˈflo:riŋ] *s*
kladení podlahy, podlaha;
|~ **-walker** *s* am. vedoucí
obchodu, etážový vedoucí
flop [flop] *vi* (-pp-) 1. plácat
křídly 2. vrhnout se (*down
on one's knees* na kolena),
plácnout sebou (*into an arm-*

chair do lenošky), žuchnout
3. nemotorně se pohybovat
4. úplně selhat ☐ *vt* 5. udeřit,
plácnout, plesknout
Flora [ˈflo:rə] dem. od *Floren-
ce* (žj)
flora [ˈflo:rə] *s* pl. *-as*, *-ae* [-s, -i:]
květena; —**al** [ˈflo:rəl] *a* kvě-
tový, květenový
florescence [flo:ˈresns] *s* doba
květu, rozkvět
floret [ˈflo:rit] *s* kvítek okolíku
floriculture [ˈflo:rikalčə] *s* pěsto-
vání květin
florid [ˈflorid] *a* květový, květ-
natý
florin [ˈflorin] *s* florin 2 sh
florist [ˈflorist] *s* květinář, pěsti-
tel, znalec květin
floss [flos] *s* zadní hedvábí
flotilla [flouˈtilə] *s* flotila, loďstvo
flotsam [ˈflotsəm] *s* plovoucí
vraky
flounce¹ [flauns] *vi* zmítat sebou
☐ *s* škubnutí tělem, rukou
flounce² [flauns] *s* karnýr ☐ *vi*
zdobit karnýrem
flounder¹ [ˈflaundə] *s* flundra
ryba
flounder² [ˈflaundə] *vi* zmítat
sebou ve vodě, v blátě
flour [flauə] *s* mouka, prášek ☐
☐ *vt* 1. rozemlít na mouku 2.
posypat moukou, pomoučnit
flourish [ˈflariš] *vi* 1. prospívat,
být v rozkvětu 2. hrát prim,
3. užívat květnaté řeči ☐ *vt*
4. ozdobit kvítím 5. mávat
mečem 6. ukázat ☐ *s* 1.
kudrlinka, podpis se zátočkou
písmo 2. květnatá mluva 3.
mávání 4. ozdůbka 5. fanfára
flout [flaut] *vi & t* vysmívat se
(*at* čemu)

flow* [flou] *vi* **1.** téci, plynout **2.** prýštit, proudit **3.** vzdouvat se **4.** přetékat, vylévat se **5.** arch. oplývat □ *vt* **6.** zaplavit □ *s* **1.** tok, výtok, proud **2.** plynutí **3.** záplava, příliv; hojnost ♦ ~ *production* plynulá výroba

flower [flauə] *s* **1.** květina, květ, rozkvět **2.** ozdoba řeči **3.** výkvět □ *vi* kvést □ *vt* ozdobit květy, květovat; **~-girl**[ˈflauə-gə:l]*s* květinářka; |**~-pot**s květináč; — **y** [ˈflauəri] *a* květnatý

flown *pp* od *fly*

flu [flu] viz *influenza*

fluctuat|e [ˈflaktjueit] *vi* kolísat, váhat, být nestálý; —**ion** [ˌflaktjuˈeišən] *s* kolísání, váhání

flue [flu:] *s* komín, trouba; průchod

fluent [ˈflu:ənt] *a* plynný, tekutý; plynný, rychlý, pohotový o řeči

fluff [flaf] *s* **1.** prachové peří, chmýří **2.** div. nedokonale naučená úloha □ *vt* **1.** natřást peří, načepýřit se **2.** obrátit hladkou stranou navrch **3.** div. dělat chyby v úloze

fluid [ˈflu:id] *a* tekutý, prchavý □ *s* prchavá látka; —**ity** [fluːˈiditi] *s* prchavost, plynnost

fluke[1] [flu:k] *s* šťastná rána □ *vt* udělat šťastný tah

fluke[2] [flu:k] *s* kotevní patka; hrot oštěpu, harpuny ap.

fluke[3] [flu:k] *s* flundra ryba

flung *pt & pp* od *fling*

flunkey [ˈflaŋki] *s* pol. přisluhovač

fluor [ˈflu:o:] *s* min. fluor;

—**escence** [fluəˈresns] *s* světélkování, fluoreskování; —**escent** [fluəˈresnt] *a* světélkující, fluoreskující; ~ *tube* n. *lamp* zářivka

flurry [ˈflari] *s* **1.** náraz větru **2.** nervózní spěch; rozčilení, prudké znepokojení **3.** smrtelné chroptění velryby □ *vt* znepokojit, vylekat

flush[1] [flaš] *vi & t* vzlétnout, vyplašit (se) □ *s* vyplašené hejno ptáků

flush[2] [flaš] *vi* **1.** vyhrnout se, odkvapit **2.** zardít se □ *vt* **3.** způsobit zardění **4.** vypláchnout **5.** zavodnit □ *s* **1.** přítok, příval, záplava vody, citů, darů, světla, nával krve **2.** náhlá hojnost **3.** vzrušení citu, záchvat radosti, nadšení **4** zardění **5.** vypláchnutí **6.** záře barvy **7.** svěžest, síla

flush[3] [flaš] *a* **1.** až po kraj naplněný, přetékající **2.** bohatý, hojný **3.** ve stejné rovině (*with* s) □ *vt* zarovnat, naplnit

flush[4] [flaš] *s* řada karet stejné barvy

fluster [ˈflastə] *vt & i* rozpálit (se) pitím; rozčilit se □ *s* rozčilení, vzrušení

flut|e [flu:t] *s* **1.** flétna **2.** stav. rýha v sloupu □ *vi* hrát na flétnu □ *vt* rýhovat; —**ist** [ˈflu:tist] *s* flétnista

flutter [ˈflatə] *vi* **1.** třepat křídly, poletovat **2.** třást se **3.** neklidně se pohybovat **4.** slabě bít tepna **5.** znepokojovat se □ *vt* **6.** pomást □ *s* **1.** třepot, chvění **2.** zmatek, neklid **3.** sl. spekulace na burze

flux [flaks] *s* **1.** (vý)tok, výron krve, čmýra **2.** příliv **3.** záplava řeči, proud času ♦ *soldering* ~ tavidlo □ *vi & t* **1.** roztavit **2.** hojně plynout; —**ion** [ˈflakšən] *s* **1.** plynutí, tok, výtok **2.** roztavení **3.** mat. vzrůst proměnné hodnoty, newtonský počet

fly*¹ [flai] *vi & t* **1.** létat, poletovat, vzlétnout **2.** mávat **3.** spěchat, kvapit **4.** utéci **5.** přeskočit (*over* přes) **5.** vlát, vyvěsit vlajku **4.** pouštět (*a kite* draka) ♦ *the door flew open* dveře se rozlétly; *to let* ~ spustit, vystřelit; *the bird has flown* fig. ptáček uletěl; *to* ~ *in pieces* rozletět se; ~ **about** poletovat; ~ **at, upon** prudce napadnout, přepadnout; ~ **in** vyřítit se na, urazit; ~ **off** spěchat pryč, odletět; ~ **out at** na někoho si vyjet; ~ **over** přeletět

fly² [flai] *s* **1.** moucha **2.** let **3.** setrvačník **4.** okraj, cíp šatu, stanu, poklopec u kalhot; příklop **5.** bryčka; —**ing** [ˈflaiiŋ] *s* let; ~ *at low altitude* hloubkový let; ~ *-boat* [ˈflaiiŋ-ˌbout] *s* hydroplán; ˈ~ -ˌbridge *s* zdvíhací most, pontonový most; ~ *-machine* [ˈflaiiŋməˌšiːn] *s* letadlo; ~ *man s* letec; ˈ~ -ˌofficer *s* nadporučík letectva; ~ **-leaf** [ˈflaili:f] *s* předsádka knihy; ~ **-wheel** [ˈflaiwiːl] *s* setrvačník

F.M. = *Field Marshal*

foal [foul] *s* hříbě ♦ *in* ~ hřebice, březí n. hřebná kobyla □ *vt & i* ohřebit (se)

foam [foum] *s* pěna □ *vi* pěnit (se)

fob¹ [fob] *s* kapsička na hodinky

fob² [fob] *vt* (-bb-) ošidit, tajně podstrčit

f.o.b = *free on board*

focal [ˈfoukəl] *a* ohniskový

fo|cus [ˈfoukəs] *s* pl. *-ci* [-sai] ohnisko, střed □ *vt & i* přivést (přijít) do ohniska; ~ *in* soustřeďovat se v něčem n. na něco, směrovat kam

fodder [ˈfodə] *s* píce, krmivo □ *vt* krmit

foe [fou] *s* bás. nepřítel

fo•tus viz *fetus*

fog¹ [fog] *s* mlha □ *vt & i* (-gg-) zamlžit, zatemnit; ~ **-bound** [ˈfogbaund] *a* mlhavý; —**gy** [ˈfogi] *a* mlhavý, zamžený

fog² [fog] *s* otava

foible [ˈfoibl] *a* slabý □ *s* slabost, slabá stránka

foil¹ [foil] *vt* **1.** přemoci, překazit **2.** mást stopu

foil² [foil] *s* končíř, rapír

foil³ [foil] *s* lístek, plátek zlata, cínu, fólie

foist [foist] *vt* tajně podstrčit (*into, in*); ošidit (*on, upon*); svalovat (*duties on s.o.* povinnosti na koho)

fold¹ [fould] *s* **1.** ovčinec, salaš **2.** stádo ovcí **3.** fig. církev □ *vt* zavřít ovce do ohrady

fold² [fould] *vt* **1.** složit v záhyby **2.** sevřít v náruč **3.** založit (*one's arms* ruce) **4.** zabalit □ *vi* **5.** do sebe zapadat, zavírat se ♦ *to* ~ *a person to one's breast* přivinout koho k ňadrům; ~ **in** založit, zavřít; ~ **up** složit, přehýbat

fold³ [fould] *s* **1.** záhyb roucha

2. rýha, drážka, žlábek **3.** křídlo dveří **4.** náručí, objetí -**fold**⁴ [-fould] sufix značící „-násobný"

foliage [ˈfouliidž] *s* listoví, lupení

foliate [ˈfouliit] *a* listový, listnatý

folio [ˈfouliou] *s* folio, list, svazek

folk [fouk] *s* **1.** pl. lidé **2.** arch. národ, rasa; **~-lore** [ˈfouklo:] *s* folklór; |**~-song** *s* lidová píseň

foll. = *following*

follicle [ˈfolikl] *s* měchýřek, míšek, kokon

follow [ˈfolou] *vt & i* **1.** následovat **2.** držet se (*a path* cesty) **3.** (do)provázet **4.** poslechnout **5.** pochopit význam **6.** vyplývat ♦ *to ~ one's nose* jít rovnou za nosem; *to ~ suit* **1.** následovat příkladu **2.** karetní ctít barvu; *to ~ the plough* vést pluh, orat; *~ out* provést do konce; *~ up* pronásledovat; —**er** [ˈfoluə] *s* **1.** následovník, přívrženec **2.** žák **3.** milenec, nápadník; —**ing** [ˈfolouiŋ] *a* následující, tento □ *s* přívrženci, stoupenci

folly [ˈfoli] *s* bláznovství, pošetilost

foment [fouˈment] *vt* **1.** pařit, nahřívat **2.** podporovat; povzbuzovat; podněcovat; —**ation** [ˌfoumenˈteišən] *s* **1.** napařování, nahřívání **2.** podněcování

fond [fond] *a* **1.** pošetilý **2.** zamilovaný (*of* do) **3.** laskavý, něžný ♦ *to be ~ of* mít rád, milovat

fondle [ˈfondl] *vt* laskat se, mazlit se (*with, together* s) □ *vi* být oddán, toužit po

font [font] *s* křtitelnice; nádrž na olej u lampy

food [fu:d] *s* **1.** potrava, jídlo, pokrm; fig. potrava duševní, látka k přemýšlení **2.** potraviny, výrobky potravinářského průmyslu; ~ (*ration*) *cards* potravinové lístky; *tinned, canned,* ~ konzervy; ~ **-stuffs** [ˈfu:dstafs] *s* potraviny

fool [fu:l] *s* **1.** pošetilec, hlupák **2.** šašek ♦ *to make a ~ of* dělat si blázny z; *to play the ~* dělat blázna; *All Fools' day* **1.** duben, apríl; *April ~* člověk vyvedený aprílem □ *vi* bláznit, žertovat □ *vt* klamat, šidit, mít za blázna; **~ away** bláznivě, pošetile, promarnit (*time* čas, *health* zdraví, *money* peníze); **~ with** zahrávat si pošetile s; —**ery** [ˈfu:ləri] *s* pošetilost, bláhovost; |—**hardy** ♦ šíleně odvážný; —**ish** [ˈfu:liš] *a* **1.** pošetilý, bláhový **2.** žertovný; —**ishness** [ˈfu:lišnis] *s* pošetilost, bláhovost; **~'s cap,** [ˈfu:lzkæp] *s* **1.** bláznovská čepice **2.** vodoznak **3.** [ˈfu:lskæp] formát kancelářského papíru

foot [fut] *s* pl. *feet* [fi:t] **1.** noha **2.** krok, chod **3.** úpatí, základ dolejší část (*of a ladder* žebříku, *wall* stěny, *page* stránky) **4.** pěchota **5.** stopa 30.5 cm ♦ *to have one ~ in grave* být jednou nohou v hrobě; *to find, know, the length* *of one's* ~ znát něčí Achillovu patu; ~ *by* ~ krok za krokem; *from head to* ~ od hlavy k patě; *to keep one's feet* udržet se na nohách; *on* ~ pěšky; *to set on* ~ přivést v chod, hnout, vyjít; *to put one's* ~ *down* fig. dupnout si, jednat rozhodně; *to put one's* ~ *in it* chybit, způsobit svízel; *to tread, trample, under* ~ fig. potlačovat, tyranizovat □ *vt* 1. šlapat 2. držet nohama 3. připlést chodidlo punčochy 4. spočítat *(up)* 5. zaplatit □ *vi* 6. kráčet, jít, poskakovat 7. tančit; **—ball** [ˈfutbo:l] *s* míč; kopaná; I**—baller** *s* hráč kopané; **—board** [ˈfutbo:d] *s* stupátko, podnožka; I**—boy** *s* poslíček; **—brake** [ˈfutbreik] *s* nožní brzda; **~-bridge** [ˈfutbridž] *s* lávka, můstek pro pěší; **~-fall** [ˈfutfo:l] *s* zvuk kroků; **~-gear** [ˈfutgiə] *s* obutí, obuv; **—ing** [ˈfutiŋ] *s* 1. postavení, pozice 2. podnož 3. stopa, šlépěj 4. opora, úroveň; **~-lights** [ˈfutlaits] *s* rampová světla; I**—man** *s* pěšák, sluha; I**~-mark** *s* stopa, šlépěj; I**~-note** *s* poznámka pod čarou; **~-pad** [ˈfutpæd] *s* loupežník bez koně; **~-passenger** [ˈfutˌpæsindžə] *s* pěší; **~-path** [ˈfutpa:θ] *s* pěšina; I**~-print** *s* stopa, šlépěj; **~-rag** [ˈfutræg] *s* onuce; **~-soldier** [ˈfutˌsouldžə] *s* pěšák; I**—sore** *a* s bolavými nohama, ušlý

fop [fop] *a* floutek, hejsek marnivý člověk; **—pish** [ˈfopiš] *a* fintivý, marnivý

for [fo:] *prep* za, pro, k, do, na, o, pokud jde o *(as* ~ *me* pokud jde o mne), po, jako, přes ♦ *once* ~ *all* jednou provždy; *to go* ~ *a walk* jít na procházku; ~ *sale* na prodej; *he left* ~ *India* odejel do Indie; *word* ~ *word* doslova; ~ *want of time* z nedostatku času; ~ *all you say* vám navzdory; ~ *ever* navždy; ~ *example (instance)* například; ~ *why* pročež; ~ *once* pro jednou; *to take* ~ *granted* předpokládat; *what* ~ ? proč? □ conj. neboť, protože

forage [ˈforidž] *s* 1. píce 2. rekvírování píce □ *vi* 1. shromažďovat píci 2. potloukat se 3. drancovat, plenit, kořistit

foramen [foˈreimən] *s* zool. otvor

forasmuch as [fərəzˈmač] *conj* vzhledem k tomu, že; poněvadž, ježto

foray [ˈforei] *s* nájezd □ *vi* činit nájezd

forbade [fəˈbeid] *pt* od *forbid*

forbear[1] [ˈfo:beə] *s* předek

forbear[2]* [fo:ˈbeə] *vi* 1. snášet, být trpělivý □ *vt* 2. přestat 3. zdržet se čeho, vystříhat se, vyhnout se 4. opomenout, nezmínit se

forbid* [fəˈbid] *vt* zapovědět, zakázat, nedovolit ♦ *God* ~ *that he should do it* doufám, že to neučiní; *forbidden fruit* zakázané ovoce; **—den** [fəˈbidn] *pp* od *forbid*; **—ding** [fəˈbidiŋ] *a* odpuzující, odporný

forbore [fo:ˈbo:] *pt* od *forbear*[2]

forborne [fɔːˈbɔːn] *pp* od *forbear*[2]

forc|e [fɔːs] *s* 1. síla, moc, násilí 2. nátlak 3. pl. voj. vojsko 4. platnost, význam ♦ *aggressive -es* agresívní síly; *military -es* branná moc; *tank -es* pancéřová zbraň; *by ~* násilím; *by ~ of* pomocí čeho; *to come into ~* nabýt účinnosti; *to enter into ~* vstoupit v platnost; *to put in ~* vynutit; *production, productive -es* výrobní síly □ *vt* 1. přinutit, donutit 2. vyrazit. prolomit 3. hnát, dohnat 4. znásilnit 5. přemoci, zajmout 6. vloupat se; *~ out* vynutit; **~ible** [ˈfɔːsəbl] *a* 1. silný, mohutný 2. působivý, platný 3. násilný

forceps [ˈfɔːseps] *s sg., pl.* lékařské kleště

ford [fɔːd] *s* brod □ *vt & i* přebrodit (se)

fore-[1] [fɔː-] prefix značící „dřívější, před"

fore[2] [fɔː] *a* přední, dřívější □ *s* přední část ♦ *to the ~* na místě, při ruce; naživu

fore[3] [fɔː] *adv* napřed, vpředu □ *prep* při ♦ *~ and aft* po celé lodi, vpředu i vzadu

forearm *s* [ˈfɔːrɑːm] předloktí □ *vt* [fɔːˈrɑːm] napřed odzbrojit

forebod|e [fɔːˈboud] *vt* věštit, tušit; **—ing** [fɔːˈboudiŋ] *s* předtucha, věštba, znamení

forecast* *vt* [ˈfɔːkɑːst] předvídat, předpovídat počasí □ *s* [ˈfɔːkɑːst] předpověď počasí *(weather ~)*

forecastle [ˈfouksl] *s* příď lodi

foreclose [fɔːˈklouz] *vt & i* 1. vyloučit 2. zabránit 3. prohlásit hypotéku za propadlou

forefather [ˈfɔːˌfɑːðə] *s* předek

forefinger [ˈfɔːˌfiŋgə] *s* ukazováček

forefront [ˈfɔːfrant] *s* průčelí domu; předpolí fronty

forego* [fɔːˈgou] *vt & i* 1. předcházet 2. postoupit, zříci se, vzdát se; **—er** [fɔːˈgouə] *s* předchůdce

foreground [ˈfɔːgraund] *s* 1. popředí 2. voj. předpolí

forehand [ˈfɔːhænd] *s* 1. přední část koně před jezdcem 2. sport. forehand druh úderu; **—ed** [fɔːˈhændid] *a* am. mající úspory, zásoby; zámožný

forehead [ˈforid] *s* čelo

foreign [ˈforin] *a* cizí, cizokrajný, zahraniční; *~ exchange* deviza, cizí valuta; **—er** [ˈforinə] *s* cizinec

foreman [ˈfɔːmən] *s* předák, předseda; dílovedoucí (též *shop ~*); *~ bricklayer* polír

foremast [ˈfɔːmɑːst] *s* přední stěžeň

foremost [ˈfɔːmoust] *a* nejpřednější, předsunutý; hlavní □ *adv* především

forenoon [ˈfɔːnuːn] *s* dopoledne

forensic [fəˈrensik] *a* soudní, právnický

forerunner [fɔːˈranə] *s* předchůdce

foresail [ˈfɔːseil] *s* hlavní dolní plachta předního stěžně

foresee* [fɔːˈsiː] *vt* předvídat, tušit

foreshadow [fɔːˈʃædou] *vt* naznačit, předem nastínit; předpovídat

foreshorten [fo:'šo:tn] *vt* zkrátit perspektivně
foresight ['fo:sait] *s* 1. předvídání, předtucha 2. opatrnost
foreskin ['fo:skin] *s* předkožka
forest ['forist] *s* les, prales; —er ['foristə] *s* lesník, zálesák; —ry ['foristri] *s* lesnictví
forestall [fo:'sto:l] *vt* 1. předejít 2. napřed skoupit 3. předem překazit
foretell* [fo:'tel] *vt* předvídat, věštit
foretop ['fo:top] *s* 1. nám. přední n. čelní koš 2. vyčesané vlasy, kakada
forever [fo:'revə] *adv* navždy
forewent, forwent [fo:'went] *pt* od forgo
foreword ['fo:wə:d] *s* předmluva
forfeit ['fo:fit] *s* 1. zástava 2. propadlá věc 3. pokuta, trest 4. pl. hra na zástavy □ *a* propadlý □ *vt* propadnout, být pokutován ♦ *to* ~ *one's word* nedostát svému slovu; —ure ['fo:fičə] *s* propadnutí, ztráta, pokuta, odnětí, konfiskace (*of property* jmění)
forgave *pt* od forgive
forge [fo:dž] *vt* 1. kout, kovat 2. osnovat 3. padělat □ *vi* 4. podstoupit, probít se 5. být v čele □ *s* 1. kovárna 2. tavná pec, výheň
forget* [fə'get] *vt* 1. zapomenout (se), zanedbat 2. zvr. zapomenout se, jednat nedůstojně; —ful [fə'getful] *a* zapomnětlivý; ~ -me-not [fə'getminot] *s* pomněnka
forgive* [fə'giv] *vt* 1. odpustit, prominout; slevit 2. omluvit;

—en [fə'givn] srv. forgive; —eness [fə'givnis] *s* odpuštění
forgo viz forego
forgone *pp* od forego
forgot *pt* od forget
forgotten *pp* od forget
fork [fo:k] *s* 1. vidlička 2. vidle 3. vidlice cest 4. rozvětvení □ *vi* 1. dělit se, rozvětvovat se □ *vt* 2. nakládat vidlemi 3. vidlicovitě (se) dělit, rozvětvovat se; —y ['fo:ki] *a* vidlicovitý, rozsochatý, rozštěpený
forlorn [fə'lo:n] *a* ztracený; opuštěný; ubohý
form [fo:m] *s* 1. tvar, podoba 2. postava 3. povaha, přirozenost 4. druh 5. třída školní 6. formulář 7. způsob chování 8. školní lavice 9. brloh, doupě, zaječí nora 10. tiskařský rámec, sazba v rámci ♦ *in due* ~ řádně, řádným způsobem; *to be in good* ~ být v dobré formě, zdráv; ~ *of value* hodnotová forma; *elementary* ~ *of value* prostá, jednoduchá forma hodnotová; *money* ~ *of value* peněžní forma hodnotová; *universal* ~ *of value* obecná forma hodnotová □ *vt & i* 1. uzpůsobit, utvořit, organizovat 2. vymyslit, načrtnout plán 3. utvářet(se) 4. skládat (se) 5. seřadit 6. rozdělit ♦ *to* ~ *a quorum* být schopným usnášet se
formal ['fo:məl] *a* 1. tvarový, formální 2. určitý, přesný 3. metodický 4. zevnější; —ity [fo:'mæliti] *s* formalita

format [ˈfoːmæt] *s* formát knihy, rozměry

format|ion [foˈmeišən] *s* utváření; sestava, útvar, formace; **—ive** [ˈfoːmətiv] *s* tvárný, tvarový; tvořivý

former [ˈfoːmə] *a & pron* dřívější, minulý; někdejší, předešlý; *the ~ ... the latter* onen... tento; **—ly** [ˈfoːməli] *adv* dříve, jindy

formic [ˈfoːmik] *a* mravenčí; ~ *acid* kyselina mravenčí; **—ary** [ˈfoːmikəri] *s* mraveniště

formidable [ˈfoːmidəbl] *a* strašný, hrozný

Formosa [foˈmousə] *s* hist. viz *Tchaj wan*

formul|a [ˈfoːmjulə] *s* pl. *-ae*, **-as** [-iː, əz] formule, pravidlo, vzorec; definice; předpis; **—ate** [ˈfoːmjuleit] *vt* formulovat

fornicat|e [ˈfoːnikeit] *vi* smilnit; **—ion** [ˌfoːniˈkeišən] *s* smilstvo

forsake* [fəˈseik] *vt* opustit, zanechat, zříci se; zradit

forsook *pt* od *forsake*

forsooth [fəˈsuːθ] *adv* vpravdě, věru

forswear* [foːˈsweə] *vt* 1. odpřísáhnout, zapřísahat; přísežně se zříci 2. zvr. křivě přísahat

fort [foːt] *s* tvrz, bašta, pevnůstka

forte¹ [foːt] *s* silná stránka něčí

forte² [ˈfoːti] *adv* hud. silně

forth [foːθ] *adv* 1. dále, pryč 2. ven ♦ *and so ~* atd.; *as ~ as* do té míry, jak; **—coming** [foːθˈkamiŋ] *a* blížící se, nastávající; **—with** [foːθˈwiθ] *adv* ihned, bez odkladu

fortieth [ˈfoːtiiθ] *a* čtyřicátý

fortifi|cation [ˌfoːtifiˈkeišən] *s* opevnění, ohrazení; pevnost; **—y** [ˈfoːtifai] *vt* 1. voj. opevnit 2. posílit 3. zesílit alkoholem (*liquors* likéry) 4. potvrdit

fortitude [ˈfoːtitjuːd] *s* síla, zmužilost, odvaha

fortnight [ˈfoːtnait]*s*čtrnáct dní; **—ly** [ˈfoːtˌnaitli] *a* čtrnáctidenní □ *s* čtrnáctideník

fortu|itous [foːˈtjuitəs] *a* nahodilý; **—ity** [foːˈtjuiti] *s* nahodilost, náhoda

fortunate [ˈfoːčnit] *a* šťastný, příznivý ♦ ~ *purchase* nahodilá, příležitostná koupě

fortune [ˈfoːčən] *s* 1. štěstí 2. náhoda, osud 3. jmění, majetek 4. zdar, prosperita ♦ *to make a ~* udělat štěstí, zbohatnout; *to try one's ~* zkusit štěstí □ *vi* arch., bás. přihodit se, stát se; ~ **-teller** *s* věštec, věštkyně

forty [ˈfoːti] *a & s* čtyřicet, čtyřicítka ♦ ~ *winks* zdřímnutí

forum [ˈfoːrəm] *s* 1. fórum 2. soudní dvůr 3. veřejná diskuse

forward¹ [ˈfoːwəd] *a* 1. přední, pokročilý 2. raný 3. předčasný 4. chtivý; horlivý, čilý 5. fam. drzý □ *s* kop. útočník; ~ *area* předsunuté bojové pole; **—ness** [ˈfoːwədnis] *s* smělost, drzost; ~ **positions** předsunuté pozice

forward(s)² [ˈfoːvəd(z)] *adv* kupředu, vpřed □ ~ *march!* pochodem pochod!; *to bring*

~ upozornit na; *to go* ~ dělat pokroky; *to look* ~ těšit se; *to set* ~ vydat se na cestu

forward³ ['fo:wəd] *vt* 1. urychlit, uspíšit 2. dopravit, doručit; odeslat

forwent *pt* od *forgo*

foss(e) [fos] *s* 1. příkop, zákop 2. anat. důlek

fossil ['fosl] *a* zkamenělý □ *s* zkamenělina; —**ize** ['fosilaiz] *vt & i* zkamenět

foster ['fostə] *vt* arch. živit, pěstovat, chovat city; I~ -₁**child** *s* schovanec, schovanka; I~-₁**father** *s* pěstoun; I~ -₁**mother** *s* 1. pěstounka 2. líheň

fought *pt & pp* of *fight*

foul [faul] *a* 1. nečistý, páchnoucí; špinavý, kalný (*water* voda) 2. samé býlí 3. sprostý, oplzlý 4. nepoctivý (*play* hra), falešný 5. vlhký; bouřlivý (*weather* počasí) 6. odpuzující, protivný vítr 7. ošklivý, ohavný, odporný 8. zapletený ♦ *to fall* ~ *of the law* přijít do konfliktu se zákonem; *to run* ~ *of* vrazit do □ *s* 1. srážka 2. sport. rána n. zákrok proti pravidlům □ *adv* nepoctivě, hanebně, falešně □ *vt & i* 1. zkalit (se), pokálet, pošpinit (se) 2. srazit se 3. zamotat se (*with s*); ~-**mouthed** ['faul-₁mauðd] *a* oplzle mluvící; —**ness** ['faulnis] *s* 1. nečistota, špína 2. nekalost 3. nepoctivost, faleš 4. nemravnost, sprostota 5. zkaženost

found¹ [faund] *vt & i* 1. založit, položit, základy 2. spočívat

(*upon* na); —**er¹** ['faundə] *s* zakladatel

found² [faund] *vt* slévat, lít kov; —**er²** ['faundə] *s* slévač

found³ *pt, pp* od *find*

foundation [faun'deišən] *s* 1. založení 2. základ, základna (*economic* ~ hospodářská základna, *material* ~ hmotná základna) 3. nadace (~ *school* nadační škola) 4. ústav

founder³ ['faundə] *vi & t* 1. schvátit koně 2. ztroskotat o lodi 3. propadnout se, sesout se 4. zhroutit se □ *s* schvácenost koně

foundling ['faundliŋ] *s* nalezenec

foundry ['faundri] *s* slévárna

fount [faunt] *s* bás., řeč. pramen, zřídlo, zdroj

fountain ['fauntin] *s* pramen, zřídlo, zdroj; vodotrysk, vodomet, fontána, kašna; ~ -**head** ['fauntin₁hed] *s* (pra)zdroj; I~-**pen** *s* plnicí pero

four [fo:] *num* čtyři; ~-**dimensional** ['fo-:di'menšənl] *a* čtyřrozměrný; —**fold** ['fo:fould] *a* čtyřnásobný; ~-**footed** ['fo:-₁futid] *a* čtyřnohý; —**pence** ['fo:pəns], —**penny** ['fo:pəni] *s* 4 pence; —**poster** ['fo:-₁poustə] *s* postel s nebesy; —**score** ['fo:₁sko:] *s* osmdesát; ~ -**seater** ['fo:₁si:tə] *s* čtyřsedadlový vůz; ~ -**square** ['fo:₁skweə] *a* čtyřrohý, čtvercový; ~-**stroke** ['fo:₁strouk] *s* čtyřtaktní motor; —**teen** ['fo:₁ti:n] *a* čtrnáct; —**teenth** ['fo:₁ti:nθ] *a* čtrnáctý

fourth [fo:θ] *a* čtvrtý □ *s* 1. čtvrtina 2. hud. kvarta

fowl [faul] *s* 1. slepice, drůbež 2. pták ☐ *vi* střílet ptáky

fox [foks] *s* liška; *dog-* ~ lišák; *bitch-*~ liška ☐ *vt* hnědě zabarvit n. potřísnit ☐ *vi* lišácky si počínat, oklamat; ~ **-glove** [ˈfoksglav] *s* bot. náprstník; ~ **-hound** [ˈfokshaund] *s* jezevčík; ~ **-terrier** [ˈfoksteriə] *s* foxteriér; — **trot** 1. *s* tanec 2. *vi* tančit foxtrot; — **y** [ˈfoksi] *a* lišácký, vychytralý, potměšilý

Fr. = *France*; *French*; *Friar*; *Friday*

fr. = *franc(s)*

fract|ion [ˈfrækšən] *s* zlomek (*proper* pravý, *improper* nepravý, *decimal* desetinný), úlomek; — **ional** [ˈfrækšənl] *a* zlomkovitý; — **ious** [ˈfrækšəs] *a* popudlivý, nevrlý, svárlivý; — **ure** [ˈfrækčə] *s* zlomenina kosti ☐ *vt & i* zlomit (se)

fragil|e [ˈfrædžail] *a* křehký, slabý; — **ity** [frəˈdžiliti] *s* křehkost, slabost

fragment [ˈfrægmənt] *s* zlomek, střepina; — **ary** [ˈfrægməntəri] *a* zlomkovitý, úlomkovitý; kusý

fragr|ance [ˈfreigrəns] *s* sladká vůně; — **ant** [ˈfreigrənt] *a* libovonný

frail[1] [freil] *a* křehký, slabý, též mravně; — **ty** [ˈfreilti] *s* 1. křehkost, slabost 2. chyba, poklesek

frail[2] [freil] *s* košíček z lýka

frame [freim] *vt* 1. vytvářet, uspořádat 2. sestrojit, vynalézt, dát dohromady 3. přizpůsobit 4. zarámovat, vlo-

žit do rámce 5. am. křivě obvinit 6. představit si 7. budovat ♦ *to* ~ *a draft* sestavit písemný návrh ☐ *vi* 8. am. přizpůsobit se 9. utvářet se ☐ *s* 1. stavba, konstrukce 2. rámec, rám 3. kostra budovy, letadla 4. plán, systém, zřízení, řád 5. druh 6. tělo 7. stav mysli 8. skleník zahradnický; ~ **-aerial** [ˈfreimˈeəriəl] *s* rámcová anténa; ~ **-saw** [ˈfreimso:] *s* rámcová pila; ~ **-up** [ˈfreimap] *a* předem nastrojený léčka, úklady; — **work** [ˈfreimwə:k] *s* kostra stavby, rámec; stavba, systém

franc [fræŋk] *s* frank

France [fra:ns] *s* Francie

franchise [ˈfrænčaiz] *s* 1. volební právo 2. občanství 3. právo, výsada 4. am. koncese

Franciscan [frænˈsiskən] *s* františkán ☐ františkánský

Frank [fræŋk] *s* Franta (mj)

frank [fræŋk] *a* přímý, otevřený, upřímný

frankincense [ˈfræŋkinˌsens] *s* kadidlo

Franklin [ˈfræŋklin] *s* Franklin (mj)

fratern|al [frəˈtə:nl] *a* bratrský; — **ity** [frəˈtə:niti] *s* bratrstvo, bratrství; — **ize** [ˈfrætənaiz] *vi* bratřit se

fratricid|e [ˈfreitrisaid] *s* bratrovražda, bratrovrah; — **al** [ˌfreitriˈsaidl] *a* bratrovražedný

fraud [fro:d] *s* podvod, klam

fraudul|ence [ˈfro:djuləns] *s* podvodnost; — **ent** [ˈfro:djulənt] *a* podvodný, klamný fraught [fro:t] *a* bás., fig. obtížený, plný ◆ ~ *with danger* hrozivý

fray¹ [frei] *s* boj, rvačka, půtka

fray² [frei] *vt & i* třít, prodřít (se), opotřebovat (se)

frazzle [ˈfræzl] *vt & i* odřít, rozedrat (se) ☐ *s* 1. cár, hadr, 2. vyčerpanost

freak [fri:k] *s* vrtoch, nápad; zrůdnost; —ed [fri:kt] *a* potřísněný; —ish [ˈfri:kiš] *a* vrtošivý, podivínský

freckle [ˈfrekl] *s* piha ☐ *vt & i* pokrýt (se) pihami, pihovatět

Fred, Freddy = *Frederick*

Frederick [ˈfredrik] *s* Bedřich (mj)

free [fri:] *a* 1. volný, svobodný 2. neomezený; nenucený, nevázaný, drzý 3. zbavený (*from* čeho) 4. otevřený, přímý 5. spontánní 6. důvěrný 7. ochotný 8. upřímný ◆ ~ *alongside ship* i s dopravným k boku lodi; *to have a ~ hand* fig. mít volnou ruku; *to set, make,* ~ propustit na svobodu; ~ *and easy* nekonvenční, neobřadný; ~ *from general average* s vyloučením generální havárie; ~ *of charge* bezplatný; ~ *of duty* nezdaněný; ~ *of all average* nepojištěný proti havárii; ~ *on board* vyplaceně až na loď ☐ *vt* propustit na svobodu, zbavit, uvolnit *(from, of)*; ˡ~ -handed *a* štědrý; ˡ—hold *s* svobodný statek; —lance [ˈfri:ˈla:ns] *s* 1. žoldnéř, námezdník 2. nezávislý politik n. žurnalista; ˡ—man *a* svo-

bodný občan; —mason [ˈfri:-ˌmeisn] *s* svobodný zednář; —thinker [ˈfri:ˈθiŋkə] *s* volnomyšlenkář; ~ trade *s* volný obchod; ~ will *s* svobodná vůle

freedom [ˈfri:dəm] *s* 1. svoboda (*of speech* projevu), volnost; osvobození (*from* od) 2. nezávislost 3. výsada 4. přímost, nenucenost, smělost 5. členství 6. svobodné užívání (*of* čeho) ◆ ~ *of the city* čestné občanství

freez|e* [fri:z] *vi* 1. mrznout, tuhnout ☐ *vt* 2. zmrazit, ochladit 3. obstavit peníze ◆ *frozen prices* úředně nařízené, stabilizované ceny; *to* ~ *wages* úředně ustálit, stabilizovat mzdy; *to* ~ *to death* zmrznout; *to* ~ *one's blood* fig. postrašit; ~ *out* sl. bojkotovat; —ing-point [ˈfri:-ziŋpoint] *s* bod mrazu

freight [freit] *s* 1. doprava 2. náklad 3. nájem lodi 4. am. zboží dopravované drahou 5. dopravné; —age [ˈfreitidž] *s* 1. (pro)nájem lodi 2. náklad 3. dovozné; —er [ˈfreitə] *s* 1. dopravce 2. nákladní loď 3. dopravní letoun; ˡ~ -train *s* nákladní vlak ☐ *vt* 1. najmout loď 2. naložit na loď 3. opatřit nákladem

French [frenč] *a* francouzský; *the* ~ Francouzi ◆ *to take* ~ *leave* zmizet po anglicku ☐ *s* francouzština; ~ bean bob, fazol; ~ horn lesní roh; ˡ—man *s* Francouz; ~ polish nábytkový lak; ˡ—woman *s* Francouzka

frenetic viz *phrenetic*
frequ|ency [ˈfriːkwənsi] *s* **1.**
hojnost; hojný výskyt, opa-
kování **2.** fyz. frekvence,
kmitočet; **—ent** [ˈfriːkwənt]
a hojný, častý, běžný □ *vt*
často navštěvovat
fresco [ˈfreskou] *s* freska
fresh [freš] *a* **1.** čerstvý, svěží
2. nový, nedávný **3.** nezku-
šený **4.** silný vítr **5.** am. sl.
drzý, nestoudný, dotěrný
k ženě ♦ ~ *paint* čerstvě
natřeno; *in the* ~ *air* venku;
|~*-earthed craters* čerstvě vy-
hloubené krátery; **—en**
[ˈfrešn] *vi* osvěžit, občerstvit;
—et [ˈfrešit] *s* **1.** příval, po-
vodeň **2.** vtok řeky do moře;
|**—man** *s* nováček student na
universitě n. na střední škole
fret¹ [fret] *vt & i* (-tt-) **1.** roze-
žírat, leptat **2.** mrzet se,
hněvat se, soužit se **3.** dřít
(se) **4.** podráždit □ *s* podráž-
dění. p˃puzení; hryzení; hněv,
nepokoj; **—ful** [ˈfretful] *a*
mrzutý, p˃pudlivý, hněvivý
fret² [fret] *s* **1.** vypuklá řez-
ba **2.** mřížkování; ~ *-saw*
[ˈfretsoː] *s* dýhovka, lupen-
ková pilka
fret³ [fret] *s* pražec kytary
Freudian [ˈfroidjən] *a* freudov-
ský □ *s* freudovec
friable [ˈfraiəbl] *a* drobivý,
sypký
friar [ˈfraiə] *s* mnich; **—y**
[ˈfraiəri] *s* mužský klášter
fribble [ˈfribl] *vi* zahrávat si □
s lenoch, zaháleč
friction [ˈfrikšən] *s* tření, třenice
(*political* ~ politická třenice);
—al [ˈfrikšənl] *a* třecí

Friday [ˈfraidi] *s* pátek; *Good* ~
Velký pátek
friend [frend] *s* přítel(kyně),
druh, průvodce ♦ *to be, keep,
make* ~ přátelit se, dobře
vycházet; **—liness** [ˈfrend-
linis] *s* přátelství, náklonnost,
vlídnost; **—ly** [ˈfrendli] *a*
přátelský, laskavý; **—ship**
[ˈfrendšip] *s* přátelství
frieze¹ [friːz] *s* frýz, huňatá
vlněná látka, houně
frieze² [friːz] *s* stav. vlys
frigate [ˈfrigit] *s* fregata, kor-
veta
fright [frait] *s* zděšení, strach,
hrůza; leknutí ♦ *stage* ~
tréma při veřejném vystoupení;
—en [ˈfraitn] *vt* poděsit, do-
hnat strachem (*into* k); **—ful**
[ˈfraitful] *a* **1.** děsný, hrozný
2. ošklivý, ohyzdný
frigid [ˈfridžid] *a* studený; mra-
zivý, ledový; *F~ Zone* stu-
dené pásmo
frill [fril] *s* **1.** nabíraná látka;
lem, okraj; volán **2.** třepení
fringe [frindž] *s* **1.** obruba, lem
2. třepení **3.** ofina □ *vt* třepe-
ním lemovat; |**—maker** *s*
prýmkař
frippery [ˈfripəri] *s* fintění, pa-
ráda; nápadná ozdoba
Frisco = *San Francisco*
frisk [frisk] *vi* hopsat, dovádět;
—y [ˈfriski] *a* skotačivý
fritter [ˈfritə] *vt* **1.** rozkouskovat,
roztříštit **2.** ~ *away* odhodit,
promarnit
frivolous [ˈfrivələs] *a* malicherný
frizz¹ [friz] *vi* stříkat, prskat
při smažení
frizz², **-le** [ˈfriz(l)] *vt & i* kadeřit
(se) □ *s* kadeř

fro [frou] *adv* pryč, tam ♦ *to and* ~ sem a tam

frock [frok] *s* **1.** kutna **2.** ženské šaty **3.** dětské šaty **4.** kněžství

frog¹ [frog] *s* žába; |—**flower** *s* pryskyřník; |—**man** *s* žabí muž, potápěč; |—**wort** *s* pryskyřník hliznatý

frog² [frog] *s* střapec

frog³ [frog] *s* srdcovka výhybky

frolic [¹frolik] *a* veselý, dováдivý □ *vi* laškovat, žertovat □ *s* **1.** žert, veselí **2.** veselá společnost; —**some** [¹froliksəm] *a* žertovný, laškovný

from [from, frəm] *prep* **1.** od, z, pro **2.** před **3.** dle, podle ♦ ~ *top to toe* od hlavy k patě; ~ *time to time* čas od času; ~ *his appearance* podle jeho zevnějšku; ~ *above* shůry; ~ *afar* z dálky; ~ *amidst* zprostředka; ~ *before* zpředu; ~ *below*, ~ *beneath* zdola, zpod; ~ *behind* zezadu; ~ *far* zdálky; ~ *high* shůry; ~ *whence* odkud; ~ *thence* odtud; ~ *off* od; ~ *out* z; ~ *under* zespod; ~ *without* zvenčí; ~ *within* zevnitř

front [frant] *s* **1.** čelo, tvář **2.** vzezření **3.** popředí, průčelí, fronta **4.** počátek **5.** náprsenka **6.** kravata **7.** smělost **8.** voj. fronta (*to go to the* ~ jít na frontu) ♦ *in* ~ *of* před, vpředu; *in* ~ *with* přímo, naproti čemu; *the Renewed National F*~ obrozená Národní fronta; *the peace* ~ fronta míru □ *a* čelní, průčelní, přední ♦ ~ *axle* přední náprava; ~ *beam* čelní nosník,

čelní trám; ~ *bumper* přední nárazník; ~ *face* čelní stěna, průčelí; ~ *glass* ochranné sklo aut; ~ *focal plane* přední ohnisková rovina; ~ *screen* ochranné sklo aut; ~ *sight* voj. muška; ~ *stage* proscénium; ~ *view* nárys; □ *vt & i* **1.** být v čele, být obrácen čelem k; **2.** objevit se před **3.** čelit, setkat se; —**age** [¹frantidž] *s* průčelí, fronta; —**al** [¹frantl] *a* čelní □ *s* **1.** čelenka **2.** průčelí **3.** přední pokrývka oltáře; —**less** [¹frantlis] *a* **1.** bez čela **2.** zast. drzý

frontier [¹frantjə] *s* hranice, pomezí □ *a* hraniční; ~-**guard** [¹frantjəga:d], ~ **police** *s* pohraniční stráž; —**sman** [¹frantjəsmən] *s* hraničář; ~ **trade** malý pohraniční styk; ~ **traffic** pohraniční styk; ~ **zone** pohraniční pásmo

frontispiece [¹frantispi:s] *s* **1.** titulní obrázek **2.** stav. průčelí

frost [frost] *s* **1.** mráz **2.** hov. chladnost, nezájem **3.** jíní též *hoar* ~, *white* ~ **4.** sl. nezdar □ *vt* **1.** mrznout, poškodit mrazem **2.** ojínit **3.** polít cukrovou polevou **4.** na ostro okovat; ~-**bite** [¹frostbait] □ *vt* oznobit, spálit mrazem □ *s* oznobenina; |~-**bound** *a* uvázlý v ledu, zamrzlý; ~ **flower** ledový květ na oknech; ~ **heave** mrazová vyboulenina silnice; —**ing** [¹frostiŋ] *s* **1.** poleva cukrová **2.** matovost skla **3.** mdlý povrch **4.** ojínění, zledovatění, tvoření ledových květů; |—**work** *s* mrazová kresba na oknech; **—y** [ˈfrosti] *a* mrazivý, ojíněný

froth [froθ] *s* 1. pěna 2. žvanění, žvást □ *vt & i* pěnit (se), pokrýt pěnou, šumět; **—er** [ˈfroθə] *s* pěnidlo, zpěňovadlo; **—y** [ˈfroθi] *a* pěnivý

fronsy, fronzy viz *frowzy*

froward [ˈfrouwəd] *a* arch. svéhlavý, zlý

frown [fraun] *vi* 1. vraštit čelo, mračit se (*at, on, upon* na) □ *vt* 2. vyjádřit mračením vzdor ap. □ *s* zamračení, vrásky

frowst [fraust] *s* ztuchlé horko v místnosti; **—y** [ˈfrausti] *a* lid. ztuchlý

frowzy, frowsy [frauzi] *a* 1. ztuchlý 2. umouněný 3. urážlivý

froze *pt* od *freeze*

frozen *pp* od *freeze*

F.R.S. = *Fellow of the Royal Society*

frt. = *freight*

fructi|ferous [frakˈtifərəs] *a* plodonosný, nesoucí ovoce, úrodný; **—fication** [ˌfraktifiˈkeišən] *s* zúrodnění, oplodnění; **—fy** [ˈfraktifai] *vi* nést ovoce □ *vt* zúrodnit

frugal [ˈfruːgəl] *a* hospodárný, šetrný; skromný, střídmý

frugivorous [fruːˈdživərəs] *a* živící se plody

fruit [fruːt] *s* 1. ovoce, plod 2. pl. plodiny, výnos □ *vt & i* nést ovoce; **—age** [ˈfruːtidž] *s* 1. plodonosnost 2. ovoce, plody: úroda; **~capsule** bot. tobolka; **~-cooling room** *s* chladírna na ovoce; **—er** [ˈfruːtə] *s* 1. loď pro dopravu ovoce 2. ovocný strom; **—erer** [ˈfruːtərə] *s*

ovocnář; **—ful** [ˈfruːtful] *a* úrodný, hojný; *a ~ vine* fig. velmi plodná žena; **—ion** [fruːˈišən] *s* 1. používání 2. požitek, užití 3. dosažení, vyplnění naděje, realizace; **—less** [ˈfruːtlis] *a* neplodný; **—y** [ˈfruːti] *a* ovocný

frumentaceous [ˌfruːmənˈteišəs] *a* pšeničný, podobný pšenici

frustrate [frasˈtreit] *vt* 1. zmařit 2. zrušit □ *a* zmařený

frustum [ˈfrastəm] *s* pl. *-a, -ums* [-ə, əmz] geom. komolý jehlan n. kužel; *spherical ~* kulová vrstva

fruticose [ˈfruːtikous] *a* keřovitý, křovitý

fry[1] [frai] *s* sg. & pl. 1. násada ryb, potěr 2. mladá n. malá ryba ap. živočichové ♦ *small ~* drobotina, bezvýznamné věci

fry[2] [frai] *s* smažené maso, smažená játra □ *vt & i* 1. péci (se), smažit (se) 2. kypět, vřít; **—er, frier** [ˈfraiə] *s* pekáč; **—ing-pan** [ˈfraiiŋpæn] *s* pekáč, kastrol

F.S. = *Fleet Surgeon*

ft. = *feet, foot*

fth., thm. = *fathom*

ft-lb = *foot-pound*

fuchsine [ˈfuːksin] *s* fuchsin (anilínová červeň)

fu|cus [ˈfjuːkəs] *s* pl. *-ci* [-sai] chaluha

fud [fad] *s* vlněné odpadky

fuddle [ˈfadl] *vt & i* lid. opíjet (se), opít; zmást

fudge [fadž] *s* 1. fušerství 2. lež, nesmysl; smyšlenka; tlach 3. am. karamel □ *vt* dát, slepit dohromady; povrchně udělat, fušovat

fuel [fjuəl] *s* palivo, pohonná látka ♦ *add ~ to the flames* fig. přilévat oleje do ohně □ *vt & i* opatřit (se) palivem, dodat palivo; **~ -air mixture** *s* pohonná směs, zápalná směs; **~ bunker** zásobník na palivo

fugacious [fju:'geišəs] *a* prchavý, pomíjející

fuggle ['fagl] *vi* lid. sloužit za model n. průvodce

fugitive ['fju:džitiv] *a* **1.** prchající **2.** potulný, pocestný **3.** nestálý, prchavý; přechodný □ *s* uprchlík

fugleman ['fju:glmæn] *s* **1.** cvičitel, předcvičitel **2.** vůdce, průvodce; mluvčí

fugue [fju:g] *s* hud. fuga

Fuji, Fujiyama ['fju:dži'(ja:mə)] *s* = Fudžijama (h), nyní Fudžisan

fulcr|um ['falkrəm] *s* pl. *-a*, *-ums* [-ə, -əmz] **1.** páka **2.** opora, podpěrný bod páky **3.** osa otáčení, střed otáčení; **~ pin** čep

fulfil [ful'fil] *vt* (-ll-) vyplnit (*one's duties* své povinnosti, *desires* přání, *hopes* naděje), splnit (*the plan* plán); vykonat, provést; **—ment** *s* splnění

fulgent ['faldžənt] *a* bás. lesklý, třpytný

fulgur|ant ['falgjuərənt] *a* blýskavý; **—ate** ['falgjuəreit] *vi* blýskat se

fuliginous [fju:'lidžinəs] *a* sazovitý; tmavý, šerý

full [ful] *a* **1.** plný, naplněný, vrchovatý **2.** úplný, celý (*jury* porota, *hour* hodina, *tones* tóny) **3.** hojný (*meal* jídlo) ♦ **~** *to the brim* naplněný po okraj; **~** *to overflowing* naplněný, přetékající; **~** *age* plnoletost; *at ~ length* podrobně □ *s* plná míra, velikost; maximum ♦ *at ~* vcelku; *in ~* úplně □ *adv* úplně, zcela, právě □ *vt & i* naplnit (se); **~ -back** kop. *s* jeden z obránců; **~ -blooded** ['ful'bladid] *a* plnokrevný; **~ -dress** *s* společenský oděv; **~ -grown** ['ful'groun] *a* dorostlý, zralý; **~ moon** úplněk; **~ -mouthed** ['fulmauθt] *a* mající všechny zuby o dobytku; hlasitě štěkající *pes*; zvučný styl; **—stop** *s* tečka; **~ -timer** *s* žák, který navštěvuje všechny předměty

full² [ful] *vt & i* valchovat, mandlovat; **—er** ['fulə] *s* valchař

fulmin|ate ['falmineit] *vi & t* **1.** vybouchnout, třesknout **2.** blýskat, hřímat; horlit **3.** vypuknout o nemoci; **—ation** [ˌfalmi'neišən] *s* hřímání; třeskot, láteření

fulsome ['fulsəm] *a* **1.** urážlivý, odporný **2.** zast. oplzlý

fulvous ['falvəs] *a* oranžově hnědý, osmahlý

fumble ['fambl] *vi & t* **1.** tápat, neohrabaně hmatat (*for, after*) **2.** prohledávat **3.** nervózně zacházet, ovládat □ *s* tápání

fume [fju:m] *s* **1.** kouř, dým **2.** pára, výpar **3.** hněv, vzplanutí (bněvem); *in a ~* ve hněvu **4.** přízrak □ *vi* **1.** kouřit, dýmat **2.** vypařovat se **3.** rozhněvat se, zuřit □

vt **4.** naplnit kouřem **5.** udit **6.** soptit **7.** mořit dřevo

fumig|ate [ˈfjuːmigeit] *vt* vykuřovat; podkuřovat; navonět; **—ation** [ˌfjuːmiˈgeišən] *s* vykuřování

fun [fan] *s* žert, šprým ♦ ~ *fair* zábavní park, koutek; *to make* ~ *of* tropit si žerty z ☐ *vi* (-nn-) zř. žertovat

funambulist [fjuːˈnæbjulist] *s* provazolezec

function [ˈfaŋkšən] *s* **1.** funkce **2.** úřad, povolání, povinnost **3.** činnost ♦ *to perform, carry out, a* ~ vykonávat funkci; *to undertake a* ~ zastávat funkci; *to leave* n. *give up, a* ~ vzdát se funkce ☐ *vi* fungovat, být v činnosti; **—al** [ˈfaŋkšənl] *a* funkční; **—ary** [ˈfaŋkšnəri] *a* funkcionář

fund [fand] *s* **1.** fond (*investment, relief, strike, wage* ~ investiční, podpůrný, stávkový, mzdový fond), základní jmění, kapitál **2.** zásoba **3.** pl. *(the -s)* státní dluhy, papíry, akcie, poklad ♦ *to be in -s* mít hotové peníze ☐ *vt* **1.** proměnit v zúročené dluhopisy **2.** hromadit, uložit ve státních papírech **3.** zast. financovat

fundament [ˈfandəmənt] *s* **1.** základ **2.** zadnice; **—al** [ˌfandəˈmentl] *a* základní (*rights* práva), podstatný ☐ *s* princip, základ; pravidlo, tón

funeral [ˈfjuːnərəl] *a* pohřební, smuteční ☐ *s* pohřeb, pohřební průvod

fungi viz *fungus*

fung|us [ˈfaŋgəs] *s* pl. *-i, -uses*

[-ai, -əsiz] bot. **houba** ☐ *a* houbovitý

funic|le [ˈfjuːnikl] *s* lano, provaz, šňůra; **—ular** [fjuːˈnikjulə] *a* lanový; ~ *(railway)* lanová dráha

funk [faŋk] *s* **1.** strach, panika **2.** strašpytel, zbabělec ♦ *blue* ~ hrůza ☐ *vi & t* děsit (se), zastrašit; vyhýbat se

funnel [ˈfanl] *s* **1.** nálevka **2.** komín lodní **3.** trouba **4.** dolejší část komínu ☐ *vi & t* (-ll-) pohybovat se, vést směrem k ohnisku

funny [ˈfani] *a* **1.** žertovný, legrační, komický **2.** podivný, zvláštní ♦ *to feel* ~ , *to go all* ~ necítit se dobře, být nemocen; ~ **-bone** [ˈfaniboun] *s* brňavka

fur. = *furlong*

fur [fəː] *s* **1.** kožešina **2.** kol. kožešinová zvířata **3.** povlak na jazyku **4.** kotelní kámen ♦ *to make the* ~ *fly* fig. rozdmychat hádky; energicky se do někoho pustit ☐ *a* kožešinový ☐ *vt* **1.** obšít n. podložit kožešinou **2.** odstranit kotelní kámen, potáhnout kotelním kamenem **3.** dostat povlak na jazyku; **—below** [ˈfəːbilou] *s* lem, obruba; **—rier** [ˈfariə] *s* kožišník; **—ry** [ˈfəːri] *a* kožešinový, pokrytý kožešinou, srstnatý

furbish [ˈfəːbiš] *vt* **1.** vyleštit, vycídit **2.** obnovit

furcate [ˈfəːkeit] *a* rozeklaný, vidlicovitý ☐ *vi* rozštěpit

furious [ˈfjuəriəs] *a* **1.** zuřivý, vzteklý **2.** hlučný

furl [fəːl] *vt & i* svinout plachty, deštník, stáhnout záclony

furlong [ˈfəːloŋ] *s* osmina anglické míle 201,17 m

furlough [ˈfəːlou] *s* dovolená vojenská □ *vt* dát dovolenou

furnace [ˈfəːnis] *s* 1. tavná pec, pec ústředního topení; topeniště 2. přísná zkouška; ~ **hearth** nístěj pece; ~ **operator** tavič, obsluhovač pece

furnish [ˈfəːniš] *vt* opatřit (*with* čím); vypravit, zásobit, poskytnout; vybavit (*with authority* pravomocí); —**er** [ˈfəːnišə] *s* dodavatel; —**ing** [ˈfəːnišiŋ] *s* 1. opatření nábytku, zařizení 2. ozdoba 3. pl. nábytek

furniture [ˈfəːničə] *s* nábytek, zařízení bytu, obsah kapes, zásuvek ap.; ~ **leather** potahová kůže na nábytek

furore [fjuəˈroːri] *s* nadšený obdiv; zuřivost, hněv; vášeň

furrow [ˈfarou] *s* 1. brázda, stopa po lodi ve vodě, vyjetá kolej 2. vráska □ *vt & i* brázdit, orat; rýhovat

further [ˈfəːðə] *comp* od *far* pozdější; další; onen, na oné straně □ *adv* dále, kromě toho, k tomu □ *vt* podporovat (*the objectives* dosažení cílů), šířit; —**ance** [ˈfəːðərəns] *s* podpora, podporování, fedrování; —**more** [ˈfəːðəˈmoː] *a* dále, ještě, nadto, kromě toho; —**most** [ˈfəːðəmoust] *a* nejdalší, nejdále jsoucí

furthest [ˈfəːðist] *sup* od *far a* nejvzdálenější □ *adv* nejdále ♦ *at the* ~ nejpozději

furtive [ˈfəːtiv] *a* kradmý, tajný

furuncle [ˈfjuərəŋkl] *s* med. vřed, nežit

fury [ˈfjuəri] *s* 1. zuřivost, běsnění 2. vzteklá, zlá žena, fúrie, dračice 3. prudkost

furze [fəːz] *s* bot. hlodaš

fuscous [ˈfaskəs] *a* tmavohnědý

fuse [fjuːz] *s* 1. zapalovač; zápalná trubka, zápalná šňůra 2. el. pojistka; ~ *box* pojistková skříňka □ *vt & i* 1. tavit, tát 2. obch. sloučit (se) 3. opatřit pojistkou

fusee [fjuːˈziː] *s* 1. zápalka návětrná 2. hodinové kolečko kónické 3. kloubová spojka

fuselage [ˈfjuːzilaːž] *s* trup letadla

fusibility [ˌfjuːzəˈbiliti] *s* rozpustnost, tavitelnost

fusil [ˈfjuːzil] *s* mušketa, puška; —**ier**, —**eer** [ˌfjuːziˈliə] *s* mušketýr, střelec

fusion [ˈfjuːžən] *s* 1. tavení 2. splynutí 3. roztok, sloučenina; ~ *bomb* vodíková bomba

fuss [fas] *s* 1. hluk, povyk; okolky 2. hlučný člověk □ *vi & t* 1. tropit hluk, povyk 2. obtěžovat, trápit (se)

fust [fast] *s* dřík sloupu; stvol; ztuchlina, ztuchlost; —**y** [ˈfasti] *a* 1. plesnivý, stuchlý 2. zastaralý, staromódní, starožitný

fustian [ˈfastiən] *s* 1. barchet, manšestr 2. nabubřelost, bombast

fustic [ˈfastik] *s* 1. moruše barvířská 2. žlutá barva 3. žluté dřevo

fustigat|e [ˈfastigeit] *vt* zbít klackem, napráskat; —**ion** [ˌfastiˈgeišən] *s* výprask, bití

fut. = *future*

futil|e [ˈfju:tail] *a* **1.** bezvýznamný, nepatrný **2.** marnivý, frivolní; rozpustilý; **—ity** [fju:ˈtiliti] *s* nepatrnost, marnost

futur|e [ˈfju:čə] *a* budoucí, příští □ *s* **1.** budoucnost **2.** pl. věci kupované a prodávané pro dodání v budoucnosti, zvl. pro spekulaci obilí ap. **3.** gram.
budoucí čas (též ~ *tense*) **4.** snoubenec, snoubenka; **—ity** [fju:ˈtjuəriti] *s* budoucnost

fuze, fuzee viz *fuse, fusee*

fuzz [faz] *s* chmýří, pýří; načechrané vlasy □ *vi & t* roztřepit (se); pokrýt (se) chmýřím, ochmýřit (se)

fyke [faik] *s* čeřen, keser

G

G, g [dži:] **1.** písmeno g **2.** hud. g pátý tón základní stupnice **3.** struna g

Ga = *Georgia*

gab [gæb] *s* **1.** žvást **2.** huba □ *vi* (-bb-) drmolit; **—ble** [ˈgæbl] *vi & t* nesouvisle, nesrozumitelně mluvit; žvanit

gabardine, gaberdine [ˈgæbədi:n] *s* **1.** kaftan **2.** gabardén látka

gabion [ˈgeibjən] *s* pevnostní n. hradební koš

gable [ˈgeibl] *s* štít, lomenice

gad [gæd] *s* bodec, rydlo ♦ *upon the* ~ rázem □ *vi* (-dd-) potulovat se nečinně; **—der** [ˈgædə] *s* tulák

gadget [ˈgædžit] *s* vynález; přístroj, zařízení

Gael [geil] *s* Gael, skotský Kelt; **—ic** [ˈgeilik] *s* skotská keltština, gaelština

gaff [gæf] *s* **1.** harpuna, oštěp **2.** místo zábavy, dupárna ♦ *to blow the* ~ říci tajemství, vyzradit něco; *to commit a* ~ spáchat nepřístojnost; **—er**
[ˈgæfə] *s* **1.** stařec, kmoch **2.** dílovedoucí, předák

gag [gæg] *vt & i* (-gg-) **1.** zacpat ústa, umlčet **2.** násilím otevřít ústa **3.** přidat něco k úloze, improvizovat; podvést □ *s* **1.** roubík do úst **2.** žert, trik

gage [geidž] *s* **1.** zástava, záruka **2.** výzva k boji **3.** též *gauge* postavení lodi směrem k větru ♦ *to throw down the* ~ hodit rukavici, vyzvat k boji □ *vt* dát do zástavy, zaručit

gai|ety, gay|ety [ˈgeiəti] *s* veselost, rozmarnost; **—ly** [ˈgeili] *adv* vesele

gain [gein] *s* **1.** zisk, výtěžek **2.** získání, nahromadění □ *vt & i* **1.** získat, dosáhnout; vydělat **2.** vyhrát bitvu **3.** bohatnout ♦ *to* ~ *ground* postoupit, nabýt vrchu; *to* ~ *one's point* provést svou; *to* ~ *the ear of* získat sluchu, být příznivě vyslechnut; *to* ~ *the day* zvítězit; *to* ~ *the upper hand of* nabýt vrchu, převahy

gait 308 game¹

nad; ~ on, upon předstih-
nout, sahat až k; ~ over pře-
mluvit; —er [ˈgeinə] s vítěz;
—ful [ˈgeinful] a výnosný,
výdělečný (enterprise podnik,
occupation činnost); —ings
[ˈgcininʒ] s výdělek, výnos;
—less [ˈgeinlis] a nevýnosný;
—say* [geinˈsei] vt odporovat,
odmlouvat
gait [geit] s chůze, chod; —er
[ˈgeitə] s kamaše
gala|ctic [gəˈlæktik] a mléčný;
—xy [ˈgæləksi] s mléčná drá-
ha
gale [geil] s 1. vítr, vichřice
2. bouře 3. poprask
galena [gəˈliːnə] s leštěnec
Galilean [ˌgæliˈliːən] a galilej-
ský
gall¹ [goːl] s 1. žluč 2. fig. hoř-
kost, trpkost; duševní trýzeň
3. am. sl. drzost; ~ -bladder
[ˈgoːl‚blædə] s žlučník;
|~ -stone s žlučový kámen
gall² [goːl] s opruzenina, odře-
nina, puchýř zvl. u koně □ vt
1. odřít, oprudit 2. dráždit,
znepokojovat 3. pokořovat;
—ing [ˈgoːliŋ] a cit zraňující,
pokořující; dráždící
gall³ [goːl] s duběnka (též
|~ -nut)
gallant [ˈgælənt] a 1. statný,
udatný 2. zdvořilý, dvorný
3. švarný □ s 1. švihák 2.
záletník, galán 3. hrdina; —ry
[ˈgæləntri] s 1. udatnost 2.
dvornost 3. záletnictví 4.
rytířstvo 5. nemravnost
gallery [ˈgæləri] s 1. chodba
2. galerie, obrazárna (picture
~) 3. am. veranda 4. balkón
5. kolonáda 6. kruchta 7. štola

galley [ˈgæli] s 1. galeje 2. lodní
kuchyně 3. tiskařská loďka;
~ -proof [ˈgæli-pruːf] s sloup-
cová korektura; |~ -slave s
galejník
Gall|ia [ˈgæliə] s Galie (z); —ic
[ˈgælik] a galský
gallon [ˈgælən] s galon dutá
míra = 4,54 l
gallon [gəˈluːn] s tkaloun,
prýmek
gallop [ˈgæləp] vi & t cválat □
s cval, trysk; —er [ˈgæləpə] s
voj. 1. jízdní spojka 2. polní
dělo
gallows [ˈgælouz] s šibenice;
|~ -bird s šibeničník
galore [gəˈloː] adv lid. hojně □
s hojnost
galosh [gəˈloš] s galoše, pře-
zůvka
galvan|ic(al) [gælˈvænik(əl)] a
galvanický; —ism [ˈgælvə-
nizəm] s galvanismus; —ize
[ˈgælvənaiz] vt galvanizo-
vat
gambl|e [ˈgæmbl] vi hrát o pe-
níze, karbanit □ vt prohrát
(~ away)˙ □ s hazardní hra,
riziko; —er [ˈgæmblə] s kar-
baník; |~ -house s herna;
—ing [ˈgæmbliŋ] s karban
gambol [ˈgæmbəl] vi (-ll-) po-
skakovat □ s poskakování,
dovádění
game¹ [geim] s 1. hra, zápas;
partie hry; stav hry v tenisu
2. žert 3. sázka 4. skóre 5.
úskok, spády 6. zvěř, zvěřina
7. honba ♦ to have the ~ in
one's hands být si jist úspě-
chem; to make ~ of tropit si
žerty z; the ~ is up hra je
ztracena; ~ laws honební

zákony □ *a* statečný; ~ *for*
(po)hotový □ *vi* hrát o pe-
níze □ *vt* prohrát; |~-**bag**
s lovecká brašna; |~-|**keeper**
s hajný; —**some** [ˈgeimsəm]
a dovádivý, rozpustilý; —**ster**
[ˈgeimstə] *s* **1.** hráč, karbaník
2. zast. nevěstka
game² [geim] *a* hov. chromý
gammon [ˈgæmən] *s* **1.** šunka,
slanina **2.** klam, humbuk □
vt & i **1.** udit **2.** podvést
gamut [ˈgæmət] *s* škála, stup-
nice ♦ *the whole* ~ všechny
druhy
gander [ˈgændə] *s* **1.** husák,
houser **2.** blázen
gang [gæŋ] *s* **1.** tlupa, banda
(*of thieves* zlodějů) **2.** pracovní
oddíl, četa, parta (~ *boss*
předák, vedoucí čety) **3.** sou-
prava □ *vi* kráčet, jít; —**er**
[ˈgæŋə] *s* vedoucí tlupy;
—**ster** [ˈgæŋstə] *s* podloudník,
bandita
gangrene [ˈgæŋgriːn] *s* sněť □
vt & i snětivět, rozežírat (se)
gangue [gæŋ] *s* ložisko rudy,
rudná sloj
gaol [džeil] viz *jail*
gap [gæp] *s* **1.** mezera, díra,
trhlina **2.** rozsedlina, hluboké
údolí, průsmyk **3.** světlost
gape [geip] *vi* **1.** široce otevřít
ústa; zeti **2.** zívat **3.** toužit
(*after* po) **4.** civět, zevlovat
(*at* na) □ *s* **1.** zívání **2.** zetí
3. vyjevený pohled
garage [ˈgæraːž] *s* garáž, han-
gár
garb [gaːb] *s* **1.** kroj, oděv **2.**
zevnějšek **3.** zast. chování,
držení; —**age** |[ˈgaːbidž] *s*
smetí, odpadky; pomyje

garble [ˈgaːbl] *vt* překroutit,
zkomolit fakta
garden [ˈgaːdn] *s* zahrada □
a zahradní, zahradnický □
vi & t pěstovat, praco-
vat v zahradě, zahradničit;
—**er** [ˈgaːdnə] *s* zahradník;
~ **nursery** štěpnice, školka;
|~-|**party** *s* zahradní slav-
nost; |~-**plot** *s* zahradní
parcela; |~-**pot** *s* kropicí
konev; ~-**tillage** [ˈgaːdnˌti-
lidž] *s*, ~-**husbandry** [ˈgaːdn-
ˌhazbəndri] *s* zahradnictví
gargle [ˈgaːgl] *vt & i* kloktat □
s kloktadlo
garish [ˈgeəriš] *a* nápadný, skvě-
lý; křiklavý, lesklý
garland [ˈgaːlənd] *s* věncoví,
girlanda □ *vt* ověnčit
garlic [ˈgaːlik] *s* česnek
garment [ˈgaːmənt] *s* roucho,
šat
garner [ˈgaːnə] *s* bás. & řeč
sýpka, obilnice □ *vt* shro-
mažďovat do sýpky
garnet [ˈgaːnit] *s* granát
garnish [ˈgaːniš] *vt* **1.** ozdobit,
okrášlit **2.** obložit jídlo **3.**
voj. zastírat □ *s* ozdoba,
ornament; —**ment** *s* **1.** ozdoba
2. práv. předvolání k soudu,
obsílka
garniture [ˈgaːničə] *s* **1.** ozdoba
2. souprava, garnitura
garret [ˈgærət] *s* podkrovní
komůrka, půda
garrison [ˈgærisn] *s* **1.** posádka
2. pevnost □ *vt* obsadit po-
sádkou
garrul|ity [gæˈruːliti] *s* hovor-
nost, žvanivost; —**ous** [ˈgæ-
ruləs] *a* žvanivý
garter [ˈgaːtə] *s* podvazek;

Order of the G ~ podvazkový řád
gas [gæs] *s* **1.** plyn **2.** vychloubání, plané mluvení **3.** zkr.
za *gasolene* am. benzín ♦ *to step on the* ~ přidat plyn, zvýšit rychlost □ *vt & i* (-ss-) **1.** zacházet s plynem, užít plynu v boji **2.** opatřit plynem **3.** lid. otravovat řečí; ~ **appliance** plynový spotřebič; **|~-bag** *s* **1.** plynová komora **2.** mluvka; ~ **-bracket** [¹gæs-|brækit] *s* plynová roura s hořákem; ~ **-burner** [¹gæs-|bə:nə] *s* plynový hořák; **|~-coal** *s* plynové uhlí; **|~-|engine,** **|~-|motor** *s* plynový motor; **—eous** [¹geizjəs] *a* plynný, plynový; **|~-|fitter** *s* instalatér plynového potrubí; ~ **fuel** plynné palivo; **|—holder** *s* plynojem; **—ify** [¹gæsifai] *vt & i* zplynovat; ~ **-light** [¹gæslait] *s* plynové světlo; ~ **-main** [¹gæsmein] *s* hlavní plynové potrubí; **|~-mask,** ~ **-helmet** [¹gæs-|helmit] *s* plynová maska; ~ **-meter** [¹gæs|mi:tə] *s* plynoměr; ~ **-oven** [¹gæs|avn] *s* plynová kamínka; **|~-pipe** *s* plynová roura; **|~-proof** *a* plynotěsný, odolný proti (účinkům) plynu; **—sy** [¹gæsi] *a* **1.** plynový **2.** lid. nabubřelý, planý, prázdný o řeči; **|—work** *s* plynárna
gasateria [¹gæsə|teəriə] *s* am. benzínová stanice se samoobsluhou
gash [gæš] *vt* seknout, tít □ *s* sečná rána, jízva, šrám
gasification [¹gæsifi|keišən] *s* zplynování

gasket [¹gæskit] *s* na plocho pletené lano
gasolene, gasoline [¹gæsoli:n] gazolin, am. benzín
gasometer [gæ|somitə] *s* plynojem, plynoměr
gasp [ga:sp] *vi & t* těžce oddychovat, popadat dech ♦ *to* ~ *one's last* naposled vydechnout, skonat □ *s* těžké oddychování, těžký dech
gastric [¹gæstrik] *a* žaludeční
gate [geit] *s* **1.** vrata **2.** brána, branka **3.** vchod; vstupné (**|~-|money**) **4.** průsmyk; **|~-|keeper,** **|—man** *s* vrátný; **|—way** *s* průjezd (*festival* ~ slavobrána)
gather [¹gæðə] *vt & i* **1.** shromáždit (se) **2.** sebrat, sbírat (se), trhat **3.** sklidit obilí **4.** získat, dostat **5.** nakrčit, svraštit; shrnout, složit do záhybů látku ♦ *I* ~ *he is ill* soudím, že je nemocen; *to* ~ *strength* sebrat sílu, zesílit; *to* ~ *the brows* svraštit obočí; *to* ~ *a head* podebrat se, uzrát; ~ **from** usoudit z; ~ **together** shromáždit (se); ~ **up** stáhnout (*limbs* údy), sebrat (se); ~ **upon** získat výhodu nad; **—er** [¹gæðərə] *s* shromažďovatel, sběratel, výběrčí; **—ing** [¹gæðəriŋ] *s* **1.** shromáždění, schůze **2.** sbírka **3.** shrnutí, záhyb **4.** vřed **5.** sklizeň
gaucho [¹gaučou] *s* pasák dobytka
gaud [go:d] *s* cetka, tretka, laciný šperk; **—y** [¹go:di] *a* vyfintěný, naparáděný; okázalý, veselý

gauge, gage [geidž] *vt* **1.** měřit, odměřit; odhadnout **2.** cejchovat □ *s* **1.** míra **2.** rozsah **3.** cejch **4.** rozchod kolejí **5.** průměr střely, kalibr **6.** ponor **7.** zkouška; **~ glass** vodoznakové sklo, vodoznak

Gaul [go:l] *s* Galie; Gal

gaunt [go:nt] *a* hubený, vyzáblý; **—let** [ˈgo:ntlit] *s* železná rukavice ♦ *to throw the* **~** vyzvat k boji

gauz|e [go:z] *s* **1.** tyl, flór **2.** pletivo **3.** mlha; **—y** [ˈgo:zi] *a* průsvitný

gave *pt* od *give*

gavel [ˈgeivl] *s* kladívko předsednické n. dražitele; **—kind** [ˈgævlkaind] *s* manství, držba pozemku

gawk [go:k] *s* hlupák, blbec; nemotora

gay [gei] *a* **1.** veselý **2.** živý, čilý **3.** jasných barev **4.** prostopášný; **—ety** [ˈgeiəti] *s* viz **gaiety; —ness** [ˈgeinis] *s* veselost

gaze [geiz] *vi* zírat, dívat se upřeně (*at, on, upon* na), zevlovat □ *s* upřený pohled ♦ *to stand at* **~** zevlovat

gazelle [gəˈzel] *s* gazela

gazett|e [gəˈzet] *s* noviny, úřední list, věstník □ *vt* uveřejnit v úředním listě; **—eer** [ˌgæziˈtiə] *s* zeměpisný slovník

G.B. = *Great Britain* Velká Británie

G.C.F., G.C.M. = *greatest common factor* n. *measure* největší společná míra

gear [giə] *s* **1.** nářadí, potřeby **2.** pohon **3.** ozubené kolo, soukolí **4.** arch. výstroj, po-

stroj koně **5.** zboží, majetek **6.** záležitost ♦ *in* **~** v běhu, v chodu; *to be out of* **~** nepracovat; *to throw into* **~** uvést v chod; *high, low* **~** vysoká, malá rychlost □ *vt & i* **1.** uvést v chod, být v chodu **2.** přistrojit koně *(up)* **3.** řadit; **~ up (down)** dát větší (menší) rychlost; **~ -box** *s* **1.** skříňka na nářadí **2.** rychlostní skříň; **—ing** [ˈgiəriŋ] *s* převod; **~ -lever** [ˈgiəlevə] *s* rychlostní páka; **~ shifting** řazení rychlostí

geese viz *goose*

geest [gi:st] *s* náplav

gelatin(e) [ˌdžələˈti:n] *s* želatina, rosol, huspenina

geld [geld] *vt* **1.** vykleštit **2.** zbavit, připravit (*of* o); **—ing** [ˈgeldiŋ] *s* kleštěnec obv. kůň

gelid [ˈdželid] *a* ledový, mrazivý

gem [džem] *s* drahokam, klenot □ *vt* (-mm-) posázet drahokamy; dostávat pupence, očka

geminat|e [ˈdžemineit] *a* zdvojený □ *vt. & i* zdvojit (se); **—ion** [ˌdžemiˈneišon] *s* zdvojení

gemmation [džəˈmeišən] *s* pučení, útvar pupenců

Gen. = *General*

gendarme [ˈža:nda:m] *s* četník

gen [džen] *s* voj. sl. všeobecná informace, sdělení

gender [ˈdžendə] *s* rod, pohlaví

gene [dži:n] *s* biol. gen; **—alogy** [ˌdžiˈniˈæledži] *s* **1.** rodopis **2.** rodokmen

general [ˈdženərəl] *a* **1.** všeobecný, generální **2.** hlavní (*Post office* poštovní úřad)

3. celkový ◆ *in a* ~ *way, in* ~ obvykle obyčejně; *to speak in* ~ *terms* mluvit všeobecně, neurčitě; ~ *cargo* běžný náklad; ~ *policy* generální pojistka; ~ *practitioner* praktický lékař; ~ *public* široká veřejnost; ~ *strike* generální stávka □ *s* **1.** generál **2.** veřejnost, lidé **3.** arch. celek, všeobecnost; —**issimo** [ˌdženərəˈlisimou] *s* vrchní velitel, generalisimus; —**ity** [ˌdženəˈræliti] *s* **1.** všeobecnost **2.** celek, většina **3.** generální štáb, generalita; —**ization** [ˌdženerəlaiˈzeišən] *s* generalizace, zevšeobecnění (*of experiences* zkušeností); —**ize** [ˈdženərəlaiz] *vt & i* zevšeobecnit ◆ *to* ~ *experiences* rozšiřovat zkušenosti; —**ly** [ˈdženərəli] *adv* všeobecně

gener|ate [ˈdženəreit] *vt* **1.** plodit **2.** vyrábět elektřinu ◆ *-ating line* geom. tvořící přímka; *-ating line of a cylinder, cone* strana válce, kužele; —**ation** [ˌdženəˈreišən] *s* **1.** plození **2.** pokolení, generace, lidský věk; —**ative** [ˈdženərətiv] *a* plodivý, plodný; —**ator** [ˈdženəreitə] *s* **1.** ploditel **2.** generátor **3.** parní kotel; —**atrix** [ˈdženəreitriks] *s* ploditelka

generic [džiˈnerik] *a* **1.** rodový, druhový **2.** všeobecný

gener|osity [ˌdženəˈrositi] *s* velkodušnost, šlechetnost; štědrost; —**ous** [ˈdženərəs] *a* velkodušný, šlechetný; štědrý

genetic [džiˈnetik] *a* genetický, vývojový

Genev|a [džiˈniːvə] *s* Ženeva;

—**an** [džiˈniːvən] *a* ženevský □ *s* Ženevan

genial [ˈdžiːnjəl] *a* **1.** plodivý, plodný **2.** veselý, družný **3.** mírný, teplý o počasí **4.** duchaplný, geniální ◆ ~ *power* plodnost; —**ity** [ˌdžiːniˈæliti] *s* veselost, bodrost, srdečnost

genital [ˈdženitl] *a* plodící, plodivý □ *s* pl. vnější pohlavní orgány

genitive [ˈdženitiv] *s* genitiv, 2. pád

geni|us [ˈdžiːnjəs] *s* **1.** pl. *-i* [-ai] génius, strážný duch **2.** pl. *-uses* [-əsiz] tvůrčí duch, nadání, talent, vloha; veleduch, génius

genocide [ˈdženosaid] *s* vyhubení národů, genocida

gent [džent] *s* vulg. pán (zkr. z *gentleman*)

genteel [dženˈtiːl] *a* iron. uhlazený, ušlechtilý, nóbl

gentian [ˈdženšiən] *s* bot. hořec

gentil|e [ˈdžentail] *s* **1.** pohan **2.** u Mormonů: ne-Mormon □ *a* pohanský; —**ity** [dženˈtiliti] *s* **1.** urozenost, uhlazenost **2.** ušlechtilost

gentle [ˈdžentl] *a* **1.** urozený, vznešený **2.** mírný, laskavý, dobrotivý **3.** jemný, něžný **4.** krotký kůň □ *s* **1.** udičný červ **2.** pl. lid. lidé z dobré rodiny; urození, vznešení páni (též ~ *folks*); ~ *sex* něžné pohlaví, ženy; —**man** [ˈdžentlmən] *s* **1.** urozený člověk **2.** vzdělaný, uhlazený muž **3.** pán; |—**manlike** *a* uhlazený, slušný; gentlemanský; —**woman** [ˈdžentlˌwumən] *s*

dáma z dobré rodiny; vznešená, urozená paní
gentry [ˈdžentri] *s* 1. nižší šlechta 2. panstvo
genuflect [ˈdženju:flekt] *vi* padnout na kolena; **—ion** [ˌdženju:ˈflekšən] *s* pokleknutí
genuine [ˈdženjuin] *a* pravý, ryzí; **—ness** [ˈdženjuinnis] původnost, ryzost
gen|us [ˈdži:nəs] *s* pl. *-era* [ˈdženərə] rod, druh, třída
geocentric(al) [ˌdžioˈsentrik(əl)] *a* zeměstředný, geocentrický
geograph|y [džiˈogrəfi] *s* zeměpis; **—ic(al)** [džiəˈgræfik(əl)] *a* zeměpisný
geology [džiˈolədži] *s* geologie
geomet|er [džiˈomitə] *s* zeměměřič, geometr; **—ric(al)** [džiəˈmetrik(əl)] *a* geometrický ♦ ~ *centre* geometrický střed; ~ *mean* geometrický průměr, střední geometrická úměrná; **—ry** [džiˈomitri] *s* měřičství, geometrie
Georg|e [džo:dž] *s* Jiří; **—ia** [ˈdžo:džjə] *s* Georgie; Gruzínsko; **—ian** [ˈdžo:džjən] *a* 1. georgijský; gruzínský 2. z dob krále Jiřího □ *s* Georgijec; Gruzínec
geranium [džiˈreinjəm] *s* bot. čapí nůsek, kakost luční, pelargónie
germ [džə:m] *s* 1. zárodek, klíček 2. průvodce 3. rudiment 4. mikrob; **—an** [ˈdžə:mən] *a* pokrevný, příbuzný *(to)*; ~ **-cell** *s* zárodečná buňka; ~ **warfare** [ˈdžə:mˈwo:feə] *s* bakteriologická válka
German [ˈdžə:mən] *s* Germán,

Němec; němčina □ *a* germánský, německý; *German Democratic Republic* Německá demokratická republika; *German Federal Republic* Německá spolková republika ♦ ~ *silver* čínské stříbro; **—ic** [džə:ˈmenik] *a* německý, germánský; **—ism** [ˈdžə:mənizəm] *s* germanismus; **—ize** [ˈdžə:mənaiz] *vt* 1. germanizovat, poněmčovat 2. překládat do němčiny; **—y** [ˈdžə:məni] *s* Německo
germane [džə:ˈmein] *a* příbuzný, týkající se *(to* čeho)
germinate [ˈdžə:mineit] *vi & t* vyrážet, klíčit, pučet
gerrymander [ˈdžerimændə] *vi* am. provádět volební machinace
gerund [ˈdžerənd] *s* gerundium
gestation [džesˈteišən] *s* těhotenství
gesticulat|e [džesˈtikjuleit] *vi & t* dělat posunky, gestikulovat; **—ion** [džesˌtikjuˈleišən] *s* gestikulace, posunky
gesture [ˈdžesčə] *s* posunek, gesto
get¹* [get] *vt* 1. dostat, obdržet, získat 2. dosáhnout *(bottom* dna), nabýt 3. zjednat si 4. naučit se zpaměti *(by heart)* 5. stvořit 6. přinést 7. pohnout, přinutit 8. vzít si, vylákat *(of* na) 9. přijít, jít *(the story got about* kolovala pověst) 10. sl. rozumět *(I don't ~ you* nerozumím vám) 11. opatřit 12. zmást, přivést do úzkých 13. plodit o zvířatech 14. hov. brát, jíst *(~ dinner* obědvat) 15. před-

čit (~ *ahead of*) — *vi* 16. přivést do stavu, postavení 17. dosáhnout, nabýt, mít zisk ♦ *to ~ an illness* onemocnět; *I have got* = *I have* (*I have got no money* nemám peníze); *I got my hair cut* dal jsem si ostříhat vlasy; *to ~ ready* připravit; *I can't ~ the door to shut* nemohu zavřít dveře; *she got round him* otočila si ho kolem prstu; *to ~ left behind* zůstat pozadu; *to ~ tired* unavit se; *to ~ warmer* oteplit se; *to ~ the best of it* vyhrát; *to ~ accustomed to* zvyknout čemu; *to ~ knowledge, to ~ wind of* dozvědět se, zvětřit; *~ me?* rozumíte mi?; *to ~ hold of* zmocnit se něčeho; *to ~ possession of* získat; *to ~ it into one's head* vzít si do hlavy; *to ~ person (thing) on the brain* soustavně myslit na někoho, něco; *to ~ on one's nerves* jít komu na nervy; *to ~ the boot* být propuštěn ze zaměstnání; *to ~ with child* otěhotnět; *to ~ better* dařit se lépe; *to ~ clear, rid, quit of* zbavit se něčeho; *to ~ done with* skoncovat s, dokončit; *to ~ jammed* vzpříčit se, zaseknout se; *to ~ left* dostat se do špatného postavení, být zklamán; *to ~ married* oženit se, vdát se; *to ~ used to* zvyknout si; *to ~ ground* vzmáhat se; *to ~ the slip* propadnout při zkoušce; *to ~ abroad* roztroušit (se), roztrousit (se); *~ about* 1. zotavit se 2. roz-

šířit se o zprávě; *to ~ asleep* usnout; *~ along* 1. p)stoupit 2. mít úspěch; *~ along with you* jdi pryč a neobtěžuj mne; *~ at* 1. dostat se na kloub, zjistit 2. sl. podplatit 3. sl. napadnout; *~ beyond* přerůstat, zastínit; *~ down* sestoupit, snést se; *~ in* 1. sklidit 2. svést 3. vejít 4. být zvolen do parlamentu; *~ into* lid. 1. navléci se do 2. zmást (*one's head*); *~off* 1. sestoupit 2. stáhnout, svléci 3. utéci, uniknout 4. odstranit; *~ on* 1. nakoupit 2. postoupit, vystoupit na špičky 3. pokračovat; *~ out of* vysvléknout se z ♦ *he got out of bed on wrong side* fig. špatně se vyspal, má špatnou náladu; *to ~ out of sight* jít z očí, zmizet; *to ~ out of hand* vymknout se kontrole; *~over* 1. překročit 2. překonat 3. vystonat se, uzdravit se; *~ through* 1. dokončit 2. projít o návrhu ve sněmovně 3. promrhat; *~ to* počít obchod; *~ up* 1. vstát z postele 2. sednout na koně 3. zvednout (se) (*wind* vítr, *sea* moře) 4. *~ up a play* připravit hru 5. *a well got-up book* dobře vybavená kniha 6. *~ up a case* práv. připravit proces; *to ~ oneself up* 1. pečlivě se obléknout 2. vstát z postele

get² [get] *s* 1. potomstvo 2. plození ♦ *~-at-able* [get!ætəbl] *a* dosažitelný, přístupný; |*~-away* *s* am. sl. únik; —**ing** [¹getiŋ] *s* zisk, prospěch;

ǀ~ -up *s* úprava, vzhled, vzezření
Gettysburg [ǀgetizbə:g] *s* Gettysburg (m)
gewgaw [ǀgju:go:] *s* tretka □ *atr* bezcenný
geyser *s* 1. [ǀgaizə] gejzír 2. [ǀgi:zə] ohřívač vody
G.F.T.U. = *General Federation of Trade Unions*
ghastly [ǀga:stli] *a* příšerný, děsný, sinalý
gherkin [ǀgə:kin] *s* malá okurka k nakládání
ghost [goust] *s* duch, přízrak, strašidlo ♦ *Holy G~* Duch svatý; *to give up the ~* vypustit duši, zemřít; *not a ~ of a .chance* vůbec žádná šance; *—ly* [ǀgoustli] *a* duchovní; strašidelný
GI [ǀdži:ai] *s* prostý voják US ve druhé světové válce
giant [ǀdžaiənt] *s* obr □ *a* obrovský; *~ plane* velkoletoun
gib [džib] *s* vodicí pravítko, výložník jeřábu
gibber [ǀdžibə] *vi & t* breptat, blábolit, brebentit; *—ish* [ǀgibəriš] *s* 1. hantýrka 2. breptání, blábolení
gibbet [ǀdžibit] *s* 1. šibenice 2. smrt oběšením □ *vt* oběsit
gibbon [ǀgibən] *s* zool. gibbon opice
gibbous [ǀgibəs] *a* 1. vypouklý, klenutý 2. hrbatý
gibe, jibe [džaib] *vi & t* posmívat se (*at* komu) □ *s* posměšek
giblets [ǀdžiblits] *s* pl. drůbky husí
Gibraltar [džiǀbro:ltə] *s* Gibraltar (m)

giddy [ǀgidi] *a.* 1. závrativý, závratný 2. otáčivý 3. nestálý, vrtkavý 4. nerozvážný, splašený 5. frivolní
gift [gift] *s* 1. dar 2. vloha, nadání □ *vt* obdařit, nadat; *-ed with* nadaný pro; ǀ~ -over *s* navrácení, odevzdání
gig [gig] *s* 1. jednospřežní kočárek 2. nám. lehký člun 3. harpuna 4. káča, vlk hračka
gigantic [džaiǀgæntik] *a* obrovský, ohromný; nadlidský
giggle [ǀgigl] *vi* chechtat se, hihňat se □ *s* chichtot
gild* [gild] *vt* 1. ozlatit 2. ozdobit 3. nabarvit ♦ *to ~ the pill* fig. obalit pilulku, zpříjemnit; *-ed youth* zlatá mládež; *—er* [ǀgildə] *s* zlatič; *—ing* [ǀgildiŋ] *s* 1. zlacení 2. pozlátko
gill[1] [gil] *s* 1. pl. žábry 2. lalok, podbradek 3. děvče; *~ -arches* [ǀgila:čiz] *s* žaberní oblouky; ǀ~ -openings *s* žaberní otvory
gill[2] [gil] *s* čtvrt pinty 0,14 l
gill[3] [gil] *s* 1. úžlabina 2. horská bystřina
gillyflower [ǀdžiliǀflauə] *s* karafiát, fiala žlutá
gilt [gilt] *pt & pp* od *gild* □ *s* pozlátko
gimbals [ǀdžimbəlz] *s* kardanový závěs
gimcrack [ǀdžimkræk] *s* tretka □ *a* malicherný, bezcenný
gimlet [ǀgimlit] *s* vrtáček, nebozez
gimme [ǀgimi] sl. = *give me*
gin [džin] *s* 1. pálenka jalovcová 2. rumpál, zdviž 3. smyčka □ *vt* (-nn-) 1. čistit bavlnu 2. chytat do pasti

ginger [ˈdžindžə] *s* **1.** zázvor **2.** povzbuzení, pobídka **3.** žlutočervená barva □ *vt* povzbudit, pobídnout, oživit; ǀ**~ -beer** *s* zázvorové pivo; **—bread** [ˈdžindžəbred] *s* perník; **—y** [ˈdžindžəri] *a* **1.** zázvorový **2.** štiplavý, ostrý **3.** fig. ohnivý, vznětlivý, popudlivý **4.** zrzavý o vlasech
gingerly [ˈdžindžəli] *a* **1.** opatrný **2.** přepjatý
gipsy [ˈdžipsi] viz *gypsy*
giraffe [džiˈra:f] *s* žirafa
gird¹* [gə:d] *vt* **1.** opásat **2.** odít; opatřit, vybavit (*with strength, power* silou) **3.** přichystat se **4.** obklíčit ♦ *to ~ up one's loins* opásat se; **~ at** stěžovat si na
gird² [gə:d] *vt & i* posmívat se
girder [ˈgə:də] *s* nosník, trám
girdle [ˈgə:dl] *s* **1.** opasek, pás **2.** šňůra **3.** obvod, kruh na kmeni stromu vzniklý odstraněním kůry **3.** proužek **4.** kost podpírající svaly
girl [gə:l] *s* **1.** dívka, děvče **2.** služebná **3.** milenka, manželka; **—hood** [ˈgə:lhud] *s* dívčí věk
girt¹ [gə:t] *pt & pp* od *gird*
girt² [gə:t] *vt & i* **1.** opásat **2.** měřit kolem pasu □ *s = girth*
girth [gə:θ] *s* **1.** podbřišník koně, popruh **2.** obvod, míra kolem pasu **3.** pás
gist [džist] *s* práv. hlavní důvod žaloby ♦ *the ~ of* jádro, podstata
give¹* [giv] *vt & i* **1.** dát, darovat, udělit **2.** podat, odevzdat **3.** postoupit **4.** zasvětit, vě-

novat se (*oneself to* čemu) **5.** přizpůsobit **6.** způsobit **7.** ustoupit, povolit (*~ way*) **8.** vyměnit (*for* za) ♦ *~ a character* vydat osobní posudek; *to ~ into custody* svěřit v ochranu; *thermometer ·s 80 in the shade* teploměr ukazuje 80° ve stínu; *to ~ a piece of one's mind* říci své mínění, plísnit; *to ~ one's word* dát své slovo, slíbit; *under given conditions* za daných podmínek; *~ my kind regards* vyřiďte mé poručení, pozdravujte ode mne; *to ~ ear to* poskytnout sluchu, vyslechnout; *to ~ full throttle* dát plný plyn; *to ~ ground* ustoupit; *to ~ notice* dát výpověď; *to ~ a toast* pronést přípitek; *to ~ to know* vzkázat; *to ~ bills* vydat směnky; *to ~ birth to* lit., fig. dát vznik, způsobit; *to ~ hand* pomoci; *to ~ away for lost* považovat za ztracena; **~ back** obnovit; **~ forth 1.** vydat zprávu **2.** vyslat, vypustit; **~ in 1.** povolit **2.** udat; **~ in to** přistoupit na; **~ off** vypustit, vysílat; **~ out 1.** vydat **2.** rozdat, rozdělit **3.** ohlásit, rozhlásit **4.** přestat **5.** být vyčerpán **6.** mít nedostatek; **~ over 1.** přestat, zastavit se **2.** opustit, vzdát se (*habit* zvyku); **~ up 1.** vzdát se **2.** povolit **3.** vydat **4.** *~ oneself up to* věnovat se čemu
give² [giv] *s* **1.** uvolnění, povolení **2.** pružnost; ǀ**~ -and- ǀtake** *s* vzájemné povolení, ustoupení, kompromis; **—r**

['givə] s dárce; |~ -us-|work:
~ *demonstration* demonstrace
nezaměstnaných
gizzard ['gizəd] s ptačí žaludek
glabrous ['gleibrəs] a 1. lysý,
holý 3. hladký
glaci|al ['gleisjəl] a ledový;
~ *epoch* ledová doba; —er
['glæsjə] s ledovec
glac|is ['glæsis] s pl. -es [-iz]
mírný svah; předpolí, koliště
glad [glæd] a 1. rád, potěšen
(*of* nad) 2. radostný, zamilo-
vaný pohled ◆ *I am ~ to see
you* těší mne, že vás vidím;
—**den** ['glædn] vt & i potěšit,
být rád; —**ness** ['glædnis] s
potěšení, radost
glade [gleid] s paseka, mýtina
gladiol|us [‚glædi|ouləs] s pl.
-*uses*, -*i* [-əsiz, -ai] mečík,
gladiola
gladsome ['glædsəm] a radostný,
veselý
glair [gleə] s bílek, sliz
Glam. = *Glamorganshire* [glə-
|mo:gənšiə]
glamour ['glæmə] s kouzlo,
okouzlení
glance [gla:ns] vi & t 1. třpytit
se, lesknout se 2. mihnout se
3. letmo pohlédnout (*one's
eye at* na), zběžně si prohléd-
nout 4. naznačit jízlivě 5.
zběžně se zmínit (*over* o)
6. ~ *away*, *off* odskočit,
odrazit se (*from* od) □ s 1.
rychlý pohyb 2. (zá)blesk
3. mrknutí, rychlý pohled
(*at*, *into*, *over* na) ◆ *at first* ~
na první pohled
gland [glænd] s 1. žláza 2. stroj.
víčko, upevňovací kroužek
ucpávky, těsnící kroužek n.

spojka; —**ers** ['glændəz] s vet.
vozhřivka; —**ular** ['glænd-
julə] a žlázový, žlaznatý
glar|e [gleə] vi & t 1. oslňovat,
zářit 2. ostře pohlížet, zírat
3. sálat □ s 1. oslňující lesk,
záře 2. pronikavý, upřený
pohled 3. am. hladký povrch
(*of ice* ledu) 4. fig. vynikající
postavení □ a am. hladký;
—**ing** ['gleəriŋ] a oslňující,
nápadný
Glasgow ['gla:sgou] s Glasgow
(m)
glass [gla:s] s 1. sklo 2. sklenice
3. předmět ze skla; okenní
tabule, zrcadlo, teploměr, ba-
rometr, tlakoměr, dalekohled,
drobnohled, kukátko 4. pl.
brýle ◆ *cut (polished)* ~ brou-
šené sklo; *plain* ~ obyčejné
tabulové sklo; *moulded, pres-
sed*, ~ tlačené sklo; *looking-* ~
zrcadlo; *the* ~ *is falling* tla-
koměr klesá □ vt 1. zrcad-
lit 2. zř. zasklít; ~ -**blower**
['gla:s‚blouə] s sklář; ~-**cutter**
['gla:s‚katə] s, ~ -**grinder**
['gla:s‚graində] s brusič skla;
—**ful** ['gla:sful] s sklenice
něčeho (*of*); |~ -**house** s
skleník; sklárna; |—**man** s
sklenář; |~ -|**paper** s skelný
papír; ~ **wool** skleněná ba-
vlna, skleněná vata; |~-**work**
s sklárna; —**y** ['gla:si] a
sklovitý, skelný, hladký, čirý
◆ ~ *eye* upřený n. tupý
pohled
glaze [gleiz] vt & i 1. zasklít
2. glazurovat, opatřit polevou
3. leštit □ s glazura, poleva,
lesk
glaz|ier ['gleizjə] s sklenář;

—ing [ˈgleiziŋ] s 1. zasklení
2. poleva, glazura 3. glazurování □ a lesklý jako glazura

gleam [gli:m] s. 1. paprsek 2. kmit, svit, záblesk 3. kradmý, nesmělý pohled □ vi & t kmitat, zářit, třpytit; —y [ˈgli:mi] a třpytný, lesklý

glean [gli:n] vt & i sbírat klasy, paběrkovat, —er [ˈgli:nə] s paběrkář

glebe [gli:b] s bás. země, půda, rodná hrouda

glee [gli:] s 1. radost, veselí 2. veselá píseň, sborový zpěv

glen [glen] s rokle, úžlabina

glib [glib] a 1. hladký, kluzký, 2. nenucený v chování; mluvný

glid|e [glaid] vi & t 1. klouzat, plynout 2. šinout se, šoupat □ s 1. klouzání, klouzavý let 2. fon. přechodná hláska; —er [ˈglaidə] s kluzák, větroň; —ing [ˈglaidiŋ] s klouzavý let

glimmer [ˈglimə] vi slabě kmitat, světélkovat, slabě svítit □ s slabý kmit, zásvit, záblesk; —ing [ˈgliməriŋ] s 1. slabé, kmitavé světlo 2. slabý pojem, ponětí

glimpse [glimps] s 1. záblesk, mihnutí 2. letmý pohled, zahlédnutí 3. slabé ponětí, myšlenka □ vt & i 1. zasvitnout, slabě svítit 2. letmo pohledět, zahlédnout

glint [glint] s záblesk, odraz světla, třpyt, lesk oceli

glisten [ˈglisn] vi třpytit se, lesknout se, zářit

glitter [ˈglitə] vi třpytit se

gloaming [ˈgloumiŋ] s soumrak

gloat [glout] vi hltat očima; ~ over radovat se z

globe [gloub] s 1. koule 2. zeměkoule 3. glóbus; |~ -flower s úpolín, pryskyřník; ~ -trotter [ˈgloubˌtrotə] s světoběžník

gloom [glu:m] s 1. soumrak 2. tmavé místo 3. zasmušilost, sklíčenost ♦ vt & t 1. šeřit se 2. zamračit se, chmuřit se; —y [ˈglu:mi] a temný, ponurý; sklíčený, skličující

glor|ification [ˌgloˌrifiˈkeišən] s velebení, oslava, oslavení; —ify [ˈgloˌrifai] vt oslavovat, velebit; —ious [ˈgloˌriəs] a slavný, nádherný; —y [ˈgloˌri] s 1. sláva 2. čest, věhlas 3. nádhera 4. blaženost 5. ctižádost 6. svatozář □ vi 1. radovat se, jásat (in nad) 2. chlubit se (in čím)

Glos. = Gloucestershire [ˈglostəšiə]

gloss¹ [glos] s 1. lesk 2. lesklý nátěr □ vt & i 1. lesknout se 2. vyleštit

gloss² [glos] s 1. glosa, vysvětlivka 2. glosář □ vt & i vysvětlovat, komentovat; —ary [ˈglosəri] s glosář; —y [ˈglosi] a hladký, lesklý, naleštěný

glott|al [ˈglotl] a hlasivkový, glotální; —is [ˈglotis] s pl. -es [-i:z] hlasivková štěrbina, glottis

Gloucester [ˈglostə] s Gloucester

glov|e [glav] s rukavice; kid -es rukavice z jehněčí kůže ♦ to throw down, take up, the ~

vyzvat k boji, přijmout boj; *to handle without* -es jednat bez obalu; *to be hand in* ~ jednat ruku v ruce, přátelsky; *to fit like a* ~ přesně padnout □ *vt* navléknout si rukavici; **—er** [ˈglavə] *a* rukavičkář
glow [glou] *vi & t* 1. sálat, planout 2. žhnout, pálit 3. být rozpálen □ *s* 1. žár, plamen 2. ruměnec 3. vroucnost, mocné vzrušení; ~ **lamp** žárovka; |~-**worm** *s* světluška
gloze [glouz] *vt & i* 1. lichotit, krásně mluvit (*on, upon* o) 2. zastírat co 3. arch. komentovat, glosovat
glucose [ˈglu:kous] *s* hroznový cukr
glue [glu:] *s* klíh, lepidlo □ *vt* klížit, lepit
glut [glat] *vt & i* (-tt-) 1. polknout, cpát (se), přecpat (se), přesytit (se) 2. přeplnit (~ *the market* zaplavit trh zbožím) ♦ *to* ~ *one's revenge* zchladit si žáhu □ *s* 1. hltání, hlt 2. přesycení 3. nadbytek, hojnost
gluten [ˈglu:tən] *s* rostlinný klíh
glutinous [ˈglu:tinəs] *a* lepkavý, klihovatý
glutton [ˈglatn] *s* hltoun, žrout; **—ize** [ˈglatnaiz] *vi & t* hltat, žrát; **—ous** [ˈglatnəs] *a* hltavý; **—y** [ˈglatni] *s* hltavost, žravost, nenasytnost
glycerine [ˌglisəˈri:n] *s* glycerín
G-Man [ˈdži:mæn] *s* am. agent, příslušník FBI
gnar [na:] *vi* vrčet

gnarl [na:l] *vi & t* 1. vrčet 2. zkroutit, točit □ *s* suk; **—y** [ˈna:li] *a* 1. sukovitý 2. drsný, zavilý, nevrlý
gnash [næš] *vi & t* skřípat (*one's teeth* zuby)
gnat [næt] *s* komár; |~-**flower** *s* vstavač
gnaw [no:] *vt & i* 1. hlodat, hryzat; užírat, rozežírat 2. způsobit hlodavou, hryzavou bolest v žaludku, střevech; ♦ *—ing teeth* hlodáky
gneiss [nais] *s* rula
gnome [noum] *s* 1. trpaslík, skřítek 2. aforismus
gnos|is [ˈnousis] *s* pl. -es. [-i:z] vědění, gnose; **—tic** [ˈnostik] *a* gnostický □ *s* gnostik
gnu [nu:] *s* pakůň
go¹* [gou] *vi & t* 1. jít, jet; cestovat 2. odejít 3. (u)plynout o čase 4. vztahovat se 5. mít výsledek, podařit se; dopadnout 6. stát se 7. chystat se 8. mít své místo, patřit (*the shoes* ~ *in this box* ty střevíce patří do této krabice) 9. prodávat za 10. souhlasit 11. podílet se (*shares* na akciích) 12. vejít ve vztah 13. přinést (~ *and fetch*) 14. sázet (se) ♦ *to* ~ *askew* viset nakřivo; *to* ~ *straight* jít přímo; *to* ~ *with tide* n. *times* jít s dobou; *to* ~ *hungry* hladovět; *to* ~ *in fear of one's life* strachovat se o něčí život; *six months gone with child* v šestém měsíci těhotenství; *a -ing concern* výnosný podnik; *the clock does not* ~ hodiny nejdou; *the story -es* říká se; *to* ~ *by,*

under, the name of být známý pod jménem; *to ~ the way of all flesh, to ~ one's account, to ~ all off*, ap., zemřít; *~ slow* výzva k dělníkům, aby se zpomalením práce dožadovali splnění svých požadavků; *to ~ to the bar* stát se advokátem; *to ~ to sea* stát se námořníkem; *to ~ to the pictures* jít do biografu; *to ~ to the bottom* klesnout ke dnu; *to ~ to one's heart* rmoutit; *6 into 12 -es twice* 6 ve 12 je obsaženo dvakrát; *to ~ bad* shnít, zahořknout, zkazit se; *to ~ blind* oslepnout; *to ~ brown* zhnědnout; *to ~ all lengths* projevovat přílišnou horlivost; *to ~ hot and cold* mít záchvaty horečky, studu; *to ~ to pieces* rozbít se, roztříštit se, zhroutit se; *to ~ wrong* mýlit se, být v neprávu; *to ~ fishing* jít na ryby; *I am -ing to* hodlám, zamýšlím; *the engine -es by electricity* stroj je poháněn elektřinou; *her dress does not ~ with her hair* šaty jí nejdou k vlasům; *to let ~* opustit, propustit; **~ about** chystat se, obcházet; ♦ *to ~ about business* jít za obchodem; **~ ahead** postupovat; **~ along with** provázet ~ *along with you* nebuď pošetilý; **~ astray** zbloudit; **~ at** 1. napadnout 2. vzít energicky do ruky 3. prodávat se; **~ before** předcházet; **~ by** 1. jít mimo 2. řídit se čím; **~ down** 1. sejít 2. klesnout v ceně 3. přijít vhod (*the play*

went down well hra se líbila); **~ for** 1. jít pro 2. mít význam (*all my work -es for nothing* všechna má práce nevede k ničemu) 3. prodávat se zač; **~ in for** 1. být pro, věnovat se 2. ucházet se o; **~ into** 1. vejít 2. navštěvovat společnost 3. účastnit se; vstoupit (*the army* do armády) 4. probrat; **~ off** 1. odejít 2. mít úspěch (*the party is -ing off well* strana má úspěch) 3. opustit jeviště 4. počít 5. utrhnout se, vyjet na koho 6. zemřít 7. zhoršit se 8. přestat 9. jít na odbyt 10. omdlít; **~ on** 1. pokračovat, vytrvat 2. objevit se na jevišti 3. dobře padnout 4. mít úspěch; **~ out** 1. vyjít 2. vyhasnout 3. odejít z domova za zaměstnáním 4. odejít z úřadu 5. vyjít z módy 6. odejít do kolonie 7. roztrousit se 8. stávkovat; **~ over** 1. přejít, překročit 2. prozkoumat 3. vzbouřit se 4. přeběhnout z jedné politické strany do druhé, změnit politické n. náboženské přesvědčení; **~ round** 1. navštívit 2. stačit (*food* potrava) pro celou společnost; **~ through** 1. projít, prodělat 2. utratit; **~ through with** dokončit; **~ to** 1. přikročit k 2. pustit se do; **~ together** provázet; **~ under** 1. potopit se 2. podlehnout, zaniknout; **~ up** 1. vyjít nahoru 2. jít na odbyt 3. stoupat v ceně 4. voj. jít na frontu; **~ up for** ucházet se o; ~ **with** 1. provázet 2. mít týž názor; ~ **without** 1. nemít 2. obejít se bez

go² [gou] *s* 1. chod, průběh, běh 2. úspěch, dobrý obchod 3. lid. móda *(the ~)* 4. lid. okolnost, příhoda 5. hov. pokus 6. hov. dávka 7. sl. chod jídla ♦ *it's no* ~ nedá se nic dělat, je to marné; *let us have a ~ at it* pokusme se to udělat; *to be on the* ~ být v pohybu; ~-**ahead** [ˈgouəhed] *a* podnikavý, rázný; ~-**as-you-please** *a* libovolný; pravidly nespoutaný; ~-**be**ˈ**tween** *s* zprostředkovatel; ~-**by** *s* pominutí, nedbání; —**er** [ˈgouə] *s* chodec; —**ing** [ˈgouiŋ] *s* 1. chůze 2. chod, obchod □ *a* 1. chodící, v chodu 2. v módě, moderní 3. jsoucí, existující 4. po ´ruce jsoucí, k dostání ♦ *to set* ~ uvést v chod; ~-**off** *s* počátek, start

goad [goud] *s* bodec, osten □ *vt* bodat; pohánět, pobízet

goal [goul] *s* 1. cíl, mezník 2. sport. branka; ~-ˈ**keeper** *s* brankář; ~-**line** *s* branková čára

goat [gout] *s* 1. koza; *he-* ~ kozel 2. prostopášník ♦ *to play the giddy* ~ chovat se pošetile; —**ee** [gouˈti:] *s* kozí brada; ~-**god** *s* Pan; ~-**herd** [ˈgouthə:d] *s* pasák koz; —**ish** [ˈgoutiš] *a* kozí; chlípný, vilný; ~-**sucker** [ˈgoutˌsakə] *s* lelek

gobble [ˈgobl] *vt & i* polykat, hltat

gobbler [ˈgoblə] *s* krocan

goblet [ˈgoblit] *s* pohár, číše

goblin [ˈgoblin] *s* skřítek, šotek

God [god] *s* bůh; bůžek, modla ♦ ~ *forbid* bůh uchovej!; ~ *willing* dá-li bůh; *thank* ~! díky bohu!; *for* ~'s *sake* proboha!; ˈ~-**child** *s* kmotřenec; —**dam** [ˈgodæm] *a* zpropadený; —**dess** [ˈgodis] *s* bohyně; ˈ~-ˈ**father** *s* kmotr; —**less** [ˈgodlis] *a* bezbožný; —**ly** [ˈgodli] *a* zbožný; ˈ~-ˈ**mother** *s* kmotra; ~-**speed** [ˈgodˈspi:d] *s* „mnoho štěstí" přání úspěchu

Godiva [goˈdaivə] *s* Godiva (žj)

godown [ˈgoudaun] *s* skladiště, celní skladiště v Indii; spižírna

goffer, gopher, gauffer [ˈgoufə] *vt* vlnit, kadeřit, kulmovat □ *s* kulma, želízko na kadeření vlasů

goggle [ˈgogl] *vi & t* 1. koulet očima, poulit oči 2. šilhat □ *s* 1. koulení očima 2. šilhání 3. pl. ochranné brýle

goiter, goitre [ˈgoitə] *s* vole, struma

gold [gould] *s* 1. zlato 2. zlatá mince 3. barva zlata □ *a* zlatý; ~-**beater** [ˈgouldˌbi:tə] *s* zlatotepec; ~-**digger** [ˈgouldˌdigə] *s* zlatokop; ~-**field** *s* zlatonosné pole; naleziště zlata; ~-**finch** [ˈgouldfinč] *s* stehlík; ˌ ˈ~-**foil**, ˈ~-**leaf** *s* pozlátko; ~-**mine** [ˈgouldmain] *s* zlatý důl; ˈ~-**proof** *a* neúplatný; ~-**rush** [ˈgouldraš] *s* fig. zlatá horečka; ~-**smith** [ˈgouldsmiθ] *s* zlatník

Gold Coast [ˈgouldˈkoust] *s* Zlaté pobřeží
golden [ˈgouldən] *a* fig. zlatý, pozlacený; šťastný; ~ **age** zlatý věk; ~ **bug** 1. zool. slunéčko 2. sl. plutokrat, milionář; ~ **fleece** zlaté rouno; ǀ~ -**knop** *s* slunéčko sedmitečné; ~ **mean** zlatá střední cesta; ǀ~ -**rod** *s* divizna; ~ **rule** trojčlenka; ~ **wedding** zlatá svatba
golf [golf] *s* golf; ǀ~ -**club** *s* golfová hůl
Goliath [gəˈlaiəθ] *s* Goliáš; obr
golosh viz *galosh*
gondola [ˈgondələ] *s* gondola, benátská lodice
gone [gon] *a* 1. pryč 2. ztracený, beznadějný 3. minulý, bývalý (též ~ -*by*)
gong [goŋ] *s* gong
gonorrhoe [ˌgonəˈriːə] *s* kapavka
good [gud] *a* 1. dobrý, laskavý 2. pravý 3. značný 4. jasný, velký oheň 5. plný, úrodný 6. platný 7. čestný, slušný 8. milý, hodný, laskavý 9. vhodný, prospěšný, užitečný ♦ *as* ~ *as* prakticky, vlastně; *a* ~ *deal* hodně; *a* ~ *many* přemnozí; *in* ~ *earnest* zcela vážně; *a* ~ *while* hezky dlouho; *for* ~ nadobro; *to be* ~ *at* umět, vynikat v, vyznat se v; *to make* ~ nahradit, napravit, dokázat, provést, ospravedlnit; ~ *heavens!* nebesa!; ~ *gracious!* proboha!; *to say a* ~ *word for* ztratit slovo za, odporučit, hájit; *to have a* ~ *time* mít se dobře; *to have a* ~ *night* dobře se vyspat; *G*~ *Friday* Velký

pátek □ *s* 1. dobro 2. blaho 3. prospěch, užitek 4. pl. zboží (*fancy* -*s* módní zboží); ~ -**by(e)** [ˈgudˈbai] *int* sbohem; ǀ~ -**for**-ǀ**nothing** *a* k ničemu se nehodící □ *s* ničema; —**ly** [ˈgudli] *a* hezký, hezky veliký; ǀ—**man** *a* arch. pantáta, hospodář; —**ness** [ˈgudnis] *s* dobrota, laskavost; ~ **sense** zdravý rozum; ~ **speed** úspěch, štěstí, zdar; —**wife** [ˈgudwaif] *s* hospodyně ǀ~ -ǀ**will** *s* 1. dobrá vůle, ochota, snaha 2. zákaznictvo; —**y** [ˈgudi] *s* 1. arch. panímáma 2. pl. pamlsky □ *a* dobrácký
goon [guːn] *s* am. sl. najatý terorista
goose [guːs] *s* pl. *geese* [giːs] 1. husa 2. krejčovská žehlička (pl. *goosęs*) ♦ *he can't say boo to a* ~ všeho se bojí; ~ -**berry** [ˈguzbəri] *s* angrešt; ~ -**quill** [ˈguːskwil] *s* husí brk; ǀ~ -**flesh**, ǀ~ -**skin** *s* husí kůže; ǀ~ -**step** lid. 1. *vi* jít husím krokem 2. *s* voj. parádní krok
gore[1] [goː] *s* 1. klínek látky, cvikl 2. trojúhelníkový výřez, segment deštníku, padáku ap. □ *v* vyříznout do klínového tvaru
gore[2] [goː] *vt* nabrat, nabodnout na rohy, kly
gorgǀ**e** [goːdž] *s* 1. hrtan, jícen 2. jídlo, obsah žaludku 3. hlt, hltání 4. roklina, soutěska 5. předprseň pevnosti □ *vi & t* žrát, hltat, polknout; přecpat (se); —**er** [ˈgoːdžə] *s* hltoun

gorgeous [ˈgoːdžəs] *a* skvělý, nádherný, pestrý

gorilla [gəˈrilə] *s* gorila

gormand [ˈgoːmənd] viz *gourmand*

gormandize [ˈgoːməndaiz] *vi & t* přecpávat se

gosh [goš] *int* „hrome!"

goshawk [ˈgoshoːk] *s* jestřáb

gosling [ˈgozliŋ] *s* 1. house 2. pošetilý člověk

gospel [ˈgospəl] *s* evangelium

gossamer [ˈgosəmə] *s* 1. babí léto, poletující pavučiny 2. tenká látka

gossip [ˈgosip] *s* 1. klep, klípek 2. klepna □ *vi* rozšiřovat klepy, klevetit; —ing [ˈgosipiŋ] *s* klepání, přátelská schůzka

got *pt & pp* od *get*

Gothic [ˈgoθik] *a* 1. gótský 2. gotický; ~ *arch* gotický oblouk □ *s* 1. gótština 2. gotika

gotten [ˈgotn] arch. & am. *pp* od *get*

gouge [gaudž] *s* 1. duté dláto 2. am. lid. dlabání 3. sl. podvod, podvodník □ *vt* 1. vydlabat 2. vyškrabat oči, vyloupnout, vydloubnout 3. am. lid. napálit

gourd [guəd] *s* tykev, dýně

gour|mand [ˈguəmənd] *s* labužník; —met [ˈguəmei] *s* 1. ochutnavač vína 2. labužník

gout [gaut] *s* 1. dna 2. krůpěj krve; —y [ˈgauti] *a* stižený dnou

gov. = *governor*

govern [ˈgavən] *vt & i* 1. vládnout, panovat 2. spravovat, řídit, určovat, ovládat, re-

gulovat 3. gram. pojit se s (*to* ~ *the dative* pojit se s dativem); —ance [ˈgavənəns] *s* 1. vláda 2. dozor; —ess [ˈgavənis] *s* vychovatelka; —ment [ˈgavənmənt] *s* 1. vláda, vládnutí 2. stát 3. pravidlo ♦ *puppet* ~ loutková vláda; —or [ˈgavənə] *s* 1. vladař 2. místodržitel, guvernér 3. ředitel, správce 4. vychovatel 5. sl. šéf, pán 6. regulátor

Govt. = *Government*

gowk viz *gawk*

gown [gaun] *s* 1. plášť, župan 2. talár, úřední roucho 3. universitní studenti ♦ *town and* ~ příslušníci university a ostatní obyvatelstvo Oxfordu n. Cambridge; *cap and* ~ universitní uniforma

G. P. = *general practitioner*

G. P. O. = *General Post Office*

grab [græb] *vt* (-bb-) uchvátit, uchopit; shrábnout; chňapnout □ *s* 1. uchvácení, shrábnutí 2. mech. svěrák, chapadlo, drapák 3. pobřežní loď ♦ *to have* (n. *get*) *the* ~ *on s.o.* mít výhodu proti komu

grabble [ˈgræbl] *vi* 1. hmatat 2. plazit se, lézt po čtyřech 3. uchopit

grace [greis] *s* 1. přízeň, milost, laskavost, odpuštění 2. půvab, přitažlivost 3. ušlechtilost 4. poshovění, odklad splátky 5. pocta 6. přízeň 7. požehnání 6. pl. oblíbenost 9. titul *Your Grace* Vaše Milost 10. hud. hudební ozdoba trilek ap. ♦ *act of* ~ všeobecný pardon; *with a good* ~ (na oko) ochotně; *with a bad* ~ neochotně; *to do* ~ být ke cti; *have the* ~ *to* buď tak laskav: *to grant a week's* ~ povolit týdenní lhůtu k zaplacení dluhu; *to say* ~ pomodlit se, před jídlem, po jídle; *letter of* ~ list odkládací; *days of* ~ respektní dny; *act of* ~ 1. privilegium, výsada 2. milost, amnestie; *by the* ~ *of God* z boží milosti □ *vt* 1. ozdobit, krášlit 2. poctít titulem 3. hud. přidat ozdůbky, kadence ap.; —**ful** [ˈgreisful] *a* spanilý, rozkošný —**less** [ˈgreislis] *a* bezbožný, mrzký; skažený, zvrhlý, neřestný; nepůvabný

gracious [ˈgreišəs] *a* 1. milostivý 2. půvabný, okouzlující 3. blahosklonný

gradat|e [grəˈdeit] *vi & t* 1. uspořádat stupňovitě, (od)-stupňovat 2. stínovat; —**ion** [grəˈdeišən] *s* 1. (od)stupňování, stupeň 2. stínování 3. oslabování slabik ve výslovnosti

grad|e [greid] *s* 1. stupeň 2. hodnost, postavení 3. am. stoupání, promile sklonu 4. am. školní stupeň 5. pl. obecná škola 6. svah 7. křížení zvířat ♦ *at* ~ am. na téže úrovni □ *vt & i* 1. stupňovat (se) 2. třídit 3. přisoudit stupeň, hodnost 4. křížit dobytek; —**er** [ˈgreidə] *s* planýrovací stroj (též *grading machine*); —**ient** [ˈgreidjənt] *a* stoupavý, přizpůsobený chůzi □ *s* 1. svah, sklon, spád 2. svahové měřítko 3. vzestup,

sestup například křivky; —**ing** [ˈgreidiŋ] *s* 1. zrnění, velikost zrna 2. třídění, odstupňování 3. planýrování terénu; —**ual** [ˈgrædjuəl] *a* postupný, ponenáhlý □ *s* graduál, odměrka; —**uate** [ˈgrædjuit] *a & s* 1. graduovaný 2. am. absolvent 3. rozdělený na stupně, cejchovaný sklenice, láhev □ *vt & i* [ˈgrædjueit] 1. dosáhnout akademické hodnosti, graduovat, připustit k závěrečné zkoušce 2. rozdělit na stupně, opatřit škálou, určovat podle stupnice 3. odstupňovat, odstínit; —**uation** [ˌgrædjuˈeišən] *s* 1. rozdělení na stupně, určování podle stupnice 2. stupnice 3. promoce

graft [gra:ft] *s* 1. roub, očko; roubovaný strom 2. očkování 3. vlastní prospěch, nečestné získání peněz z výhod úřadu ap.; úplata, úplatkářství 4. plná lopata země □ *vt & i* 1. roubovat (*on* na) 2. očkovat, být očkován 3. vštípit (*in* do) 4. plasticky operovat

grain [grein] *s* 1. zrno, semeno 2. obilí 3. zrnko 4. grán cca 0,06 g 5. zrnění, zrnitost; drsnost 6. jádro dřeva 7. povaha, přirozenost 8. vlákno, příze 9. pl. harpuna 10. červec nopálový 11. nachová barva, stálá barva látky 12. mláto ♦ *against the* ~ odpuzující, odporný, proti srsti; *in* ~ 1. úplný, důkladný; pravý, ryzí 2. adv. úplně, veskrze; *to receive with a* ~ *of* *salt* přijímat s rezervou; *with the* ~ po vlasu □ *vi & t* **1.** krystalizovat, zrnit (se) **2.** žilkovat, mramorovat, fládrovat **3.** zbavit srsti; **—y** ['greini] *a* zrnitý

gram [græm] *s* gram

gramm|ar ['græmə] *s* mluvnice; ~ *school* **1.** latinská (střední) škola **2.** am. vyšší stupeň obecné školy; **—arian** [grə'meəriən] *s* gramatik; **—atical** [grə'mætikl] *a* mluvnický

gramme viz *gram*

gramophone ['græməfoun] *s* gramofon

Grampians ['græmpjənz] *s pl.* Grampiany pohoří ve Skotsku

granary ['grænəri] *s* **1.** obilnice, sýpka **2.** zásoba

grand [grænd] *a* **1.** nejvyšší, svrchovaný **2.** přední, hlavní **3.** velkolepý **4.** důležitý **5.** skvělý, vznešený; ~ *Vizier* velkovezír; **—child** ['grænčaild] *s* vnouče; **—dad** *s* dědeček; **—daughter** ['grændo:tə] *s* vnučka; ~ **-duchess** ['grænd'dačiz] *s* velkovévodkyně; ~ **-duke** ['grænd'dju:k] *s* velkovévoda; **—eur** ['grændžə] *s* velikost; vznešenost, důstojnost; **—father** ['grændfa:ðə] *s* dědeček; **—mother** ['græn,maðə], **—mamma** ['grænmə,ma:] *s* babička; **—son** ['grænsan] *s* vnuk

grange [greindž] *s* **1.** hospodářské stavení; dvůr, statek **2.** am. filiální zemědělské družstvo

granite ['grænit] *s* žula, granit

grann|y, -ie ['græni] *s* **1.** babička **2.** stará žena **3.** am. kojná

grant [gra:nt] *vt* **1.** udělit, dát, poskytnout **2.** přivolit, souhlasit, připustit **3.** převést majetek ♦ *-ing, -ed* dejme tomu, připusťme; *to take for -ed* předpokládat; *to* ~ *a credit* poskytnout úvěr; *to* ~ *an application* vyhovět záležitosti, návrhu; *to* ~ *a passport* vydat pas; *to* ~ *asylum* poskytnout azyl; *to* ~ *subsidies* poskytovat peněžité podpory □ *s* **1.** dovolení **2.** udělení, propůjčení **3.** postoupení, koncese **4.** práv. postup, úděl, postoupená věc **5.** dar; *unemployment* ~ podpora v nezaměstnanosti; **—ee** [gra:n'ti:] *s* ten, komu se uděluje; !~ **-in-aid** *s* příděl, subvence, podpora; **—or** [gra:n'to:] *s* ten, kdo postupuje, postupovatel, cedent

granul|ar ['grænjulo] *a* zrnitý; **—ate** ['grænjuleit] *vt & i* zrnit (se), rozemlít na zrno; **—ation** [,grænju'leišən] *s* zrnění, granulace, drsnění; **—e** ['grænju:l] *s* zrnko, zrníčko

grape [greip] *s* **1.** hrozen, hroznové zrnko **2.** šrapnel (~ *shot* kartáčová střela) **3.** vyrážka na spěnce koně; ~ **-fruit** ['greipfru:t] *s* grapefruit ovoce příbuzné pomeranči, Adamovo jablko; ~ **-sugar** ['greip,šugə] *s* hroznový cukr; ~ **-vine** ['greipvain] *s* vinná réva

graph [græf] *s* obrazec, graf, rys; grafické znázornění, diagram ♦ ~ *of the expression* grafické znázornění funkce; *to plot the* ~ graficky znázornit funkci; —**ic(al)** [ˈgræ-fikəl] *a* grafický, obrazný, živě popsarý, přesný; —**ics** [ˈgræfiks] *s* způsob diagramatického n. grafického znázornění; —**ite** [ˈgræfait] *s* tuha; —**ology** [græˈfolədži] *s* grafologie

grapnel [ˈgræpnəl] *s* lodní hák; několikaramenná kotva

grapple [ˈgræpl] *s* 1. lodní hák 2. uchopení, obchvat 3. rvačka, zápas □ *vt & i* 1. zaháknout 2. uchopit 3. připevnit 4. zápasit (*with* s); usilovat oč

grasp [graːsp] *vi & t* 1. uchopit, sevřít (*at* koho, co) 2. rozumět, pochopit, chápat 3. zápasit 4. pachtit se, hnát se za □ *s* 1. uchopení, sevření 2. kontrola 3. chápání, pochopení 4. znalost předmětu 5. rukojeť ♦ *within the ~ of* v dosahu čeho; *beyond the ~ of* mimo dosah čeho; —**ing** [ˈgraːspiŋ] *a* chamtivý

grass [graːs] *s* 1. tráva, trávník, drn 2. pastvina, pastva ♦ *to cut the ~* sekat trávu; *to go to ~* 1. jít se pást 2. být sražen k zemi, padnout; *keep off the ~* nechodte po trávníku!; *to knock, send, to ~* srazit k zemi, položit na lopatky; *to lay down in ~* osít trávou; *to turn out, put, send, to ~* vyhnat na pastvu □ *vt* 1. pást 2. obložit trávou, drnem 3. sport. srazit k zemi, porazit; —**hopper** [ˈgraːsˌhopə] *s* kobylka; —**plot** *s* trávník; —**snake**

s užovka; —**widower** *s* slaměný vdovec; —y [ˈgraːsi] *a* travnatý

grat|e [greit] *vt & i* 1. skřípat 2. škrabat, třít; strouhat 3. zř. vrzat 4. pohněvat, dráždit; urazit (*on, upon* koho) 5. zamřížovat □ *s* 1. mříže 2. rošt, mřížka v kamnech 3. fig. krb; —**er** [ˈgreitə] *s* struhadlo

grateful [ˈgreitful] *a* vděčný, vítaný; přijatelný

grati|fy [ˈgrætifai] *vt* 1. potěšit, vyhovět, učinit radost 2. vyhovět, uspokojit 3. ukojit 4. odměnit 5. podplatit; —**fication** [ˌgrætifiˈkeišən] *s* 1. uspokojení, ukojení; požitek, radost 2. odměna

grating [ˈgreitiŋ] *s* mřížoví, mřížka

gratis [ˈgreitis] *adv* zdarma

gratitude [ˈgrætiˌtjuːd] *s* vděčnost

gratu|itous [grəˈtjuːitəs] *a* 1. dobrovolný 2. bezdůvodný; —**ity** [grəˈtjuːiti] *s* 1. odměna, dar 2. spropitné

gratul|ate [ˈgrætjuleit] *vt* arch. blahopřát: —**atory** [ˈgrætjuleitəri] *a* blahopřejný

grava|men [grəˈveimen] pl. -*mina* [-minə] *s* práv. hlavní bod žaloby

grave [greiv] *a* 1. vážný, závažný, důležitý 2. opravdový 3. důstojný 4. hluboký 5. slavnostní □ *s* hrob ♦ *secret as the ~* hrobové tajemství □ *vt* * 1. vyrýt, vyřezat 2. hluboce působit 3. zast. kopat, pohřbít; —**clothes** [ˈgreivˌklouðz] *s* rubáš; —**digger**

['greiv₁digə] *s* hrobník;
|—**stone** *s* náhrobní kámen;
|—**yard** *s* hřbitov
gravel ['grɪevl] *s* 1. štěrk 2. med.
písek v moči □ *vt* (-ll-) 1.
štěrkovat 2. uvést do rozpaků
gravid ['grævid] *a* těhotný;
—**ity** [grə'viditi] *s* těhotenství
grav|itate ['græviteit] *vi* tíhnout, být přitahován, gravitovat; —**itation** [₁grævi'teišən] *s* gravitace, zemská tíže;
—**ity** ['græviti] *s* 1. váha 2.
vážnost, důstojnost; slavnostnost 3. gravitace, tíže ♦
centre of ~ těžiště; *specific* ~
specifická váha
gravy ['greivi] *s* šťáva z masa,
omáčka
gray viz *grey*
graze[1] [greiz] *vt & i* 1. zavadit
o 2. odřít, škrábnout se □ *s*
škrábnutí
graz|e[2] [greiz] *vi & t* pást (se)
□ *s* pastva; —**ier** ['greiziə] *s*
krmič dobytka
greas|e [gri:s] *s* 1. tuk, sádlo,
mastnota 2. mazadlo, kolomaz □ [gri:z] *vt* 1. namazat
2. podmazat, podplatit; —**er**
['gri:zə] *s* 1. mazač 2. lodní
důstojník; —**y** ['gri:zi] *a* 1.
mastný, namaštěný 2. mazlavý 3. špinavý
great [greit] *a* 1. velký 2. vysoký věk 3. důležitý 4. znamenitý, vynikající (*at* v) ♦
G~ *Bear* Velký Medvěd;
the ~ veličiny, notáblové;
~ *with child* těhotná; *that's*
~ to je dobré; *a* ~ *deal*
mnoho; *a* ~ *many* mnoho;

to be ~ *at* být zkušený,
dovedný; *-est possible error in*
excess or defect mat. největší možná chyba nahoru
nebo dolů □ *s* 1. celek,
všechno 2. pl. sl. oxfordské
závěrečné zkoušky k dosažení bakalářské hodnosti; |~
-'**aunt** *s* prateta; ~-**coat**
['greit'kout] *s* svrchník; |~
-'**grandfather** *s* praděd; |~
-'**grandson** *s* pravnuk; ~
power velmoc
Great Britain ['greit'britən] *s*
Velká Británie
greave [gri:v] *s* 1. stehenní
brnění 2. pl. lojové odpadky
grebe [gri:b] *s* roháč obecný,
potápka
Grecian ['gri:šən] *a* řecký □ *s*
Řek
Greece [gri:s] *s* Řecko
greed [g:d] *s* chtivost, lačnost;
—**y** ['gri:di] *a* chtivý, lačný
(*of* čeho), hrabivý; hltavý
Greek [gri:k] *s* 1. Řek 2. řečtina
□ *a* řecký ♦ ~ *gift* danajský
dar; *it is* ~ *to me* je to pro
mne španělská vesnice
green [gri:n] *a* 1. zelený 2. svěží
3. nezralý 4. nezkušený, necvičený ♦ ~ *with envy* bledý
závistí; *a* ~ *eye* závistivý
pohled; ~ *concrete* čerstvý
beton; ~ *goose* mladá husička
□ *s* 1. zeleň 2. trávník, drn,
pažit 3. pl. zelenina 4. zelené
lupení n. listí 5. síla, mládí;
|~-**blue** *a* zelenomodrý; —**ery**
['gri:nəri] *s* zeleň, vegetace,
rostlinstvo; ~-**finch** ['gri:n-
finč] *s* zvonek; |~-**fly** *s*
mšice; —**gage** ['gri:ngeidž]

s ringle; **—grocer** [ˈgriːn-ǀgrousə] *s* zelinář; ǀ**—horn** *s* nováček, nezkušený člověk; ǀ**—house** *s* skleník; **—ish** [ˈgriːniš] *a* nazelenalý; ǀ**~ -sickness** *s* blednička; ǀ**—stone** *s* nefrit; **—sward** [ˈgriːnswoːd] *s* zelený trávník, pažit; ǀ**—wood** *s* lesní zeleň, stromoví

Greenland [ˈgriːnlənd] *s* Grónsko

greet [griːt] *vt & i* pozdravit, přivítat; **—ing** [ˈgriːtiŋ] *s* pozdrav

gregarious [greˈgeəriəs] *a* 1. houfný, stádní; pospolitý 2. družný

grenad|e [griˈneid] *s* granát; **—ier** [ˌgrenəˈdiə] *s* granátník

grew *pt* od *grow* am.

grey, am. **gray** [grei] *a* 1. šedý, šedivý; popelavý 2. starý, zralý 3. ponurý, smutný; zamračený □ *s* 1. šeď 2. šero 3. kůň plesnivák; **~ -beard** [ˈgreibiəd] *s* stařec, dědek; ǀ**—lag**, ǀ**—goose** *s* divoká husa; **~ matter** šedá hmota mozková; ǀ**—stone** *s* čedič

greyhound [ˈgreihaund] *s* ohař, chrt

grid [grid] *s* 1. mříž, rošt 2. lešení, podlaha v doku 3. am. síť elektrického vedení; **—iron** [ˈgridˌaiən] *s* rožeň

griddle [ˈgridl] *s* 1. lívanečník 2. síto zlatokopů

gride [graid] *vt & i* skřípat □ *s* skřípot

grief [griːf] *s* žal, zármutek

grievance [ˈgriːvəns] *s* 1. zármutek 2. křivda, stížnost 3. soužení

griev|e [griːv] *vt & i* (za)rmoutit (se), trápit (se); **—ous** [ˈgriː-vəs] *a* 1. žalostný, bolestný 2. hanebný 3. těžký, vážný

grig [grig] *s* 1. dial. cvrček 2. malý úhoř 3. veselá kopa

grill¹ [gril] *s* 1. rošt na smažení, rožeň 2. pečení, smažení □ *vt & i* 1. smažit, péci na rožni 2. trápit otázkami; ǀ**~ -room** *s* místnost v hotelu, kde jsou podávána smažená jídla, minutky

grill², grille [gril] *s* mřížoví, mříž

grim [grim] *a* 1. vzteklý, divoký, krutý 2. přísný, nemilosrdný 3. ponurý, příšerný, hrozný

grimace [griˈmeis] *s* úšklebek, posunek, grimasa □ *vi* šklebit se, dělat posunky

grime [graim] *s* špína □ *vt* zašpinit, zamazat

grin [grin] *vi & t* (-nn-) šklebit se, vycenit zuby (*at* na) ♦ *to ~ and bear* klidně snášet se zaťatými zuby □ *s* úšklebek, (vy)cenění zubů

grind* [graind] *vt & i* 1. (roze)-mlít, rozmělnit 2. (na)brousit 3. dřít studovat; lopotit se (*at* s čím) 4. mučit, utlačovat 5. skřípat zuby (*the teeth*) □ *s* 1. mletí 2. broušení 3. dřina 4. dříč 5. otrava 6. procházka ♦ *to ~ the faces of (the poor)* odřít kůži z těla; **—er** [ˈgrain-də] *s* 1. brušič 2. mleč 3. stolička zub 4. dříč 5. stoupa ♦ *organ-~* kolovrátkář; **—ing machine** bruska; ǀ**—stone** *s* brus ♦ *to keep one's nose to the ~* přidržet koho k práci

grip [grip] *s* **1.** pevný stisk ruky, sevření **2.** záchvat **3.** rukojeť, jílec **4.** ovládání, znalost předmětu **5.** upoutání pozornosti ♦ *a good ~ of the affair* dobré porozumění, ovládání, věci; *to have a ~ on an audience* upoutat pozornost obecenstva □ *vt & i* (-pp-) **1.** sevřít, stisknout **2.** uchopit **3.** vynutit si pozornost; **~ -brake** [ˈgripbreik] *s* ruční brzda

gripe [graip] *vt & i* uchopit, sevřít **2.** zarmoutit **3.** svírat v žaludku, mít bolest □ *s* **1.** sevření, stisk **2.** zármutek **3.** bolest; svírání, hryzení; křeč, kolika **4.** rukojeť

grippe [grip] *s* chřipka

grisly [ˈgrizli] *a* hrozný, strašný

grist [grist] *s* **1.** melivo, sladový šrot **2.** am. dávka, snůška

gristle [ˈgrisl] *s* chrupavka

grit [grit] *s* **1.** jemný písek, štěrk **2.** lid. odvaha, kuráž, vytrvalost **3.** lid. (dětská) vyrážka **4.** pl. ovesná krupice, krupky □ *vt & i* (-tt-) vrzat, skřípat (*the teeth* zuby)

grizzl|e [ˈgrizl] *a* šedivý □ *s* šedivé vlasy; šeď □ *vt & i* šedivět; **—ed** [ˈgrizld] *a* prošedivělý; **—y** [ˈgrizli] *a* šedivý □ *s* medvěd šedý

grm. = *gramme(s)*

groan [groun] *vi & t* **1.** sténat, vzdychat; hekat **2.** toužit (*for* po); **~ down** umlčet □ *s* úpění, klání, sténání

groats [grouts] *s pl.* kroupy

grocer [ˈgrousə] *s* kupec, hokynář; **—y** [ˈgrousəri] *s* kupectví

grog [grog] *s* grog, kořalka; **—gy** [ˈgrogi] *a* lid. vrávoravý, opilý.

groin [groin] *s* **1.** slabina, tříslo **2.** žebro klenby

groom [grum] *s* **1.** čeledín, sluha **2.** zř. ženich ♦ *~ in waiting* páže; *~ of the chamber* komorník □ *vt* **1.** sloužit jako čeledín **2.** upravit, učinit úhledným; **—sman** [ˈgrumzmən] *s* družba

groove [gru:v] *s* **1.** žlábek, rýha; strouha, drážka **2.** zvyk □ *vt* (vy)žlábkovat

grope [group] *vi & t* tápat, hmatat (*for, after* po) ♦ *to ~ one's way* hledat cestu

gross [grous] *a* **1.** objemný, velký **2.** těžký, pevný, hustý **3.** hrubý, drsný **4.** úplný, celkový **5.** tlustý **6.** tupý, necitelný **7.** neslušný, sprostý, oplzlý □ *s* **1.** celek **2.** hrubá váha, brutto **3.** sg., pl. veletucet ♦ *~ weight* hrubá váha; *~ proceeds* hrubý výtěžek; *by the ~* hromadně; *in the ~* vcelku; *dealer in the ~* velkoobchodník

grotesque [grouˈtesk] *a* zvláštní, podivný, groteskní □ *s* zvláštnost, groteska

grotto [ˈgrotou] *s* umělá jeskyně, sluj

ground [graund] *s* **1.** půda, terén **2.** kraj, země **3.** místo, pozemek, pole **4.** statek **5.** pozice **6.** dno, podklad **7.** základ **8.** pl. polnosti, základy **9.** pl. sedlina kávová **10.** pl. park ♦ *to give, lose, ~* ztrácet půdu, ustoupit; *to break fresh ~* vzdělat panenskou půdu též fig.; *to hold* n. *stand, one's ~* udržet své postavení, stát na svém; *to get, gain,* *make* ~ nabývat půdy, vlivu, vzmáhat se, postoupit; *on the* ~ *of* z důvodu, pod záminkou □ *vt & i* **1.** zakládat, podložit, mít základy **2.** el. uzemnit **3.** narazit na břeh, mělčinu **4.** učit základům **5.** složit zbraně; —**age** [ˈgraundidž] *s* poplatek za zakotvení v přístavu; ~ **capital** pozemkový kapitál; ~ **crew** pozemní služba na letišti; ~ **defence** pozemní obrana; I~-Ifloor *s* přízemí; ~ **glass** broušené sklo; ~ **glass plate** fot. matnice; I~-Ihog *s* americký svišť; —**ing** [ˈgraundiŋ] *s* uzemnění; —**less** [ˈgraundlis] *a* bezpodstatný, bezdůvodný; I~-Inote *s* základní bas; I~-Iplan *s* půdorys; I~-Irent *s* pozemková renta, pachtovné; I~-Itone *s* základní tón n. nota; ~ **water** spodní voda; I—**work** *s* základ, podklad, spodní stavba

groundling [ˈgraundliŋ] *s* **1.** mřenka **2.** hist. návštěvník přízemí divadla

groundsel [ˈgraunsl] *s* bot. starček

group [gruːp] *s* **1.** skupina **2.** voj. letecká vyšší jednotka ♦ ~ *captain* plukovník letectva; ~ *of workers* pracovní četa □ *vt & i* seskupit (se), uspořádat, tvořit skupinu

grouse[1] [graus] *s* tetřívek

grouse[2] [graus] *vi* mručet, bručet

grout [graut] *s* **1.** šrot **2.** kal, sedlina **3.** řídká malta □ *vt* omítnout maltou; —**y** [ˈgrauti] *a* lid. am. nevrlý, mrzutý

grove [grouv] *s* lesík, hájek

grovel [ˈgrovl] *vi* (-ll-) plazit se před

grow* [grou] *vi & t* **1.** růst, sílit, dospívat **2.** dařit se, vzmáhat se **3.** stávat se **4.** vznikat, povstávat **5.** pěstovat (*roses* růže, *apples* jablka, *a beard* vous) ♦ *to* ~ *late* připozdívat se; *to* ~ *old, rich* stárnout, bohatnout; *to* ~ *worse* horšit se; *to* ~ *in favour* těšit se stále větší přízni; *this book begins to* ~ *on me* tato kniha se mi počíná líbit; ~ **on** blížit se; ~ **out of** *one's clothes* vyrůst ze šatů; ~ **over** zarůstat, zahojit se; ~ **to** změnit se; ~ **up** vyrůst, dospět; ~ **upon** stát se zvykem; —**er** [ˈgrouə] *s* **1.** sadař **2.** rostlinná specialita; —**ing** [ˈgrouiŋ] *a* **1.** vzrůstající, rostoucí **2.** příznivý pro vzrůst □ *s* růst; I—**n-up** *a* dospělý

growl [graul] *vi & t* bručet, vrčet □ *s* vrčení, bručení; —**er** [ˈgraulə] *s* **1.** bručoun **2.** sl. drožka

grown *pp* od *grow*

growth [grouθ] *s* **1.** vzrůst, růst, vznik **2.** plodina **3.** med. nárůstek

grub [grab] *vi & t* (-bb-) **1.** hrabat jako drůbež, kopat mělce **2.** plít, vymýtit **3.** sl. krmit (se) **4.** najít *(up, out)* **5.** dřít se □ *s* **1.** ponrava, červ **2.** dříč **3.** sl. žrádlo

grudge [gradž] *vt & i* **1.** zdráhat se, odpírat, nerad dávat **2.** závidět, nepřát **3.** zast. reptat; ~ *against* sočit na □ *s* nenávist, záští, odpor *(against* k);

—**ingly** [ˈgradžiɳli] *adv* nerad, s nechutí

gruel [gruəl] *s* ovesná kaše ♦ *to have*, *get one's* ~ dostat vyhubováno; *to give one his* ~ dát komu co proto ☐ *vt* (-ll-) potrestat

gruesome [ˈgruːsəm] *a* hrozný, strašlivý, ohavný

gruff [graf] *a* drsný, hrubý (*voice* hlas); neotesaný, příkrý

grumble [ˈgrambl] *vi & t* 1. bručet, vrčet 2. rachotit ☐ *s* vrčení, bručení; rachocení; —**er** [ˈgramblə] *s* bručoun, nespokojenec

grumpy [ˈgrampi] *a* mrzutý, nevrlý

grunt [grant] *vi & t* chrochtat, bručet ☐ *s* chrochtání

G.S. = 1. *General Staff* 2. *General Service*

gs = *guineas*

guarant|ee [ˌgærənˈtiː] *s* záruka, rukojmí, ručení ☐ *vt* (za)ručit, zajistit; —**or** [ˌgærənˈtoː] *s* ručitel, rukojmí; —**y** [ˈgærənti] *s* záruka, ručení

guard [gaːd] *vt & i* 1. chránit 2. hlídat (*from* před) 3. bránit (*against* proti) 4. vystříhat se, mít se na pozoru 5. bdít (*over* nad) 6. držet na uzdě, ovládat (se) ☐ *s* 1. stráž, hlídka 2. průvodčí vlaku 3. zabezpečení 4. bránění, ochrana 5. pl. domácí vojenské oddíly, královská garda, hradní stráž ♦ *to keep*, *stand*, ~, *to be on* ~ mít hlídku, konat stráž; *to be on one's* ~ mít se na pozoru, být ve střehu; *to mount* ~ jít na stráž; *to relieve* ~ vystřídat stráž;

|~ **-boat** *s* strážní člun; ~ **duty** strážní služba; —**ian** [ˈgaːdjən] *s* 1. ochránce, strážce 2. poručník; —**ianship** [ˈgaːdjənšip] *s* poručnictví, opatrovnictví; |~ **-house**, |**-room** *s* strážnice; |—**sman** *s* strážce, vojín, gardista

Guatemala [ˌgwætiˈmaːlə] *s* Guatemala (z)

gudgeon[1] [ˈgadžən] *s* 1. ťulpas 2. lákadlo, návnada 3. mřínek, řízek ryba

gudgeon[2] [ˈgadžən] *s* čep

guelder-rose [ˈgeldəˈrouz] *s* kalina

guerilla [gəˈrilə] *s* 1. partyzánská válka (~ *warfare*) 2. partyzán; ~ *detachment* partyzánský oddíl

Guernsey [ˈgəːnzi] *s* Guernsey (o)

guess [ges] *vt & i* domnívat se; tušit, hádat, uhodnout; odhadovat (*at* na) ☐ *s* odhad, dohad, domněnka; |~ **-work** *s* hádání, domněnky

guest [gest] *s* host ♦ *paying* ~ nocležník, podnájemník

guffaw [gaˈfoː] *s* výbuch smíchu, hlučný smích

Guiana [giˈaːnə] *s* Guyana (z)

guidance [ˈgaidəns] *s* vedení, řízení

guid|e [gaid] *vt & i* 1. vést, vodit; provázet, být průvodčím 2. poučovat, instruovat ☐ *s* 1. vůdce, průvodce 2. průvodce kniha; *railway* ~ jízdní řád 3. rameno spojnice lokomotivy; ~ **-board** [ˈgaidboːd] *s* orientační tabulka; |~ **-book** *s* průvodce kniha; |~ **-post** *s* ukazatel cesty;

|~ -screw *s* vodicí šroub sou-
struhu; |~ -wheel *s* rozváděcí
kolo turbíny
guidon [ˈgaidən] *s* 1. korouhev,
praporec 2. praporečník
guild, gild [gild] *s* společenstvo,
cech; **—hall** [ˈgildˈhoːl] *s*
radnice
guilder [ˈgildə] *s* holandský
zlatý stříbrný peníz
guile [gail] *s* úskok, lest, pod-
vod; **—less** [ˈgaillis] *a* beze-
lstný
guillotine [ˌgiləˈtiːn] *s* gilotina
guilt [gilt] *s* vina, poklesek,
zločin; **—less** [ˈgiltlis] *a* ne-
vinný; **—y** [ˈgilti] *a* vinen
(*of* čím) ♦ *to find* ~ uznat
vinným
Guinea[1] [ˈgini] *s* Guinea (z)
guinea[2] [ˈgini] *s* anglický zlatý
peníz = 21 sh; ~ **-fowl** [ˈgini-
faul], |~ **-hen** *s* perlička drů-
bež; ~ **pepper** paprika; |~ **-pig**
s morče
guise [gaiz] *s* 1. obyčej, chování
2. vzezření 3. ústroj, úbor
4. přestrojení, maska 5. zá-
minka (*under* ~ *of* pod zá-
minkou, pod pláštíkem čeho)
□ *vt & i* 1. obléci (se) 2.
uspořádat 3. dial. přestrojit
(se)
guitar [giˈtaː] *s* kytara
gulf [galf] *s* 1. zátoka 2. propast,
jícen 3. vír □ *vt* pohltit; *G*~
Stream golfský proud
gull[1] [gal] *s* racek
gull[2] [gal] *vt* věšet bulíky na
nos, podvádět, klamat □ *s*
1. hlupák, ťulpas 2. arch.
podvod
gullet [ˈgalit] *s* 1. hltan, jícen,
chřtán 2. kanál, stružka;

úžina 3. přípravný výkop
při vykopávkách
Gulliver [ˈgalivə] *s* Gulliver (mj)
gully [ˈgali] *s* 1. průrva; strouha,
stoka, kanál 2. odtok 3.
hrkot 4. (řeznický) nůž
gulp [galp] *vt & i* 1. spolknout,
polykat, hltat 2. zadržet dech
♦ *to* ~ *tears* potlačit slzy
gum [gam] *s.* 1. guma (*chewing*~
žvýkací guma) 2. dáseň 3.
klovatina, lep na zadní stěně
poštovních známek 4. oční sliz,
ospalek 5. pl. am. gumové
galoše □ *vt & i* (-mm-) 1.
slepit 2. vylučovat kau-
čuk; ~ **arabic** arabská guma;
~ **-boil** [ˈgamboil] *s* otok
dásně, fistule; ~ **elastic** pryž;
—my [ˈgami] *a* 1. lepkavý,
lepící 2. vylučující kaučuk,
gumový 3. opuchlý; |~ **-tree**
s gumovník; *to be up a* ~
být v nesnázích
gumption [ˈgampʃən] *s* hov. 1.
zdravý rozum, chytrost, filip
2. podnikavost, iniciativa
gun [gan] *s* 1. střelná zbraň,
puška 2. dělo 3. dělová rána
4. am. revolver, pistole ♦ *sure*
as a ~ určitě; *to stand, stick,*
to one's -s udržet pozici;
great ~ význačná osoba,
předák, velké zvíře; *son of a*~
špatný chlap; ~ **-barrel** [ˈgan-
ˌbærəl] *s* hlaveň; |~ **-boat** *s*
dělový člun; |—**case** *s* 1.
pouzdro na loveckou pušku
2. soudcovský límec; ~**-cotton**
[ˈganˌkotn] *s* střelná bavlna;
|—**man** *s* am. pistolník, ban-
dita; ~ **-metal** [ˈganˌmetl] *s*
dělovina; **—ner** [ˈganə] *s*
dělostřelec; ~ **-powder** [ˈgan-

ǀpaudə] s střelný prach;
ǀ~-shot s výstřel (*out of*,
within ~ mimo dostřel, na
dostřel); ~'s daughter dělo,
k němuž námořníci byli
přivazováni při bičování;
ǀ~-stick s nabiják; ǀ~-stock
s pažba; —wale [ǀganl] s
horní okraj lodního boku

gurgle [ǀgə:gl] vi & t kloktat,
bublat ☐ s bublání, hrčení
vody

gush [gaš] vi & t 1. vyrazit
proudem, řinout se (*tears* slzy,
blood krev) 2. vyjádřit s ci-
tem ☐ s výron, výlev

gusset [ǀgasit] s klínek, cvikl,
vložka

gust [gast] s 1. náraz větru 2.
výbuch (*of temper* nálady)
3. arch. chuť, vkus

gut [gat] s 1. střevo 2. pl. vnitř-
nosti, útroby 3. vulg. panděro,
bachor 4. fig. žravost, hlta-
vost 5. úzká cesta 6. vodní
úžina n. zátočina 7. pl. odva-
ha, drzost (*he has the -s to do
it* má tu drzost to udělat);
there are no -s in it je to jako
hadrový panák ☐ vt (-tt-)
1. kuchat rybu 2. zničit,
zpustošit vnitřek domu

gutter [ǀgatə] s žlab, stoka;
okap; žumpa, strouha ☐
vt & i 1. (vy)žlábkovat 2.
proudit, řinout se

guttural [ǀgatərəl] a guturální,
hrdelní, velární ☐ s guturála,
hrdelní hláska

guy[1] [gai] s lano

guy[2] [gai] s 1. strašák, hastroš
2. am. sl. chlapík, chlap 3.
am. sl. útěk; *to do a* ~ zmizet;
to give ~ *to* uniknout ☐
vi zahnout za roh, utéci

guzzle [ǀgazl] vi & t hltat, žrát

gym [džim] s zkr. = *gymnasium*

gymǀasium [džimǀneizjəm] s
1. tělocvična 2. gymnasium;
—ast [ǀdžimnæst] s cvičenec,
borec, gymnasta; —astic
[džimǀnæstik] a tělocvičný;
—astics [džimǀnæstiks] s tě-
lesná cvičení, gymnastika,
tělocvik

gynaecology [ǀgainiǀkolədži] s
ženské lékařství, gynekologie

gypsum [ǀdžipsəm] s sádra

gypsy [ǀdžipsi] s cikán, cikánka
☐ vi žít jako cikán

gyratǀe [ǀdžaiərit] a krouživý,
vinoucí se; úponkovitý, otáči-
vý ☐ vi [ǀdžaiəǀreit] kroužit,
kolovat; —ion [ǀdžaiəǀreišən]
s kroužení, víření; —ory
[ǀdžaiərətəri] a okružní, oběž-
ný

gyre [ǀdžaiə] s bás. otáčení,
kroužení

gyroǀplane [ǀdžaiəroplein] s
autogyro; —scope [ǀgaiərə-,
džaiərəskóup] s gyroskop

H

H, h [eič] písmeno h
H., h = 1. *harbour* 2. *hard* 3.
height 4. *hour* 5. *hundred*
ha [ha:] *int* ha!
haberdasher [ˈhæbədæšə] *s* obchodník krátkým zbožím
habiliments [həˈbilimənts] *s* oděv, roucho úřední
habilitate [həˈbiliteit] *vt* 1. am. vybavit pro práci 2. financovat důl 3. odít □ *vi* 4. habilitovat se na universitě
habit [ˈhæbit] *s* 1. arch. oděv, šat, roucho; *riding-* ~ dámský jezdecký oděv 2. vzezření 3. obyčej, zvyk 4. duševní dispozice, konstituce *(of mind)* 5. tělesná konstituce 6. bot., zool. růst ♦ *to be in the* ~ *of doing* dělávat, mít ve zvyku něco dělat □ *vt* 1. obléci, vystrojit 2. arch. obývat; **—able** [ˈhæbitəbl] *a* obyvatelný; **—ant** [ˈhæbitənt] *s* obyvatel; drobný majitel půdy v Kanadě, francouzského původu; **—at** [ˈhæbitæt] *s* 1. biol. lokalita 2. naleziště; **—ation** [ˌhæbiˈteišən] *s* 1. bydlení, obývání 2. bydliště, byt 3. sídliště; **-nal** [həˈbitjuəl] *a* 1. obvyklý 2. navyklý *(a* ~ *drunkard* notorický piják); **—uate** [həˈbitjueit] *vt* zvyknout *(to* na); **—ude** [ˈhæbitjuːd] *s* návyk; zvyk, tendence
hack [hæk] *vt & i* 1. zaseknout 2. udělat zářez 3. rozsekat na kousky 4. hákovat, obracet zem, přeorávat 5. kopnout

do holeně při kopané 6. pokašlávat 7. často užívat 8. pronajmout 9. jet, jezdit na koni 10. zkomolit □ *s* 1. krumpáč, motyka 2. koktání, zadrhování 3. pokašlávání 4. ragby kopnutí do holeně 5. nájemný kůň 6. herka 7. drožka; ~ **-saw** [ˈhækso:] *s* pilka na kov
hackle [ˈhækl] *s* 1. drhlen, vochlice 2. surové hedvábí 3. peří na krku kohouta ♦ *with his -s up* rozčepejřený □ *vt* 1. vochlovat 2. rozsekat
hackney [ˈhækni] *s* 1. najatý kůň 2. námezdník 3. drožka *(~ coach)* 4. dříč 5. nevěstka □ *a* 1. nájemný 2. otřepaný, zevšednělý □ *vt* 1. opotřebovat 2. udřít ve službě 3. zevšednit; **—ed** [ˈhæknid] *a* opotřebovaný, všední
had *pt & pp* od *have*
haddock [ˈhædək] *s* treska
haemal [ˈhiːml] *a* krevní
haem|orrhage, hem- [ˈheməridž] *s* krvácení
haft [ha:ft] *s* rukojeť, držadlo
hag¹ [hæg] *s* čarodějnice, babizna □ *vt* (-gg-) zast. strašit; ~ **-ridden** [ˈhægridn] *a* trápený noční můrou
hag² [hæg] *s* 1. pevné místo v močálu 2. močál
haggard [ˈhægəd] *a* vyjevený, divokého vzhledu; vychrtlý, ztrhaný; divoký, nezkrotný □ *s* neochočený sokol
haggis [ˈhægis] *s* tlačenka jí se horká

haggish [ˈhægiš] *a* ohyzdný
haggle [ˈhægl] *vt* 1. handrkovat
se, smlouvat 2. rozsekat
Hague, *the* [heig] *s* Haag (m)
hail[1] [heil] *s* krupobití, kroupy
□ *vi* 1. *it* -*s* padají kroupy
2. prudce lít, pršet; |~ -stones
s kroupy; |~-storm *s* bouře
s krupobitím
hail[2] [heil] *vt & i* 1. (po)zdravit
2. hlasitě volat □ *s* 1. pozdrav
2. zavolání □ *int* ať žije!
hair [heə] *s* vlas(y), chlup, vous,
srst, žíně ♦ *against the* ~
proti srsti; *to a* ~ na chlup,
přesně; *to let do wn* ~ roz-
pustit vlasy; *not turn a* ~
ani brvou nehnout, neukázat
známku nevole; *to lose one's* ~
oplešatět; *to comb a person's* ~
for him fig. přísně vyplísnit
koho; *to make one's* ~ *stand
on end* fig. způsobit, že něko-
mu vstávají vlasy hrůzou,
poděsit; *keep your* ~ *on!*
nerozčiluj se!; ~ -breadth
[ˈheəbredθ] *s* šířka vlasu;
~-brush [ˈheəbraš] *s* kartáč
na vlasy; ~-cloth [ˈheəkloθ]
s látka z velbloudí srsti;
|~-|dresser *s* kadeřník;
~-escape [ˈheəriskeip] *s* zá-
zračné vyváznutí; —less
[ˈheəlis] *a* bezvlasý, |~-pin
s vlásnička; ~-shirt [ˈheə-
|šə:t] *s* žíněná košile;
|~-|splitter *s* puntičkář, hni-
dopich; |~-spring *s* vlasové
pero v hodinkách; |~-stroke *s*
vlasový tah při psaní, tisku; —y
[ˈheəri] *a* vlasatý, chlupatý
halberd, halbert [ˈhælbə:d, -t]
s halapartna; —ier [|hælbə-
|diə] *s* halapartník

halcyon [ˈhælsiən] *s* ledňáček □
a pokojný, klidný; ~ *days*
klidné dny
hale[1] [heil] *vt* arch. vléci násilím,
táhnout; ~ *off* odvléci, od-
táhnout
hale[2] [heil] *a* zdravý, silný
half [ha:f] *s* polovina; ~ *pay*
snížený plat ♦ *to do a thing
by halves* dělat něco polovi-
čatě; *to cut in* ~ *(into halves)*
rozpůlit; *two pounds and a* ~,
two and a ~ *pounds* 2¹/₂ £;
to go halves rozdělit se stejným
dílem; *to cry halves* dožadovat
se stejného podílu; *better* ~
žert. manželka □ *a* poloviční;
~ *a pound* půl libry; ~ *an
hour* půl hodiny □ *adv* polo-
vičatě, napolo ♦ *a* ~-*cooked
potáto* napolo uvařený bram-
bor; ~ *dead* polomrtvý; *not*
~ *good· enough for you* ani
zdaleka dost dobré pro vás;
I don't ~ *like it all* ani
zdaleka se mi to nelíbí;
not ~ *bad* velmi špatný;
|~-|back *s* kop. záložník;
~-baked [ˈha:fˈbeikt] *a* 1.
nedopečený, nedovařený 2.
hov. nedomyšlený 3. při-
hlouplý; ~-binding [ˈha:f-
|baindiŋ]*s*polovazba; ~-breed
[ˈha:fbri:d]*s*míšenec; |~-|bro-
ther *s* nevlastní bratr; ~-caste
[ˈha:fka:st] *s* míšenec;
|~-|crown *s* půlkoruna 2|6;
|~-|finished *product* poloto-
var; ~-hose [ˈha:fˈhouz] *s*
ponožky; ~ -mast, [ˈha:f-
|ma:st] *s*: *at* ~ do půl žerdi;
—penny [ˈheipni] *s* půlpenny;
~ -scholar [ˈha:fˌskolə] *s* ne-
douk; |~-seas-|over *a* pod-

napilý; **~ -sovereign** ['ha:f-|sovrin] *s* půlsovereign 10 sh; |**~ -step** *s* půltón; |**~ -wit** *s* hlupák

halibut ['hælibət] *s* zool. platejs

hall [ho:l] *s* 1. dvorana, hala, sál 2. síň, předsíň 3. jídelna v anglických kolejích 4. venkovské sídlo, spolkový dům, velká budova; *Old Town H~* Staroměstská radnice; **~-mark** *s* punc

hallo, halloa [he|lou] viz *hollo*

halloo [hə|lu:] *int* haló □ *vi & t* 1. volat, pokřikovat 2. povzbuzovat

hallow ['hælou] *vt* blahoslavit, prohlásit svatým; *Hallowmas* ['hæloumæs] Všech svatých; *Hallowe'en* ['hælou|i:n] večer před svátkem Všech svatých

hallucination [hə|lu:si|neišən] *s* halucinace, přelud

halm viz *haulm*

halo ['heilou] *s* 1. světelný kruh kolem slunce, měsíce 2. svatozář

halt [ho:lt] *s* 1. zastávka 2. kulhání □ *vi & t* 1. zastavit (se) 2. kulhat též fig. 3. váhat; **—er** ['ho:ltə] *s* 1. ohlávka 2. oprátka □ *vt* 1. dát ohlávku 2. vložit oprátku, pověsit

halve [ha:v] *vt* rozpůlit, rozpoltit

halves [ha:vz] *s pl.* od *half*

halyard, halliard, haulyard ['hæljəd] *s* nám. provaz na zvednutí

ham [hæm] *s* 1. stehno 2. pl. zadnice 3. šunka 4. sl. špatný ochotnický herec; amatér

Hamburg(h) ['hæmbə:g] *s* Hamburk (m)

hamburg, hamburger ['hæmbə:g(ə)] *s* am. párek; karbanátek

hamlet ['hæmlit] *s* vesnička, víska, dědina

hammer ['hæmə] *s* 1. kladivo 2. kohoutek pušky ♦ *to bring under the ~* prodat v dražbě; *to come under the ~* přijít na buben; *throwing the ~* vrh kladivem, *~ and tongs* heverem, vší silou; *power ~* buchar □ *vi* bušit kladivem, kovat; **~ at** dorážet na; **~ in, into** vtlouci do hlavy;. **~ out** vymyslit, sestrojit; objasnit problém v diskusi; |**~ -block** *s* beran bucharu; |**~ -eye** *s* otvor pro násadu kladiva; **~ -head** ['hæməhed] *s* (žralok) kladivoun (také *~ -headed shark*)

hammock ['hæmək] *s* visuté lůžko; sítová houpačka

hamper[1] [hæmpə] *s* překážka □ *vt* 1. spoutat (*-ed by prejudice* spoután předsudkem) 2. překážet

hamper[2] ['hæmpə] *s* nůše, koš

hamster ['hæmstə] *s* křeček

hamstring ['hæmstriŋ] *s* kolenní šlacha □ *vt* zmrzačit, ochromit

hand [hænd] *s* 1. ruka 2. přední noha zvířat 3. ručička hodin, ukazatel 4. strana, část; směr 5. schopnost, zručnost; styl 6. dílo 7. rukopis 8. podpis 9. dělník 10. karty v ruce; hráč v karty 11. účast ♦ *an old ~* zkušený člověk; *to give one's ~ to* dát ruku, slíbit manželství; *all -s* celá posádka; *a legible ~* čitelný

rukopis; *to write a fair* ~
pěkně psát; *at* ~ po ruce,
blízko; *at first* ~ z první ruky;
at no ~ nikterak; *at the* ~ *of*
prostřednictvím; *by* ~ ručně,
za ruku; *to live from* ~ *to* ~
mouth žít z ruky do úst;
from good -*s* z dobrého pra-
mene; *off* ~ bez přípravy,
na místě; *in* ~ k dispozici,
v přípravě, pod kontrolou;
on ~ v majetku, po ruce, na
krku, na skladě; *on all* -*s*
na všech stranách; *on the one
(other)* ~ na jedné (druhé)
straně; *out of* ~ z ruky,
ihned; *to* ~ k ruce, v dosahu;
to come to ~ být doručen;
to have a ~ *in* mít prsty,
účast, v; *to change* -*s* měnit
majitele, jít z ruky do ruky;
to get ~ nabýt vrchu; *to lay*
-*s on* vztáhnout ruku na; *to
lend* ~ pomoci; *to put in* ~
dát do práce; *to shake* -*s
with* podat ruku; *to take in* ~
vzít do ruky, pokusit se,
podniknout, řídit; *not to lift
a* ~ nehnout prstem; *to play
a good* ~ dobře hrát; *to play
into one another's* -*s* hrát
někomu do ruky, jít někomu
na ruku; -*s off!* ruce pryč!,
nedotýkat se!; -*s up!* ruce
vzhůru!; ~ *in* ~ ruku v ruce;
to be ~ *in glove with* být
důvěrný s; *your letter, yours,
to* ~ obch. Váš dopis jsme
obdrželi □ *a* ruční □ *vt*
1. pomoci (*into, out of,
carriage* do, z vozu), podat
ruku 2. podat 3. dodat 4.
předat, **odkázat** *(~ down)*
5. zast. **řídit rukou** 6. nám.

svinout plachtu ◆ *to* ~ *in one's
cheeks* fig. zemřít; ~ **back**
vrátit; ~ **on** převést; ~ **over**
předat, podat; I ~ -**bag** *s* pří-
ruční vak; I — **ball** *s* 1. míč
2. hra; ~ -**barrow** [ˈhænd-
ˌbærou] *s* ruční trakař; I ~ -**bell**
s zvonek; I — **bill** *s* 1. plakát
2. leták; I — **book** *s* příručka;
~ -**brake** *s* ruční brzda;
~ -**cart** [ˈhændkaːt] *s* ruční
vozík; — **cuffs** [ˈhændkafs] *s*
pouta; ~ **feed** ruční posuv,
ruční podávání; — **ful** [ˈhænd-
ful] *s* hrst; ~ -**glass** [ˈhænd-
glaːs] *s* 1. malé příruční
zrcadlo 2. lupa; I — **grip** *s*
1. uchopení rukou, obchvat
2. pl. zápas v křížku; I ~ -**me-
ˌdowns** *s* konfekční šaty;
I — **rail** *s* zábradlí; I — **wheel**
s ruční kolečko; I — ˌ**writing** *s*
rukopis

handicap [ˈhændikæp] *s* 1. vy-
vážení 2. nevýhoda 3. pře-
kážka □ *vt* (-pp-) 1. mít
nevýhodu, handicap 2. vy-
rovnat rozdíl

handiǀcraft [ˈhændikraːft] *s* ře-
meslo, zručnost; — **ness**
[ˈhændinis] *s* obratnost;
— **work** [ˈhændiwəːk] *s* ruční
práce

handkerchief [ˈhæŋkəčif] *s* ka-
pesník, šátek na krk

handlǀe [ˈhændl] *vt & i* 1.
dotknout se, uchopit 2. po-
jednávat 3. ovládat, být
ovládán, manipulovat, za-
cházet (*s.t.* s čím) 4. zařídit
5. am. obchodovat 6. jednat
(*kindly* laskavě) □ *s* rukojeť,
násada, topůrko; ucho ná-
doby, **klika, střenka** nože;

starting ~ roztáčecí klika u auta; **—ing** [ˈhændliŋ] *s* zacházení, manipulace; obsluha

handsel, hansel [ˈhænsəl] *s* **1.** dar při nějaké příležitosti, zejména na Nový rok **2.** závdavek, počinek □ *vt* **1.** dát závdavek **2.** darovat na Nový rok **3.** zahájit, první zkusit, užít poprvé

handsome [ˈhænsəm] *a* **1.** hezký, pěkný **2.** příjemný **3.** velkodušný

handy [ˈhændi] *a* **1.** zručný **2.** příhodný, vhodný, po ruce **3.** nám. snadno řiditelný o lodi; |~-|**dandy** *s* dětská hra hádání, v které ruce je předmět; |~-**man** *s* nádeník

hang[1]* [hæŋ] *vt* **1.** pověsit, zavěsit **2.** oběsit **3.** naklánět **4.** ověsit, ozdobit (*with* čím) **5.** svěsit, sklopit □ *vi* **6.** viset **7.** být oběšen **8.** naklánět se, sklánět se **9.** být zavěšen (*the door -s on its hinges* dveře jsou zavěšeny ve veřejích) **10.** vznášet se **11.** záviset **12.** podpírat se, lnout, lpět **13.** být nejistý, váhat ♦ *I'll be -ed, if...* ať visím, jestli...; *to* ~ *fire* nespustit, opozdit se; fig. mít dlouhé vedení; *to* ~ *the head* svěsit hlavu; *he -s in the balance* je na vahách, nerozhodnut; *to* ~ *heavy* pomalu plynout o času, vléci se; ~ **about** potloukat se, okounět; ~ **back** zůstávat pozadu, loudat se, váhat; ~ **down** svěsit; ~ **on** *hand* nejít na odbyt; ~ **out** vyvěsit z okna; ~ **together** táhnout dohromady; lnout k sobě o osobách; ~ **up** zavěsit, pověsit, odložit na neurčito; ~-**up** **card** vývěska

hang[2] [hæŋ] *s* **1.** úbočí, ohnutí, směr **2.** způsob zavěšení **3.** význam (*to get the* ~ *of* dostat se čemu na kloub) **4.** váznutí, váhání ♦ *not a* ~ lid. vůbec ne; **—er** [ˈhæŋə] *s* **1.** věšák, závěs, ramínko na šaty **2.** lovecký nůž, tesák **3.** krátká dýka, kordík **4.** lesík na příkrém úbočí; **—er-gallows** [ˈhæŋəˈgælouz] *s* šibeničník; |—**er-|on** *s* následovník, stoupenec; **—ing** [ˈhæŋiŋ] *a* **1.** visící **2.** sklíčený **3.** závěsný **4.** hrdelní (*crime* zločin) □ *s* **1.** věšení, oběšení **2.** pl. tapety, čalouny; |—**man** *s* kat

hangar [ˈhæŋə] *s* **1.** úkryt **2.** hangár

hank [hæŋk] *s* **1.** přadeno, příze **2.** nám. kroužek ze dřeva, železa; **—er** [ˈhæŋkə] *vi* bažit, toužit (*for, after* po)

hanky-panky [ˈhæŋkiˈpæŋki] *s* lid. **1.** hokus pokus **2.** čachry, techtle mechtle

hansel viz *handsel*

hanson [ˈhænsəm] *s* dvoukolý kočár

Hants. = *Hampshire* [ˈhæmpˌšiə]

hap [hæp] *s* arch. náhoda, štěstí □ *vi* (-pp-) stát se; ~ -**hazard** [ˈhæpˈhæzəd] *s & a* náhoda, náhodný; **—less** [ˈhæplis] *a* nešťastný; **—ly** [ˈhæpli] *adv* **1.** arch. náhodou **2.** snad, možná

happy [ˈhæpi] a 1. šťastný
2. obratný 3. zdařilý; ~ -go-
-lucky [ˈhæpigouˌlaki] adv
nazdařbůh
harangue [həˈræŋ] s oslovení;
vášnivý proslov □ vi & t
slavnostně oslovit; řečnit
harass [ˈhærəs] vt 1. mučit,
týrat 2. rušit, znepokojovat,
sužovat; sekýrovat; —ment
s týrání, znepokojování
harbinger [ˈha:bindžə] s 1. dra-
bant, hlasatel 2. fig. před-
chůdce 3. předzvěst □ vt
hlásit, ohlašovat něčí příchod
harbour [ˈha:bə] s 1. přístav
2. přístřeší, útulek, útočiště □
vt 1. poskytnout útulek, chrá-
nit, chovat □ vi 2. přebývat,
bydlet 3. zakotvit v přístavu;
—age [ˈha:bəridž] s útulek,
přístřeší, přístav
hard [ha:d] a 1. tvrdý, pevný
2. vytrvalý, otužilý 3. ne-
snadný 4. nepříjemný, drsný
5. zatvrzelý 6. ztrnulý, přísný
(on na); odpuzující (style
sloh) 7. silný 8. hrubý 9.
krutý, bezcitný 10. fon. ne-
znělý ♦ ~ labour nucená
práce; ~ of hearing nedoslý-
chavý; ~ up v peněžní tísni;
□ adv 1. těžce, pracně,
pilně 2. přísně, krutě 3.
nesnadno 4. těsně, blízko
5. pevně ♦ to try ~ usilovně
se pokoušet; it is raining ~
prudce prší; to be ~ put to it
být na tom zle, být v nesná-
zích; ~ by těsně u; ~ upon
těsně k, blízký, v patách;
to press ~ for horlivě se do-
máhat; ~ up for mající
nouzi o □ s 1. brod 2. pří-

stavní hráz, molo 3. sl. trest
těžké práce; |~-|**boiled** a
natvrdo vařený; ~-**earned**
[ˈha:dˈ|ə:nd] a těžce vydělá-
ný; ~-**favoured** [ˈha:dˈfeivəd],
~ -**featured** [ˈha:dˈfi:čəd] a
tvrdých, ošklivých rysů; ~
-**hearted** [ˈha:dˈha:tid] a ne-
citelný, krutý; |~-**set** a 1.
nasazený o vejcích 2. pevný,
tvrdý, tvrdošíjný; ~ **tack** lod-
ní suchar; —**ware** [ˈha:dweə]
s železné zboží
hard|en [ˈha:dn] vt utvrdit,
zatvrdit, kalit □ vi 1. ztvrd-
nout 2. otužit se 3. zpevnit
se; —**ening** [ˈha:dniŋ] s ka-
lení, tvrzení, zpevnění; ~
furnace kalicí pec; ~ shop
kalírna; —**ihood** [ˈha:dihud]
s 1. neohroženost, smělost,
odvaha 2. drzost; —**ness**
[ˈha:dnis] s tvrdost
hardly [ˈha:dli] adv 1. tvrdě,
krutě, nesnadno 2. stěží, sotva
3. příkře 4. nerad
hardship [ˈha:dšip] s obtíž,
tvrdost osudu; útisk; utrpení,
bída
hardy [ˈha:di] a neohrožený,
silný; odvážný, otužilý, vy-
trvalý
hare [heə] s zajíc ♦ ~ and
hounds hra na stopaře; |—**bell**
bot. s zvonek; ~-**brained**
[ˈheəbreind] a pošetilý, leh-
komyslný; splašený, divoký;
|~-|**lip** s zaječí pysk
haricot [ˈhærikou] s 1. ragú
skopové 2. fazol
hark [ha:k] vi & t naslouchat;
~! slyšte! ~ **back** vracet se
po stopě, zavolat psy zpátky;
—**en** viz hearken

Harlequin [ˈhaːlikwin] *s* šašek, harlekýn

harlot [ˈhaːlət] *s* nevěstka, prostitutka; **—ry** [ˈhaːlətri] *s* 1. smilstvo, prostituce 2. nevěstka

harm [haːm] *s* 1. škoda, zlo 2. úraz □ *vt* poškodit, ublížit; **—ful** [ˈhaːmful] *a* škodlivý; **—less** [ˈhaːmlis] *a* neškodný, nevinný; bezúhonný

harmon|ic [haːˈmonik] *a* harmonický, souzvučný □ *s* harmonický tón; **—ica** [haːˈmonikə] *s* harmonika; **—icon** [haːˈmonikən] *s* 1. harmonika 2. orchestrion; **—ious** [haːˈmounjəs] *a* harmonický, souladný, souhlasný, souzvučný; **—ium** [haːˈmounjəm] *s* harmonium; **—ize** 1. [ˈhaːmənaiz] *vi* být harmonický, shodovat se □ *vt* 2. přivést v soulad (*with* s) 3. hud. harmonizovat; **—y** [ˈhaːməni] *s* 1. harmonie, souzvuk 2. soulad, shoda ♦ *to bring into* ~ uvést v soulad

harness [ˈhaːnis] *s* 1. postroj 2. pracovní výstroj 3. zbroj, brnění 4. padákový postroj ♦ *in* ~ v chomoutu, táhnout společně káru; *to go in double* ~ oženit se, provdat se □ *vt* 1. zapřáhnout 2. vyzbrojit 3. učinit užitečným, využít

harp [haːp] *s* harfa □ *vt & i* 1. hrát na harfu 2. narážet (*on, upon* na); **—er** [ˈhaːpə], **—ist** [ˈhaːpist] *s* harfeník

harpoon [haːˈpuːn] *s* harpuna □ *vt* harpunovat

harpy [ˈhaːpi] *s* harpyje, lítice

harridan [ˈhæridən] *s* babizna, stará čarodějnice

harrier [ˈhæriə] *s* chrt, ohař

harrow [ˈhærou] *s* brány na pole ♦ *u ider the* ~ v nesnázích □ *vt* 1. vláčet bránami 2. trýznit, drásat srdce, city

harry [ˈhæri] *vt* pustošit, ničit; trýznit, sužovat, obtěžovat

harsh [haːš] *a* 1. drsný, hrubý 2. nevrlý 3. odpuzující 4. přísný 5. trpký, kyselý o chuti

hart [haːt] *s* jelen

harum-scarum [ˈheərəmˈskeərəm] *a* lid. splašený, lehkomyslný □ *s* větroplach

harvest [ˈhaːvist] *s* žeň □ *vt & i* sklízet, mít žně; ~ *festival* slavnost díkůvzdání za žeň; **—er** [ˈhaːvistə] *s* 1. žnec 2. žací stroj; |~ **-field** *s* strniště; |~ **-**|**home** *s* dožínky; |**—man** žnec

has 3. *sg. pres* od *have*

has-been [ˈhæzbiːn] *s* 1. včerejší člověk 2. minulost

hash [hæš] *s* hašé, sekanina ♦ *to make a* ~ *of* zpackat □ *vt* rozsekat maso na drobno

haslet [ˈheizlit] *s* zvířecí vnitřnosti zejména vepřové, drůbky

hasp [haːsp] *s* 1. petlice 2. naviják, vřeteno

hassock [ˈhæsək] *s* 1. poduška klekátka 2. chumáč trávy

hast [hæst] arch. 2. *os. sg. pres* od *have*

hast|e [heist] *s* 1. spěch, kvap 2. ukvapenost (*to act in* ~ jednat ukvapeně) 3. naléhavost ♦ *to make* ~ pospíšit si; **—en** [heisn] *vt & i* 1. spěchat, pospíchat 2. urychlit, zrych-

lit; **—y** [ˈheisti] *a* **1.** spěšný,
rychlý **2.** ukvapený (*judge-
ment* úsudek) **3.** vášnivý
Hastings [ˈheistiŋz] *s* Hastings
(m)
hat [hæt] *s* klobouk ♦ *top,
high, chimney-pot,* ~ cylindr;
opera ~ klak sklápěcí cy-
lindr; *to raise the* ~ *to* smek-
nout před, pozdravit koho;
ǀ~ **-band** *s* páska klobouku;
—ter [ˈhætə] *s* kloboučník
hatch[1] [hæč] *s* **1.** dolní část
dělených dveří **2.** nám. poklop
otvoru v palubě **3.** padací
dveře **4.** stavidlo
hatch[2] [hæč] *s* **1.** líhnutí, líheň
kuřat ap. **2.** mládě ☐ *vt* **1.**
sedět na vejcích, vysedět
2. zosnovat, plánovat (*a plot*
spiknutí, *a design* plán) ☐
vi líhnout se
hatch[3] [hæč] *vt* šrafovat ☐ *s*
šrafa, šrafování
hatchet [ˈhæčit] *s* sekerka ♦
to bury the ~ zakopat vá-
lečnou sekyru, skončit boj,
smířit se; *to dig up the* ~
vykopat válečnou sekyru, za-
čít boj, obnovit nepřátelství;
to take up the ~ vypovědět
boj; *to throw the* ~ přehánět,
prášit; *to throw the helve after
the* ~ fig. nasadit čemu ko-
runu, dovršit škodu
hate [heit] *vt & i* nenávidět;
protivit se ☐ *s* bás. nenávist;
—ful [ˈheitful] *a* protivný
hath [hæθ] arch. 3. os. sg. pres
od *have*
hatred [ˈheitrid] *s* nenávist
(*to k*)
haughty [ˈhoːti] *a* hrdý, zpupný
haul [hoːl] *vt* **1.** mocně táhnout,

vléci (*at, upon*) **2.** nám. změ-
nit kurs lodi ☐ *vi* **3.** měnit se
o směru větru; *the wind -s* vítr
se otáčí ♦ *to* ~ *down one's
flag, colours* fig. vzdát se ☐ *s*
1. tah **2.** zatažení sítě **3.**
(vý)lov **4.** přeprava tažením;
—age [ˈhoːlidž] *s* **1.** táhnutí
2. doprava, dopravné po ose;
—ing [ˈhoːliŋ] *s* tažení, vle-
čení; doprava; ~ *rope* tažné
n. vlečné lano; ~ *tackle*
kladkostroj
haulm [hoːm] *s* stéblo, lodyha
haunch [hoːnč] *s* **1.** kyčel, bok
2. kýta
haunt [hoːnt] *vt* **1.** často na-
vštěvovat **2.** obtěžovat návště-
vami, obcházet **3.** strašit ☐
s **1.** oblíbené místo, pobyt **2.**
úkryt **3.** doupě, brloh **4.**
krmítko zvěře
hautboy, oboe [ˈouboi] *s* **1.**
hoboj **2.** jahoda zahradní
have* [hæv] *vt* **1.** mít **2.** mít
v majetku, držet, vlastnit **3.**
musit (*we had to leave* museli
jsme odejít) **4.** dostat, ob-
držet **5.** vědět, znát (*he has no
Greek* nezná řecky) **6.** vy-
jádřit, napsat (*as Plato has it*
jak napsal Platón) **7.** po-
razit ve hře, v argumentu
♦ *to* ~ *in mind* mít na
mysli; *let him* ~ *it!* dej mu to!,
vraž mu jednu!; *he will* ~ *it*
tvrdí; *to* ~ *a shave* oholit se;
~ *at* napadnout někoho;
~ *done with* přestat; ~ *on*
mít na sobě, nosit; ~ *it out*
urovnat spor; *I had the book
bound* dal jsem si svázat
knihu; *you had better go* měl
bys raději jít, udělal bys lépe,

kdybys šel; *I ~ about me*
mám u sebe; **~ away** odkli-
dit; **~ in** předvolat
Havana [həˈvænə] *s* Havana
(m)
haven [ˈheivn] *s* 1. přístav 2.
útulek
haversack [ˈhævəsæk] *s* voj.
brašna, chlebník
havoc [ˈhævək] *s* 1. řež 2.
spousta; zpustošení, zničení
♦ *to make a ~ of* zpustošit
haw [ho:] *s* hložinka plod hlohu;
—finch [ˈho:finč] *s* dlask;
—thorn [ˈho:θo:n] *s* hloh
Hawaii [ha:ˈwaii] *s* Havaj; **—an**
[ha:ˈwaiiən] *a* havajský
haw-haw [ˈho:ho:] *int* hahaha
□ *s* hlučný smích, chechtot
hawk[1] [ho:k] *s* jestřáb, luňák,
sokol □ *vt & i* 1. lovit pomocí
sokolů 2. vznášet se, kroužit
jako sokol; **—er** [ˈho:kə] *s* so-
kolník
hawk[2] [ho:k] *vi & t* chrchlat,
odkašlávat
hawk[3] [ho:k] *vt* nabízet na
prodej, provozovat podomní
obchod; **—er** [ˈho:kə] *s* po-
domní obchodník
haws|e [ho:z] *s* nám. část lodní
přídě s otvory pro kotevní
lana; **~ -hole** [ˈho:zhoul] *s*
otvor v přídi pro kotevní
lana; **—er** [ˈho:zə] *s* těžké
lano
hay [hei] *s* seno ♦ *to look for
a needle in a bottle* (n. *bundle*)
of ~ fig. hledat jehlu v kupce
sena; *to make ~ of* uvrhnout
ve zmatek; **—cock** [ˈheikok]
s kupka sena; **~ -fever** [ˈhei-
ˈfi:və] *s* senná rýma; **~
-fork** [ˈhei-fo:k] *s* vidle na

seno, podávky; **~ -mow** [ˈhei-
mou] *s* kupa sena; **—rick**
[ˈheirik] *s*, **—stack** [ˈhei-stæk)
s stoh sena
hazard [ˈhæzəd] *s* 1. hra v kost-
ky, hazardní hra 2. náhoda 3.
riziko 4. nebezpečí, odvážný
kousek ♦ *at all -s* za každou
cenu; *to run a ~* odvážit se
□ *vt* odvážit se, riskovat,
dát všanc; **—ous** [ˈhæzədəs]
a hazardní, nebezpečný
haz|e [heiz] *s* mlha, opar;
šero □ *vt* 1. zamlžit, zakrýt
kouřem 2. přetěžovat ob-
tížnou prací; **—ing** [ˈheiziŋ]
s přetěžování prací
hazel [ˈheizl] *s* 1. líska 2.
rudohnědá barva □ *a* oře-
chový, světle hnědý; **~ -nut**
[ˈheizlnat] *s* lískový ořech
hazy [ˈheizi] *a* 1. mlhavý 2.
neurčitý, nejasný 3. pod-
napilý
H.B.M. = *His* n. *Her Britannic
Majesty*
H-bomb [ˈeičbom] *s* vodíková
bomba
H.C. = 1. *House of Commons*
2. *Herald's College*
H.C.F. = *highest common fac-
tor*
H.E. = 1. *His Excellence* 2. *His
Eminence*
he [hi:] *pron* on; *~ who* ten,
kdo □ *s* muž, samec (*~ -goat*
kozel)
head [hed] *s* 1. hlava 2. před-
stavený, ředitel; vládce 3.
hlavička hřebíku, vrchol 4.
osoba, jednotlivec 5. kus
(*six ~ of cattle* šest kusů do-
bytka) 6. horní listy, květy
7. zdroj, pramen 8. vodní

nádrž pro mlýn ap. **9.** čelo průvodu, popředí; čestné n. předsednické místo **10.** rozum **11.** oddíl, kapitola, nadpis **12.** síla **13.** hlávka (*of cabbage* zelí) **14.** hud. blána bubnu **15.** nám. přední část lodi **16.** podzemní chodba v dolech **17.** velitelské postavení (*at the* ~ *of* v čele) **18.** předhoří **19.** účetní položka **20.** vrchol, krize; vyvrcholení, uzrání ♦ *taller by a* ~ vyšší o hlavu; *I cannot make* ~ *or tail of it* nerozumím tomu (ani za mák); *off one's* ~ potřeštěný; *over* ~ průměrně, podle hlavy; *over* ~ *and ears* až po uši; *by the* ~ *and ears* za vlasy přitažený; *from* ~ *to foot* od hlavy k patě; ~ *over heels* střemhlav; *by* ~ *and shoulders* násilně; *to keep one's* ~ zachovat rozvahu; *to keep one's* ~ *above water* fig. udržovat se nad vodou, nezadlužit se; *to lose one's* ~ fig. ztratit rozvahu; *to gain* ~ nabýt vrchu; *to put a thing into a person's* ~ někomu něco nasadit do hlavy; *to put a thing out of a person's* ~ někomu něco vypudit z hlavy; *to eat one's* ~ *off* nevyplácet se, aby ho člověk živil; *to get to the* ~ stoupnout do hlavy o nápoji; *to lay, put, -s together* radit se, *to take s.t. into one's* ~ vzít si něco do hlavy; *to talk a person's* ~ *off* unavit mluvením; *to beat a person's* ~ *off* úplně potřít; *he was promoted over*

s.b.'s ~ přeskočil někoho v postupu; *he talks over our -s* mluví tak, že mu nerozumíme □ *a* hlavní, čelný □ *vt & i* **1.** opatřit hlavičkou **2.** přistřihnout větve **3.** být v čele, postavit (se) do čela, jít v čele, velet **4.** překážet, bránit **5.** jít kolem pramene, zdroje **6.** začínat (*with* čím) **7.** opatřit hlavičkou, nadepsat **8.** hlávkovat **9.** jít určitým směrem, směřovat **10.** pramenit; —**ache** [ˈhedeik] *s* bolení hlavy; —**crash** [ˈhedkræš] *vi* zřítit se střemhlav; *I* ~ -**dress** *s* **1.** pokrývka hlavy **2.** úprava hlavy, účes; —**er** *s* **1.** střemhlavý skok **2.** žací stroj **3.** vazák cihla; ~ -**gear** [ˈhedgiə] *s* pokrývka n. úprava hlavy; —**ing** [ˈhediŋ] *s* záhlaví, nadpis; *I* —**lamp** *s* světlomet, reflektor auta; *I* —**land** *s* **1.** předhoří, mys **2.** souvrať na konci brázd; ~ -**light** [ˈhedlait] *s* čelní světlo auta, lokomotivy ap.; ~ -**line** [ˈhedlain] *s* titulek v novinách; —**long** [ˈhedloŋ] *adv & a* střemhlav, srázný; —**man** [ˈhedˈmæn] *s* předák, vedoucí; ~ **manager** generální n. vrchní ředitel; —**master** [ˈhedˈmaːstə] *s* ředitel(ka) školy; *I* —**most** *a* nejpřednější; *I* ~ -**office** *s* ústředna; —**phones** [ˈhedfounz] *s* sluchátka; *I* ~ -**piece** *s* **1.** přilba **2.** moudrá hlava, rozumbrada **3.** ozdobné záhlaví kapitoly; *I* ~ -**quarters** *s* hlavní stan vrchního velitelství; —**sman** *s* popravčí, kat; *I* —**spring** *s*

pramen; ǀ**—stall** *s* ohlávka;
ǀ**—stone** *s* 1. základní kámen
2. náhrobní kámen; ǀ**—strong**
a svéhlavý; ǀ**~**-ǀ**waters** *s*
prameny; ǀ**—way** *s* 1. jízda
lodí 2. stav. výška klenby n.
oblouku 3. průběh, běh 4.
výška podjezdu 5. interval
mezi dvěma vlaky na téže
trati; ǀ**—wind** *s* protivítr;
—y [ǀhedi] *a* 1. prudký,
útočný 2. opojný

heal [hi:l] *vt & i* hojit, léčit (se)

health [helθ] *s* 1. zdraví, blaho
2. přípitek na zdraví; **—y**
ǀ[ǀhelθi] *a* zdravý, prospěšný

heap [hi:p] *s* hromada ♦ *a ~ of
people* spousta lidí; *-s of
times* spousta času; *he is -s
better* je mu mnohem lépe □
vt 1. hromadit, nakupit (*~ up
riches* bohatství) 2. přeplnit
♦ *to ~ coals of fire on a per-
son's head* fig. odměnit špatné
dobrým

hear* [hiə] *vt & i* 1. slyšet 2.
poslouchat, naslouchat 3. vy-
slechnout, zaslechnout dostat
zprávu, dovědět se 4. dostat
dopis (*from* od) ♦ *to ~ a case*
práv. projednávat případ; *to
~ a witness* vyslechnout
svědka; *to ~ a person out*
vyslechnout koho

hearing [ǀhiəriŋ] *s* 1. slyšení,
poslech; audience 2. sluch
3. výslech 4. posluchačstvo
♦ *hard of ~* nahluchlý;
within ~ v doslechu; *to give
him a fair ~* nestranně
vyslechnout

hearken, harken [ǀha:kən] *vi*
zast. naslouchat, věnovat po-
zornost

hearsay [ǀhiəsei] *s* pověst, klep,
šuškanda

hearse [hə:s] *s* 1. máry 2. po-
hřební vůz □ *vt* 1. položit
na máry, dát do pohřebního
vozu; pohřbít 2. přikrýt

heart [ha:t] *s* 1. srdce 2. prsa 3.
nitro 4. mysl, duše, duch 5.
cit, citovost 6. podstata 7.
odvaha 8. temperament 9.
drahoušek (*sweet~*) 10. člo-
věk, osoba ♦ *after one's
own* ~ podle vlastního přání;
to give n. *lose one's ~ to*
zamilovat se do; *to pluck
up, take, ~* sebrat odvahu,
zmužit se; *to lose ~* ztratit
odvahu; *out of ~* skleslý na
mysli; *at ~* v jádře, na
srdci; *at the bottom of one's ~*
v hloubi duše; *by ~* zpaměti;
from one's ~ upřímně; *in
one's ~* tajně; *near one's ~*
drahý někomu; *with all one's
~* ze srdce, z duše; *to take
s.t. to ~* vzít si něco k srdci;
to break one's ~ (hluboce)
zarmoutit; *to cry one's ~
out* usedavě plakat; *~ and
hand* nadšeně; *~ and soul* ze
všech sil, energicky; *to have
one's ~ in one's mouth* fig.
mít malou dušičku; *his ~
sank into his boot* lid. má
dušičku v kalhotech, pozbyl
odvahy; *to speak one's ~*
mluvit ze srdce; *to wear one's
~ upon one's sleeve* všechno
vyžvanit; *to win one's ~*
získat něčí lásku; *to one's ~'s
content* co srdce ráčí; *to set ~
upon* usmyslit si co; *to have
the ~* mít to srdce něco udělat;
the ~ of the matter jádro

věci; **—ache** [ˈhaːteik] *s* zármutek; **~ -beat** [ˈhaːtbiːt] *s* tep srdce; fig. vzrušení; **~ -blood** [ˈhaːtblad] *s* duše, život; **~ -breaking** [ˈhaːtbreikiŋ] *a* srdcelomný; **~ -burn** [ˈhaːtbəːn] *s* pálení žáhy; **~ -burning** [ˈhaːtbəːniŋ] *s* žárlivost, nenávist, záští; **~ -disease** [ˈhaːt-diˈziːz] *s* srdeční vada; **—en** [ˈhaːtn] *vt* dodat odvahy, zmužilosti; |**~ -felt** *a* srdečný, upřímný; **—ily** [ˈhaːtili] *adv* **1.** srdečně **2.** přehojně **3.** horlivě **4.** velmi; **—iness** [ˈhaːtinis] *s* srdečnost; **—less** [ˈhaːtlis] *a* necitelný, nemilosrdný; |**~ 's-ease** *s* maceška; **~ -sore** [ˈhaːtsoː] *a* zarmoucený; **—y** [ˈhaːti] *a* **1.** srdečný **2.** silný, zdravý **3.** hojný **4.** oplývající hojností

hearth [haːθ] *s* ohniště, krb

heat [hiːt] *s* **1.** žár, horko, vedro **2.** vášeň, vřelost, hněv **3.** horlivost, zápal, zanícení pro **4.** doba páření, říje **5.** pl. závody, závodění ♦ *at a ~ rázem* □ *vt & i* **1.** zatopit **2.** zahřát, rozehřát (se) **3.** vzrušit, zapálit (*blood* krev); **—er** [ˈhiːtə] *s* **1.** ohřívač přístroj **2.** topné těleso; **—ing** [ˈhiːtiŋ] *s* topení; ~ *plant* teplárna; *central* ~ ústřední topení; ~ *radiation* sálání tepla; **~ -stroke** [ˈhiːtstrouk] *s* úžeh; **~ treatment** tepelné zpracování, zušlechťování oceli

heath [hiːθ] *s* **1.** vřesoviště **2.** vřes (též ~ -*bell*)- |**~ -berry** *s* borůvka; |**~ -cock** *s* tetřev

heathen [ˈhiːðən] *s* pohan

heather [ˈheðə] *s* vřes ♦ *to set the ~ on fire* způsobit zmatek, výtržnost; *to take to the ~* stát se vyhnancem

heave[1] [hiːv] *vt* **1.** zvedat těžké předměty **2.** nám. hodit (*the lead* olovnici), měřit hloubku **3.** vzdouvat (*breast* prsa) **4.** nám. táhnout, vléci loď **5.** páčit □ *vi* **6.** zvedat se **7.** vzdouvat se, dmout se, kynout o těstu **8.** napínat se, namáhat se **9.** těžce oddychovat, lapat po vzduchu **10.** nám. otočit loď proti větru **11.** zvracet, vrhnout ♦ *to ~ anchor* zvednout kotvu, vyplout; *to ~ in sight* stát se viditelným; **~ at** usilovat o, táhnout (*at rope* za provaz); **~ down** obrátit loď na bok; **~ forth** vyrazit ze sebe; **~ out** napnout (*a sail* plachtu); **~ to** zastavit loď; **~ up** **1.** vyzvednout **2.** vypumpovat **3.** navinout **4.** vzdát se **5.** nadýmat se, zvracet

heav|e[2] [hiːv] *s* **1.** zvedání **2.** náraz **3.** vydouvání, vzdouvání, dmutí **4.** dávení **5** vodorovná rudná sloj, žíla **6.** pl. dýchavičnost, dušnost; **—er** [ˈhiːvə] *s* sochor, zvedák, páčidlo

heaven [ˈhevn] *s* nebe, nebesa; **—ly** [ˈhevnli] *a* nebeský, andělský; božský

heav|iness [ˈhevinis] *s* tíha, tíže; tíseň; útisk; **—y** [ˈhevi] *a* **1.** těžký **2.** obtížný **3.** obtížený, hojný, bohatý o úrodě **4.** těžkopádný (*style* sloh, *gait* chůze) **5.** vážný, důležitý **6.** těhotná **7.** hloupý

8. nepřístupný 9. pomalý, těžkopádný 10. prudký (*rain* déšť) 11. těžko stravitelný ♦ ~ *expenses* obrovské výdaje; ~ *industry* těžký průmysl; ~ *losses* těžké ztráty; ~ *news* smutná zpráva; ~ *sky* zamračená obloha; ~ *sound* hluboký zvuk; —y-**hearted** ['hevi¦ha:tid] *a* těžkomyslný; —y **spar** baryt; '—y-**weight** sport *s* těžká váha

Heb. = *Hebrews*

Hebraic [hi:¦breiik] *a* hebrejský

Hebrew ['hi:bru:] *s* 1. Hebrejec, Žid 2. hebrejština □ *a* hebrejský, židovský

heckle viz *hackle*

hectic ['hektik] *a* hektický, souchotinářský, chřadnoucí □ *s* 1. horečka 2. člověk nemocný horečkou 3. rozpálení horečkou

hecto'graph ['hektogra:f] *s* hektograf, rozmnožovací stroj; —**litre** ['hekto¦li:tə] *s* hektolitr

hector ['hektə] *vt* nahánět strachu, vyhrožovat □ *vi* chvástat se

hedge [bedž] *s* 1. křoví 2. živý plot 3. fig. překážka, hranice ♦ *to come down on wrong side of the* ~ vsadit ná špatnou kartu □ *vt* 1. ohradit živým plotem 2. stříhat živý plot 3. zabezpečit se proti ztrátě □ *vi* 4. utéci se před nebezpečím ap., vyhnout se kompromitování; '~-¦business *s* termínový obchod; '~-¦**creeper** *s* lid. pobuda, rošťák; —**hog** ['hedžhog] *s* ježek;

~-**sparrow** ['hedž spærou] *s* pěnice modrá

heed [hi:d] *vt & i* dbát být pozorný, všimnout si □ *s* pozornost, péče ♦ *to take* ~ *of* mít se na pozoru; *to give, pay,* ~ *to* všimnout si, věnovat pozornost; —**ful** ['hi:dful] *a* pozorný; obezřetný; —**less** ['hi:dlis] *a* nepozorný, nedbalý

heehaw ['hi:¦ho:] *s* 1. hýkání 2. hřmotný smích

heel [hi:l] *s* 1. pata, opatek, podpatek 2. kopyto 3. ostruha 4. nám. zadní část kýlu ♦ *at* ~, *at, on, upon, ne's -s* v patách; *to take to one's -s* vzít nohy na ramena, utéci; *-s over head, head over -s* vzhůru nohama; *to kick one's -s* srazit paty, stát v pozoru; *to turn on one's -s* obrátit xe zády □ *vt & i* 1. opatřit podpatkem, ostruhou 2. am sl. vybavit penězi 3. klonit (se) na stranu o lodi 4. dotknout se patou 5. kopnout míč patou; —**er** ['hi:lə] *s* následovník, přívrženec politika

heft [heft] *s* 1. zast. úsilí 2. lid. tíže, váha, vliv 3. lid. am. valná část □ *vt* 1. zvednout 2. lid. potěžkat; —**y** ['hefti] *a* lid. 1. pádný, řízný 2. statný, houževnatý

heifer ['hefə] *s* jalovice

heigh [hei] *int* hej!, hola!; ~-**ho** ['hei¦hou] *int* hej, hola!

height [hait] *s* 1. výška 2. výšina, vrchol; —**en** ['haitn] *vt* zvýšit, zvětšit

heinous ['heinəs] *a* ohavný, nenáviděný, protivný

heir [eə] *s* dědic □ *vt* zdědit; **—ess** [ˈeəris] *s* dědička; **—ship** [ˈeəšip] *s* dědické právo

held *pt & pp* od *hold*

helianth|us [ˌhi:liˈænθəs] *s* pl. -*i* [-ai], -*uses* [-əsiz] slunečnice

helical [hi:ˈlaikəl] *a* spirálovitý, šroubovitý

helices [ˈhelisi:z] *pl* od *helix*

helicopter [ˈhelikɔptə] *s* vrtulník, helikoptéra

helium [ˈhi:ljəm] *s* hélium

heli|x [ˈhi:liks] *s* pl. -*xes* [-ksiz], -*ces* [ˈhelisi:z] 1. spirála, závitnice 2. vnější závit ucha

hell [hel] *s* 1. peklo 2. herna; **—ish** [ˈheliš] *a* pekelný

Hellen|e [ˈheli:n] *s* Řek; **—ic** [heˈli:nik] *a* helénský □ *s* klasická řečtina; **—ize** [ˈhelinaiz] *vt* helenizovat, pořečtit

hello [ˈhelou] *int* haló!

helm [helm] *s* 1. páka kormidla, kormidlo 2. fig. řízení, kormidlování 3. arch. přilba □ *vt* 1. kormidlovat, řídit 2. opatřit přilbou; **—et** [ˈhelmit] *s* přilba, helma; ˈ**—sman** *s* kormidelník

helminth [ˈhelminθ] *s* hlíst

help¹ [help] *vt & i* 1. pomoci, přispět 2. zabránit 3. posloužit (*to* komu) jídlem ♦ *I can't ~ that* nemohu za to; *I cannot ~ remarking* musím poznamenat; *~ oneself* posloužit si; *to ~ a person on with s.t.* pomoci komu s čím; *~ up* pozvednout

help² [help] *s* 1. pomoc 2. prostředek, východisko 3. pomocník, pomocnice 4. am. pomocnice v domácnosti 5.

porce jídla ♦ *by the ~ of* pomocí koho, čeho; **—er** [ˈhe.pə] *s* pomocník; **—ful** [ˈhe.pɾul] *a* užitečný; **—ing** [ˈhelpiŋ] *s* 1. pomáhání 2. porce jídla; **—less** [ˈhelplis] *a* bezmocný, slabý; ~-**mate** [ˈhelpmeit] *s* pomocník, druh, družka, manželka

helter-skelter [ˈheltəˈskeltə] *adv* lid. o překot, horempádem □ *a* překotný

helve [helv] *s* násada, topůrko

Helvet|ian [helˈvi:šjən] *a* švýcarský, helvetský □ *s* Švýcar; **—ic** [helˈvetik] *a* helvetský □ *s* helvet *příslušník církve*

hem¹ [hem] *s* lem, obruba, okraj □ *vt* (-mm-) lemovat, vroubit; ~ **in, about, round** uzavřít, obklíčit

hem² [hem] *int* hm □ *s* pokašlávání, odkašlávání □ *vi* (-mm-) hekat

hemisphere [ˈhemisfiə] *s* polokoule

hemlock [ˈhemlɔk] *s* bot. bolehlav

hemorrhage viz *haemorrhage*

hem|orrhoid, haem- [ˈheməroid] *s* hemoroid, zlatá žíla

hemp [hemp] *s* konopí; ˈ~-**kiln** *s* pazderna; ˈ~-**seed** *s* 1. konopné semeno 2. sl. darebák

hempen [ˈhempən] *a* konopný

hen [hen] *s* 1. slepice 2. ptačí samička; ~-**bane** [ˈhenbein] *s* blín; ˈ~-**bit** *s* hluchavka; ˈ~-**coop** *s* kurník; ˈ~-**pecked** *a* pod pantoflem; ˈ~-**roost** *s* hřad

hence [hens] *adv* 1. odtud 2. od té doby 3. proto ♦ ˈ—ˈ**forth**,

|ㅡ|forward *adv* od nynějška, nadále

henchman [ˈhenčmən] *s* následovník, stoupenec politický; lokaj, nohsled, přisluhovač

hennery [ˈhenəri] *s* kurník

Henry [ˈhenri] *s* Jindřich (mj)

hepatic [hiˈpætik] *a* jaterní, játrový

her [hə:] *pron* 1. ji, tu, onu, jí 2. její

herald [ˈherəld] *s* hlasatel, herold □ *vt* slavnostně uvést, ohlásit, oznámit; ㅡ**ic** [heˈrældik] *a* heraldický; ㅡ**ry** [ˈherəldri] *s* 1. erbovnictví, heraldika 2. znak, erb

herb [hə:b] *s* bylina, rostlina; ㅡ**aceous** [hə:ˈbeišəs] *a* bylinný; ㅡ**age** [ˈhə:bidž] *s* 1. rostlinstvo, byliny, tráva 2. právo pastevné; ㅡ**alist** [ˈhə:bəlist] *s* sběratel, obchodník léčivými bylinami; ㅡ**arium** [hə:ˈbeəriəm] *s* herbář; ㅡ**ivorous** [hə:ˈbivərəs] *a* býložravý; ㅡ**orize** [ˈhə:bəraiz] *vi* sbírat byliny, botanizovat

Hercules [ˈhə:kjuli:z] *s* Herkules

herd [hə:d] *s* stádo, houf, dav □ *vi & t* 1. žít v stádu 2. sdružovat se 3. sehnat, shromáždit do houfu, stáda; ㅡ**er** [ˈhə:də] *s* pasák, pastýř; |ㅡ|**sman** *s* 1. majitel stáda 2. pastevec

here [hiə] *adv* 1. zde, tu 2. sem 3. nyní ♦ ~ *and there* tu a tam; ~'*s to* při přípitku na zdraví!; *look* ~! pohleď!, pozor!; *from* ~ z tohoto místa, odtud; |ㅡ**a**|**bout(s)** *adv* tady někde blízko, v sousedství; ㅡ|**after** 1. *adv* v budouc-

nosti 2. *s* budoucnost; |ㅡ|**at** *adv* tím, přitom; |ㅡ|**by** *adv* 1. tímto způsobem, takto 2. v příloze; |ㅡ|**in** *adv* na tomto místě; |ㅡ**in**|**after** *adv* dole v dokumentu, v následujícím; |ㅡ**inbe**|**fore** *adv* v předcházejícím; |ㅡ|**into** *adv* do tohoto; ㅡ|**of** *adv* pokud jde o toto; |ㅡ|**(up)**|**on** *adv* potom, načež; |ㅡ|**to** *adv* k tomu, pokud; |ㅡ|**to**|**fore** *adv* dříve, kdysi; |ㅡ|**un**|**to** *adv* dotud; |ㅡ|**with** *adv* (s) tímto, zároveň

heredit|**able** [hiˈreditəbl] *a* dědičný, oprávněný dědit; ㅡ**ary** [hiˈreditəri] *a* dědičný; ㅡ**y** [hiˈrediti] *s* dědičnost

here|**sy** [ˈherəsi] *s* kacířství; ㅡ**tic** [ˈherətik] *s* bludař, kacíř; ㅡ**tical** [hiˈretikəl] *a* kacířský

herit|**able** [ˈheritəbl] *a* dědičný; ㅡ**age** [ˈheritidž] *s* dědictví

hermit [ˈhə:mit] *s* poustevník; ㅡ**age** [ˈhə:mitidž] *s* poustevna; |~-|**crab** *s* rak poustevnický

hernia [ˈhə:njə] *s* med. kýla

hero [ˈhiərou] *s* hrdina, bohatýr, rek; ㅡ**ic(al)** [hiˈrouik(əl)] *a* hrdinný; ㅡ**ine** [ˈherouin] *s* hrdinka; ㅡ**ism** [ˈherouizəm] *s* hrdinství

heron [ˈherən] *s* volavka

herpes [ˈhə:pi:z] *s* lišej, opar na rtu

herring [ˈheriŋ] *s* slaneček, sleď

hers [hə:z] *pron* její užito absolutně

herself [hə:ˈself] *pron* 1. ona sama, jí samé, ji samu 2. po *be, become* atd. 3. jako zvr. (*she blames* ~)

Herts. = *Hertfordshire* ['ha:-fədšiə]
hesit|ance, -ancy ['hezitəns(i)] *s* váhavost; —ant ['hezitənt] *a* váhající, váhavý; —ate ['heziteit] *vi* váhat, rozpakovat se; —ation [ˌhezi'teišən] *s* váhání
Hesperus ['hespərəs] *s* večernice
heterodox ['hetərədoks] *a* jinověrný, bludařský
heterogene|ity [ˌhetərodži'ni:iti] *s* různorodost, cizorodost; —ous [ˌhetəro'dži:njəs] *a* různorodý, cizorodý; nestejnorodý
hew [hju:] *vt & i* 1. sekat, tesat, štípat 2. porážet stromy 3. osekávat ♦ *to* ~ *one's way* proklestit, prosekat si cestu; *to* ~ *to pieces* rozsekat na kusy; ~ **down** setnout; ~ **off** odseknout; —er [hju:ə] *s* 1. drvoštěp 2. kameník 3. tesař 4. kopáč, havíř
hexagon ['heksəgən] *s* šestiúhelník; —al [hek'sægənl] *a* šestiúhelníkový
hexameter [hek'sæmitə] *s* hexametr
hey [hei] *int* hej!, hejsa!
heyday *s* květ mládí, rozkvět
H.F. = *high frequency*
H.G. = 1. *High German* 2. *His* n. *Her Grace* 3. *Horse Guards*
Hiawatha [ˌhaiə'woθə] *s* Hiawatha (mj)
hibern|al [hai'bə:nl] *a* zimní; —ate ['haibə:neit] *vi* přezimovat; —ation [ˌhaibə:-'neišən] *s* přezimování
hiccough, hiccup ['hikap] *s* škytavka □ *vi* škytat

hickory ['hikəri] *s* bílý ořech
hid [hid] *pt (& pp)* od *hide*
hidden ['hidn] *pp* od *hide*
hide[1] [haid] *s* 1. useň, kůže 2. hist. lán 80—120 akrů ♦ *to save one's own* ~ zachránit svou vlastní kůži □ *vt* 1. zvalchovat 2. hov. napráskat
hide[2]* [haid] *vt & i* 1. skrývat (se) 2. zakrývat, zastírat 3. zatajit ♦ *hidden reserves* skryté, utajené rezervy □ *s* úkryt; ~ -and-seek *s* hra na schovávanou
hideous ['hidiəs] *a* škaredý, ohyzdný, příšerný
hie [hai] *vi* bás. spěchat
hierarch ['haiəra:k] *s* hierarcha, nejvyšší kněz; —y ['haiəra:ki] *s* hierarchie
hieroglyph ['haiərəglif] *s* hieroglyf
higgl|e ['higl] *vt* handrkovat se (*for*, *about* o); provozovat podomní obchod; —er ['higlə] *s* podomní obchodník, kramář
higgledy-piggledy ['higldi'pigldi] *adv* páté přes deváté
high [hai] *a* 1. vysoký, vyvýšený 2. horní 3. hlavní 4. značný 5. vznešený 6. hluboký znalost 7. důležitý 8. vážný (*crime* zločin) 9. silný, mocný 10. hrdý, pyšný 11. chlubivý 12. přemrštěný 13. drahý 14. zamřelý maso ♦ *H*~ *Church* strana v anglické církvi; *H*~ *Mass* velká mše; *a* ~ *opinion of* příznivé mínění o; *corn is* ~ obilí je drahé; ~ *frequency* vysoký kmitočet; ~ *noon* pravé poledne; ~ *words* hněvivá slova; ~ *spirits* povznesená nálada;

~ *and mighty* nadutý, zpupný, vyzývavý; *a ~ colour* zardění; *tne ~ sea* moře mimo výsostné pásmo, širé moře; *wıth a ~ hand* pánovitě, nadutě; *-est common factor* (n. *divisor*) největší společný dělitel; *to ride the ~ horse* chovat se arogantně □ *adv* vysoko; velmi, ve velké míře, silně; draze ♦ *to play ~* hrát o velkou cenu; *to run ~* vzdouvat se city, moře; *to drink ~* nemírně pít □ *s* 1. výška, výšina 2. výsost 3. oblast vysokého barometrického tlaku, tlaková výše; |~-**born** *a* vznešeného původu, rodu; |~-**bred** *a* vznešený; |~-**day** *s* svátek; ~-**falutin(g)** [¹haifə¹lu:tin, -ŋ] *a* velkohubý, prázdně znějící, bombastický; —**flier, —flyer** [¹hai¹flaıə] *a* 1. vysoko létající 2. osobitý, výstřední, ctižádostivý; |~-**flown** *a* hrdý, nafoukaný, bombastický; |~-¹**handed** *a* nadutý, pánovitý; ~ **jinks** [¹haidžiŋks] hlučné veselí; ~-**jump** [¹haidžamp] *s* skok vysoký; |—**lands** *s* vysočina; |—**light** *vt* uvést do popředí; —**ly** [¹haili] *adv* 1. vysoce, velmi dobře 2. příznivě 3. vznešeného rodu; ~-**minded** [¹hai¹maindid] *a* 1 nadutý 2. velkomyslný; —**ness** [¹hainis] *s* 1. výsost titul 2. výše, úroveň; ~-**road** [¹hai¹roud] *s* hlavní silnice; ~ **school** am. střední škola; ~-**spirited** [¹hai¹spiritid] *a* vznětlivý, ohnivý: ~-**strung** [¹haistraŋ]

a napjatý, přecitlivělý; |~-**tension** *current* proud o vysokém napětí; ~ **treason** velezrada; |—**way** *s* silnice; |—**wayman** *s* lupič

H.I.H. = *His* n. *Her Imperial Highness*

hik|e [haik] *vt & i* 1. dial. kývat se, kolébat se 2. lid. kráčet, potulovat se, trampovat, pěstovat pěší turistiku □ *s* potulování, trampování, cestování, pěší túra n. turistika; —**er** [¹haikə] *s* pěší výletník, turista, tramp

hilar|ious [hi¹leəriəs] *a* veselý, rozjařený; —**ity** [hi¹læriti] *s* veselost

hill [hil] *s* 1. vrch, kopec, pahorek 2. hromada, kopeček krtčí; *ant-~ s* mraveniště; *dung-~ s* hnojiště ♦ *down ~* s kopce; *up ~* do kopce □ *vt* dělat kopečky, hrobkovat, řádkovat; —**ock** [¹hilək] *s* kopeček, vršíček; —**y** [¹hili] *a* kopcovitý, pahorkatý

hilt [hilt] *s* rukojeť meče, dýky, jílec □ *vt* opatřit rukojetí

him [him] *pron* jemu,.jej

H.I.M. = *His* n. *Her Imperial Majesty*

Himalaya [ˌhiməˈleiə] *s* Himáláj

himself [him¹self] *pron* 1. on sám, sebe sama 2. zvr. *he hurt ~* ranil se; *he came to ~* přišel k sobě; *(all) by ~* sám

hind¹ [haind] *s* čeleʾdín; podruh, deputátník

hind² [haind] *s* laň

hind³ [haind] *a* zadní nohy; —**er¹** [¹haində] *a* zadní; ~-**limbs** [¹haind-limz] *s* zadní

končetiny; '—most a nejzadnější, nejvzdálenější
hinder² [ˈhində] vt & i překážet, (za)bránit (*from* v)
hindrance [ˈhindrəns] s překážka
Hindu, Hindoo [ˈhinˈdu:] s Hind; —**stan** [ˌhinduˈsta:n] s Hindustán (z); —**stani** [ˌhinduˈsta:ni] a hindustánský □ s hindustánština
hinge [hindž] s závěs dveří, stěžej, pant, čep ♦ *off the* -s duševně n. fyzicky v nepořádku, vyšinout, nesvůj □ vt & i otáčet se (*on, upon* na); zavěsit dveře
hinny [ˈhini] s mezek
hint [hint] s pokyn, narážka ♦ *to take a* ~ dovtípit se □ vt & i dát na srozuměnou, dát pokyn, narážet (*at* na)
hinterland [ˈhintəlænd] s zázemí
hip¹ [hip] s kyčel, bok ♦ *to beat* ~ *and thigh* bít hlava nehlava; *to have on the* ~ mít v hrsti □ vt (-pp-) vymknout kyčel; ~ -**bath** [ˈhipba:θ] s sedací vana; ~ -**bone** [ˈhipboun] s kyčelní kost; '—**shot** a stržený v kříži; ~ -**tile** [ˈhiptail] s prejz taška
hip² [hip] s šípek plod
hip³ [hip] s fam. místo *hypochondria* zádumčivost, zasmušilost; —**ped** [hipt] a těžkomyslný, zasmušilý, zádumčivý
hippodrome [ˈhipədroum] s aréna, cirkus
hippopotam|us [ˌhipəˈpotəməs] s pl. *-uses* [-əsiz], *-i* [-ai] hroch

hire [ˈhaiə] s 1. nájemné, mzda 2. najímání ♦ *on* ~ najatý; ~ *purchase* koupě na splátky □ vt najmout, zjednat; ~ **out** pronajmout; —**ling** [ˈhaiəliŋ] s námezdník
hirsute [ˈhə:sju:t] a chlupatý, ježatý
his [hiz] *pron* jeho
hiss [his] vi & t syčet □ s syčení, sykot
hist [hist] *int* ticho!, tiše!, pst!
histology [hisˈtolədži] s histologie, nauka o tkáních
histor|ian [hisˈto:riən] s dějepisec; —**ic(al)** [hisˈtorik(əl)] a dějinný, historický; —**y** [ˈhistəri] s 1. dějiny 2. povídka, vypravování, historka 3. historická hra
histrion [ˈhistriən] s komediant, herec; —**ic** [ˌhistriˈonik] a komediantský, herecký; divadelní, jevištní
hit* [hit] vt & i 1. uhodit, udeřit 2. zasáhnout též fig., trefit, vystihnout 3. dát, zasadit ránu 4. narazit (*on upon, against* na), připadnout 5. uhodnout 6. srazit se 7. souhlasit, hodit se ♦ *to* ~ *the nail on the head* fig. trefit hřebík na hlavičku, přijít věci na kořen; *-ting power* úderná síla armády; ~ **off** pěkně se v něčem shodovat, hodit se k sobě; ~ **out** rozdávat mocné rány
hit² [hit] s 1. rána, náraz 2. srážka 3. úspěšný úder, trefa 4. pádná poznámka; (dobrý) nápad 5. šťastná náhoda
hitch [hič] vt & i 1. postrkovat, posunovat (se) trhavě 2.

upevnit, zavěsit na hák, zavěsit se **3.** zmotat se; chytit se, uváznout **4.** lid. souhlasit **5.** cestovat autostopem **6.** ~ *up* povytáhnout □ *s* **1.** klička, smyčka **2.** (u)váznutí, trhnutí **3.** kulhání **4.** překážka, zastavení; —**hike** [ˈhičhaik] *vi* sl. cestovat autostopem

hither [ˈhiðə] *adv* sem ♦ ~ *and thither* sem a tam □ *a* **1.** přední, bližší **2.** dřívější; ˈ—**most** *a* nejbližší; ˈ—ˈ**to** *adv* dotud; ˈ—**ward(s)** *adv* sem

Hittite [ˈhitait] *s* Chetit, chetitština □ *a* chetitský

hive [haiv] *s* **1.** úl, roj **2.** dav □ *vt & i* **1.** dát do úlu **2.** bydlit společně **3.** hromadit

hives [haivz] *s pl.* vyrážka, plané neštovice, střevní katar

H.L. = *House of Lords*

h.c. = *hectolitre*

H.M. = *His* n. *Her Majesty*

H.M.S. = *His* n. *Her Majesty's Ship*

H.O. = **1.** *Home Office* **2.** *Head Office*

ho, hoa [hou] *int* hej!, hola!

hoar [hoː] *a* **1.** bělošedý, šedivý **2.** ctihodný □ *s* šeď, stáří; ˈ~-ˈ**frost** *s* jinovatka; ˈ~-**stone** *s* milník, hraniční kámen

hoard [hoːd] *s* **1.** zásoba **2.** podklad □ *vt & i* :~ *up* (na)hromadit, dělat si zásoby, křečkovat; tezaurovat peníze; —**ing** [ˈhoːdiŋ] *s* **1.** hromadění **2.** oplocení, plakátová tabule ♦ ~ *spree* naku povací horečka, křečkování

hoars|e [hoːs] *a* **1.** drsný, hrubý o zvuku **2.** chraptivý, sípa-

vý; —**en** [ˈhoːsən] *vt & i* ochraptět

hoax [houks] *s* smyšlenka, žert □ *vt* tropit si žerty; —**er** [ˈhouksə] *s* šprýmař

hob [hob] *s* **1.** výčnělek krbu **2.** patka, kolík při hře v kroužky **3.** cvoček; ˈ~-**and-nob** *a* ruku v ruce, intimní, důvěrný; ˈ~-ˈ**goblin** *s* šotek, skřítek; —**nail** [ˈhobneil] *s* **1.** cvoček **2.** nemotora, šašek; ˈ~-**nob** *i vi* (-bb-) společně pít, důvěrně se stýkat **2.** *s* společná pitka, (po)tlach

hobble [ˈhobl] *vi & t* **1.** kulhat, belhat **2.** zchromit **3.** spoutat □ *s* **1.** belhání, kulhání **2.** pouto **3.** lid. nesnáz

hobby [ˈhobi] *s* **1.** koníček, záliba **2.** ostříž **3.** luňák; ˈ~-**horse** *s* hůl s koňskou hlavou pro děti

hobgoblin [ˈhobˈgoblin] *s* skřítek, šotek

hobo [ˈhoubou] *s* **1.** am. potulný dělník **2.** profesionální tramp

hock [hok] *s* hlezno koňské nohy

hockey [ˈhoki] *s* pozemní hokej (*ice* ~ lední hokej)

hocus [ˈhoukəs] *vt* **1.** klamat, podvádět **2.** omámit drogami; ~-**pocus** [ˈhoukəsˈpoukəs] *s* **1.** hokus-pokus **2.** trik, kejklířství

hod [hod] *s* truhlík, vanička na maltu; truhlík na uhlí; ˈ~-**man** *s* zednický podavač

hodge-podge [ˈhodžpodž] *s* **1.** míchanice, směs **2.** všehochuť jídlo

hoe [hou] *s* motyka, rýč □ *vt & i* kopat, okopávat motykou

hog [hog] *s* 1. vykleštěný **vepř** na výkrm 2. mladá ovce před první **stříží** 3. fig. prase o člověku, chamtivec ♦ *to go to the whole* ~ , *to go whole* ~ řádně **vyřídit**, udělat důkladně; ~ *in armour* neohrabanec □ *vt & i* (-gg-) 1. krátce ostříhat 2. **hrbit** hřbet; — **get** [ˈhogit] *s* roční ovce; — **gish** [ˈhogiš] *a* svinský, žravý; — **shead** [ˈhogzhed] *s* 1. velký sud 2. míra pro tekutiny 238,5 l; ~ **-sty** [ˈhogsˈtai] *s* prasečí chlívek; — **wash** [ˈhogwoš] *s* pomyje

hoist [hoist] *vt* zvednout, vytáhnout pomocí kladky, vztyčit (*the national flag* národní vlajku) □ *s* 1. zdvihání 2. výtah, zdviž; kladkostroj

hoity-toity [ˈhoitiˈtoiti] *a* 1. nestálý, těkavý 2. zpupný, svévolný, hrdý 3. nevázaný, rozpustilý □ *int* lády — fáry!

hold¹* [hould] *vt & i* 1. držet, podržet 2. udržet se 3. obsahovat 4. být majetníkem, mít 5. přidržet k, zavázat (*to* k) 6. mít (*to* ~ *no prejudice* nemít předsudek) 7. považovat 8. zachovávat 9. lpět (*by, to* na, k) 10. vytrvat 11. nepovolit 12. trvat 13. být platný, platit (*the rule -s in all cases* pravidlo platí ve všech případech) 14. snášet 15. zaujmout, upoutat pozornost 16. pozorovat 17. myslit 18. domnívat se, věřit 19. slavit ♦ *to* ~ *good* platit, být v platnosti, trvat; ~ *hard* dost!; *to* ~ *meetings* konat schůze; ~ *your tongue*! drž hubu!; *to* ~ *in esteem* mít v uctivosti, ctít; *to* ~ *one's breath* zadržet dech; *to* ~ *liable* postihovat; *to* ~ *office* vykonávat úřední funkci; *to* ~ *responsible* činit zodpovědným; *to* ~ *true* být pravdivý; *to* ~ *water* 1. netéci, být nepromokavý 2. obstát při zkoušce, osvědčit se; ~ **back** držet se stranou, váhat; ~ **by** držet se čeho; ~ **forth** vykládat zeširoka; ~ **in** zdržet (se), držet v šachu, zavřít; ~ **off** zdržovat, odkládat; ~ **on** vytrvat; ~ **out** 1. snášet, vytrvat 2. vztáhnout 3. nabídnout; ~ **over** odkládat; ~ **to** přidržovat (se), být věrný; ~ **together** táhnout dohromady; ~ **up** 1. podporovat, podpírat; vztyčit 2. obstát 3. ukázat, vyložit 4. olupovat na silnici

hold² [hould] *s* 1. uchopení, držení, sevření 2. držadlo, nádoba 3. kryt 4. vězení (*to put a man in* ~ uvěznit) 5. chycení, polapení 6. důvod, právo 7. podpora 8. hud. pauza; koruna 9. nám. lodní prostor 10. vliv (*on, over* na) ♦ *to lay (get, take)* ~ *of* zmocnit se; ǀ~ **-all** *s* brašna; ǀ~ **-back** *s* 1. překážka 2. uzda 3. zadržovač dveří; — **er** [ˈhouldə] *s* 1. držitel, majitel 2. majitel směnky, šeku; *share*~ akcionář 3. držadlo, držák, zásobník; ǀ— **fast** *s* 1. sevření 2. svěrák 3. skoba do zdi 4. voj. zakotvení v zemi; — **ing** [ˈhouldiŋ] *s* držba země, pozemek; vlastnictví, maje-

tek; ∼ *company* holdingová
společnost; ∼ *device* upínadlo
hole [houl] *s* **1.** jáma, díra,
otvor **2.** doupě, brloh **3.** vada,
kaz (*to pick -s in* hledat hnidy
u) **4.** sl. brynda, šlamastika,
kaše ♦ *tɔ make a ∼ in* fig.
udělat díru do ☐ *vt & i*
1. udělat otvor do **2.** vrtat
tunel **3.** zahnat do díry zvíře,
míč; |∼-**and-**|**corner** *a* tajný,
pod rukou; —y [|houli] *a*
děravý
holiday [|holədi] *s* **1.** svátek **2.**
pl. prázdniny ♦ *appointed -s*
uznané svátky; *paid -s* pla-
cená dovolená; *public -s* dny
pracovního klidu, státní svát-
ky; ∼ **camp** prázdninový tá-
bor
holiness [|houlinis] *s* svatost,
posvátnost
Holland [|holənd] *s* Holandsko
hollo, holloa [|holou] *int* haló!
hollow [|holou] *a* **1.** dutý, vy-
dutý; poklesý **2.** prázdný **3.**
hladový **4.** planý **5.** falešný,
klamný **6.** bezcenný (*victory*
vítězství) ☐ *adv* **1.** prázdně
2. lid. úplně ♦ *to be beaten ∼*
být nadobro zbit ☐ *s* **1.** du-
tina, díra **2.** roklina, údolí,
úvoz **3.** kanál, stoka, nádrž
☐ *vt & i* (vy)hloubit *(out)*;
∼ **-eyed** [|holouaid] *a s* vpad-
lýma očima; ∼ **-hearted** [|ho-
louha:tid] *a* neupřímný
holly [|holi] *s* bot. cesmína
holm[1] [houm] *s* dub křemelák
holm(e)[2] [houm] *s* ostrůvek
v řece, jezeru
holocaust [|holəkо:st] *s* **1.** oběť
zápalná **2.** úplná zkáza, zni-
čení

holster [|houlstə] *s* kožené pouz-
dro na pistoli
holt [hoult] *s* bás. lesík, lesnatý
pahorek
holy [|houli] *a* svatý, zbožný
♦ *H∼ Roman Empire* svatá
říše římská; ∼ *rood* krucifix;
H∼ Saturday Bílá sobota;
H∼ Thursday kat. Zelený
čtvrtek; *H∼ Writ* Písmo
svaté, bible
homag|**e** [|homidž] *s* slib věr-
nosti, poslušnosti, hold; —**er**
[|homidžə] *s* vazal, nevolník
home [houm] *s* **1.** domov, dům;
příbytek **2.** útulek **3.** domo-
vina ♦ *at ∼ in* **1.** zběhlý v
2. domácí ♦ *to be, feel, make
oneself, at ∼* udělat si pohodlí,
cítit se jako doma ☐ *a* **1.**
domácí **2.** důvěrný **3.** účinný
☐ *adv* **1.** domů **2.** k cíli **3.**
k srdci, těsně **4.** nám. k lodi
♦ *to bring charge ∼ to* pře-
svědčit koho; *to come ∼ to*
uvědomit si; *to speak ∼ to
the point* mluvit k věci; *to
strike ∼* tít do živého; *to
take ∼* vzít si k srdci; |∼-|**bred**
a domácně vychovaný; |∼-**de-**
|**fence** domobrana; **H∼ De-**
|**partment** am. ministerstvo
vnitra; |∼-**felt** *a* srdečný;
—**less** [|houmlis] *a* bez do-
mova; —**ly** [|houmli] *a* **1.**
arch. domácí, přátelský **2.**
jednoduchý, prostý **3.** všední;
|∼-|**made** *a* domácí; **H∼ Office**
brit. ministerstvo vnitra;
∼ **-rule** [|houmru:l] *s* samo-
správa; |∼-**sick** *a* tesknící
po domově; ∼ **-spun** [|houm-
span] *a* doma předený; do-
mácí, prostý, jednoduchý;

~ -stead [ˈhoumsted] *s* dům, hospodářství, usedlost; **|—work** *s* domácí práce, úkol

homicide [ˈhomisaid] *s* **1.** zabití, vražda **2.** vrah

homily [ˈhomili] *s* homilie, kázání

hominy [ˈhomini] *s* kukuřičný šrot, kukuřičná kaše

homo- prefix značící „týž, téhož druhu, stejný"

homogene|ity [ˌhomodžeˈni:iti] *s* stejnorodost; **—ous** [ˌhoməˈdži:njəs] *a* stejnorodý

homologous [hoˈmoləgəs] *a* souhlasný, stejný, souznačný

homonym [ˈhomənim] *s* homonymum slovo stejně znějící s jiným slovem, avšak odlišného významu

Hon. = **1.** *Honourable* **2.** *Honorary*

Hon. Sec. = *Honorary Secretary*

hone [houn] *s* brousek na břitvu □ *vt* ostřit, obtahovat na brousku

honest [ˈonist] *a* čestný, poctivý; upřímný, otevřený; **—y** [ˈonisti] *s* poctivost, počestnost, přímost

honey [ˈhani] *s* **1.** med **2.** sladkost **3.** miláček □ *a* medový □ *vi* sladce, medově mluvit; **|~-bee** *s* včela obecná; **—comb** [ˈhanikoum] *s* plástev medu, voština; **—moon** [ˈhanimu:n] *s* líbánky; **—sucker** [ˈhaniˌsakə] *s* kolibřík; **—suckle** [ˈhaniˌsakl] *s* zimolez, kozí list; **—ed, honied** [ˈhanid] *a* slazený medem

honour [ˈonə] *s* **1.** čest, pocta; počestnost **2.** sláva **3.** dobré

jméno **4.** hodnost, důstojnost **5.** cudnost u žen **6.** pl. vyznamenání, titul **7.** uctění hostí **8.** pl. trumfy **9.** obch. přijetí směnky ♦ *debt of* ~ čestný dluh; *to do, pay, -s to* vzdát komu poctu; *I have the* ~ *to inform you* dovoluji si Vám sdělit; *military -s* vojenské pocty; *to do the -s of the table* mít čest pozvat ke stolu; *in* ~ *of* na počest; *to be on one's* ~ *to (do)* být morálně zavázán; *upon my* ~ na mou čest; *word of* ~ čestné slovo; □ *vt* **1.** ctít, mít v úctě, vážit si **2.** vzdát čest **3.** zaplatit směnku; *to* ~ *a draft on presentation* vyplatit směnku při předložení; **—able** [ˈlo:nərəbl] *a* **1.** ctihodný, vznešený, výtečný **2.** čestný, počestný **3.** poctivý; **honorary** [ˈonərəri] *a* čestný

hood [hud] *s* **1.** kapuce, kápě **2.** čepec, čepička **3.** příklop, víčko; střecha auta, ochranný kryt **4.** zool. hřeben, chochol **5.** kukla, chránítko □ *vt* pokrýt, opatřit kapucí, zahalit; **—lum** [ˈhudləm] *s* am. pobuda; **—man-blind** [ˈhudmænblaind] *s* hra na slepou bábu

hoodwink [ˈhudwiŋk] *vt* **1.** zavázat oči **2.** zahalit, skrýt **3.** podvést, oklamat, ošálit; zaslepit

hoof [hu:f] *s pl.* -s [-s], -ves [-vz] **1.** kopyto, pazneht **2.** žert. noha □ *vi* jít pěšky □ *vt* vykopnout n. nakopnout koho

hook [huk] *s* **1.** hák **2.** udice **3.**

fig. smyčka, klička; past **4.**
hud. praporeček u noty **5.**
zákrut řeky **6.** výběžek země
♦ *by* ~ *or by crook* právem,
či neprávem, tak či onak;
on one's own ~ sl. na vlastní
vrub □ *vt & i* **1.** ohnout (se),
zahnout jako hák **2.** zaháknout (se) **3.** ukrást **4.** chytit
na udici ♦ *to* ~ *it* sl. zahnout
za roh, utéci; —**ed** [hukt] *a*
zahnutý, hákovitý

hooligan [ˈhuːligən] *s* rváč, halama, uličník, chuligán

hoop [huːp] *s* **1.** obruč **2.** kolo
na hraní **3.** prsten **4.** pl. krinolína **5.** houkání, volání válečný pokřik □ *vt* **1.** upevnit
obručemi **2.** obejmout, obklopit **3.** volat, houkat; —**er**
[ˈhuːpə] *s* bednář; —**ing-cough** [ˈhuːpiŋkɔf] *s* černý
kašel

hoopoe [ˈhuːpuː] *s* dudek

hoot [huːt] *vi & t* hulákat,
hlasitě volat, houkat (*at* na);
—**er** . [ˈhuːtə] *s* houkačka,
klakson, siréna

hooves [huːvz] viz *hoof*

hop[1] [hop] *vi & t* (-pp-) **1.**
poskakovat, hopsat **2.** hov.
skočit si do tance □ *s* **1.**
poskok **2.** hov. hopsání;
—**scotch** [ˈhopskɔč] *s* dětská
hra „nebe, peklo"; —**step-and-jump** *s* trojskok

hop[2] [hop] *s* chmel; ∣~ **-garden**
s chmelnice; ∣~ **-pole** *s* chmelová tyč

hope [houp] *s* naděje, doufání
♦ *past*~ beznadějný □ *vi & t*
1. doufat (*in* v) **2.** mít naději
(*for* v); —**ful** [ˈhoupful] *a*
plný naděje; nadějný, slibný;

—**less** [ˈhouplis] *a* beznadějný, zoufalý

hopper [ˈhopə] *s* **1.** skokan, skákající hmyz **2.** násypka ve
mlýně **3.** člun odvážející bláto
při bagrování **4.** česač chmele

horde [hoːd] *s* horda, dav

horizon [həˈraizn] *s* obzor; —**tal**
[ˌhoriˈzontl] *a* vodorovný, obzorový

horn [hoːn] *s* **1.** roh **2.** tykadlo
3. houkačka auta ♦ *to draw in
one's* -*s* zatáhnout růžky,
ochabnout v činnosti, zchladnout v horlivosti; *to take the
bull by the* -*s* chytit něco za
pravý konec; *French* ~ lesní
roh; *hunting*-~ lovecká trubka; ~ *of plenty* roh hojnosti
□ *vt* opatřit rohy; ~ **-beam**
[ˈhoːnbiːm] *s* habr; ∣~ **-beetle**
s zool. roháč ~ **-blower** [ˈhoːnblouə] *s* trubač; —**et** [ˈhoːnit]
s sršeň; —**pipe** [ˈhoːnpaip] *s*
námořnický tanec; —**swoggle**
am. sl. ošálit, napálit, podvádět, tropit si žerty; —**y**
[ˈhoːni] *a* **1.** rohový, rohovitý
2. mozolovitý

horologe [ˈhorəlodž] *s* orloj,
hodiny

horrible [ˈhorəbl] *a* hrozný,
strašný, děsný

horrid [ˈhorid] *a* **1.** hrozný,
strašný **2.** hov. ohavný,
sprostý

horr∣ific [hoˈrifik] *a* hrůzný,
strašný; —**ify** [ˈhorifai] *vt*
poděsit

horror [ˈhorə] *s* hrůza, zděšení,
strach (*of* před)

horse [hoːs] *s* **1.** kůň **2.** voj.
jízda **3.** kozlík **4.** stud. ta-

hák, šustrák 5. těl. kůň ♦ to ~ na koně! povel; *the ~ and foot* jízda a pěchota; ~ *of another colour* něco jiného; *to flog a dead ~* fig. mrhat energií; *to look a gift ~ in the mouth* dívat se darovanému koni na zuby; *to take ~* jet koňmo; *to mount (ride) the high ~* chovat se nadutě, povýšeně; *dark ~* neočekávaný vítěz; *to put the cart before the ~* obrátit naruby, dělat něco obráceně; *on –back* koňmo; *vaulting- ~* [ˈvoːltiŋ-hoːs] s tělocvičný kůň □ *vt* 1. opatřit koněm osobu, povoz 2. nést na zádech 3. posadit na záda 4. mrskat □ *vi* 5. sednout, posadit, na koně 6. vysmát se □ *a* koňský; ~**chestnut** koňský kaštan; ~**-cloth** [ˈhoːsklɔθ] s koňská houně; ~**-collar** [ˈhoːskolə] s chomout; ~**flesh** koňské maso, koně; ~**-fly** [ˈhoːsflai] s ovád; ~**-hair** [ˈhoːsheə] s žíně; |~**man** s jezdec; |~**manship** s jezdectví; |~**-meat** s obrok; ~**opera** am. kovbojka film; |~**-play** s hrubý žert; ~**-power** [ˈhoːsˌpauə] s koňská síla; ~**-race** [ˈhoːsreis] s koňské dostiny; ~**-radish** [ˈhoːsˌrædiš] s křen; ~**-shoe** [ˈhoːsšuː] s podkova; ~**-trappings** [ˈhoːstræpiŋz] s postroj na koně; ~**-whip** [ˈhoːswip] s bič na koně □ *vt* mrskat bičem; ~**-woman** [ˈhoːsˌwumən] s jezdkyně
hortat|ive, -ory [ˈhoːtət|iv, -əri] *a* napomínající

horticulture [ˈhoːtikalčə] s zahradnictví
hos|e [houz] s 1. punčocha 2. spodky 3. hadice □ *vt* stříkat hadicí; —**ier** [ˈhoužə] s obchodník s punčochami, se stávkovým zbožím; —**iery** [ˈhoužəri] s stávkové, trikotové zboží
hospit|able [ˈhospitəbl] *a* 1. pohostinský, pohostinný 2. příznivý; —**al** [ˈhospitl] s 1. nemocnice 2. zast. útulna; —**ality** [ˌhospiˈtæliti] s pohostinství
host[1] [houst] s 1. dav, množství 2. arch. armáda
host[2] [houst] s hostitel, hostinský ♦ *to reckon without one's ~* fig. dělat účet bez hostinského; —**ess** [ˈhoustis] s hostitelka
host[3] [houst] s hostie
hostage [ˈhostidž] s rukojmí
hostel, -ry [ˈhostəl(ri)] s 1. hospoda 2. studentský domov, mládežnická noclehárna
hostil|e [ˈhostail] *a* nepřátelský; —**ity** [hosˈtiliti] s 1. nepřátelství 2. pl. nepřátelská akce, činy; válka
hostler viz *ostler*
hot [hot] *a* 1. horký, žhavý 2. ostrý, štiplavý o vůni 3. vášnivý, chlípný 4. hněvivý, prudký, prchlivý 5. vzrušený 6. výborný 7. čerstvý o zprávě 8. horlivý 9. hud. improvizovaný džez ♦ ~ *dog* am. sl. párek, vuřt; *to blow ~ and cold* kolísat; *in ~ pursuit* těsně v patách □ *vt* ohřát, vytopit; |~**-bed** s pařeniště; ~**-blooded** [ˈhotˈbladid] *a*

horkokrevný; ~ -headed [ˈhotˈhedid] a prudký, ukvapený; |~-house s sklcník; ~-spur [ˈhotspə:] s prchlivec; |~-water: ~ bottle ohřívací láhev; ~ working zpracování n. tváření za tepla

hotchpotch [ˈhočpoč] s míchanice

hotel [houˈtel] s hotel

hound [haund] s 1. ohař, chrt, lovecký pes 2. sprostý člověk □ vt honit, štvát ♦ to ~ on to dohnat k

hour [auə] s 1. hodina 2. doba ♦ after -s mimo úřední hodiny, po úředních hodinách; labour -s jednicové hodiny, hodiny jednicové práce; machine -s strojové hodiny; office -s úřední hodiny; overtime -s přesčasové hodiny; standard -s normohodiny; working -s odpracované hodiny; |~-glass s přesýpací hodiny; |~-hand s hodinová ručička; —ly [ˈauəli] adv každou chvíli, často □ a hodinový, častý

house s [haus] pl. -s [ˈhauziz] 1. dům 2. domácnost 3. rod 4. sněmovna 5. divadlo, obecenstvo 6. lid burza (the H ~) 7. kolej universitní ♦ H~ of Commons dolní sněmovna; H~ of Lords horní sněmovna; to enter the H~ stát se členem parlamentu; ~ of call zprostředkovatelna práce; to keep ~ starat se o domácnost; to keep open ~ mít vždy dům otevřený, být pohostinný; to keep the ~ nevycházet z domu; to throw

the ~ out˙of the window div nevylétnout z kůže □ vt & i [hauz] 1. ubytovat(se), bydlit (in v) 2. uskladnit v domě 3. ukrýt (se), uzavřít; ~ -boat [ˈhausbout] s obývací loď; ~ -breaker [ˈhausˌbreikə] s lupič; ~-breaking [ˈhausˌbreikiŋ] s vloupání; |~-dog s hlídací pes; |~ -fly s moucha domácí; —hold [ˈhaushould] s domácnost, dům, rodina, služebnictvo; —holder [ˈhaushouldə] s hlava rodiny, hospodář; ~-keeper [ˈhausˌki:pə] s majitel domu, hospodář; ~-maid [ˈhausmeid] s služebná; ~-martin [ˈhausˌma:tin] s jiřička; —wife s [ˈhauswaif] 1. hospodyně, domácí paní, hostitelka 2. [ˈhazif] krabice na šicí potřeby, jehelníček

housing [ˈhauziŋ] s 1. útulek, přístřeší, úkryt; bydlení 2. kryt motoru 3. obch. skladné 4. nám. část stěžně pod palubou 5. čabraka na koně ♦ the ~ problem n. question bytový problém

hove [houv] pt & pp od heave

hovel [ˈhovel] s kolna, chatrč □ vt [-ll-] dát do kolny

hover [ˈhovə] vi 1. vznášet se (over, about) nad) 2. potulovat se 3. rozmýšlet se

how [hau] adv 1. jak? (~ far is it? jak daleko je to?) 2. proč? 3. zač? (~ is corn? zač je obilí?) 4. co? ♦ ~ are you? ~ do you do? jak se máte?; —beit [ˈhauˈbi:it] adv arch. nicméně, byť i; —ever [ˈhauˌevə] adv jakkoli, nicméně,

ač, ale; —soever [ˌhausou-
ˡevə] adv jakýmkoli způso-
bem, do jakékoli míry
howitzer [ˈhauitsə] s houfnice
howl [haul] vi & t 1. výt,
skučet 2. naříkat (at, over pro)
□ s vytí, skučení; —ing
[ˈhauliŋ] a 1. řvoucí 2. sl.
řvavý, křiklavý, ohromný
hoy [hoi] s menší nákladní loď
□ int hoj!
h.p. = horse power
H.Q. = Headquarters
hr. = hour
H.R. = House of Representatives
H.R.H. = His n. Her Royal
Highness
H.T. = High Tension
hub [hab] s náboj kola
hubbub [ˈhabab] s 1. hluk,
hřmot 2. zmatek
hubby [ˈhabi] s fam. mužíček
huck [hak] s říční pstruh
huckle [ˈhakl] s kyčel; |~ -back-
ed a hubatý; —berry [ˈhakl-
beri] s borůvka
huckster [ˈhakstə] s 1. podomní
obchodník 2. prodajný, zištný
člověk
huddle [ˈhadl] vi & t 1. shro-
mažďovat se v nepořádku n.
zmatku 2. (s)choulit se, krčit
se, hrbit se 3. dělat spěšně,
nepořádně (to ~ job through
odbýt práci) 4. naházet páté
přes deváté 5. naházet na
sebe (on one's clothes šaty)
6. ~ up nedbale vykonat,
záplatovat □ s 1. hromada,
dav 2. zmatek
hue[1] [hju:] s barva, odstín
hue[2] [hju:] s 1. křik, pokřik
zvl. při honu 2. výzva k dopa-
dení zločince

huff [haf] vt & i 1. nafouknout,
naběhnout 2. pouštět hrůzu
na, nahánět strach 3. urazit
(se) 4. nafouknout se, chlu-
bit se 5. vzít figurku při dámě
□ s hněv, podrážděnost;
—ish, —y [ˈhafiš, -i] a 1.
urážlivý 2. nadutý, domýšlivý
hug [hag] vt (-gg-) 1. obejmout,
sevřít, laskat, milovat 2.
držet se těsně u (to shore
u břehu); lpět na 3. blahopřát
si (on, for k) □ s objetí;
stisk, zápasnický hmat
huge [hju:dž] a ohromný
huggermugger [ˈhagəˌmagə] s 1.
arch. tajnost, tajnůstkářství
2. zmatek ♦ in ~ spěšně
a tajně □ a 1. tajný 2. zma-
tený □ adv tajnůstkářsky,
potajmu; lajdácky □ vt & i
držet v tajnosti, ututlat,
jednat potajmu
hulk [halk] s 1. vyřazená loď
sloužící za skladiště 2. pl.
vězeňská loď 3. spousta věcí;
—ing, —y [ˈhalkiŋ, -i] a
ohromný, neohrabaný
hull [hal] s 1. lusk 2. slupka 3.
nám. trup lodi □ vt 1. olou-
pat, vyloupnout 2. zasáhnout
trup lodi torpédem ap.
hullo [ˈhaːlou] int haló!
hum [ham] int hm! □ vt & i
(-mm-) 1. mumlat 2. bzučet
3. hučet □ s bzukot, mum-
lání; —ming-bird [ˈhamiŋ-
bəːd] s kolibřík
human [ˈhjuːmən] a lidský □
s lidská bytost; |—ˡkind s
lidstvo; ~labour lidská práce
human|e [hjuː|mein] a lidský,
lidumilný, laskavý; soucitný,
dobročinný; —ism [ˈhjuːmə-

nizəm] *s* humanismus, lidskost; **—ity** [hju:ˈmæniti] *s* **1.** lidství, lidská povaha **2.** lidstvo **3.** pl. lidské vlastnosti **4.** pl. klasická literatura

humble [ˈhambl] *a* **1.** pokorný, skromný **2.** nízký, ponížený ♦ *to eat* ~ *pie* pokorně se podrobit □ *vt* ponížit, pokořit; ~ **-bee** [ˈhamblbi:] *s* čmelák; ˈ~ **-plant** *s* netykavka

humbug [ˈhamˌbag] *s* **1.** balamucení, podvod **2.** podvodník □ *vt* (-gg-) podvést, obalamutit (*out of* o)

humdrum [ˈhamdram] *s* jednotvárný, nudný, všední

humid [ˈhju:mid] *a* vlhký, mokrý; **—itv** [hju:ˈmiditi] *s* vlhkost, mokro

humili|ate [hju:ˈmilieit] *vt* ponížit, pokořit; **—ation** [hju:-ˌmiliˈeišən] *s* ponížení, pokoření; **—ity** [hju:ˈmiliti] *s* pokora, skromnost

hummock [ˈhamək] *s* **1.** pahorek, homole **2.** ledový hřeben

humour [ˈhju:mə] *s* **1.** humor; nálada, náladovost **2.** biol. šťáva těla **3.** arch. vlhkost **4.** pl. vrtochy ♦ *out of* ~ mrzutý; *to be in* ~ *of (for)* mít chuť k; *ill* ~ špatná nálada □ *vt* dělat komu pomyšlení, hovět vrtochům; přizpůsobit se; dělat ústupky; **—ist** [ˈhju:mərist] *s* čtverák, humorista, podivín

hump [hamp] *s* hrb; **—back** [ˈhampbæk] *s* hrbáč; **—backed** [ˈhampbækt], **—ed**, **—y** *a* hrbatý

humus [ˈhju:məs] *s* prsť

hunch [hanč] *vt & i* nahrbit (se), sehnout se, ohnout se □ *s* **1.** hrb **2.** pořádný kus, skýva ♦ *to have a* ~ *that* am. mít nos, že; tušit, že; **—back** [ˈhančbæk] *s* hrbáč

hundred [ˈhandrəd] *s* sto, stovka; ˈ**—fold** *a* stonásobnˈý, -ě; **—th** [ˈhandrədθ] *a* stý □ *s* setina; **—weight** [ˈhandrədweit] *s* centýř

hung *pt & pp* od *hang*

Hungar|ian [haŋˈgeəriən] *a* maďarský; *Hungarian People's Republic* Maďarská lidová republika □ *s* Maďar, maďarština; **—y** [ˈhaŋgəri] *s* Maďarsko

hunger [ˈhaŋgə] *s* **1.** hlad (*to die of* ~ zemřít hlady; *to satisfy one's* ~ ukojit hlad) **2.** silná touha (*for*, *after* po) □ *vi & t* hladovět, lačnět (*for* po); týrat hladem; ~ *soil* chudá, jalová půda; ~ **strike** hladovka

hungry [ˈhaŋgri] *a* hladový, lačný

hunk [haŋk] *s* **1.** skýva, velký kus **2.** pl. skrblík

hunt¹ [hant] *vt & i* **1.** lovit **2.** štvát zvěř **3.** pronásledovat **4.** pátrat po, hledat (*after*, *for*) **5.** užít při honu psy ap.; ~ *out*, ~ *up* hledat, vyslídit ♦ *to* ~ *high and low* usilovně hledat

hunt² [hant] *s* **1.** hon, lov, štvanice **2.** shon **3.** smečka **4.** loviště, revír **5.** lovecká družina; **—er** [ˈhantə] *s* **1.** lovec **2.** lovecký pes, kůň; **—ing** [ˈhantiŋ] *s* **1.** lov, honba **2.** kývání, houpání letadla;

|—ing-grounds *s* loviště, revír

Huntingdon, -shire [ˈhantiŋdən, -šiə] *s* (hrabství) Huntingdon

Hunts. = *Huntingdonshire*

hurdle [ˈhə:dl] *s* 1. hať, košatina 2. překážka na závodech 3. pl. plot z proutěného pletiva □ *vt* 1. skákat přes překážky 2. oplocovat, oddělovat hatěmi, proutěným plotem

hurds [hə:dz] *s pl.* koudel

hurl [hə:l] *vt* 1. mrštit, hodit (*at* po) 2. řítit se 3. prudce vyřknout □ *s* hod, vrh; —**y-burly** [ˈhə:liˌbə:li] *s* vřava, pobouření, poplach

hurrah, hurray [huˈra:, huˈrei] *int* hurá!

hurricane [ˈharikən] *s* vichřice, uragán, cyklón; |~ -**deck** *s* lehká horní paluba; |~ -**lamp** *s* vozová lampa

hurry [ˈhari] *vt* 1. spěchat; ~ *up*! pospěš(te) si! 2. pohánět, hnát 3. nutit 4. urychlit □ *vi* 5. pohybovat se, jednat se spěchem; ~ **out** vyhnat □ *s* 1. spěch; *to be in a* ~ spěchat, mít naspěch 2. zmatek

hurt* [hə:t] *vt & i* 1. zranit 2. (po)škodit 3. ublížit, zarmoutit 4. hov. bolet; *it -s* působí bolest, škodí □ *s* 1. poranění, úraz, rána 2. ublížení 3. škoda; —**ful** [ˈhə:tful] *a* škodlivý

hurtle [ˈhə:tl] *vi* 1. pádit, hnát se 2. řinčet 3. smrštit

husband [ˈhazbənd] *s* manžel ♦ *ship's* ~ vlastník lodi, rejdař □ *vt* hospodařit; |—**man** *s* hospodář, rolník; —**ry** [ˈhaz-

bəndri] *s* hospodářství, hospodaření

hush [haš] *vt* utišit (*a baby to sleep* dítě k spánku), ukonejšit, umlčet □ *vi* utišit se; ~ **up** ututlat aféru □ *s* ticho □ *int* tiše!

husk [hask] *s* 1. slupka, kůra 2. obal □ *vt* loupat; —**y**[1] [ˈhaski] *a* 1. slupkovitý 2. chraptivý; **Husky**[2] [ˈhaski] *s* 1. Eskymák 2. eskymácký jazyk 3. eskymácký pes

hussar [huˈza:] *s* husar

hussif [ˈhazif] viz *housewife*

Hussite [ˈhasait] *s* husita □ *a* husitský

hussy, huzzy [ˈhazi] *s* ženština, slečinka; děvka

hustings [ˈhastiŋz] *s* řečnická zvl. volební tribuna

hustle [ˈhasl] *vt & i* 1. strkat, tlačit (se) 2. nutit (*into* do) 3. lid. mrsknout sebou, pospíšit si □ *s* tlačenice

hut [hat] *s* 1. chatrč, bouda 2. barák pro vojsko □ *vt & i* (-tt-) ubytovat vojsko v barácích

hutch [hač] *s* 1. truhlík na obilí 2. králíkárna 3. bouda 4. necky

hyacinth [ˈhaiəsinθ] *s* hyacint

hyaline [ˈhaiəlin] *a* 1. skelný, křišťálový 2. tech. průhledný

hybrid [ˈhaibrid] *a* smíšený, zvrhlý □ *s* kříženec, míšenec; zrůda

hydra [ˈhaidrə] *s* 1. hydra 2. fig. nezmar

hydr|ant [ˈhaidrənt] *s* hydrant, pípa; —**ate** [ˈhaidreit] *s* hydrát; ~ *of lime* hašené vápno

hydraulic [haiˈdrɔ:lik] *a* hyd-

raulický, kapalinový; ~ **bra-
ke** [breik], **recoil** [ri¦koil] hyd-
raulická brzda; ~ **power plant**
vodní elektrárna; ~ **press** hyd-
raulický lis'
hydrogen [¦haidridžən] *s* chem.
vodík; ~ **bomb** vodíková
bomba
hydro|graphy [hai¦drogrəfi] *s*
hydrografie; —**logy** [hai¦dro-
lədži] *s* hydrologie; —**meter**
[hai¦dromitə] *s* hustoměr;
—**phobia** [¦haidrə¦foubjə] *s*
hydrofobie, vzteklina; —**pla-
ne** [¦haidroplein] *s* hydro-
plán
hyena, hyaena [hai¦i:nə] *s* hye-
na; I~ -**dog** *s* šakal
hygeist, hygieist [hai¦dži:ist] *s*
hygienik
hygien|e [¦haidži:n] *s* zdravo-
věda, hygiena; —**ic** [hai-
¦dži:nik] *a* zdravotní (*condi-
tions* stav); —**ist** [hai¦dži:-
nist] *s* hygienik
hygrometer [hai¦gromitə] *s* vlh-
koměr
hygroscopic [¦haigrə¦skopik] *a*
hygroskopický
hymen [¦haimen] *s* med. pa-
nenská blána; —**eal** [¦haime-
¦ni:əl] *a* svatební
hymn [him] *s* chvalozpěv, cho-
rál □ *vt & i* velebit zpěvem,
zpívat chorály; I~ -**book** *s*
zpěvník
hyp [hip] lid. zkr. = *hypochond-
ria*

hyper- [¦haipə-] prefix zname-
nající „nad"
hyperbol|a [hai¦pə:bələ] *s* geom.
hyperbola; —**e** [hai¦pə:bəli]
s nadsázka
hypercritical [¦haipə:¦kritikl] *a*
nadmíru kritický
hyphen [¦haifən] *s* spojovací n.
rozdělovací čárka □ *vt* ozna-
čit, rozdělit čarkou
hypno|sis [hip¦nousis] *s* hyp-
nóza; —**tic** [hip¦notik] *a* hyp-
notický; —**tism** [¦hipnətizəm]
s hypnóza; —**tize** [¦hipnətaiz]
vt hypnotizovat, uspat
hypo- [¦haipou-], **hyp-**, prefix
značící „pod, dole, méně"
hypo [¦haipou] *s* lid. hypo-
chondrie; —**chondriac** [¦haipo-
¦kondriæk] *s* hypochondr
hypo|crisy [hi¦pokrəsi] *s* pokry-
tectví; —**crite** [¦hipəkrit] *s*
pokrytec
hypotenuse [hai¦potinju:z] *s*
geom. přepona
hypothec [hai¦poθik] *s* hypo-
téka; —**ate** [hai¦poθikeit] *vt*
1. zaručit **2.** zatížit hypoté-
kou
hypothes|is [hai¦poθisis] *s pl.*
-*es* [-i:z] hypotéza
hyster|ia [his¦tiəriə] *s* hysterie;
—**ic(al)** [his¦terik(əl)] *a* hyste-
rický; —**ics** [his¦teriks] *s pl.*
záchvat(y) hysterie
hysteresis [¦histə¦ri:sis] *s* el.
hystereze

I

I¹, i [ai] písmeno i
I² [ai] *pron* já
Ia. = *Iowa* [ˈaiouə]
iambic [aiˈæmbik] *a* jambický
□ *s* jambický verš
Iberian [aiˈbiəriən] *a* iberský
ibex [ˈaibeks] *s* kozorožec
ibid. = *ibidem*
ibidem [iˈbaidem] *adv* tamtéž
ibis [ˈaibis] *s* ibis
ice [ais] *s* **1.** led **2.** zmrzlina
(~ cream) □ *vt* proměnit
v led, opatřit ledem, pole-
vou, dát k ledu, zledovatit,
zmrazit; **~ accretion** [æˈkri:-
šən] *s* námraza; |**—berg** *s*
ledová hora; **~ -boat** [ˈais-
bout] *s* saně hnané plachtami;
~ box chladnička; **~ -breaker**
[ˈaisbreikə] *s* ledoborec; **~**
-field [ˈaisfi:ld] *s* ledové pole;
~ float [ˈaisflout], **~ -floe**
[ˈaisflou] *s* ledová kra; **~**
-glazed [ˈaisgleizd] *a* s po-
levou; |**~ -house** *s* lednice;
—man [ˈaismæn] *s* ledař;
|**~ -pudding** *s* polárkový
dort
Iceland [ˈaislənd] *s* Island;
—er [ˈaisləndə] *s* Islanďan;
—ic [aisˈlændik] *a* islandský
□ *s* islandština
icicle [ˈaisikl] *s* rampouch
icing [ˈaisiŋ] *s* poleva
icon [ˈaikon] *s* ikona
iconoclasm [aiˈkonəklæzəm] *s*
obrazoborectví
I.C.S. = *Indian Civil Service*
icy [ˈaisi] *a* ledový
Id. = *Idaho* [ˈaidəhou]
id. = *idem* [ˈaidem] taktéž

I'd [aid] = **1.** *I would, I should*
2. *I had*
Ida. = *Idaho* [ˈaidəhou]
idea [aiˈdiə] *s* **1.** myšlenka **2.**
pojem **3.** ponětí **4.** nápad,
představa **5.** úmysl; plán,
projekt **6.** idea
ideal [aiˈdiəl] *a* ideální, ideový,
myšlený, myšlenkový □ *s*
ideál, vzor; **—ist** [aiˈdiəlist]
s idealista; **—ize** [aiˈdiəlaiz]
vt & i idealizovat
ident|ical [aiˈdentikəl] *a* to-
tožný, týž, stejný; **—ifica-
tion** [aiˌdentifiˈkeišən] *s* zjiš-
tění totožnosti, identifikace
(~ mark poznávací značka);
—ify [aiˈdentifai] *vt* ztotož-
nit, zjistit (totožnost); **—ity**
[aiˈdentiti] *s* totožnost, shod-
nost; *~ card* průkaz totož-
nosti, občanská legitimace;
~ papers osobní doklady;
~ disc voj. identifikační des-
tička
ideo|logical [ˌaidiəˈlodžikəl] *a*
ideologický; *~ content s* ideo-
vá náplň; **—logy** [ˌaidiˈolədži]
s ideologie
idiocy [ˈidiəsi] *s* blbost
idiom [ˈidiəm] *s* idiom, jazy-
ková zvláštnost; nářečí
idiot [ˈidiət] *s* idiot, blbec;
—ic(al) [ˌidiˈotik(əl)] *a* sla-
bomyslný, blbý; **—ism** [ˈidiə-
tizəm] *s* slabomyslnost, blbost
idle [ˈaidl] *a* **1.** zahálčivý **2.** ne-
užitečný, planý; zbytečný **3.**
nečinný, líný *(~ fellow* le-
noch) **4.** jalový, nečinný ♦
to lie ~ ležet bez užitku;

the machines stand ~ stroje zahálejí, stojí nevyužity; ~ *capacity* nevyužitá výrobní kapacita; ~ *pulley* volná řemenice, vodicí kladka; ~ *run* běh naprázdno; ~ *time* ztrátový čas; ~ *wheel* náhradní, bezpečnostní kolo □ *vi & t* zahálet; ~ *away* prozahálet; —**ness** [ˈaidlnis] *s* lenost, zahálčivost; —**r** [ˈaidlə] *s* lenoch, zaháleč

idol [ˈaidl] *s* modla, obraz; —**ater** [aiˈdolətə] *s* zbožňovatel; —**atress** [aiˈdolətris] *s* zbožňovatelka; —**atrous** [aiˈdolətrəs] *a* modlářský; —**atry** [aiˈdolətri] *s* modlářství

idyll [ˈidil] *s* idyla, selanka; —**ic** [aiˈdilik] *a* idylický

I.E. = *Indo-European* [ˈindou-ˌjuərəˈpiən]

i.e. = *id est* = *that is* to jest

if [if] *conj* 1. jestliže, -li 2. kdyby 3. zdali 4. kéž 5. i když

I.F.S. = *Irish Free State*

I.G. = 1. *Indo-Germanic* 2. *Inspector General*

igneous [ˈigniəs] *a* ohnivý

ignes fatui [ˈigniːz ˈfætjuai] *s* bludičky

ignit|e [igˈnait] *vt & i* zapálit (se), vznítit (se), žhnout; —**er** [igˈnaitə] *s* roznětka; —**ion** [igˈnišən] *s* zapálení, vznícení, vznět

ignoble [igˈnoubl] *a* nízkého rodu; nešlechetný, mrzký, sprostý

ignomin|ious [ˌignəˈminiəs] *a* potupný, nečestný; —**y** [ˈignəmini] *s* potupa, hanba

ignor|amus [ˌignəˈreiməs] *s* hlupák, ignorant; —**ance** [ˈignərəns] *s* neznalost, nevědomost; —**ant** [ˈignərənt] *a* nevědomý, neznalý (*of* čeho); —**e** [igˈnoː] *vt* nevšímat si, nedbat, ignorovat

ilex [ˈaileks] *s* bot. 1. cesmína 2. dub křemelák

Ill. = *Illinois* [ˌiliˈnoi]

ill., illus., illust. = *illustrated, illustration*

I'll [ail] = *I will*

ill [il] *a* 1. nemocen, churav 2. zlý, špatný 3. nešťastný 4. škodlivý □ *adv* špatně, stěží □ *s* zlo, neštěstí, škoda; nemoc, bolest □ *he was taken* ~ onemocněl; *I am* ~ *at ease* je mi nevolno; ~ *blood* zlá vůle; *to speak* ~ *of* mluvit špatně o; *to behave* ~ chovat se špatně; |~ |-**bred** *a* nevychovaný; |~ -|**favoured** *a* ohyzdný, špatný; |~ -|**mannered** *a* nezpůsobný; |~ -|**nature** *s* zlovůle, potměšilost; —**ness** [ˈilnis] *s* 1. nemoc 2. špatnost; |~ -|**tempered** *a* nevrlý; |~ -|**treatment** *s* špatné zacházení (*of war prisoners* s válečnými zajatci)

illegal [iˈliːgəl] *a* nezákonný; —**ity** [ˌiliːˈgæliti] *s* nezákonnost

illegible [iˈledžəbl] *a* nečitelný

illegitimate [ˌiliˈdžitimit] *a* nemanželský □ *s* nemanželské dítě

illiberal [iˈlibərəl] *a* úzkoprsý; skoupý, nesvobodomyslný

illicit [iˈlisit] *a* nezákonný, zakázaný ♦ ~ *trade* černý obchod

illimitable [i'limitəbl] a ne-
obmezený
Illinois [ˌili'noi] s Illinois
illiter|acy [i'litərəsi] s negra-
motnost; —ate [i'litərit] a
negramotný, nevzdělaný
ilogical [i'lodžikəl] a nelogický
illuminat|e [i'lju:mineit] vt & i
1. osvětlit, osvítit, ozářit
2. objasnit 3. (o)zdobit ini-
ciálkami; —ion [iˌlju:mi'nei-
šən] s 1. osvětlení, záře 2.
objasnění 3. osvícení duševní
4. ozdobení, vymalování; vý-
zdoba ručně malovanými ini-
ciálkami a drobnomalbami;
—ive [i'lju:minətiv] a svíti-
vý, ozařovací, ilustrační; —or
[i'lju:mineitə] s 1. osvětlovač
2. ilustrátor, malíř iniciálek ap.
illumine [i'lju:min] vt & i
osvětlit (se)
illus|ion [i'lu:žən] s přelud,
klam, iluze; —ive [i'lu:siv] a
klamný, zdánlivý
illustrat|e ['iləstreit] vt 1. vy-
světlit, objasnit 2. ilustro-
vat; —ion [ˌiləs'treišən] s 1.
osvětlení 2. ilustrace; —ive
['iləstreitiv] a znázorňující,
vysvětlující; —or ['iləstreitə]
s ilustrátor
illustrious [i'lastriəs] a vynika-
jící, proslavený, známý
I.L.O. = International Labour
Organization
I'm [aim] = I am
image ['imidž] s 1. obraz 2.
socha 3. symbol, podobenství;
podoba □ vt vyobrazit, živě
popsat; —ry ['imidžəri] s 1.
obrazy, sochy, řezby; zpo-
dobení štětcem, ilustrace 2.
fantazie 3. ozdobný jazyk

imagin|ary [i'mædžinəri] a
domnělý, pomyslný; —ation
[ˌimædži'neišən] s obrazo-
tvornost, představivost, fan-
tazie; —ative [i'mædžinətiv]
a představivý, obrazotvorný;
—e [i'mædžin] vt & i před-
stavit si, domnívat se; chá-
pat, myslit
imbecil|e ['imbisi:l] a slabý, sla-
bomyslný; —ity [ˌimbi'siliti]
s slabomyslnost, slabost
imbibe [im'baib] vt 1. vsát, na-
pojit se 2. pít nemírně
imbrue [im'bru:] vt potřísnit
krví
imbrute [im'bru:t] vt & i zho-
vadit (se)
imbue [im'bju:] vt 1. napojit,
napustit 2. zbarvit 3. nad-
chnout
imit|ate ['imiteit] vt napodobit,
padělat; —able ['imitəbl] a
napodobitelný; —ation [ˌimi-
'teišən] s napodobení, imi-
tace; —ative ['imitətiv] a
zvukomalebný, napodobující;
—ator ['imiteitə] s napodo-
bitel
immaculate [i'mækjulit] a ne-
poskvrněný
immaterial [ˌimə'tiəriəl] a ne-
hmotný, nepodstatný
immatur|e [ˌimə'tjuə] a nezralý,
předčasný; —ity [ˌimə'tjuə-
riti] s nezralost, předčasnost
immesurable [i'mežərəbl] a ne-
měřitelný, nezměrný
immediate [i'mi:djət] a bez-
prostřední, neodkladný
immemorial [ˌimi'mo:riəl] a ne-
pamětný, pradávný
immens|e [i'mens] a nesmírný,
ohromný, nezměrný; —ity

[i'mensiti] *s* nezměrnost, ohromnost

immerge [i'mə:dž] *vt & i* ponořit, pohroužit (se) **♦** *to in debts* upadnout v dluhy

immers|e [i'mə:s] *vt* **1.** ponořit **2.** zvr. ponořit se (*in study* do studia) **3.** zaplést (*in debts* v dluhy); **—ion** [i'mə:šən] *s* **1.** ponoření, ponor **2.** astr. vstup do stínu

immigr|ant ['imigrənt] *s* přistěhovalec; **—ate** ['imigreit] *vi* přistěhovat se; **—ation** [ˌimi'greišən] *s* **1.** přistěhovalci **2.** přistěhovalectví

im|min|ence ['iminəns] *s* hrozba; **—ent** ['iminənt] *a* nastávající, hrozící, hrozivý

immiscibility [iˌmisi'biliti] *s* nesmísitelnost

immobile [i'moubail] *a* imobilní, nehybný; nemovitý

immoderate [i'modərit] *a* nemírný, přílišný

immodest [i'modist] *a* nemírný; neslušný, nestydatý

immolat|e ['imoleit] *vt* obětovat; **—ion** [ˌimo'leišən] *s* obětování, oběť

immoral [i'morəl] *a* nemravný; **—ity** [ˌimə'ræliti] *s* nemravnost

immort|al [i'mo:tl] *a* nesmrtelný, věčný □ *s* nesmrtelná bytost; **—ality** [ˌimo:'tæliti] *s* nesmrtelnost, věčnost; **—alize** [i'mo:təlaiz] *vt* zvěčnit; **—elle** [ˌimo:'tel] *s* bot. slaměnka

immovable [i'mu:vəbl] *a* nehybný, pevný; neochvějný; nemovitý □ *s* pl. nemovitosti

immun|e [i'mju:n] *a* vyňatý (*from* z): bezpečný, odolný,

imunní; **ity** [i'mju:niti] *s* odolnost; osvobození od daní, výsada; nedotknutelnost, imunita

immure [i'mjuə] *vt* uvěznit, zazdít, uzavřít (*oneself up* se)

imp¹ |imp] *s* **1.** šotek, čertík, rarášek **2.** nezbeda

imp² [imp] *vt* **1.** ~ *the wings of (a bird)* zesílit let **2.** zvětšit **3.** arch. štěpovat, roubit

impact *vt* [im'pækt] stlačit, upevnit □ *s* ['impækt] náraz, srážka (*on, against* s)

impair [im'peə] *vt* zmenšit; poškodit, zhoršit (*friendly relations among nations* přátelské vztahy mezi národy)

impale [im'peil] *vt* **1.** narazit na kůl **2.** probodnout **3.** arch. obehnat kůly

impalpable [im'pælpəbl] *a* nehmatatelný, nepostižný

impart [im'pa:t] *vt & i* **1.** udělit, propůjčit; dát část **2.** sdělit, oznámit; odhalit

impartial [im'pa:šl] *a* nestranný (*to* k); **—ity** ['imˌpa:ši'æliti] *s* nestrannost

impass|able [im'pa:səbl] *a* neschůdný, nesjízdný; **—e** [æm'pa:s] *s* **1.** slepá cesta, ulička **2.** neschůdná cesta **3.** bezvýchodná situace n. pozice

impassible [im'pæsibl] *a* **1.** nezranitelný **2.** necitelný, apatický, nevnímavý, lhostejný

impassion [im'pæšən] *vt* hluboce rozrušit; **—ed** [im'pæšənd] *a* vášnivý, mocně vzrušený

impassive [im'pæsiv] *a* necitný; klidný, apatický

impaste [im'peist] *vt* **1.** obalit těstem, uhníst v těsto **2.**

zpevnit **3.** nanášet štětcem hustě barvu

impati'ence [im'peišəns] *s* netrpělivost, **—ent** [im peišənt] *a* netrpělivý (*at, under* nad), nedočkavý *for* čeho); rozhorlený *with* na); nesnášenlivý *'of* s)

impawn [im'po:n] *vt* dát . do zástavy

impeach [im'pi:č] *vt* **1.** obvinit, obžalovat z velezrady n. jiného těžkého politického zločinu *(of, with)* **2.** brát v pochybnost, zlehčovat **3.** volat k zodpovědnosti; **—able** [im'pi:čəbl] *a* trestný, zodpovědný (*for* za), hodný hany; **—er** [im'pi:čə] *s* žalobce; **—ment** [im'pi:čmənt] *s* **1.** zlehčování **2.** obžaloba, obvinění z velezrady

impeccable [im'pekəbl] *a* bez hříchu, bezvadný

impecunious [impi'kju:njəs] *a* bez peněz, chudý

impedance [im'pi:dəns] *s* el. impedance, zdánlivý odpor

imped'e [im'pi:d] *vt* zdržovat, bránit, překážet; **—iment** [im'pedimənt] *s* **1.** překážka **2.** závada **3.** pl. voj. zavazadla

impel [im'pel] *vt & i* (-ll-) hnát, pohánět; **—lent** [im'pelənt] *a* hnací □ *s* hnací síla; **—ler** [im'pelə] *s* **1.** poháněč **2.** vodní pumpa

impend [im'pend] *vi* **1.** vznášet se hrozivě (*over* nad) **2.** hrozit; **—ence** [im'pendəns] *s* hrozivá blízkost; **—ing** [im'pendiŋ] *a* **1.** hrozící **2.** nastávající, budoucí

impenetr'ability [im penitrə'bi-** liti] *s* neproniknutelnost, neprostupnost; **—able** [im'penitrəbl] *a* neproniknutelný, neprostupný; nevyzpytatelný

impenitent [im'penitənt] *a* zatvrzelý

imperative [im'perətiv] *a* rozkazovací □ *s* gram. rozkazovací způsob, imperativ

imperceptible [impə'septəbl] *a* **1.** neznatelný, nevnímatelný **2.** malý, nepatrný

imperfect [im'pə:fikt] *a* **1.** nedokonalý, neúplný **2.** gram. imperfektní, nedokonavý □ *s* gram. imperfektum; **—ion** [impə'fekšən] *s* nedokonalost, neúplnost

imperial [im'piəriəl] *a* **1.** císařský **2.** svrchovaný **3.** říšský **4.** velkolepý □ *s* **1.** císařský vous, muška pod dolním rtem, bradka **2.** truhlík na zavazadla na střeše kočáru **3.** druh švestek; **—ism** [im'piəriəlizəm] *s* imperialismus

imperious [im'piəriəs] *a* velitelský, naléhavý

imperil [im'peril] *vt* (-ll-) ohrozit

imperishable [im'perišəbl] *a* nezničitelný

impermeable [im'pə:mjəbl] *a* neproniknutelný, neprostupný

imperson'al [im'pə:snl] *a* neosobní □ *s* gram. neosobní sloveso; **—ate** [im'pə:səneit] *vt* zosobnit, personifikovat

impertin'ence [im'pə:tinəns] *s* nemístnost, neslušnost, drzost; **—ent** [im'pə:tinənt] *a* nemístný, neslušný, drzý

imperturbable [impə:'tə:bəbl] *a* klidný, chladný, neochvějný

impervious [im'pə:vjəs] *a* **1.**

neprostupný (~ *to rain* nepromokavý) **2.** nepřístupný, lhostejný

impetigo [ˌimpiˈtaigou] *s* lišej, strup

impetu|osity [imˌpetjuˈositi] *s* prudkost; —**ous** [imˈpetjuəs] *a* prudký, vášnivý

impetus [ˈimpitəs] *s* **1.** hybná síla, hybný moment, energie pohybová **2.** popud; ~ **-wheel** [ˈimpitəswiːl] *s* setrvačník

impi|ety [imˈpaiəti] *s* bezbožnost; —**ous** [ˈimpiəs] *a* bezbožný

impinge [imˈpindž] *vi* **1.** udeřit, narazit (*upon, on* na) **2.** neprávem zasahovat (*upon a person's authority* do něčí autority); —**ment** *s* **1.** srážka, náraz **2.** působení, vliv

impish [ˈimpiš] *a* rozpustilý, šaškovský

implac|able [imˈplækəbl] *a* nesmiřitelný; —**ability** [imˌplækəˈbiliti] *s* nesmiřitelnost

implant [imˈplaːnt] *vt* zasadit, vštípit

implausible [imˈploːzəbl] *a* nepravděpodobný

implement [ˈimplimənt] *s* **1.** nástroj **2.** pl. náčiní, nářadí □ *vt* [ˈimpliment] vykonat, provést; —**ation** [ˌimplimenˈteišən] *s* uskutečnění, provedení

implicat|e [ˈimplikeit] *vt* **1.** zaplést **2.** zahrnout (*in* do); —**ion** [ˌimpliˈkeišən] *s* zapletení, důsledek

implicit [imˈplisit] *a* zahrnutý, vyplývající z, samo sebou se rozumějící, jasný; absolutní, bezpodmínečný

implied [imˈplaid] *pt & pp* od *imply*

implore [imˈploː] *vt* vzývat, úpěnlivě prosit (*one's help* o něčí pomoc)

imply [imˈplai] *vt* **1.** zahrnovat v sobě, obsahovat **2.** vyplývat

impolite [ˌimpəˈlait] *a* nezdvořilý

imponderable [imˈpondərəbl] *a* nezvažitelný, nepostižitelný; zanedbatelný; bezpodstatný

import *vt & i* [imˈpoːt] **1.** dovážet **2.** mít význam, týkat se, znamenat, záležet **3.** obsahovat **4.** sdělit □ *s* [ˈimpoːt] **1.** dovoz **2.** význam **3.** důležitost **4.** pl. dovezené zboží; —**er** [imˈpoːtə] *s* dovozce; ~ **trade** dovozní obchod

import|ance [imˈpoːtəns] *s* důležitost, význam ♦ *to attach* ~ *to* přikládat něčemu důležitost; —**ant** [imˈpoːtənt] *a* důležitý, naléhavý; —**ation** [ˌimpoːˈteišən] *s* **1.** dovoz **2.** zavlečení nákazy (*into* do)

importun|ate [imˈpoːtjunit] *a* naléhavý, dotěrný; —**e** [imˈpoːtjuːn] *vt & i* naléhavě žádat, obtěžovat; —**ity** [ˌimpoːˈtjuːniti] *s* neodbytnost, dotěrnost

impos|e [imˈpouz] *vt & i* **1.** vložit (*upon* ħa) **2.** uvalit, uložit (*a tax* daň) **3.** vnutit **4.** imponovat **5.** ošidit (*upon* koho) **6.** využitkovat ♦ *to* ~ *an economic blockade on* uvalit hospodářskou blokádu na; —**ing** [imˈpouziŋ] *a* velkolepý, impozantní; —**ition** [ˌimpəˈzišən] *s* **1.** uložení **2.** poplatek, veřejná dávka **3.**

břímě **4. podvod 5.** písemný trest ve škole

imposs|ibility [im₁posə|biliti] *s* nemožnost; **—ible** [im|posəbl] *a* nemožný

impost [|impoust] *s* **1.** pata oblouku **2.** hist. poplatek, daň; |~ **-taker** *s* berní

impost|or [im|postə] *s* podvodník; **—ure** [im|posčə] *s* podvod

impot|ence [|impətəns] *s* **1.** nemohoucnost, slabost, impotence **2.** bezmocnost; **—ent** [|impətənt] *a* nemohoucí, slabý, impotentní

impound [im|paund] *vt* **1.** zavřít dobytek do ohrady **2.** zabavit, konfiskovat

impoverish [im|povəriš] *vt* ochudit, ožebračit; **—ment** *s* zbídačení *(of working classes* pracujících mas)

impractic|able [im|præktikəbl] *a* neproveditelný, nepoddajný, neschůdný; **—al** [im|præktikəl] *a* nepraktický

imprecat|e [|imprikeit] *vt & i* proklínat; **—ion** [₁impri|keišən] *s* proklínání, prokletí

impregn|ate *vt & i* [|impregneit] **1.** oplodnit **2.** nasytit; napustit **3.** zúrodnit **4.** otěhotnit □ *a* [|impregnit] oplodněný; **—ation** [₁impreg|neišən] *s* **1.** oplodnění, otěhotnění **2.** nasycení, napuštění, impregnace

impress *vt* [im|pres] **1.** vtlačit, vtisknout, vzít kartáčový otisk **2.** učinit silný dojem **3.** ovlivnit **4.** zabavit **5.** vymáhat **6.** verbovat na vojnu; rekvírovat □ *s* [|impres] **1.**

vtlačení **2.** otisk, razítko, dojem **4.** ráz, osobitý znak **5.** násilný odvod; **—ion** [im|prešən] *s* **1.** dojem **2.** vliv **3.** znak, rys, ráz **4.** otisk *(of fingers* prstů); **—ive** [im|presiv] *a* působivý, dojímavý; **—ment** *s* zabavení majetku ap. ve prospěch státu

imprest [|imprest] *s* půjčka, závdavek, zálohování

imprint *vt* [im|print] **1.** vtisknout *(on* na) **2.** vyrazit, vyznačit **3.** vštípit do mysli *(on, in)* □ *s* [|imprint] **1.** dojem **2.** otisk

imprison [im|prizn] *vt* uvěznit; **—ment** *s* uvěznění, trest na svobodě

improb|ability [im₁probə|biliti] *s* nepravděpodobnost; **—able** [im|probəbl] *a* nepravděpodobný

improbity [im|proubiti] *s* nepoctivost

improper [im|propə] *a* nepravý *(fraction* zlomek), nevhodný, nepatřičný, neslušný

impropri|ate *a* [im|proupriit] nevhodný □ *vt* [im|prouprieit] přivlastnit si; **—ety** [₁imprə|praiəti] *s* nevhodnost, neslušnost

improv|e [im|pru:v] *vt & i* **1.** zlepšit (se) **2.** zdokonalit (se) **3.** využít **4.** opravit **5.** am. zvýšit hodnotu, cenu; **—ement** *s* zlepšení, zdokonalení; využitkování; zvýšení cen, přírůstek *(in* v); **—er** [im|pru:və] *s* **1.** zlepšovatel; volontér **2.** zlepšovací prostředek ♦ |*dress-*~ *s* honzík

improvid|ence [im|providəns] *s*

neprozíravost; marnotratnost; **—ent** [im'providənt] *a* neprozíravý; marnotratný

improvis|ation [ˌimprəvai-ˈzeišən] *s* improvizace; **—e** [ˈimprəvaiz] *vt & i* improvizovat, básnit, řečnit spatra

imprudent [im'pru:dənt] *a* nemoudrý, nerozvážný, neprozřetelný

impud|ence [ˈimpjudəns] *s* drzost, nestydatost; **—ent** [ˈimpjudənt] *a* nestydatý, drzý

impugn [im'pju:n] *vt* napadnout (slovy), vzít v potaz pravdivost; **—er** [im'pju:nə] *s* odpůrce

impuissant [im'pju:isnt] *a* nemohoucí, slabý, neúčinný

impuls|e [ˈimpals] *s* **1.** popud, podnět (*to, towards* k) **2.** instinkt **3.** náraz, tlak; **—ive** [im'palsiv] *a* **1.** podnětný **2.** hnací (*force* síla) **3.** vznětlivý, impulsívní

impunity [im'pju:niti] *s* trestnost

impur|e [im'pjuə] *a* **1.** nečistý, špinavý **2.** necudný; **—ity** [im'pjuəriti] *s* nečistota, nemravnost

imput|e [im'pju:t] *vt* připisovat, přičítat za vinu (*to* komu); **—ation** [ˌimpju:'teišən] *s* přičítání, přisuzování viny, obvinění

in. = *inch, inches*

in [in] *prep* v(e), u, při, na, do, z, za, od, pro, podle ♦ ~ *Europe, England, London* o velkých městech n. o městech, kde mluvčí bydlí; jinak *at*; ~ *the house,* ~ *a pond,* ~ *a*

crowd v domě, v rybníce v davu; ~ *the street* na ulici; ~ *mourning* ve smutku; ~ *white* v bílém; *blind* ~ *one eye* slepý na jedno oko; *not one* ~ *a hundred* ani jeden ve stu; *to put hands* ~ *pockets* strčit ruce do kapes; *to cut* ~ *halves* rozpůlit; *to throw* ~ *the fire* hodit do ohně; *to fall* ~ *love* zamilovat se; *to believe* ~, *to trust* ~ věřit, doufat v; ~ *time* včas; ~ *the morning* ráno; ~ *compensation for* v náhradu za; ~ *his praise* k jeho chvále, cti; ~ *fact* vskutku; ~ *truth* vpravdě; ~ *any case* v každém případě; ~ *behalf of* jménem koho; ~ *no way* nikterak; ~ *short* zkrátka; ~ *earnest* vážně; ~ *turn* střídavě; ~ *store* na skladě; ~ *a hurry* spěšně; ~ *vain* nadarmo; ~ *writing* písemně; ~ *this manner* tímto způsobem; ~ *place of* místo čeho; ~ *waiting* pohotově; *-asmuch as* do té míry, že; tak, že; ~ *order that* (n. *to*) aby; ~ *so far as* pokud; *-somuch that* protože, poněvadž; ~ *that* poněvadž, ježto; ☐ *adv* dovnitř; *come* ~ ! vstupte!; *send him* ~ ! pošlete ho dovnitř!; *to put a notice* ~ dát zprávu do novin; *the Liberals were* ~ liberálové byli u vesla; *the train is* ~ vlak přijel; *to be* ~ *for* hlasovat pro, být v pěkné situaci; *to be* ~ *with* být zadobře s, být dlužen; **|~ -and-|out card** kontrolní, návštěvní lístek vrátnicový

inability [ˌinəˈbiliti] *s* neschopnost (*to* k)

inaccessib|le [ˌinækˈsesəbl] *a* nepřístupný; **—ility** [ˈinækˌsesəˈbiliti] *s* nepřístupnost

inaccur|acy [inˈækjurəsi] *s* nepřesnost; **—ate** [inˈækjurit] *a* nepřesný

inact|ion [inˈækšən] *s* nečinnost, zahálka; **—ive** [inˈæktiv] *a* nečinný, líný

inadequ|acy [inˈædikwəsi] *s* nepřiměřenost; **—ate** [inˈædikwit] *a* nepřiměřený, nedostatečný

inadmissible [ˌinədˈmisəbl] *a* nepřípustný

inadvert|ance, -ency [ˌinədˈvə:-təns(i)] *s* nepozornost, nedbalost; **—ent** [ˌinədˈvə:tənt] *a* nepozorný (*to* k), nedbalý

inalienable [inˈeiljənəbl] *a* nezcizitelný, nezadatelný

inamor|ato [inˌæməˈra:tou] *s* milenec; **—ata** [inˌæməˈra:tə] *s* milenka

inane [iˈnein] *a* 1. prázdný 2. hloupý 3. nesmyslný □ *s* prázdnota

inanimate [inˈænimit] *a* neživý, neživotný; neoduševnělý, bezduchý

inapplicable [inˈæplikəbl] *a* neupotřebitelný, nevhodný

inappropriate [ˌinəˈproupriit] *a* nevhodný, nepřiměřený

inapt [inˈæpt] *a* nevhodný, neschopný, neobratný; **—itude** [inˈæptitju:d] *s* nevhodnost, nezpůsobilost, neohrabanost

inarticulate [ˌina:ˈtikjulit] *a* nečlánkovaný, nesouvislý; nejasný, nezřetelný

inartistic [ˌina:ˈtistik] *a* neumělý; neumělecký

inasmuch as viz *in*

inattent|ion [ˌinəˈtenšən] *s* nepozornost, nevšímavost; **—ive** [ˌinəˈtentiv] *a* nepozorný

inaudible [inˈo:dəbl] *a* neslyšitelný

inaugur|al [iˈno:gjurəl] *a* zahajovací, nástupní, uvádějící; **—ate** [iˈno:gjureit] *vt* 1. uvést v úřad 2. zahájit 3. slavnostně otevřít, zasvětit; **—ation** [iˌno:gjuˈreišən] *s* uvedení v úřad; zahájení, počátek

inauspicious [ˌino:sˈpišəs] *a* neblahý, nepříznivý; nešťastný

inborn [ˈinˈbo:n] *a* vrozený

inbred [ˈinˈbred] *a* vrozený

Inca [ˈiŋkə] *s* Inka

incalculable [inˈkælkjuləbl] *a* nevypočitatelný

incandescent [ˌinkænˈdesnt] *a* do běla rozpálený, žhnoucí, zářící

incantation [ˌinkænˈteišən] *s* zaklínání

incapab|le [inˈkeipəbl] *a* neschopný (*of* čeho), nezpůsobilý; **—ility** [inˌkeipəˈbiliti] *s* neschopnost, nezpůsobilost

incapac|itate [ˌinkəˈpæsiteit] *vt* činit neschopným, nezpůsobilým (*for* pro); **—ity** [ˌinkəˈpæsiti] *s* neschopnost, nezpůsobilost

incarcerate [inˈka:səreit] *vt* uvěznit

incarnat|e *a* [inˈka:nit] 1. vtělený 2. červený, růžový □ *vt & i* [ˈinka:neit] vtělit (se), dát tvar; **—ion** [ˌinka:ˈneišən] *s* vtělení

incase [inˈkeis] *vt* vložit do pouzdra, schovat

incaut|ion [in|ko:šən] *s* neopatrnost; **—ious** [in|ko:šəs] *a* neopatrný, neobezřetný

incendi|arism [in|sendjərizəm] *s* žhářství; buřičství, štvaní; **—ary** [in|sendjəri] *a* žhářský, paličský; štvavý, pobuřující ♦ ~ *bomb* zápalná bomba □ *s* žhář, štváč

incense[1] [in|sens] *vt* vznítit vášeň, hněv, podráždit

incense[2] ['insens] *s* kadidlo □ *vt & i* pálit kadidlo, podkuřovat

incentive [in|sentiv] *a* rozněcující, dráždivý ♦ ~ *wage (payment) plan* pobídkový mzdový plán □ *s* podnět, popud, pobídka; *material -s* hmotná zainteresovanost

in-centre ['insentə] *s* geom. střed kružnice vepsané

incept|ion [in|sepšən] *s* počátek; **—ive** [in|septiv] *a* počáteční, počínavý

incessant [in|sesnt] *a* neustálý, ustavičný

incest ['insest] *s* krvesmilství

inch [inč] *s* 1. palec, coul = 2,54 cm 2. malá částečka, kousek ♦ *by -es* po kousku; *every ~* úplně; *to an ~* do poslední nitky

inchoat|e ['inkoeit] *vt* počínat; **—ive** ['inkoeitiv] *a* počínavý ♦ ~ *verbs* počínavá slovesa

incidence ['insidəns] *s* 1. náraz, dopad, rozsah, působení 2. fyz. dopad (*angle of ~* úhel dopadu) 3. příchod 4. výskyt

incident ['insidənt] *a* 1. vyskytující se, nahodilý, náhodný 2. příslušný, vlastní (*to* čemu)

3. vedlejší 4. fyz. dopadající světlo □ *s* případ, událost; **—al** [|insi|dentl] *a* nahodilý, vedlejší, nepodstatný

inciner|ate [in|sinəreit] *vt & i* spálit na popel, zpopelnit; **—ation** [in|sinə|reišən] *s* zpopelnění; **—ator** [in|sinəreitə] *s* spalovací pec, spalovna odpadků

incipient [in|sipiənt] *a* počáteční

in-circle ['insə:kl] *s* geom. kružnice vepsaná

incis|e [in|saiz] *vt* vřezat, vrýt; **—ion** [in|sižən] *s* (zá)řez, vrub; řezná rána, jizva; **—ive** [in|saisiv] *a* ostrý, řízný ♦ ~ *teeth* řezáky; **—or** [in|saizə] *s* přední zub, řezák

incitation [|insai|teišən] *s* podráždění, podnět

incite [in|sait] *vt* podněcovat, navádět (*to* k); **—ment** *s* popud, podráždění; povzbuzení

incivility [|insi|viliti] *s* nezdvořilost

inclement [in|klemənt] *a* nevlídný, drsný

inclin|able [in|klainəbl] *a* nakloněný, náchylný (*to* k); příznivý; **—ation** [|inkli|neišən] *s* 1. náklonost 2. odchylka 3. sklon, svah; **—e** [in|klain] *vi & t* 1. chýlit se, (na)klonit (se) 2. svažovat se 3. sklonit se, sklonit hlavu 4. přimět ♦ *to ~ one's ear* popřát sluchu, vyslyšet; *-ed plane* nakloněná rovina; *to be, to feel, -ed* být nakloněn □ *s* svah, nakloněná plocha, nakloněná rovina, horn. svážná

inclose viz *enclose*

inclosure viz *enclosure*

includ|e [in'klu:d] *vt* 1. zahrnovat, obsahovat 2. geom. svírat (*-ed angle* sevřený úhel); **—ing** [in'klu:diŋ] *prep* včetně

inclus|ion [in'klu:žən] *s* zahrnutí; započítání; **—ive** [in'klu:siv] *a* zahrnutý, zahrnující v sobě (*of*); zkr. *incl.*

incogitant [in'kodžitənt] *a* nemyslící, bezmyšlenkovitý

incogni|to [in'kognitou] *femininum -ta* [-tə] *a & adv* na zapřenou, pod nepravým jménem □ *s* zapřená, inkognito

incoheren|ce, **-cy** [,inkou'hiərəns(i)] *s* nesouvislost

incombustible [,inkəm'bastəbl] *a* nespalitelný

income ['inkəm] *s* příjem, důchod ♦ *gross*, *full*, ~ hrubý příjem; *national* ~ národní důchod; *net* ~ čistý příjem; ~ *duty*, ~ *tax* daň z příjmů

incommensurable [,inkə'menšərəbl] *a* nesouměřitelný

incommod|e [,inkə'moud] *vt* obtěžovat; **—ious** [,inkə'moudjəs] *a* nepohodlný, obtížný; **—ity** [,inkə'moditi] *s* nepohodlí, obtíž

incommunicable [,inkə'mju:nikəbl] *a* nesdělitelný

incommutable [,inkə'mju:təbl] *a* nezměnitelný, nezaměnitelný

incomparable [in'kompərəbl] *a* nesrovnatelný

incompatible [,inkəm'pætəbl] *a* neslučitelný (*with* s)

incompet|ence, **-ency** [in'kompitəns(i)] *s* nepříslušnost, neoprávněnost; **—ent** [in'kompitənt] *a* nepříslušný, neoprávněný

incomplete [,inkəm'pli:t] *a* neúplný

incompliant [,inkəm'plaiənt] *a* neochotný, neposlušný

incomprehens|ible [in,kompri'hensəbl] *a* 1. nepochopitelný 2. nekonečný; **—ion** [in,kompri'henšən] *s* nechápavost

incompressible [,inkəm'presəbl] *a* nestlačitelný

inconceivable [,inkən'si:vəbl] *a* nepochopitelný

inconclusive [,inkən'klu:siv] *a* neprůkazný, nepřesvědčující

incongru|ity [,inkoŋ'gruiti] *s* nesrovnalost, nepoměr; nesourodost, nestejnost; **—ous** [in'koŋgruəs] *a* nesrovnalý, neslučitelný (*with* s)

inconsequ|ence [in'konsikwens] *s* nedůslednost; **—ent** [in'konsikwənt] *a* 1. nedůsledný 2. nedůležitý, lhostejný

inconsider|able [,inkən'sidərəbl] *a* nepatrný, malý, bezvýznamný; **—ate** [,inkən'sidərit] *a* 1. nerozvážný, zbrklý, ukvapený 2. nešetrný, bezohledný; **—ation** [,inkən,sidə'reišən] *s* 1. nerozvážnost 2. bezohlednost

inconsist|ence, **-ency** [,inkən'sistəns(i)] *s* 1. nedůstojnost 2. nesrovnalost, rozpor; **—ent** [,inkən'sistənt] *a* neslučitelný, nesouhlasný, nedůsledný ♦ *the action is* ~ *with* opatření je v rozporu s

inconsolable [,inkən'souləbl] *a* bezútěšný

inconspicuous [,inkən'spikjuəs]

a **1.** nenápadný, nerozezna-
telný **2.** nepatrný
inconst|ant [in'konstənt] *a* ne-
stálý, vrtkavý; **—ancy** [in-
'konstənsi] *s* nestálost, vrtka-
vost
inconsumable [ˌinkən'sju:məbl]
a nestravitelný, nezničitelný
ohněm
incontestable [ˌinkən'testəbl] *a*
nesporný
incontinent [in'kontinənt] *a* ne-
zdrženlivý pohlavně, nestřídmý
incontrovertible ['inkontrə'və:-
təbl] *a* nesporný, nezvratný
inconveni|ence [ˌinkən'vi:njəns]
s nepohodlí, obtíž, nesnáz ♦
to put a person to ~ způsobit
komu nesnáz □ *vt* obtěžovat;
—ent [ˌinkən'vi:njənt] *a* ne-
pohodlný; obtížný; nevý-
hodný
inconvertible [ˌinkən'və:təbl] *a*
nevyměnný, nezpeněžitelný
inconvincible [ˌinkən'vinsəbl] *a*
nepřesvědčitelný
incorpor|ate *a* [in'ko:pərit] při-
pojený, přičleněný □ *vt & i*
[in'ko:pəreit] **1.** (při)vtělit
(se) **2.** utvořit společenstvo,
spojit (se) **3.** přijmout za
člena; **—ated** [in'ko:pəreitid]
a tvořící akciovou společnost,
zapsaný, zanesený v knihách
zkr. *inc.*; **—eal** [ˌinko:'po:riəl]
a nehmotný, netělesný
incorrect [ˌinkə'rekt] *a* nespráv-
ný, chybný
incorrodible [ˌinkə'roudibl] *a*
nekorodující, nerezavějící
incorrupt [ˌinkə'rapt] *a* **1.** ne-
zkažený **2.** poctivý, bezúhon-
ný **3.** neúplatný; **—ible** [ˌin-
kə'raptəbl] *a* **1.** poctivý **2.**

neúplatný; **—ion** [ˌinkə-
'rapšən] *s* **1.** nezkaženost **2.**
nepodplatitelnost **3.** bibl. ne-
pomíjejícnost
increase *vi & t* [in'kri:s] růst,
vzrůstat; množit (se), při-
bývat ♦ *to ~ one's pace* při-
dat do kroku □ *s* ['inkri:s]
1. vzrůst, přibývání, přírůstek
2. plodina **3.** úrok, příplatek,
bonus **4.** pokolení **5.** přírůstek
v rodině, potomek ♦ *~ in
value* přírůstek hodnoty; *on
the ~* vzrůstající, na vzestupu
incred|ible [in'kredəbl] *a* ne-
uvěřitelný; **—ibility** [inˌkre-
di'biliti] *s* neuvěřitelnost;
—ulity [ˌinkri'dju:liti] *s* ne-
důvěřivost; **—ulous** [in'kred-
juləs] *a* nedůvěřivý
increment ['inkrimənt] *s* pří-
růstek, výtěžek, výnos
incriminate [in'krimineit] *vt* ob-
vinit ze zločinu
incrust [in'krast] *vt* **1.** vytvořit
tvrdý povlak, kůru, kříš,
strup **2.** obložit mramorem
ap.; **—ation** [ˌinkras'teišən] *s*
povlečení, inkrustace, vyklá-
daná práce, obkládání
incubat|e ['inkjubeit] *vt* sedět
na vejcích; **—ion** [ˌinkju-
'beišən] *s* **1.** sedění na vejcích,
líhnutí **2.** med. inkubace vývoj
nemoci; **—or** ['inkjubeitə] *s*
umělá líheň
incubus ['inkjubəs] *s* upír, můra
inculcat|e ['inkalkeit] *vt* přísně
nakázat, vštípit komu *(on,
upon)*; **—ion** [ˌinkal'keišən] *s*
vštípení, příkaz
inculp|able [in'kalpəbl] *a* ne
vinný; **—ate** ['inkalpeit]
vt & i vinit, obviňovat

incumb|ency [in'kambənsi] *s* 1. ležení na 2. povinnosti, závazek 3. prebenda, obročí; —**ent** [in'kambənt] *a* 1. ležící, spočívající (*on* na) 2. povinný □ *s* držitel obročí
incur [in'kə:] *vt* (-rr-) 1. vydat se v nebezpečí 2. způsobit si ♦ *to ~ debts* nadělat dluhy; *to ~ losses* utrpět ztráty
incurable [in'kjuərəbl] *a* nevyléčitelný
incursion [in'kə:šən] *s* vpád, nájezd
incurvat|e *a* ['inkə:vət] ohnutý; zakřivený □ *vt & i* ['inkə:veit] (pro)hnout, zakřivit (se); —**ion** [,inkə:'veišən] *s* (pro)hnutí, zakřivení
Ind. = 1. *India, Indian* 2. *Indiana* 3. *ind., indic.* = *indicative*
indebt [in'det] *vt* zadlužit, zavázat
indec|ency [in'di:snsi] *s* neslušnost; —**ent** [in'di:snt] *a* neslušný
indecis|ion [,indi'sižən] *s* nerozhodnost; —**ive** [,indi'saisiv] *a* nerozhodný
indeclinable [,indi'klainəbl] *a* nesklonný
indecorous [in'dekərəs] *a* neslušný nezpůsobný
indeed [in'di:d] *adv* vskutku, opravdu, ovšem, jistě □ *int* to snad ne!
indefatigable [,indi'fætigəbl] *a* neúnavný
indefeasible [,indi'fi:zəbl] *a* nezrušitelný, nezadatelný
indefensible [,indi'fensəbl] *a* neobhajitelný, neudržitelný
indefinable [,indi'fainəbl] *a* ne-

vymezitelný, nedefinovatelný
indeliberate [,indi'libərət] *a* neúmyslný
indelible [in'delibl] *a* nesmazatelný, nezahladitelný
indelic|acy [in'delikəsi] *s* nešetrnost, netaktnost, hrubost; —**ate** [in'delikit] *a* nešetrný, netaktní, hrubý
indemn|ification [in,demnifi'keišən] *s* 1. odškodnění, odškodné 2. pojištění proti škodě; —**ify** [in'demnifai] *vt* odškodnit, pojistit (*from* proti); —**ity** [in'demniti] *s* 1. beztrestnost 2. náhrada, odškodnění ♦ *letter of ~* revers při lodním nákladu
indemonstrable [in'demənstrəbl] *a* nedokazatelný
indent [in'dent] *vt & i* 1. zoubkovat, oddělit zoubkováním 2. zohýbat 3. dvojmo napsat, vyhotovit 4. učinit objednávku 5. vtlačit, vtisknout 6. vynechávat větší okraje než u ostatních řádků, dělat větší zarážku □ *s* 1. vrub, zářez, zoubkování 2. dlužní úpis, smlouva 3. objednávka v zahraničním obchodě 4. tiskopis; vzor; —**ation** [,inden'teišən] *s* zoubkování; —**ure** [in'denčə] *s* dokument, smlouva zvl. mezi učněm a zaměstnavatelem ♦ *to take up, to be out of, one's -s* dokončit vyučení □ *vt* 1. uzavřít smlouvu 2. dát do učení
independ|ence, -ency [,indi'pendəns(i)] *s* 1. nezávislost, samostatnost 2. samostatný příjem; —**ent** [,indi'pendənt] *a*

nezávislý (*on, of, from* na, od), samostatný

indescribable [ˌindisˈkraibəbl] *a* nepopsatelný

indestructible [ˌindisˈtraktəbl] *a* nezničitelný

indetermin|able [ˌindiˈtə:minəbl] *a* neurčitelný ♦ ~ *expenses* nenormovatelné náklady; —**ate** [ˌindiˈtə:minit] *a* neurčitý, nejistý; kolísavý; —**ateness** [ˌindiˈtə:minitnis] *s* neurčitost

index [ˈindeks] *s* 1. ukazatel, ručička v tisku 2. seznam, rejstřík, index 3. ukazováček (~ *finger*) 4. mat. pl. *indices* [ˈindisi:z] mocnitel, exponent □ *vt* opatřit rejstříkem, zapsat do seznamu; rozdělit; pootočit; ~ **card** lístek kartotéky; ~ **plate** obsluhovací štítek na stroji, dělicí kotouč

Indi|a [ˈindjə] *s* Indie; ~ *rubber* kaučuk, guma, pryž; ~ *rubber stamp* gumové razítko; —**an** [ˈindjən] *a* indický; indiánský ♦ ~ *cane* třtina bambusová; ~ *club* těl. kužel; ~ *corn* kukuřice; ~ *file* husí pochod; ~ *ink* čínská tuš; ~ *summer* babí léto □ *s* Ind; *Red* ~ Indián

indic|ate [ˈindikeit] *vt* 1. naznačit, nepřímo ukázat, jevit 2. oznámit 3. určit 4. vyžadovat ♦ —*ating lamp* signální žárovka, indikační lampa; —**ation** [ˌindiˈkeišən] *s* udání, údaj; znamení, indikace; indikování ♦ *letter of* ~ průkazní dopis; —**ative** [inˈdikətiv] *a* udávající (*of* co) □ *s* indikativ, oznamovací způsob; —**ator** [ˈindikeitə] *s* udavatel,

ukazovatel, ručička, indikátor

indices viz *index*

indict [inˈdait] *vt* práv. nařknout, udat, obžalovat (*of* z); —**able** [inˈdaitəbl] *a* trestný, žalovatelný; —**ee** [ˌindaiˈti:] *s* obžalovaný člověk; —**ment** *s* práv. udání, obžaloba

indiffer|ence [inˈdifrəns] *s* lhostejnost, netečnost; —**ent** [inˈdifrənt] *a* lhostejný; nestranný, neutrální; nedůležitý (*to* pro); vlažný; ~ *gas* netečný plyn

indig|ence [ˈindidžəns] *s* nouze, nedostatek, chudoba; —**ent** [ˈindidžənt] *a* nuzný, chudý, potřebný (*of* čeho)

indigest|ed [ˌindiˈdžestid] *a* 1. nestrávený 2. neuvážený, nepromyšlený 3. nezralý; —**ible** [ˌindiˈdžestəbl] *a* nestravitelný; —**ion** [ˌindiˈdžesčən] *s* špatné trávení, zkažený žaludek

indign|ant [inˈdignənt] *a* rozhořčený (*at* na), rozhorlený; —**ation** [ˌindigˈneišən] *s* rozhořčení; —**ity** [inˈdigniti] *s* potupa, urážka

indirect [ˌindiˈrekt] *a* nepřímý ♦ ~ *bill* domicilovaná směnka; ~ *costs* režijní náklady; ~ *drive* nepřímý pohon; ~ *speech* nepřímá řeč

indiscernible [ˌindiˈsə:nəbl] *a* nerozeznatelný

indiscre|et [ˌindisˈkri:t] *a* neopatrný, nerozvážný; indiskrétní; —**tion** [ˌindisˈkrešən] *s* 1. neopatrnost, nerozvážnost 2. indiskrétnost 3. žvanivost

indiscriminat|e [ˌindisˈkriminit]

a nerozlišující, bez rozdílu;
—ion [¡indis¡krimi¡neišən] *s*
nerozlišování
indispensable [¡indis'pensəbl] *a*
nezbytný, podstatný
indispos|e [¡indis'pouz] *vt* učinit
neschopným (*for* k), zne-
chutit, odvrátit (*from* od,
towards k); **—ed** [¡indis'pouzd]
a **1.** lehce nemocen churavý,
indisponovaný **2.** nepříznivý
(*towards* čemu); **—itjon** [¡in-
dispə'zišən] *s* **1.** churavost
nevolnost **2.** odpor, nechuť
to k **3.** rozladěnost
indisputable [¡indis'pju:təbl] *a*
nesporný
indissoluble [¡indi'soljubl] *a* stá-
lý, trvalý; nerozpustný
indistinct [¡indis'tiŋkt] *a* ne-
zřetelný, zmatený
indistinguishable [¡indis'tiŋgwi-
šəbl] *a* nerozeznatelný
indite [in'dait] *vt* **1.** složit báseň,
sestavit, napsat řeč, žert, slo-
žit dopis **2.** zast. diktovat
individual [¡indi'vidjuəl] *a* jed-
notlivý, osobitý, individu-
ální □ *s* **1.** jednotlivec, jedi-
nec **2.** případ **3.** celistvost;
—ity [¡indi¡vidju¡æliti] *s* **1.**
osobnost individualita **2.** své
ráznost, osobitost **3.** pl.osobní
záliby; **—ize** [¡indi'vidjuə-
laiz] *vt* brát jednotlivě, speci-
fikovat, individualizovat
indivisible [¡indi'vizəbl] *a* ne-
dělitelný, nedílný
Indo-China [¡indou'čainə] *s* hist.
Indočína, Zadní Indie
Indo-European [¡indou¡juərə'pi:-
ən] *a* indoevropský
indocile [in'dousail] *a* neučen-
livý, tupý

indoctrinate [in'doktrineit] *vt*
poučovat; školit
indol|ence [¡indələns] *s* netečnost, nedbalost; lenost; ne-
všímavost, lhostejnost; **—ent**
[¡indələnt] *a* **1.** netečný, ne-
dbalý, líný; lhostejný **2.** med.
nebolestivý
indomitable [in'domitəbl] *a* ne-
zkrot(itel)ný
Indonesi|a [¡indo'ni:zjə] *s* Indo-
nésie (z); **—an** [¡indo'ni:zjən]
a indonéský □ *s* Indonésan
indoor [¡indo:] *a* vnitřní, do-
mácí, domovní; **—s** [¡in'do:z]
adv doma, uvnitř, dovnitř
indorse viz *endorse*
indubitable [in'dju:bitəbl] *a* ne-
pochybný
induce [in'dju:s] *vt* **1.** pohnout,
přimět **2.** způsobit **3.** odvodit,
uzavírat z jednotlivostí, po-
stupovat induktivně **4.** fyz.
indukovat; **—ment** *s* pohnut-
ka, návod
induct [in'dakt] *vt* uvést v úřad,
dosadit, začít; **—ion** [in'dak-
šən] *s* **1.** uvedení, dosazení **2.**
arch. předmluva, úvod **3.**
fyz. & log. (samo)indukce **4.**
nasávání; *~ generator, mo-
tor* asynchronní generátor,
motor; *~ pipe* nasávací rou-
ra; **—ive** [in'daktiv] *a* způ-
sobující (*of* co); induktivní,
indukční (*resistance* odpor);
—or [in'daktə] *s* induktor,
indukční cívka
indulg|e [in'daldž] *vt & i* **1.**
hovět (si) **2.** dát volný prů-
chod (*s.t.* čemu) **3.** *~ in*
oddávat se čemu, dopřát (si)
co; **—ence** [in'daldžəns] *s* **1.**
shovívavost, poshověnf **2.** po-

žitek **3.** odpustek; —**ent** [inˈdaldžənt] *a* **1.** shovívavý **2.** dopřávající si

indurate [ˈindjuəreit] *vt & i* zatvrdit, ztvrdnout, zakalit

Indus [ˈindəs] *s* Indus (ř)

industr|ial [inˈdastriəl] *a* průmyslový ♦ ~ *school* průmyslová škola, polepšovna; —**ialist** [inˈdastriəlist] *s* **1.** průmyslník **2.** průmyslovák; —**ious** [inˈdastriəs] *a* přičinlivý, snaživý, pilný; pracovitý; —**y** [ˈindəstri] *s* **1.** pilnost, píle, přičinlivost **2.** práce **3.** průmysl

indwell* [ˈinˈdwel] *vt & i* přebývat, bydlit, obývat

inebri|ate *a* [iˈni:briit] opilý □ *s* opilec □ *vt* [iˈni:brieit] opít; —**ety** [ˌini:ˈbraiəti] *s* opilost, opilství; opojení

ineffable [inˈefəbl] *a* nevýslovný

ineffective [ˌiniˈfektiv] *a* nepůsobivý, neúčinný, neschopný

ineffectual [ˌiniˈfektjuəl] *a* nepůsobivý, bezmocný; bezvýsledný, marný, neplodný

ineffi|cacious [ˌinefiˈkeišəs] *a* nepůsobivý, neúčinný; bezmocný, slabý; —**cacy** [inˈefikəsi], —**ciency** [ˌiniˈfišənsi] *s* neúčinnost, nepůsobivost; —**cient** [ˌiniˈfišənt] *a* neúčinný, nepůsobivý; neschopný

ineleg|ance [inˈeligəns] *s* neuhlazenost; —**ant** [inˈeligənt] *a* neuhlazený

ineligible [inˈelidžəbl] *a* nevolitelný, nežádoucí; neschopný k vojenské službě

inept [iˈnept] *a* nezpůsobilý; hloupý, nejapný, nevhodný

insquality [ˌini:ˈkwoliti] *s* nestejnost, nerovnost, nepoměr; různost

inequ|itable [inˈekwitəbl] *a* nespravedlivý; —**ity** [inˈekwiti] *s* nespravedlnost

inert [iˈnə:t] *a* nehybný, nečinný, líný, liknavý; —**ia** [iˈnə:šjə] *s* **1.** fyz setrvačnost **2.** ochablost **3.** liknavost, nečinnost

inestimable [inˈestiməbl] *a* neocenitelný

inevitab|le [inˈevitəbl] *a* nevyhnutelný; —**ility** [inˌevitəˈbiliti] *s* nevyhnutelnost

inexact [ˌinigˈzækt] *a* nepřesný; —**itude** [ˌinigˈzæktitju:d] *s* nepřesnost

inexcusable [ˌiniksˈkju:zəbl] *a* neomluvitelný

inexhaustible [ˌinigˈzo:stəbl] *a* nevyčerpatelný

inexorable [inˈeksərəbl] *a* neúprosný

inexpedient [ˌiniksˈpi:djənt] *a* nevhodný, neprospěšný, bezúčelný

inexpensive [ˌiniksˈpensiv] *a* nenákladný, laciný, levný

inexperience [ˌiniksˈpiəriəns] *s* nezkušenost

inexpert [ˌineksˈpə:t] *a* nezkušený, neobeznámený, nekvalifikovaný

inexplicable [inˈeksplikəbl] *a* nevysvětlitelný

inexplicit [ˌiniksˈplisit] *a* nevyslovený, neurčitý, nejasný

inexpress|ible [ˌiniksˈpresəbl] *a* nevyjádřitelný, nevýslovný; —**ibles** [-əblz] *s pl.* žert. spodky; —**ive** [ˌiniksˈpresiv] *a* nevyjadřující (*of*, co), bez-výrazný

inexpugnable [‚iniks'pagnəbl] *a* nepřemožitelný, nedobytný, nezvratný

inextinguishable [‚iniks'tiŋgwɪšəbl] *a* neuhasitelný

inextirpable [‚iniks'tə:pəbl] *a* nevyhlatitelný

inextricable [in'ekstrikəbl] *a* nevyprostitelný; spletitý, neřešitelný

infallib|le [in'fæləbl] *a* neomylný — **ility** [in‚fælə'bɪliti] *s* neomylnost

infam|ous ['infəməs] *a* potupný, bezectný, hanebný; — **y** ['infəmɪ] *s* hanba, hanebnost, potupa

infancy ['infənsi] *s* dětství

infant ['infənt] *s* dítě, nezletilec; — **icide** [in'fæntisaid] *s* 1. vražda dítěte 2. vrah dítěte, — **ile** ['infəntail] *a* 1. dětský; ~ *paralysis* dětská obrna 2 infantilní, nevyvinutý

infantry ['infəntri] *s* pěchota; *mounted* ~ motorizovaná pěchota; — **man** *s* pěšák

infatuate [in'fætjueit] *vt* po bláznit, omámit

infeasible [in'fi:zəbl] *a* nemožný, neproveditelný

infect [in'fekt] *vt* 1. nakazit zamořit 2 práv. podrobit obstavení, trestu pokutě; — **ion** [in fekšən] *s* nákaza infekce; — **ious** [in'fekšəs] *a* nakažlivý, infekční

infecund [in'fekənd] *a* neplodný, jalový

infelicitous [‚infi'lisitəs] *a* nešťastný, neblahý

infer [in'fə:] *vt* [-rr-] vyvozovat, odvozovat (*from* z), činit závěry, usuzovat; — **ence** ['infərəns] *s* odvození, závěr

inferior [in'fiəriə] *a* 1. spodní, nižší; horší jakosti, podřadný 2. podřízený □ *s* podřízená osoba; — **ity** [in fiəri'oriti] *s* 1. podřízenost 2. horší jakost, méněcennost ♦ ~ *complex* komplex méněcennosti

infernal [in'fə:nl] *a* pekelný; ďábelský; ~ *machine* pekelný stroj

infertile [in'fə:tail] *a* neúrodný

infest [in'fest] *vt* zamořit (*with insects* hmyzem)

infidel ['infidəl] *a* nevěřící, nevěrecký □ *s* nevěrec; — **ity** [‚infi'deliti] *s* nevěra, zrada ♦ *conjugal* ~ manželská nevěra

infiltrate ['infiltreit] *vt & i* vnikat, prosakovat, infiltrovat

infinit|e ['infinit] *a* 1. nekonečný 2. gram. neurčitý □ *s* nekonečno; — **ive** [in'finitiv] *s* gram. neurčitý způsob, infinitiv; — **y** [in'finiti] *s* nekonečnost, nesmírnost, nesčíslnost

infirm [in'fə:m] *a* slabý, churavý; váhavý; — **ary** [in'fə:məri] *s* nemocnice; — **ity** [in'fə:miti] *s* slabost, churavost; vada

infix [in'fiks] *vt* 1. upevnit, pevně zarazit (*in* do); vštípit v mysl (*in mind*) 2. vsunout, vložit

inflam|e [in'fleim] *vt & i* 1. zapálit (se) vznítit (se) 2. popudit 3. vzrušit (se), vzpla-

nout **4.** med. zanítit (se),
vzplanout; **—mable** [in'flæ-
məbl] *a* zápalný, hořlavý
(*gas* plyn); vznětlivý; **—ma-
tion** [ˌinfləˈmeišən] *s* **1.** za-
pálení **2.** žár **3.** med. zápal;
—matory [in'flæmətəri] *a* **1.**
zánětlivý **2.** ohnivý, pobu-
řující (*speech* řeč)
inflat|e [in'fleit] *vt* **1.** nadmout,
nahustit, nafouknout **2.** vy-
hnat do výše ceny **3.** nafouk-
nout se (*with pride* pýchou)
4. zaplavit oběživem; **—ion**
[in'fleišən] *s* **1.** nadmutí **2.** na-
dutost, nabubřelost **3.** inflace
inflect [in'flekt] *vt* **1.** ohnout,
zahnout **2.** skloňovat, časo-
vat; **—ion**, **—ional** viz *in-
flexion, inflexional*
inflexion [in'flekšən] *s* gram.
ohýbání časování, skloňování,
flexe; kɔncɔvka; **—al** [in-
'flekšənl] *a* gram. ohýbací,
sklonný, flektivní
inflex|ed [in'flekst] *a* zahnutý,
křivý; **—ible** [in'fleksəbl] *a*
1. neohebný, nepoddajný **2.**
tvrdošíjný, umíněný **3.** ne-
změnitelný
inflict [in'flikt] *vt* **1.** uložit, uva-
lit pokutu, trest (*upon, on*
na) **2.** zasadit, způsobit ránu,
bolest **3.** obtěžovat (*oneself* se);
—ion [in'flikšən] *s* stihnutí,
postižení; utrpení; uvalení
trestu
inflow ['inflou] *s* vtékání, vtok,
přítok
influ|ence ['influəns] *s* **1.** vliv,
účinek (*on, upon, over, with*
na) **2.** autorita □ *vt & i*
ovlivňovat, mít vliv; přimět;
—ential [ˌinfluˈenšəl] *a* vlivný

influenza [ˌinfluˈenzə] *s* chřipka
influx ['inflaks] *s* **1.** vtok, ústí
2. nával (*into* do)
infold [in'fould] *vt* zabalit, za-
halit
inform [in'fo:m] *vt & i* **1.** sdělit,
zpravit, informovat, poučit
(*of* o); *well -ed* dobře zpra-
vený **2.** oduševnit **3.** udat,
denuncovat (*against* koho);
—al [in'fo:ml] *a* neformální,
nepředepsaný, nespolečenský
úbor; **—ant** [in'fo:mənt] *s* **1.**
zpravodaj, poučovatel **2.** uda-
vač; **—ation** [ˌinfəˈmeišən] *s*
1. zpráva, informace, poučení
2. udání **3.** hlášení ♦ *to lodge,
lay, ~ against* (*with*) udat
koho (u); *to gather ~* vyptá-
vat se; **—ative** [in'fo:mətiv]
a poučný, informativní; **—er**
[in'fo:mə] *s* udavač, denun-
ciant; detektiv
infraction [in'frækšən] *s* poru-
šení, přestoupení
infra-red ['infrəˈred] *a* infračer-
vený
infrangible [in'frændžibl] *a* ne-
zlom(itel)ný, neporušitelný
infrequent [in'fri:kwənt] *a* říd-
ký, neobvyklý, vzácný
infringe [in'frindž] *vt & i* pře-
stoupit zákon; zasahovat ne-
právem (*upon, on* do); po-
rušit, zničit; **—ment** *s* pře-
stoupení zákona; zasahování
do cizích práv; porušení
infuriate [in'fjuərieit] *vt* roz-
zuřit, rozvzteklit
infus|e [in'fju:z] *vt* **1.** vlít, na-
lít; nakapat **2.** vnuknout,
vštípit do mysli (*into*) **3.**
naplnit (*with* čím) **4.** na-
pustit (*in*), vsáknout (*itself*

into se do), nasáknout; —**ion** [in'fju:žən] *s* 1. nalití, nálev; namočení 2. odvar, tresť 3. vnuknutí

ingathering ['in₁gæðoriŋ] *s* sklizeň, žeň

ingenious [in'dži:njəs] *a* duchaplný, důmyslný; geniální

ingen|uity [₁indži'nju:iti] *s* důmysl, duchaplnost; —**uous** [in'dženjuəs] *a* otevřený, upřímný; ušlechtilý

ingle [iŋgl] *s* 1. plamen, oheň v krbu 2. ohniště; ~ -**nook** ['iŋglnuk] *s* koutek u krbu

inglorious [in'glo:riəs] *a* neslavný, nečestný, hanebný

ingoing ['in₁gouiŋ] *a* vcházející ♦ ~ *letters* došlé dopisy

ingot ['iŋgət] *s* slitek drahého kovu; houska železa, ingot; |~ -**iron** *s* houskové železo; ~ **mould** [mould] kokila na odlévání ingotů

ingraft [in'gra:ft] *vt* 1. štěpovat, roubovat 2. hluboce vštípit

ingrain, -ed ['in'grein, -d] *a* 1. barvený v nachové barvě 2. zakořeněný

ingrate [in'greit] *a* arch. nevděčný

ingratiate [in'greišieit] *vt* zavděčit se, získat si oblibu (*oneself with* u)

ingratitude [in'grætitju:d] *s* nevděk

ingredient [in'gri:djənt] *s* součást, složka, příměsek

ingress ['ingres] *s* přístup; —**ion** [in'grešən] *s* vstoupení, vstup

ingrow* ['ingrou] *vt* zarůst do (-*ing nail* zarůstající nehet)

ingurgitate [in'gə:džiteit] *vt & i* zhltnout, spolknout

inhabit [in'hæbit] *vt* obývat, bydlit; —**ant** [in'hæbitənt] *s* obyvatel; —**ation** [in₁hæbi-'teišən] *s* obývání

inhal|ation [₁inhə'leišən] *s* vdechování, inhalace; —**e** [in-'heil] *vt & i* vdechovat; —**er** [in'heilə] *s* inhalační přístroj

inharmonic [₁inha:'monik] *a* nesouzvučný, neharmonický

inher|e [in'hiə] *vi* vězet (*in* v), tkvít, být vlastní čemu, —**ence**, —**ency** [in'hiərəns(i)] *s* lpění, stav čemu vlastní, inherence; —**ent** [in'hiərənt] *a* vlastní čemu, vrozený; vězící (*in* v), obsažený v

inherit [in'herit] *vt & i* zdědit (*of*, *from* po), být dědicem, získat; odvozovat povahu, vlastnost (*from* od); —**able** [in'heritəbl] *a* dědičný; —**ance** [in'heritəns] *s* 1. dědictví, pozůstalost 2. úděl; —**or** [in'heritə] *s* dědic; —**ress** [in'heritris], —**rix** [-riks] *s* pl. -*es* [-iz] dědička

inhibit [in'hibit] *vt* překážet, bránit (*from* v); zapovědět; —**ion** [₁inhi'bišən] *s* zákaz, zabraňování; překážka; —**or** [in'hibitə] *s* zpomalovač, tlumič, inhibitor

inhospitable [in'hospitəbl] *a* nehostinný

inhuman [in'hju:mən] *a* nelidský, krutý, brutální; —**ity** [₁inhju:'mæniti] *s* nelidskost, krutost

inhum|ation [₁inhju'meišən] *s* pohřbení, pohřeb; —**e** [in-'hju:m] *vt* pohřbít

inimical [i'nimikəl] *a* nepřátelský

inimitable [i'nimitəbl] *a* nenapodobitelný

iniqu|itous [i'nikwitəs] *a* nespravedlivý; neřestný, zkažený; **—ity** [i'nikwiti] *s* nespravedlnost; špatnost, hřích

init. = *inital*

initi|al [i'nišəl] *a* počáteční (*stress* napětí) □ *s* počáteční písmeno, iniciálka □ *vt* podepsat začátečními písmeny; **—ate** [i'nišieit] *vt* uvést, zasvětit (*into* do); zahájit, počít; přijmout do klubu ap.; **—ation** [i,niši'eišən] *s* zahájení, zasvěcení; **—ative** [i'nišiətiv] *a* počáteční, úvodní, iniciativní □ *s* počáteční krok, popud, iniciativa ♦ *popular* ~ iniciativa lidu; *to take the* ~ chopit se iniciativy; ~ *motion* iniciativní návrh

inject [in'džekt] *vt* vstřiknout, dát injekci (*into* do), naplnit tekutinou (*with*); **—ion** [in'džekšən] *s* vstřiknutí, vstříkování, injekce; **—or** [in'džektə] *s* vstřikovací tryska, proudové čerpadlo

injudicious [,indžu:'dišəs] *a* nerozvážný

injunction [in'džaŋkšən] *s* příkaz, nařízení soudní

injur|e ['indžə] *vt* **1.** urazit, ukřivdit; potupit **2.** poškodit zranit (*one's leg* si nohu); **—ious** [in'džuəriəs] *a* **1.** urážlivý **2.** škodlivý; **—y** ['indžəri] *s* **1.** bezpráví, urážka **2.** škoda **3.** zranění

injustice [in'džastis] *s* nespravedlnost, křivda ♦ *you do him an* ~ křivdíte mu

ink [iŋk] *s* inkoust; čerň tiskařská □ *vt* natřít, označit černí, inkoustem, pošpinit inkoustem; ~ **-bottle** ['iŋk,botl], ι~ **-box**, ι~ **-pot**, ι~ **-stand**, ι~ **-well** *s* kalamář; ~ **lines** ['iŋklainz] *s* lenoch, podložka

inkle ['iŋkl] *s* tkaloun

inkling ['iŋkliŋ] *s* **1.** pokyn **2.** podezření (*of* z), zdání **3.** nápověď

inlaid ['in'leid] *a* vykládaný ♦ ~ *floor* vykládaná podlaha, intarzie

inland ['inlənd] *s* vnitrozemí □ *a* vnitrozemský; domácí, tuzemský (*trade* obchod, *duty* clo) □ *adv* do vnitrozemí, dovnitř; **—er** ['inləndə] *s* vnitrozemec

inlay *vt* ['in'lei] vykládat, proložit; vložit do knihy □ *s* ['inlei] vykládaná práce, mozaika; **—er** ['in'leiə] *s* vykládač, mozaikář

inlet ['inlet] *s* **1.** přístup, vchod **2.** zátoka, záliv; potok **3.** vložka **4.** sací ventil; ~ **pipe** přívodní trubka; ~ **steam** vstupní pára

inmate ['inmeit] *s* nájemník, podnájemník; obyvatel; chovanec

inmost ['inmoust] *a* nejvnitřnější

inn [in] *s* hostinec, hospoda zájezdní ♦ *I~s of Court* právnická kolej; ι~ **-keeper** ['in,ki:pə], ~ **-holder** ['in,houldə] *s* hostinský

innate ['i'neit] *a* vrozený, přirozený

innavigable [i'nævigəbl] *a* nesplavný

inner [ˈinə] *a* vnitřní, skrytý; ~ *tube* duše pneumatiky □ *s* vnitřek; ǀ—**most** *a* nej- vnitřnější

inning [ˈiniŋ] *s* **1.** sklízení, shromažďování, sbírání **2.** pl. sport. odpalování míče **3.** pl. období politické strany u moci; funkční období v úřadě

innoc|ence, —**ency** [ˈinəsns(i)] *s* nevinnost, prostota; —**ent** [ˈinəsnt] *a* **1.** nevinný (*of* čím), neškodný, bez poskvrny; be- zelstný **2.** volný, zbavený (*of* čeho), bez (*windows* ~ *of glass* lid. okna bez skla) □ *s* **1.** neviňátko **2.** hlupec ♦ *Innocents' Day* Mláďátek

innocuous [iˈnokjuəs] *a* ne- škodný

innovat|e [ˈinoveit] *vt & i* ob- novit, zavádět novoty; zlep- šovat, zdokonalovat; —**ion** [ˌinoˈveišən] *s* **1.** novota, ob- nova **2.** zlepšovací návrh, zavádění nového způsobu, práce; —**or** [ˈinoveitə] *s* **1.** obnovitel **2.** novotář **3.** zlep- šovatel, novátor; ~ *methods* novátorské metody

innoxious [iˈnokšəs] *a* neškodný

innuendo [ˌinjuˈendou] *s* na- rážka, poznámka snižující, po- kyn

innumer|able [iˈnjuːmərəbl] *a* nesčíslný; —**ous** [iˈnjuːmə- rəs] *a* nesčíslný, nespočetný

innutritious [ˌinjuːˈtrišəs] *a* ne- výživný

inoculat|e [iˈnokjuleit] *vt* **1.** očkovat, naočkovat (*a dis- ease into, upon, a person* někomu nemoc) **2.** roubovat; —**ion** [iˌnokjuˈleišən] *s* **1.**

očkování **2.** roubování; *pro- tective* ~ ochranné očkování

inodorous [inˈoudərəs] *a* bez vůně

inoffensive [ˌinəˈfensiv] *a* ne- urážlivý, neškodný

inoperative [inˈopərətiv] *a* ne- působivý, neúčinný, hlavně o zákonech

inopportune [inˈopətjuːn] *a* ne- včasný, nevhodný

inordinate [iˈnoːdinit] *a* nezří- zený, nevázaný: nemírný, ne- střídmý

inorganic [ˌinoːˈgænik] *a* ne- ústrojný, neorganický

inosculate [iˈnoskjuleit] *vi & t* těsně připojit, spojovat (se), spojit (se)

input [ˈinput] *s* příkon; ~ *transformer* vstupní transfor- mátor

inquest [ˈinkwest] *s* práv. pát- rání, soudní vyšetřování ♦ *coroner's* ~ ohledání mrtvoly

inquiet [inˈkwaiit] *a* neklidný, nespokojený; —**ude** [inˈkwai- itjuːd] *s* neklid, nepokoj

inquir|e [inˈkwaiə] *vt & i* **1.** vy- šetřovat (*into* něco) **2.** tázat se, dotazovat se (*of sb. for, after, concerning s.t.* někoho na něco) **3.** žádat (*of* o); -*ed for* hledaný o zboží **4.** zkoumat, bádat; —**y** [inˈkwaiəri] *s* **1.** dotaz, informace; ~ *office* informační kancelář **2.** vy- šetřování; vyptávání, pát- rání **3.** obch. poptávka po zboží **4.** zkoumání (*into* čeho)

inquisit|ion [ˌinkwiˈzišən] *s* **1.** vyšetřování, pátrání **2.** vý- slech **3.** inkvizice; —**ive** [in- ˈkwizitiv] *a* pátrající (*about, after, into, of, to* po), slídivý,

zvědavý; —or [in|kwizitə] s
inkvizitor

inroad [ˈinroud] s nájezd, vpád

inrush [ˈinraš] s příval

insalubrious [ˌinsəˈluːbriəs] a nezdravý

insan|e [inˈsein] a pomatený, šílený, bláznivý též fig.; ~ asylum
blázinec; —ity [inˈsæniti] s
nepříčetnost, šílenství

insati|able [inˈseišjəbl] a nenasytitelný (of čím), nenasytný,
chtivý; —ate [inˈseišiit] a
nenasytný

inscribe [inˈskraib] vt 1. napsat
na, zapsat (in do) 2. vepsat,
nadepsat (on, in) 3. označit,
popsat (with čím) 4. věnovat
(to) 5. vkreslit; -ed circle
kružnice vepsaná

inscription [inˈskripšən] s 1.
nápis, nadpis 2. přípis, věnování knihy

inscrutable [inˈskruːtəbl] a nevyzpytatelný

insect [ˈinsekt] s hmyz; ~
-eater [ˈinsektˌiːtə] s hmyzožravec; —icide [inˈsektisaid]
s odhmyzovač, prostředek na
hubení hmyzu

insecur|e [ˌinsiˈkjuə] a nejistý,
nechráněný; —ity [ˌinsiˈkjuəriti] s nejistota

insens|ate [inˈsenseit] a 1. nesmyslný 2. necitlivý 3. nerozumný; —ible [inˈsensəbl] a
1. neznatelný, nepozorovatelný, nepostřehnutelný 2.
necitlivý, nevnímavý 3. netečný 4. nevědomý (of, to,
how čeho), bez vědomí ♦
to become ~ pozbýt vědomí;
—itive [inˈsensitiv] a necitlivý (to k), nevnímavý

insentient [inˈsenšənt] a necítící,
neživý

inseparable [inˈsepərəbl] a nerozdělitelný, nerozlučný

insert¹ [inˈsəːt] vt vložit, vpravit, vsunout (in, into do);
vřadit, uvést

insert² [ˈinsəːt] s 1. vložka 2.
am. leták ap. vložený do
novin; —ion [inˈsəːšən] s 1.
vložení, vřazení 2. vsuvka,
vložka

inset* vt [ˈinˈset] vložit ☐ s
[ˈinset] vložka

inshore [ˈinˈšoː] a blízký břehu

insid|e [ˈinˈsaid] s 1. vnitřek;
~ diameter vnitřní průměr,
světlost; ~ of a coat podšívka kabátu 2. jádro, podstata ☐ a vnitřní ☐ adv
uvnitř ☐ prep uvnitř, v (~ of);
~ out naruby; —er [ˈinˈsaidə]
s zasvěcenec; člen nějaké
organizace

insidious [inˈsidiəs] a zákeřný,
zrádný; úskočný, vychytralý

insight [ˈinsait] s 1. jasnozření,
proniknutí (into do) 2. rozhled 3. prozíravost

insignia [inˈsigniə] s pl. odznaky
hodnosti, úřadu, insignie

insignific|ance, —ancy [ˌinsigˈnifikəns(i)] s bezvýznamnost;
—ant [ˌinsigˈnifikənt] a bezvýznamný

insincere [ˌinsinˈsiə] a neupřímný

insinuat|e [inˈsinjueit] vt & i
1. postupně (se) uvést 2.
vpravit na místo, vniknout 3.
činit narážky, nadhodit 4.
zvr. vkrást se, vlichotit se
v přízeň; —ion [inˌsinjuˈeišən]
s 1. narážka v řeči; to make -s

against a person činit narážky na **2.** vlichocení se, našeptávání **3.** podloudné vniknutí

insipid [in⎮sipid] *a* **1.** bez chuti, nijaký **2.** netečný, tupý; —**ity** [ˌinsi⎮piditi] *s* **1.** nechutnost **2.** tupost **3.** nuda

insist [in⎮sist] *vi* trvat (*on, upon* na); klást důraz na, tvrdit, opírat se o; naléhat (*on his going* aby šel); —**ence** [in⎮sistəns] *s* trvání na, naléhání

insobriety [ˌinso⎮braiəti] *s* nestřídmost, opilství

insolat⎮e [⎮insoleit] *vt* vystavit slunci; —**ion** [ˌinso⎮leišən] *s* **1.** slunění **2.** úžeh, úpal

insol⎮ence [⎮insələns] *s* nestoudnost, drzost, zpupnost; —**ent** [⎮insələnt] *a* nestoudný, drzý

insoluble [in⎮soljubl] *a* nerozpustný; neřešitelný, nerozluštitelný

insolvable [in⎮solvəbl] *a* nerozluštitelný

insolv⎮ency [in⎮solvənsi] *s* platební neschopnost; —**ent** [in⎮solvənt] *a* neschopný platit □ *s* insolventní osoba

insomnia [in⎮somniə] *s* nespavost

insomuch viz *in*

inspect [in⎮spekt] *vt* dohlížet, prohlížet kriticky; prozkoumat; —**ion** [in⎮spekšən] *s* dozor, dohled, inspekce; přehlídka, prohlídka ◆ ~ *lamp* montážní lampa; *to post up for public* ~ vyvěsit k veřejnému nahlédnutí; —**or** [in⎮spektə] *s* inspektor, dozorce

inspir⎮ation [ˌinspə⎮reišən] *s* **1.** vdechování, vdechnutí **2.**

vnuknutí, nadšení, inspirace; —**e** [in⎮spaiə] *vt & i* **1.** dýchat, vdechovat **2.** vnuknout nadchnout (se), inspirovat (*with* čím); —**it** [in⎮spirit] *vt* oživit, povzbudit (*to* k)

inspissat⎮e [in⎮spiseit] *vt & i* zhustit; —**ion** [ˌinspi⎮seišən] *s* zhuštění

inst. = *instant*

instability [ˌinstə⎮biliti] *s* **1.** nestálost, vrtkavost **2.** vratkost

instable [in⎮steibl] *a* nestálý, vrtkavý

install [in⎮sto:l] *vt* **1.** slavnostně dosadit, uvést (*in an office* v úřad), nastolit **2.** instalovat, zařídit (*electric light* elektrické světlo) **3.** zvr. zařídit se; —**ation** [ˌinstə⎮leišən] *s* instalace, zařízení

instalment [in⎮sto:lmənt] *s* **1.** dosazení, instalace **2.** splátka; *to pay by -s* platit splátkami **3.** dodávka po částech

inst⎮ance [⎮instəns] *s* **1.** příklad (*for* ~ například); případ, ukázka **2.** příležitost (*in the first* ~ nejprve) **3.** naléhavá prosba, žádost; výzva **4.** příčina **5.** soud. instance (*court of first* ~ soud první instance) □ *vt* uvést jako příklad, citovat, doložit; —**ant** [⎮instənt] *a* **1.** naléhavý, okamžitý **2.** přímý **3.** nynější, běžný □ *s* **1.** okamžik **2.** běžný měsíc (zkr. *inst.*) ◆ *in the* ~, *this* ~ okamžitě, ihned; *on the* ~ *that* v tom okamžiku, když; *in an* ~ v okamžiku; —**antaneous** [ˌinstən⎮teinjəs] *a* okamžitý

instead [in|sted] *adv* místo koho,
čeho (~ *of going* místo, aby šel)
instep [|instep] *s* nárt
instigat|e [|instigeit] *vt* ponou-
kat, podněcovat, štvát; —ion
[|insti|geišən] *s* ponoukání,
podněcováni, štvaní; —or
[|instigeitə] *s* štváč, provo-
katér (*of war* válečný)
instil [in|stil] *vt* (-ll-) 1. nakapat
(*into* do) 2. postupně vštipit
komu (*into* do)
instinct [in|stiŋkt] *a* 1. pronik-
nutý 2. podnícený 3. oživený
4. puzený (*with* čím) □ *s*
[|instiŋkt] pud, instinkt,
vnuknutí; —ive [in|stiŋktiv]
a pudový, instinktivní
institut|e [|institju:t] *vt* zařídit,
ustanovit, založit; určit, do-
sadit □ *s* 1. řád, předpis
2. ústav, vědecká společnost,
instituce; —ion [|insti|tju:-
šən] *s* 1. ustanoveni, nařízení
2. nařízení 3. zákon, zvyk,
mrav 4. ústav 5. učení, vý-
chova 6. učená společnost
instruct [in|strakt] *vt* učit, vy-
učovat; dávat návod, in-
strukci, nařídit; —ion [in-
|strakšən] *s* 1. vyučování 2.
návod 3. nařízení, předpis ♦ *to
follow -s* řídit se směrnicemi,
návodem, příkazy; *operating
-s* provozní služební předpisy,
směrnice; —ive [in|straktiv]
a poučný; —or [in|straktə] *s*
učitel, instruktor
instrument [|instrumənt] *s* 1.
nástroj, prostředek, pomůcka;
přístroj 2. úřední listina ♦ ~
board přístrojová deska; ~
transformer měřicí transfor-
mátor; *stringed (wind) -s*

smyčcové (dechové) nástro-
je; -*s of production* (n. *pro-
ductive -s*) výrobní prostředky
—al [|instru|mentl] *a* 1. na-
strojový, pomocný 2. ~ *case*
gram. 7. pád ♦ *to be ~ in (to,·
towards)* být nápomocen při;
—ality [|instrumen|tæliti] *s*
1. pomoc, prostředek 2. pů-
sobení, působivost (*by the ~
of* působbením čeho); —ation
[|instrumen|teišən] *s* hud. 1.
instrumentace 2. užití ná-
strojů, zacházení s nástroji;
vybavení přístroji, nástroji
insubordinat|e [|insə|bo:dnit] *a*
neposlušný, neukázněný;
—ion [|insə|bo:di|neišən] *s* ne-
podřízenost; neposlušnost, ne-
kázeň, porušení subordinace
insufferable [in|safərəbl] *a* ne-
snesitelný
insuffici|ency [|insə|fišənsi] *s*
nedostatečnost, nedostatek;
—ent [|insə|fišənt] *a* nedosta-
tečný, nezpůsobilý
insular [|insjulə] *a* ostrovní;
—ity [|insju|læriti] *s* 1. ostrov-
nost 2. úzkoprsost
insulat|e [|insjuleit] *vt* 1. pro-
měnit v ostrov 2. odloučit,
izolovat; —ion [|insju|leišən]
s odloučenost, osamocenost,
izolace; —or [|insjuleitə] *s* el.
izolátor
insult *vt* [in|salt] urazit, poha-
nět □ *s* [|insalt] urážka, hana
insuperable [in|sju:pərəbl] *a* ne-
přemožitelný, nepřekonatelný
insupportable [|insə|po:təbl] *a*
nesnesitelný
insur|able [in|šuərəbl] *a* po-
jistitelný ♦ ~ *interest* pojisti
telný zájem; —ance [in'šuə-

rəns] *s* pojištění, pojistka ♦ *to make* n. *effect an* ~ pojistit; ~ *policy* pojistka; *old age* ~ starobní pojištění; *workmen's compensation* ~ dělnické úrazové pojištění; ~ **broker** *s* pojišťovací dohodce; ~ **certificate** [in'šuərəns sə'tifikit] *s* pojišťovací nóta; ~ **company** [in'šuərəns 'kampəni] *s* pojišťovací společnost; —**e** [in-'šuə] *vt & i* pojistit se (*against* proti) ♦ *to* ~ *against all risks* pojistit proti všemu nebezpečí; —**ed** [in'šuəd] *s* pojištěnec; —**er** [in'šuərə] *s* pojišťovatel

insurg|ence, **-ency** [in'sə:-džəns(i)] *s* vzpoura, povstání; —**ent** [in'sə:džənt] *a* vzbouřený, povstalý □ *s* vzbouřenec, povstalec

insurmountable [ˌinsə'mauntəbl] *a* nepřekonatelný

insurrection [ˌinsə'rekšən] *s* vzpoura, povstání

insusceptible [ˌinsə'septəbl] *a* nevnímavý; nepřipouštějící (*of* čeho); bezcitný (*to* k)

intact [in'tækt] *a* nedotčený, neporušený; celý

intake ['in-teik] *s* 1. nasávání, sání 2. vtok do roury 3. vzdušný kanál v dolech 4. zúžení roury

intangible [in'tændžəbl] *a* nedotknutelný

integer ['intidžə] *s* 1. mat. číslo celé 2. celek

integr|al ['intigrəl] *a* celý, plný, nedílný ♦ ~ *numbers* mat. čísla celá □ *s* 1. celek 2. mat. integrál; —**ity** [in'tegriti] *s* celistvost, neporušenost

intellect ['intilekt] *s* rozum, schopnost usuzování; inteligentní osoba; —**ion** [ˌinti-'lekšən] *s* porozumění, ponětí; —**ual** [ˌinti'lektjuəl] *a* rozumový, duševní; osvícený □ *s* intelektuál, vzdělanec

intellig|ence [in'telidžəns] *s* 1. rozum, porozumění; inteligence, ostrovtip, vzdělanost 2. zpráva, zpravodajství; ~ *agency* zpravodajská agentura; *to give* ~ *of* dát zprávu o; ~ *bureau* informační kancelář; ~ *department* zpravodajské oddělení; ~ *service* výzvědná služba; —**encer** [in'telidžənsə] *s* zpravodaj, vyzvědač; —**ent** [in'telidžənt] *a* 1. vzdělaný, inteligentní, rozumný 2. soudný 3. obratný, zběhlý (*of* v); —**entsia** [inˌteli'džentsiə] *s* inteligence jako vrstva; —**ible** [in'telidžəbl] *a* srozumitelný, pochopitelný (*to* komu)

intemper|ate [in'tempərit] *a* nestřídmý, nemírný, prudký; —**ance** [in'tempərəns] *s* nestřídmost, nemírnost

intend [in'tend] *vt & i* 1. zamýšlet, hodlat, mít úmysl 2. určit; —**ed** [in'tendid] *a* 1. zamýšlený, úmyslný 2. určený (*for* pro) □ *s* hov. nastávající snoubenec, snoubenka

intendant [in'tendənt] *s* ředitel, správce

intens|e [in'tens] *a* prudký, silný, napjatý; chtivý; horlivý; —**ify** [in'tensifai] *vt & i* zesílit, zintenzivnět; —**ity** [in'tensiti] *s* 1. síla, intenzita 2. napětí 3. prudkost 4. horlivost ♦ *the class struggle grows in* ~ třídní boj se přiostřuje; **—ive** [inˈtensiv] *a* působivý; intenzívní (*economy* hospodaření); napjatý; usilovný; silný, mocný

intent [inˈtent] *a* 1. pozorný, dychtivý, mající zřetel (*on* k) 2. oddaný (*on pleasure* rozkoši) □ *s* záměr, úmysl; **—ion** [inˈtenšən] *s* záměr, úmysl; účel, cíl; **—ional** [inˈtenšənl] *a* úmyslný, záměrný

inter [inˈtə:] *vt* (-rr-) pohřbít

interact *s* [ˈintərækt] meziaktí, mezihra □ *vi* [ˌintərˈækt] vzájemně působit; **—ion** [ˌintərˈækšən] *s* vzájemné působení, vliv

interbreed* [ˌintəˈbri:d] *vt & i* křížit (se), plodit křížením

intercede [ˌintəˈsi:d] *vi* prostředkovat; zakročit ve prospěch, přimlouvat se (*with a person for another* u koho za)

intercept *vt* [ˌintəˈsept] 1. zastavit; zastoupit cestu; přerušit spojení 2. zachytit dopis 3. zabránit 4. mat. určit přímku dvěma body □ *s* [ˈintəsept] geom. úsek na přímce ♦ *to cut off equal* -*s* vytínat stejné úseky; **—ion** [ˌintəˈsepšən] *s* zachycení, překážení; **—or** [ˌintəˈseptə] *s* lapač, sifon

intercession [ˌintəˈsešən] *s* zakročení, přímluva

interchange [ˈintəˈčeindž] *vt & i* vyměnit (si), střídat (se), zaměnit □ *s* výměna; **—able** [ˌintəˈčeindžəbl] *a* střídavý, zaměnitelný

intercommon [ˌintəˈkomən] *vi* sdílet stůl, spolu jíst

intercommun|icate [ˌintəkəˈmju:nikeit] *vi* vzájemně se stýkat; **—ication** [ˈintəkəˌmju:niˈkeišən] *s* 1. vzájemný styk 2. voj. spojení uvnitř útvaru; **—ity** [ˌintəkəˈmju:niti] *s* vzájemnost, společenství statků

intercostal [ˌintəˈkostl] *a* med. mezižeberní

intercourse [ˈintəko:s] *s* 1. spojení, styk, obcování 2. rozmluva 3. pohlavní styk, spojení

intercurrent [ˌintəˈkarənt] *a* zasahující, vracející se v přestávkách o nemoci

interdependence [ˌintədiˈpendəns] *s* vzájemná závislost

interdict *s* [ˈintədikt] zákaz; klatba □ *vt* [ˌintəˈdikt] zakázat; vyloučit (*from* z), dát do klatby

interest [ˈintrist] *s* 1. zájem; účast, zainteresovanost, podíl (*in* v) 2. obchod 3. výhoda, prospěch 4. vliv (*with* u) 5. úrok, zisk 6. zájmová skupina 7. poutavost, zajímavost ♦ *to take* ~ *in* zajímat se o; *to make an* ~ *with* ucházet se o přízeň u; *in the* ~ *of truth* v zájmu pravdy; *to put out to* ~ uložit na úroky; *rate of* ~ úroková míra; *simple (compound)* ~ jednoduché (složené) úrokování □ *vt* zajímat sc (*in* o); **—ing** [ˈintristiŋ] *a* zajímavý, poutavý

interfer|e [ˌintəˈfiə] *vi* 1. zasahovat (*in* do); zprostředkovat, plést se (*with* do) **2.** překážet **3.** narážet (*with* na); **—ence** [ˌintəˈfiərəns] *s* zásah, zasahování (*with* do); ovlivnění, vzájemné působení; křížení

interfluent [inˈtəːfluənt] *a* navzájem se protékající

interfuse [ˌintəˈfjuːz] *vt & i* navzájem (se) mísit, smíchat se (*with* s)

interim [ˈintərim] *s* **1.** mezivláda **2.** interval, mezidobí □ *a* (pro)zatímní ♦ ~ *custody* zajišťovací vazba

interior [inˈtiəriə] *a* vnitřní □ *s* vnitřek; *Minister* n. *Secretary of the I*~ ministr vnitra

interject [ˌintəˈdžekt] *vt & ı* vložit, vsunout slova; **—ion** [ˌintəˈdžekšən] *s* zvolání, citoslovce

interlace [ˌintəˈleis] *vt & i* proplétat, provléknout; protkat

interlard [ˌintəˈlaːd] *vt* prošpikovat

interleave [ˌintəˈliːv] *vt* vložit list(y), proložit knihu papírem

interline [ˌintəˈlain] *vt & i* vepsat mezi řádky

interlock [ˌintəˈlok] *vt & i* uzavřít mezi; spojit (se) navzájem, zapadat do sebe; blokovat; **—ing plant** žel. zabezpečovací zařízení

interlocut|ion [ˌintəloˈkjuːšən] *s* rozmluva; **—or** [ˌintəˈlokjutə] *s* účastník rozmluvy

interlope [ˌintəˈloup] *vi* vtírat se mezi, míchat se

interlude [ˈintəluːd] *s* mezihra

intermarry [ˈintəˈmæri] *vi & t* navzájem se ženit, vdávat

intermeddle [ˌintəˈmedl] *vt & i* plést se vměšovat se (*with* do)

intermedi|ary [ˌintəˈmiːdjəri] *a* zprostředkující □ *s* prostřednik; **—ate** *a* [ˌintəˈmiːdjət] prostřední, střední; přechodný ~ *product* meziprodukt, polotovar □ *s* prostředník □ *vi* [ˌintəˈmiːdieit] zprostředkovat

interment [inˈtəːmənt] *s* pohřeb

interminable [inˈtəːminəbl] *a* nekonečný

intermission [ˌintəˈmišən] *s* přerušení, přestávka

intermit [ˌintəˈmit] *vt & i* (-tt-) přerušit, ustat; **—tent** [ˌintəˈmitənt] *a* občasný, střídavý (~ *current* střídavý proud)

intermix [ˌintəˈmiks] *vt & ı* míchat (se); **—ture** [ˌintəˈmiksčə] *s* smíšenina, příměsek

intern [inˈtəːn] *vt* internovat, zadržet loď, podezřelou osobu □ *s* **1.** am. med. nemocniční lékař **2.** internovaná osoba; **—al** [inˈtəːnl] *a* vnitřní, domácí ♦ ~ *combustion engine* spalovací motor; ~ *diagonal* tělesná úhlopříčka; **—ment** *s* internace; ~ *camp* internační tábor

international [ˌintəˈnæšənl] *a* mezinárodní □ *s* **1.** internacionál **2.** internacionála (též *Internationale*)

interpellat|e [inˈtəːpeleit] *vt* přimlouvat se, interpelovat; **—ion** [inˌtəːpeˈleišən] *s* dotaz, interpelace v parlamentě; přímluva

interpenetrate [ˌintəˈpenitreit]

vt & i úplně (se) proniknout navzájem

interplanetary [ˌintəˈplænitəri] *a* meziplanetární (*rocket* raketa)

interplay [ˌintəˈplei] *s* souhra; mezihra

interpolat|e [inˈtəːpoleit] *vt & i* vkládat, vložit slova do textu, interpolovat, podvrhnout; **—ion** [inˌtəːpoˈleišən] *s* vložení (slov), interpolace; podvržení

interpos|e [ˌintəˈpouz] *vt & i* 1. položit (*between* mezi), vsunout 2. zprostředkovat; míchat se (*between* mezi) 3. skákat do řeči 4. přerušit 5. zakročit; **—ition** [inˌtəːpəˈzišən] *s* zprostředkování, intervence, zakročení

interpret [inˈtəːprit] *vt* 1. vyložit, vysvětlit 2. tlumočit, dělat tlumočníka 3. umělecky představit, předvést; ~ *point, mark* otazník; **—ive** [ˌintəˈrogətiv] *a* tázací □ *s* tázací slovo

interrupt [ˌintəˈrapt] *vt & i* přerušit; vyrušovat; odpírat; **—ion** [ˌintəˈrapšən] *s* přerušení, překážka, vyrušení

intersect [ˌintəˈsekt] *vt & i* protínat (se); **—ing** *lines*

různoběžky; **—ion** [ˌintəˈsekšən] *s* průsečík, průřez ♦ ~ *of loci* průsečík geometrických míst

interspace [ˈintəˈspeis] *s* mezera

intersperse [ˌintəˈspəːs] *vt* roztrousit

interstellar [ˈintəˈstelə] *a* mezihvězdný

interstice [inˈtəːstis] *s* mezera, skulina

intertexture [ˌintəˈteksčə] *s* protkání

inter|twine, -twist [ˌintəˈtwain, -ˈtwist] *vt & i* proplést (se), splést

interval [ˈintəvəl] *s* 1. přestávka, interval 2. mezera ♦ *at -s* občas

interven|e [ˌintəˈviːn] *vi* 1. přijít (*between* mezi), zasahovat do 2. přihodit se mezitím 3. ležet, být (*between* mezi) 4. zakročit; **—tion** [ˌintəˈvenšən] *s* 1. zakročení 2. zprostředkování 3. přímluva 4. intervence (*armed* ~ ozbrojená intervence)

interview [ˈintəvjuː] *s* schůzka, porada; rozmluva, interview □ *vt* mít schůzku, poradu, interview (*a person* s kým)

interweave* [ˌintəˈwiːv] *vt & i* protkat; těsně spojit, smísit

interzonal [ˈintəˈzounl] *a* mezipásmový

intestate [inˈtestit] *a* bez poslední vůle

intestine [inˈtestin] *a* 1. vnitřní 2. domácí □ *s* pl. střeva

inthrall [inˈθrɔːl] *vt* porobit, zotročit

inthrone viz *enthrone*

intim|acy [ˈintiməsi] *s* důvěrnost, důvěrné přátelství, intimnost; —**ate** a ['intimit] důvěrný, intimní; dobře známý □ vt ['intimeit] oznámit; dát na srozuměnou, naznačit, dát pokyn; —**ation** [ˌinti-'meišən] s 1. oznámení 2. narážka, pokyn

intimidate [in'timideit] vt zastrašit, nahnat strachu

intitle viz entitle

into ['intu, 'intə] prep do, v, na, k(u) ♦ ~ the bargain nádavkem; to go ~ the garden jít do zahrady; to look ~ the matter prozkoumat věc; to get ~ trouble dostat se do nesnází; to come ~ property získat majetek (= acquire); to burst ~ tears dát se do pláče; to grow ~ a habit stát se zvykem; to bring ~ being dát vznik; to break ~ pieces rozbít na kusy; to threaten ~ přimět hrozbami; to seduce ~ crime svést k zločinu

intoler|able [in'tolərəbl] a nesnesitelný; —**ance** [in'tolərəns] s nesnášenlivost; —**ant** [in'tolərənt] a nesnášenlivý

intomb viz entomb

inton|ate ['intouneit] vt zanotovat, nasadit hlas, intonovat; —**ation** [ˌintou'neišən] s udání tónu, zanotování, intonace; —**e** [in'toun] vt & i zanotovat

intoxic|ant [in'toksikənt] a opojný □ s opojný nápoj; —**ate** [in'toksikeit] vt opojit, opít; —**ation** [inˌtoksi'keišən] s opojení, opilost

intra- [intrə-] prefix značící „uvnitř"

intractable [in'træktəbl] a nepoddajný, nezkrotný, neovladatelný

intramuscular [ˌintrə'maskjulə] a mezisvalový

intransigent [in'trænsidžənt] a nekompromisní, politicky nesmlouvavý, radikální

intransitive [in'trænsitiv] a gram. nepřechodný

intreat viz entreat

intrepid [in'trepid] a neohrožený, nebojácný

intric|acy ['intrikəsi] s spletitost, složitost; nesnáz; —**ate** ['intrikit] a spletitý, složitý, zamotaný

intrigue [in'tri:g] vt & i 1. kout pikle 2. podvádět 3. mást 4. zapřádat milostné pletky 5. pletichařit, intrikovat □ s 1. pleticha, úklad 2. zápletka 3. tajná láska

intrinsic(al) [in'trinsik(əl)] a vnitřní; podstatný, vlastní

introduc|e [ˌintrə'dju:s] vt 1. uvést, zavést 2. představit (to komu) 3. vstrčit (into do) 4. zahájit rozhovor 5. předložit osnovu zákona; —**tion** [ˌintrə-'dakšən] s 1. představení osoby 2. úvod, předmluva 3. doporučení; —**tory** [ˌintrə-'daktəri] a úvodní

intromit [ˌintro'mit] vt (-tt-) arch. vpustit, připustit dovnitř

introspect [ˌintro'spekt] vt & i nahlédnout do nitra; —**ion** [ˌintrou'spekšən] s nahlédnutí dovnitř, prozkoumání nitra, introspekce

intru|de [in'tru:d] vt & i 1. vetřít se, tlačit (se) (into do), vtěsnat (se) **2.** vnucovat (se) (*upon* komu); —**der** [in'tru:-də] *s* vetřelec; —**sion** [in'tru:žən] *s* **1.** dotěrnost **2.** vnikání; —**sive** [in'tru:siv] *a* **1.** dotěrný **2.** vnikající

intrust [in'trast] *vt* svěřit (*a thing to* něco někomu)

intuit|ion [‚intju'išən] *s* jasnozření, intuice; —**ive** [in'tjuitiv] *a* jasnozřivý, intuitivní

intumescence [‚intju'mesns] *s* zduření, otok

intwine viz *entwine*

intwist viz *entwist*

inundate ['inandeit] *vt* zaplavit, zavodnit

inure [i'njuə] *vt & i* **1.** zvyknout si, otužit (se) **2.** nabýt platnosti

inutility [‚inju'tiliti] *s* neužitečncst

invad|e [in'veid] *vt & i* **1.** vpadnout, přepadnout, vtrhnout do země **2.** přestoupit, porušit (*rights* práva); —**er** [in'veidə] *s* nájezdník, vetřelec

invalid ['invəli:d] *a* **1.** nemocný, churavý **2.** slabý, neschopný **3.** [in'vælid] neplatný □ *vt & i* **1.** činit, stát se, neschopným **2.** propustit z činné služby □ *s* invalida; —**ate** [in'vælideit] *vt* zrušit platnost ♦ *to ~ the election* prohlásit volbu za neplatnou; —**ity** [‚invə'liditi] *s* **1.** slabost **2.** neplatnost, zmatečnost **3.** neschopnost k službě

invaluable [in'væljuəbl] *a* neocenitelný

invar [in'va:] *s* invar slitina

invariable [in'veəriəbl] *a* nepro-

měnný; nezměnitelný, stálý □ *s* mat. konstanta

invas|ion [in'veižən] *s* **1.** vpád, invaze **2.** bezprávní zasáhnutí; —**ive** [in'yeisiv] *a* invazní, útočný

invective [in'vektiv] *a* urážlivý □ *s* urážka, potupa; hanopis, satira

inveigh [in'vei] *vi* prudce napadnout (*against* koho), potupit, hanět

inveigl|e [in'vi:gl] *vt* obalamutit, svést; —**er** [in'vi:glə] *s* svůdce

invent [in'vent] *vt* **1.** vynalézat, objevit **2.** vymyslit si; —**ion** [in'venšən] *s* vynález, výmysl; —**ive** [in'ventiv] *a* vynalézavý; —**ory** ['invəntri] *s* **1.** inventář, soupis majetku **2.** inventura

invers|e ['in'və:s] *a* obrácený ♦ *~ ratio* nepřímý poměr □ *vt* obrátit; —**ion** [in'və:šən] *s* obrácení, obrat, inverze; zvrat

invert *vt* [in'və:t] převrátit □ *s* ['invə:t] pohlavně zvrácený člověk; —**ed** [in'və:tid] *a* obrácený na ruby; *~ commas* uvozovky

invest [in'vest] *vt & i* **1.** obléci, odít (*in* do, *with* čím) **2.** zahalit **3.** dosadit, propůjčit moc, nadat (*with* čím) **4.** uložit, investovat kapitál **5.** obklíčit město ♦ *to ~ with full powers* zplnomocnit; —**ment** *s* **1.** investice; *~ fund* investiční fond **2.** propůjčení úřadu **3.** oblečení, oděv **4.** obležení, obklíčení

investig|ate [in'vestigeit] *vt & i* zkoumat, vyšetřovat; **pátrat**;

—**ation** [in₁vesti'geišən] *s* výzkum; vyšetřování, pátrání; —**ative** [in'vestigeitiv] *a* výzkumný, pátravý; —**ator** [in'vestigeitə] *s* badatel; vyšetřovatel

inveter|acy [in'vetərəsi] *s* zastaralost, zakořeněnost; —**ate** [in'vetərit] *a* zastaralý, zakořeněný, vžitý

invidious [in'vidiəs] *a* závistivý, záviděníhodný; nenáviděný

invigorate [in'vigəreit] *vt* posilnit, osvěžit; oživit

invincib|ility [in₁vinsi'biliti] *s* nepřemožitelnost; —**le** [in'vinsəbl] *a* nepřemožitelný

inviol|able [in'vaiələbl] *a* neporušitelný, nedotknutelný; —**ability** [in₁vaiələ'biliti] *s* neporušitelnost, nedotknutelnost (*of person* osobní) ♦ ~ *of letters* listovní tajemství

invisible [in'vizəbl] *a* neviditelný

invitation [₁invi'teišən] *s* pozvání

invit|e [in'vait] *vt* 1. pozvat 2. fig. lákat, vábit, svádět 3. vzbuzovat pozornost, povzbuzovat 4. vyvolat (*attack* útok); —**ing** [in'vaitiŋ] *a* vábivý, svůdný; vybízející

invocat|e ['invokeit] *vt & i* zř. vzývat; —**ion** [₁invo'keišən] *s* vzývání, invokace

invoice ['invois] *s* účet, faktura □ *vt* podat účet, účtovat

involution [₁invə'lu:šən] *s* 1. zapletení, zamotání, svinutí; svitek 2. mat. umocňování

involve [in'volv] *vt* 1. zabalit 2. zahrnout 3. obsahovat 4. zaplést (*in* do), zavinout 5. mat. umocnit 6. týkat se

♦ -*d in debt* zadlužený; —**ment** *s* 1. zahrnutí, obsažení 2. finanční tíseň 3. komplikovaná záležitost, věc

invulnerable [in'valnərəbl] *a* nezranitelný

inward(s) ['inwəd(z)] *adv* vnitřně, dovnitř □ *a* 1. vnitřní 2. duchovní 3. tajný, soukromý □ *s* 1. pl. vnitřek, vnitřnosti 2. důvěrník; —**ly** ['inwədli] *adv* uvnitř, tajně; —**ness** ['inwədnis] *s* niternost, duchovnost

inweave* ['in'wi:v] *vt* vetkat, vplést

inwrap [in'ræp] *vt* (-pp-) zabalit, zavinout

inwrought ['in'ro:t] *a* vetkaný, vyšitý

iodate ['aiədeit] *s* chem. jodičnan

iodide ['aiədaid] *s* chem. jodid

iod|ine ['aiədi:n] *s* jód; —**oform** [ai'odəfo:m] *s* jodoform

ion ['aiən] *s* ion; —**ization** [₁aiənai'zeišən] *s* ionizace

I.O.U. = *I owe you* dlužní úpis

I.Q. = *intelligence quotient*

Ir. = *Ireland, Irish*

Iran [i'ra:n] *s* Írán; **ian** [i'reinjən] *a* íránský □ *s* Íránec, íránština

Iraq, Irak [i'ra:k] *s & a* Irák; irácký

irascible [i'ræsibl] *a* zlostný, popudlivý

irate [ai'reit] *a* zlostný

ire ['aiə] *s* bás. zlost, hněv

Ireland ['aiələnd] *s* Irsko

Irene [ai'ri:ni] *s* Irena (žj)

Irish ['aiəriš] *a* irský ♦ ~ *evidence* křivé svědectví □ *s* 1. Irové 2. irština; —**man** ['aiərišmən] *s* Ir

irk [ə:k] *vt* zlobit, mrzet, nudit;
—**some** [ˈə:ksəm] *a* mrzutý,
únavný
iron [ˈaiən] *s* 1. železo 2. pl.
pouta 3. žehlička ♦ *scrap* ~
šrot; *soft* ~ kujné železo;
sheet ~ bílý plech □ *a* 1.
železný, silný 2. tvrdý, ne-
poddajný □ *vt* 1. okovat
železem 2. spoutat okovy □
vi 3. žehlit 4. železem pobít;
~ -**bound** [ˈaiənbaund] *a* žele-
zem pobitý; ~ -**clad** [ˈaiən-
klæd] *a* pancéřový; ~ **dust**
železné piliny; ~ **founding**
[ˈfaundiŋ]   kovolitectví;
~ -**foundry** [ˈaiənˌfaundri] *s*
slévárna; ~ -**glance** [ˈaiən-
gla:ns] *s* hematit; ~ **lungs**
železné plíce; |~ -**mill** *s* hamr,
huť; —**monger** [ˈaiənˌmaŋgə]
s železář; —**mongery** [ˈaiən-
ˌmaŋgəri] *s* železářství, že-
lezné zboží; ~ **ration** železná
dávka *n.* zásoba; ~ **safe** *s* že-
lezná pokladna; ~ **sections**
tvarová ocel; |~ -**stone** *s*
železná ruda; |~ -ˌ**witted** *a*
natvrdlý, tupý; |~ -**works** *s*
železárna
iron|ical [aiˈronikl] *a* ironický;
—**y** [ˈaiərəni] *s* ironie, úsmě-
šek
irradiate [iˈreidieit] *vt & i* 1.
ozařovat, osvětlovat; zazářit
(*with* čím) 2. osvítit (duchovně)
irrational [iˈræšənl] *a* nerozum-
ný, protirozumový, iracio-
nální
irreclaimable [ˌiriˈkleiməbl] *a*
neodolatelný
irreconcilable [iˈrekənsailəbl] *a*
nesmiřitelný, neslučitelný
irrecoverable [ˌiriˈkavərəbl] *a*

nenahraditelný,   nenapravi-
telný
irredeemable [ˌiriˈdi:məbl] *a* bez-
nadějný; nevýplatný, neumo-
řitelný dluh; nezměnitelný;
nenapravitelný
irrefragable [iˈrefrəgəbl] *a* ne-
zvratný, nesporný
irrefutable [iˈrefjutəbl] *a* ne-
vývratný, nevyvratitelný
irregular [iˈregjulə] *a* nepravi-
delný, nerovný; nesoustavný,
nespořádaný, nevázaný; —**ity**
[iˌregjuˈlæriti] *s* 1. nepravi-
delnost 2. nevázanost
irrelev|ance, -ancy [iˈrelivəns(i)]
s irelevance, nezávažnost;
—**ant** [iˈrelivənt] *a* nepod-
statný, nezávažný, irelevant-
ní
irreligion [ˌiriˈlidžən] *s* nevě-
rectví
irremediable [ˌiriˈmi:djəbl] *a* 1.
nezhojitelný 2. nenapravitel-
ný
irremissible [ˌiriˈmisibl] *a* nepro-
minutelný, neodvolatelný
irremovable [ˌiriˈmu:vəbl] *a* ne-
odstranitelný, nesesaditelný
irreparable [iˈrepərəbl] *a* ne-
napravitelný, nenahraditelný
irrepealable [ˌiriˈpi:ləbl] *a* ne-
odvolatelný
irrepressible [ˌiriˈpresəbl] *a* ne-
potlačitelný
irreproachable [ˌiriˈprəučəbl] *a*
bezúhonný
irresistible [ˌiriˈzistəbl] *a* ne-
odolatelný
irresolut|e [iˈrezəlu:t] *a* neroz-
hodný, váhavý; —**ion** [ˈiˌrezə-
ˈlu:šən] *s* nerozhodnost, kolí-
sání, váhání
irrespective [ˌirisˈpektiv] *a* ne-

maj\[i]cí zřetel (*of* k); nespolehlivý; bezohledný

irresponsib|le [ˌiris|ponsəbl] *a* **1.** nezodpovědný, nespolehlivý **2.** nepříčetný; **—ility** [ˈiris|ponsə|biliti] *s* **1.** nezodpovědnost, nespolehlivost **2.** nepříčetnost

irretrievable [ˌiri|tri:vəbl] *a* nenahraditelný; nenapravitelný

irrever|ence [i|revərəns] *s* neuctivost, neúcta; **—ent** [i|revərənt] *a* neuctivý

irreversible [ˌiri|və:səbl] *a* nezvratný, neodvolatelný; nezměnitelný

irrevocable [i|revəkəbl] *a* neodvolatelný

irrigat|e [ˈirigeit] *vt* zavodnit, zavlažit; **—ation** [ˌiri|geišən] *s* zavodnění, irigace

irrit|ability [ˌiritə|biliti] *s* popudlivost, vznětlivost; **—able** [ˈiritəbl] *a* vznětlivý, popudlivý; **—ant** [ˈiritənt] *a* dráždivý □ *s* med. dráždidlo; **—ate** [ˈiriteit] *vt* dráždit, popudit, roztrpčit; **—ation** [ˌiri|teišən] *s* **1.** (po)dráždění **2.** dráždidlo **3.** zánět **4.** roztrpčení

irruption [i|rʌpšən] *s* vpád, vtrhnutí

is [iz] *3. os. sg. ind. pres* slovesa *to be*

isinglass [ˈaizingla:s] *s* lepidlo

Islam [ˈizla:m] *s* islám

island [ˈailənd] *s* ostrov; **—er** [ˈailəndə] *s* ostrovan

isl|e [ail] *s* ostrov; *Isle of Wight*; **—et** [ˈailit] *s* ostrůvek

isn't [ˈiznt] = *is not*

isobar [ˈaisoba:] *s* meteor. izobara

isolat|e [ˈaisəleit] *vt* izolovat, odloučit, osamotnit; **—ing** *switch* el. odpojovač; **—ing** *valve* odpojovací ventil; **—ion** [ˌaisə|leišən] *s* osamocení, odloučení, izolace

Israel [ˈizreiəl] *s* Izrael; **—ite** [ˈizriəlait] *s* izraelita, žid

issue [ˈisju:, ˈišu:] *s* **1.** vycházení, výtok **2.** ústí trubice, řeky **3.** vydání bankovek **4.** výsledek **5.** předmět rozmluvy, otázka; sporný bod **6.** potomek, potomstvo **7.** uveřejnění, číslo novin **8.** výnos ♦ *bank of* ~ cedulová banka; *we are at* ~ naše názory se liší; *to try* ~ nechat dojít k rozhodnutí; *to bring to a successful* ~ šťastně provést; *he died without* ~ zemřel bez potomstva; *to join* ~ *with* nesouhlasit, hádat se s; *the matters at* ~ sporné věci □ *vi & t* **1.** vycházet, vytékat **2.** vynořit se **3.** pocházet (*from* z) **4.** mít výsledek **5.** vydávat bankovky **6.** dát do oběhu **7.** končit (*in* čím) **8.** vyslat ♦ *to* ~ *a bill* vystavit směnku

isthmus [ˈisməs] *s* mořská úžina

it [it] *pron* ono, to ♦ *who is* ~? kdo je to? *it's me* (n. zast. *it is I*) to jsem já; *go* ~! sl. jen do toho!

Ital|ian [i|tæljən] *a* italský □ *s* Ital, italština; **—y** [ˈitəli] *s* Itálie

itch [ič] *s* **1.** svrbění, svrab; ~ *mite* zákožka svrabová **2.** zálusk, laskominy (*for* na) □ *vi* **1.** svrbět, svědit **2.** dělat si laskominy (*after* na)

item [ˈaitem] *adv* také, rovněž □ *s* **1.** článek, člen **2.** položka **3.** bod, detail **4.** krátký článek, odstavec; **—ize** [ˈaitemaiz] *vt* am. jednotlivě konstatovat; podrobně jednotlivě uvést

iter|ate [ˈitereit] *vt* opakovat; **—ative** [ˈiteretiv] *a* opakovací

itiner|acy, -ancy [iˈtinere(n)si] *s* cestování, putování; kočování; **—ant** [iˈtinerent] *a* cestující, potulný; kočovný ♦ ~ **trade** ambulantní obchod □ *s* pocestný; **—ary** [aiˈtinereri] *a* cestující, pocestný □ *s* **1.** cesta **2.** cestovní plán **3.** popis cesty, cestopis; průvodce **4.** cestovní deník, itinerář

it'll [ˈitl] = *it will*

it's = **1.** *it is* **2.** *it has*

itself [itˈself] *zvr. pron.* sebe, samo sebe; *of* ~ samo od sebe; *by* ~ samo sebou

I've [aiv] = *I have*

ivied [ˈaivid] *a* obrostlý břečťanem

ivory [ˈaiveri] *s* **1.** slonovina **2.** barva slonoviny, bělost ♦ *black* ~ afričtí negři; *ivories* sl. kostky, kulečníkové koule, klávesnice □ *a* ze slonoviny

ivy [ˈaivi] *s* břečťan

I.W. = *Isle of Wight*

J

J, j [džei] písmeno j

jab [džæb] *vt & i* (-bb-) **1.** rýpnout, šťouchnout **2.** bodat **3.** srazit (*into* do) □ *s* rýpnutí, bodnutí

jabber [ˈdžæbe] *vi & t* štěbetat, brebentit □ *s* štebetání, brebentění

jack [džæk] *s* **1.** *J*~ přezdívka místo *John* **2.** námořník **3.** chlap, pacholek **4.** janek **5.** tajtrlík **6.** stojánek, dřevěná koza **7.** zouvák **8.** roh při hře v kuželky **9.** rumpál **10.** zdvihák, hever **11.** zařízení na obracení rožně **12.** kožený měch na nápoje **13.** mladá štika **14.** sameček u některých zvířat **15.** lodní vlajka **16.** kartní kluk, spodek ♦ *every man* ~ každý jedinec; *before you could say Jack Robinson* co by řek' švec □ *vt* **1.** zvedat heverem **2.** lid. zvýšit ceny; ~ **-a-dandy** [ˈdžækeˌdændi] *s* švihák; ~ **-a-napes** [ˈdžækeneips] *s* fouňa, opičák; **—ass** [ˈdžækæs, -a:s] *s* osel, hlupák; |~ **-at-a-pinch** *s* Franta z nouze; ~ **-boot** [ˈdžækbu:t] *s* vysoká bota, holínka; ~ **-daw** [ˈdžækdo:] *s* kavka; |~ **-in-ˌoffice** *s* úředník pánovitého chování; |~ **-in-the-box** *s* hračka pérový panáček v krabičce; **J**~ **Ketch** kat; |**—knife** *s* **1.** zavírák, křivák **2.** hluboký předklon *s* napjatýma nohama, až se cvičící dotkne prsty země; |~ **of**

|all trades s všeumělec; ~ -o-
lantern ['džækə₁læntən] s
bludička; |~ -out-of-₁office s
člověk propuštěný ze za-
městnání, z úřadu; |~ -plane
s uběrák hoblík; J ~ Pudding s
paňáca, tatrman; |~ -slave s
sprosťák; ~ -tar ['džæk₁ta:] s
námořník; |~ -towel s ruč-
ník na válečku

jackal ['džæko:l] s šakal

jacket ['džækit] s 1. sako, kabát
2. am. obal pro úřední doku-
ment 3. přebal vázané knihy
4. izolační vrstva kotle 5.
kožíšek zvířat ♦ to dust
s.o.'s ~ dát komu na frak;
potatoes boiled in their -s
brambory vařené ve slupce,
na loupačku

Jacob ['džeikəb] Jakub; ~'s
ladder 1. bot. jirnice modrá
2. korečkový výtah

jaculate ['džækjuleit] vt & i
házet, metat šíp

jad|e [džeid] s 1. herka, mrcha
2. mrška 3. nefrit, ledvinec
□ vt & i udřít se, uhnat se;
—ish ['džeidiš] a 1. mrcho-
vitý, jankovitý 2. záletný

jag [džæg] s ostrý skalní útes;
zub □ vt (-gg-) 1. zoubkovat,
vroubkovat 2. rozeklát

jaguar ['džægjuə] s jaguár

jail, gaol [džeil] s vězení □ vt
uvěznit; |~ -bird s kriminál-
ník; —er ['džeilə] s žalářník

Jam. = Jamaica (o) [džə¹meikə]

jam [džæm] vt (-mm-) 1.
(z)mačkat, napěchovat, zatla-
čit 2. prudce hodit 3. zatara-
sit, zablokovat 4. rušit rozhlas
□ s 1. marmeláda, povidla 2.
tlačenice

jamb [džæm] s 1. futro, zárubeň,
pažení dveří, oken 2. stojka,
sloupek, vzpěra u krbu

jamboree [₁džæmbə¹ri:] s 1. sl.
veselice 2. mezinárodní sjezd
skautů

Jan. = January

jangle ['džæŋgl] vi 1. řinčet,
rámusit, povykovat 2. arch.
hašteřit se

janitor ['džænitə] s vrátný;
domovník, školník

January ['džænjuəri] s leden

Jap [džæp] = Japanese

Japan [džə¹pæn] s Japonsko;
—ese [₁džæpə¹ni:z] a japon-
ský □ s sg & pl 1. Japonec.
2. japonština

japan [džə¹pæn] s lak □ a
lakový, lakovaný □ vt (-nn-)
lakovat, natírat šelakem

jar¹ [dža:] vi & t (-rr-) 1
skřípat, vrzat, řinčet 2. ne-
souhlasit, být v nesouladu
(with, against s) 3. hádat se,
hašteřit se 4. nelibě se do-
týkat □ s 1. skřípot, vrzání
2. hádka, spor, nesouhlas
3. otřes, záchvat tělesný i du-
ševní

jar² [dža:] s 1. džbán 2. zava-
řovací sklenice

jargon ['dža:gən] s hantýrka,
žargon

jasey ['džeizi] s hov. paruka

jasmine, jessamine ['džæsmin,
'džæsəmin] s jasmín

jasper ['džæspə] s min. jas-
pis

jaundice ['džo:ndis] s žloutenka;
—d ['džo:ndist] a 1. stižený
žloutenkou 2. žárlivý

jaunt [džo:nt] vi jít na vý-
let □ s výlet, vycházka

—y ['džo:nti] *a* veselý; oká-
zalý, bezstarostný

Java ['dža:və] *s* Jáva; —**nese**
[,dža:və'ni:z] *a* javánský ☐
s 1. Javánec 2. javánština

javelin ['džævlin] *s* oštěp

jaw [džo:] *s* 1. čelist, dáseň 2.
pl čelisti sváráku; chapadla;
jícen; vrata, vstup do údolí
3 vulg. tlama, huba (*hold
your* ~ drž hubu!) 4. nudný
výklad 5. mnohomluvnost ☐
vi & t hov. 1. mlátit hubou
2 klevetit 3. nudně vykládat
4 uchopit chapadly, čelistmi
nebo drapákem; ~ **-bone**
['džo:boun] *s* čelist; ~ **-break-
er** ['džo:¡breikə] *s* slovo, na
němž by si člověk překousl
jazyk; ~ **clutch** zubová spoj-
ka,čelisťová spojka; ~ **crusher**
čelisťový drtič; ~ **spanner**
stavitelný klíč

jay [džei] *s* 1. sojka 2. mluvka
3 hlupáček; ~ **-walker** *s*
neopatrný chodec

jazz [džæz] *s* džez ☐ *vi* 1.
hrát džez 2 tančit při džezu
3. holdovat džezu; —**band**
['džæz¡bænd] *s* džezový or-
chestr

jealous ['dželəs] *a* žárlivý (*of*
na); závistivý (*of* na); nedů-
věřivý; —**y** ['dželəsi] *s* žárli-
vost; závist

jeep [dži:p] *s* džíp vojenské auto
osobní

jeer [džiə] *vi & t* posmívat se
☐ *s* posměšek, úšklebek

jejune [dži'džu:n] *a* 1. hubený,
suchý 2. jalový, prázdný 3.
neuspokojující

jelly ['dželi] *s.*rosol, huspenina.
želé ☐ *vt & i* utvořit rosol,

sednout se; |~ **-fish** *s* me-
dúza

jemmy ['džemi] *s* páčidlo, hasák

jenny ['dženi] *s* 1. pojízdný
jeřáb, 2. *J~* přezdívka pro
Jane 3. se jmény zvířat označuje
samičku 4. spřádací stroj
(*spinning* ~)

jeopard, -ize ['džepəd(aiz)]
vt & i 1. dát v sázku 2.
ohrozit (*public security* veřej-
nou bezpečnost) 3. odvážit
se; —**y** ['džepədi] *s* 1. ne-
bezpečí 2. sázka 3. odvážný
kousek

jerk¹ [džə:k] *vt & i* 1. škubnout,
trhnout (sebou) 2. trhaně
vyrazit 3. dát štulec 4. mrštit,
vyhodit ☐ *s* trhnutí, škub-
nutí, náraz, štulec ◆ *with a* ~
rázem; *by* -*s* trhaně, škubaně;
—**in** ['džə:kin] *s* krátký ko-
žený kabátec; —**y** ['džə:ki]
a 1. přerývaný 2. kostrbatý
sloh

jerk² [džə:k] *vt* sušit maso

jerry-built ['džeribilt] *a* cha-
trně, narychlo stavěný

jersey ['džə:zi] *s* pletený kabá-
tek, svetr

jessamine viz *jasmine*

jest [džest] *s* žert šprým ◆ *in* ~
žertem; *to make* ~ *of* tropit
si žerty z ☐ *vt & i* žertovat,
tropit si žerty (*at* z); —**er**
['džestə] *s* šašek

Jesuit ['džezjuit] *s* jezuita; po-
krytec; —**ical** [,džezju'itikl]
a jezuitský

jet¹ [džet] *s* černý jantar;
|~ -|**black** *a* černý jako smola

jet² [džet] *s* 1. **proud** vody,
trysk 2 nátrubek, **hořák**,
tryska 3. tryskové **letadlo**

(~ plane) □ *vt & t* **1.** (-tt-) tryskat, vystřikovat, vyrazit proudem **2.** stav. vyčnívat o římse ap.; **~ air pump** proudová vývěva; **~ engine** proudový n. tryskový motor; **~ propulsion** proudový pohon

jetsam [ˈdžetsəm] *s* práv. **1.** lodní náklad vhozený do moře k odlehčení lodi **2.** zboží vyvržené na břeh, trosečné zboží

jettison [ˈdžetisn] *s* **1.** vhození části nákladu do moře **2.** = *jetsam* □ *vt* hodit přes palubu náklad

jetty [ˈdžeti] *s* přístavní hráz, molo

Jew [džu:] *s* Žid; **~'s harp** brumle, brnkačka □ *vt* hov. klamat, handrkovat se; **—ess** [ˈdžu:is] *s* Židovka; **—ish** [ˈdžu:iš] *a* židovský; **—ry** [ˈdžuəri] *s* židovstvo

jewel [ˈdžu:əl] *s* klenot, skvost; **—(l)er** [ˈdžu:ələ] *s* klenotník; **—(le)ry** [ˈdžu:əlri] *s* klenoty, klenotnictví

jib [džib] *s* **1.** kosatka plachta **2.** rameno jeřábu; **~ crane** otočný jeřáb □ *vi* (-bb-) **1.** jankovatět □ *vt* (-bb-) **2.** otočit plachtu; **~ at** váhat; **~-door** *s* tapetové dveře

jibe [džaib] viz *gibe*

jiff(y) [ˈdžif(i)] *s* okamžik

jig [džig] *vt* (-gg-) **1.** poskakovat **2.** tančit irský národní tanec džig; křepčit **3.** prosívat rudu **4.** chytat ryby □ *s* **1.** džig veselý irský tanec **2.** popěvek, šprým; **—ger** [ˈdžigə] *s* **1.** tanečník džigu

2. malá míra tekutiny, hlt **3.** nám. malý kladkostroj; malá plachta **4.** háček na chytání ryb

jiggle [ˈdžigl] *vi & t* kolíbat se, mírně (se) kodrcat

jilt [džilt] *s* koketka, záletnice □ *vt* **1.** koketovat **2.** dát košem n. kvinde

Jim Crow [ˈdžimˈkrou] *s* am. sl. černoch

jimmy [ˈdžimi] *s* paklíč

jingle [ˈdžingl] *vi & t* cinkat □ *s* **1.** cinkot **2.** cinkátko, rolnička **3.** dvoukolový krytý vůz

jingo [ˈdžiŋgou] *s* válečný štváč, šovinista ♦ *by* ~! na mou věru!

jinks [džiŋks] *s* ♦ *high* ~ pitka, hýření

jitney [ˈdžitni] *s* am. sl. **1.** autobus s laciným jízdným **2.** pět centů

jitterbug [ˈdžitəbag] *s* moderní groteskní tanec

jiu-jitsu [džju:ˈdžitsu:] viz *ju-jitsu*

jive [džaiv] *s* am. jive druh džezové hudby

job¹ [džob] *s* **1.** námezdní, výdělečná práce **2.** kus v práci, obrobek **3.** lid. záležitost, okolnost, událost; fuška ♦ *a bad ~* ošklivá věc, situace; *to make a good ~ of it* udělat to dobře; *to do his ~ for him* zničit, ruinovat ho; *odd -s* podělkování; *to work by the ~* pracovat v akordu □ *vi & t* (-bb-) **1.** konat práci, pracovat v akordu **2.** podělkovat, dělat obchůdky **3.** lichvařit **4.** dohazovat práci, pronajímat **5** kupovat ve velkém; **—ber** [ˈdžobə] *s* **1.** dohazovač; obchodník, komisionář **2.** politický pletichář **3.** příležitostný dělník; **—bery** [ˈdžobəri] *s* korupce, politické výdělkářství; makléřství; **|∼ -work** *s* akordní práce

job² [džob] *vt* (-bb-) píchnout bodnout *(at)* □ *s* bodnutí

jockey [ˈdžoki] *s* žokej, profesionální jezdec □ *vt & i* klamat, šidit; přinutit trikem

jocose [džəˈkous] *a* žertovný, rozmarný, hravý

jocular [ˈdžokjulə] *a* žertovný, rozmarný

jocund [ˈdžokənd] *a* veselý, rozmarný; **—ity** [džoˈkanditi] *s* veselost, rozmarnost

Joe [džou] = *Joseph*

jo(e) [džou] *s* miláček

jog [džog] *vt & i* (-gg-) **1.** pošťouchnout, popíchnout, drcnout do **2.** kodrcat, klopýtat **3.** vyburcovat; osvěžit *(one's memory* něčí paměť) □ *s* **1.** šťouchnutí, rýpnutí **2.** štulec, náraz **3.** klopýtání, kodrcání; **—gle** [ˈdžogl] *vt* strkat, třást □ *vi* klátit se □ *s* **1.** náraz, klusot **2.** zazubení, upevnění; **|∼ -|trot** *s* lehký poklus

John [džon] *s* Jan; **—ny** [ˈdžoni] *s* **1.** Jeník, Honza **2.** voj. ∼ *Raw* nováček, ucho

join [džoin] *vt & i* **1.** spojit, připojit (se) *(s.t.* k) **2.** účastnit se *(in doing* čeho) **3.** hraničit **4.** sjednotit se *(with* s) **5.** utkat se *(in battle* v bitvě) ♦ *to* ∼ *the river* vlévat se do

řeky; *to* ∼ *the army* nastoupit vojenskou službu; *to* ∼ *the Communist Party* vstoupit do komunistické strany; **—der** [ˈdžoində] *s* práv. spojení, sloučení; **—er** [ˈdžoinə] *s* truhlář; **—ery** [ˈdžoinəri] *s* truhlářství, truhlářská práce

joint [džoint] *s* **1.** spojení, kloub, skloubení, spára **2.** kýta, kolínko; *permanent* ∼ spoj pevný; *threaded* ∼ spoj šroubový; *universal* ∼ kardanový kloub, univerzální kloub □ *a* **1.** spojený **2.** společný; ∼ *voting-paper* společná kandidátka □ *vt* **1.** spojit, skloubit, sečlánkovat **2.** zapadat do sebe; ∼ *action* *s* společná akce, spolupráce; ∼ **-heir** [ˈdžointeə] *s* spoludědic; **—ing** [ˈdžointiŋ] *s* spojování, utěsňování, spárování; **—ly** [ˈdžointli] *adv* společně ♦ ∼ *and severally* obch. rukou společnou a nerozdílnou; **|∼owner** *s* spolumajitel; **|∼ stock** *s* akciový kapitál; **|∼ -stock company** akciová společnost; **—ure** [ˈdžointʃə] *s* výměnek

joist [džoist] *s* stropní nosník, trám

jok|e [džouk] *s* žert, vtip □ *vi & t* žertovat; **—er** [ˈdžoukə] *s* šprýmař

joll|ification [ˌdžolifiˈkeišən] *s* veselí, švanda; **-ify** [ˈdžolifai] *vt & i* (roz)veselit se; **—ity** [ˈdžoliti] *s* veselost

jolly [ˈdžoli] *a* **1.** veselý, v povznesené náladě **2.** radostný, příjemný **3.** dovádivý **4.** sváteční

jolt [džoult] *vi & t* strkat (se), házet sebou; drncat, kodrcat se □ *s* drncutí, náraz

jolterhead [ˈdžoultəhed] *s* trdlo

jonquil [ˈdžoŋkwil] *s* druh narcisu

Joseph [ˈdžouzif] *s* Josef

jostle [ˈdžosl] *vt & i* strkat, tlačit se □ *s* strkání, tahanice, tlačenice; srážka

jot [džot] *s* 1. jota 2. tečka □ *vt* (-tt-) stručně napsat, poznamenat

journal [ˈdžəːnl] *s* 1. deník 2. noviny, žurnál, časopis 3. lodní zápisník 4. čep ložiska; **—ese** [ˈdžəːnəˈliːz] *s* hov. novinářský jazyk; **—ist** [ˈdžəːnəlist] *s* novinář

journey [ˈdžəːni] *s* cesta; **—man** [ˈdžəːnimən] *s* tovaryš

joust, just [dža(u)st] *s* turnaj □ *vi* účastnit se turnaje, klát

jovial [ˈdžouvjəl] *a* veselý, bodrý; žoviální; družný; **—ity** [ˌdžouviˈæliti] *s* veselost, družnost

jowl [džaul] *s* 1. čelist, spodní čelistní kost, dáseň 2. tvář 3. lalok 4. podbradek

joy [džoi] *s* radost □ *vi & t* radovat se, (roz)veselit (se); **—ance** [ˈdžoiəns] *s* radost, rozradostnění; **—ful** [ˈdžoiful] *a* veselý, radostný; **—ous** [ˈdžoiəs] *a* radostný, potěšený (*at, of* nad, z)

J.P. = *Justice of the Peace*

jubilant [ˈdžuːbilənt] *a* jásavý; **—ate** [ˈdžuːbileit] *vi & t* jásat; **—ation** [ˌdžuːbiˈleišən] *s* jásot, plesání; **—ee** [ˈdžuːbiliː] *s* 1. výročí, jubileum 2. slavnost, jásot

Judaic [džuːˈdeiik] *a* židovský; **—ism** [ˈdžuːdeiizəm] *s* židovství

judge [džadž] *s* 1. soudce 2. znalec 3. rozhodčí □ *vt & i* 1. odsoudit 2. soudit (*of* o; *by* podle), posoudit 3. kritizovat 4. oceňovat; **—ment** *s* 1. soud, rozsudek 2. posudek, mínění (*in my ~* podle mého mínění), ocenění ♦ *the last ~* poslední soud; *~ seat s* soudcovská stolice, soudní tribunál

judicative [ˈdžuːdikətiv] *a* soudný, rozsuzovací; **—ory** [ˈdžuːdikətəri] *a* soudní □ *s* soudní dvůr, tribunál; **—ure** [ˈdžuːdikəčə] *s* soudcovská pravomoc, jurisdikce, soudnictví, souzení

judicial [džuːˈdišəl] *a* 1. soudní, justiční, zákonný; *~ murder* justiční vražda 2. kritický, nestranný; **—ary** [džuːˈdišiəri] *a* soudní □ *s* soudnictví, soudcovský stav; **—ous** [džuːˈdišəs] *a* soudný, rozvážný, moudrý

judo [ˈdžuːdou] *s* džudo, judo, džiu-džitsu

jug¹ [džag] *s* 1. džbán 2. sl. vězení, basa, díra; **—ful** [ˈdžagful] *s* džbán obsah

jug² [džag] *s* slavičí tlukot

juggle [ˈdžagl] *vi & t* 1. provozovat kejkle 2. balamutit, podvádět □ *s* 1. kejkle, kouzelnictví 2. balamucení, podvod; **—er** [ˈdžaglə] *s* 1. kejklíř 2. podvodník; **—ery** [ˈdžagləri] *s* kejklířství

Jugoslav [ˈjuːgouˈslaːv] = **Yugoslav**

jugul|ar [ˈdžagjulə] *a* krční, hrdelní □ *s* krční žíla; **—ate** [ˈdžagjuleit] *vt* 1. podřezat krk; zaškrtit 2. fig. rázně zarazit
juic|e [džu:s] *s* 1. šťáva, tekutina 2. pohonná látka n. energie; **—y** [ˈdžu:si] *a* 1. šťavnatý 2. lid. pikantní
jujitsu, jujutsu [džu:ˈdžitsu:] *s* džiu-džitsu
juke-box [ˈdžu:kboks] *s* am. automat na přehrávání gramofonových desek
julep [ˈdžu:lep] *s* osvěžující nápoj
July [džuˈlai] *s* červenec
jumble [ˈdžambl] *vt & i* zpřeházet, (po)míchat (se) □ *s* míchanice, zmatek; **—sale** [ˈdžamblseil] *s* prodej partiového zboží
jump [džamp] *vi & t* 1. skočit, skákat 2. nedbat 3. stoupnout v ceně ♦ *to ~ the queue* předbíhat ve frontě; **~ across**, **aside** přeskočit, uskočit, vskočit; **~ at** s radostí popadnout, přijmout; **~ down** seskočit; **~ for**: *~ for joy* skákat radostí; **~ in, into** vyskočit; vskočit; **~ on** napadnout slovně; **~ out of**: *~ out of one's skin* vyskočit z kůže; **~ up** vyskočit; **~ upon, on** 1. skočit na, učinit náhlý útok 2. vyplísnit, pokárat; **~ with** souhlasit s □ *s* 1. skok 2. náskok 3. vzestup cen 4. pl. sl. delirium tremens 5. zdvih 6. výstupek zdi; **—er** [ˈdžampə] *s* 1. skokan 2. námořnická blůza n. kazajka 3. volná halenka

přes sukni 4. skalní vrtačka 5. různý skákavý hmyz 6. žel. spojka (kabel)
junct|ion [ˈdžaŋkšən] *s* 1. spojení 2. železniční křižovatka, uzel; **~ box** el. kabelová spojka, odbočnice; **—ure** [ˈdžaŋkčə] *s* 1. spojení, kloub 2. sběh událostí, krize
June [džu:n] *s* červen
jungle [ˈdžaŋgl] *s* džungle
junior [ˈdžu:njə] *a* 1. mladší 2. podřízený, nižší důstojník □ *s* mladší n. podřízená osoba
juniper [ˈdžu:nipə] *s* jalovec
junk[1] [džaŋk] *s* džunka čínská lodice
junk[2] [džaŋk] *s* 1. sl. odpadek 2. skýva, skrojek; kus, hrouda 3. staré lano 4. odpadové hmoty, sběrné suroviny 5. haraburdí 6. nám. nasolené maso; **—et** [ˈdžaŋkit] *s* 1. zast. pamlsek, pochoutka 2. rozhuda 3. banket, hostina, hody 4. am. výlet na veřejný účet
juridic(al) [džuəˈridikəl] *a* soudní, právní
juris|consult [ˈdžuəriskənˌsalt] *s* právní poradce, znalec, právník; **—diction** [ˌdžuərisˈdikšən] *s* 1. soudní pravomoc, soudní úřady 2. soudní okres; **—prudence** [ˈdžuərisˌpru:dəns] *s* právnictví, právní věda
jur|ist [ˈdžuərist] *s* právník; **—or** [ˈdžuərə] *s* porotce; **—y** [ˈdžuəri] *s* porota
just [džast] *a* 1. spravedlivý 2. správný, pravý 3. pravdivý 4. přesný □ *adv* právě (*~ so* právě tak, *but ~* právě jen), téměř, bezmála, skoro ♦ *~ by*

hned vedle; ~ *now* právě nyní
justi|ce [ˈdžastis] *s* 1. spravedlnost 2. správnost 3. právo 4. soudce ♦ *in* ~ podle práva; *court of* ~ soud; *to administer* ~ vykonávat spravedlnost, soudit; *to do* ~ *to* spravedlivě posoudit; ~ *of the peace* smírčí soudce; *to bring a person to* ~ pohnat koho před soud; **—ciary** [džasˈtišiəri] *s* právní úředník, soudce; **—fiable** [ˈdžastifaiəbl] *a* ospravedlnitelný;

—fication [ˌdžastifiˈkeišən] *s* ospravedlnění; **—fy** [ˈdžastifai] *vt & i* 1. ospravedlnit, oprávnit 2. uspořádat, urovnat, narovnat
jut [džat] *vi & t* (-tt-) vyčnívat □ *s* výčnělek, výstupek
jute [džuːt] *s* juta
juvenil|e [ˈdžuːvinail] *a* mladistvý □ *s* mladík, jinoch; **—ity** [ˌdžuːviˈniliti] *s* mladistvost, mládí
juxtaposition [ˌdžakstəpəˈzišən] *s* postavení vedle sebe, přirovnání

K

K, k [kei] písmeno k
kail viz *kale*
kale, kail [keil] *s* 1. kapusta 2. polévka z kapusty
kaleidoscope [kəˈlaidəskoup] *s* kaleidoskop
Kan. = *Kansas*
kangaroo [ˌkængəˈruː] *s* klokan
Kansas [ˈkænzəs] *s* Kansas
kaolin [ˈkeiəlin] *s* kaolín
Katherine [ˈkæθərin] *s* Kateřina
kayak [ˈkaiæk] *s* kajak
K.C. = *King's Counsel*
keck [kek] *vi* dělati se špatně od žaludku; krkat; ~ *at* hnusit si
kedge [kedž] *s* malá kotva
keel [kiːl] *s* lodní kýl ♦ *to lay down a* ~ začít stavět loď; *on an even* ~ stejnoměrně □ *vt & i* obrátit dnem vzhůru; ~ *over* překlopit (se); **—son** [ˈkelsn] *s* kýlová vaznice
keen [kiːn] *a* 1. ostrý 2. prudký

bolest 3. chtivý 4. odvážný 5. chladný vzduch 6. bystrý zrak ♦ ~ *on* žádostivý, (dy)chtivý čeho, nadšený čím; ~ *as mustard* nadšený; ~ *competition* silná konkurence; ǀ~ *-set a* lačný, hladový
keep* [kiːp] *vt* 1. držet, mít 2. zacho(vá)vat, udržovat 3. podporovat, chránit, hájit 4. mít ve službě, vydržovat si 5. vést účty 6. zadržet, skrýt 7. zůstat, upoutat se (*to* k) 8. slavit (*Christmas* vánoce) 9. hlídat, pečovat o □ *vi* 10. am. ubytovat se, usadit se 11. zabránit něčemu, zdržet se (*from* čeho) 12. trvat 13. vytrvat 14. zdržovat se (*indoors* doma) ♦ *to* ~ *hold of* držet, mít; *to* ~ *in mind* pamatovat si, podržet v mysli; *to* ~ *one's feet*

nepadnout: *to ~ oneself to oneself* vyhýbat se společnosti; *to ~ clear of* vyvarovat se, vyhýbat se; *to ~ the law* respektovat zákon; *to ~ one's word* dostát slovu; *to ~ waiting* nechat čekat; *to ~ at disposal* mít k dispozici; *to ~ for collection* uschovat k inkasu; *to ~ (one's head) cool* zachovat rozvahu, klid; *to ~ one's countenance* zachovat vážnost; *to ~ boiling* udržovat ve varu; *to ~ company* dělat komu společnost; *to ~ talking* neustále mluvit; *to ~ house* hospodařit; *to ~ the house* nevycházet z domu; *to ~ ground* stát na svém; *to ~ short* zkracovat; *to ~ track* být informován; **~ at** přidržovat k; **~ back** zdržovat; **~ down** držet (se) zkrátka, krátit (se); *~ down the prices* stlačovat ceny; **~ in 1.** zadržet, potlačit city **2.** upoutat **3.** nepouštět z domu, nechat po škole **4.** *~ in touch* udržovat styky (*with* s) **5.** být s kým zadobře; **~ off** nepřipouštět; nepřibližovat se, držet se stranou; **~ on** setrvat v, pokračovat v, ponechat si na sobě; **~ out** nepouštět dovnitř; **~ to** držet se čeho; *~ to the left* držet se vlevo; **~ under** držet v područí; **~ up** držet se statečně, nepodlehnout; **—er** [ˈkiːpə] *s* **1.** držitel **2.** hlídač; hajný; ošetřovatel choromyslných; **—ing** [ˈkiːpiŋ] *s* **1.** držení **2.** dohled, péče **3.** výživa **4.** souhlas, shoda (*in, out of,*

~ ve shodě, v neshodě; s) 5. vazba, vězení: |**—ing -room** *s* am. obytný pokoj; **—sake** [ˈkiːpseik] *s* dárek na památku, upomínka

keg [keg] *s* soudek

ken [ken] *vt* (-nn-) skot. & angl. **1.** poznat, zpozorovat **2.** znát, rozumět □ *s* poznání, obzor, rozhled

kennel [ˈkenl] *s* **1.** psí bouda, psinec i fig. **2.** smečka psů □ *vi* (-ll-) ležet v psí boudě □ *vt* dát do psí boudy, chovat v psí boudě, žít v psí boudě

Kent [kent] *s* Kent anglické hrabství

Kentucky [kənˈtaki] *s* Kentucky

Kenya [ˈkiːnjə] *s* Kenja (z)

kept [kept] *pt & pp*, viz *keep*

kerb [kəːb] *s* obruba chodníku; |**~ -stone** *s* obrubní kámen

kerchief [ˈkəːčif] *s* šátek na hlavu

kerf [kəːf] *s* (zá)řez, drážka

kernel [ˈkəːnl] *s* **1.** jádro, zrno; pecka **2.** pl. dial. zduřelé žlázy, mandle

kerosene [ˈkerəsiːn] *s* petrolej

kestrel [ˈkestrəl] *s* poštolka

ketchup [ˈkečəp] *s* rajský protlak

kettle [ˈketl] *s* kotel ♦ *a pretty ~ of fish* pěkná kaše, brynda; **~ -drum** [ˈketldram] *s* buben; |**~ -maker** *s* kotlář

key [kiː] *s* **1.** klíč **2.** hud. klávesa, klapka u dechového hudebního nástroje **3.** výška tónu **4.** tech. klín, svorník, péro, knoflík, kohoutek **5.** legenda ♦ *golden, silver, ~* úplatek; *power of the ~s* církevní moc, autorita □ *vt*

1. zavřít na klíč 2. naladit piano 3. zaklínovat *(in, on)* 4. ~ *up* podnítit, povzbudit; ~ **-board** [ˈkiːbɔːd] *s* klávesnice; ~ **-hole** [ˈkiːhoul] *s* klíčová dírka; |~ **-hole** *saw* děrovka, zlodějka pila; |~ **-industry** *s* klíčový základní průmysl; ~ **-note** [ˈkiːnout] *s* základní tón stupnice; ~ **plate** klíčový štítek; ~ **punch** dírkovací stroj na děrné štítky; |~ **-stone** *s* 1. svorník 2. základní kámen 3. fig. základní princip, zásada; — **way** [ˈkiːwei] *s* klínová drážka

K.G. = *Knight of the Garter*

khaki [ˈkaːki] *a* žlutohnědý ☐ *s* khaki látka na uniformu

Khart(o)um [kaːˈtuːm] *s* Chartúm (m)

kibe [kaib] *s* arch. oznobenina

kibitz [ˈkiːbic] *s* sl. kibic

kick [kik] *vi & t* 1. kopat, vyhazovat 2. vzdorovat, odporovat ♦ *to* ~ *one's heels* netrpělivě čekat; *to* ~ *up one's heels* vyhodit si z kopýtka; *to* ~ *up a row, dust, fuss* způsobit výtržnost, zmatek, rozruch; ~ **back** odplatit; ~ **off** vykopnout ☐ *s* 1. kopnutí, kopanec 2. sl. protest 3. sl. silně dráždivý účinek likéru, příjemné vzrušení 4. sl. sixpence; *to get the* ~ sl. být propuštěn, dostat vyhazov; — **er** [ˈkikə] *s* kopavý kůň; |~ **-off** *s* výkop míče; ~ **starter** nožní spouštěč motocyklu

kid[1] [kid] *s* 1. kůzle 2. kozinka; ~ *gloves* rukavice z koziny 3. sl. kůzle dítě 4. sl. psina,

legrace ☐ *vi* (-dd-) 1. vrhnout kůzlata 2. sl. dělat si psinu, vodit za nos; — **nap** [ˈkidnæp] *vt* (-pp-) unést osobu, ukrást dítě

kid[2] [kid] *s* otep chrastí

kidney [ˈkidni] *s* 1. ledvina 2. jakost, druh ♦ *a man of that* ~ člověk toho druhu; ~ **beans** vlašské fazole; ~ **potatoes** rohlíčky

kill [kil] *vt & i* 1. zabít 2. zničit ♦ *to* ~ *time* zabít čas; *to* ~ *two birds with one stone* zabít dvě mouchy jednou ranou; ~ **off, out** vybít; — **er** [ˈkilə] *s* vrah; řezník; — **ing** [ˈkiliŋ] *s* ♦ *mass* ~ masová vražda, masakrování

kiln [kiln] *s* pec, sušárna ☐ *vt* péci, sušit; — **dry** [ˈkilndrai] *vt* sušit

kilo, — gram(me) [ˈkiːlou, ˈkiləgræm] *s* kilo; — **meter** [ˈkiləˌmiːtə] *s* kilometr; |~ **-man-hour** *s* měrná jednotka práce

kilt [kilt] *s* skotská sukénka

kin [kin] *s* 1. rod, rodina (*of good* ~ z dobrého rodu) 2. příbuzný, příbuzenstvo ♦ *he is* ~ *to me* je mým příbuzným; *near of* ~ blízce příbuzný; *next of* ~ nejbližší příbuzný; — **sfolk** [ˈkinzfouk] *s* příbuzenstvo; |— **sman**, |— **s- woman** *s* příbuzný, příbuzná

kind [kaind] *s* 1. druh 2. rod 3. povaha, přirozenost ♦ *s.t. of that* ~ něco podobného; *nothing of the* ~ nic takového; *in that* ~ takovým způsobem; *payment in* ~ placení v naturáliích; *we had coffee of a* ~ měli jsme cosi jako kávu; *they act after their* ~ jednají svým způsobem; *these ~ of men* lid. lidé tohoto druhu; *rent in ~* nájem, v naturáliích □ *a* laskavý, vlídný; *it is ~ of you* je to od vás laskavé; **~ -hearted** [ˈkaindˌha:tid] *a* dobrosrdečný; **—less** [ˈkaindlis] *a* 1. nelaskavý 2. zast. nepřirozený; **—ly** [ˈkaindli] *adv* laskavě □ *a* laskavý, vlídný; **—ness** [ˈkaindnis] *s* laskavost ♦ *to have a ~ for* mít rád

kindergarten [ˈkindəˌga:tn] *s* mateřská škola

kindle [ˈkindl] *vt & i* 1. zapálit, rozžehnout, chytnout 2. vzrušit (se)

kindred [ˈkindrid] *s* příbuzenství, příbuzenstvo □ *a* příbuzný, podobný

kine [kain] *pl.* zast. viz *cow*

king [kiŋ] *s* král též v šachu u v kartách ♦ *K~'s Bench* soudní dvůr; *K~'s English* ryzí angličtina; *K~'s evil* skrofulóza □ *vt & i* udělat králem; hrát krále; vládnout; **~ -cup** [ˈkiŋkap] *s* pryskyřník, blatouch; **—dom** [ˈkiŋdəm] *s* království; **~ -fisher** [ˈkiŋˌfišə] *s* ledňáček; **—ly** [ˈkiŋli] *a* královský

kink [kiŋk] *s* 1. klička, smyčka, uzel, háček 2. křeč 3. fig. o kolečko víc v hlavě

kinsfolk viz *kin*

kiosk [kiˈosk] *s* kiosk, pavilon, stánek

kipper [ˈkipə] *s* 1. losos za tření 2. uzený slaneček 3. sl. mlíčňák o dítěti n. mladém muži

kirk [kə:k] *s* skot. 1. kostel 2. církev

kiss [kis] *vt & i* políbit, líbat (se) ♦ *to ~ the dust* 1. plazit se v prachu, podrobit se 2. zahynout; *to ~ the rod* přilézt ke křížku, kát se □ *s* polibek, hubička

kit¹ [kit] *s* 1. kotě 2. hud. housličky 3. dřevěná nádoba, kbelík 4. zavazadlo, vak, batoh 5. řemeslnické nářadí; montážní brašna

kit² [kit] = *kitten*

kitchen [ˈkičin] *s* kuchyně; ˈ~ -ˈgarden *s* zelinářská zahrada; **~ -maid** [ˈkičinmeid] *s* služebná v kuchyni; **~ -range** [ˈkičinreindž] *s* kuchyňský sporák; **~ ware** kuchyňské nádobí

kite [kait] *s* 1. luňák 2. drak papírový 3. sklepní směnka

kitten [ˈkitn] *s* kotě □ *vi* okotit se

kittle [ˈkitl] *a* lehtivý, choulostivý

klaxon [ˈklæks]] *s* klakson, houkačka

knack [næk] *s* 1. praskot 2. zručnost, obratnost 3. úskok ♦ *to have a ~ at* mít zručnost v; *to have* (n. *know*) *the ~ of it* vidět čemu na kloub, vzít za pravý konec; **—er** [ˈnækə] *s* 1. pohodný, ras 2. kupec starých lodí nebo domů 3. dial. klapačka, kastaněty

knag [næg] *s* suk; **—gy** [ˈnægi] *a* sukovitý, hrubý

knap [næp] *vt & i* (-pp-) tlouci štěrk, štípat, roztloukat kamení □ *s* hrbol, vrchol; **—sack** [ˈnæpsæk] *s* tlumok, batoh, torba

knar [na:] *s* suk, svalec

knav|e [neiv] *s* 1. darebák, taškář 2. spodek karty; —ery [ˈneivəri] *s* darebáctví; —ish [ˈneiviš] *a* šelmovský, darebácký

knead [niːd] *vt* zadělat, hníst, válet těsto; —ing-trough [ˈniː-dinˌtrof] *s* díže

knee [niː] *s* koleno ♦ *to bend the ~ to* 1. pokorně pokleknout před 2. fig. odprosit, poklonit se; *on one's -s* na kolenou, prosící; *to go on one's -s* 1. kleknout si 2. prosit, modlit se; *to bring a person to his -s* přinutit koho k poslušnosti; |~ -cap *s* čéška, jablko kolenní; |~ -|deep *a* sahající ke kolenům; ~ -hole [ˈniː-houl] *s* otvor pro nohy u psacího stolu; ~ -joint [ˈniː-džoint] *s* kolenní kloub

kneel* [niːl] *vi* klečet; ~ down pokleknout; —er [ˈniːlə] *s* klekátko

knell [nel] *s* umíráček, zvonění umíráčkem □ *vi & t* zvonit umíráčkem

knelt [nelt] *pt & pp,* viz *kneel*

knew [njuː] *pt & pp,* viz *know*

knickerbockers [ˈnikəbokəz] *s pl.* sportovní kalhoty, golfky

knickers [ˈnikəz] *s* zkr. viz *knickerbockers*

knick-knack [ˈniknæk] *s* titěrnost, drobnůstka, ozdůbka

knife [naif] *s pl.* -ves (-vz) nůž ♦ *war to the ~* nelítostná válka; *to play a good ~ and fork* jíst s chutí; ~ -edge [ˈnaif-edž] *s* 1. ostří nože 2. ocelový jehlan n. klín, na němž je zavěšeno kyvadlo; ~ -grinder [ˈnaifˌgraində] *s* brusič

nožů; |~ -rest *s* stojánek na nože

knight [nait] *s* 1. rytíř 2. šach koník □ *vt* pasovat na rytíře; ~ -errant [ˈnaitˈerənt] *s* bludný rytíř; —hood [ˈnaithud] *s* rytířství

knit* [nit] *vt & i* 1. plést, háčkovat 2. vázat 3. spojit (se), sjednotit ♦ *to ~ one's brows* svraštit obočí, čelo; —ter [ˈnitə] *s* pletařka, pletací stroj; —ting needle pletací drát

knives [naivz] *pl.* viz *knife*

knob [nob] *s* 1. knoflík, držadlo, rukojeť, kulatá klika dveří, oken 2. suk 3. homole, pahorek 4. boule, bulka 5. sl. kebule; —by [ˈnobi] *a* sukovitý, hrbolatý

knock [nok] *vt* 1. klepat, tlouci na dveře *(at)*, udeřit 2. sl. překvapit □ *vi* 3. am. zlehčovat, nepřátelsky kritizovat ♦ *to ~ a person on the head* dát komu po hlavě; *to ~ to pieces* roztlouci na kusy; ~ about 1. otloukat koho 2. vést potulný život, potulovat se; potloukat se; ~ against udeřit o, narazit na; ~ down srazit k zemi; *to ~ a thing down to* přiklepnout v dražbě; ~ in, into vtlouci, vrazit do; ~ off *(a picture)* chvatně dokončit; *to ~ off work* zbavit se práce, přestat pracovat; ~ on *the head* zničit; ~ out 1. vypáčit, vyrazit 2. vyklepat dýmku 3. zasadit knokaut 4. fig. vyřadit, přemoci 5. hov. dělat překotné plány; *to ~ the bottom out of* zničit, úplně vyvrátit argument; ~ up 1. vzbudit klepáním na dveře 2. spěšně dát dohromady 3. vyčerpat se □ *s* 1. klepání, tlučení 2. rána, úder; *to get the* ~ lid. být propuštěn; ǀ**-about** *a* 1. hlučný, lomozivý 2. potloukající se, potulný 3. všední, pracovní; ǀ~-ǀ**down** *a* daleko převyšující; minimální cena; volný styl zápasu □ *s* sražení k zemi; —**er** [ǀnokə] *s* 1. klepátko 2. ten, kdo klepá; ~-**kneed** [ǀnokni:d] *a* mající nohy do x

knoll [noul] *s* 1. kopec, vršek, násyp, homole 2. arch. vyzvánění

knot [not] *s* 1. uzel, klička 2. svazek, skupina, chomáč 3. suk, hrbol 4. poupě, pupenec 5. mořská míle 1854 m 6. fig. nesnáz, problém ♦ *to tie oneself (up) in(to)* -*s* zaplést se do nesnází □ *vt & i* (-tt-) 1. zauzlit 2. spojit, svázat 3. zaplést (se) 4. dělat uzlíčky k třepení; —**ty** [ǀnoti] *a* 1. uzlovitý, zauzlený 2. nesnadný

knout [naut] *s* knuta, karabáč □ *vt* zmrskat knutou

know* [nou] *vt* znát, vědět, poznat ♦ *he* -*s what's what* vyzná se; *to* ~ *by heart* znát zpaměti; *to* ~ *by name* znát podle jména; *to* ~ *by sight*

znát od vidění; *to* .*come to* ~ dovědět se, poznat; *to* ~ *one's own business* rozumět své věci; *to* ~ *one's own mind* vědět, co člověk chce, být pevný v rozhodování a jednání; ǀ~ -**how** *s* odborná znalost, technická dovednost; —**ing** [ǀnouiŋ] *a* 1. znalý, zkušený 2. chytrý 3. módní, moderní 4. hov. elegantní; —**ingly** [ǀnouiŋli] *adv* vědomě, chytře; —**ledge** [ǀnolidž] *s* vědění, znalost (*of* čeho) ♦ *to my* ~ pokud vím; ǀ~ -**more** *programme* program školení

knuckle [ǀnakl] *s* kotník, kloub ♦ *a rap on, over, the* -*s* klepnutí přes prsty, výtka, napomenutí

knur(r) [nə:] *s* suk

knurl [nə:l] *s* vroubkovací n. rýhovací kolečko □ *vt* vroubkovat, rýhovat

kodak [ǀkoudæk] *s* fotografický aparát □ *vt* 1. fotografovat 2. zachytit 3. živě popsat

kohlrabi [ǀkoulǀra:bi] *s* pl. -*es* brukev

kolkhoz [ǀkolǀho:z] *s* kolchoz

koran [koǀra:n] *s* korán

Kremlin [ǀkremlin] *s* Kreml

Kt = *knight*

kulak [ǀkulak] *s* kulak

Ky = *Kentucky*

L

L, l [el] písmeno l
La. = *Louisiana*
label [ǀleibl] *s* 1. přívěsný štítek, známka, viněta, nálepka 2. pojmenování □ *vt* (-ll-) označit n. opatřit vinětou, nápisem

labial [ˈleibjəl] *a* retný, labiální □ *s* fon. retnice
laboratory [ləˈborətəri] *s* laboratoř □ *a* laboratorní
laborious [ləˈboːriəs] *a* 1. lopotný, pracný 2. těžkopádný sloh, namáhavý 3. pilný, pracovitý
labour [ˈleibə] *s* 1. práce, námaha; pracovní síla; dělnictvo; *pl.* pracující třídy v kapitalistických zemích 2. úkol 3. porodní bolesti (*to be in* ~ pracovat k porodu) ♦ *compulsory* ~ nucená práce; *direct* ~ jednicová mzda; *division of* ~ dělba práce; *hard* ~ nucená práce; *Hero of Socialist L*~ hrdina socialistické práce; *proceeds of* ~ výtěžek práce, *(un)skilled* ~ (ne)kvalifikovaná práce (n. dělnictvo); *slave* ~ otrocká práce; *socially necessary* ~ společensky nutná práce; *wage* ~ námezdní práce; ~ *cost* mzdové náklady; ~ *displacement by machinery* vytlačování dělnictva stroji v kapitalismu; ~ *force* pracovní síla; ~ *gang* pracovní četa; ~ *hours* pracovní hodiny; ~ *power* pracovní síla u strojů; ~ *rate* mzdová sazba; ~ *stoppage* zastavení práce; ~ *theory of value* pracovní teorie hodnoty; ~ *turn-over* fluktuace zaměstnanců; *L*~ *Party* dělnická strana v Anglii; ~ *service* pracovní povinnost □ *vi & t* 1. pracovat, (podrobně) vypracovat, lopotit se 2. usilovat (*for* o) 3. pracovat k porodu; —**ed** [ˈleibəd] *a*

pracný, lopotný, vypracovaný, strojený (*style* sloh); —**er** [ˈleibərə] *s* pracovník, dělník nezaučený, pomocný zemědělský dělník; —**ite** [ˈleibərait] *s* (obv. *L*~) příslušník Labour Party; |~-|saving *a* hospodárný, úsporný
laburnum [ləˈbəːnəm] *s* bot. zlatý déšť, čilimník alpský
labyrinth [ˈlæbərinθ] *s* labyrint, bludiště
lace [leis] *s* tkanice do bot, šňůra, krajka, prýmek, lemovka □ *vt* 1. upevnit tkanici 2. (za)šněrovat 3. vypráskat (*into*) 4. ozdobit krajkami, olemovat 5. provléci tkanici (*through* čím); |~-woman *s* krajkářka
lacerat|e [ˈlæsəreit] *vt* (roz)trhat, rozsápat; —**ion** [ˌlæsəˈreišən] *s* 1. (roz)drásání 2. tržná rána, natržení
laches [ˈleičiz] *s* práv. opomenutí, zanedbání
lachrym|al [ˈlækriməl] *s* slzavý, slzný; —**ation** [ˌlækriˈmeišən] *s* slzení, pláč; —**ator, lacrimator** [ˈlækrimeitə] *s* slzný plyn
lack [læk] *a* nedostatek, potřeba □ *vi & t* 1. nedostávat se (*of* čeho) 2. být bez, potřebovat ♦ *to* ~ *a quorum* být neschopným usnášet se
lackadaisical [ˌlækəˈdeizikəl] *a* ufňukaný, přepjatý; strojený, sentimentální
lack|ey [ˈlæki] *s* pl. *-eyes* n. *-ies* lokaj
laconic [ləˈkonik] *a* skoupý na slovo, úsečný, lakonický

lacquer, lacker [ˈlækə] *s* lak □
vt lakovat

lactat|ion [lækˈteišən] *s* kojení,
vylučování mléka; **—eous**
[lækˈteišəs] *a* mléčný

lad [læd] *s* hoch, jinoch, mladík

ladder [ˈlædə] *s* 1. žebřík 2.
puštěné oko v punčoše

lad|e* [leid] *vt* 1. naložit, obtížit
břemenem 2. nabírat, čerpat
vodu 3. postihnout čím ♦
bill of -ing konosament

ladle [ˈleidl] *s* naběračka, mě-
chačka □ *vt* nabírat sběrač-
kou; **—ful** [ˈleidlful] *s* plná
sběračka

lady [ˈleidi] *s* 1. dáma, paní 2. *L~*
lady šlechtický titul 3. žena, choť
4. milenka 5. Panna Maria ♦
L~ Mayoress žena lordmayo-
ra; *L~-chapel* [ˈleidiˌčæpəl]
s kaple P. Marie; **Ladyday**
Zvěstování P. Marie; **~-bird**
s zool. sluníčko; **~'s cushion**
[ˈkušən] *s* bot. lomikámen;
—fy, ladify [ˈleidifai] *vt* udě-
lat z někoho dámu; chovat se
jako dáma, dělat milostpaní;
oslovovat titulem „milost-
paní"; **~ in waiting** dvorní
dáma; *~-ˌkiller* *s* žert. dobyva-
tel ženských srdcí; **—kin**
[ˈleidikin] *s* malá dáma:
~-love *s* milenka: **~'s maid**
komorná; **~-ship** [ˈleidišip] *s*
milostivá paní (*her ~* její mi-
lost); **—smock** [ˈleidismok] *s*
bot. řeřicha luční; **~-ˌslipper**
[ˈleidislipə] *s* bot. střevíčník

laevogyrate [ˈliːvouˈdžaireit] *a*
levotočivý

lag¹ [læg] *vi* (-gg-) loudat se;
zpožďovat se; izolovat te-
pelně; *~ behind* opozdit se,

otálet □ *s* 1. loudání, opož-
dění 2. loudal

lag² [læg] *vt* (-gg-) sl. dopadnout,
uvěznit □ *s* trestanec

laggard [ˈlægəd] *s* loudal, váhal

lagoon [ləˈguːn] *s* laguna

laic [ˈleiik] *a* laický □ *s* laik

laid [leid] *pt & pp*, viz *lay*

lain [lein] *pp*, viz *lie*

lair [leə] *s* brloh, doupě

laird [leəd] *s* skot. zeman,
statkář

laity [ˈleiiti] *s* laici, stav světský

lake [leik] *s* 1. jezero 2. purpu-
rově červená pryskyřičná bar-
va; *~-dwelling* *s* jezerní
kolová stavba

lama [ˈlaːmə] *s* láma buddhis-
tický kněz; **—sery** [ˈlaːməsəri]
s lamaistický klášter

lamb [læm] *s* jehně, beránek □
vi vrhnout jehňata, pomáhat
při vrhu jehňat; **—kin** [ˈlæm-
kin] *s* jehňátko; **—like** [ˈlæm-
laik] *a* mírný, něžný; **~'s tails**
jehnědy, kočičky

lamb|ency [ˈlæmbənsi] *s* plápo-
lání, jiskření, jiskřivost; **—ent**
[ˈlæmbənt] *a* plápolavý, oli-
zující plamen; jiskřivý

lambrequin [ˈlæmbəkin] *s* záves
na okno, dveře, krb

lame [ˈleim] *a* 1. chromý, kul-
havý (*of, in, a leg* na nohu)
2. neschopný tělesně 3. ne-
uspokojivý, nepřesvědčující
□ *vt* zchromit, zmrzačit;
~ duck *s* 1. mrzák 2. bank-
rotář

lamell|a [ləˈmelə] *s* pl. *-ae* [-iː]
plátek, lupínek, lístek, lamela

lament [ləˈment] *vi & t* bědovat,
naříkat (*for, over* pro) □ *s*
1. nářek, bědování, pláč 2.

žalozpěv; —able [ˈlæməntəbl]
a žalostný; —ation [ˌlæmen-
ˈteišən] s naříkání, bědování,
pláč
lamin|a [ˈlæminə] s pl. -ae [-i:],
-as [-əz] 1. vrstva 2. lupínek,
šupinka, čepel, lamela, list;
—ate [ˈlæmineit] vt štípat,
tepat n. válcovat v lupínky
□ s vrstvený materiál,
vrstvená deska
Lammas [ˈlæməs] s 1. srpna za
starších dob slavnost žní
lamp [læmp] s 1. lampa 2.
světlo 3. nebeské těleso;
ˈ~-black s lampová čerň;
~-chimney [ˈlæmpčimni] s
cylindr; ~-lighter [ˈlæmp-
laitə] s lampář; ˈ~-post s
kandelábr, ~socket objímka
žárovky
lampoon [læmˈpu:n] s hanopis
□ vt zesměšnit hanopi-
sem
Lancaster [ˈlæŋkəstə] s 1. Lan-
caster 2. Lankastrovci
lanc|e [la:ns] s 1. oštěp, kopí
2. hulán □ vt 1. probodnout
kopím 2. bás. mrštit 3. med.
otevřít n. propíchnout lan-
cetou; —er [ˈla:nsə] s 1.
kopiník, hulán 2. pl. tanec
hulán; —et [ˈla:nsit] s lan-
ceta; —inate [ˈla:nsineit] vt
bodat, probodnout; —ination
[ˌla:nsiˈneišən] s bodání, bo-
davá bolest
land [lænd] s 1. země, půda
2. pevnina, souš 3. pozemek
4. statek ♦ dry ~ souše; by ~
po souši; ~ of promise zaslí-
bená země; houses and -s
statky; to own ~ vlastnit
pozemky □ vt & i 1. přistát,

vylodit 2. vyhodit rybu na
břeh 3. fig. vyhrát, získat
4. vlepit, uštědřit políček, dát
ránu □ vi 5. vylodit se, vy-
stoupit na pevninu, přistát
o letadlu 6. doskočit, dopad-
nout na zem 7. vynést z hlu-
bin na povrch; ~-based
[ˈlændbeist] a mající pozemní
základnu; —ed [ˈlændid] a
vlastnící pozemky, pozem-
kový, agrární; ~ interests
zemědělské zájmy; ˈ~-ˌholder
s statkář; —ing [ˈlændiŋ] s
1. přistání, vylodění 2. po-
desta přestávka na schodech:
~ boat vyloďovací člun;
~ charges poplatky za přistá-
ní; ~ gear s podvozek; ˈ—ing-
place s přístaviště; ˈ—ing-
stage s přístavní můstek;
~-jobber [ˈlænddžobə] s spe-
kulant s pozemky; —lady
[ˈlænˌleidi] s 1. statkářka
2. domácí paní 3. hostinská;
ˈ—lord s 1. statkář 2. domácí
pán 3. hostinský; ~-lubber
[ˈlændˌlabə] s nám. člověk
neznalý námořnického života,
,,pozemní krysa"; ~-mark
[ˈlændma:k] s mezník, hra-
niční kámen; ˈ~-ˌowner s
velkostatkář; ˈ~ reform s po-
zemková reforma; —scape
[ˈlænskeip] s krajina, terén:
ˈ~-service s pozemní služba
vojenská; ~-slide [ˈlænd-
slaid] s 1. sesouvání půdy
2. am. velký přesun hlasů ve
volbách; ˈ~-slip s sesouvání
země; ~-survey [ˈlænd-sə:-
vei] s zeměměřičství. ˈ~-tax
s pozemková daň
lane [lein] s 1. ulička postrannt

ve městě, mezi živými ploty na venkově 2. špalír

language [ˈlæŋgwidž] *s* 1. řeč, jazyk 2. sloh 3. zásoba slovní

langu|id [ˈlæŋgwid] *a* 1. mdlý, malátný, slabý 2. nehybný 3. pomalý, zdlouhavý; **-ish** [ˈlæŋgwiš] *vi* 1. umdlévat, ztrácet sílu, hynout 2. nýt, umírat touhou; **—or** [ˈlæŋgə] *s* 1. otupělost, malátnost, únava 2. touha

lank [læŋk] *a* 1. hubený a vytáhlý, vyčouhlý 2. dlouhý a splihlý vlas 3. sporý; **—y** [ˈlæŋki] *a* vychrtlý

lantern [ˈlæntən] *s* 1. lucerna, svítilna 2. maják 3. stav. lucerna kopule

lanyard [ˈlænjəd] *s* nám. tenké lano návlečné

lap¹ [læp] *s* 1. okraj, cíp 2. překlopek, záložka; překrytí, přehyb, 3. klín, lůno 4. úsek (*of the journey* cesty) 5. sport. jedno kolo na závodní dráze □ *vt* (-pp-) 1. překlopit, zahnout, složit látku 2. arch. zabalit, zavinout 3. držet v náručí, klíně □ *vi* (-pp-) 4. přečnívat (*over*); **—ping machine** lapovací stroj

lap² [læp] *s* 1. tekutá strava pro psy, chlemtanina 2. hlt 3. sl. slabý nápoj □ *vi & t* (-pp-) chlemtat, lízat

lap³ (læp] *s* lešticí kotouč □ *vt* (-pp-) leštit

lapel [ləˈpel] *s* klopa, výložka

lapful [ˈlæpful] *s* plná náruč, plný klín

lapidary [ˈlæpidəri] *a* 1. vrytý, vtesaný do kamene 2. lapidární 3. týkající se kamení

□ *s* brusič drahokamů, kameník

Lapp [læp] *s* 1. Laponec 2. laponština

lappet [ˈlæpit] *s* cíp, chlopeň, koneček; lalůček

lapse [læps] *s* 1. chyba, omyl, úchylka 2. poklesek 3. klesnutí, zabřednutí (*to* do) 4. propadnutí práva ♦ ~ *of time* interval, časový odstup □ *vi* 1. padnout, zabřednout (*into* do) 2. propást 3. připadnout 4. uplynout, minout (~ *away*) 5. upadnout v zapomenutí

lapwing [ˈlæpwiŋ] *s* čejka

larboard [ˈlaːbəd] *s* nám. zast. levá strana lodi

larcen|uos [ˈlaːsinəs] *a* zlodějský; **—y** [ˈlaːsni] *s* práv. krádež

larch [laːč] *s* modřín

lard [laːd] *s* sádlo, slanina, tuk □ *vt* 1. špikovat 2. mastit 3. fig. prošpikovat řeč cizími slovy apód.: **—er** [ˈlaːdə] *s* spižírna; ǀ**—ing-pin** *s* špikovačka; **—y** [ˈlaːdi] *a* sádelnatý, tučný

large [laːdž] *a* 1. velký 2. značný 3. prostorný 4. zast. laskavý 5. zast. štědrý, hojný 6. zast. nepředpojatý, nenucený ♦ *in* ~ ve velkém; *at* ~ 1. volně, podrobně, detailně, ze široka 2. na svobodě; **~ -hearted** [ˈlaːdžˈhaːtid] *a* štědrý; **~-lot** *production* velkosériová výroba; **~-minded** [ˈlaːdžˈmaindid] *a* svobodomyslný, liberální; **~ -scale** [ˈlaːdžskeil] *a* ve velkém měřítku; **~ -industry** velký průmysl; **~-sized**

[ˈlɑːdžsaizd]: ~ *newspaper* noviny velkého světového formátu; —ly [ˈlɑːdžli] *adv* 1. značnou měrou 2. široce 3. štědře; —ss(e) [ˈlɑːdžes] *s* arch. velkodušnost, štědrost

lariat [ˈlæriət] *s* laso

lark [lɑːk] *s* 1. skřivan 2. žert □ *vi* lid. 1. žertovat, tropit švandu 2. jezdit divoce na koni; ~-**spur** [ˈlɑːkspə:] *s* bot. stračka; —y [ˈlɑːki] *a* fam. čtveračivý

larva [ˈlɑːvə] *s* pl. -e [-iː] larva

larynx [ˈlæriŋks] *s* hrdlo, hrtan, larynx

lascivious [ləˈsiviəs] *a* chlípný, smyslný

lash [læš] *s* 1. švihnutí, rána bičem 2. bič, žíla 3. fig. šleh, sarkasmus 4. viz *eyelash* □ *vt* 1. bičovat, švihat 2. pohánět bičem 3. vyhazovat o koni 4. plísnit 5. připoutat (*down, on, together, to* k) □ *vi* 6. napřáhnout, rozpřáhnout se, mávnout rukou, ocasem 7. šlehat o dešti 8. švihat, práskat bičem; —ing [ˈlæšiŋ] *s* 1. šlehání, práskání 2. vázání, připoutání 3. provaz 4. vyplísnění, vypeskování

lass [læs] *s* děvče, miláček

lassie [ˈlæsi] *s* skotsky 1. děvče 2. miláček

lassitude [ˈlæsitjuːd] *s* únava, malátnost

lasso [ˈlæsou] *s* laso □ *vt* chytat lasem

last [lɑːst] *a*, *sup* od *late* 1. poslední 2. minulý, předešlý 3. krajní 4. zadní 5. nejmenší ♦ *but not least* v neposlední řadě; ~ *day* soudný den;

at ~ konečně; ~ *but one* předposlední ♦ *adv* naposled, nedávno, konečně □ *s* 1. posledně zmíněná osoba, věc 2. poslední den n. poslední chvilky života 3. poslední zmínka 4. ševcovské kopyto 5. trvání 6. vytrvalost □ *vi* 1. trvat 2. stačit 3. snášet; —ing [ˈlɑːstiŋ] *a* trvalý, stálý; —ly [ˈlɑːstli] *adv* (vy)trvale

latch [læč] *s* petlice, klika (*on the* ~ na petlici) □ *vt & i* zavřít na závoru; —et [ˈlæčit] *s* bibl. řemínek (obuvi); ~-**key** [ˈlæčkiː] *s* klíč od domovních dveří

late [leit] *a* 1. pozdní, zpožděný 2. zesnulý, bývalý 3. nejnovější ♦ *of* ~ nedávno, kdysi; *it is getting* ~ připozdívá se □ *adv* pozdě, kdysi; *as* ~ *as* až do; ~-**comer** *s* pozdní příchozí; —ly [ˈleitli] *adv* nedávno; —ness [ˈleitnis] *s* pozdní doba, opožděnost

lateen [ləˈtiːn] *a* nám. ~ *sail* latinská (trojúhelníková) plachta

lat|ency [ˈleitənsi] *s* utajenost, skrytost; —ent [ˈleitənt] *a* utajený, skrytý, latentní; ~ *reserve* skrytá (utajená) rezerva

later [ˈleitə] *a comp* od *late* pozdější, novější □ *adv* později

lateral [ˈlætərəl] *a* postranní, pobočný, příčný

latest [ˈleitist] *a sup* od *late* 1. nejposlednější 2. nejnovější ♦ *the* ~ *samples* nejnovější vzorky; *at the (very)* ~ nejpozději

latex [ˈleiteks] *s* kaučukové mléko, latex
lath [la:θ] *s* 1. lať, tyčka 2. parketa 3. šindel; **—y** [ˈla:θi] *a* laťkovitý; vyčouhlý; útlý
lathe [leið] *s* soustruh □ *vt* soustruhovat; **ˈ~-hand** *s* soustružník
lather [ˈla:ðə] *a* mydlina, pěna □ *vt & i* 1. namydlit, pěnit (se) 2. hov. napráskat, zmydlit
Latin [ˈlætin] *a* latinský □ *s* latina; **—ize** [ˈlætinaiz] *vt* polatinštit
latitude [ˈlætitju:d] *s* 1. zeměpisná šířka 2. volnost, liberálnost; velkorysost
latrine [ləˈtri:n] *s* latrína, záchod
latter [ˈlætə] *a comp* od *late* 1. pozdější, novější, nedávný; druhý ze dvou 2. posledně zmíněný ♦ *the former — the ~* onen — tento; **ˈ~-day** *a* moderní; **—ly** [ˈlætəli] *adv* 1. nedávno, onehdy 2. ku konci života n. jiného období
lattice [ˈlætis] *s* mříž, mřížoví; příhradovina □ *vt* zamřížovat; **—work** [ˈlætiswə:k] *s* příhradová konstrukce
laud [lo:d] *s* chvála □ *vt* chválit, velebit; **—able** [ˈlo:dəbl] *a* chvályhodný, chvalitebný
laudanum [ˈlo:dnəm] *s* opiová tinktura
laudation [lo:ˈdeišən] *s* chvála, velebení, chvalořeč
laugh [la:f] *vi & t* smát se (*at* komu), být veselý ♦ *to ~ in one's sleeve* smát se pod vousy; *to ~ on the wrong side of one's mouth* hned se smát, hned plakat; *~ off* odbýt smíchem □ *s* smích; **—able** [ˈla:fəbl] *a* směšný; **—er** [ˈla:fə] *s* smíšek; **—ter** [ˈla:ftə] *s* smích
launch [lo:nč] *vt & i.* 1. vrhnout, vymrštit 2. spustit loď na vodu 3. vypustit raketu 4. vypuknout (*out, into* v) 5. zahájit (*an attack on* útok na) 6. uvést v chod, startovat 7. vyslat na moře (*~ forth, out* vypravit se za) ♦ *to ~ a loan* vypsat půjčku □ *s* 1. spuštění lodi na vodu 2. velký člun
laund|ress [ˈlo:ndris] *s* pradlena; **—ry** [ˈlo:ndri] *s* 1. prádelna 2. praní 3. špinavé prádlo
laureate *a & s* [ˈlo:riit] ověnčený vavřínem (básník); laureát; *poet ~* dvorní básník □ *vt* [ˈlo:rieit] 1. ověnčit vavřínem 2. jmenovat dvorním básníkem
laurel [ˈlorəl] *s* 1. vavřín, bobek 2. vařínová koruna 3. sláva, čest □ *vt* (-ll-) korunovat vavřínem
lava [ˈla:və] *s* láva
lavatory [ˈlævətəri] *s* 1. umývárna 2. záchodek (*public ~* veřejný záchodek)
lave [leiv] *vt & i* bás. mýt (se), koupat (se); omývat břehy
lavender [ˈlævində] *s* levandule
lavish [ˈlæviš] *a* 1. štědrý, plýtvající, marnotratný 2. bezuzdný □ *vt* plýtvat, rozhazovat peníze
law [lo:] *s* 1. zákon, právo, řád 2. právní věda 3. pře 4. ustanovení ♦ *~ of price* cenový zákon; *~ of supply and demand* zákon nabídky a poptávky; *~ of value* zákon

hodnoty; *to violate a* ~ porušit zákon; *workmen's compensation* ~ zákon o dělnickém úrazovém pojištění; *to go to* ~ jít k soudu; *at* ~ u soudu; *lynch* ~ soudce lynch; *martial* ~ stanné právo □ *vi* lid. soudit se; ~ -**breaker** [¹lo:¡breikə] *s* rušitel zákona; —**ful** [¹lo:ful] *a* zákonitý, pravoplatný; řádný; ~ *market* legální trh; ~ -**giver** [¹lo:¡givə] *s* zákonodárce; —**less** [¹lo:lis] *a* nezákonný, bezuzdný; ~ -**making** [¹lo:¡meikiŋ] *a & s* zákonodárný, zákonodárství; ~ -**suit** [¹lo:¡sju:t] *s* soudní proces

lawn [lo:n] *s* 1. trávník, pažit 2. kment; ¹~ -¡**mower** *s* žací stroj na trávu; ¹~ -¹**tennis** *s* tenis

lawyer [¹lo:jə] *s* právník, advokát

lax [læks] *a* 1. uvolněný, volný, nenapjatý 2. nedbalý, nevšímavý; —**ative** [¹læksətiv] *a* med. projímavý, pročišťující □ *s* projímadlo

lay¹ [lei] *s* píseň, báseň

lay² [lei] *s* 1. poloha, položení; směr, umístění, pozice 2. pole působnosti, obor, zaměstnání; odvětví obchodu 3. počet a způsob spletení pásem provazu 4. sl. oblast zájmů 5. podíl na zisku □ *a* laický; světský; ~**days** lhůta k ukládání a vykládání zboží; ¹~**man** *s* neodborník, laik; ¹~ -**off** *s* (dočasné) propuštění z práce

lay³* [lei] *vt* 1. položit, umístit, usadit, klást, vyložit 2. ulo-

žit pokutu, povinnost 3. dát do daného stavu 4. předložit pokrm 5. vznést (*claim* požadavek) 6. učinit udání □ *vi* 7. nést vejce 8. sázot se (~ *a wager*) 9. dial. plánovat, připravovat ♦ *to* ~ *one's bones* složit kosti, zemřít; *to* ~ *a ghost* zažehnat ducha; *to* ~ *the foundations of* položit základy, počít; *to* ~ *one's heart, one's plans, bare* mluvit otevřeně, odhalit své srdce, plány; *to* ~ *to heart* vzít si k srdci; *to* ~ *hold on (of)* uchopit, zmocnit se čeho; *to* ~ *one s hopes on* klást naděje v; *to* ~ *hand on* vložit ruku na, chopit se čeho, vkládat ruce na; *to* ~ *siege to* obléhat; *to* ~ *under obligation* zavázat si; *to* ~ *under necessity* donutit; *to* ~ *under contribution* donutit k přispění; *to* ~ *bare* obnažit; odhalit; *to* ~ *open* odhalit, vysvětlit; *to* ~ *stress, emphasis, weight, on* zdůraznit; *to* ~ *waste* zpustošit; *to* ~ *table, to* ~ *cloth* prostřít; ~ **about** ohánět se, rozdávat rány; ~ **down** 1. složit, navrhnout 2. vzdát se 3. tvrdit, formulovat 4. obětovat život; ~ **in** 1. zásobit se čím, shromažďovat 2. hov. seřezat koho; ~ **on** 1. tlouci, bít 2. uložit (*tax* daň, *penalty* pokutu) 3. nanášet barvu 4. zavádět elektřinu, plyn, vodovod 5. ~ *it on thick* (n. *with a trowel*) hustě nanést, namazat; mazat komu med kolem úst, lichotit; ~ **out** 1. vystavit,

vyložit 2. vykolíkovat, uspo-
řádat; vytyčit, rozvrhnout
pozemek, práci 3. sl. zabít;
~ up 1. ukládat, střádat 2.
upoutat na lože; zadržet
doma; —er s 1. [ˈleiə] vrstva
2. [ˈleiə] nosná slepice
layette [leiˈet] s výbava pro
novorozeně
layout [ˈleiaut] s 1. záměr, plán,
projekt 2. vybavení 3. roz-
vržení, úprava pozemku, vy-
tyčení cesty; ~ man rýsovač;
~ tools rýsovací nářadí
layover [ˈleiouvə] s 1. zdržení
se v místě 2. druhý ubrus n.
pokrývka na stůl
laz|iness [ˈleizinis] s lenost;
—y [ˈleizi] a líný, pomalý;
|—y-bed s bramborový zá-
hon; |—y-bones s hov. lenoch;
|—y-tongs s klíšťky na braní
vzdálených předmětů
lea [li:] s 1. pastvina, palouk,
lučina 2. délková míra příze
leach [li:č] vt & i loužit (se),
pročistit □ s výluh
lead[1] [led] s 1. olovo, olůvko,
tuha, olovnice 2. olovnice
3. pl. olověný kryt střechy,
plochá střecha 4. plomba 5.
kulka 6. typ. proklad ♦ to
cast, heave, the ~ vrhnout,
vytáhnout, olovnici; black ~
tuha; white ~ běloba; ~ pen-
cil tužka; ~ sulphide [salfaid]
sirník olovnatý □ vt & i
1. vylít olovem 2. zaplombo-
vat 3. typ. proložit řádky 4.
měřit olovnicí 5. opatřit olo-
věným krytem 6. zanést se
olovem puška 7. zasadit do
olova; —en [ˈledn] a 1. olo-
věný 2. špatné jakosti, la-

ciný 3. těžký, těžkopádný
4. netečný
lead* [li:d] vt & i 1. vést 2.
řídit 3. jít, kráčet v čele 4.
sledovat 5. pohnout, svést
(astray na scestí) 6. mířit
(a blow at ránu na) 7. sledovat
běh 8. box mířit ránu ♦ to ~
captive odvést do otroctví; to
~ the way jít v čele, razit
cestu; to ~ by the nose fig.
vodit za nos, klamat; to ~
the dance fig. hrát prim; to be
led to wrong conclusions dát
se svést k nesprávným zá-
věrům; ~ along vést, lá-
kat; ~ away svádět, odvá-
dět; ~ off 1. počít, zahájit
rozhovor 2. odvést; ~ up smě-
řovat (to k) □ s 1. vedení,
vůdcovství, předstih 2. pří-
klad 3. přednost 4. náhon
5. šňůra na vedení psa 6.
hlavní role n. herec 7. vo-
dítko; vodič 8. hlavní výho-
nek 9. hlavní část programu
♦ to take the ~ ujmout se
vedení, udávat tón; to have
the ~ mít přednost; —er
[ˈli:də] s 1. vůdce, předák,
vedoucí 2. náruční kůň 3.
obch. hlavní předmět obcho-
du 4. úvodník 5. hud. vedoucí
hlas n. hráč; —ership [ˈli:də-
šip] s vůdcovství; |~ |-in s
svod; —ing [ˈli:diŋ] s vedení
□ a vedoucí, vůdčí, čelný;
~ article 1. úvodník 2. od-
bytné zboží jdoucí nejlépe na
odbyt; |~ -|off s počátek,
úvodník
leaf [li:f] s pl. leaves [li:vz] 1.
list, lupen, listí; plátek kovu
2. křídlo dveří 3. deska sklá-

league¹ 417 **leather**

dacího stolu **4.** zub ozubeného kola ♦ *to burst into* ~ rašit; *to take a* ~ *out of somebody's book* někoho si vzít za vzor; |~ **-beetle** *s* zool. mandelinka; ~ **-brass** [ˡliːfbraːs] *s* pozlátko; ~ **-stalk** [ˡliːfstoːk] *s* řapík; —**age** [ˡliːfidž] *s* listoví, lupen; —**let** [ˡliːflit] *s* **1.** lístek, lupínek **2.** leták; —**y** [ˡliːfi] *a* listnatý, lístkovitý

league¹ [liːg] *s* svaz, spolek, liga ♦ *in* ~ *with* ve spolku s; *L*~ *of Nations* Společnost národů

league² [liːg] *s* líga asi 3 míle

leak [liːk] *s* **1.** štěrbina, díra **2.** prosakování, vytékání □ *vi* téci, sáknout, propouštět, být děravý; ~ **out** vytékat; proklubat se; rozšířit se; proniknout na veřejnost; —**age** [ˡliːkidž] *s* **1.** štěrbina, díra **2.** vytékání **3.** netěsnost **4.** zmizení peněz **5.** náhrada za množství vytekté kapaliny; lekáž, výtratné; —**proof** [ˡliːkpruːf] *a* těsný, nepropustný; —**y** [ˡliːki] *a* **1.** děravý **2.** lid. žvanivý

lean* [liːn] *vi* **1.** opírat se (*against* o) **2.** nahýbat se, naklánět se **3.** přijímat podporu (*on* od), opírat se o (*he -ed on his staff* opíral se o hůl) **4.** spoléhat se (*upon* na) **5.** klonit se k v názoru, přání □ *vt* **6.** opírat, podpírat □ *s* **1.** odklon, svah **2.** libové maso □ *a* hubený, libový maso; neúrodný; ~ **on** těžce spočívat; |~ -|**to** stav. *s* přístavek, kolna u domu

leap* [liːp] *vi & t* skákat, pře-

skočit □ *s* **1.** skok **2.** věc, která se má přeskočit ♦ *by -s and bounds* rychle, skoky; *to* ~ *at* fig. skočit na; |~ **-frog** *s & v* **1.** skok přes ohnutá záda druhého **2.** přeskakovat; ~ **-year** [ˡliːpjəː] *s* přestupný rok

learn* [ləːn] *vt* **1.** (na) učit se **2.** poznat, zjistit **3.** dovědět se, dostat instrukce ♦ *to* ~ *by heart* učit se nazpaměť; —**ed** [ˡləːnid] *a* učený, sečtělý; —**ing** [ˡləːniŋ] *s* učenost, vzdělání ♦ *the new* ~ renesance; ~ *time* zaučovací doba

learnt [ləːnt] *pt & pp*, viz *learn*

lease [liːs] *vt* pronajmout □ *s* **1.** pronájem, nájem **2.** kus pronajaté země, majetku ♦ *a new* ~ *of life* nový život; *to let (out) on* ~ pronajmout; —**hold** [ˡliːshould] *a & s* nájem, nájemný statek; —**holder** [ˡliːshouldə] *s* nájemce, nájemník

leash [liːš] *s* **1.** šňůra na psa **2.** smečka; tři psi ap. □ *vt* uvázat, držet na šňůře

least [liːst] *a sup* od *little* nejmenší □ *s* nejmenší částka, množství, cena ♦ ~ *common denominator (multiple)* nejmenší společný jmenovatel (násobitel); *line of* ~ *resistence* směr nejmenšího odporu; *at* ~ alespoň; *in the* ~ přinejmenším; —**ways**, —**wise** [ˡliːstweiz, -waiz] *adv* alespoň

leather [ˡleðə] *s* **1.** kůže, žíla, pruh kůže **2.** kožený předmět □ *a* kožený □ *vt* **1.** pokrýt koží **2.** lid. spráskat, přetáhnout řemenem; ~ **-dresser**

[ˈleðədresə] *s* koželuh; |~ -head *s* hlupák; |~ -neck *s* nám. vojín, obojek přezdívka pozemních vojáků; —ing [ˈleðəriŋ] *s* výprask; —n [ˈleðən] *a* kožený; —y [ˈleðəri] *a* jako kůže, tuhý

leave [liːv] *s* 1. povolení, dovolení, dovolená 2. rozejití, rozloučení se ♦ *by your* ~ s vaším dovolením; *to take* ~ jít na, vzít si, dovolenou; *ticket of* ~ (n. ~ -*pass*) dovolenka; *to beg* ~ žádat o dovolení; *to take one's* ~ *of* rozloučit se s □ *vt** 1. zanechat 2. opustit 3. přestat, vynechat 4. dovolit 5. svěřit 6. odejít, odejet, odebrat se (*for* do) 7. nechat, minout ♦ *this -s me cool* to mne nechává chladným; *to be well left* být dobře opatřen; *to* ~ *in the lurch* nechat v bryndě; *to* ~ *alone* nechat být, neobtěžovat; *to* ~ *hold of* pustit; *the goods* ~ *much to be desired* zboží zdaleka nevyhovuje; *to* ~ *card on* učinit formální návštěvu; *to* ~ *open* vysadit, vystavit (*to attacks* útokům, záchvatům) □ *vi** odejít, odcestovat; ~ **off** přestat, ustat (*doing, work* v práci), opustit; ~ **out** vynechat, opomenout; ~ **to** *arbitration* předložit rozhodčímu soudu

leaven [ˈlevn] *s* kvas, kvasnice □ *vt* 1. z(a)kvasit 2. podnítit kvašení, dát kynout

leaves [liːvz] pl. viz *leaf*

leavings [ˈliːviŋz] *s* zbytky, odpadky

lecher [ˈlečə] *s* smilník; —ous [ˈlečərəs] *a* smilný; —y [ˈlečəri] *s* smilstvo

lecture [ˈlekčə] *s* 1. čtení, přednáška 2. domluva, napomenutí □ *vi & t* 1. číst, přednášet (*on* o) 2. napomenout; —**r** [ˈlekčərə] *s* profesor; —**ship** [ˈlekčəšip] *s* profesura universitní, úřad n. funkce přednášejícího

led [led] *pt & pp*, viz *lead*

ledge [ledž] *s* 1. okraj výčnělek 2. skalisko 3. lišta 4. polička

ledger [ˈledžə] *s* 1. hlavní kniha 2. ležatý náhrobní kámen 3. příčný trám lešení ♦ *to post an entry into the* ~ zanést položku do hlavní knihy; ~ -**bait** [ˈledžəbeit] *s* rybí návnada

lee [liː] *s* 1. závětrná strana 2. úkryt 3. pl. sedlina, kal; —**ward** [ˈliːwəd] *adv* směrem k závětrné straně □ *s* závětrná strana (též ~ -*side*)

leech [liːč] *s* 1. pijavice též fig. o člověku 2. nám. strana hranaté plachty 3. arch. lékař, felčar

leek [liːk] *s* pór (zahradní)

leer [liə] *vi* dívat se úkosem, (zamilovaně) pošilhávat □ *s* pohled úkosem, zlomyslný pohled

left¹ [left] *pt & pp*, viz *leave*

left² [left] *a* levý □ *s* levá strana, levice ♦ *to the* ~ vlevo; |~ -**hand** *a* levý (~ *blow* rána levačkou); |~ -ˈ**handed** *a* 1. dělaný levačkou 2. levicový 3. morganatický 4. neohrabaný 5. neupřímný, zdánlivý 6. levotočivý; —**ism** [ˈleftizəm] *s* pol. levičáctví; —**ist**

[ˈleftist] *a* levicový □ *s* levičák; —**overs** [ˈleftouvəz] *s* zbytek, přežitek; ǀ~-**wing** *socialist* levicový socialista
leg [leg] *s* **1.** noha, nohavice **2.** hnát **3.** stehno, kýta **4.** rameno kružidla **5.** sloupek **6.** arch. poklona ♦ *to pull one's* ~ lid. obalamutit koho; *to take to one's -s* utéci; *he has not a* ~ *to stand on* nemá oporu pro své tvrzení; *on one's last -s* v posledním tažení; *to walk one off his -s* unavit koho
legacy [ˈlegəsi] *s* odkaz, dědictví
legal [ˈliːgəl] *a* zákonný, právní ♦ *to take* ~ *proceedings* (n. *steps*) soudně stíhat; ~ *remedy* opravný prostředek; —**ity** [liːˈgæliti] *s* zákonitost, zákonnost; —**ization** [ˌliːgəlaiˈzeišən] *s* uzákonění, úřední ověření; —**ize** [ˈliːgəlaiz] *vt* uzákonit, úředně ověřit
legate [ˈlegit] *s* **1.** papežský nuncius **2.** arch. vyslanec, zástupce
legation [liˈgeišən] *s* **1.** vyslanectví **2.** poselstvo
legend [ˈledžənd] *s* **1.** legenda **2.** nápis **3.** pověst; —**ary** [ˈledžəndəri] *a* legendární
leger [ˈledžə] viz *ledger*
leggings [ˈleginz] *s* kamaše
legible [ˈledžəbl] *a* čitelný
legion [ˈliːdžən] *s* **1.** legie (*Foreign L*~ cizinecká legie) **2.** armáda **3.** velký počet, množství; —**ary** [ˈliːdžənəri] *a* legionářský □ *s* legionář
legislat|e [ˈledžisleit] *vi & t* dávat zákony, uzákonit; —**ion**

[ˌledžisˈleišən] *s* zákonodárství (*socialist* socialistické, *labour* pracovní), uzákonění; —**ive** [ˈledžislətiv] *a* zákonodárný □ *s* zákonodárná moc, legislatura; —**or** [ˈledžisleitə] *s* zákonodárce; —**ure** [ˈledžisleičə] *s* zákonodárný sbor, legislatura
legitim|acy [liˈdžitiməsi] *s* zákonitost, oprávněnost; —**ate** [liˈdžitimit] *a* **1.** legitimní, zákonitý, oprávněný **2.** pravý, skutečný; —**atize** [liˈdžitimətaiz], —**ize** [liˈdžitimaiz] *vt* uzákonit, ospravedlnit
legum|e(n) [ˈlegjuːm, liˈgjuːmən] *s* **1.** lusk **2.** luštěnina **3.** zelenina; —**inous** [leˈgjuːminəs] *a* luskový, luštěninový
leisure [ˈležə] *s* volná chvíle, volno, prázdno ♦ *to be at* ~ mít kdy; *at your* ~ kdy se vám hodí □ *a* volný, prázdný; —**ly** [ˈležəli] *a* mající volno, čas, pohodlný, nenucený □ *adv* volně, rozvážně
lemming [ˈlemiŋ] *s* zool. lumík
lemon [ˈlemən] *s* citrón; —**ade** [ˌleməˈneid] *s* limonáda
lend* [lend] *vt* **1.** půjčit **2.** půjčovat na úrok **3.** poskytnout, udělit **4.** zvr. propůjčit se (*to* k), hodit se (*to* k, pro) ♦ *to* ~ *a hand* pomoci; *to* ~ *ear* popřát sluchu; ~ *and lease* půjčka a pronájem
length [leŋθ] *s* **1.** délka **2.** vzdálenost **3.** trvání ♦ *to go all -s* dovést věc až do konce; *to keep one at arm's* ~ fig. držet někoho od těla; *the horse won by three -s* kůň zvítězil o tři délky; *at* ~

a) konečně, b) obšírně, detailně (*též at full, great, some, ~*);
—**wise** [ˈleŋθwaiz] *adv & a* podél, podélný, po délce;
—**y** [ˈleŋθi] *a* **1.** dlouhý **2.** lid. vytáhlý o postavě **3.** zdlouhavý, nudný

leni|ence, -ency [ˈliːnjəns(i)] *s* shovívavost, mírnost; —**ent** [ˈliːnjənt] *a* shovívavý, mírný, zmírňující; —**tive** [ˈlenitiv] *s* med. utišující prostředek; —**ty** [ˈleniti] *s* mírnost, shovívavost

lens [lenz] *s* **1.** čočka skleněná, objektiv **2.** anat. čočka oční; ~ **speed** světelnost objektivu

lent[1] *pt & pp*, viz lend

Lent[2] [lent] *s* půst před velikonocemi; —**en** [ˈlentən] *a* **1.** postní **2.** hubený, sporý

lenticular [lenˈtikjulə] *a* čočkovitý

lentil [ˈlentil] *s* čočka

Leo [ˈliou] *s* **1.** lev **2.** Lev **3.** souhvězdí Lva

leopard [ˈlepəd] *s* leopard

leper [ˈlepə] *s* malomocný

lepr|osy [ˈleprəsi] *s* malomocenství; —**ous** [ˈleprəs] *a* malomocný

lesion [ˈliːʒən] *s* ublížení, úraz

less [les] *a comp* od *little* **1.** menší **2.** horší, podřadný, druhotný □ *adv* méně □ *s* menší množství □ *prep* méně, bez (*six ~ four* šest bez čtyř) ♦ *no ~* o nic menší

-**less** [-lis] sufix značící „bez"

lessee [leˈsiː] *s* práv. nájemník, nájemce

lessen [ˈlesn] *vt & i* zmenšit (se) též fig.; —**ing** [ˈlesniŋ] *s* zmenšení, zmírnění (*of internatio-*

nal tension mezinárodního napětí)

lesser [ˈlesə] *a* menší ♦ *L~ Bear* Malý medvěd

lesson [ˈlesn] *s* **1.** lekce, úkol, cvičení **2.** hodina vyučovací **3.** přednáška ♦ *to give, take, -s in* dávat, brát, hodiny; *to read a person a ~* dát někomu ponaučení, napomenutí

lessor [ˈlesoː] *s* práv. pronajímatel

lest [lest] *conj* aby ne-

let* [let] *vt* **1.** dovolit, nechat **2.** pronajmout **3.** způsobit □ *vi* **4.** pronajmout si ♦ ~ *alone* neřku-li, natož; *to* ~ *a person hear, know* informovat někoho; *to* ~ *fall* upustit; nechat jít, propustit, vzdát se; ~ **down** **1.** snížit, spustit **2.** zklamat, podvést **3.** ponechat na holičkách; *to* ~ *loose* uvolnit; *to* ~ *pass* (n. *slip*) promeškat, propást; ~ **in** vpustit, zapustit, ~ **into** připustit k, zasvětit do tajemství; zasadit, zapustit do; ~ **off** vystřelit; nechat uniknout, beztrestně propustit; ~ **out** vypustit (*to* ~ *the cat out of the bag* vyžvanit nějaké tajemství); |~-|**down** *s* povolení, zpomalení, snížení, pokles; ~ **through** propouštět; |~-|**up** *s* lid. přestání

let[2] [let] *vt* (*pt* **letted** n. *let*) arch. překazit

-**let** [-lit] sufix subst. zdrobnělin

lethal [ˈliːθəl] *a* smrtelný, osudný

lethargy [ˈleθədʒi] *s* netečnost, lhostejnost, ztrnulý spánek letter ['letə] *s* **1.** dopis **2.** písmeno, litera **3.** doslovný smysl **4.** pl. literatura, písemnosti (*man of* -*s* literát, učenec) ♦ ~ *of advice* návěstí; ~ *of attorney* plná moc; ~ *of credit* akreditiv; -*s of credence* n. -*s credential* pověřovací listiny; ~ *of hypothecation* zástavní list; *the profession of* -*s* autorství □ *vt* označit písmeny, slovy; popisovat (technický výkres); |~ -**box** *s* schránka na dopisy; |~ -**card** *s* zálepka; ~ **carrier** am. listonoš; ~ -**perfect** ['letə|pə:fikt] *a* znající úlohu slovo od slova; —**ed** ['letəd] *a* sečtělý

Lett|ic ['letik] *a* litevský; —**ish** ['letiš] *a* litevský □ *s* litevština

lettuce ['letis] *s* locika, salát hlávkový

Levant [li'vænt] *s* Východ, Orient, Levanta; —**ine** ['levəntain] *a* levantský □ *s* Levantinec

levee ['levi] *s* **1.** ranní audience **2.** am. nábřeží, přístaviště

level ['levl] *s* **1.** vodováha, libela **2.** rovina, vodorovná přímka, úroveň, směr **3.** vodováha, nivelační přístroj ♦ *on a* ~ *with* na úrovni s; *dead* ~ přímá rovina; *price* ~ cenová hladina; ~ *crossing* žel. přejezd; ~ *gauge* stavoznak □ *a* **1.** vodorovný, plochý **2.** přiměřený, stejný □ *adv* přímo □ *vt* (-ll-) **1.** postavit na roveň (*with* s), přizpůsobit (*to* k) **2.** snížit (*wages* ceny) **3.** srovnat (*with the ground* se zemí) □ *vi* **4.**

namířit (*at, against* na); ~ *up* zvýšit; —**ling** ['levliŋ] *s* vyrovnávání, nivelace

lever ['li:və] *s* páka; sochor; ~ **arm** rameno páky; ~ **press** pákový lis; ~ **shears** pákové nůžky; ~ -**watch** ['li:vəwoč] *s* kotvové hodinky

leveret ['levərit] *s* mladý zajíc

leviathan [li'vaiəθən] *s* leviatan

levigate ['levigeit] *vt* uhladit, rozmělnit

levitat|e ['leviteit] *vi & t* vznášet se, způsobit vznášení; —**ion** [,levi'teišən] *s* vznášení se, levitace

Levite ['li:vait] *s* levita

levity ['leviti] *s* **1.** lehkost **2.** lehkovážnost

levogyrate viz *laevogyrate*

levy ['levi] *s* **1.** vybírání tax, cla; exekuce **2.** odvod vojska □ *vt* **1.** vybírat daň **2.** odvádět k vojsku

lewd [lu:d] *a* oplzlý, chlípný

Lewisham ['luišəm] *s* Lewisham

lexic|al ['leksikəl] *a* slovní, slovníkový; —**on** ['leksikən] *s* slovník

liabilit|y [,laiə'biliti] *s* **1.** ručení **2.** závazek **3.** náchylnost **4.** pl. finanční závazky, dluhy; *to accept* ~ vzít na sebe zodpovědnost ♦ *to meet* -*ies* dostát závazkům; ~ *for enlistment* n. *service* odvodní n. branná povinnost

liable ['laiəbl] *a* povinný; zodpovědný (*for* za); podrobený (*to* čemu); náchylný (*to* k) ♦ *to be* ~ *to* podléhat, ručit; *to hold* ~ činit zodpovědným, postihovat

liaison [li:ˈeizoŋ] *s* 1. spojení
intimní 2. fon. vázání slov
3. voj. styk; ~ *officer* styčný
důstojník 4. prostředek k za-
huštění omáček apod.

liar [ˈlaiə] *s* lhář, -ka

libel [ˈlaibəl] *s* hanopis □ *vt*
(-ll-) hanobit tiskem; **—lous**
[ˈlaibləs] *a* hanlivý

liberal [ˈlibərəl] *a* 1. osvícený,
svobodomyslný, liberální 2.
šlechetný 3. štědrý 4. hojný,
rozsáhlý 5. volný (*translation
překlad*) ♦ ~ *arts* svobodná
umění □ *s* liberál; **—ism**
[ˈlibərəlizəm] *s* liberalismus;
—ity [ˌlibəˈræliti] *s* osvíce-
nost, štědrost

liberat|e [ˈlibəreit] *vt* osvobodit
(*from* od), propustit na svo-
bodu; **—ion** [ˌlibəˈreišən] *s*
osvobození; **—or** [ˈlibəreitə] *s*
osvoboditel

libertin|age [ˈlibətinidž] *s* pro-
stopášnost; **—e** [ˈlibətain] *s* 1.
prostopášník 2. volnomyšlen-
kář

liberty [ˈlibəti] *s* 1. svoboda,
volnost 2. dovolení (*to take
the ~ to do* n. *of doing* dovolit
si) 3. výsada ♦ ~ *of conscience*
svoboda svědomí; ~ *of the
press* svoboda tisku; *to set at
~* propustit na svobodu

libidinous [liˈbidinəs] *a* prosto-
pášný

librarian [laiˈbreəriən] *s* knihov-
ník

library [ˈlaibrəri] *s* knihovna
♦ *mobile* ~ pojízdná knihov-
na

lice [lais] *pl.* viz *louse*

licen|ce [ˈlaisəns] *s* 1. povolení,
licence 2. řidičský průkaz
3. bezuzdnost, nevázanost
4. volnost □ *vt* též -se udělit
povolení

license [ˈlaisəns] viz *licence*

licentious [laiˈsenšəs] *a* bezuzd-
ný, nevázaný; prostopášný,
nemravný

lichen [ˈlaiken] *s* 1. lišejník
2. med. lišej

licit [ˈlisit] *a* práv. zákonný

lick [lik] *vt* 1. lízat, olizovat
2. sl. zbít, zmrskat, líznout
holí, přemoci 3. sl. jít, spě-
chat ♦ *to ~ the dust* 1. pad-
nout do prachu, klanět se
2. lísat se 3. být zabit,
padnout ♦ *to ~ into shape*
vypiplat, utvářet povahu;
this -s me to je nad mé
pochopení □ *s* 1. lízání,
líznutí 2. lehký nátěr 3.
špetka 4. rána, přetření holí
5. sl. krok; **—erish, liquorish**
[ˈlikəriš] *a* mlsný, chtivý
(*after* čeho); **—ing** [ˈlikiŋ] *s*
1. lízání 2. hov. výprask

licorice, liquorice [ˈlikəris] *s*
lékořice, sladké dřevo

lid [lid] *s* 1. víčko oční 2. víčko,
poklička; *ǀeye-* ~ *s* oční víčko

lie¹ [lai] *s* lež ♦ *white* ~ nevinná
lež; *to give one the ~* vinit
koho ze lži □ *vi* lhát □ *vt*
nalhávat ♦ *you ~ in your
teeth* n. *throat* v hrdlo lžeš;
he -s like a gas-meter lže jako
když tiskne

lie²* [lai] *vi* 1. ležet, spočívat
2. prostírat se 3. tábořit,
bydlit 4. být (*in prison* ve
vězení) 5. souložit (*with* s) ♦
to ~ on the bed one has made
jak si kdo ustele, tak si
lehne; *to ~ at anchor* kotvit;

to ~ *in ambush* číhat; *to* ~ *low* krčit se; *to* ~ *waste* (n. *fallow*) ležet ladem; ~ **about** povalovat se; ~ **by** ležet u, ležet ladem; ~ **down** 1. (u)lehnout (si), slehnout 2. vzdát se, přijmout bez odporu porážku; ~ **in** sestávat z; ~ **in** *of a child* slehnout; *to* ~ *in wait* číhat v záloze; ~ **on** *hand* nejít na odbyt; ~ **over** být odložen; ~ **under** být podroben; ~ **up** 1. lehnout si, uchýlit se do ložnice 2. být vystaven před pohřbem 3. uchýlit se do doku □ *s* 1. poloha terénu, svah 2. brloh, skrýš 3. slepá kolej

lief [li:f] *a* arch. ochotný, rád; milý, drahý

liege [li:dž] *a* poddanský, manský, feudální □ *s* vazal, feudální pán; l—**man** *s* vazal

lien [ˈliən] *s* práv. právo zástavní, retenční

lieu [lju:] *in* ~ *of* místo čeho

lieutenant [lefˈtenənt] nám. *s* 1. poručík 2. náměstek; ~ **colonel** podplukovník

life [laif] *s* pl. *lives* [ˈlaivz] 1. život 2. životopis 3. způsob života 4. živost, duch, duše ♦ *to come, bring, to* ~ přijít, přivést k sobě, vzpamatovat se; *to lose, save, lay down, one's* ~ ztratit, zachránit, položit život; *'pon my* ~ na mou duši; *as large as* ~ v životní velikosti; *migratory* ~ kočovnictví; *to put into* ~ uskutečnit; *to run for* ~ běžet jakoby šlo o život; *for* ~ doživotně; *to the* ~ podle skutečnosti; *to take*

one's own ~ vzít si život; ~ **annuity** doživotní renta; l~ -**belt** *s* záchranný pás; ~ -**boat** [ˈlaifbout] *s* záchranný člun; ~ -**guard** [ˈlaifga:d] *s* tělesná garda; —**less** [ˈlaiflis] *a* bez života, mdlý; ~ -**line** [ˈlaiflain] *s* záchranné lano; —**long** [ˈlaifloŋ] *a* doživotní; ~ -**preserver** [ˈlaifprizə:və] *s* 1. zachránce života 2. ochranná bóje, záchranný pás n. kazajka n. člun 3. žíla, pendrek; ~ -**saver** [ˈlaifseivə] *s* zachránce života; l~ -**sentence** *s* rozsudek na doživotí; ~ -**sized** [ˈlaifˈsaizd] *a* v životní velikosti; l—**time** *s* běh života; l~ -**work** *s* životní dílo

lift [lift] *vt* 1. (vy)zvednout 2. povznést 3. lid. ukrást dobytek 4. dial. odnít 5. golf sebrat míč se země □ *vi* 6. zvednout se, povznést se ♦ *to* ~ *rationing* zrušit přídělový systém; *to* ~ *one's hand* přísahat; *to* ~ *up one's heel* kopnout; *to* ~ *up one's hirn* shlížet z vysoka; pohrdat; *to* ~ *up one's voice* pozvednout hlas, vykřiknout □ *s* 1. (po)zvednutí 2. břímě, tíha, vztlak 3. pomoc, podpora 4. zdviž, výtah; -**er** [ˈliftə] *s* 1. zdvihák 2. vyorávač řepy; —**ing** [ˈliftiŋ] *s* 1. zdvihání 2. vyorávání řepy; ~ *capacity* nosnost; ~ *power* zdvíhací síla, nosnost, vztlak

liga|ment [ˈligəmənt] *s* 1. svazek 2. anat. vazivo, šlacha; —**ture** [ˈligəˈtuə] *s* 1. páska, obvaz 2. hud. ligatura, vá zání not **3.** med. podvázání

light [lait] *s* **1.** světlo, záře **2.** úsvit, rozbřesk **3.** osvětlení, objasnění, osvícení **4.** pl. plíce zvířecí **5.** zápalka **6.** okénko, světlík ♦ *the* ~ *is on* je rozsvíceno; *to stand in* ~ zaclánět; *to come to* ~ vyjít na světlo; *to bring to* ~ odhalit; *to throw, shed,* ~ *upon* vrhnout světlo na, vysvětlit; *in the* ~ *of these facts* ve světle těchto faktů □ *a* **1.** světlý **2.** lehký **3.** snadný **4.** nepatrný, malý **5.** nestálý, povrchní **6.** rozpustilý, bujný; chlípný, nečistý **7.** nečetný, nehustý ♦ ~ *ashes* popílek; ~ *athletics* lehká atletika; ~ *filter* světelný filtr; ~ *horse* lehká kavalerie; ~ *industry* lehký průmysl; *to make* ~ *of* brát na lehkou váhu; ~ *of belief* lehkověrný □ *adv* lehce □ *vt** **1.** osvětlit **2.** zapálit □ *vi* **3.** rozjasnit se, osvětlit se **4.** zapálit se **5.** sestoupit, nastoupit (*from, off* s, *on, upon, at, in* do, na) **6.** spočinout **7.** spadnout, padnout rána **8.** náhodou přijít; **—en** [ˡlaitn] *vi & t* **1.** zářit, blýskat se **2.** ozářit, zjasnit; osvítit duševně **3.** ulehčit, zbavit; ztratit na váze **4.** rozradostnit, potěšit; **—er** [ˡlaitə] *s* **1.** rozsvěcovač, zapalovač. **2.** nám. nákladní lodice, pramice; ~ **-headed** [ˡlaitˡhedid] *a* zmámený; bezmyšlenkovitý; frivolní; ~ **-hearted** [ˡlaitˡha:tid] *a* veselý; ~ **-house** *s* maják; ~ **industry** lehký prů-

mysl; **—ning** [ˡlaitniŋ] *s* blesk (~ *arrester* bleskojistka); **—some** [ˡlaitsəm] *a* **1.** světlý, jasný **2.** veselý; ~ **-weight** [ˡlaitweit] *s* lehká váha box; ~ **-year** *s* světelný rok

ligneous [ˡligniəs] *a* dřevěný, dřevnatý

lignite [ˡlignait] *s* hnědé uhlí, lignit

lik|e [laik] *a* **1.** stejný, podobný **2.** shodný **3.** možný ♦ *in* ~ *manner* stejným n. podobným způsobem; ~ *signs* mat. obojí znaménka plus i minus; *what is he* ~ ? jak vypadá?, co je zač?; *to look* ~ vypadat jako □ *prep* jako, do téže míry □ *s* podobná osoba, věc, protějšek; *the -s of me* hov. lidé jako já; *the -s of you* hov. lidé jako vy □ *vi & t* líbit se, mít rád; *if you* ~ líbí-li se vám; *I should* ~ *to know* rád bych věděl; **-elihood** [ˡlaiklihud] *s* pravděpodobnost ♦ *in all* ~ pravděpodobně; **—ely** [ˡlaikli] *a* pravděpodobný; vhodný, slibný ♦ *he is not* ~ *to come* pravděpodobně nepřijde □ *adv* pravděpodobně; **—en** [ˡlaikən] *vt* připodobnit; srovnávat (*to* s); **—eness** [ˡlaiknis] *s* podoba, obraz; **--ewise** [ˡlaikwaiz] *adv* **1.** podobně **2.** také, rovněž; **-ing** [ˡlaikiŋ] *s* zalíbení (*for, to* v), chuť, vkus ♦ *is it to your* ~? je to po tvé chuti?

lilac [ˡlailək] *s* šeřík, bez □ *a* fialový, šeříkový

liliaceous [ˌliliˡeišəs] *a* liliovitý

lilt [lilt] *s* živý, veselý popěvek □ *vt & i* popěvovat lily [ˈlili] *s* lilie ♦ ~ *of the valley* konvalinka

limb [lim] *s* 1. úd 2. hlavní větev 3. okraj slunce ap. ♦ ~ *of the law* rameno spravedlnosti strážník

limber¹ [ˈlimbə] *a* ohebný, pružný

limber² [ˈlimbə] *s* voj. kolesna

limbo [ˈlimbou] *s* 1. předpeklí 2. vězení 3. zanedbanost

lime¹ [laim] *s* 1. lep 2. vápno □ *vt* 1. cementovat 2. namazat lepem, chytit na lep; ~ -kiln [ˈlaimkiln] *s* vápenná pec; ˈ~ -light *s* intenzívní světlo reflektoru ap.; ~ slaking hašení vápna; ˈ~ stone *s* vápenec

lime² [laim] *s* citrón

lime³ [laim] *s* lípa

limit [ˈlimit] *s* 1. hranice, mez 2. pl. obvod ♦ ~ *gauge* mezní kalibr; ~ *of elasticity* mez pružnosti; ~ *switch* koncový vypínač □ *vt* omezit, ohraničit; —ation [ˌlimiˈteišən] *s* vymezení, omezení, ohraničení, delimitace ♦ *to have one's* -*s* být omezený (na duchu); —ed [ˈlimitid] *a* 1. omezený 2. obch. s ručením omezeným

limn [lim] *vt* arch. portrétovat, zdobit rukopisy

limousine [ˈlimuːziːn] *s* limuzína

limp [limp] *a* 1. ohebný, nepevný 2. sklesly, schlíplý □ *vi* kulhat, belhat □ *s* kulhání

limpid [ˈlimpid] *a* jasný, průhledný, čirý

limy [ˈlaimi] *a* 1. lepkavý 2. vápenitý

linchpin [ˈlinčpin] *s* zákolník

linden [ˈlindən] *s* lípa

line [lain] *s* 1. čára, přímka, linka 2. šňůra, provaz 3. pl. hranice statku ap., fig. majetek, bohatství, osud, životní úděl 4. potrubí 5. linka, vedení telegrafní, telefonní 6. řada 7. obrys, kontura, rys 8. plán, nárys 9. řádka tisková, psaná 10. verš 11. krátký dopis, lístek 12. lid. oddací list 13. řada předků, rodokmen, rodina, původ 14. trať, dráha 15. odvětví průmyslu, obchodu, obor 15. voj. šik, řadové pluky; zákop; linie bitevní 17. druh zboží 18. zaměstnání 19. pojišťovací riziko ♦ *assembly* ~ montážní linka; *main (battle)* ~ hlavní bojová linie; *by rule and* ~ přesně; ~ *of force* silová čára; ~ *production* proudová výroba; ~ *voltage* síťové napětí; ~ *of sight* zorný paprsek; *to come, bring, into* ~ souhlasit, spolupracovat, připojit se, přimět k spolupráci n. souhlasu; *to draw the* ~ rozlišovat; *to toe the* ~ podrobit se, poslechnout; *to read between the* -*s* číst mezi řádky; *he comes of a good* ~ pochází z dobré rodiny; ~ *of action* způsob jednání; *s.t. in, out of, one's own* ~ co zajímá (nezajímá), se týká (netýká) koho □ *vt & i* 1. linkovat, čárkovat 2. nakreslit 3. seřadit 4. obsadit 5. vroubit 6. tvořit řadu 7. vycpat, nacpat 8. potáhnout, podšít 9. obroubit, zasadit drahokam 10. ohradit pozemek, ohraničit 11. stáčet pivo; —**age** [ˈliniidž] *s* rodokmen, potomstvo, rodina; —**al** [ˈliniəl] *a* v přímé linii; —**ament** [ˈliniəmənt] *s* tah, rys v obličeji; —**ar** [ˈliniə] *a* přímočarý, délkový, lineární (~ *measure* délková míra); ⏐—**man** *s* 1. am. nosič tyče při vyměřování 2. opravář telegrafních linek; —**r** [ˈlainə] *s* 1. parník 2. dopravní letadlo 3. pravítko; —**sman** [ˈlainzmən] *s* sport. pomezní soudce

linen [ˈlinin] *s* plátno, prádlo □ *a* plátěný, lněný

linger [ˈliŋgə] *vi & t* 1. váhat, otálet 2. loudat se 3. zkomírat 4. protahovat se, nebrat konce; ~ **away**, **out** odkládat

lingo [ˈliŋgou] *s* hantýrka

lingu|**al** [ˈliŋgwəl] *a* jazykový; —**ist** [ˈliŋgwist] *s* jazykozpytec, lingvista; —**istic** [liŋˈgwistik] *a* jazykový, jazykovědný; —**istics** [liŋˈgwistiks] *s* jazykověda

liniment [ˈlinimənt] *s* mast, mazání

lining [ˈlainiŋ] *s* 1. podšívka, podsazení, vycpávka 2. lemování, obruba 3. obsah žaludku 4. obložení 5. vyzdívka

link [liŋk] *s* 1. článek řetězu 2. kloub, spojka, spona 3. člen řady 4. smolná pochodeň 5. očko při pletení □ *vt & i* spojit v článek, utvořit řetěz; být zapojen (*on*, *in*, *to* do, na); —**age** [ˈliŋkidž] *s* zapojení, vazba, pákoví

links [liŋks] *s pl.* 1. skot písčité pahorky na pobřeží 2. golfové hřiště

linnet [ˈlinit] *s* zool. konopka, jiřice

linoleum [liˈnouljəm] *s* linoleum

linotype [ˈlainotaip] *s* typ. linotyp řádkový sázecí stroj

linseed [ˈlinsi:d] *s* lněné semeno

lint [lint] *s* cupanina

liny [ˈlaini] *a* označený čárou; vrásčitý

lion [ˈlaiən] *s* lev; —**ess** [ˈlaiənis] *s* lvice; ~ **-hearted** [ˈlaiən‖ha:tid] *a* odvážný; —**ize** [ˈlaiənaiz] *vt* 1. dělat „lva společnosti" 2. navštěvovat n. ukazovat pamětihodnosti; ~'**s tooth** pampeliška

lip [lip] *s* 1. ret, pysk 2. okraj, hubička nádoby 3. hlavní břit vrtáku 4. tlach, drzost, nestoudnost ♦ *to curl one's* ~ ohrnovat ret; *to lick, smack, one's* -**s** olizovat si rty; *to hang on one's* -**s** pozorně poslouchat □ *vt* (-pp-) 1. líbat 2. vyslovit mumlavě 3. omočit si rty, dotknout se rty □ *a* retní; ⏐~ **-deep** *a & adv* pouze na jazyku; ⏐~ **-reading** *s* čtení ze rtů; ~ **-salve** [ˈlipsa:v] *s* mast na rty; fig. med kolem úst; ~ **-stick** [ˈlipstik] *s* rtěnka

liquefy [ˈlikwifai] *vt & i* zkapalnit, rozpustit (se)

liquid [ˈlikwid] *a* 1. kapalný, tekutý, plynulý 2. obch. likvidní pohledávka □ *s* 1. tekutina 2. fon. likvida, plynná souhláska; —**ate** [ˈlikwideit] *vt & i* 1. likvidovat 2. vyrovnat, zapravit účet 3. vysvětlit 4. zrušit, vyřídit;

-ation [ˌlikwiˈdeišən] *s* **1.** likvidace **2.** vyřízení, zrušení
liquor [ˈlike] *s* **1.** tekutina **2.** lihovina; **—ice** viz *licorice*; **—ish** viz *lickerish*
lisp [lisp] *vi* **1.** šeptat **2.** šeplat, šišlat
lissom(e) [ˈlisəm] *a* ohebný, pružný, poddajný
list¹ [list] *s* **1.** obruba, okrajek **2.** proužek, pruh, lišta **3.** barevný pruh na těle zvířete **4.** proud vlasů **5.** mez, hranice **6.** seznam, katalog, inventář **7.** pl. šraňky, kolbiště □ *vt & i* **1.** ohradit **2.** obroubit **3.** zapsat do seznamu, naverbovat **4.** arch. mít rád, potěšit, přát si **5.** arch. naslouchat
list² [list] *s* sklon o lodi, budově, plotu apod. □ *vi* naklánět se k jedné straně
listen [ˈlisn] *vi.* **1.** naslouchat (*to* čemu; komu) **2.** dát pozor, sledovat; **~ in** poslouchat rozhlas; **—er** [ˈlisnə] *s* posluchač
listless [ˈlistlis] *a* netečný, nevšímavý
liter viz *litre*
literacy [ˈlitərəsi] *s* gramotnost
literal [ˈlitərəl] *a* doslovný, slovní, přesný
liter|ary [ˈlitərəri] *a* literární; **—ature** [ˈlitəričə] *s* literatura
litharge [ˈliθaːdž] *s* klejt
lithe [laið] *a'* pružný, ohebný
lithium [ˈliθiəm] *s* lithium
lithograph [ˈliθəgraːf] *vt* litografovat □ *s* kamenotisk; **—y** [liˈθogrəfi] *s* litografie, kamenotisk
litig|ant [ˈlitigənt] *a* práv. ve-

doucí spor □ *s* soudící se osoba; **—ate** [ˈlitigeit] *vt & i* vést spor, soudit se; **—ation** [ˌlitiˈgeišən] *s* vedení sporu, spor
litmus [ˈlitməs] *s* lakmus
litre [ˈliːtə] *s* litr
litter [ˈlitə] *s* **1.** smetí **2.** stelivo **3.** nepořádek **4.** humus **5.** vrh zvířat **6.** nosítka □ *vt* **1.** podestlat **2.** poházet □ *vi* **3.** vrhnout mláďata
little [ˈlitl] *a* **1.** malý, maličký, mladý **2.** krátký **3.** slabý **4.** úzkoprsý ♦ *his ~ ones* jeho děti, mláďata; *~ finger, toe* malíček; *~ thing* maličkost □ *adv* málo, trochu ♦ *ever so ~* sebe méně □ *s* maličkost, trocha ♦ *a ~* poněkud; |*~*-**go** *s* hov. první zkouška pro B.A. v Cambridgei
littoral [ˈlitərəl] *a* pobřežní, přímořský
liturgy [ˈlitədži] *s* liturgie
livable [ˈlivəbl] *a* obyvatelný; snesitelný; příjemný
live¹ [liv] *vi* **1.** žít **2.** živit se (*of, (up)on* čím) **3.** bydlit, přebývat (*with* u) **4.** trvat v paměti **5.** přežít nebezpečí o lodi □ *vt* **6.** žít **7.** zažít ♦ *to ~ from hand to mouth* žít z ruky d úst; *to ~ up to one's principles* žít podle zásad; *to ~ to see* dožít se; *to ~ on, by, one's wits* živit se hlavou; **~ down** přežít, životem překonat; **~ out 1.** přežít **2.** prožít **3.** bydlet mimo podnik; **~ through 1.** přežít **2.** prožít
live² [laiv] *a* **1.** naživu, živý, živoucí **2.** žhavý, žhnoucí **3.**

živý, jasný o barvě **4.** nabitý
(*wire* drát); ~ *ammunition*
ostré střelivo; —**lihood** ['laiv-
lihud]ʒživobytí; ~**coal** žhavé
uhlí; ~ **parts** el. součásti pod
napětím; ~ **steam** ostrá pára;
—**long** ['livloŋ] *a* bás. & řeč.
dlouhý, trvalý, celý; —**ly**
['laivli] *a* živý, oživený, plný
života
liven ['laivn] *vt & i* oživit,
obveselit (též ~ *up*)
liver ['livə] *s* játra; ~**-fluke**
['livəflu:k] *s* motolice ovčí;
—**ish** ['livəriš] *a* **1.** mající
nemocná játra **2.** roztrpčený,
mrzutý, nevrlý
livery ['livəri] *s* **1.** livrej, uni-
forma sluhů **2.** příděl píce,
obrok **3.** ošetřování koní **4.**
půjčovna koní, vozů, člunů ap.
5. deputát **6.** práv. odevzdání
čeho
lives [laivz] *pl.* viz *life*
livestock ['laivstok] *s* dobytek;
živý inventář
livid ['livid] *a* zsinalý
living ['liviŋ] *s* **1.** živobytí,
život **2.** arch. majetek, statek
3. círk. prebenda ♦ *to make
one's* ~ vydělat si na živo-
bytí □ *a* živý, živoucí ♦ ~
death beznadějná bída; ~
language živý jazyk; ⏐~ -**room**
s obývací pokoj; ~ **wage**
postačující mzda
lixiviate [lik'sivieit] *vt* vyloužit
lizard ['lizəd] *s* ještěrka
Lloyd's [loidz] *s* Lloyd
společnost pro námořní pojištění
lo [lou] *int* arch. hle!, viz!
load [loud] *s* **1.** náklad, břímě
2. nálož, náboj **3.** zatížení
4. pracovní úvazek **5.** hov. pl.

velmi mnoho □ *vt & i* **1.**
naložit **2.** zatížit **3.** nabíjet
(*a gun* pušku) **4.** přecpat
(*with* čím) **5.** padělat (*wine*
víno) **6.** opatřit, zahrnout
(*with* čím); ~ **up 1.** naložit na
vůz **2.** nacpat se jídlem; —**ing**
['loudiŋ] *s* zatížení, naklá-
dání; ~ *area* ložná plocha;
~ *capacity* nosnost; ⏐—**stone**
s magnetovec
loa|f¹ [louf] *s* pl. *-ves* [-vz] **1.**
bochník **2.** homole cukru
loaf² [louf] *vi* potloukat se,
flákat se; —**er** ['loufə] *s* tulák,
flákač
loam [loum] *s* hlína, jíl
loan [loun] *s* **1.** půjčka **2.** půjčo-
vání □ *vt & i* půjčit
loath, loth [louθ] *a* neochotný,
váhavý, zdráhavý; —**e** [louð]
vt hnusit si, ošklivit si; —**ing**
['louðiŋ] *s* ošklivost, hnus;
—**some** ['louðsəm] *a* hnusný,
ošklivý, protivný
lob [lob] *vt & i* (-bb-) **1.** jít,
těžce n. nemotorně se pohy-
bovat **2.** sport. lobovat vrátit
míč vysokou křivkou
lobate ['loubeit] *a* lalokovitý
lobby ['lobi] *s* předsíň, foyer,
kuloár □ *vi* am. ovlivňovat
poslance
lob|e [loub] *s* lalok, boltec;
—**ed** ['loubd] *a* lalokovitý
list
lobster ['lobstə] *s* mořský rak,
humr
local ['loukəl] *a* místní □ *s*
lokálka; —**ity** [lo'kæliti] *s*
místo, prostor; —**ize** ['louke-
laiz] *vt* umístit, lokalizovat
locat|e [lo'keit] *vt & i* **1.**
umístit, určit místo **2.** usadit

(se); —ion [lou¹keišən] *s* 1. umístění 2. zjištění 3. usedlost 4. práv. pronájem

loch [lok] *s* skot. 1. jezero 2. zátoka, záliv

lock [lok] *s* 1. zámek 2. závora 3. stavidlo, zdymadlo 4. kadeř, chumáč; ~ *chamber* plavidlová komora; ~ *gate* vrata plavidlové komory □ *vt & i* 1. zamknout 2. zavřít (*in*, *into* do) 3. upevnit 4. fig. sevřít do křížku 5. investovat kapitál 6. přemoci 7. zabrzdit 8. zavěsit se do sebe 9. zaplést se do 10. opatřit zdymadly, nechat loď proplout zdymadly; ~ out *vt & s* propustit dělníky; výluka; ~ up zavřít do vězení; —age [¹lokidž] *s* 1. projetí lodi zdymadlem 2. poplatek za použití zdymadla ; —er [¹lokə] *s* 1. zamykač 2. kufřík, truhlice, skříňka; —et [¹lokit] *s* brož, medailón; |~-up *s* 1. šatlava 2. doba uzavření 3. nejistá investice

loco|motion [ˌloukə¹moušən] *s* 1. změna místa 2. pohyb 3. hnací síla; —motive [¹loukəˌmoutiv] *a* pohyblivý, samohybný □ *s* lokomotiva

locust [¹loukəst] *s* 1. kobylka, saranče 2. cikáda, cvrček 3. svatojánský chléb 4. akát

locution [lo¹kju:šən] *s* 1. rčení, idiom 2. styl řeči

lode [loud] *s* 1. strouha, tok 2. rudná žíla; —star, loadstar [¹loudsta:] *s* Polárka; —stone viz *loadstone*

lodg|e [lodž] *s* 1. chata, domek

2. lóže zednářská 3. doupě 4. vrátnice □ *vt* 1. ubytovat 2. sloužit za úkryt 3. mít na bytě 4. usadit se v místě 5. utlouci obilí 6. dát n. přijmout do opatrování 7. útočit 8. přednést stížnost 9. umístit, zasadit (ránu) 10. vložit do rukou, na koho □ *vi* 11. bydlit 12. noclehovat 13. uváznout 14. uložit peníze; -er [¹lodžə] *s* nocležník, nájemník; —ing [¹lodžiŋ] *s* 1. nocleh, byt 2. pl. byt 3. pronájem ~ *and board* celé zaopatření; —ing-house *s* noclehárna; —(e)ment[¹lodžmənt] *s* 1. byt, bydliště 2. uložení 3. voj. pevná pozice

loft [loft] *s* 1. půda, podkroví 2. sýpka 3. kůr 4. am poschodí 5. holubník □ *vt* 1. vyrazit míč vysoko 2. odstranit rázem překážku 3. chovat holuby; —iness [¹loftinis] *s* výška, vznešenost, pýcha; —y [¹lofti] *a* 1. vysoký 2. vznešený 3. pyšný, arogantní

log [log] *s* 1. kláda, špalek též fig.: *to sleep like a* ~ spát jako špalek, poleno 2. lodní rychloměr 3. záznam rychlosti lodi 4. záznam výkonu ♦ *in the* ~ hrubý, neotesaný; |~-book *s* lodní deník; ~-cabin [¹logˌkæbin], |—house *s* srub

logarithm [¹logəriθəm] *s* logaritmus

loggerhead [¹logəhed] *s* hlupák ♦ *to come to* -*s* dostat se do sporu

logic [¹lodžik] *s* 1. logika 2. usu-

zování; —**al** [ˈlodžikəl] *a*
logický
loin [loin] *s* 1. ledvina 2. hlavně
pl. bedra
loiter [ˈloitə] *vi* otálet, zahálet
loll [lol] *vi* 1. volně viset, klátit
se 2. plazit jazyk *(out)* 3.
protahovat se, líně se pohy-
bovat, opírat se *(against* o)
4. hovět si, klackovat se
lollipop [ˈlolipop] *s* lízátko
London [ˈlandən] *s* Londýn;
—**er** [ˈlandənə] *s* Londýňan
lone [loun] *a* 1. osamělý 2. ne-
obydlený; —**ly** [ˈlounli] *a* osa-
mělý, opuštěný, sám; —**some**
[ˈlounsəm] *a* osamělý, opuš-
těný
long[1] [loŋ] *a* 1. dlouhý 2. velký
(person člověk) 3. zdlouhavý,
vleklý □ *adv* dlouho, dlouze
♦ *all day* ~ po celý den;
he has a ~ *arm* má velkou
moc; ~-*head* [ˈloŋˈhed] *s* fig.
předvídavost; *in the* ~ *run*
konec konců; ~ *ago,* ~ *since*
dávno; ~ *before* dlouho před-
tím; *before* ~ zanedlouho; *so
(as)* ~ *as* pokud jen, pokud
□ *s* 1. obch. kupec 2. fon.
dlouhá hláska 3. dlouhá sla-
bika 4. pl. prázdniny 5. po-
drobný výčet, referát; |~
-*ago s* vzdálená minulost; ~
dozen třináct; ~-**eared** [ˈloŋ-
i:əd] *owl* kalous; ~**finger**
ukazováček; ~**jump** skok da-
leký; ~**sight** 1. dalekozra-
kost 2. fig. pronikavost; —**wall**
[ˈloŋwɔːl] *s* porubní stěna;
—**wise,** —**ways** [ˈloŋwaiz,
-weiz] *a & adv* po délce
long[2] [loŋ] *vi* toužit *(for* po):
—**ing** [ˈloŋiŋ] *s* touha

longe [landž] viz *lunge*[2]
longevity [lonˈdževiti] *s* dlouhý
život
longitud|e [ˈlondžitjuːd] *s* země-
pisná délka; —**inal** [ˌlonži-
ˈtjuːdinl] *a* podélný
looby [ˈluːbi] *s* nemotora, hlu-
pák
look [luk] *vi & t* 1. hledět, dívat
se *(at* na) 2. vyhlížet, vypa-
dat *(it -s like snow* bude asi
sněžit) 3. pozorovat 4. starat
se, pečovat ♦ ~ *before you
leap* dvakrát měř, jednou řež;
~ *alive!* pospěš si!; *it -s to be*
zdá se; *to* ~ *daggers at* vrhat
hněvivé pohledy na; *to* ~
black dívat se hněvivě; *to* ~
blue vyhlížet nespokojeně;
stísněně; *to* ~ *sharp* pospíšit
si; ~ **about** dívat se kolem,
ohlédnout situaci, hlídat;
zkoumat; ~ **after** dohlížet na;
~ **for** očekávat, hledat; ~
forward to těšit se na, očeká-
vat; ~ **in** zastavit se na
chvilku, navštívit; ~ **into** pro-
hledat vnitřek, prozkoumat,
vyšetřit; ~ **on with** číst z kni-
hy současně s druhým; ~
out 1. vyhlížet z n. koho,
vybrat, dávat pozor 2. vý-
hled, pozor na; ~ **over** pře-
hlédnout, prozkoumat; ~
through prohlédnout (si); ~
to 1. dbát o 2. uvážit, při-
hlížet k 3. hlídat 4. spoleh-
nout se 5. očekávat 6. mířit
na; ~ **up** 1. vzhlédnout 2.
navštívit 3. vyhledat *(word
in dictionary* slovo ve slov-
níku) 4. obch. zlepšit v ceně,
prosperitě; ~ **up to** ctít,
zbožňovat; ~ **one up and**

down měřit si někoho pohrdlivě; **~ upon** dívat se na koho s určitými pocity, pokládat, považovat za □ *s* 1. pohled 2. vzezření; **—er-on** ['lukər|on] *s* divák; **—ing--glass** ['lukiŋgla:s] *s* zrcadlo
loom [lu:m] *s* 1. tkalcovský stav 2. první, náznak země ap. □ *vi* nejasně se rýsovat
loon [lu:n] *s* skot. & arch. 1. ničema, darebák 2. zool. potápka
loop [lu:p] *s* 1. smyčka, klička 2. zátočina 3. let. looping, přemet 4. žel. vedlejší trať □ *vt & i* 1. upevnit smyčkou 2. dělat smyčku 3. probíhat oklikou 4. kličkovat 5. let. dělat loopingy; **~ -hole** ['lu:phoul] *s* 1. štěrbina 2. střílna 3. vytáčka 4. fig. zadní vrátka
loose [lu:s] *a* 1. uvolněný, volný, nespojitý 2. řídký, vratký 3. viklavý zub 4. nepřesný, neurčitý 5. rozvláčný 6. uvolněných mravů ♦ *to have ~ bowels* mít průjem; *to leave at ~ ends* nechat nedoděláno; *to play fast and ~* chovat se bezohledně; *to have a screw ~* nemít to v hlavě v pořádku; *~ fish* zhýra|lec; *~ thinker* lehkomyslník □ *vt & i* 1. uvolnit 2. odvázat, rozvázat, odpoutat 3. vystřelit, vypustit šíp
loosen ['lu:sn] *vt* uvolnit (se), rozviklat (se)
loot [lu:t] *s* kořist, plen □ *vt & i* plenit, drancovat
lop [lop] *vt* (-pp-) 1. oklestit, přistřihnout, prostříhat, prořezat stromy □ *vi* (-pp-)

2. viset schlíple □ *s* klestí; **—ear** ['lop-iə] *s* převislý boltec; **—sided** ['lop|saidid] *s* naklánějící se k jedné straně
lope [loup] *vi* klusat
loquac|ious [lo|kweišəs] *a* povídavý; **—ity** [lo|kwæsiti] *s* povídavost
lord [lo:d] *s* 1. pán 2. *L~* Pán, Hospodin, Kristus 3. lord, milost ♦ *L~'s day* den Páně, neděle; *L~'s prayer* otčenáš; *L~'s supper* večeře Páně, přijímání svátost; *House of L~s* Horní sněmovna; *L~ Chancellor* lord kancléř; *L~ Chief Justice* Nejvyšší sudí; *L~ Mayor* starosta; **—ly** ['lo:dli] *a* panský, lordský, pyšný; **—ship** ['lo:dšip] *s* lordstvo, lordství
lore [lo:] *s* 1. vzdělání, učení 2. lidová tradice
lorry ['lori] *s* nákladní vůz
lose [lu:z] *vi & i* 1. ztratit, pozbýt, 2. zbavit se čeho 3. prohrát 4. prodělat 5. zapomenout 6. zvr. ztratit se, pohroužit se (*in speculations* do úvah) 7. nestihnout vlak ♦ *to ~ contact with the masses* odtrhnout se od mas; *to ~ patience* n. *temper* ztratit trpělivost; *to ~ one's head* fig. ztratit hlavu; *to ~ heart* ztratit odvahu; *to ~ one's heart to* zamilovat se do koho; *to ~ interest* ztratit zájem; *to ~ sight of* ztratit z očí, pustit ze zřetele; *to ~ one's way* zabloudit; **—r** ['lu:zə] *s* kdo něco ztratí, prohraje
loss [los] *s* ztráta (*of freedom* svobody); škoda; porážka

♦ *at a* ~ v rozpacích; ~ *of
wages* ušlá mzda

lost [lost] *pt, pp* od *lose* 1.
ztracený 2. odešlý; rozešlý s,
zbloudilý 3. ponořený (*in
thoughts* v myšlenky); ~
motion mrtvý chod

lot [lot] *s* 1. los 2. osud 3. podíl
4. hov. množství, mnoho (*a* ~
of people mnoho lidí) 5. taxa,
clo 6. stavební místo, po-
zemek 7. druh lidí 8. partie
zboží ♦ *he is a bad* ~ je
špatný člověk; *in one* ~
vcelku; *the* ~ *fell upon me*
los padl na mne; ~ *manu-
facture* sériová výroba □ *adv*
velmi mnoho

lotion [ˈloušən] *s* vymývací
prostředek, roztok

lottery [ˈlotəri] *s* loterie

loud [laud] *a* 1. hlasitý, hřmotný
2. křiklavý o barvě 3. neoma-
lený □ *adv* hlasitě, nahlas;
~ -**speaker** [ˈlaudˈspi:kə] *s*
tlampač

Louisiana [luˌi:ziˈænə] *s* Loui-
siana

lounge [laundž] *vi & t* lenošit
□ *s* 1. lenošení, povalování,
flákání se 2. lenoška 3. saló-
nek n. odpočívárna v hotelu

lour, lower [ˈlauə] *vi* mračit se
(*on, upon, at* na)

lous|e [laus] *s* pl. *lice* [lais] veš;
—**y** [ˈlauzi] *a* zavšivený

lout [laut] *s* nemotora, hru-
bec

louver, louvre [ˈlu:və] *s* druh
žaluzie šikmo z okna vysunuté

lovable [ˈlavəbl] *a* roztomilý,
líbezný

love [lav] *s* 1. láska (*of, for, to,
towards a person* ke komu;

for, to a thing k čemu) 2.
miláček 3. Amor 4. srdečný
pozdrav ♦ *for* ~ *or money*
žádným způsobem, za nic na
světě; *to be in* ~ *with* být
zamilován do; *to fall in* ~
with zamilovat se do; *to
make* ~ *to* namlouvat si,
dvořit se; *give my* ~ *to*
pozdravuj ode mne □ *vt*
1. milovat, mít rád, mít záli-
bu □ *vi* 2. rád dělat, vidět
ap.; ~ -**affair** [ˈlavəˌfeə] *s*
milostná aféra; —**less** [ˈlav-
lis] *a* bez lásky; —**liness**
[ˈlavlinis] *s* roztomilost;
—**lorn** [ˈlavlo:n] *a* opuštěný
milenkou, milencem; —**ly**
[ˈlavli] *a* roztomilý, líbezný,
krásný; |~ -ˌ**making** *s* ná-
mluvy; |~ -**match** *s* sňatek
z lásky; —**r** [ˈlavə] *s* milenec,
milenka; |~ -**sick** *a* láskou
roztoužený; ~ -**token** [ˈlav-
ˌtoukən] *s* dar z lásky

low¹ [lou] *a* 1. nízký 2. dolní
3. hluboký výstřih ap. 4. mělký
5. obyčejný 6. sklíčený, malo-
myslný 7. tichý 8. sprostý,
vulgární 9. jednoduchý,
skromný 10. ničemný 11.
nedávný ♦ *to have* ~ *opinion
of* mít nevalné mínění o;
to bring ~ sklíčit, snížit
(cenu); *to feel* ~ být sklíčen,
slabý; *in* ~ *water* na suchu,
na mizině □ *s* 1. první rych-
lost auta 2. nejnižší trumf
3. tlaková níže □ *adv* 1. nízko
2. chudobně 3. pokorně 4.
tiše 5. lacino ♦ *to run* ~
nedostávat se o zásobách;
to be laid ~ 1. být zabit 2.
být sražen k zemi, svržen

3. být přemožen, zdolán **4.** být upoután na lůžko; **~-altitude:** ~ *attack* hloubkový útok; |~-|**bred** *a* špatně vychovaný; nezpůsobný; **~-brow** [|loubrau] *s* am. kdo se nezajímá o hudbu n. knihy; |~-**down** *a* bídný, zavržený, nečestný □ *s* am. nejnižší bod n. úroveň; |—**land** *s* nížina; |~-**level** *attack* hloubkový útok; |~-**level-bomb** *vt* bombardovat při hloubkovém letu; —**ly** [|louli] *a* skromný, pokorný □ *adv* nízko; **~ relief** basreliéf; **~-spirited** [|lou-|spiritid] *a* malomyslný, sklíčený; **~ tide** odliv; |~-|**water:** **~ mark** bod nejnižšího stavu vody

low³ [lou] *s* bučení □ *vi & t* bučet

lower [|louə] *a comp* od *low:* spodní, dolní; ~ *deck* dolní paluba; *the L~ House* Dolní sněmovna □ *vt & i* **1.** snížit (se) **2.** pokořit, ponížit (se), degradovat

loyal [|loiəl] *a* oddaný, věrný; —**ty** [|loiəlti] *s* věrnost, oddanost; ~ *bonus* věrnostní přídavek

lozenge [|lozindž] *s* **1.** kosočtverec **2.** pokroutka, bonbón

lubber [|labə] *s* nemotora, klacek

lubric|ant [|lu:brikənt] *s* mazadlo; —**ate** [|lu:brikeit] *vt* (pro)mazat, snížit tření; —**ation** [¸lu:bri|keišən] *s* mazání; —**ator** [|lu:brikəitə] *s* **1.** mazadlo, maznička **2.** strojník, který se stará o promazá-

vání strojů; —**ity** [lju:|brisiti] *s* **1.** kluzkost **2.** fig. & kniž. oplzlost

lucent [|lju:snt] *a* zářný, zářící, jasný

lucerne [lu:|sə:n] *s* vojtěška

lucid [|lu:sid] *a* **1.** zářivý, jasný **2.** světelný **3.** fig. průzračný **4.** bot. hladký; —**ity** [lu:|siditi] *s* jasnost, přehlednost

Lucifer [|lu:sifə] *s* **1.** Lucifer, Světlonoš **2.** astr. jitřenka

luck [lak] *s* náhoda ♦ *to have the ~* mít štěstí; *bad, ill, ~* neštěstí; *good ~* štěstí; *to try one's ~* zkusit štěstí; *to be off one's ~* mít neštěstí; *in ~* šťastný; *for ~* pro štěstí; —**y** [|laki] *a* šťastný, příznivý ♦ *you're a ~ dog* ty máš ale štísko, ty jsi ale šťastný chlapík!

lucrative [|lu:krətiv] *a* výnosný

lucre [|lu:kə] *s* zisk, výdělek

lucubration [¸lu:kju|breišən] *s* **1.** noční studium **2.** pl. esej, meditace

luculent [|lu:kjulənt] *a* jasný, přesvědčivý

ludicrous [|lu:dikrəs] *a* směšný

luff [laf] *s* nám. **1.** řízení lodi směrem k větru **2.** nejširší část přídě **3.** strana přední a zadní plachty u stěžně □ *vi & t* řídit loď po větru

lug [lag] *s* **1.** ucho, držadlo **2.** nárazník **3.** výstupek **4.** lid. vlečení, škubání □ *vt & i* (-gg-) **1.** vléci, táhnout **2.** škubat

luggage [|lagidž] *s* zavazadlo, zavazadla

lugubrious [lu:|gju:briəs] *a* žalostný, truchlivý

lukewarm [ˈluːkwoːm] *a* 1. vlažný 2. netečný

lull [lal] *vt & i* utišit (se), uspat, ukolébat ☐ *s* klid (*temporary* dočasný), utišení; —**aby** [ˈlaləbai] *s* ukolébavka

lumbago [lamˈbeigou] *s* bolest v kříži, houser, ústřel

lumber¹ [ˈlambə] *s* 1. haraburdí 2. am. stavební dříví; kulatina ☐ *vt* nepořádně naházet ☐ *vi* am. těžit dříví; |**~-room** *s* místnost na haraburdí, komora

lumber² [ˈlambə] *vi* rachotit, hřmotit

lumin|ary [ˈluːminəri] *a* světelný ☐ *s* 1. světelné těleso, světlo 2. významná osobnost; —**osity** [ˌluːmiˈnositi] *s* světelnost, jasnost; —**ous** [ˈluːminəs] *a* světelný, svítící, jasný

lump [lamp] *s* 1. kus, hrouda 2. celek 3. velké množství, hromada 4. hromotluk ♦ *in the ~* celkem; *~ sugar* kostkový cukr; *~ sum* celková suma ☐ *vt & i* 1. shrnout, dát dohromady 2. řadit v celek 3. těžce kráčet 4. šmahem vzít; —**ish** [ˈlampiš] *a* 1. těžkopádný 2. hloupý; —**y** [ˈlampi] *a* chuchvalcovitý, hroudovitý; *~ water* zčeřená voda

lun|acy [ˈluːnəsi] *s* šílenství; **-ar** [ˈluːnə] *a* měsíčný; **-ate** [ˈluːneit] *a* půlměsícový, srpovitý; —**atic** [ˈluːnətik] *a* šílený, pomatený ☐ *s* blázen; *~ asylum* blázinec

lunch [lanč] *s* lehký oběd, lunch, přesnídávka ☐ *vi & t* obědvat, mít přesnídávku

lunette [luːˈnet] *s* 1. stav. světlík

2. luneta 3. otvor pro krk v gilotině

lunge¹ [landž] *s* 1. náhlý výpad mečem 2. skok ☐ *vi* 1. učinit výpad 2. vyhodit, kopnout o koni

lunge², **longe** [landž] *s* dlouhá uzda užívaná při tréninku

lungs [lanz] *s pl.* plíce

lupin(e) *a* [ˈluːpain] vlčí ☐ *s* [ˈluːpin] vlčí bob

lurch [ləːč] *s* 1. zakymácení lodi, nahnutí na bok ☐ *vi* kymácet se, nahnout se bokem

lure [ljuə] *s* vnadidlo, vábnička ☐ *vt* lákat (*into, away*), vábit

lurid [ˈljuərid] *a* 1. smrtelně bledý 2. ponurý, děsný

lurk [ləːk] *vi* 1. číhat (*for* na) 2. skrývat se (*in* v, *under* pod, *about* u, kolem) 3. uniknout pozornosti; krást se; |—**ing-place** *s* úkryt, doupě

luscious [ˈlašəs] *a* přesládlý, nasládlý

lush [laš] *a* bujný o trávě ap. ☐ *s* sl. 1. tekutina, likér 2. opilec

lust [last] *s* 1. tužba, žádost 2. rozkoš 3. smyslná žádost, chlípnost, chtíč ♦ *~ of conquest* dobyvačnost ☐ *vi* bažit (*after, for* po); —**ful** [ˈlastful] *a* chlípný, žádostivý

lustr|e, am. **luster** [ˈlastə] *s* 1. lesk, třpyt, záře 2. krása 3. sláva 4. výtečnost 5. listr látka; —**ous** [ˈlastrəs] *a* 1. lesklý, třpytný 2. proslavený, vznešený

lute¹ [luːt] *s* loutna ☐ *vt* hrát na loutnu

lute² [luːt] *s* tmel, kyt ☐ *vt* zakytovat, zatmelit

Lutheran [ˈluːθərən] *a* luterán-
ský □ *s* luterán
Luxemburg [ˈlaksəmbəːg] *s* Lu-
cembursko
luxur|iant [lagˈzjuəriənt] *a* 1.
přehojný 2. bujný 3. květnatý
sloh; **—iate** [lagˈzjuərieit] *vi*
1. bujet 2. žít v přepychu,
rozkoši, rozmařilosti 3. libo-
vat si, mít radost (*in* z);
—ious [lagˈzjuəriəs] *a* bujný,
rozmařilý; **—y** [ˈlakšəri] *s* pře-
pych; ~ *tax* daň z přepychu

lyceum [laiˈsiəm] *s* lyceum
lye [lai] *s* louh
lying [ˈlaiiŋ] *pp* viz *lie*; |~-|in
s šestinedělí, porod
lymph [limf] *s* lymfa, míza,
šťáva
lynch [linč] *vt* lynčovat; **—ing**
[ˈlinčiŋ] *s* lynčování
lynx [liŋks] *s* zool. rys
lyr|e [ˈlaiə] *s* lyra; **—ic** [ˈlirik] *a*
lyrický □ *s* lyrika, lyrická
skladba; **—ical** [ˈlirikəl] *a*
lyrický

M

M, m [em] písmeno m
M.A. = *Master of Arts* mistr
svobodných umění
ma'am [mæm] *s* místo *madam*
paní
macadam [məˈkædəm] *s* maka-
dam vozovka
macaroni [ˌmækəˈrouni] *s* maka-
róny
mac|e [meis] *s* 1. palice, palcát
2. žezlo 3. muškátový květ;
~-bearer [ˈmeisbeərə] *s* pedel,
žezlonoš; **—er** [ˈmeisə] *s* žezlo-
noš
macerate [ˈmæsəreit] *vt & i*
1. máčet, nakládat 2. máče-
ním zvláčnit 3. mořit,
umrtvovat 4. zhubenět posty
machinat|e [ˈmækineit] *vi & t*
provádět machinace, strojit
úklady; **—ion** [ˌmækiˈneišən]
s 1. úklady; pletichy, pikle;
machinace 2. pletichaření
machin|e [məˈšiːn] *s* 1. stroj
2. vůz; auto; jízdní kolo ♦

voting ~ volební mašinérie □
a strojní, strojový □ *vt* obrá-
bět, vyrobit strojově; ~ *build-
ing* strojírenství; ~ *adjuster*
seřizovač stroje; **—ery** [məˈšiː-
nəri] *s* stroje; **~ gun** strojní
puška, kulomet; **—ing** [mə-
ˈšiːniŋ] *s* obrábění; **—ist** [mə-
ˈšiːnist] *s* strojník; **~-made**
strojový; **~ works** strojírna
mackerel [ˈmækrəl] *s* zool. mak-
rela
mackintosh [ˈmækintoš] *s* 1.
nepromokavý plášť 2. ne-
promokavá látka
macro|cosm [ˈmækrəkozəm]
s makrokosmos, vesmír;
—structure [ˈmækrostrakčə]
s malostruktura
macula [ˈmækjulə] *s* pl. *-ae*
[-iː] skvrna na slunci, v kůži,
v nerostu
mad [mæd] *a* 1. šílený, bláznivý
2. ztřeštěný, potrhlý 3. chti-
vý, zuřivý (*after, about, for,*

on na), vztekly (*dog* pes) **4.** zbláznený (*on, about* do) **5.** nadsený čím ♦ *to go* ~ zbláznit se; *to drive* ~ dohnat k sílenství □ *vt & i* (-dd-) zř. zbláznit (se); |—**cap** *s* ztřeštěnec, zuřivec; |~-|**doctor** *s* lékař duševních chorob; |~-**house** *s* blázinec; |—**man** *s* šílenec; —**woman** [|mædwumən] *s* šílená žena; —**wort** [|mædwə:t] *s* bot. tařice kališní, čistec

mad|den [|mædn] *vt & i* šílet, třeštit, (po)bláznit (se), rozzuřit; —**dish** [|mædiš] *a* potrhlý, zbrklý; —**ness** [|mædnis] *s* šílenství, bláznění, zuřivost

madam [|mædəm] *s* dáma, paní

made [meid] *pt & pp*, viz *make*

maecenas [mi|si:næs] *s* mecenáš

maelstrom [|meilstroum] *s* **1.** vír, prohlubeň **2.** proud událostí

magazine [ˌmægə|zi:n] *s* **1.** sklad, skladiště **2.** zásobník pušky **3.** sborník, časopis

mage [meidž] *s* arch. kouzelník

maggot [|mægət] *s* **1.** červ, larva **2.** vrtoch; —**y** [|mægəti] *a* červivý

magi [|meidžai] *pl.*, viz *magus*

magic, -al [|mædžik(əl)] *s* magie, kouzlo, kouzelnictví □ *a* magický, kouzelný; ~ **lantern** magická lampa, laterna magica; —**ian** [mə|džišən] *s* kouzelník, čaroděj

magist|erial [ˌmædžis|tiəriəl] *a* **1.** představenský **2.** úřednický **3.** mající moc; —**ral** [mə|džistrəl] *a* **1.** představenský

2. předepsaný lékařem **3.** hlavní; ~ *line* hlavní linie opevnění; —**rate** [|mædžistrit] *s* **1.** úředník **2.** smírčí soudce **3.** vrchnost

magnanim|ity [ˌmægnə|nimiti] *s* velkodušnost; —**ous** [mæg|næniməs] *a* velkodušný

magnate [|mægneit] *s* velmož, magnát (*of capitalism* kapitalistický)

magnesium [mæg|ni:zjəm] *s* magnézium, hořčík

magnet [|mægnit] *s* magnet; —**ic(al)** [mæg|netik(əl)] *a* magnetický; ~ *chuck* magnetická upínací deska; ~ *field* magnetické pole; ~ *needle* magnetická střelka; ~ *pole* magnetický pól; —**ism** [|mægnitizəm] *s* magnetismus; —**ize** [|mægnitaiz] *vt* **1.** (z)magnetizovat **2.** ovlivnit, upoutat, okouzlit **3.** hypnotizovat

magneto [mæg|ni:tou] *s* elektromagnet, dynamko v autu; ~ -*electric* elektromagnetický

magnific|ation [ˌmægnifi|keišən] *s* zvětšení; —**ence** [mæg|nifisns] *s* velkolepost; —**ent** [mæg|nifisnt] *a* velkolepý, nádherný, vznešený, pozoruhodný

magnif|y [|mægnifai] *vt & i* **1.** zvětšovat; -*ying lense* zvětšovací sklo, čočka, lupa **2.** zveličovat, přehánět **3.** velebit, vychvalovat; —**ier** [|mægnifaiə] *s* **1.** zvětšovatel **2.** velebitel **3.** zvětšovací sklo

magnitude [|mægnitju:d] *s* **1.** volikost **2.** důležitost **3.** mat. veličina magnolia [mæg'nouljə] *s* bot. magnólie

magnum ['mægnəm] *s* tuplák, velká dvoulitrová láhev

magpie ['mægpai] *s* 1. straka 2. treperenda 3. předposlední kruh terče, zásah do tohoto; ~ -moth ['mægpaimoθ] *s* pídalka angreštová

ma|gus ['meigəs] *s* pl. -gi [-džai] kouzelník, mág

Magyar ['mægja:] *s* Maďar; maďarština □ *a* maďarský

maharaja(h) [₁ma:ə'ra:džə] *s* maharadža

mahogany [mə'hogəni] *s* mahagon

maid [meid] *s* 1. dívka, panna 2. stará panna; ~ of honour komorná; ~ servant služebná

maiden ['meidn] *s* 1. dívka, panna 2. služebná 3. skotská gilotina 4. kůň, který ještě nikdy nevyhrál závody □ *a* 1. panenský, dívčí 2. první; —head, —hood ['meidnhed, -hud] *s* panenství

mail[1] [meil] *s* pošta ♦ *by the same* ~ současně, zároveň; *by the first* ~ nejbližší poštou; *air* ~ letecká pošta; ~ *box* am. schránka na dopisy; ~ *train* poštovní vlak □ *vt* am. dát na poštu, poslat poštou; |~ -car, |~ -cart, |~ -|coach *s* poštovní vůz; |—man *s* pošťák; |~ -train *s* poštovní vlak

mail[2] [meil] *s* krunýř, pancíř, pancéřová síť ♦ *coat of* ~ drátěná košile □ *vt* obrnit; —ed [meild] *a* obrněný, pancéřový; ~ *fist* železná ruka, fig. fyzická moc

maim [meim] *vt* zmrzačit, zkomolit

main [mein] *s* 1. hlavní část 2. hlavní rozváděč, kanál ap. 3. pl. el. hlavní vedení, síť 4. arch. pevnina 5. arch. síla, moc 6. bás. širé moře □ *a* 1. hlavní 2. mocný, silný ♦ *in* (n. *for*) *the* ~ hlavně, v podstatě; ~ *deck* hlavní paluba; —land ['meinlənd] *s* pevnina; |—mast *s* hlavní stožár; |—stay *s* nám. lano vedoucí od hlavního stěžně; fig. podpora; ~ *top* nám. koš nad nižším hlavním stěžněm; ~ topmast nám. horní prodloužená část hlavního stěžně

maint|ain [men'tein] *vt* 1. udržovat, (vy)držet 2. pokračovat, provádět 3. tvrdit, zastávat názor 4. podporovat 5. zvr. uživit se; —enance ['meintinəns] *s* 1. udržování, údržba 2. hájení, podpora; ~ *shop* údržbářská dílna; ~ *scheme* zásobovací plán; ~ *of rights* zachování práv

maize [meiz] *s* kukuřice

majestic(al) [mə'džestik(əl)] *a* skvělý, vznešený

majesty ['mædžisti] *s* 1. veličenstvo 2. majestát ♦ *His M*~ Jeho Veličenstvo

major ['meidžə] *a* 1. větší 2. většinový (*vote* hlas) 3. plnoletý 4. am. hlavní předmět studia, určující 5. hud. durový ♦ *the* ~ *part* většina □ *s* 1. člověk vyšší hodnosti úřední 2. am. hlavní předmět studia 3. práv. osoba plnoletá 4. voj. major (~ *general* brigádní generál); —ity [mə'džoriti] *s*

1. většina 2. voj. hodnost majora 3. plnoletost, dospělost
make*¹ [meik] *vt & i* 1. činit, dělat 2. zhotovit 3. chápat 4. (při)nutit 5. získat, vydělat peníze 6. stát se, mít výsledek, účinek 7. nám. rozeznat 8. urazit cestu, postoupit, jít ♦ *to ~ fast* upevnit; *to ~ good* napravit, nahradit; *to ~ sure* ujistit se; spolehnout se na, zajistit si; *to ~ fun, game, of* žertovat; *to ~ peace* uzavřít mír; *to ~ way* postoupit, razit cestu; *to ~ friends* zpřátelit se; *to ~ true* zarovnat, seřídit; *to ~ water* vyprázdnit moč; *to ~ an abatement* n. *a reduction* obch. slevit; *to ~ inquiries* dotazovat se; *to ~ a proposal* navrhnout; *to ~ up the books* obch. uzavřít knihy; *to ~ up (for a loss)* nahradit (ztrátu); *to ~ use of* použít čeho; *to ~ an example of* potrestat koho; *it does not ~ any difference* na tom nezáleží; *to ~ haste* pospíšit si; *to ~ much of* vážit si, dělat si mnoho z; *to ~ little of* nevážit si, nic si nedělat z; *to ~ light of* zlehčovat; *to ~ a hash of* zkazit; *to ~ no bones about, of* lid. nedělat žádné okolky s; *to ~ head* čelit, postavit se na odpor (*against* čemu); *to ~ a clean breast of* přiznat co; *to ~ sail* 1. napnout plachtu 2. vydat se na plavbu; *to ~ as if (as though)* předstírat, že; *to ~ amends* dát náhradu; *to ~ merry* veselit se; *to ~ love* namlouvat

si; *to ~ ready* připravit se; *to ~ s.o. learn* přinutit koho k učení; *to ~ after* arch. pronásledovat; *~ away* ukrást, odklidit; *~ away with* 1. zbavit se 2. zabít 3. mrhat, utrácet; *~ for* 1. vést, přispívat k 2. potvrdit 3. směrovat k, postoupit k 4. (za)útočit na, přepadnout; *~ off* zmizet, lid. odprejsknout; *~ out* 1. vyhotovit, napsat (*list* seznam, *document* dokument, *cheque* šek) 2. (pracně) sestavit, složit 3. rozumět, chápat 4. rozluštit rukopis 5. rozeznat zrakem 6. dokázat 7. doplnit 8. vykonat; *~ up* 1. tvořit, skládat 2. vymyslit, vynalézat 3. zabalit, upevnit 4. uspořádat, dát dohromady (*a train of cars* kolonu vozů) 5. maskovat herce; uspořádat v sloupce, stránky, do tisku 6. urovnat hádku 7. rozhodnout se (*~ up one's mind*) 8. smířit (se) 9. postoupit, pokročit 10. činit dohromady (*a required sum* žádanou částku) 11. doplnit, nahradit
mak|e² [meik] *s* 1. provedení, struktura, tvar 2. povaha, vlastnost, druh, značka 3. výroba, výrobek; **|~-and--|break** *s* el. zapínání a vypínání, přerušovač; **~-believe** [¹meikbi₁li:v] *s & a* 1. předstírání 2. neupřímný, předstíraný; **—er** [¹meikə] *s* tvůrce, zhotovitel, stvořitel; **|—fast** nám. 1. *s* upevňovač bóje ap. 2. *vt* uvázat, spojit, nám. rychle zamířit; **—ing** [¹meik-

iŋ] *s* 1. dělání, tvoření, práce 2. složení, struktura 3. pl. výdělek, zisk 4. pl. podstatné vlastnosti 5. pl. lid. am. materiál pro výrobu 6. vývoj; |~ -peace *s* mírotvorce; |—shift *s* pomoc z nouze, nouzový prostředek; |~ -up *s* 1. uzpůsobení, konstituce 2. nalíčení 3. uspořádání, úprava článků, ilustrace ap.

malachite ['mælǝkait] *s* malachit

mal|adjustment ['mælǝ|džastmǝnt] *s* špatné přizpůsobení; špatná úprava n. seřízení; —**administer** ['mælǝd|ministǝ] *vt* špatně spravovat n. řídit; —**adroit** ['mælǝ|droit] *a* neobratný, neohrabaný; netaktní

malady ['mælǝdi] *s* nemoc, choroba, též fig.

malaise [mæ'leiz] *s* malátnost, nevolnost

malaria [mǝ'leǝriǝ] *s* malárie

Malay [mǝ'lei] *a* malajský □ *s* Malajec; malajština

malcontent ['mælkǝn|tent] *a* nespokojený

male [meil] *a* mužský, samčí □ *s* samec; ~ **screw** šroub k příslušné matici

male|diction [|mæli|dikšǝn] *s* prokletí; —**faction** [|mæli|fækšǝn] *s* zločin, urážka

malefic [mǝ'lefik] *a* škodlivý

malevolent [mǝ'levǝlǝnt] *a* zlovolný, zlomyslný

malfeasance [mæl'fi:zǝns] *s* zneužití

malic|e ['mælis] *s* zášť, zlomyslnost; —**ious** [mǝ'lišǝs] *a* zlomyslný

malign [mǝ'lain] *a* 1. zlý, zlomyslný 2. škodlivý 3. zákeřný, zhoubný o chorobě; —**ancy** [mǝ'lignǝnsi] *s* zlomyslnost, škodlivost; —**ant** [mǝ'lignǝnt] *a* 1. zlomyslný, škodlivý 2. med. zákeřný, zhoubný o nemoci; —**ity** [mǝ'ligniti] *s* 1. zlomyslnost, škodolibost 2. škodlivost

malinger [mǝ'liŋgǝ] *vi* předstírat nemoci, simulovat, ulejvat se

malleabl|e ['mæliǝbl] *a* kujný; ~ *iron* temperovaná litina; —**ize** ['mæliǝblaiz] *vt* temperovat litinu

mallet ['mælit] *s* palice, palička

mallow ['mælou] *s* bot. sléz

malmsey ['ma:mzi] *s* malvaz

malnutrition ['mælnju:'trišǝn] *s* podvýživa

malt [mo:lt] *s* slad □ *vt & i* proměnit v slad, sladovat (se); ~ **house** sladovna

Malt|a ['mo:ltǝ] *s* Malta; —**ese** ['mo:l'ti:z] *a* maltský, maltézský □ *s* pl.=sg. 1. Maltézan 2. maltézština

maltreat [mæl'tri:t] *vt* špatně zacházet, týrat; —**ment** *s* špatné zacházení

maltster ['mo:ltstǝ] *s* sládek

malversation [|mælvǝ:'seišǝn] *s* zpronevěra

mamma¹ [mǝ'ma:] *s* maminka

mamm|a² ['mæmǝ] *s* pl. -ae [-i:] prsní žláza u savců; -**al** ['mæmǝl] *s* savec; —**alia** [mæ'meiljǝ] *s pl.* zool. savci

mammon ['mæmǝn] *s* mamon

mammoth ['mæmǝθ] *s* mamut □ *a* mamutí, ohromný

mammy [ˈmæmi] *s* 1. mami 2. am. černošská chůva
man [mæn] *s* pl. *men* [men] 1. člověk, osoba 2. muž 3. pl. lidstvo 4. manžel 5. sluha 6. zaměstnanec 7. voják ♦ *every* ~ *jack* honza, mužský; *best*~ družba; ~ *in the street* prostý člověk; ~ *of letters* učenec, literát; ~ *of straw* strašák; ~ *of the world* člověk znalý světa □ *vt* (-nn-) 1. opatřit mužstvem 2. vzmužit se; |~ -at-|arms *s* hist. vojín, oděnec; |~ -|eater *s* lidožrout; —**ful** [ˈmænful] *a* mužný, rozhodný; |—|handle *vt* 1. řídit lidskou silou 2. hrubě zacházet s; |~ -hole *s* poklop v podlaze n. ve střeše; —**hood** [ˈmænhud] *s* 1. mužnost, mužství 2. všichni mužští občané státu n. země; —**ikin** [ˈmænikin] *s* 1. mužíček, skřítek 2. malířský panák; —**kind** [mænˈkaind] *s* 1. lidstvo 2. [ˈmænkaind] muži; —**like** [ˈmænlaik] *a* mužný, jako muž; —**liness** [ˈmænlinis] *s* mužnost, mužskost; —**ly** [ˈmænli] *a* mužský, mužný, odhodlaný; |~ -of-|war *s* válečná loď; ~ **power** pracovní síla, lidský potenciál
manacle [ˈmænəkl] *s* pouto □ *vt* spoutat
manag|e [ˈmænidž] *vt* 1. řídit, vést, spravovat 2. ovládat, vládnout nástrojem 3. hospodařit 4. spořádat co □ *vi* 5. (za)řídit 6. lid. umět si pomoci, dosáhnout účelu; —**ement** *s* 1. obratné zacházení, správa, řízení 2. vedení,

ředitelství; —**er** [ˈmænidžə] *s* správce, ředitel; |—ing ♦ ~ *board* správní rada; ~ *clerk* obchodvedoucí, disponent
Manchester [ˈmænčistə] *s* Manchester (m)
Manchu [mænˈču:] *a* mandžuský □ *s* 1. Mandžurec 2. mandžusština
manciple [ˈmænsipl] *s* správce zásobárny n. kuchyně
mandate [ˈmændeit] *s* rozkaz, nařízení, mandát
mandible [ˈmændibl] *s* anat. dolní čelist, kusadlo
mandoline [ˌmændəˈli:n] *s* hud. mandolína
mandrel [ˈmændrəl] *s* 1. soustruhové vřeteno 2. jádro formy
manducate [ˈmændjukeit] *vt* žvýkat, kousat
mane [mein] *s* hříva
manege [mæˈneiž] *s* jízdárna
manganate [ˈmæŋgəneit] *s* manganan
manganese [ˌmæŋgəˈni:z] *s* chem. mangan
mang|e [meindž] *s* prašivina; —**y** [ˈmeindži] *a* 1. prašivý 2. ošumělý
manger [ˈmeindžə] *s* žlab, koryto, jesle
mangle[1] [ˈmæŋgl] *s* mandl □ *vt* mandlovat, válet
mangle[2] [ˈmæŋgl] *vt* 1. roztrhat, rozsekat 2. zmrzačit
mani|a [ˈmeinjə] *s* 1. šílenství 2. vášeň; mánie; —**ac** [ˈmeiniæk] *s* šílenec
manicure [ˈmænikjuə] *s* 1. manikúra 2. manikér □ *vt & i* dělat manikúru, pěstit ruce

manifest [ˈmænifest] *a* zjevný, jasný, patrný □ *vt & i* 1. vyhlásit, prohlásit 2. prozradit, ozřejmit, dokázat 3. zaznamenat v lodním seznamu 4. manifestovat 5. zjevit se o duchu; ~ *oneself* projevovat se □ *s* 1. lodní seznam 2. manifest, prohlášení; —**ation** [ˌmænifesˈteišən] *s* oznámení, prohlášení, manifestace; zjevení, objevení, odhalení; vyhláška; —**o** [ˌmæniˈfestou] *s* prohlášení, manifest (*Communist M*~ Komunistický manifest)

manifold [ˈmænifould] *a* rozmanitý, různý, mnohonásobný □ *vt* rozmnožit (*a letter* dopis) □ *s* 1. rozmnožená kopie 2. potrubí 3. cyklostyl

manikin viz *man*

Manilla [məˈnilə] *s* Manila; ~ **rope** konopné lano

manipulat|e [məˈnipjuleit] *vt* 1. zacházet s, počínat si, manipulovat 2. zpracovat koho; —**ion** [məˌnipjuˈleišən] *s* 1. zacházení 2. zpracování, manipulace; *financial -s* finanční machinace

Manitoba [ˌmæniˈtoubə] *s* Manitoba

manner [ˈmænə] *s* 1. obyčej, zvyk 2. způsob, styl 3. pl. chování, způsoby 4. arch. druh ♦ *in, after, this* ~ takto, tímto způsobem; *in a* ~ do jisté míry, v určitém smyslu, jaksi; —**ed** [ˈmænəd] *a* způsobný ♦ *ill* ~ nezvedený, nemravný; —**ism** [ˈmænərizəm] *s* manýra v literatuře, umění; —**ly** [ˈmænəli] *a* způsobný, uhlazený, zdvořilý

manoeuvre, maneuver [məˈnu:-və] *s* manévr, obratný postup □ *vi & t* 1. manévrovat 2. obratně řídit, manipulovat

manor [ˈmænə] *s* panství, velkostatek, venkovský zámek

manse [mæns] *s* 1. fara skotská 2. zast. obydlí majitele domu

mansion [ˈmænšən] *s* 1. příbytek, sídlo 2. panský dům

mantel [ˈmæntl] *s* výklenek krbu; ~ **-piece** [ˈmæntlpi:s] *s* římsa krbu

mantle [ˈmæntl] *s* 1. pláštěnka 2. punčoška plynového hořáku □ *vt & i* 1. zastřít, zahalit se pláštěm, skrýt 2. rozprostřít se křídla 3. zrudnout 4. povléci se křísem, bílým povlakem 5. zalít (se) ruměncem

manual [ˈmænjuəl] *a* ruční, tělesný ♦ ~ *labour* manuální, fyzická práce □ *s* 1. rukojeť, příručka 2. voj. cvičení v zacházení s puškou 3. ruční stříkačka 4. hud. manuál, klávesnice

manufact|ory [ˌmænjuˈfæktəri] *s* továrna, výrobna; —**ure** [ˌmænjuˈfækčə] *s* 1. zhotovování, výroba, vyrábění 2. výrobek 3. manufaktura □ *vt* vyrábět, zhotovovat (*out of* z); —**urer** [ˌmænjuˈfækčərə] *s* 1. výrobce, továrník, 2. dělník

manumit [ˌmænjuˈmit] *vt* (-tt-) osvobodit, propustit z otroctví

manure [məˈnjuə] *vt* (po)hnojit □ *s* hnůj

manuscript [ˈmænjuskript] *s* rukopis zkr. *MS* pl. *MSS*

Manx [mæŋks] *a* manxský, týkající se ostrova Man □ *s* 1. jazyk manx 2. pl. obyvatelé ostrova Man

many [ˈmeni] *a* mnoho, mnozí ♦ *how* ~ kolik; ~ *a time* mnohdy; ~ *of us* mnozí z nás; *as* ~ *as you like* tolik, kolik chceš □ *s (the* ~*)* množství; *a great* ~ velmi mnozí; ~ **-sided** [ˈmeniˈsaidid] *a* mnohostranný

map [mæp] *s* mapa; plán □ *vt* (-pp-) nakreslit na mapu, mapovat ♦ ~ *out* načrtnout plán, mapovat; ~ *of medium scale* speciální mapa; ~ *of small scale* generální mapa; — **ping** [ˈmæpiŋ] *s* mapování

maple [ˈmeipl] *s* javor

mar [ma:] *vt* (-rr-) mařit, kazit, nadobro zničit

maraud [məˈrɔ:d] *vi & t* loupit; — **er** [məˈrɔ:də] *s* záškodník

marble [ˈma:bl] *s* 1. mramor 2. pl. díla z mramoru 3. kuličky na hraní, hra v kuličky □ *a* mramorový; ~ **-slab** [ˈma:blslæb] *s* mramorová deska □ *vt* mramorovat

March [ma:č] *s* březen

march [ma:č] *vi* kráčet, jít, pochodovat □ *s* 1. pochod 2. krok zvl. vojenský 3. postup 4. tažení ♦ *dead* ~ smuteční pochod; ~ *back* zpáteční pochod; ~ *past* slavnostní přehlídka; — **ing** [ˈma:čiŋ] *s* pochodování; ~ *order* rozkaz k pochodu

marchioness [ˈma:šənis] *s* markýza

marchpane [ˈma:čpein] *s* marcipán

mare [meə] *s* klisna, kobyla

margarine [ˌma:džəˈri:n] *s* margarín

margin [ˈma:džin] *s* 1. okraj, lem 2. obch. částka, záloha, rezerva 3. rozpětí (*of profit* zisku) 4. minimální zisk, výdělek; rozdíl např. mezi kúpní a prodejní cenou 5. úhrada □ *vt* 1. nechat okraj, tvořit okraj, lemovat, obroubit 2. opatřit poznámkami na okraji; — **al** [ˈma:džinl] *a* okrajový, psaný na okraji; ~ *land* málo výnosná půda; — **alia** [ˌma:džiˈneiljə] *s pl* okrajové poznámky

margrave [ˈma:greiv] *s* markrabě

marguerite [ˌma:gəˈri:t] *s* kopretina

marigold [ˈmærigould] *s* bot. měsíček

marinate [ˈmærineit] *vt* marinovat, rosolovat

marin|e [məˈri:n] *a* 1. mořský 2. námořní 3. lodní □ *s* 1. námořník 2. námořnictví 3. námořní doprava 4. pl. nám. pěchota n. dělostřelectvo; — **er** [ˈmærinə] *s* námořník

marionette [ˌmæriəˈnet] *s* loutka

marital [məˈraitl] *a* manželský

maritime [ˈmæritaim] *a* přímořský, pobřežní, námořní

marjoram [ˈma:džərəm] *s* majoránka

mark [ma:k] *s* 1. cíl, terč; *to hit (miss) the* ~ trefit se (minout se) cílem; *též fall short of the* ~ 2. známka, rys 3. stopa, skvrna 4. mez 5. význam (*a fellow of no* ~ bezvýznamný člověk) **6.** velikost, druh, jakost **7.** viněta, značka **8.** znamení ♦ *Plimsoll's* ~ čára ponoru lodi; *below the* ~ pod úrovní; *to make one's* ~ vyznamenat se, obdržet vyznamenání □ *vt & i* **1.** označit, poznamenat si **2.** určit **3.** vyznačovat **4.** všimnout si, věnovat pozornost, dbát **5.** zaznamenat body získané ve hře **6.** dát najevo **7.** kop. držet se těsně u protivníka **8.** určit hodnotu, přesnost; ~ **off** označit, oddělit; ~ **out** vyznačit, vytyčit, určit (*for* k); —**edly** [ˈmaːkidli] *adv* zjevně, nepochybně; —**er** [ˈmaːkə] *s* **1.** ukazovatel **2.** označovatel, značkovač, markér v kulečníku **3.** pamětní deska; —**ing** [ˈmaːkiŋ] *s* **1.** označení **2.** zbarvení peří, kůže ap. **3.** značkování; ~ *machine* značkovací stroj; ~ *-off table* rýsovací deska; —**sman** [ˈmaːksmən] *s* střelec

market [ˈmaːkit] *s* **1.** trh, tržiště **2.** obchod ♦ *black* ~ černý trh; *ration* ~ vázaný trh; *well supplied* ~ trh dobře zásobený; *to find a* ~ *for* nalézt odbyt pro; *to come into the* ~ přijít na trh o zboží; *to put on the* ~ dát na trh zboží, nabízet na prodej; *ready* ~ rychlý odbyt; *money*-~ *s* peněžní trh □ *vi & t* obchodovat; —**able** [ˈmaːkitəbl] *a* prodejný, prodejní; —**eer** [ˌmaːkiˈtiə] *s* trhovec ♦ *black* ~ keťas, šmelinář; ~ **-place** [ˈmaːkitpleis] *s* tržiště; ~ **price** tržní cena

marl [maːl] *s* **1.** hnojivo **2.** slín □ *vt* hnojit

marmalade [ˈmaːməleid] *s* pomerančová zavařenina

marmot [ˈmaːmət] *s* svišť

maroon [məˈruːn] *s* **1.** kaštanově červená barva **2.** uprchlý černoch **3.** osoba vysazená na pustý břeh □ *vt* **1.** vysadit (na pustý břeh) **2.** zanechat bez pomoci

marque, mart [maːk, maːt] *s* práv. právo zajímací ♦ *letter of* ~ *and counter marque* iistiny opravňující k zajímání lodi

marquee [maːˈkiː] *s* velký polní stan

marquetry [ˈmaːkitri] *s* vykládaná práce truhlářská, intarzie

marquis [ˈmaːkwis] *s* markýz

marriage [ˈmæridʒ] *s* manželství, sňatek ♦ *to give* (n. *take*) *in* ~ dát (vzít si) za manželku (n. manžela); *civil* ~ občanský sňatek; ~ *articles* svatební smlouva; *licence of* ~ povolení k sňatku

married [ˈmærid] *s* ženatý, vdaná

marrow [ˈmærou] *s* morek, dřeň, jádro; ~ *bone* morková kost

marry [ˈmæri] *vt & i* oženit (se), vdát (se)

marsh [maːš] *s* mokřina, bažina, bahno; ~ **mallow** ibišek; ~ **marigold** blatouch; —**y** [ˈmaːši] *a* bažinatý

marshal [ˈmaːšəl] *s* **1.** maršál; *field*-~ *s* polní maršálek **2.** am. ministerský úředník soudní; velitel policie **3.** ceremoniář, obřadník □ *vt* (-ll-)

1. uspořádat, seřadit vojsko fakta ap. 2. obřadně uvést (*into* do)

marshallisation[ˌmaːšəlaiˈzeišən] *s* marshallizace, zmarshallizování

marsupial [maːˈsjuːpjəl] *a* zool. vačnatý □ *s* vačnatec

mart [maːt] *s* bás. trh, tržiště

marten [ˈmaːtin] *s* kuna

martial [ˈmaːšəl] *a* vojenský, válečný; **~ law** stanné právo

martin [ˈmaːtin] *s* jiřička

martyr [ˈmaːtə] *s* mučedník □ *vt* (u)mučit; —**dom** [ˈmaːtədəm] *s* mučednictví

marvel [ˈmaːvəl] *s* div, zázrak □ *vi* (-ll-) divit se, žasnout (*at that*, *how*, *why* nad); —**lous** [ˈmaːviləs] *a* podivuhodný

Marx [maːks] *s* Marx ♦ ~**'s** *economic doctrine* Marxovo ekonomické učení; —**ian** [ˈmaːksjən] *a* marxistický; ~ *doctrine* marxistické učení; —**ist** [ˈmaːksist] *s* marxista □ *a* marxistický; ~ **-Leninist** *a* marx-leninský

Mary [ˈmeəri] *s* pl. *Marys* n. *Maries* Marie

mas|cot, -cotte [ˈmæskət] *s* fetiš, talisman

masculine [ˈmaːskjulin] *a* 1. mužský 2. gram. mužského rodu □ *s* gram. mužský rod

mash [mæš] *s* 1. míchanina, kaše 2. rmut □ *vt* (roz)mačkat, rozemlít, utřít na kaši; -*ed potatoes* bramborová kaše □ *vi* poplést hlavu

mask [maːsk] *s* maska ♦ *to tear the* ~ *off* strhnout komu masku, odhalit koho □ *vt & i*

maskovat (se), přestrojit (se)

mason [ˈmeisn] *s* 1. kameník, zedník 2. *M*~ svobodný zednář □ *vt* zdít; —**ic** [məˈsonik] *a* zednářský; —**ry** [ˈmeisnri] *s* 1. kamenictví, zednictví 2. zdivo 3. *M*~ svobodné zednářství

masque [maːsk] = *mask s* 1. maškaráda 2. maska hra; —**rade** [ˌmæskəˈreid] *s* 1. maškarní ples, maškaráda 2. záminka

Mass. = *Massachusetts*

mass[1] [mæs] *s* mše; *high (low)* ~ velká (tichá) mše

mass[2] [mæs] *s* 1. hmota 2. masa, spousta, množství 3. hlavní část 4. pl. lid(ové masy) ♦ *he is a* ~ *of bruises* je samá modřina □ *a* 1. hmotný 2. hromadný ♦ ~ *agitational work* masová agitační práce; ~ *meeting* tábor lidu; ~ *organization* masová organizace □ *vt* 1. nahromadit 2. voj. soustředit, koncentrovat (*troops* vojsko)

Massachusetts [ˌmæsəˈčuːsets] *s* Massachusetts

massacre [ˈmæsəkə] *s* krveprolití, řež, masakr □ *vt* povraždit, masakrovat

massage [ˈmæsaːž] *s* masáž □ *vt* masírovat

massive [ˈmæsiv] *a* pevný, důkladný, masívní

mast [maːst] *s* 1. stožár, stěžeň 2. krmivo z bukvic, žaludů

master[1] [ˈmaːstə] *s* 1. mistr 2. učitel 3. zaměstnavatel, přednosta 4. pán (*to be* ~ *of one's time* být pánem svého času)

5. mladý pán titul **6.** předseda koleje, korporace ap. **7.** mistr oslovení umělce: *music-* ~ učitel hudby **8.** akademický titul: *M.A.* = *Master of Arts* **9.** kapitán obchodní lodi; ~ **clock** hlavní hodiny; ~ **gauge** porovnávací kalibr; ~ **-key** [ˈmaːstəkiː] *s* universální klíč; ~ **-piece** [ˈmaː-stəpiːs]*s* mistrovské dílo, veledílo; ~ **-stroke** [ˈmaːstəstrouk] *s* podařený kousek; ~ **valve** hlavní ventil

master² [ˈmaːstə] *vt* **1.** přemoci, porazit **2.** podrobit, ovládnout **3.** získat vědění, zvládnout, stát se mistrem; — **ful** [ˈmaːstəful] *a* **1.** mistrovský, mistrný **2.** panovačný; — **ly** [ˈmaːstəli] *a* mistrovský, dokonalý; — **ship** [ˈmaːstəšip] *s* mistrovství; — **y** [ˈmaːstəri] *s* dokonalé ovládání, zběhlost, mistrovství

mastic [ˈmæstik] *s* tmel, mastix

masticat|e [ˈmæstikeit] *vt & i* žvýkat; — **ion** [ˌmæstiˈkeišən] *s* žvýkání; — **or** [ˈmæstikeitə] *s* hnětací stroj

mastiff [ˈmæstif] *s* velký pes honicí, tarač

mat [mæt] *s* **1.** rohož(ka) **2.** chomáč (*of hair* vlasů); cucky **3.** podložka, dečka pod vázy ap. □ *vt & i* (-tt-) **1.** pokrýt rohožkou **2.** zcuchat, zmotat (se)

match¹ [mæč] *s* doutnák; sirka, zápalka; ~ **-box** *s* krabička sirek

match² [mæč] *s* **1.** rovný soupeř, partner; protějšek; pár **2.** sňatek, partie sňatková **3.**

zápas, partie hry ♦ *to find* (n. *meet*) *one's* ~ najít si sobě rovného; *to be more (than a)* ~ *for* být lepší než □ *vt & i* **1.** provdat (se), oženit (se) **2.** postavit soka (*against* proti) **3.** závodit **4.** rovnat se, hodit se; — **less** [ˈmæčlis] *a* nevyrovnatelný; ~ **-maker** *s* dohazovač

mate¹ [meit] *s* **1.** druh **2.** manžel, manželka **3.** nám. důstojník obchodního lodstva; ~ *'s receipt* obch. potvrzení lodního důstojníka □ *vt & i* **1.** spojit (se) manželstvím (*with* s) **2.** pářit se

mate² [meit] *s* mat □ *vt & i* dát mat

material [məˈtiəriəl] *a* **1.** hmotný, materiální **2.** podstatný, důležitý □ *s* **1.** hmota, látka; *raw* ~ surovina **2.** materiál **3.** pl. součástky; — **ism** [məˈtiəriəlizəm] *s* materialismus (*dialectical, historical, mechanical* dialektický, historický, mechanický); — **ist** [məˈtiəriəlist] *a* materialistický □ *s* materialista; — **ize** [məˈtiəriəlaiz] *vt* zhmotnit □ *vi* uskutečnit se, vyplnit se

matern|al [məˈtəːnl] *a* mateřský; — **ity** [məˈtəːniti] *s* mateřství; ~ *hospital* n. *home* porodnice

math [mæθ] *s* = *mathematics*

mathemat|ic(al) [ˌmæθiˈmætik(əl)] *a* matematický; — **ician** [ˌmæθiməˈtišən] *s* matematik; — **ics** [ˌmæθiˈmætiks] *s* matematika

matriarch|y [ˈmeitriaːki] *s* matriarchát; — **al** [ˈmeitriaːkəl] *a* matriarchální

matricide ['meitrisaid] *s* vražda
n. vrah vlastní matky

matricul|ate [mə'trikjuleit] *vt
& i* zapsat, imatrikulovat
(se); —ation [mə‚trikju'lei-
šən] *s* zápis, imatrikulace

matrimon|ial [‚mætri'mouriəl] *a*
manželský; —y ['mætriməni]
s manželství

matri|x ['meitriks] *s* pl. *-xes*
[-ksiz], *-ces* [-si:z] matrice,
forma

matron ['meitrən] *s* 1. vdaná
paní, matróna 2. představená
ošetřovatelek

matter ['mætə] *s* 1. hmota,
látka 2. předmět, věc 3. zá-
ležitost 4. věc do tisku 5. pl.
události 6. hnis ♦ *a ~ of
course* samozřejmá věc; *~ of
fact* skutečnost; *no ~* na tom
nezáleží, to nevadí; *what is
the ~ with you?* co je vám?;
in the ~ of pokud jde o;
money -s peněžní záležitosti
□ *vi* 1. záležet na čem; *it does
not ~* na tom nezáleží 2.
hnisat

Matthew ['mæθju:] *s* Matěj

matting ['mætiŋ] *s* 1. rohož
2. látka 3. matný povrch

mattock ['mætək] *s* krumpáč

mattress ['mætris] *s* žíněnka,
matrace; *spring ~* pérová
podložka

matur|e [mə'tjuə] *a* 1. zralý,
dospělý 2. splatný o směnce □
vt & i 1. uzrát, dospět
2. zdokonalit plán 3. obch.
stát se splatným o směnce,
projít, vypršet splatnost; —ity
[mə'tjuəriti] *s* 1. zralost,
dospělost 2. obch. splat-
nost

matutinal [‚mætju'tainl] *a* ra-
ný, časný; ranní, jitřní

maudlin ['mo:dlin] *a* zbytečně
sentimentální, plačtivý, ubre-
čený

mauger, maugre ['mo:gə] *prep*
arch. přes, proti

maul [mo:l] *s* kyj, palice □ *vt*
zmlátit, pohmoždit; —stick
s malířské opěradlo

maunder ['mo:ndə] *vt* mumlat,
bručet si

Maundy Thursday ['mo:ndi'θə:-
zdi] *s* Zelený čtvrtek

mauve [mouv] *a* světle fialový,
slézový

mavis ['meivis] *s* bás. zpěvný
drozd

maw [mo:] *s* zvířecí žaludek,
bachor; —kish ['mo:kiš] *a*
1. nechutný, protivně na-
sládlý 2. nezdravě sentimen-
tální, přecitlivělý

maxim ['mæksim] *s* zásada,
maxima: —um ['mæksiməm]
s pl. *-a* [-ə] nejvyšší míra,
počet, množství, maximum;
~ range voj. donosnost; *~
relay* nadproudové relé

May [mei] *s* květen, máj; *~
beetle*, *~ chafer* ['čeifə] *s*
chroust; *~ bush*, *~ tree* hloh;
~ Day první máj; *~ Day
procession* májový průvod;
'mayfly *s* jepice; 'maypole *s*
máj tyč; mayweed ['meiwi:d]
s rmen smrdutý

may [mei] *vi* moci, směti ♦
it ~ be true snad je to prav-
da; *~ you be happy!* kéž jsi
šťasten!

mayhem ['meihəm] *s* zmrzačení,
vyřazení z boje

mayn't [meint] = *may not*

mayor [meə] *s* starosta; —**alty** [ˈmeərəlti] *s* starostenství
maze [ɪneiz] *s* bludiště; zmatek □ *vt* zmást, poplést
mazurka [məˈzə:kə] *s* mazurka
mazy [ˈmeizi] *a* zmatený, popletený, ohromený
M.B. = *Bachelor of Medicine*
M.C. = *Master of Ceremonies* ceremoniář
M.D. = *Doctor of Medicine*
Md. = *Maryland* [ˈmeərilænd]
Me. = *Maine* [mein]
me [mi:, mi] *pron* mne, mě, mně ♦ *dear* ~! proboha!, pro pána krále!
mead[1] [mi:d] *s* medovina
mead[2] [ni:d] *s* bás. luh, lučina; —**ow** [ˈmedou] *s* louka; |~ -**brown** *s* okáč luční; |~ -**sweet** *s* tavolník
meagre, meager [ˈmi:gə] *a* 1. hubený, vyzáblý 2. nuzný, skrovný
meal [mi:l] *s* 1. jídlo, pokrm 2. dojivost 3. mouka 4. krmení ♦ *square* ~ velká porce jídla; —**y** [ˈmi:li] *a* 1. moučný, moučnatý 2. zabílený 3. grošovatý; bledý 4. úlisný, licoměrný
mean*[1] [mi:n] *vt & i* 1. mínit, myslit, zamýšlet 2. značit, znamenat 3. určit k službě, zaměstnání ♦ ~ *well (ill) to,* by mít dobré (špatné) úmysly s
mean[2] [mi:n] *a* 1. nízký, spodní 2. podlý, sprostý 3. lid. am. mizerný, malicherný, špatně naložený, zahanbený; |~ -**born** *a* nízkého rodu; —**ness** [ˈmi:nnis] *s* nízkost, podlost, skoupost
mean[3] [mi:n] *a* (pro)střední,

průměrný ♦ ~ *proportional* (n. *geometric* ~) střední geometrická úměrná □ *s* 1. střed, průměr, střední cesta 2. pl. často jako sg. prostředek, majetek 3. pl. vnitřní členy úměry ♦ -*s of circulation* oběživo; -*s of life* životní prostředky; *in the* —*time* mezitím; *by all* -*s* všemožně; *by no* -*s* nikterak; *by* -*s of* pomocí čeho
meander [miˈændə] *s* zákrut, meandr □ *vi & t* točit (se), vinout (se)
meaning [ˈmi:niŋ] *s* význam, smysl, úmysl; —**less** [ˈmi:-niŋlis] *a* bezvýznamný
meant [ment] *pt & pp*, viz *mean*[1]
meanwhile [ˈmi:nˈwail] *adv* mezitím, zatím
measles [ˈmi:zlz] *s pl.* spalničky
measure [ˈmeʒə] *s* 1. míra, měřítko, rozsah 2. výměr 3. rytmus, takt 4. arch. tanec zvl. pomalý 5. pl. geol. ložisko, vrstvy 6. plán 7. měřice 8. mat. společný dělitel 9. metrum ♦ *clothes made to* ~ šaty dělané na míru; *linear* ~ délková míra; *to set* -*s to* omezit; *to take the* ~ *of one's foot* ocenit něčí charakter a schopnosti; *beyond* n. *out of* ~ nadmíru; *greatest common* ~ největší společná míra □ *vt & i* 1. (z)měřit, vzít míru (*for* na) 2. ocenit, odhadnout ♦ *to* ~ *person with one's eye* přeměřit koho zrakem; *to* ~ *oneself with* měřit se s; ~ **off** odměřit; ~ **out** naměřit; —**less** [ˈmeʒəlis] *a*

nezměrný; —ment s měření, míra

meat [mi:t] s 1. maso 2. pokrm, —chopper ['mi:tčopə] s sekáček; —less ['mi:tlis] a bezmasý; ǀ~ -ǀmarket s masný trh; ~ -ǀsausage ['mi:tǀsosidž] s klobása; —y ['mi:ti] a 1. masitý 2. vydatný 3. pevný

mechan|ic, -ical [miǀkænik(əl)] a 1. mechanický, strojový 2. automatický, bezděčný, bezmyšlenkovitý; ~ engineer strojní inženýr; —ic s mechanik; —ician [ǀmekəǀnišən] s mechanik; —ics [miǀkæniks] s mechanika; —ism ['mekənizəm] s ústrojí, zařízení; —ization [ǀmekənaiǀzeišən] s mechanizace; —ize ['mekənaiz] vt mechanizovat

medal ['medl] s vyznamenání, medaile □ vt (-ll-) vyznamenat; —lion [miǀdæljən] s medailón

meddl|e ['medl] vi míchat se, plést se, vměšovat se (in n. with the internal affairs do vnitřních záležitostí); —er ['medlə] s všetečka; —esome ['medlsəm] a všetečný

mediaeval viz medieval

medial ['mi:djəl] a 1. (pro)střední 2. průměrný

median ['mi:djən] a (pro)střední; středový □ s geom. těžnice

mediat|e ['mi:diit] a zprostředkující, nepřímý □ ['mi:dieit] vi & t zprostředkovat; —ion [ǀmi:diǀeišən] s 1. zprostředkování 2. přímluva, intervence 3. smír; —or ['mi:dieitə] s prostředník, přímluvčí

medic|al ['medikəl] a lékařský;

—ament [meǀdikəmənt] s lék, medikament; —ate ['medikeit] vt 1. napustit n. napojit lékem, namíchat lék 2. léčit; ~ board odvodní komise; ~ inspection room nemocniční revír

medicinal [meǀdisinl] a léčivý, hojivý

medicine ['medsin] s 1. lék, medicína 2. léčení, lékařství □ vt léčit, podávat léky; ǀ~ -man s kouzelník

medieval [ǀmediǀi:vəl] a středověký

mediocr|e ['mi:dioukə] a prostřední; —ity [ǀmi:diǀokriti] s prostřednost

meditat|e ['mediteit] vt zamýšlet, plánovat □ vi přemýšlet, uvažovat, rozjímat; —ion [ǀmediǀteišən] s rozjímání; —ive ['mediteitiv] a rozjímavý

Mediterranean [ǀmeditəǀreinjən] a 1. středo-, vnitrozemský 2. ~ Sea Středozemní moře

medi|um ['mi:djəm] s pl. -a [-ə], -ums [-əmz] 1. prostředek 2. prostředí 3. medium spiritistické 4. střední jakost, průměr □ a střední, průměrný, obyčejný ♦ at a ~ průměrně; by, through, the ~ of prostřednictvím, pomocí čeho; ship of ~ displacement loď střední velikosti

medlar ['medlə] s mišpule

medley ['medli] s míchanina, směs, všehochuť

medullary [meǀdaləri] a morkový, dřeňový

meed [mi:d] s 1. odměna 2. zast. dar, úplatek 3. zásluha

meek [mi:k] *a* mírný, něžný, krotký, trpělivý; pokorný; **—ness** [ˈmi:knis] *s* pokora, něžnost, poníženost

meet* [mi:t] *vt* l. potkat 2. uhradit, vyrovnat, zaplatit (*a debt* dluh) 3. čelit □ *vi* 4. sejít se (*~ together*) 5. přijít ve styk 6. ~ *with* setkat se s (*an obstacle* překážkou) ♦ *to* ~ *an engagement* obch. dostát závazku; *to* ~ *the demand* obch. uspokojit poptávku; *to* ~ *one's wishes* vyhovět; *to* ~ *with a refusal* být odmítnut; *to make both ends* ~ vyjít s penězi □ *s* l. setkání 2. dostaveníčko, shromáždění □ *a* arch. vhodný, slušný; **—ing** [ˈmi:tiŋ] *s* l. setkání 2. shromáždění, schůze 3. schůzka, dostaveníčko ♦ *general factory* ~ celozávodní schůze; *writer-reader* ~ beseda čtenářů se spisovateli; *freedom of* ~ svoboda shromažďovací; **—ing-house** [ˈmi:tiŋhaus] *s* l. shromáždiště 2. modlitebna; **—ing-place** [ˈmi:tiŋpleis] *s* shromáždiště; ˈ**—ing-point** *s* průsečík přímek

megaphone [ˈmegəfoun] *s* megafon, tlampač

megrim [ˈmi:grim] *s* l. migréna 2. vrtoch, rozmar 3. pl. malomyslnost; motolice u koní a jiných zvířat

melancholy [ˈmelənkəli] *s* těžkomyslnost, trudnomyslnost, zádumčivost, melancholie □ *a* těžkomyslný, melancholický, smutný, zádumčivý

mêlée [ˈmelei] *s* srážka, pračka, bitka

meliorat|e [ˈmiliəreit] *vt & i* zlepšit (se), zvelebit (se); **-ion** [ˌmi:liəˈreišən] *s* zlepšení, zdokonalení

melli|ferous [meˈlifərəs] *a* medonosný; **—fluent** [meˈliflu-ənt], **—fluous** [meˈlifluəs] *a* sladký jako med

mellow [ˈmelou] *a* l. měkký, kyprý 2. zralý 3. plný, čistý o zvuku 4. lahodný 5. jemný, něžný o mysli 6. podnapilý □ *vt & i* zjemnit, zkypřit; uzrát

melodious [miˈloudjəs] *a* melodický, libozvučný

melodram|a [ˈmeləˌdra:mə] *s* melodrama; **—atic** [ˌmelodrəˈmætik] *a* melodramatický

melody [ˈmelədi] *s* melodie

melt* [melt] *vi & t* l. táti 2. rozpustit (se), roztavit, smíchat 3. rozplynout se, mizet 4. dojmout ♦ *to* ~ *into tears* rozplývat se v slzách; ~ *at* být dojat čím; ~ *away* mizet; ~ *into* přejít v, splývat; tavit; **—ing** [ˈmeltiŋ] *a* l. tavící 2. dojemný; ˈ**—ing-house** *s* tavírna; **—ing-iron** [ˈaiən] *s* pájka; ˈ**—ing-pot** *s* tyglík

mem. = *memorandum*

member [ˈmembə] *s* l. člen 2. arch. úd; **—ship** [ˈmembəšip] *s* členství, členstvo

membrane [ˈmembrein] *s* blána, mázdra; *winking* ~ spojivka

memoir [ˈmemwa:] *s* l. pl. vlastní životopis, paměti, vzpomínky 2. bibliografie

memorable [ˈmemərəbl] *a* památný, pamětihodný

memorand|um [ˌmeməˈrændəm] *s pl.* -*a* [-ə], -*ums* [-əmz]

1. záznam 2. pamětní spis, memorandum 3. neformální obchodní dopis

memorial [mi'mo:riəl] *a* pamětní □ *s* 1. památník, pomník 2. pamětní spis

memory ['meməri] *s* 1. paměť 2. památka 3. vzpomínka ♦ *in* ~ *of* na památku koho; *to call to* ~ upamatovat

men [men] *pl.* viz *man*

menace ['menəs] *s* 1. hrozba 2. nebezpečí (*of Hitlerism* hitlerismu) □ *vt & i* hrozit

menagerie [mi'nædžəri] *s* zvěřinec

mend [mend] *vt & i* 1. spravit, opravit, záplatovat 2. zlepšit (se) 3. sebrat se, uzdravit se ♦ *to* ~ *one's pace* zrychlit krok; ~ *or end* napravit nebo skoncovat nadobro, buď anebo □ *s* správka ♦ *on the* ~ zlepšující se o zdraví

mendac|ious [men'deišəs] *a* prolhaný, nepravdivý; **—ity** [men'dæsiti] *s* prolhanost

mendic|ant ['mendikənt] *a* žebravý; ~ *friar* žebravý mnich □ *s* žebrák, žebravý mnich; **—ancy** ['mendikənsi] *s* žebravost, žebrání, žebráctví

menial ['mi:njəl] *a* 1. zast. domácí, služebný 2. nízký, sprostý □ *s* 1. sluha 2. pl. čeleď

meningitis [,menin'džaitis] *s* zápal mozkových blan

menses ['mensi:z] *s pl.* měsíčky, menstruace

menshevik ['menšəvik] *s* menševik

menstrual ['menstruəl] *a* 1. menstruační 2. astr. měsíční

menstruat|e ['menstrueit] *vi* mít menstruaci, měsíčky, **—ion** [,menstru'eišən] *s* menstruace

mensur|able ['menšurəbl] *a* 1. (z)měřitelný 2. hud. rytmický; **—ation** [,mensjuə'reišən] *s* měření, měřičství

mental ['mentl] *a* duševní (*labour* práce), mentální, vnitřní ♦ ~ *arithmetic* počítání z hlavy; **—ity** [men'tæliti] *s* duševní založení, mentalita

mention ['menšən] *s* zmínka ♦ *to make a* ~ *of* zmínit se o □ *vt* zmínit se o ♦ *don't* ~ *it* nestojí to za řeč!; *not to* ~ neřku-li

mentor ['mento:] *s* rádce, mravokárce

menu ['menju:] *s* menu, jídelní lístek

mephitic [me'fitik] *a* smrdutý, odporný

mercantile ['mə:kəntail] *a* obchodní, kupecký

mercenary ['mə:sinəri] *a* 1. prodejný 2. zištný, ziskuchtivý 3. žoldácký; ~ *army* žoldnéřská armáda □ *s* žoldnéř

mercer ['mə:sə] *s* obchodník střižním zbožím; **—y** ['mə:səri] *s* obchod se střižním zbožím

merchandise ['mə:čəndaiz] *s* zboží □ *vi & t* obchodovat

merchant ['mə:čənt] *s* obchodník, kupec □ *a* obchodní; '**—man**, '**—ship** *s* obchodní loď; ~ **marine** n. navy obchodní loďstvo; ~ **service** služba v obchodním loďstvu

merci|ful ['mə:siful] *a* milosrdný; **—less** ['mə:silis] *a* nemilosrdný, bezcitný

mercurial [məːˈkjuəriəl] *a* 1. zlodějský 2. rtuťový 3. těkavý, prchavý 4. živý, pohyblivý; ~ **air pump** rtuťová vývěva

mercury [ˈməːkjuri] *s* 1. *M~* Merkur 2. chem. rtuť 3. posel 4. fig. živost, čilost; ~ *vapour lamp* rtuťová výbojka

mercy [ˈməːsi] *s* milosrdenství, soucit; milost; šťastná okolnost ♦ *to cry for* ~ prosit o milost; *to have* ~ *upon* mít slitování s; *thankful for small mercies* spokojen s málem

mere [miə] *a* pouhý, čirý; **—ly** [ˈmiəli] *adv* pouze, toliko

meretricious [ˌmeriˈtriʃəs] *a* 1. povrchní 2. křiklavý, nápadný 3. zast. frejířský o ženě

merg|e [məːdž] *vt & i* ponořit (se), splynout (*in* s); **—ing** *congress* slučovací sjezd; **—er** [ˈməːdžə] *s* 1. splynutí 2. práv. fúze

meridian [məˈridiən] *a* polední(kový), vrcholný □ *s* 1. zast. poledník 2. kulminační bod 3. zast. poledne

meridional [məˈridiənl] *a* 1. jižní 2. polední(kový)

meringue [məˈræŋ] *s* pěnové pečivo, baiser, pusinka cukroví

merit [ˈmerit] *s* 1. zásluha (*wages according to* ~ mzda podle zásluhy) 2. cena, výtečnost 3. pl. jádro, podstata, důvody ♦ *to make a* ~ *of* klást si za zásluhu □ *vt* zasloužit si (*reward* odměnu, *punishment* potrestání); **—orious** [ˌmeriˈtɔːriəs] *a* zasloužilý, chvályhodný

merlin [ˈməːlin] *s* ostříž, dřemlík

mermaid [ˈməːmeid] *s* mořská panna

merriment [ˈmerimənt] *s* veselí radost

merry [ˈmeri] *a* veselý, radostný ♦ *to make* ~ veselit se; *to make* ~ *over* dělat si žerty z; ~ **-andrew** [ˈmeriˈændruː] *s* kašpárek; ~ **-go-round** [ˈmerigouˈraund] *s* kolotoč; |~ **-making** *s* veselice

meseems [miˈsiːmz] *v* arch. zdá se mi

mesh [meš] *s* 1. oko sítě 2. síťovina, síť 3. pl. tkáň 4. fig. past, nástraha □ *vt & i* chytit (se) do sítě; |~ **-work** s síťovina

mesne [miːn] *a* práv. (pro)střední, vedlejší, zprostředkující □ *s* poledník

mess [mes] *s* 1. porce jídla 2. kaše, porce kaše 3. jídlo (*at* ~ při jídle) 4. zmatek 5. nepořádek, svinstvo 6. směs 7. jídelna společná 8. stolní společnost; společné stolování ♦ *to make a* ~ *of* zpackat co □ *vt* 1. splést, zpackat; udělat zmatek 2. opatřit jídlem 3. lid. zmotat, zasvinit □ *vi* 4. jíst; ~ **about** 1. hudlařit, fušovat 2. lenošit; ~ **-mate** [ˈmesmeit] *s* spolustolovník

message [ˈmesidž] *s* 1. poselství, zpráva 2. voj. hlášení

messenger [ˈmesindžə] *s* 1. posel 2. hlasatel

Messiah [miˈsaiə] *s* Mesiáš

messieurs [ˈmesjəː] *s* (zkr. *Messrs* [ˈmesəz]) pánové

messuage [ˈmeswidž] *s* práv.
obytný dům s přilehlými
budovami a pozemky
messy [ˈmesi] *a* v nepořádku,
špinavý
met *pt, pp,* viz *meet*
metabolism [meˈtæbəlizəm] *s*
metabolismus, výměna látek
v těle
metal [ˈmetl] *s* 1. kov 2. štěrk
3. pl. kolejnice 4. roztavená
sklovina ☐ *vt* (-ll-) opatřit,
potáhnout kovem; štěrkovat
(silnici); —lic [miˈtælik] *a*
kovový; —lurgy [meˈtælə-
dži] *s* hutnictví; ~ plating
pokovování; ~ work(ing) ko-
vodělná práce; ~ worker ko-
vodělník
metamorphic [ˌmetəˈmo:fik] *a*
metamorfický
metaphor [ˈmetəfə] *s* metafora
metaphysics [ˌmetəˈfiziks] *s* me-
tafyzika
mete [mi:t] *vt* zast. bás. měřit;
~ out vyměřit
meteor [ˈmi:tjə] *s* meteor; —o-
logic [ˌmi:tjərəˈlodžik] *a* me-
teorologický; —ology [ˌmi:-
tjəˈrolədži] *s* meteorologie,
nauka o povětrnosti
meter [ˈmi:tə] *s* měřidlo, počí-
tadlo; měřič
methinks [miˈθiŋks] *v* bás. zdá
se mi
method [ˈmeθəd] *s* metoda,
způsob; -ical [miˈθodikəl] *a*
metodický; —ism [ˈmeθədi-
zəm] *s* metodismus; —ist
[ˈmeθədist] *s* 1. metodik 2.
metodista
methought [miˈθo:t] *pt* viz *me-
thinks*
meticulous [miˈtikjuləs] *a* pečli-

vý, úzkostlivý, puntičkářský
metr|e [ˈmi:tə] *s* 1. metr 2.
metrum; —ic [ˈmetrik] *a*
metrický; ~ system metrická
soustava; —ical [ˈmetrikəl] *a*
metrický; měřičský; metrový
metropol|is [miˈtropəlis] *s* metro-
pole, hlavní město; —itan
[ˌmetrəˈpolitən] *a* metropo-
litní; ~ police londýnská
policie ☐ *s* 1. obyvatel hlav-
ního města 2. metropolita
mettle [ˈmetl] *s* 1. povaha,
temperament 2. odvaha, vy-
pětí 3. vytrvalost 4. čilost,
živost ♦ *to be on one's* ~ mít
všech pět pohromadě; —some
[ˈmetlsəm] *a* odvážný, ohni-
vý, bujný
mew[1] [mju:] *s* racek
mew[2] [mju:] *s* 1. klec pro sokoly
zvláště v době pelichání 2. pl. kol-
na 3. ohrada, posada ☐ *vt* 1.
zavřít do klece, do vězení,
ve škole 2. arch. shazovat pa-
roží; pelichat
mew[3] [mju:] *vi* mňoukat ☐
s mňoukání
mewl [mju:l] *vi & t* vrnět o dítěti
Mexic|o [ˈmeksikou] *s* Mexiko;
—an [ˈmeksikən] *a* mexický
☐ *s* Mexičan
mezzanine [ˈmezəni:n] *s* meza-
nin, mezipatří
mg. = *milligram(s)* miligram
Miami [maiˈæmi] *s* Miami
miaow, miaul [miˈau, miˈo:l]
vt & i mňoukat ☐ *s* mňou-
kání
mica [ˈmaikə] *s* slída
mice [mais] *pl.,* viz *mouse*
Mich. = *Michigan*
Michigan [ˈmišigən] *s* Michigan
michurin|ism [ˈmičurinizəm] *s*

mičurinství; **—ist** ['mičuri-nist] *a* mičurinský □ *s* mi-čurinec

microbe ['maikroub] *s* mikrob

micro|cosm ['maikrokozəm] *s* mikrokosmos; **—film** ['mai-krəfilm] *s* mikrofilm; **—me-ter** [mai'kromitə] *s* mikro-metr

micro|phone ['maikrəfoun] *s* mikrofon; **—scope** ['maikrə-skoup] *s* mikroskop, drobno-hled; **—scopical** [ˌmaikrəs-'kopikəl] *a* mikroskopický, drobnohledný; **—scopy** [mai-'kroskəpi] *s* mikroskopie

mid [mid] *a* (pro)střední; ~ *brain* střední mozek; **|—day** *s* & *a* poledne, polední; **|—land** *s* 1. střední část země 2. pl. střední hrabství Anglie; **|—most** *a* 1. přesně střední 2. nejdůvěr-nější; **|—night** *s* & *a* půl-noc, půlnoční; **|—noon** *s* po-ledne; **|—riff** *s* bránice; **|·ship** *s* nám. prostřední část lodi; **|—shipman** *s* lodní poddů-stojník; **|—ˌsummer** *s* střed léta, letní slunovrat; **|—way** *a* uprostřed cesty, v poloviční cestě, uprostřed (jsoucí); **|—ˌwinter** *s* střed zimy, zimní slunovrat

midden ['midn] *s* dial. hnojiště

middle ['midl] *a* střední, pro-střední □ *s* střed, prostředek; ~ *course,* ~ *way* střední cesta; ~ *age* střední věk; *the Middle Ages* středověk ♦ *in the* ~ *of* uprostřed čeho; ~ *ear* střední ucho; ~ *finger* prostředník □ *vt* & *i* 1. hlavně nám. složit uprostřed 2. kop. přihrát do středu; **—aged** ['midl'eidžd]

a středního věku; **|—man** *s* 1. prostředník 2. zprostředko-vatel, překupník 3. měšťák

middling ['midliŋ] *a* prostřední; průměrný, druhořadý □ *s* pl. prostřední druh

midg|e [midž] *s* komár; **—et** ['midžit] *s* malý člověk, trpas-lík

midst [midst] *s* zř. střed ♦ *in the* ~ *of* uprostřed, mezi; *in our* ~ v našem středu, mezi námi □ *prep* uprostřed

midwife ['midwaif] *s* pl. *-ves* [-vz] porodní asistentka; **—ry** ['midwifəri] *s* porodnictví

mien [mi:n] *s* kniž. vzezření, tvářnost, chování

might[1] [mait] *pt* viz *may*

might[2] [mait] *s* moc, síla; **—y** ['maiti] *a* mocný, silný; ohromný, mohutný

mignonette [ˌminjə'net] *s* re-zeda

migraine [mi'grein] *s* migréna

migr|ant ['maigrənt] *a* stěho-vavý, tažný □ *s* stěhovavý pták, rostlina ap.; **—ate** [mai-'greit] *vi* stěhovat se, táh-nout; **—ation** [mai'greišən] *s* stěhování, tah ptáků

mike[1] [maik] *vi* sl. povalovat se, lelkovat, zahálet □ *s* zahálka

mike[2] [maik] viz *microphone*

milage ['mailidž] *s* 1. délka, vzdálenost v mílích 2. mílovné

milch [milč] *a* mléčný, dojný; ~ *cow* dojná kráva

mild [maild] *a* 1. jemný 2. mírný 3. měkký (*steel* ocel)

mildew ['mildju:] *s* plíseň □ *vt* & *i* (z)plesnivět

mile [mail] *s* míle 1609 m; **—age** viz *milage*; **—post** ['mail·

poust] *s* ukazatel vzdálenosti;
—stone [ˈmailstoun] *s* milník
milfoil [ˈmilfoil] *s* bot. řebříček
obecný
milit|ant [ˈmilitənt] *a* bojovný,
bojující, bojový; válečný;
—arization [ˌmilitəraiˈzeišən]
s militarizace, vyzbrojování;
—arism [ˈmilitərizəm] *s* militarismus; **—arist** [ˈmilitərist]
s militarista; **—ary** [ˈmilitəri]
a vojenský, válečný ♦ ~ *inter-
vention* ozbrojená intervence;
~ *service* vojenská služba;
~ *surgeon* vojenský lékař;
—ate [ˈmiliteit] *vi* většinou
fig. bojovat, zápasit (*against,
with* s); **—ia** [miˈlišə] *s* milice,
zeměbrana; **—iaman** [miˈlišəmən] *s* milicionář
milk [milk] *s* mléko (*condensed*
kondenzované) ☐ *vt & i*
1. dojit **2.** kořistit, odřít
o peníze, (vy)mámit peníze
3. sl. vykrást; odposlouchat
telegrafickou n. telefonickou
zprávu; **—er** [ˈmilkə] *s* **1.**
dojič(ka) **2.** dojná kráva;
—livered [ˈmilklivəd] *a* zbabělý, ustrašený; **—maid**
[ˈmilkmeid] *s* dojička, mlékařka; ˈ—**man** *s* mlékař;
—pan [ˈmilkpæn] *s* krajáč;
ˈ—**sop** *s* **1.** zelenáč, baba,
strašpytel **2.** mazánek; **—tooth**
[ˈmilktu:θ] *s* mléčný zub; **—y**
[ˈmilki] *a* **1.** mléčný; ~ *way*
mléčná dráha **2.** dojný **3.** fig.
jemný, něžný
mill [mil] *s* **1.** mlýn; mlýnek
2. továrna (*cotton* ~ přádelna); válcovna **3.** pěstní zápas
4. razicí stroj; *rolling* ~
válcovací trať; *saw* ~ pila

☐ *vt & i* **1.** mlít, drtit **2.**
vroubkovat mince **3.** valchovat **4.** válcovat, frézovat
5. bít se pěstmi **6.** ušlehat
čokoládu **7.** chodit dokola jako
dobytek u žentouru; ~ **-board**
[ˈmilbo:d] *s* silná lepenka;
—er [ˈmilə] *s* mlynář; **—ing
machine** frézka; ~ **-race** [ˈmilreis] *s* náhon, vantroky;
~ **-stone** [ˈmilstoun] *s* mlýnský kámen; ~ **-wheel** [ˈmilwi:l] *s* mlýnské kolo
millennium [miˈleniəm] *s* tisíciletí
millepede, milli- [ˈmilipi:d] *s*
stonožka
millesimal [miˈlesiməl] *a* tisícinný, skládající se z tisíce
částí ☐ *s* tisícina
millet [ˈmilit] *s* proso, jáhly
milliard [ˈmilja:d] *s* miliarda
milli|metre, -meter [ˈmiliˌmi:tə] *s*
milimetr
milliner [ˈmilinə] *s* modistka; **—y**
[ˈmilinəri] *s* **1.** módní zboží
2. obchod módním zbožím
million [ˈmiljən] *s* milión; **—aire**
[ˌmiljəˈneə] *s* milionář
milt [milt] *s* **1.** mlíčí **2.** slezina;
—er [ˈmiltə] *s* rybí samec,
mlíčňák
Milwaukee [milˈwo:ki:] *s* Milwaukee (m)
mim|e [maim] *s* **1.** mimus **2.**
mim **3.** šašek; **—ic** [ˈmimik]
a mimický, napodobivý ☐
s šašek ☐ *vt* napodobit,
opičit se
mimeograph [ˈmimiəgra:f] *vt*
rozmnožovat na bláně
mimosa [miˈmouzə] *s* mimóza,
citlivka
minc|e [mins] *vt* **1.** (roz)sekat

na drobno 2. potlačit, potlačeně drolit slova ☐ *vi* 3. afektovaně kráčet n. mluvit ♦ *not ~ one's words* říci na plná ústa ☐ *s* sekaná; **—ing** [ˈminsiŋ] *a* 1. sekající, drtící, rozemílající; *~ machine* strojek na maso 2. afektovaně roztomilý

mind [maind] *s* 1. mysl, rozum, paměť (*to have, keep, bear, in ~* mít na mysli, paměti; *to bring, call, to ~* připamatovat; *to go, pass, out of ~* vypadnout z paměti, být zapomenut) 2. mínění (*to speak one's ~, to tell a person one's ~, to give him a piece of one's ~* říci své mínění) 3. chuť, vkus 4. přání, žádost 5. fil. mysl, duch; *to make up one's ~* rozhodnout se; *to be of a ~* souhlasit; *to be in two -s* váhat; *to change one's ~* změnit mínění, rozmyslit si; *to one's ~* podle přání; *state of ~* duševní stav, nálada; *!~* **reading** čtení myšlenek ☐ *vt & i* 1. dbát, hledět (si), všimnout si, dát pozor 2. poslouchat (*parents* rodiče) 3. pečovat o ♦ *~ your own business* hleď si svého; *never ~* nevadí; *if you don't ~* nenamítáte-li nic proti tomu; *would you ~ ringing the bell?* zazvonil byste laskavě?; *to ~ one's P's and Q's* dát si pozor na řeč n. chování; *~ the step!* pozor na schod!; **—ful** [ˈmainfl] *a* dbalý, pamětlivý (*of, to do* čeho)

mine¹ [main] *pron* můj, má, mé užito samostatně, bez podst. jména

mine² [main] *s* 1. důl, báň (*~ timber* důlní dříví) 2. podzemní chodba 3. voj. podkop 4. mina ☐ *vt & t* 1. (pod)kopat, dolovat 2. (za)minovat; **—r** [ˈmainə] *s* horník; **~ -sweeper** [ˈmainˌswiːpə] *s* minolovka

mineral [ˈminərəl] *s* nerost ☐ *a* nerostný, minerální; *~* **jelly** vazelína; **—ogist** [ˌminəˈrælədžist] *s* mineralog; **—ogy** [ˌminəˈrælədži] *s* mineralogie, nerostopis

mingle [ˈmiŋgl] *vt* 1. (s)mísit (se), míchat 2. (při)družit se (*in, with* k)

miniate [ˈminieit] *vt* natírat miniem, suříkem; opatřit, vyzdobit drobnomalbou

miniature [ˈminjəčə] *s* miniatura, drobnomalba

minikin [ˈminikin] *a* 1. útlý, choulostivý 2. strojený, afektovaný 3. maličký, drobounký ☐ *s* mrňous, drobeček

minim [ˈminim] *s* 1. hud. minima, půlová nota 2. pl. minimové mnišský řád 3. částečka, zakrslík 4. nejmenší dutá míra 1/60 drachmy 5. tah perem; **—um** [ˈminiməm] *s* pl. *-a* [-ə] minimum, nejmenší množství

mining [ˈmainiŋ] *s* dolování, hornictví; *~ apprentices* horničtí učňové

minion [ˈminjən] *s* oblíbenec, miláček

minister [ˈministə] *s* 1. duchovní, kněz 2. ministr 3. vyslanec 4. arch. služebník ♦ *~ plenipotentiary* zplnomocněný ministr; *prime ~* ministerský předseda □ **1.** *vi & t* poskytnout pomoc, pomoci, přispět *(to)* **2.** být duchovním; **—ial** [ˌminisˈtiəriəl] *a* pomocný, správní, výkonný; ministerský, vládní; ~ *student* studující teologie

ministr|ation [ˌminisˈtreišən] *s* **1.** přisluhování, služba, pomoc **2.** zastávání duchovní služby, ministrování; **—y** [ˈministri] *s* **1.** duchovní úřad, duchovenstvo **2.** ministerstvo **3.** přisluhování

mink [miŋk] *s* zool. mink, norek

Minn. = *Minnesota* [ˌminiˈsoutə] *s*

minnow [ˈminou] *s* zool. mřínek, střevle

minor [ˈmainə] *a* **1.** menší **2.** mladší **3.** minoritní, menšinový *(vote* hlas) **4.** vých., am. vedlejší předmět, menší běh **5.** hud. moll (~ *third* malá tercie) ♦ ~ *arc* menší oblouk kruhu děleného tětivou; ~ *axis* vedlejší osa elipsy □ *s* **1.** nezletilá osoba **2.** vých., am. vedlejší předmět, běh **3.** log. vedlejší premisa **4.** hud. molová stupnice, malý interval **5.** minorita, františkán **6** nezletilá osoba

minority [maiˈnoriti] *s* **1.** menšina *(national* ~ národnostní menšina) **2.** nedospělost, nezletilost

minster [ˈminstə] *s* chrám, katedrála

minstrel [ˈminstrəl] *s* **1.** potulný zpěvák **2.** pěvec lásky, básník

mint [mint] *s* **1.** mincovna **2.** velká zásoba peněz **3.** fig. dílna *(nature's* ~ dílna pří-

rody) **4.** bot. máta peprná □ *vt* **1.** razit peníze **2.** zhotovovat, vynalézat; **—age** [ˈmintidž] *s* ražené peníze, ražba

minus [ˈmainəs] *prep* méně, minus □ *a* **1.** minusový, záporný **2.** lid. zbavený, bez □ *s* **1.** záporné znaménko, záporná hodnota **2.** nedostatek, defekt

minute¹ [ˈminit] *s* **1.** minuta **2.** okamžik **3.** memorandum, návrh, výtah **4.** pl. protokol; *to take down the* -*s* sepsat protokol □ *vt* poznamenat si, načrtnout; **|~ -hand** *s* minutová ručička; **—ly** [ˈminitli] *a & adv* každou minutu

minute² [maiˈnju:t] *a* drobný, nepatrný; přesný, podrobný; **—ly** [maiˈnju:tli] *a* úzkostlivě, puntičkářsky přesně

mirac|le [ˈmirəkl] *s* **1.** zázrak **2.** středověká náboženská hra ♦ *to a* ~ kupodivu dobře; **—ulous** [miˈrækjuləs] *a* zázračný, podivuhodný

mirage [ˈmira:ž] *s* fata morgána, přelud

mire [ˈmaiə] *s* bláto, louže, kal □ *vt & i* zablátit, bořit se (n. padnout) do bláta

mirk [mə:k] viz *murk*

mirror [ˈmirə] *s* zrcadlo □ *vt* zrcadlit se

mirth [mə:θ] *s* veselí, veselost

miry [ˈmaiəri] *a* blátivý, zablácený

mis- [mis-] předpona popírající význam kladného slova

misadventure [ˈmisədˈvenče] *s* nehoda

misalignment [ˌmisəˈlainmənt] *s*

vychýlení z přímého směru,
špatné vyřízení
misanthrop|e [ˈmizənθroup] *s*
misantrop, mrzout; **—y** [mi-
ˈzænθrəpi] *s* misantropie, ška-
rohlídství
misapply [ˈmisəˈplai] *vt* ne-
správně užít
misapprehend [ˈmisˌæpriˈhend]
vt nepochopit
misappropriate [ˈmisəˈproup-
rieit] *vt* zpronevěřit
misbecoming [ˈmisbiˈkamiŋ] *a*
nevhodný, nepatřičný; ne-
slušný
misbehaviour [ˈmisbiˈheivjə] *s*
špatné chování, nevychova-
nost
misbeliever [ˈmisbiˈliːvə] *s* ne-
věrec, bludař
miscalculate [ˈmisˈkælkjuleit]
vt & i špatně vypočítat,
přepočítat se
miscarriage [misˈkæridž] *s* **1.**
nezdar **2.** potrat **3.** doručení
dopisu na špatnou adresu
miscegenation [ˌmisidžiˈneišən]
s míšení plemen
miscellan|eous [ˌmisiˈleinjəs] *a*
rozmanitý, smíšený; **—y** [mi-
ˈseləni] *s* směs, rozmanitost
mischance [misˈčaːns] *s* nehoda,
neštěstí
mischie|f [ˈmisčif] *s* **1.** škoda,
zlo **2.** neplecha; **—vous** [ˈmis-
čivəs] *a* rozpustilý, zlomyslný,
škodolibý; škodlivý
misconceive [ˈmiskənˈsiːv] *vt*
špatně pochopit
misconduct *vt* [ˈmiskənˈdakt]
špatně se chovat □ *s* [mis-
ˈkondəkt] špatné chování
miscount [ˈmisˈkaunt] *vt & i*
špatně spočítat, přepočítat se

miscreant [ˈmiskriənt] *s* **1.** ni-
čema, zlosyn **2.** arch. nevě-
rec
misdeed [ˈmisˈdiːd] *s* přečin,
přestupek
misdemeanour [ˌmisdiˈmiːnə] *s*
1. práv. přečin, přestupek **2.**
špatné chování
misdoer [ˈmisˈduːə] *s* zločinec
misdoubt [ˈmisˈdaut] *vt & i*
1. pochybovat, podezřívat **2.**
obávat se □ *s* podezření,
nedůvěra
misease [ˈmisˈiːz] *s* nepohodlí,
nevolno
miser [ˈmaizə] *s* lakomec; **—able**
[ˈmizərəbl] *a* bídný, ubohý,
ničemný; **—y** [ˈmizəri] *s* bída,
nouze; neštěstí
misfeasance [misˈfiːzəns] *s* práv.
přestupek, přečin
misfire [ˈmisˈfaiə] *s* vynechá-
vání, selhání zapalování
misfortune [misˈfoːčən] *s* ne-
štěstí
misgiv|e [misˈgiv] *vt* pouze v 3. os.
sg. naplňovat obavou; **—ing**
[misˈgiviŋ] *s* obava, pochyb-
nost; zlé tušení
misgovern [ˈmisˈgavən] *vt* špat-
ně vládnout n. spravovat
misguide [ˈmisˈgaid] *vt* svést,
zavádět
mishap [ˈmishæp] *s* nehoda, ne-
štěstí
misinform [ˈmisinˈfoːm] *vt* špat-
ně informovat
misinterpret [ˈmisinˈtəːprit] *vt*
chybně vysvětlit
misjudge [ˈmisˈdžadž] *vt* špatně
(po)soudit, podceňovat
mislay* [misˈlei] *vt* založit kam
mislead* [misˈliːd] *vt* svést, za-
vést, uvést v omyl

mismanage [¹mis¹mænidž] *vt & i* špatně řídit n. vést n. spravovat

misnomer [¹mis¹noumə] *s* chybné pojmenování, špatné označení

misplace [¹mis¹pleis] *vt* dát na nepravé místo, chybně umístit; zmýlit se ve volbě

misprint [¹mis¹print] *s* tisková chyba

misprision [mis¹prižən] *s* práv. 1. přehlédnutí, nedbalost 2. zneužití úřední moci 3. zatajení (*of treason* zrady)

mispronounce [¹misprə¹nauns] *vt* špatně vyslovovat

misread* [¹mis¹ri:d] *vt* chybně číst, nesprávně vykládat

misrepresent [¹mis¹repri¹zent] *vt & i* nesprávně vylíčit

miss [mis] *vi & i* 1. chybit se, minout se (*one's mark* cíle) 2. vynechat, opominout 3. potřebovat, mít nedostatek, pohřešovat; stýskat se po 4. selhat, chybit (se), nepodařit se ♦ *to ~ a train* zmeškat vlak; —**ing** [¹misiŋ] *a* pohřešovaný, nezvěstný

Miss [mis] *s* 1. titul u jména slečna 2. slečna, dívka

Miss. = *Mississippi* [ˌmisi¹sipi]

missal [¹misəl] *s* misál

misshap|e [¹mis¹šeip] *vt* znetvořit, deformovat; —**en** [¹mis¹šeipn] *a* znetvořený

missile [¹misail] *s* metací zbraň, střela; oštěp, šíp

mission [¹mišən] *s* 1. poslání, poselstvo, mise 2. vyslanectví 3. misie ♦ *historic ~ of the working class* historické poslání dělnické třídy; —**ary**

[¹mišnəri] *a* misijní □ *s* misionář

missive [¹misiv] *s* psané poselství, poslání □ *a* vyslaný, vystřelený, metací

misstate [¹mis¹steit] *vt* nesprávně udat, zkroutit

mist [mist] *s* mlha, (za)mžení

mistake* [mis¹teik] *vt & i* 1. zmýlit se 2. chybit 3. zaměnit (*~ James for John*) ♦ *he is mistaken* mýlí se □ *s* chyba, mýlka ♦ *by ~* omylem

mister [¹mistə] *s* lid. pán, pan

mistletoe [¹misltou] *s* bot. jmelí

mistook [mis¹tuk] *pt*, viz *mistake*

mistress [¹mistris] *s* 1. paní, velitelka, majitelka 2. učitelka 3. milenka

mistrust [¹mis¹trast] *s* nedůvěra □ *vt & i* nedůvěřovat; —**ful** [¹mis¹trastful] *a* nedůvěřivý

misty [¹misti] *a* mlhavý, zamžený, nejasný

misunderstand* [¹misandə¹stænd] *vt & i* neporozumět; —**ing** [¹misandə¹stændiŋ] *s* neporozumění, nedorozumění

misusage [¹mis¹ju:sidž] *s* zneužití, špatné zacházení

misuse [¹mis¹ju:z] *vt* zneužít, špatně nakládat s □ *s* 1. zneužití 2. zast špatné zacházení

misvalue [¹mis¹vælju:] *vt* podceňovat, nedoceňovat

mite [mait] *s* 1. halíř, grešle 2. drobeček *též* o dítěti 3. roztoč ♦ *not a ~* ani zlámaná grešle

mitigable [¹mitigəbl] *a* zmírnitelný

mitigat|e [¹mitigeit] *vt & i* zmírnit, polehčit; *to ~ pain*

zmírnit bolest; —ing [ˈmiti-
geitiŋ]: ~ *circumstances* práv.
polehčující okolnosti
mitre [ˈmaitə] *s* mitra
mittens [ˈmitnz] *s pl.* **1.** palčáky,
rukavičky bez prstů **2.** boxer-
ské rukavice ♦ *to get the* ~
1. dostat košem **2.** být pro-
puštěn
mix [miks] *vt & i* **1.** (s)míchat
(*with* s), mísit (se) **2.** stýkat
se (*with* s) ♦ *they do not* ~
well nesnášejí se dobře; ~ *up*
promíchat, zmást; *to be -ed
up* být zapleten (*in, with* do)
□ *s* míchání, smíšenina; —ed
[ˈmikst] *a* **1.** smíchaný, smí-
šený **2.** zmatený ♦ ~ *school*
koedukační škola; —ture
[ˈmiksčə] *s* **i.** míchání **2.**
smíšenina, směsice
mizzen [ˈmizn] *s* nám. plachta
na zadním stožáru
mizzle [ˈmizl] *vi* **1.** mrholit,
mžít **2.** lid. vzít roha, zmizet
mm. = *millimetre(s)*
Mo. = *Missouri* [miˈzuəri]
moan [moun] *a* bědování, sté-
nání □ *vi* bědovat, sténat
moat [mout] *s* příkop hradní
mob [mob] *s* **1.** chátra, lůza **2.**
dav, zástup □ *vt & i* (-bb-)
1. srocovat se **2.** hromadně
napadnout, dotírat
mobil|e [ˈmoubail] *a* pohyblivý,
proměnlivý; —ity [moˈbiliti]
s pohyblivost; —ization
[ˌmoubilaiˈzeišən] *s* mobiliza-
ce; —ize [ˈmoubilaiz] *vt & i*
voj. (z)mobilizovat
mocha [ˈmoukə] *s* moka
mock [mok] *vt & i* **1.** posmívat
se, tropit si žerty (*at* z) **2.**
podvádět, klamat **3.** zesměš-

ňovat □ *s* **1.** arch. posměch,
terč posměchu **2.** napodobení
3. klam □ *a* **1.** napodobený
2. klamný, falešný; —ery
[ˈmokəri] *s* **1.** výsměch,
úšklebky **2.** předmět výsmě-
chu **3.** napodobení pohrdlivé,
kejklířství; —ing-bird [ˈmo-
kiŋbə:d] *s* **1.** drozd mnoho-
hlasý **2.** jiní ptáci napodobu-
jící hlasy ostatních ptáků
modal [ˈmoudl] *a* **1.** způsobový
2. log. gram. modální **3.** for-
mální; —ity [moˈdæliti] *s*
1. způsob, metoda **2.** log.
modalita
mode [moud] *s* **1.** způsob, tech-
nika (*of production* výroby),
móda **2.** log. modus
model [ˈmodl] *s* **1.** model, vzor
2. modelka □ *vt & i* (-ll-) **1.**
modelovat, vytvořit (*after, on,
upon* podle) **2.** sloužit za model
moderat|e *a* [ˈmodərit] mírný,
střídmý; rozumný; levný,
střední jakosti, průměrný □
s umírněný člověk □ *vt & i*
[ˈmodəreit] **1.** mírnit (se),
krotit (se) **2.** předsedat; —ion
[ˌmodəˈreišən] *s* umírněnost;
—or [ˈmodəreitə] *s* **1.** umír-
ňovač **2.** předseda, rozhodčí
3. zprostředkovatel **4.** regu-
látor lampy
modern [ˈmodən] *a* moderní,
novodobý □ *s* moderní člo-
věk; —ize [ˈmodə:naiz] *vt*
modernizovat
modest [ˈmodist] *a* **1.** skromný,
prostý **2.** umírněný **3.** slušný;
—y [ˈmodisti] *s* skromnost,
umírněnost
modicum [ˈmodikəm] *s* malé
množství, špetka

modification [ˌmodifiˈkeišən] *s* upravení, uzpůsobení; pozměnění, modifikace

modify [ˈmodifai] *vt* **1.** uzpůsobit, upravit, pozměnit **2.** gram. přehlasovat

modulat|e [ˈmodjuleit] *vt & i* přizpůsobit, regulovat, modulovat; **—ion** [ˌmodjuˈleišən] *s* modulace

Mohammedan, Mahometan [moˈhæmidən, məˈhomitən] *a* mohamedánský □ *s* mohamedán

moiety [ˈmoiəti] *s* polovina

moil [moil] *vi* dřít se □ *s* dřina, trampota; shon, zmatek

moist [moist] *a* vlhký, mokrý; **—en** [ˈmoisn] *vt & i* navlhčit (se); **—ure** [ˈmoisčə] *s* vlhkost, vláha

molar [ˈmoulə] *a* třenovní □ *s* stolička zub

molasses [məˈlæsiz] *s pl.* melasa

mold viz *mould*

mole [moul] *s* **1.** mateřské znaménko **2.** krtek **3.** molo, přístavní hráz; |**~-hill** *s* krtina; |**~-skin** *s* **1.** krtčí kožešina **2.** látka, silný cvilink

molec|ular [moˈlekjulə] *s* chem. molekulární; **—ule** [ˈmolikju:l] *s* molekula

molest [moˈlest] *vt* obtěžovat; **—ation** [ˌmoulesˈteišən] *s* obtěžování

mollify [ˈmolifai] *vt* uchlácholit, upokojit, obměkčit

mollusc [ˈmoləsk] *s* měkkýš

molten [ˈmoultən] *a* roztavený, ulitý z kovu

mom [mom] *s* = *mother*

moment [ˈmoumənt] *s* **1.** okamžik, chvilka, moment **2.** důležitost, význam ♦ *to the* **~** přesně; *at a* **~** *'s notice* v nejkratší lhůtě, ihned; *at the* **~** právě; **—ary** [ˈmouməntəri] *a* okamžitý; přechodný, chvilkový, **—ous** [moˈmentəs] *a* důležitý, významný, závažný

monarch [ˈmonək] *s* samovládce, monarcha; **—ic(al)** [moˈnɑ:kik(əl)] *a* monarchický; **—y** [ˈmonəki] *s* monarchie

monast|ery [ˈmonəstri] *s* klášter; **—ic** [məˈnæstik] *a* klášterní

Monday [ˈmandi] *s* pondělí

monetary [ˈmanitəri] *a* peněžní (**~** *incomes* důchody)

money [ˈmani] *s* **1.** peníze, měna, oběživo **2.** *pl.* jednotlivé mince, bankovky ♦ **~** *capital* peněžní kapitál; **~** *form of value* peněžní forma hodnoty; *to make* **~** (z)bohatnout; |*paper-*~ *s* papírové peníze, bankovky; **~-bag** [ˈmanibæg] *s* **1.** vak na peníze, žok **2.** *pl.* bohatství, boháči, zbohatlíci, lakomci; |**~-box** *s* pokladnička; **—ed** [ˈmanid] *a* bohatý, zámožný; **~-grubber** [ˈmaniˌgrabə] *s* hrabivec; |**~-ˌlender** *s* lichvář; **~-market** [ˈmaniˌmɑ:kit] *s* peněžní trh; **~-order** [ˈmaniˌo:də] *s* peněžní poukázka

monger [ˈmaŋgə] *s* obchodník; |*war-*~ *s* válečný štváč

Mongol, -ian [ˈmoŋgol, moŋˈgouljən] *a* mongolský □ *s* **1.** Mongol **2.** mongolština; **—ic** [moŋˈgolik] *a* mongolský □ *s* mongolština

mongrel [ˈmaŋgrəl] *s* **1.** psisko **2.** parchant, míšenec, kříženeo □ *a* parchantský, míšenecký

monit|ion [mo|ˈnišən] *s* 1. napomenutí, výstraha, varování 2. znamení, 3. předvolání k soudu; —**or** [ˈmonitə] *s* 1. třídní dohlížitel 2. monitor, obrněná válečná loď 3. varan, ještěrka 4. osoba odposlouchávající cizí rozhlas a referující o něm; —**ory** [ˈmonitəri] *a* varovný, výstražný

monk [maŋk] *s* mnich; —**hood** [ˈmaŋkhud] *s* mnišství, mnišstvo; —**ish** [ˈmaŋkiš] *a* mnišský, klášterní

monkey [ˈmaŋki] *s* 1. opice fig. též o člověku 2. voj. beran □ *vt & i* 1. opičit se 2. zahrávat si (*with* s); ~ **-jacket** [ˈmaŋki-džækit] *s* námořnické tričko; ~ **-wrench** [ˈmaŋkirenč] *s* francouzský klíč

mono|chord [ˈmonoko:d] *s* monochord; —**chromatic** [ˌmonəkroˈmætik] *a* jednobarevný; —**chrome** [ˈmonəkroum] *s* jednobarevná kresba, nonochróm

monocle [ˈmonokl] *s* monokl

monogamy [moˈnogəmi] *s* monogamie

mono|gram [ˈmonəgræm] *s* monogram; —**lith** [ˈmonoliθ] *s* monolit; —**logue** [ˈmonəlog] *s* samomluva, monolog; —**phthong** [ˈmonəfθoŋ] *s* fon. jednohláska; —**plane** [ˈmonəplein] *s* jednoplošník; —**polist(ic)** [məˈnopəlist, məˌnopəˈlistik] *a* monopolní, monopolistický; —**polize** [məˈnopəlaiz] *vt* získat monopol, monopolizovat; —**poly** [məˈno-

pəli] *s* monopol; monopolní společnost; —**syllable** [ˈmonəˌsiləbl] *s* jednoslabičné slovo; —**theism** [ˈmonoθi:ˌizəm] *s* jednobožství, monoteismus; —**tonous** [məˈnotnəs] *a* jednotvárný, monotónní; —**tony** [məˈnotni] *s* jednotvárnost, monotonie

monsoon [monˈsu:n] *s* monzun

monst|er [ˈmonstə] *s* obluda, netvor; —**rous** [ˈmonstrəs] *a* obludný, nestvůrný, ohromný; hrozný

Mont. = *Montana*

Montana [monˈtænə] *s* Montana

month [manθ] *s* měsíc kalendářní ♦ *this day* ~ ode dneška za měsíc, dneska měsíc; —**ly** [ˈmanθli] *a* 1. měsíční 2. menstruační □ *s* 1. měsíčník 2. pl. menstruace, měsíčky □ *adv* měsíčně

Montreal [ˌmontriˈo:l] *s* Montreal (m)

monument [ˈmonjumənt] *s* památník, pomník; památka; —**al** [ˌmonjuˈmentl] *a* 1. památný, význačný 2. pomníkový, monumentální

moo [mu:] *vi* bučet □ *s* bučení

mooch [mu:č] *vi* dial., sl. flákat se

mood [mu:d] *s* 1. gram. způsob, modus 2. nálada 3. pl. náladovost; —**y** [ˈmu:di] *a* náladový, mrzutý, těžkomyslný

moon [mu:n] *s* měsíc, luna ♦ *once in a blue* ~ jednou za uherský měsíc; —**calf** [ˈmu:n-ka:f] *s* hlupák; —**fall** [ˈmu:n-fol] *s* západ měsíce; —**light** [ˈmu:nlait] *s* měsíční světlo; —**rise** [ˈmu:nraiz] *s* východ měsíce; |—**set** *s* bás. západ

měsíce; **—shine** [ˈmuːnšain]
s **1.** svit měsíce **2.** smyšlenky,
sny **3.** pašované lihoviny;
—struck [ˈmuːnstrak] *a* ná-
měsíčný, nepříčetný □ *vi*
chodit jako náměsíčník

moor [muə] *s* slatina, vřesoviště
□ *vt & i* nám. přivázat loď
ke břehu, zakotvit loď; při-
poutat balón u stožáru;
|**~-cock** *s* tetřívek, křemenáč,
sněžník; |**~-game** *s* tetřívci;
|**~-hen** *s* vodní slípka; **—age**
[ˈmuːridž] *s* **1.** zakotvení **2.**
poplatek za zakotvení; **—ings**
[ˈmuərinz] *s* kotviště

Moor [muə] *s* Maur

moose [muːs] *s* zool. los

moot [muːt] *s* **1.** hist. shromáž-
dění zemanů **2.** debata, dis-
kuse □ *vt & i* rokovat, deba-
tovat o □ *a* debatní ♦ *that
is a ~ question* to je sporná
otázka

mop [mop] *s* **1.** hadr, utěrka na
holi, mop **2.** grimasa, úsměšek
□ *vt* (-pp-) **1.** utírat mopem
□ *vi* **2.** křivit ústa; **~ up**
lid. **1.** stírat, pořádně zatočit
2. shrábnout zisk **3.** skoncovat

mope [moup] *vi & t* **1.** být sklí-
čen, soužit se **2.** nudit se,
chovat se pasívně, bez zájmu
□ *s* **1.** sklíčený člověk, melan-
cholik **2.** pl. rozladěnost

moraine [rɑoˈrein] *s* geol. moréna

moral [ˈmorəl] *a* mravní, mrav-
ný, morální □ *s* **1.** mravní
ponaučení n. zásada **2.** pl.
mravnost; **—e** [moˈraːl] *s*
morálka; **—ist** [ˈmorəlist] *s*
mravokárce; **–ity** [məˈrælity]
s **1.** etika **2.** mravní zásady,
morálka, mravnost **3.** ctnost

4. moralita středověká alego-
rická hra; **—ize** [ˈmorəlaiz]
vt & i umravňovat, být
mravokárcem, moralizovat

morass [məˈræs] *s* bažina, bah-
nisko

Moravia [məˈreivjə] *s* Morava;
—n [məˈreivjən] *a* moravský
□ *s* **1.** Moravan **2.** český bratr

morbid [ˈmoːbid] *a* chorobný;
—ity [moːˈbiditi] *s* chorob-
nost

mordant [ˈmoːdənt] *a* **1.** kou-
savý, jizlivý **2.** žíravý **3.**
čisticí □ *s* žíravina, barvířské
mořidlo

more [moː] *a* větší □ *s* většina
□ *adv* více ♦ *the ~ ... the ~*
čím více... tím více; *once ~*
ještě jednou; *so much the ~*
tím spíše; *two ~* ještě dva;
—|**over** nadto, mimo to

morgue [moːg] *s* márnice

moribund [ˈmoriband] *a* kniž.
*& * fig. skomírající, umírající,
morbidní

morning [ˈmoːnin] *s* ráno, jitro
♦ *in the ~* ráno; **—star** [ˈmoː-
ninˈstaː] *s* jitřenka

morocco [məˈrokou] *s* marokén,
safián

moron [ˈmoːron] *s* slabomyslná
osoba, blbec

morose [məˈrous] *a* mrzutý,
bručivý

morpheme [ˈmoːfiːm] *s* morfém

morphine [ˈmoːfiːn] *s* morfium

morphology [moːˈfolodži] *s* mor-
fologie

morrow [ˈmorou] *s* **1.** zítřek
2. arch. ráno

morse [moːs] *s* mrož

morsel [ˈmoːsəl] *s* sousto

mortal [ˈmoːtl] *a* **1.** smrtelný

2. osudný 3. hrozný, děsný; —ity [mo:ˈtæliti] s 1. smrtelnost 2. úmrtnost

ɪnortar [ˈmo:tə] s 1. moždíř 2. minomet 3. malta □ vt omítnout maltou

mortgage [ˈmo:gidž] s zástava, hypotéka □ vt 1. dát na hypotéku 2. zastavit

mortice [ˈmo:tis] viz mortise

mortician [mo:ˈtišən] s majitel pohřebního ústavu

mortiǀfication [ˌmo:tifiˈkeišən] s 1. umrtvování, tlumení citů 2. odumírání též tkáně těla 3. med. kostižer, sněť 4. skot. práv. vzdání se majetku ve prospěch církve n. dobročinných účelů; —fier [ˈmo:tifaiə] s umrtvovač, asketa; —fy [ˈmo:tifai] vt & i 1. umrtvovat vášně 2. pokořit (se) 3. snětivět

mortǀise, -ice [ˈmo:tis] s 1. čepnice 2. drážka □ vt 1. upevnit čepem, začepovat 2. zapustit do žlabu

mortuary [ˈmo:tjuəri] s márnice, umrlčí komora □ a pohřební, posmrtný, umrlčí

Mosaic(al) [məˈzeiik(əl)] a mojžíš(ov)ský

mosaic [məˈzeiik] s mozaika □ vt mozaikovat

Moslem, Muslim [ˈmozlem, ˈmuslim] s mohamedán □ a mohamedánský

mosque [mosk] s mešita

mosquito [məsˈki:tou] s komár, moskyt

moss [mos] s 1. mech 2. rašeliniště, bažina; ~-grown [ˈmosgroun] a omšelý, zarostlý mechem

most [moust] a superlativ od many, much největší, nejčetnější □ adv nejvíce □ s většina, největší počet ♦ at ~ nanejvýše; for the ~ part hlavně, obvykle, většinou; to make the ~ of vyuzitkovat, vážit si; —ly [ˈmoustli] adv většinou, z největší části, hlavně

mote [mout] s prášek, mrva

moth [moθ] s mol, můra; ~-eaten [ˈmoθˈi:tn] a moly rozežraný; —y [ˈmoθi] a plný molů

mother[1] [ˈmaðə] s 1. matka 2. stařena 3. abatyše ♦ Mother's Day Den matek; ~-in-law [ˈmaðərinlo:] s tchyně; ~ of pearl perleť; ~ tongue mateřština

mother[2] [ˈmaðə] vt 1. být matkou, ujmout se jako matka 2. uznat za matku; —hood [ˈmaðəhud] s mateřství; —ly [ˈmaðəli] a mateřský

motif [moˈti:f] s motiv umělecký

motion [ˈmoušən] s 1. pohyb, chod 2. hnutí duševní 3. návrh na shromáždění, pokyn 4. vyprázdnění střev ♦ to set n. put in ~ uvést v chod □ vi & t dirigovat koho kam; —less [ˈmoušənlis] a nehybný, bez hnutí; ~ picture am. film

motivate [ˈmoutiveit] vt odůvodnit, motivovat, poskytnout námět

motive [ˈmoutiv] s 1. popud 2. pohnutka 3. motiv □ a hybný, hnací (~ power n. force hybná síla)

motley [ˈmotli] a pestrý, stra-

katý □ *s* 1. strakatina, pest-
rost 2. hist. strakatý oblek
šaška
motor [ˈmoutə] *s* motor □ *vi*
jet n. dopravovat autem;
~ -boat [ˈmoutəbout] *s* mo-
torový člun; **~ -car** [ˈmou-
təka:] *s* auto; **~ -cycle** [ˈmou-
təˌsaikl] *s* motocykl; **~ -drive**
[ˈmoutədraiv] *s* motorový
pohon; **—ed** [ˈmoutəd] *a* mo-
torizovaný; **~ highway** dál-
nice; **—ing** [ˈmoutəriŋ] *s*
jízda autem; **—ist** [ˈmoutə-
rist] *s* motorista
motto [ˈmotou] *s* heslo, moto
mouch [mu:č] viz *mooch*
moujik [ˈmu:žik] *s* mužik ruský
mould, mold [mould] *s* 1. prsť,
humus, ornice 2. zemina 3.
dutina, kadlub 4. rámec,
kostra 5. rys, zvl. vlastnost
6. tvar, forma, vzor 7. plíseň
8. rezavá skvrna □ *vt* 1.
hníst 2. utvářet, modelovat
(*upon* podle), zformovat (*out
of* z) 3. zdobit modelováním n.
vyřezáváním 4. plesnivět,
tlít; **—er** [ˈmouldə] *s* 1. mo-
delář 2. slévač □ *vi* zpuchřet,
tlít, rozpadávat se; **—ing**
[ˈmouldiŋ] *s* 1. hnětení, utvá-
ření, modelování 2. stav. řím-
sa, vlys, lišta
moult [moult] *vi* pelichat
mound [maund] *s* násyp, hráz,
val, mohyla □ *vt* 1. ohradit
2. navršit
mount [maunt] *s* 1. hora užívá
se před vlastním jménem:
Mount Everest, zkr. *Mt.*; vrch
2. výstupek na dlani 3.
pasparta 4. osedlaný kůň,
mezek 5. podklad 6. krycí

sklíčko mikroskopu 7. ozdobné
kovové části různých před-
mětů, zasazení do kovu 8.
montáž 9. osedlání koně,
jízda na koni zvláště závodní □
vi & t 1. stoupat *(~ up)*,
vystoupit, vylézt 2. vsednout
(*a horse* na koně) 3. vzrůstat
(*debts* dluhy) 4. vztyčit (*a sta-
tue on its pedestal* sochu na
podstavec) 5. upevnit, při-
pevnit; nalepit 6. opatřit čím,
zasadit drahokam do kovu
7. ukázat se v šatech 8. voj.
připravit do postavení, být
vyzbrojen 9. inscenovat hru
♦ *to* **~** *guard* jít na hlídku,
konat stráž (*over* nad); *to* **~**
gun postavit dělo do palebné
pozice
mountain [ˈmauntin] *s* 1. hora,
vrch; **~** *chain* horský řetěz
2. pl. pohoří 3. hromada
čeho; **—eer** [ˌmauntiˈniə] *s*
1. horal 2. horolezec □ *vi*
zlézat hory; **—ous** [ˈmaunti-
nəs] *a* hornatý
mounted [ˈmauntid] *a* 1. na koni,
jízdní (*police* policie) 2. na-
montovaný
mourn [mo:n] *vi & t* truchlit
(*at* nad, *for* pro), naříkat;
—er [ˈmo:nə] *s* truchlící;
—ing [ˈmo:niŋ] *s* 1. smutek,
truchlení 2. smuteční šaty
mouse [maus] *s* pl. *mice* [mais]
1. myš, myška 2. sl. zmodřené
oko □ *vi & t* 1. chytat myši
2. shánět se po, pilně hledat;
~ -ear [ˈmausiə] *s* jestřábník;
—r [ˈmauzə] *s* kočka n. jiné
zvíře živící se myšmi; **—trap**
[ˈmaustræp] *s* past na myši
m(o)ustache [məsˈta:š] *s* kníry

mouth [mauθ] *s* pl. **-s** [—ðz],
1. ústa, huba, tlama 2. ústí,
otvor, hrdlo láhve, náustek
hudebního nástroje 3. posunek,
grimasa ♦ *my ~ waters at*
sliny se mi zbíhají na; *down
in the ~* sklíčený; *to laugh on
wrong side of one's ~* naříkat,
lamentovat; *to make a ~*
ušklíbat se □ *vt & i* 1. mít
hubu (*at* na koho); mluvit
nabubřele o 2. vzít do úst,
dotknout se ústy 3. ušklíbat
se; **—ful** [ˈmauθful] *s* sousto;
~-organ [ˈmauθˌoːgən] *s* fou-
kací harmonika; **—piece**
[ˈmauθpiːs] *s* 1. hubičky, ná-
ustek; špička dýmky 2. mluvčí

movable [ˈmuːvəbl] *a* pohyblivý
♦ *~ feast* pohyblivý svátek
□ *s* 1. movitý majetek, movi-
tost 2. pl. svršky, movitosti

move¹ [muːv] *vt & i* 1. hýbat
(se), pohybovat (se), posou-
vat 2. stěhovat se 3. přimět,
pohnout, pudit 4. pobouřit,
podráždit 5. navrhnout, do-
poručit 6. dojmout 7. žádat,
dolávat se (*for* čeho) 8.
med. vyprázdnit (*~ the bowels*
střeva) 9. obch. prodat, být
prodán 10. postupovat; **~
in** přistěhovat se; **~ off** od-
táhnout; **~ out** vystěhovat se

mov|e² [muːv] *s* 1. pohyb, hnutí
2. (pře)stěhování 3. tah na
šachovnici; **—ing** [ˈmuːviŋ]
a 1. pohybující (se) 2. do-
jemný; **—ing-coil** [ˈmuːviŋ-
koil] **loudspeaker** dynamický
reproduktor; **—ing picture**
film

movement [ˈmuːvmənt] *s* 1.
pohyb 2. hnutí 3. vyprázdně-

ní střev 4. hud. rytmus,
tempo ♦ *independence ~*
hnutí za nezávislost; *nation-
al-liberation ~* národně o-
svobozenecké hnutí; *peace ~*
mírové hnutí; *People's Libe-
ration M~* lidově osvobo-
zenecké hnutí; *Stakhanov ~*
stachanovské hnutí

movies [ˈmuːviz] *s pl.* biograf
mow¹ [mou] *s* kupa sena, stoh
mow²* [mou] *vt & i* žnout,
kosit; **~ down** skosit, sklá-
tit; **—er** [ˈmouə] *s* žnec;
—ing machine žací stroj

mow(e)³ [mau] *vi* ušklíbat se
(*to mop and ~*)

M.P. = *Member of Parliament*
Mr, Mrs [ˈmistə, ˈmisiz] zkr. za
Mister, Mistress pán, paní
titul v oslovení: *Mr Smith,
Mrs Smith*

MS(S) = *manuscript(s)*
Mt = *Mount*

much [mač] *a* mnohý, mnoho □
s množství □ *adv* 1. velmi 2.
téměř, skoro ♦ *how~* ? kolik?;
as ~ as tolik jak; *as ~ again
(more)* ještě jednou tolik;
he is not ~ of a scholar není
příliš dobrý žák; *by ~* mno-
hem; *~ the same thing* téměř
totéž

mucilage [ˈmjuːsilidž] *s* lepidlo,
klíh, arabská guma

muck [mak] *s* 1. hnůj 2. bláto,
hov. špína 3. tlach, žvanění □
vt 1. hnojit, 2. potřísnit,
zašpinit 3. zaneřádit, za-
svinit; **—er** [makə] *s* 1. ne-
hoda 2. sl. am. hrubec ♦ *to
come a ~* mít těžkou nehodu;
to go a ~ hov. dostat se do
bryndy; praštit se přes kapsu

mucous [ˈmjuːkəs] a sliznatý, hlenitý; ~ membrane sliznice
mud [mad] s bláto, bahno □ vt (-dd-) zablátit; ~ -guard [ˈmadgaːd] s blatník
muddle [ˈmadl] vt zmotat, plést, zamíchat co n. čím □ s zmatek
muddy [ˈmadi] a 1. blátivý, bahnitý 2. temný o světle 3. pomatený
muff [maf] s 1. rukávník 2. nemotora, nemehlo, trdlo 3. hudlařina □ vt & i břídit, hudlařit, zpackat; ~ coupling objímková spojka
muffin [ˈmafin] s čajové pečivo
muffl|e [ˈmafl] vt zahalit, zakuklit; —er [ˈmaflə] s 1. šála na krk 2. sl. palcové rukavíce boxerské 3. mech. tlumič, dusítko 4. pl. bačkory
mug [mag] s 1. džbánek, konvice 2. sl. huba; úšklebek 3. brit. balík, trdlo 4. sl. dříč □ vt & i (-gg-) sl. vtloukat vědění do palice, dřít na zkoušky, šprtat
muggy [ˈmagi] a teplý, vlhký, dusný (weather počasí)
mujik [ˈmuːžik] s viz moujik
mulatto [mjuˈlætou] s míšenec, mulat
mulberry [ˈmalbəri] s plod moruše
mulch [malč] s mokrá sláma, mrva
mulct [malkt] s pokuta □ vt pokutovat
mule [mjuːl] s 1. mezek, mula, soumar 2. spřádací stroj; —teer [ˌmjuːliˈtiə] s mezkař
mull¹ [mall] s 1. rum, smetí

2. nezdar □ vt ohřát víno, osladit a okořenit
mull² [mal] s mul, gáza
mulligrubs [ˈmaligrabz] s pl. lid. 1. duševní skleslost 2. bolesti v břiše, svírání
multi- [malti-] předpona značící „mnoho"; ~ -engined [ˈmaltiˈendžind] a několikamotorový; ~ -farious [ˌmaltiˈfeəriəs] a rozmanitý, pestrý; ⁊—fid a rozkladitý; ⁊—fold a mnohonásobný; ⁊—form a mnohotvarý; —lateral [ˈmaltiˈlætərəl] a mnohostranný, multilaterální; —millionaire [ˈmaltimiljəˈneə] s multimilionář; ⁊—national state mnohonárodnostní stát; —nomial [ˈmaltiˈnoumiəl] s mnohočlen; ⁊—ped(e) s stonožka; ~ -plate clutch lamelová spojka; ⁊—shift: ~ working práce na směny; ⁊—stage: ~ rocket mnohostupňová raketa
multi|ple [ˈmaltipl] a mnohonásobný □ s násobek; —plication [ˌmaltipliˈkeišən] s násobení, množení; -plicity [ˌmaltiˈplisiti] s mnohonásobnost; —plier [ˈmaltiplaiə] s násobitel; —ply [ˈmaltiplai] vt & i násobit, množit (se)
multitude [ˈmaltitjuːd] s 1. množství 2. dav, zástup
mum¹ [mam] int tiše!, pst! □ a tichý, mlčící
mum² = mummy
mumble [ˈmambl] vi & t 1. mumlat, šišlat 2. žmoulat
mummer [ˈmamə] s 1. bručoun 2. maškara 3. herec v němohře 4. šašek; —y [ˈmaməri] s mumraj, maškara, přestrojení

mummy¹ [ˈmami] *s* mumie ☐ *vt* mumifikovat

mummy² [ˈmami] *s* máma

mumps [mamps] *s pl.* zánět příušnic, příušnice; otrávená nálada

munch [manč] *vt & i* žvýkat, žmoulat

mundane [ˈmandein] *a* světský

Munich [ˈmjuːnik] *s* Mnichov ♦ ~ *Diktat* mnichovský diktát

municipal [mjuˈnisipəl] *a* městský, obecní; **—ity** [ˌmjuːnisiˈpæliti] *s* městské zřízení, samosprávná obec

munific|ence [mjuˈnifisns] *s* velkomyslnost, štědrost; **—ent** [mjuˈnifisnt] *a* štědrý

munition [mjuˈnišən] *s* střelivo ☐ *vt* opatřit střelivem

mural [ˈmjuərəl] *a* hradební, zední

murder [ˈməːdə] *s* vražda; *mass-* ~ masová vražda, masakr ☐ *vt & i* zavraždit; **—er** [ˈməːdərə] *s* vrah; **—ous** [ˈməːdərəs] *a* vražedný

mure [mjuə] *s* zast. zeď ☐ *vt* uzavřít ve zdech, uvěznit; ~ **up** obezdít

murky [ˈməːki] *a* temný, šerý; kalný, zakalený

murmur [ˈməːmə] *s* 1. mumlání 2. repot, reptání, 3. šumot, hukot vody ☐ *vi & t* 1. mumlat, reptat (*at, against* na, proti) 2. bublat, šumět

murrain [ˈmarin] *s* dobytčí mor

musc|le [ˈmasl] *s* sval; **—ular** [ˈmaskjulə] *a* svalnatý, silný

Muscovite [ˈmaskəvait] *a* 1. moskevský 2. zast. ruský ☐ *s* 1. Moskvan 2. zast. Rus

muse [mjuːz] *vi & t* dumat, uvažovat (*on, upon* o) ☐ *s* arch. dumání, přemýšlení, hloubání

museum [mjuˈziəm] *s* muzeum

mush [maš] *s* kaše; **—room** [ˈmašruːm] *s* 1. hřib 2. povýšenec

music [ˈmjuːzik] *s* hudba; ~ *box* skříňka s hracím strojkem; **—al** [ˈmjuːzikəl] *a* hudební; ~ **-hall** [ˈmjuːzikhɔːl] *s* kabaret; **—ian** [mjuːˈzišən] *s* hudebník

musk [mask] *s* 1. pižmo 2. pižmová vůně; **—y** [ˈmaski] *a* pižmový

musket [ˈmaskit] *s* ručnice, puška, mušketa; **—eer** [ˌmaskiˈtiə] *s* mušketýr

Muslim [ˈmuslim] viz *Moslem*

muslin [ˈmazlin] *s* mušelín

mussy [ˈmasi] *a* lid. am. nepořádný, neupravený

Mussul|man [ˈmaslmən] *s pl. -mans*, někdy *-men* mohamedán

must¹ [mast] *vi* ♦ *I must* musím; *I must not* nesmím

must² [mast] *s* 1. mošt 2. plíseň, ztuchlina

mustard [ˈmastəd] *s* hořčice

muster [ˈmastə] *vt & i* shromáždit (se) k přehlídce, provést přehlídku; vyřadit z většího množství ☐ *s* přehlídka vojska

mustn't [ˈmasnt] = *must not*

musty [ˈmasti] *a* 1. plesnivý, stuchlý 2. zastaralý 3. fig. bezduchý, hloupý

mutable [ˈmjuːtəbl] *a* proměnlivý, nestálý

mutation [mjuˈteišən] *s* změna, mutace

mute [mju:t] *a* němý, ne-
mluvný □ *s* 1. němý člověk,
nemluva 2. najatý truchlič
3. hud. dusítko 4. fon. ne-
znělá hláska

mutilat|e [ˈmju:tileit] *vt* zmrza-
čit, zkomolit; **—ion** [ˌmju:-
tiˈleišən] *s* zmrzačení, zko-
molení

mutineer [ˌmju:tiˈniə] *s* vzbou-
řenec

mutiny [ˈmju:tini] *s* vzpoura,
vzbouření □ *vi* vzbouřit se

mutter [ˈmatə] *vi & t* mumlat,
reptat

mutton [ˈmatn] *s* skopové maso;
~ -chop [ˈmatnˈčop] *s* sko-
pová kotleta

mutual [ˈmju:tjuəl] *a* vzájemný;
—ity [ˌmju:tjuˈæliti] *s* vzá-
jemnost

muzhik, muzjik [ˈmu:žik] viz
moujik

muzzle [ˈmazl] *s* 1. čenich 2.
náhubek 3. ústí, hlaveň (*of
a gun* děla) 4. plynová maska,
inhalační maska □ *vt* dát
náhubek, umlčet

my [mai] *pron* můj, má, mé,
moji, moje

myope [ˈmaioup] *s* krátkozraký
člověk

myriad [ˈmiriəd] *s* bás. & řeč.
myriáda

myrrh [mə:] *s* myrha

myrtle [ˈmətl] *s* myrta

myself [maiˈself] *pron*, pl. *our-
selves* já sám, se, sebe, mně, mě

myster|ious [misˈtiəriəs] *a* ta-
jemný, záhadný; **—y** [ˈmis-
təri] *s* 1. tajemství, mysté-
rium 2. kult 3. mystérie
středověké drama 4. nábožen-
ský obřad 5. pl. Eucharistie

mystic [ˈmistik] *a* mystický □ *s*
mystik; **—ism** [ˈmistisizəm]
s mysticismus

mystif|ication [ˌmistifiˈkeišən] *s*
podvedení, oklamání, mysti-
fikace; **—y** [ˈmistifai] *vt* okla-
mat, zmást

myth [miθ] *s* mýtus; báje;
—ic(al) [ˈmiθik(əl)] *a* my-
tický, smyšlený; **—ology** [mi-
ˈθolədži] *s* mytologie, báje-
sloví

N

N, n [en] 1. písmeno n 2. mat.
n neurčité číslo

nab [næb] *vt* (-bb-) sl. 1. chytit,
uvěznit 2. lapit

nacelle [nəˈsel] *s* trup letadla

nacre [ˈneikə] *s* perleť

nag[1] [næg] *s* koník, kůň

nag[2] [næg] *vt & i* (-gg-) 1. plís-
nit, vadit se, trápit 2. hle-
dat chyby (*at* na, u) □ *s* hu-

bování, plísnění

nail [neil] *s* 1. nehet 2. dráp
3. hřebík, cvok ♦ **~** *puller*
vytahovák hřebíků; *on the ~*
na místě, ihned; *to hit the ~ on
the head* fig. uhodit hřebík na
hlavičku, tít do živého, stre-
fit se; *to fight tooth and ~* bo-
jovat zuby nehty □ *vt* 1.
přibít, připevnit 2. lid. chytit

(*the thief* zloděje) **3.** fig. pro-
bodnout očima **4.** odkrýt lež
♦ *to ~ colours to mast* vytrvat;
~ down přibít; **~ together**
sbít; **~ up** připevnit, přibít
ve výši; **—er** [ˈneilə] *s* hře-
bíkář, cvočkář; **—ing** [ˈnei-
liŋ] *a* sl. znamenitý □ *adv*
znamenitě

naïve, naive [naːˈiːv, neiv] *a* na-
ivní, prostomyslný

naked [ˈneikid] *a* **1.** nahý, obna-
žený **2.** holý **3.** čirý **4.** pouhý
5. bezbranný **6.** neosedlaný
kůň; **—ness** [ˈneikidnis] *s*
nahost, nahota

namby-pamby [ˈnæmbiˈpæmbi]
a **1.** neslaný nemastný **2.**
nasládle sentimentální; ufňu-
kaný

name [neim] *s* **1.** jméno, ná-
zev **2.** slovo, pojem **3.** po-
věst ♦ *by ~* jménem, podle
jména; *to call person -s* vy-
nadat komu; *he has an ill ~*
má špatnou pověst; *to win
oneself a ~* získat si jméno,
dobrou pověst; *in the ~ of*
jménem koho; *in one's own
~* vlastním jménem; *of ~*
věhlasný; *to lend one's ~ to*
propůjčit své jméno čemu;
to put one's ~ down for dát
se zapsat, připojit se k hnutí,
organizaci ap. □ *vt* **1.** jmenovat,
nazývat **2.** stanovit, určit
den; |**~-day** *s* jmeniny; **—ly**
[ˈneimli] *adv* totiž; **—sake**
[ˈneimseik] *s* jmenovec

nanny-goat [ˈnænigout] *s* ko-
zička

nap¹ [næp] *vi* (-pp-) dřímat □ *s*
dřímota ♦ *to take a ~* zdřím-
nout si

nap² [næp] *s* vlas látky; **—py**
[ˈnæpi] *a* chlupatý, cuckovitý

napalm [ˈneipaːm] *s* napalm;
~ bomb napalmová bomba

nape [neip] *s* týl, vaz

naphtha [ˈnæfθə] *s* nafta; **—lene**
[ˈnæfθeliːn] *s* naftalín

napkin [ˈnæpkin] *s* ubrousek

Naples [ˈneiplz] *s* Neapol

narciss|us [naːˈsisəs] *s* pl. *-uses*
[-əsiz], *-i* [-ai] narcis

narc|osis [naːˈkousis] *s* narkóza;
—otic [naːˈkotik] *a* narko-
tický, uspávací □ *s* narko-
tikum, uspávací lék

narg(h)ile [ˈnaːgili] *s* vodní
dýmka

narrat|e [næˈreit] *vt & i* vypra-
vovat, (vy)líčit; **—ion** [næ-
ˈreišən] *s* vyprávění; **—ive**
[ˈnærətiv] *a* **1.** vyprávěcí,
2. výpravný □ *s* vyprávění,
příběh, povídka; **—or** [næ-
ˈreitə] *s* vypráveč; *folk ~*
lidový vypráveč

narrow [ˈnærou] *a* **1.** úzký,
těsný, nepatrný **2.** úzkoprsý
3. fon. napjatý □ *vt & i*
(z)úžit (se), zmenšit (se),
stěsnat (se) □ *s* **1.** pl. (mořská)
úžina, soutěska **2.** úzké místo,
úzký průchod; **~ escape** unik-
nutí o vlas; **~-gauge** [ˈnæ-
rougeidž] *s* úzký rozchod ko-
lejí; **~ majority** těsná většina;
~ -minded [ˈnærouˈmaindid]
a úzkoprsý; **~ -sighted** [ˈnæ-
rouˈsaitid] *a* krátkozraký

nasal [ˈneizəl] *a* **1** nosní, no-
sový **2.** fon. nazální □ *s*
1. nosní kost **2.** fon. nosovka,
nazála **3.** nánosek

nascent [ˈnæsnt] *a* **1.** rodící se,
vznikající **2.** nedospělý

nasturtium [nəs'tə:šəm] *s* řeřicha

nasty ['na:sti] *a* 1. odporný, ošklivý, hnusný 2. neslušný, sprostý, oplzlý 3. škodlivý, nebezpečný ♦ *to turn* ~ rozzlobit se, stát se nevraživým

natal ['neitl] *a* narození se týkající

nation ['neišən] *s* 1. národ 2. lid, dav, množství; —**al** ['næšənl] *a* 1. národní 2. vlastenecký ♦ ~ *debt* státní dluh; ~ *enterprise* národní podnik; *reconstructed N~ Front* obrozená Národní fronta; ~ *minority* národnostní menšina; ~ *-liberation struggle* národně osvobozenecký boj □ *s* člen národa; —**alism** ['næšnəlizəm] *s* 1. vlastnictví 2. národnost; —**ality** [ˌnæšə'næliti] *s* národnost, vlastenectví; —**alize** ['næšnəlaiz] *vt* znárodnit

nativ|e ['neitiv] *a* 1. rodný, rodilý, vrozený 2. přirozený, ryzí *(metal* kov) 3. původní 4. domorodý □ *s* domorodec, rodák; —**ity** [nə'tiviti] *s* 1. narození 2. horoskop 3. Narození Páně, Štědrý den

natter ['nætə] *vi* hov. tlachat, žvanit; bručet, mluvit podrážděně

natty ['næti] *a* 1. úhledný 2. čiperný

natural ['næčrəl] *a* 1. přirozený, vrozený 2. přírodní 3. normální 4. samozřejmý 5. nemanželský *(child* dítě) ♦ ~ *history* přírodopis; ~ *philosophy* fyzika; ~ *science* přírodní věda; ~ *selection* přírodní výběr □ *s* 1. idiot, bl-

bec 2. hud. **odrážka**; —**ize** ['næčrəlaiz] *vt & i* 1. naturalizovat (se), zdomácnit, zdomácnět 2. přizpůsobit 3. studovat přírodopis, přírodu

nature ['neičə] *s* 1. příroda 2. přirozenost 3. povaha, podstata 4. druh, třída, tvar 5. skutečnost ♦ *by* ~ přirozeně, vrozeně; *against* ~ nepřirozený, nemravný; *to ease* ~ vyprázdnit se; *in the course of* ~ přirozeným během; *state of* ~ přirozený stav

naught [no:t] *s* arch. 1. nic, nula 2. = *nought*; —**y** ['no:ti] *a* nehodný, ošklivý; rozpustilý, neposlušný

nause|a ['no:sjə] *s* 1. bolení žaludku, nevolnost 2. ošklivost, hnus; —**ate** ['no:sieit] *vt & i* 1. způsobit n. dostat bolení žaludku, zvracet 2. ošklivit si jídlo

nautical ['no:tikəl] *a* námořní, lodní

naval ['neivəl] *a* námořní, lodní

nave [neiv] *s* 1. kostelní loď 2. náboj kola 3. pupek

navel ['neivəl] *s* pupek

navig|able ['nævigəbl] *a* 1. splavný, schopný plavby 2. řiditelný; —**ate** ['nævigeit] *vi & t* 1. plout 2. plavit se, řídit, kormidlovat; —**ation** [ˌnævi'geišən] *s* plavba, navigace

navvy ['nævi] *s* 1. nádeník 2. rypadlo *(steam* ~ zemní bagr)

navy ['neivi] *s* loďstvo, válečné námořnictvo

nay [nei] *adv* 1. arch. ne,

nikoliv **2.** nuže, ba □ *s*
1. odmítnutí, zákaz **2.** záporná odpověď
Nazi, nazi [ˈnaːci] *s* pl. *nazis*
[ˈnaːciz] nacista □ *a* nacistický; **—sm** [ˈnaːcizəm] *s* nacismus
N.C. = *North Carolina* [ˌkærəˈlainə]
N.D. = *North Dakota* [dəˈkoutə]
n.d. = *no date*
N.E. = *North East*
neap [niːp] *s* příliv n. odliv v první a třetí čtvrti měsíce
near [niə] *adv* **1.** blízko, nedaleko **2.** těsně **3.** šetrně □ *a*
1. blízký, nedaleký **2.** příbuzný **3.** těsný (*a* ~ *escape* uniknutí jen o vlásek) **4.** přímý, krátký ♦ *far and* ~ všude, široko daleko; *he was* ~ *dead with fright* byl zděšením bezmála mrtev; *to draw* ~ blížit se; ~ *akin to* blízce příbuzný; *N*~ *East* Blízký východ □ *prep* u, ke; **—ly** [ˈniəli] *adv* **1.** téměř, skoro **2.** blízko, blízce; **—ness** [ˈniənis] *s* **1.** blízkost, těsnost **2.** skoupost, lakomství; ~-**sighted** [ˈniəˈsaitid] *a* krátkozraký
neat [niːt] *a* **1.** úhledný, pěkný **2.** obratný, zručný **3.** nefalšovaný □ *s* *sg.*, *pl.* hovězí dobytek; ~ *herd* pasák
neb [neb] *s* skot. **1.** zobák **2.** obličej **3.** nos, čumák **4.** špička pera
Nebr. = *Nebraska*
Nebraska [niˈbræskə] *s* Nebraska
nebul|a [ˈnebjulə] *s* pl. *-ae* [-iː], *-as* [-əz] astr. mlhovina. **—ous** [ˈnebjuləs] *a* **1.** mlhavý, mlho-

vinový **2.** neurčitý **3.** zamračený
necessary [ˈnesisəri] *a* nezbytný, nutný, potřebný; nevyhnutelný; ~ *labour time* pracovní doba nutná □ *s* **1.** nutnost, nezbytnost **2.** dial. záchod **3.** pl. co je nezbytné k nějakému účelu peníze **4.** pl. tělesná potřeba
necess|itate [niˈsesiteit] *vt* **1.** činit, nezbytným, nevyhnutelným, nutně vést k **2.** nutit, nutně vyžadovat; **—ity** [niˈsesiti] *s* **1.** nutnost, nezbytnost, naléhavost, potřeba **2.** pl. nedostatek, chudoba, nouze ♦ *of* ~ nezbytně, nevyhnutelně; *to make a virtue of* ~ činit z nouze ctnost
neck [nek] *s* **1.** krk, šíje **2.** krkovička **3.** hrdlo láhve **4.** hud. krk houslí **5.** čep válce ♦ *to break one's* ~ zlomit si vaz; *to break the* ~ *of* překonat nejtěžší část (úkolu); *to save one's* ~ zachránit si život; *a stiff* ~ tvrdošíjnost; ~-**bearing** [ˈnekbeəriŋ] *s* krční ložisko; ~ -**cloth** [ˈnekkloθ] *s* kravata; **—erchief** [ˈnekəʧif] *s* šátek na krk; **—lace** [ˈneklis] *s* náhrdelník; **—let** [ˈneklit] *s* **1.** náhrdelník **2.** límec; **—tie** [ˈnektai] *s* vázanka
necro|logy [neˈkrolədʒi] *s* seznam úmrtí, úmrtní zpráva; nekrolog, posmrtná zmínka; **—mancy** [ˈnekroˌmænsi] *s* černokněžnictví, magie
need [niːd] *s* potřeba, nouze ♦ *to do one's -s* jít na záchod; *to have* ~ *of, be in* ~ *of* potřebovat něco; *in case of* ~

v případě nouze; *address in case of* ~ obch. podpůrná adresa □ *vt & i* potřebovat; *I* ~ *not* nemusím; *more than* ~*s* víc než je třeba; —**ful** [ˈniːdful] *a* nutný, potřebný; —**less** [ˈniːdlis] *a* nepotřebný, zbytečný; —**s** [niːdz] *adv* nutně

needle [ˈniːdl] *s* 1. jehla, pletací jehlice 2. ručička 3. jehlan, obelisk 4. střelka (*magnetic* ~ magnetka) ♦ *sharp as a* ~ ostrý jako jehla; ~ **-bearing** [ˈniːdlˌbeəriŋ] *s* jehlové ložisko; |~ **-book**, ~ **-case** [ˈniːdlˌkeis] *s* jehelníček; |~ **-lace** *s* šitá krajka; |~ **-point** *s* technika šité krajky; —**woman** [ˈniːdlˌwumən] *s* švadlena; |—**work** *s* vyšívání, šití, výšivka

needn't [ˈniːdnt] = *need not*
ne'er [neə] bás. = *never*
nefarious [niˈfeəriəs] *a* hanebný, zlý
negat|e [niˈgeiv] *vt* popírat, negovat; —**ion** [niˈgeišən] *s* popření, zápor; —**ive** [ˈnegətiv] *a* záporný, negativní □ *s* 1. zápor, záporná odpověď 2. záporka 3. odmítnutí, veto 4. fot. negativ ♦ *he returned a* ~ odpověděl záporně; *in the* ~ záporně □ *vt* 1. odmítnout souhlas, nesouhlasit 2. hlasovat proti 3. popřít, vyvracet 4. neutralizovat

neglect [niˈglekt] *vt* zanedbat, promeškat, opomenout, nevšímat si □ *s* 1. (za)nedbání 2. promeškání, opomenutí
neglig|ence [ˈneglidžəns] *s* nedbalost; —**ent** [ˈneglidžənt] *a*

nedbalý, nedbající; —**ible** [ˈneglidžəbl] *a* 1. zanedbatelný, nepatrný 2. všední
negoti|able [niˈgoušjəbl] *a* 1. prodejný 2. spolehlivý 3. převoditelný směnka, cenný papír; —**ate** [niˈgoušieit] *vi & t* 1. vyjednávat 2. (z)prostředkovat (*peace* mír) 3. prodat, postoupit směnku 4. překonat překážku; —**ation** [niˌgoušiˈeišən] *s* 1. vyjednávání 2. jednání, obchod 3. prodej, postup směnky; ~ *of cheque* převod šeku
negr|ess [ˈniːgris] *s* černoška; —**o** [ˈniːgrou] *s* pl. -*es* [-z] černoch
neigh [nei] *vi* řehtat
neighbour [ˈneibə] *s* soused, bližní □ *a* sousední, blízký □ *vt & i* 1. sousedit, hraničit 2. přiléhat k čemu; —**hood** [ˈneibəhud] *s* 1. sousedství, sousedé 2. okolí; —**ing** [ˈneibəriŋ] *a* sousedící, sousední; —**ly** [ˈneibəli] *a* sousedský, přátelský
neither [ˈnaiðə] *a* žádný (z obou); ~ *of us* žádný z nás □ *pron* ani jeden ani druhý, žádný; ~ *of them knows* žádný z nich neví □ *conj* arch. ani ne (*I know not,* ~ *can I guess* nevím a ani nemohu tušit) □ *adv* ~ ... *nor* ... ani ... ani; ~ *you nor I know* ani ty ani já nevím
neo|logism [niˈolədžizəm] *s* gram. neologismus, novotvar
neon [ˈniːən] *s* neon; ~ *lamp* neonová lampa
neophyte [ˈniːoufait] *s* 1. neofyt, novokřtěnec 2. novic 3. nováček

nephew [ˈnevju:] *s* synovec
nerv|e [nə:v] *s* 1. nerv; šlacha,
sval 2. bot. žilka, žebro listu
3. odvaha, nestoudnost; ener-
gie, síla 4. vytrvání, neo-
chvějnost 5. pl. nervozita
6. duchapřítomnost, chladno-
krevnost □ *vt* posílit; ~
-centre [ˈnə:vˌsentə] *s* ner-
vové ústředí; —eless [ˈne:v-
lis] *a* 1. bez žebroví, bez
žilek 2. slabý, mdlý; —osity
[nə:ˈvositi] *s* nervozita; —ous
[ˈnə:vəs] *a* 1. silný, svalnatý
2. nervový 3. nervózní 4.
robustní styl; —y [ˈnə:vi] *a*
1. bás. silný, svalnatý 2. sl.
sebevědomý, smělý, nestoud-
ný 3. jdoucí na nervy, rozči-
lující, nervózní
nescient [ˈnesiənt] *a* nevědomý
□ *s* agnostik
ness [nes] *s* předhoří; mys; ost-
roh, výběžek
nest [nest] *s* 1. hnízdo, doupě
2. hejno, roj 3. množství
♦ *to foul one's own* ~ fig.
dělat do vlastního hnízda;
to take a ~ vybrat hnízdo
□ *vi* 1. vystavět hnízdo,
hnízdit 2. vybírat ptačí hníz-
da; —le [ˈnesl] *vi & t* 1.
uhnízdit se, usadit se 2.
tisknout se, přitulit se (*to, up
to* k, *close to* těsně k); —ling
[ˈnestliŋ] *s* neopeřenec
net[1] [net] *s* 1. síť, síťovina,
mřížka 2. vsítěný míč □ *vt*
(-tt-) 1. chytat do sítě, ro-
zestřít sítě 2. síťkovat, mříž-
kovat 3. vsítit míč; —ting
[ˈnetiŋ] *s* síť, pletivo; pletení
sítí
net[2] [net] *a* čistý, netto ♦

~ *profit* čistý zisk; ~ *cash*
za hotové, beze srážek; ~
section užitečný průřez; ~
weight čistá váha □ *s* netto
□ *vt* (-tt-) získat jako čistý
zisk ♦ *his new job will* ~ *him
a good salary* jeho nové za-
městnání mu ponese dobrý
plat
nether [ˈneðə] *a* arch. dolejší,
spodní; ~ *world* podsvětí
Netherlands, *the* [ˈneðələndz] *s*
Nizozemsko
nettle [ˈnetl] *s* kopřiva □ *vt*
1. šlehat kořivami 2. fig. po-
pouzet, podráždit; ~ **rash** med.
kopřivka
network [ˈnetwə:k] *s* 1. síťoví
2. el. (rozvodná) síť 3. síť roz-
hlasových stanic
neur|al [ˈnjuərəl] *a* nervový;
—algia [njuəˈrældžə] *s* neural-
gie; —osis [njuəˈrousis] *s* pl.
-*es* [-i:z] nervóza; —otic [njuə-
ˈrotik] *a* 1. nervově nemocný
2. nervový □ *s* nervově ne-
mocný člověk
neuter [ˈnju:tə] *a* 1. gram.
středního rodu; nepřechodný
o slovesu 2. arch. neutrální,
nestranný 3. biol. bezpohlavní;
to stand ~ být neutrální □ *s*
1. gram. neutrum 2. bez-
pohlavní hmyz 3. vymiško-
vané zvíře
neutral [ˈnju:trəl] *a* nestranný,
neurčitý, neutrální; ~ *wire*
nulový vodič □ *s* 1. neutrál
osoba, loď, stát 2. neutrální
barva; —ize [ˈnju:trəlaiz] *vt*
neutralizovat, umlčet
Nev. = *Nevada* [néˈva:də]
never [ˈnevə] *adv* nikdy, vůbec
(ne); ~ *fear* jen se neboj!,

~ *mind* nevadí; *he* ~ *so much as spoke* nikdy ani nepromluvil ◆ ~ *so good* i nejlepší; |—|more již nikdy; —theless [ˌnevəðəˈles] *adv* přesto, nicméně

new [nju:] *a* 1. nový, nedávný 2. čerstvý 3. změněný □ *s* pl., pojí se se slovesem v sg. novinka, zpráva, noviny □ *adv* nově, nedávno, znova; —comer [ˈnju:ˈkamə] *s* nově příchozí; ~-fashioned [ˈnju:-ˈfæšənd] *a* moderní, módní; —ly [ˈnju:li] *adv* nedávno, nově; ~ *weds* novomanželé; ~ year nový rok

news|boy [ˈnju:zboi] *s* kamelot; —monger [ˈnju:zˌmaŋgə] *s* 1. klep 2. klepna; —paper [ˈnju:sˌpeipə] *s* noviny; —print [ˈnju:zprint] *s* novinový papír; —reel [ˈnju:zri:l] *s* filmová aktualita; —stand [ˈnju:sˌstænd] *s* novinářský stánek; —vendor [ˈnju:zˌvendə] *s* prodavač novin; —y [ˈnju:zi] *a* plný novinek, oplývající zprávami

newt [nju:t] *s* čolek, mlok

next [nekst] *a*, *sup*, od *nigh* nejbližší, příští, následující ◆ ~ *door* vedle, u souseda; ~ *to* skoro, bezmála; ~ *to nothing* skoro nic; ~ *to impossible* skoro nemožné; *what* ~ ? co ještě? □ *adv* 1. nejblíže 2. dále potom 3. příště □ *prep* vedle, poblíže, hned po (*I was standing* ~ *him* stál jsem vedle něho) □ *s* nejbližší n. příští osoba n. věc

N.F. = *New Foundland*
N.H. = *New Hampshire* [ˈhæmp-šiə]

nib [nib] *s* zobák ptačí, špička pera □ *vt* (-bb-) přiříznout brk, upravit na pero, nasadit pero

nibble [ˈnibl] *vt & i* 1. uštipovat, okusovat 2. brát o rybách 3. uštěpačně kritizovat □ *s* 1. uštipování, okusování 2. braní o rybách

nice [nais] *a* hezký, pěkný ◆ *the car is going* ~ *fast* vůz jede hezky rychle; —ty [ˈnaisiti] *s* 1. jemnost, uhlazenost 2. choulostivost, přesnost 3. vybíravost ◆ *to a* ~ přesně

niche [nič] *s* 1. výklenek pro sochu 2. koutek, místo □ *vt* 1. umístit ve výklenku 2. najít (si) koutek, usadit (se)

nick [nik] *s* 1. zářez, vroubek 2. pravý čas n. okamžik (*in the* ~ v pravý čas, v pravou chvíli) 3. hazardní vrh kostek □ *vt* 1. nadělat zářezy n. vroubky 2. proříznout, uříznout 3. vyčíhat si pravý okamžik 4. sl. obehrát, obelstit 5. právě chytit vlak, zločince 6. správně uhodnout, vyhrát v hazardní hře

nickel [ˈnikl] *s* 1. nikl 2. am. pěticentová mince □ *vt* (-ll-) poniklovat

nicknack viz *knick-knack*

nickname [ˈnikneim] *s* přezdívka □ *vt* přezdít

nicotin(e) [ˈnikəti:n] *s* nikotin

nic(ti)tat|e [ˈnik(ti)teit] *vi* mrkat, mžourat, mžikat; —ing *membrane* mžurka

nide [naid] *s* líheň, hnízdo mláďat

niece [ni:s] *s* neteř

niggard [ˈnigəd] *s* lakomec □ *a* skoupý, lakomý; —ly [ˈnigədli] *a* skoupý, lakomý, šetrný; skrovný

nigger [ˈnigə] *s* pejor. negr, černoch

niggle [ˈnigl] *vi* piplat se, vy-hrávat si

nigh [nai] dial. blízko (*to* u)

night [nait] *s* noc, večer, tma
♦ *a dirty* ~ bouřlivá n. deštivá noc; *to have a good (bad)* ~ spát dobře (špatně); *to make a* ~ *of it* prohýřit noc; ~ *and day* dnem i nocí, stále; *all* ~ *(long)* po celou noc; *by* ~ v noci; *at* ~ zve-čera; *last* ~ včera večer; *to—* dnes večer; **~-bird** [ˈnaitbə:d] *s* noční pták též fig., sova, slavík; **~-cap** [ˈnaitkæp] *s* 1. noční čepice 2. sklenka likéru na posilněnou před spaním 3. vrcholné nebo závěrečné číslo sportovních událostí; |**~-dress**, **~-gown** [ˈnaitgaun] *s* noční šat; **—ingale** [ˈnaitiŋgeil] *s* slavík; **—ly** [ˈnaitli] *a* noční □ *adv* každou noc; **—mare** [ˈnait-meə] *s* noční můra; |**~-school** *s* večerní škola; **—shade** [ˈnaitʃeid] *s* bot. potměchuť, rulík; |**~-shift** [ˈnaitʃift] *s* noční směna; **~-shirt** [ˈnait-ʃə:t] *s* noční košile mužská; **~-stool** [ˈnaitstu:l] *s* židle s nádobou pro nemocné; **~-suit** [ˈnaitsju:t] *s* pyžama; |**~-tide**, |**~-time** *s* noční doba; **~-watch** [ˈnaitˈwoč] *s* noční hlídka, ponocný; **~-wear** [ˈnaitweə] *s* noční prádlo; |**~-work** *s* noční práce

nil [nil] *s* 1. nic. nicota 2. nula

nimble [ˈnimbl] *a* hbitý, svižný, rychlý

nincompoop [ˈninkəmpu:p] *s* hlupec, budižkničemu

nine [nain] *num & s* devět, de-vítka ♦ *the N~* múzy; ~ *times out of ten* skoro vždycky; *to the* -*s* dokonale; |**—fold** *a* de-vateronásobný; |**—pins** *s* ku-želky; **—teen** [ˈnainˈti:n] *num* devatenáct; **—teenth** [ˈnain-ˈti:nθ] *a* devatenáctý; **—tieth** [ˈnaintiiθ] *a* devadesátý

ninth [nainθ] *a* devátý

nip[1] [nip] *vt* (-pp-) 1. štípnout, sevřít, stisknout 2. spálit mrazem 3. chňapnout, štíp-nout, vzít; uhryznout 4. utlu-mit, zničit v zárodku 5. nor-kovat 6. líznout si alkoholu ♦ *to* ~ *in the bud* zarazit v počátku; **~in** vpadnout do hovoru; **~off** natírat si to

nip[2] [nip] *s* 1. štípnutí, zahryz-nutí 2. štiplavá poznámka 3. spálení mrazem, zaražení růstu 4. štípání od větru 5. šti-plavá příchuť sýra 6. usrknutí, líznutí alkoholu

nipper [ˈnipə] *s* 1. pl. štípací kleště 2. hov. pouta 3. klepeto 4. pl. koňské řezáky 5. drž-grešle

nipple [ˈnipl] *s* prsní bradavka, cecek, cucák; odsávač; vsuv-ka u trubek, mazací čep

nippy [ˈnipi] *a* 1. štiplavý, kousavý, ostrý 2. rychlý, hbitý

Nips [nips] *s pl.* lid. Japonci

nit [nit] *s* hnida

nitrate [ˈnaitreit] *s* chem. dusič-ňan

nitre [ˈnaitə] *s* chem. sanytr, ledek

nitride [ˈnaitraid] *s* nitrid

nitrite [ˈnaitrait] *s* dusitan

nitrogen [ˈnaitridžən] *s* dusík

N.J. = *New Jersey*

N.Mex. = *New Mexico*

No, Nos = *number(s)*

no [nou] *adv* ne, nikoliv ♦ ~ *more* nikdy již; —*where* nikde; ~ *sooner than* jakmile □ *s* 1. odepření, odmítnutí 2. pl. hlasy proti □ *a* žádný; *in* ~ *manner* žádným způsobem, nijak; ~ *matter* na tom nesejde; ~ *man,* ~ *one* nikdo; *by* ~ *means* nijak, za žádných okolností; *in* ~ *time* co nevidět; ~ *thoroughfare* uzavřená cesta

nob [nob] *s* sl. 1. „šiška", „kokos" 2. velké zvíře, „veličina"

nobble [ˈnobl] *vt* 1. znehodnotit závodního koně; nepoctivě získat podplacením, fixlovat, švindlovat 2. chytit zloděje

nobility [nouˈbiliti] *s* 1. šlechta 2. šlechtictví, ušlechtilost

noble [ˈnoubl] *a* 1. urozený, ušlechtilý 2. šlechtický 3. vznešený 4. výborný, výtečný, skvělý 5. velkodušný, velkomyslný 6. chem. inertní 7. vzácný kov, sloučenina □ *s* šlechtic; ǀ—**man** *s* šlechtic

nobody [ˈnoubədi] *pron* nikdo □ *s* nicka

nock [nok] *s* zářez, vrub na luku

noctambulation [nokˌtæmbjuːˈleišən] *s* náměsíčnost

nocturnal [nokˈtəːnl] *a* noční

nod [nod] *vi & t* (-dd-) 1. kývat, pokynout hlavou, naklánět se 2. být na spadnutí 3. klímat, tlouci špačky □ *s* 1. (při)kývnutí, pokynutí 2. tlučení špačků, klímání

noddle [ˈnodl] *vi* klátit n. kývat hlavou

noddy [ˈnodi] *s* hlupák

nod|e [noud] *s* 1. uzel, zauzlina 2. zápletka v dramatu 3. suk, kolínko rostliny 4. hrbol, tvrdý nádor 5. průsečík 6. astr. uzel; *trafic* ~ dopravní uzel; —**ule** [ˈnodjuːl] *s* 1. zauzlinka; uzlíček 2. hrbolek 3. rudná pecka

nog [nog] *s* 1. dial. silné pivo 2. korbel 3. kolík, špalík, klínek

nogging [ˈnogiŋ] *s* hrazděná zeď

no|-go [ˈnougou] □ ~ *gauge* kalibr se zmetkovou stranou; ~ *side* zmetková strana kalibru; ~ **-voltage** [ˈnouˈvoultidž] *s* el. podpětí

nohow [ˈnouhau] *adv* dial. vůbec ne, nikterak, nijak

noise [noiz] *s* hluk, lomoz, křik □ *vt & i* 1. zř. hlučet, lomozit 2. rozhlásit, rozšířit pověst; —**less** [ˈnoizlis] *a* nehlučný

nois|ome [ˈnoisəm] *a* 1. škodlivý 2. protivný, odporný; —**y** [ˈnoizi] *a* hlučný, lomozný, hřmotný

nomad [ˈnoməd] *s* kočovník, nomád □ *a* kočovný

nomenclature [nouˈmenklədžə] *s* jmenný seznam, názvosloví vědecké

nominal [ˈnominl] *a* nominální, jmenný, slovní

nominat|e [ˈnomineit] *vt* (po)jmenovat, navrhnout za kandidáta; —**ion** [ˌnomiˈneišən] *s* (po)jmenování; —**ive** [ˈnominotiv] *a* 1. jmenovitý 2. gram. nominativní □ *s* gram. nominativ

non- [non-] *prefix* značící ne-, bez-; ~ -acceptance [ˈnonək¦septəns] *s* neakceptování, odmítnutí přijetí směnky; |~-aˈggression pact smlouva o neútočení; ~ -commissioned [ˈnonkə¦mišənd] officer poddůstojník, záložní důstojník; |—ˈcommunist *s* nekomunista; —conformist [ˈnonkən¦fo:mist] *s* rozkolník; ~ -corrosive [ˈnonkə¦rousiv] *a* nekorodující, nerezavějící; |—descript *a* nepopsatelný, neurčité povahy; ~ -effective [ˈnoni¦fektiv] *a* neschopný; ~ -ego [ˈnon¦egou] *s* fil. nejá; —entity [no¦nentiti] *s* nejsoucnost; ~ -feasance [ˈnon¦fi:zəns] *s* práv. zanedbání povinnosti; ~ -ferrous [ˈnonferəs] metals barevné kovy; ~ -interference [ˈnonintə¦fiərəns] *s* polit. nevměšování, nezasahování; ~-intervention [ˈnon¦intə¦venšən] *s* nevměšování; |~ -Party people nestraníci, bezpartijní; —plus [ˈnon¦plas] 1. *s* rozpaky 2. *vt* uvést do rozpaků, zmást; ~ -reversible [ˈnonri¦və:səbl] *a* nevratný, jednosměrný; —sense [ˈnonsəns] *s* nesmysl; |~ -¦smoker *s* nekuřák; |~ -¦stop *a & adv* bez zastávky; —suit [ˈnon¦sju:t] *s* práv. zastavení soudního jednání pro nedostatek důkazů

nonage [ˈnounidž] *s* nezletilost; nevyspělost, nezralost

nonchalant [ˈnonšələnt] *a* netečný, bezstarostný

none [nan] *pron* nikdo, žádný, nic ♦ *he is* ~ *the better for it* není proto o nic lepší □ *adv* vůbec ne; ~ *the less* = *nevertheless* nicméně; ~ *the more* o nic více

nones [nounz] *s* 1. kanonická hodinka 2. nony devátý den před idami

nonpareil [ˌnonpə¦rel] *a* nesrovnatelný, nedostižný □ *s* nonparej druh tisku

nonplus viz *non-*

noodle [ˈnu:dl] *s* 1. hlupák 2. nudle

nook [nuk] *s* kout, ústraní

noon [nu:n] *s* poledne □ *a* polední; —day, —tide *s* poledne

noose [nu:s] *s* 1. smyčka, oko 2. fig. pouto, též manželské □ *vt* chytit do smyčky n. oka, udělat smyčku

nor [no:] *conj.* 1. ani 2. ani ne, také ne, natož; *neither...* ~ ani... ani; *not a man* ~ *a child was to be seen* nebylo vidět ani muže ani dítě; *I said I had not seen it,* ~ *had I* řekl jsem, že jsem to neviděl, a také ne; *all that is true,* ~ *must we forget...* vše to je pravda a také nesmíme zapomínat...

norm [no:m] *s* měřítko, norma (i pracovní), vzor

normal [ˈno:məl] *a* normální, pravidelný, přirozený; ~ *school* učitelský ústav □ *s* kolmice (~ *line*); —ization [ˌno:məlai¦zeišən] *s* normalizace; —ize [ˈno:məlaiz] *vt* normalizovat přizpůsobit průměru

Norman [ˈnoːmən] *a* norman(d)-
ský □ *s* Normanďan, hist.
Norman

Norse [noːs] *a* norvéžský □
s norština; **—man** [ˈnoːsmən]
s Nor

north [noːθ] *s* **1.** sever **2.** severní
vítr, severák □ *a* severní □
adv na sever, k severu ♦ ~ *of*
severně od; *due* ~ přesně na
sever; ~ *by east* mezi severem
a severo-severovýchodem;
|~-|**east** *s* & *a* & *adv* severo-
východ, -ní, -ně; |~-|**eastern**,
|~-|**easterly** *a* severovýchod-
ní; **N~ Pole** severní točna;
N~ Star Severka; |~-|**west**
s & *a* & *adv* severozápad, -ní;
-ně

northern [ˈnoːðən] *a* severní,
od severu □ *s* severní vítr;
—er [ˈnoːðənə] *s* seveřan

northward [ˈnoːθwəd] *adv* k se-
veru, na sever □ *a* severní

Norway [ˈnoːwei] *s* Norsko

Norwegian [noːˈwiːdžən] *a* nor-
ský □ *s* **1.** Nor **2.** norština

nose [nouz] *s* **1.** nos **2.** špička,
ostří, výběžek **3.** čich ♦
parson's ~ biskup u husy;
to follow one's ~ jít přímo
za nosem; *to poke* n. *thrust
one's* ~ *into* strkat nos do;
to turn up one's ~ *at* ohrnovat
nos nad; *to lead by the* ~
vést za nos □ *vt* & *i* **1.** čeni-
chat, větřit **2.** strkat nos
(*into* do) **3.** sl. špehovat;
~-bag [ˈnouzbæg] *s* obroč-
nice, chlebník; **~-dive** [ˈnouz-
daiv *s* **1.** střemhlavý let
letadla **2.** náhlý pokles cen;
~-gay [ˈnouzgei] *s* kytice;
~-piece [ˈnouzpiːs] *s* **1.** ná-

nosník, nánosek **2.** dolejší
konec mikroskopické trubice

nostril [ˈnostril] *s* nozdra, chří-
pí

nostrum [ˈnostrəm] *s* mastička,
lektvar

not [not] *adv* ne ♦ ~ *at all*
vůbec ne; ~ *a bit* ani dost
málo; ~ *a few* nemálo;
~ *seldom* nezřídka; ~ *once*
nejednou; ~ *to say* natož,
neřkuli

notabl|e [ˈnoutəbl] *a* pozoru-
hodný, vynikající, znamenitý
□ *s* význačná osoba

notation [nouˈteišən] *s* **1.** ozna-
čení, poznamenání **2.** sou-
stava značek, znaků

notch [noč] *s* vrub, zářez □
vt udělat zářez n. vrub

not|e [nout] *s* **1.** znak, rys, zna-
mení, známka **2.** hud. nota,
tón, melodie **3.** zpěv ptačí
4. významnost, význačnost
(*a family of* ~ významná
rodina) **5.** memorandum, di-
plomatická nóta **6.** zpráva
7. seznam **8.** úpis, účet,
směnka, bankovka **9.** po-
znamenání, poznámka, zá-
znam **10.** psaní, lístek ♦ *to
make a* ~ *of* poznamenat si
co; *to take a* ~ *of* všimnout si
čeho; *to take due* ~ *of* řádně
si poznamenat, vzít na vědo-
mí; *to strike the right* ~ fig.
uhodit na správnou strunu;
~ *of exclamation* vykřičník;
~ *of interrogation* otazník □
vt **1.** (po)všimnout si, pozo-
rovat, věnovat pozornost **2.**
zmínit se, označit poznámkou
3. zaznamenat si (*~ down* :
|—**book** *s* zápisník; ~ **case**

peněženka; —ed [ˈnoutid] *a*
proslavený, proslulý, známý,
věhlasný; ǀ~ -ǀ**paper** *s* dopisní
papír; —**worthy** [ˈnoutǀwə:ði]
a, **worthy of** ~ pozoruhodný
nothing [ˈnaθiŋ] *s* 1. nic 2.
nicotnost, nejsoucnost 3. nula
□ *adv* vůbec ne, nijak, nikte-
rak ♦ *there is* ~ *in it* nic na
tom není; ~ *venture* ~ *have*
kdo nic neriskuje, nic nemá;
for ~ za nic, zbytečně, marně;
~ *but* nic než; *there is* ~ *for*
it but tu není jiné možnosti
než; *to make* ~ *of* nic si ne-
dělat z; *to come to* ~ přijít na-
zmar; **good-for-**~ *a & s* budiž-
kničemu; —**ness** [ˈnaθiŋnis]
s 1. nicota, nicotnost 2. bez-
významná věc, maličkost
notice [ˈnoutis] *s* 1. zpráva,
oznámení; výstraha 2. vy-
hláška, plakát 3. (po)všimnu-
tí, pozornost; pozorování 4.
poznámka 5. výpověď ♦ *to*
give ~ *of* oznámit, zpravit o;
~ *to quit* výpověď z bytu;
till further ~ až na další;
at a moment's ~ okamžitě;
to give a week's ~ dát týdenní
výpověď; *to take (no)* ~ *of*
dbát, nedbat čeho □ *vt* 1.
všimnout si, zpozorovat 2.
zmínit se, poznamenat 3.
dát výpověď 4. vytisknout
oznámení; ~ **-board** [ˈnoutis-
bo:d] *s* 1. deska na vyhlášky
2. voj. směrová tabulka
notiǀ**fication** [ˌnoutifiǀˈkeišən] *s*
oznámení, zpráva; —**fy** [ˈnou-
tifai] *vt* ohlásit, oznámit,
uvědomit (*of* o)
notion [ˈnoušən] *s* 1. pojem,
ponětí 2. myšlenka, názor;

vědomost 3. mínění 4. nápad
5. am. užitečné zařízení, uži-
tečný nástroj 6. pl. laciné
užitkové zboží 7. pl. am. různé
zboží, které tvoří smíšený náklad
lodi
notorious [nouǀˈto:riəs] *a* po-
věstný, známý, rozkřičený
notwithstanding [ˌnotwiθǀˈstæn-
diŋ] *prep* přes □ *adv* nicméně
□ *conj* také; ~ *that* ačkoliv
nought [no:t] *s* nic, nula, nicka
□ *a* bezcenný, špatný ♦ *to*
set at ~ nedbat, vysmát se;
to come, bring, to ~ vyznít
naprázdno, ruinovat, být rui-
nován □ *adv* nikterak
noun [naun] *s* gram. podstatné
jméno
nourish [ˈnariš] *vt* živit, podpo-
rovat, udržovat; —**ing** [ˈna-
rišiŋ] *a* výživný; ǀ—**ment** *s*
výživa, potrava, výživnost
novel [ˈnovəl] *a* nový, zvláštní,
neobvyklý □ *s* román;
—**ist** [ˈnovəlist] *s* romano-
pisec
novelty [ˈnovəlti] *s* novinka
novice [ˈnovis] *s* novic, nováček
now [nau] *adv* 1. nyní, právě,
hned 2. potom, tehdy 3.
zajisté, ovšem, nuže □ *conj*
ježto, poněvadž, když □ *s*
nynějšek, přítomnost, pří-
tomný okamžik □ *int* nuže!
♦ ~ *and then* (n. ~ *and again*)
tu a tam, chvílemi, občas;
~ *that* poněvadž, když; *ere* ~
již dříve; *just* ~ právě nyní;
until ~ až dosud; ~ *or never*
teď nebo nikdy; ~ *then* nuže
tedy; —**adays** [ˈnauədeiz]
adv & s nyní, nynějšek
noǀ**ways** [ˈnouweiz] *adv* nikte-

rak; **—where** [ˈnouweə] *adv*
nikde; **—wise** [ˈnouwaiz] *adv*
nikterak
noxious [ˈnokšəs] *a* škodlivý,
nezdravý
nozzle [ˈnozl] *s* **1.** sl. rypák **2.**
tryska, dýza, hubice **3.** hu-
bička nádoby
N.S. = *Nova Scotia* [ˈnouvə
ˈskoušə]
N.S.W. = *New South Wales*
n't viz *not*
N.T. = *New Testament*
nub [nab] *s* **1.** kousek, kostka
(např. uhlí) **2.** jádro věci n.
příběhu
nucl|ear [ˈnju:kliə] *a* nukleárňí,
jaderný; ~ *fission* jaderné
štěpení; ~ *physics* jaderná
fyzika; ~ *power plant* atomo-
vá elektrárna, ~ *theory* jader-
ná teorie; ~ *weapon* jaderná
atomová zbraň; **—eonics**
[ˌnju:kliˈoniks] *s* jaderná fy-
zika; **—eus** [ˈnju:kliəs] *s* pl.
-ei [-iai] jádro; *Party -ei*
buňky strany
nud|e [nju:d] *a* **1.** nahý, obna-
žený **2.** práv. prostý, holý □
s **1.** naháč **2.** nahota **3.** mal.
akt; **—ity** [ˈnju:diti] *s* nahota
nudge [nadž] *vt* šťouchnout,
strčit loktem
nugatory [ˈnju:gətəri] *a* **1.** bez-
cenný, neplatný, titěrný **2.**
marný **3.** malicherný
nugget [ˈnagit] *s* hrouda, valoun
kovu, zlata
nuisance [ˈnju:sns] *s* **1.** obtíž,
mrzutost **2.** nepřístojnost, ne-
plecha, zlořád **3.** příčina,
pohoršení
null [nal] *a* **1.** neplatný, zrušený
2. nicotný, bezvýznamný ♦

~ *and void* neplatný; **—ifica-**
tion [ˌnalifiˈkeišən] *s* zrušení,
anulování; **—ify** [ˈnalifai] *vt*
zrušit, anulovat, zničit; **—ity**
[ˈnaliti] *s* zrušení, neplatnost,
zmatečnost
numb [nam] *a* ztuhlý, ztrnulý,
necitlivý □ *vt* zbavit citu,
umrtvit, omráčit; |~ **-fish** *s*
rejnok elektrický; **—ness**
[ˈnamnis] *s* ztrnulost; zkřeh-
nutí
number [ˈnambə] *s* **1.** číslo,
počet, číslice **2.** množství **3.**
pl., bás. verše ♦ *back* ~ staré
číslo časopisu, fig. něco starého;
without ~ nespočetný; *out*
of ~ nesčíslný □ *vt & i* **1.**
počítat **2.** číslovat **3.** čítat,
obnášet; **—less** [ˈnambəlis] *a*
nespočetný
numer|able [ˈnju:mərəbl] *a* spo-
čitatelný; **—al** [ˈnju:mərəl] *a*
číslový, číselný; ~ *punch*
číslicová dírkovačka na děrné
štítky □ *s* číslo, číslovka;
—ation [ˌnju:məˈreišən] *s*
(vy)počítání, vyčíslení, číslo-
vání; **—ator** [ˈnju:məreitə] *s*
mat. čitatel; **-ical** [nju:ˈme-
rikəl] *a* početní; ~ *measure*
měrné číslo; **—ous** [ˈnju:mə-
rəs] *a* **1.** četný, mnohý **2.**
rytmický
numismatics [ˌnju:mizˈmætiks]
s numismatika
numskull [ˈnamskal] *s* pitomec,
hlupák
nun [nan] *s* jeptiška; **—nery**
[ˈnanəri] *s* ženský klášter
nuptial [ˈnapšəl] *a* svatební;
—s [ˈnapšəlz] *s* svatba
nurs|e [nə:s] *s* chůva (ob.
dry- ~), ošetřovatelka ♦

wet-~ kojná; *to be at ~* být v ošetřování; *to put to ~* dát do ošetřování □ *vt & i* **1.** kojit **2.** pečovat o dítě, chovat, hýčkat **3.** ošetřovat; |~ **-child** *s* dítě dané na vychování pěstounům; ~ **-maid** [¹nə:smeid] *s* bona; —**er** [¹nə:- sə] *s* ošetřovatel, pěstoun; —**ery** [¹nə:sri] *s* **1.** dětský pokoj, opatrovna **2.** školka zahradnická; —**(e)ling** [¹nə:s- liŋ] *s* kojenec, chovanec

nurture [¹nə:čə] *s* **1.** zř. výchova, péče **2.** zast. výživa □ *vt* **1.** živit **2.** vychovávat

nut [nat] *s* **1.** ořech **2.** fig. oříšek problém **3.** matice šroubu **4.** sl. hlava, „kokos"; seladon ♦ *to be -s for* n. *on* mít velmi rád, být zblázněn do; *it's -s to* n. *for* to je bašta □ *vi* (-tt-) sbírat ořechy; ~ **-crackers** [¹nat₁krækəz] *s* louskáček; ~ **-gall** [¹natgɔ:l] n. |gall— *s* duběnka; |—**meg** *s* muškátový ořech; ~ **-screwing ma- chine** [¹nat-skru:iŋ mə¹ši:n] vnitřní závitovka, matkořez; |—**shell** *s* skořápka ořechu

nutation [nju:¹teišən] *s* kolísání osy zemské, nutace

nutri|ent [¹nju:triənt] *a* výživný □ *s* živina; —**ment** *s* potrava, živina; —**tion** [nju:¹trišən] *s* výživa, potrava, živina; —**tious** [nju:¹trišəs] *a* výživný

nut|ter [¹natə] *s* sběrač ořechů; —**ty** [¹nati] *a* **1.** plný ořechů, ořechové příchuti **2.** lahodný **3.** sl. poblázněný, zabouchnutý do **4.** sl. am. praštěný, ztřeštěný

nuzzle [¹nazl] *vi & t* **1.** rýt rypákem, čenichat, strkat nos (*into, against* do) **2.** tulit se

N.W. = *North West*

N.Y. = *New York* [¹nju:¹jo:k]

nylon [¹nailən] *s* nylon

nymph [nimf] *a* **1.** nymfa, víla, rusalka **2.** (též -*a*) kukla, larva

O

O, o [ou] písmeno o **2.** *int* ó *(o dear me!)* **3.** nula jako telefonní číslo **4.** prefix irských jmen O'Connor

o' = *of (o'clock)*

oaf [ouf] *s* pl. *oafs* [oufs], *oaves* [ouvz] blbeček, hlupáček

oak [ouk] *s* dub ♦ *holm ~* dub křemelák; |~-|**apple**, |~ **-ball**, ~ **-cône** [¹oukkoun] *s* duběnka; —**en** [¹oukən] *a* dubový; —**let** [¹ouklit], —**ling** [¹oukliŋ] *s* doubek; |~ **-tree** *s* dub

oakum [¹oukəm] *s* koudel

oar [o:] *s* veslo; |*pair-~ s* dvouveslice; |*four-~ s* čtyřveslice ♦ *to put in one's ~,* *to have an ~ in every man's boat* vměšovat se, plést se do všeho; *to rest on one's -s* odpočívat na vavřínech —**sman** [¹o:zmən], —**swoman** [¹o:zwumən] *s* veslař, veslařka

oas|is [ou|eisis] s pl. -es [-i:z] oáza

oast [oust] s sušárna chmele

oat [out] s 1. obv. v pl. oves 2. bás. šalmaj, pastorální báseň; —cake ['outkeik] s ovesná placka; —meal ['outmi:l] s ovesná mouka n. kaše

öa|th [ouθ] s pl. -ths [-ðz] přísaha; klení ♦ by, on ~ pod přísahou; to take n. make n. swear an ~ přísahat; to put person on ~ vzít koho pod přísahu

ob. = obiit zemřel

obdurate ['obdjurit] a zatvrzelý

obedi|ence [ə'bi:djəns] s poslušnost, povolnost; —ent [ə'bi:djənt] a poslušný, oddaný

obeisance [o'beisəns] s 1. úcta, pocta, hold, dvoření se 2. podrobení se 3. úklona, pukrle

obelisk ['obilisk] s obelisk

obes|e [ou'bi:s] a otylý, tělnatý; —ity [ou'bi:siti] s otylost, tělnatost

obey [ə'bei] vt & i poslouchat, podrobit se

obfuscat|e ['obfaskeit] vt 1. zatemnit, zastínit 2. ohromit, zmást; -ion [ˌobfas'keišən] s zmatení pojmů, zmatek

obiit ['obiit] zkr. ob. zemřel

obituary [ə'bitjuəri] s 1. oznámení úmrtí, parte 2. nekrolog

object s ['obdžikt] 1. předmět 2. účel, cíl □ vt & i [əb'džekt] namítat, činit námitky; —ion [əb'džekšən] s námitka, nesouhlas, odpor ♦ to make an ~ to namítat; I have no ~ nic proti tomu nenamítám; —ionable [əb'džekšnəbl] a

problematický, nepříjemný, závadný, nežádoucí; —ive [ob'džektiv] a 1. předmětný 2. vnější, objektivní (reality skutečnost) □ s 1. objekt, cíl 2. objektiv; —iveness [ob'džektivnis], —ivity [ˌobdžek'tiviti] s objektivnost, nestrannost; —ivism [ob'džektivizəm] s objektivismus

objurgat|e ['obdžə:geit] vt plísnit, kárat; —ion [ˌobdžə:-'geišən] s ostré pokárání

oblat|e ['obleit] a 1. geom. sféroidický, zploštěný u pólů 2. řeholní; —ion [o'bleišən] s 1. obětování při mši 2. oběť

obligat|e ['obligeit] vt zavázat k čemu, uložit za povinnost (to do); —ion [ˌobli'geišən] s závazek, povinnost, smlouva, závaznost ♦ delivery ~ dodávková povinnost; —ory [o'bligətəri] a povinný, závazný

oblig|e [ə'blaidž] vt 1. zavázat, uložit za povinnost 2. prokázat laskavost ♦ to be -d musit; I am much -d děkuji; could you ~ me with a crown? mohl bys mi půjčit korunu?; —ing [ə'blaidžiŋ] a úslužný, ochotný

obliqu|e [ə'bli:k] a šikmý, nepřímý; ~ angle kosý úhel; —ity [ə'blikwiti] s 1. kosost, šikmý směr, oklika, křivolakost 2. zvrácenost mravní

obliterate [ə'blitəreit] vt vymazat, vyhladit, zničit

oblivi|on [ə'bliviən] s zapomenutí, zapomnění ♦ to fall into ~ upadnout v zapomnění; Act n. Bill, of O~ amnestie; **—ous** [əˈbliviəs] *a* zapomnětlivý

oblong [ˈobloŋ] *a* podlouhlý, obdélný □ *s* obdélník

obloquy [ˈobləkwi] *s* utrhání na cti, potupa

obnoxious [əbˈnokšəs] *a* 1. závadný, škodlivý 2. neoblíbený 3. práv. podléhající zákonu

oboe [ˈoubou] *s* hoboj

obscen|e [obˈsi:n] *a* neslušný, oplzlý; **—ity** [obˈsi:niti] *s* oplzlost

obscur|ant [obˈskjuərənt] *s* zpátečník; **—antist** [ˌobskjuəˈræntist] *s* tmář; **—ation** [ˌobskjuəˈreišən] *s* zatemnění

obscure [əbˈskjuə] *a* 1. tmavý, temný 2. nezřetelný 3. nevysvětlitelný, nesrozumitelný 4. nepovšimnutý, neznámý 5. nízký □ *vt* 1. zatemnit 2. skrýt 3. učinit nejasným, nesrozumitelným

obsecrat|e [ˈobsikreit] *vt* zapřísahat, snažně prosit; **—ion** [ˌobsiˈkreišən] *s* prosba, vzývání

obsequies [ˈobsikwiz] *s pl.* pohřební obřady

obsequious [əbˈsi:kwiəs] *a* poslušný, servilní

observ|ance [əbˈzə:vəns] *s* 1. pozornost, pozor 2. dodržování, plnění 3. předpis 4. obyčej, zvyk 5. obřad, řádová pravidla; **—ant** [əbˈzə:vənt] *a* 1. pozorný, ostražitý 2. uctivý; **—ation** [ˌobzəˈveišən] *s* 1. pozorování 2. poznámka, prohlášení; **—atory** [əbˈzə:vətri] *s* hvězdárna, observatoř

observ|e [əbˈzə:v] *vt & i* 1. po-

zorovat, všimnout si 2. poznamenat (*on* k) 3. plnit, konat, sledovat 4. hlídat ♦ *to* ~ *the time* být přesný; *to* ~ *silence* být tiše; **—er** [əbˈzə:və] *s* pozorovatel, hlídač; **—ing** [əbˈzə:viŋ] *a* pozorný, bdělý

obsess [əbˈses] *vt* posednout mysl; **-ion** [əbˈsešən] *s* posedlost

obsolete [ˈobsəli:t] *a* zastaralý

obstacle [ˈobstəkl] *s* překážka

obstetric [obˈstetrik] *a* porodnický, spojený s porodem; **—ian** [ˌobsteˈtrišən] *s* porodník; **—s** [obˈstetriks] *s pl.* porodnictví

obstin|ate [ˈobstinit] *a* tvrdošíjný, neústupný, zatvrzelý; **—acy** [ˈobstinəsi] *s* 1. svéhlavost, zatvrzelost 2. urputnost, nepoddajnost

obstreperous [əbˈstrepərəs] *a* hlučný, hlasitý

obstruct [əbˈstrakt] *vt* 1. zahradit, zatarasit, uzavřít 2. zdržovat, zabraňovat; **—ion** [əbˈstrakšən] *s* překážka, porucha

obtain [əbˈtein] *vt* 1. dostat, obdržet; získat 2. převládat, být v módě

obtrude [əbˈtru:d] *vt* vnucovat (*on* komu)

obtrus|ion [əbˈtru:žən] *s* vtírání, vnucování (se); **—ive** [əbˈtru:siv] *a* dotěrný

obturat|e [ˈobtjuəreit] *vt* ucpat, utěsnit; **—or** [ˈobtjuəreitə] *s* uzávěr, zátka

obtuse [əbˈtju:s] *a* 1. tupý, otupělý 2. hloupý ♦ ~ *angle* tupý úhel obverse [ˈobvə:s] s líc mince

obviate [ˈobvieit] vt odstranit nebezpečí, překážku, zakročit, zabránit

obvious [ˈobviəs] a (samo)zřejmý

occasion [əˈkeɪžən] s 1. náhoda, příležitost 2. příčina, důvod 3. potřeba, nutnost ♦ there is no ~ to be angry není důvodu k hněvu; on ~ v případě nutnosti; to rise to the ~ být na výši situace, osvědčit se □ vt zavdat příčinu; —al [əˈkeɪžnl] a 1. příležitostný, nahodilý 2. předepsaný

occident [ˈoksidənt] s západ; —al [ˌoksiˈdentl] a západní

occiput [ˈoksipat] s týl, zátylek

occult [oˈkalt] a okultní, tajný; záhadný; skrytý; —ism [ˈokəltizəm] s okultismus

occupant [ˈokjupənt] s držitel, okupant

occupation [ˌokjuˈpeišən] s 1. zabrání, držení 2. obsazení, okupace 3. zaměstnání, povolání ♦ army of ~ okupační armáda; —al a: ~ therapy léčení prací

occupy [ˈokjupai] vt 1. zabrat, obsadit, okupovat 2. naplnit 3. zaměstnat 4. zvr. zaměstnávat se

occur [əˈkə:] vi (-rr-) 1. přihodit se, stát se, naskytnout se 2. přijít na mysl; —rence [əˈkarəns] s 1. výskyt 2. příhoda, událost

ocean [ˈoušən] s oceán; —ic [ˌoušiˈænik] a oceánský

ochre [ˈoukə] s okr

o'clock viz clock

octagon [ˈoktəgən] s osmiúhelník

octave [ˈokteiv] s 1. oktáv 2. italská stance osmiveršová 3. [ˈoktiv] hud. oktáva 4. osmice

octavo [okˈteivou] s osmerka formát

October [okˈtoubə] s říjen

octopus [ˈoktəpəs] s chobotnice

octuple [ˈoktjupl] a osminásobný

ocu|lar [ˈokjulə] a oční, zrakový, viděný □ s okulár; —list [ˈokjulist] s oční lékař

odd [od] a 1. lichý (~ numbers lichá čísla); nerovný 2. jediný, jednotlivý 3. náhodný; nezahrnutý v počtu, nepočítaný; příležitostný 4. zvláštní 5. neobsazený 6. volný čas 7. výstřední ♦ ~ and even lichá a sudá hra; forty ~ přes 40; twelve pounds ~ něco přes 12 £; ǀ~-come-short s zbytek; —ity, —ness [ˈoditi, ˈodnis] s 1. zvláštnost, podivnost; zvláštní událost 2. podivín; —ments s pl. zbytky

odds [odz] s pl. 1. nerovnost, nestejný počet; nesrovnalost 2. rozdíl (what's the ~ ? co na tom záleží?; it makes no ~ na tom nezáleží) 3. spor, svár (to be at ~ with být ve sporu s) 4. převaha; šance, pravděpodobnost, možnost výhry, výhoda ♦ to have the ~ of one mít převahu nad; to take ~ přijmout výhodu; the ~ are that je jisto, že; ~ and ends zbytky, různosti, drobnosti

ode [oud] s óda

odious [ˈoudjəs] a nenáviděný, odporný

odium [ˈoudjəm] s nenávist, odpor

odoriferous [ˌoudəˈrifərəs] a libovonný

odorous [ˈoudərəs] a vonný

odour [ˈoudə] s 1. zápach, vůně; fig. příchuť 2. podezření, ovzduší 3. reputace

of [ov, əv] prep od, ze, o, po, na, před ♦ destitute, empty, free, bare, ~ zbavený čeho; independently ~ nezávisle na; irrespective ~ bez ohledu na; descend ~ pocházet z; ~ course ovšem; ~ necessity nutně; built ~ stavěný z; to make a fool ~ dělat si blázny z; to think well ~ smýšlet dobře o; to be fond ~ mít rád koho; blind ~ an eye slepý na jedno oko; hard ~ hearing nedoslýchavý; because ~, for the sake ~, on account ~ pro; by means ~ pomocí; in case ~ v případě; in spite ~ přes; instead ~ místo čeho; the fear ~ strach před

O.E. = Old English

off [o:f] adv 1. pryč, odtud 2. do konce 3. úplně 4. tech. vypnuto ☐ prep od, ze ☐ a 1. vzdálený 2. na pravé straně náruční kůň, provoz ♦ ~ and on tu a tam; we are ~ now právě odjíždíme, odcházíme; to come ~, get ~ vyváznout; to put ~ odkládat; in a street ~ the Strand v ulici odbočující ze Strandu; ~ with you! kliď se!; to be well ~ dobře se dařit; to take ~ sejmout; ~ day volný den; ~ -duty [ˈofdju:ti] a & adv mimo službu;

~ -ˈhand adv & a 1. spatra, bez přípravy 2. nenucený, pohotový; —ing [ˈofiŋ] s širé moře; ~ -position [ˈofpəˈziʃən] s techn. vypínací poloha; ~ -print a separátní otisk; ~ -scourings [ˈofskauəriŋz] s odpadky, kal, sedlina, spodina fig.; ~ -set s 1. výhonek, sazenice 2. ohyb, ústupek u zdi 3. protiúčet 4. ofsetový tisk; ~ -side s vnější strana; ~ -shoot s odnož; ~ -spring s potomek; —take [ˈofteik] s odváděcí potrubí, odvod

offal [ˈofəl] s odpadek, brak

offence [əˈfens] s 1. urážka 2. přestupek 3. pohoršení 4. útok 5. zranění ♦ to take ~ urazit se

offend [əˈfend] vt & i 1. urazit, pohněvat 2. přestoupit, porušit 3. dopustit se, prohřešit se (against proti); —er [əˈfendə] s viník, přestupník

offensive [əˈfensiv] a 1. urážlivý 2. útočný, výbojný 3. odporný 4. škodlivý ☐ s ofenzíva, útok

offer [ˈofə] vt & i 1. obětovat (obv. s up) 2. nabízet, nabídnout 3. namítat 4. přednést 5. vyskytovat se ♦ to ~ one's hand nabídnout ruku k pozdravu, k sňatku ☐ s 1. oběť 2. nabídka, podání, oferta ♦ to make an ~ nabídnout

offertory [ˈofətəri] s 1. obětování při mši 2. obětina

office [ˈofis] s 1. služba, činnost, zaměstnání 2. úřad 3. bohoslužba 4. úřadovna, kancelář; podnik, dílna 5. pl. části domu určené domácí

práci, uskladnění ap. ♦ *Fo-reign O* ~ ministerstvo zahraničí; *post* ~ pošta; *printing* ~ tiskárna; *booking* ~ pokladna
officer [ˈofisə] *s* 1. úředník 2. důstojník 3. strážník
offici|al [əˈfišəl] *a* úřední □ *s* úředník; —**ate** [əˈfišieit] *vi* 1. úřadovat, konat službu 2. konat obřady; —**alese** [əˌfišəˈli:z] *s* byrokratický, úřední sloh
officinal [ˌofiˈsainl] *a* lékárnický
officious [əˈfišəs] *a* příliš úslužný, dotěrný
off-the-record [ˈo:ðəˈreko:d] *a* důvěrný, tajný *o spisech*
oft (zast.), **often** [o:ft, ˈo:fn] *adv* často
ogee [ˈoudži:] *s* stav. lomený oblouk
ogive [ˈoudžaiv] *s* stav. gotický oblouk
ogle [ˈougl] *vi & t* vrhat zamilované pohledy □ *s* zamilovaný pohled
ogr|e [ˈougə] *s* obr, lidožrout; —**ish** [ˈougriš] *a* lidožroutský
oh [ou] *int* ó!, ach!
ohm [oum] *s* ohm jednotka elektrického odporu
oil [oil] *s* 1. olej 2. petrolej, nafta ♦ *to pour* ~ *on the flame* fig. přilévat oleje do ohně; *to pour* ~ *on the waters* utišit, urovnat věc; *to strike* ~ 1. objevit minerální olej 2. učinit vzácný objev 3. rychle, zbohatnout □ *vt* olejovat, napustit olejem, impregnovat ♦ *to* ~ *one's hand* podmazat, podplatit; *to* ~ *one's tongue* namazat (si) hubu, lichotit; ˈ~-**cake** *s* olejnice;

~ **circuit-breaker** [ˈsə:kitˌbreikə] olejový vypínač; ~ **-cloth** [ˈoilkloθ] *s* voskované plátno; ~ **-colour** [ˈoilˌkalə] *s* olejová barva; ~ **engine** [ˈendžin] naftový motor; ~ **fuel** [fjuəl] naftové palivo; ~ **-gauge** [ˈoilgeidž] *s* olejoznak; ˈ~ **-press** *s* lis na olej; ˈ~ **-skin** *s* voskované plátno; ~ **-stone** [ˈoilstoun] *s* olejný brousek; ˈ~ **-tank** *s* nádrž(ka) na olej, naftu; —**y** [ˈoili] *a* 1. olejnatý, mastný; hladký 2. podlézavý, lichotivý
ointment [ˈointmənt] *s* mast na pleť
O.K. = *all correct, all right*
Okla. = *Oklahoma* [ˌoukləˈhoumə]
old [ould] *a* 1. starý, zkušený 2. vetchý, ošumělý 3. dávný 4. zašlý ♦ ~ *age* stáří; ~ *age pension* starobní pojištění; *of* ~ v dávných dobách; *from of* ~ odedávna; *the* ~ staří lidé; ~ *woman* fig. 1. baba 2. manželka; *to grow* ~ stárnout; ~ *hand* zkušený dělník; ~ *bachelor* starý mládenec; ~ *maid* stará panna; ~ **man** 1. stařec 2. manžel, otec; —**en** [ˈouldən] *a* arch. & kniž. starý; starodávný; ~ **-fashioned** [ˈouldˈfæšənd] *a* staromódní
oldster [ˈouldstə] *s* staroch, starý brach
oleaginous [ˌouliˈædžinəs] *a* olejnatý
oleander [ˌouliˈændə] *s* oleandr
oleaster [ˌouliˈæstə] *s* hlošina, planá oliva
olfact|ion [olˈfækšən] *s* čichání,

čich; —ory [ol'fæktəri] *a* čichový

oligarchy [ˈoligaːki] *s* oligarchie

olive [ˈoliv] *s* oliva □ *a* olivový, olivové barvy; **~ -branch** [ˈolivbraːnč] *s* olivová ratolest míru; **~ oil** *s* olivový olej

olympiad [oˈlimpiæd] *s* olympiáda

Olympic games [oˈlimpikˈgeimz] *s* Olympijské hry

O.M. = *Order of Merit*

omelet(te) [ˈomlit] *s* omeleta, svítek

omen [ˈoumen] *s* znamení, předzvěst

ominous [ˈominəs] *a* osudný, zlověstný

omission [oˈmišən] *s* opominutí, zanedbání; vynechání

omit [oˈmit] *vt* (-tt-) (za)nedbat, vynechat, opominout; zapomenout

omnibus [ˈomnibəs] *s* omnibus, dostavník; ~ *train* vlak stavící na všech zastávkách

omnipot|ence [omˈnipətəns] *s* všemohoucnost; —ent [omˈnipətənt] *a* všemohoucí

omnipresent [ˈomniˈprezənt] *a* všudypřítomný

omniscient [omˈnisiənt] *a* vševědoucí

omnivorous [omˈnivərəs] *a* všecko hltající, hltavý

on [on] *prep* na, ve, z(e), za, při, u, podle, pod ♦ ~ *the table* na stole; ~ *the water* na vodě; *to live* ~ *annuity* žít z důchodu; ~ *foot* pěšky; *to hang* ~ *the wall* pověsit na stěnu, viset na stěně; ~ *board* na palubě; ~ *my part* co se

mne týče; ~ *my conscience* na mé svědomí; ~ *hills* na horách; ~ *purpose* naschvál; ~ *good terms* za dobrých podmínek; ~ *the contrary* naopak; ~ *a sudden* náhle; *to lay hold* n. *seize*, ~ zajmout, vložit ruku na; *he drew his knife* ~ *me* vytáhl na mne nůž; *to make an attack* ~ útočit na; ~ *high* tam nahoře; ~ *the instant* nejednou, bezprostředně; ~ *time* včas, přesně; ~ *the minute* na minutu (přesně); ~ *sale* na prodej; *my opinion* ~ *free trade* mé mínění o volném obchodu; *to draw cheque* ~ *bank* vystavit šek na banku □ *adv* dále, stále; tech. zapnuto, vpřed; *to sing* ~ zpívat dále; *Macbeth is* ~ hraje se Macbeth; *to go* ~ pokračovat; *go* ~ *reading* čtěte dále; *and so* ~ a tak dále

once [wans] *adv* 1. jednou 2. kdysi, druhdy ♦ ~ *for all* jednou provždy, definitivně; *at* ~ ihned; *for* ~ pro tentokrát; ~ *more* ještě jednou; *more than* ~ více než jednou, víckrát; ~ *upon a time* kdysi; *all at* ~ 1. náhle 2. všichni najednou, společně

one [wan] *a & s & pron* jeden, jediný, kdosi, někdo, jednotka ♦ *they were made* ~ byli oddáni; *to become* ~ spojit se, sjednotit se; *in the year* ~ kdysi, dlouho předtím; *Aeneid, book* ~ první kniha Aeneidy; *it is all* ~ *to me* je mi to vše jedno; ~ *and all* společně a nerozdílně;

~ by ~, ~ after another po
jednom, jeden po druhém;
~ with another průměrně;
(the) ~ ... the other jeden...
druhý; ~ another jeden dru-
hého, navzájem; many a ~
mnoho lidí; any ~ kdokoliv;
every ~ každý; no ~ nikdo,
žádný; ~ -eyed [ˈwanˈaid] a
jednooký; ˈ~ -ˈhanded a jed-
noruký; ˈ~ -ˈlegged a jedno-
nohý; —ness [ˈwannis] s 1.
jednota, jednotnost 2. shoda
3. identita, totožnost 4. jedi-
nečnost 5. jedinost, ojedině-
lost; ~ -part [ˈwanpaːt] a atr
jednodílný, z jednoho kusu;
— ˈself pron sám, sebe, se;
~ -sided [ˈwanˈsaidid] a jed-
nostranný; ~ -stage [ˈwan-
ˈsteidž] a jednostupňový;
ˈ~ -way a jednosměrový
o dopravě

onerous [ˈonərəs] a obtížný,
těžký

onion [ˈanjən] s cibule

only [ˈounli] a jediný ♦ one
and ~ jedinečný □ adv pouze,
toliko, jenom, teprve; not ~
nejen □ conj 1. ale 2. vyjma
že 3. jenže 4. až na to, že

on-position [ˈonpəˈzišən] s zap-
nutá n. zapínací poloha

onset [ˈonset] s 1. útok, pře-
padení 2. začátek

onslaught [ˈonsloːt] s útok,
přepadení

Ont. = Ontario [onˈteəriou] s
Ontario

on-timer [ˈontaimə] s dochvilný
člověk

onto [ˈontu] prep nahoru, na, až
k

onward [ˈonwəd] adv 1. ku-

předu, napřed 2. budoucně
□ a kupředu směřující; —s
[ˈonwədz] adv viz onward

ooze [uːz] s 1. bahno, bláto,
kal; sliz 2. tříselnice □ vi
1. pomalu vytékat, prosako-
vat, mokvat 2. proklubat se
(out, away)

opal [ˈoupəl] s opál

opaque [oˈpeik] a temný, ne-
průhledný, matný

open¹ [ˈoupən] a 1. otevřený
2. volný, nechráněný 3. ve-
řejný (~ ballot, discussion
veřejné volby, veřejná dis-
kuse) 4. neobmezený 5. pa-
trný, zřejmý 6. přímý, sdílný
7. upřímný 8. štědrý ♦ in the
~ pod širým nebem, v pří-
rodě; the door flew ~ dveře
se otevřely, rozletěly; ~ boat
otevřený člun; ~ country ote-
vřená krajina; ~ pit povrcho-
vý důl; to lay ~ odhalit; to
receive with ~ arms přijmout
s otevřenou náručí; with ~
eyes s otevřenýma očima;
to keep one's mouth ~ být
lačný čeho, být chtivý, hlta-
vý; ~ cast: ~ coal-mining po-
vrchová těžba uhlí; ~ circuit
[ˈsəːkit] s el. přerušený ob-
vod; ~ -cut mining [ˈoupn-
-katˈmainiŋ] s horn. povrchové
dobývání; ~ -eared [ˈoupn-
iəd] a pozorný; ~ -eyed [ˈoupn-
ˈaid] a bdělý, bedlivý; ~
-grained [ˈoupngreind] a hru-
bozrnný; ˈ~ ˈ-handed a štěd-
rý; ~ -hearth furnace [ˈoupn-
haːθˈfəːnis] s Siemens-Marti-
nova pec; ~ -mouthed [ˈoupn-
ˈmauðd] a s ústy dokořán
otevřenými; hltavý; křiklavý

open² [ˈoupən] *vt & i* **1.** otevřít (se), odemknout **2.** odkrýt, odhalit **3.** začít, zahájit **4.** sdělit ♦ *shops* ~ *at* krámy se otevírají v; *to* ~ *a business* začít obchod; *to* ~ *a passage* voj. vynutit si průchod; *to* ~ *fire* zahájit palbu; *to* ~ *bowels* vyprázdnit se; *to* ~ *the debate* počít debatu; ~ **out** rozvinout, rozevřít, stát se sdílným, svěřit se; ~ **up** učinit přístupným, odhalit; **—ing** [ˈoupniŋ] *s* **1.** otvor **2.** počátek **3.** zahájení **4.** přerušení elektrického obvodu **5.** vhodná příležitost

opera [ˈopərə] *s* opera; |~ -**glass** *s* divadelní kukátko; |~ -**hat** *s* cylindr, klak; **—tic** [ˌopəˈrætik] *a* operní

operat|e [ˈopəreit] *vi & t* **1.** fungovat, pracovat **2.** působit, konat **3.** operovat *(on)*, řídit, obsluhovat **4.** pohánět; **—ing** [ˈopəreitiŋ] *a* fungující, působící; ~ *conditions* provozní podmínky; ~ *lever* řídicí n. zapínací páka; ~ *voltage* provozní napětí; **—ion** [ˌopəˈreišən] *s* **1.** působení, činnost; síla **2.** výkon **3.** pracovní postup, obsluha **4.** operace **5.** spekulace; *financial -s* finanční transakce; **—ive** [ˈopərətiv] *a* **1.** činný **2.** působivý, účinný **3.** praktický □ *s* dělník, mechanik; **—or** [ˈopəreitə] *s* **1.** účinný prostředek **2.** operatér **3.** telefonista, telegrafista **4.** telegrafní klíč

operetta [ˌopəˈretə] *s* opereta

opthThalmia [ofˈθælmiə] *s* oční zánět

opiate [ˈoupiit] *s* opiát, narkotický lék

opine [oˈpain] *vt* vyjádřit n. mít mínění

opinion [əˈpinjən] *s* mínění, názor, úsudek, posudek ♦ *in my* ~ podle mého mínění; *a matter of* ~ věc názoru; *to be of* ~ minit, myslit

opium [ˈoupjəm] *s* opium

opossum [əˈposəm] *s* vačice

opponent [əˈpounənt] *s* odpůrce, protivník

opportun|e [ˈopətjuːn] *a* příhodný, příležitý; vhodný, případný; **—ism** [ˈopətjuːnizəm] *s* přizpůsobivost, oportunismus; **—ist** [ˈopətjuːnist] *s* oportunista; **—ity** [ˌopəˈtjuːniti] *s* příležitost, příznivá n. vhodná doba

oppose [əˈpouz] *vt* **1.** postavit proti, čelit **2.** odpírat, vzdorovat **3.** překazit ♦ *to be -d to* oponovat komu, čemu; *—dpiston engine* motor s protiběžnými písty

opposit|e [ˈopəzit] *a* **1.** protější **2.** protilehlý, opačný **3.** stojící proti, opcziční; rozdílný □ *s* **1.** protiklad, opak **2.** protivník □ *adv* naproti; **—ion** [ˌopəˈzišən] *s* **1.** odpor, opozice **2.** kontrast, protějšek

oppress [əˈpres] *vt* utiskovat, potlačovat; zatěžovat; **—ion** [əˈprešən] *s* **1.** tlak **2.** potlačování, útisk *(colonial* ~ koloniální útisk) **3.** skličenost; **—ive** [əˈpresiv] *a* utiskující, utlačující, skličující, tyranský; **—or** [əˈpresə] *s* utiskovatel, tyran

opprobrious [ə'proubriəs] *a* hanebný, hanlivý, potupný

oppugn [o'pju:n] *vt* bojovat proti, stavět se proti, oponovat; odmítat

opt [opt] *vi* volit (*for a candidate* kandidáta)

optative ['optətiv] *a* přací, žádací □ *s* gram. optativ

optic, -al ['optik(əl)] *a* oční, zrakový, optický; —**ian** [op tišən] *s* optik; —**s** ['optiks] *s* optika

optim|ism ['optimizəm] *s* optimismus; —**ist** ['optimist] *s* optimista; —**istic** [,opti'mistik] *a* optimistický; —**um** ['optiməm] *a* nejvýhodnější, optimální

option ['opšən] *s* volba, přání; —**al** ['opšənl] *a* nezávazný

opulent ['opjulənt] *a* bohatý, zámožný; hojný

or [o:] *conj* nebo, či; *either* ... ~ buď ... anebo

orac|le ['orəkl] *s* 1. věštba 2. věštec 3. věštírna; —**ular** [o'rækjulə] *a* prorocký, věštecký; nejasný, tajemný

oral ['o:rəl] *a* ústní (*examination* zkouška)

orange ['orindž] *s* pomeranč □ *a* oranžový; —**ade** ['orindž-'eid] *s* oranžáda

orang-(o)utang ['o:reŋ'u:tæn] *s* orangutan

oration [o'reišən] *s* slavnostní řeč

orator ['orətə] *s* řečník; —**y** ['orətəri] *s* 1. oratoř, modlitebna 2. řečnictví, výmluvnost

oratorio [,orə'to:riou] *s* hud. oratorium

orb [o:b] *s* 1. zř. kruh, okruh 2. koule, zeměkoule 3. těleso nebeské 4. bás. oko, bulva oční

orbit ['o:bit] *s* 1. oční důlek 2. dráha nebeských těles 3. obruba oka ptačího ♦ ~ *of capitalism* oblast kapitalistického vlivu

orchard ['o:čəd] *s* ovocný sad

orchestr|a ['o:kistrə] *s* orchestr; —**al** ['o:kestrəl] *a* orchestrální; —**ation** [,o:kes'treišən] *s* orchestrace; —**ion** ['o:kestriən] *s* orchestrion

orchid, orchis ['o:kid, 'o:kis] *s* orchidea

ordain [o:'dein] *vt* 1. ordinovat 2. určit, ustanovit 3. nařídit 4. vysvětit na kněze

ordeal [o:'di:l] *s* 1. boží soud, očista 2. těžká zkouška

order ['o:də] *s* 1. řada, stupeň, stav; druh, třída, skupina 2. uspořádání, řád náboženský, společenský (*capitalist* ~ kapitalistický řád; *socialist* ~ socialistický řád) 3. pořadí, pořádek 4. postup 5. nařízení, rozkaz, příkaz 6. zřízení, pravidlo 7. zakázka, objednávka ♦ *to take* -*s* být vysvěcen; *holy* -*s* svěcení; *out of* ~ v nepořádku; *in good* ~ v dobrém pořádku; *made to* ~ zhotovený podle míry; *by* ~ podle rozkazu; *money* ~, *postal* ~ peněžní, poštovní poukázka; *in* ~ *to* aby ...; ~-*of-the-day* denní rozkaz □ *vt* 1. uspořádat, řídit, spravovat 2. přikázat, nařídit 3. objednat 4. žádat, vyžadovat 5. velet; —**less**

[ˈoːdəlis] a nepořádný; —ly [ˈoːdəli] a uspořádaný, řádný, pravidelný; ~ book voj. kniha rozkazů □ s 1. ordonance, důstojnický sluha, příkazník 2. ošetřovatel, -ka, pomocnice
ordinal [ˈoːdinl] a řadový □ s řadová číslovka
ordinance [ˈoːdinəns] s 1. pravidlo; předpis, nařízení 2. obřad, náboženský úkon
ordinary [ˈoːdnri] a obvyklý, obyčejný, řádný □ s 1. jakákoliv běžná věc n. činnost 2. biskup ordinář 3. denní jídlo v hostinci 4. hostinec, jídelna 5. kniha obřadních předpisů
ordinate [ˈoːdnit] s pořadnice
ordination [ˌoːdiˈneišən] s 1. ordinace 2. nařízení, ustanovení; klasifikace 3. vysvěcení na kněze
ordnance [ˈoːdnəns] s 1. děla 2. vojenské sklady 3. zbrojní oddíl; ~ works zbrojovka
ordure [ˈoːdjuə] s výkal, lejno; svinstvo
Ore. = Oregon
ore [oː] s ruda; ~ -bearing [ˈoː-beəriŋ] a rudonosný; ~ dressings úprava rudy; ~ mining dobývání rud
Oregon [ˈorigən] s Oregon
organ [ˈoːgən] s 1. ústrojí, orgán 2. varhany; ~ -grinder [ˈoːgənˌgraində] s flašinetář; —ic [oːˈgænik] a organický, ústrojný; —ism [ˈoːgənizəm] s ústrojí, organismus; —ist [ˈoːgənist] s varhaník; ~ -loft s kůr
organization [ˌoːgənaiˈzeišən] s

organizace; *United Nations O~* Organizace spojených národů
organiz|e [ˈoːgənaiz] vt & i organizovat, zařídit; upravit; —er [ˈoːgənaizə] s organizátor
orgasm [ˈoːgæzəm] s orgasmus, nával n. záchvat vášně
orgy [ˈoːdži] s orgie
oriel [ˈoːriəl] s arkýř
orient[1] [ˈoːriənt] s bás. východ, orient □ a 1. východní, orientální 2. skvělý, skvostný; —al [ˌoːriˈentl] a východní, orientální; —alist [ˌoːriˈentəlist] s orientalista; —ation [ˌoːrienˈteišən] s orientace
orient[2] [ˈoːrient], -ate [ˈoːrienteit] vt & i orientovat (se); obrátit (se tváří) k východu
orifice [ˈorifis] s otvor, ústí; ~ plate clona
origin [ˈoridžin] s zdroj, původ, počátek, rod; —al [əˈridžənl] a původní, počáteční, prvotní, originální □ s 1. původ, počátek 2. originál; —ate [əˈridžineit] vt & i dát vznik, začít (from od), povstat, vzniknout (from, in z, with, from a person od koho); —ation [əˌridžiˈneišən] s původ, počátek; —ator [əˈridžineitə] s původce
oriole [ˈoːrioul] s žluva
Orion [əˈraiən] s Orión souhvězdí
orlop [ˈoːlop] s nám. nejspodnější paluba
ornament [ˈoːnəmənt] s ozdoba, okrasa □ vt ozdobit, okrášlit; -al [ˌoːnəˈmentl] a ozdobný; —ation [ˌoːnəmenˈteišən] s (o)zdobení, okrasa

ornate [o:ˈneit] *a* okrášlený, ozdobený, vyšperkovaný

ornithology [ˌo:niˈθolədži] *s* ornitologie

orphan [ˈo:fən] *s* sirotek ☐ *a* osiřelý; **—age** [ˈo:fənidž] *s* **1.** sirotčinec **2.** siroba, osiřelost

orris [ˈoris] *s* kosatec

ortho- [ˈo:θo-] *prefix* znamenající „přímý", „správný", „pravý"

orthodox [ˈo:θədoks] *a* ortodoxní, pravověrný; **—y** [ˈo:-θədoksi] *s* pravověrnost

orthography [o:ˈθogrəfi] *s* ortografie, pravopis

ortolan [ˈo:tələn] *s* strnad zahradní

oscillat|e [ˈosileit] *vi & t* kmitat, oscilovat; **—ion** [ˌosil-ˈleišən] *s* kmitání, oscilace, chvění; **—or** [ˈosileitə] *s* oscilátor

osculat|e [ˈoskjuleit] *vi & t* **1.** zř. líbat, hubičkovat **2.** dotýkat se; **—ion** [ˌoskju-ˈleišən] *s* líbání, dotyk

osier [ˈoužə] *s* vrba, vrboví; vrbový prut

osmium [ˈozmiəm] *s* osmium

osprey [ˈospri] *s* mořský orel; volavčí pero na klobouk

osseous [ˈosiəs] *a* kostěný, kostnatý

ossify [ˈosifai] *vi & t* proměnit v kost, zkostnatět

ossuary [ˈosjuəri] *s* kostnice

osten|sible [osˈtensəbl] *a* předstíraný; okázalý; **—sory** [os-ˈtensəri] *s* monstrance; **—tation** [ˌostenˈteišən] *s* stavění na odiv, okázalost; **—tatious** [ˌostenˈteišəs] *a* ostentativní, nápadný

ostler [ˈoslə] *s* podkoní, podomek

ostracize [ˈostrəsaiz] *vt* vypovědět ze země, vyloučit ze společnosti

ostrich [ˈostrič] *s* pštros

other [ˈaðə] *a, s, pron, adv* jiný, druhý *(the ~)* ♦ *each ~* (n. *one another*) jeden druhého, navzájem; *every ~ day* ob den; *the ~ day* onehdy; *on the ~ hand* na druhé straně; *no ~* nikdo jiný; *some time or ~* jednoho krásného dne; *no ~* nikdo jiný; *some one or ~* někdo, kdosi; *-s* jiní; *the -s* ostatní; **—while(s)** [ˈaðəwail(z)] *adv* jindy, někdy; **—wise** [ˈaðəwaiz] *adv* jinak; **—wordly** [ˈaðəwə:dli] *a* týkající se onoho světa

otic [ˈoutik] *a* ušní

otiose [ˈoušious] *a* **1.** zř. líný, zahálčivý, neužitečný **2.** zř. sterilní, nestálý **3.** nepotřebný

otter [ˈotə] *s* vydra

Ottoman[1] [ˈotəmən] *a* turecký, otomanský ☐ *s* Turek

ottoman[2] [ˈotəmən] *s* otoman, pohovka

ought[1] [o:t] pomocné sloveso; *I ~ to do it* měl bych to učinit; *it ~ not to be allowed* nemělo by se to dovolit

ought[2] [o:t] = *aught*

ought[3] [o:t] *s* vulg. nula

oughtn't [ˈo:tnt] = *ought not*

ounce[1] [auns] *s* unce zkr. *oz.*

ounce[2] [auns] *s* bás. rys, levhart

our [ˈauə] *a* náš, naše ♦ *in ~ midst* v našem středu; *this book is -s* tato kniha je naše; *-s is a large family* naše

rodina je velká; —**self** označuje jedinou osobu, pl. *-selves*
[ˌauəˈself, -vz] *pron* my sami,
nás (samy); *we will see to it
ourselves* sami se o to postaráme

ousel [ˈuːzl] *s* kos

oust [aust] *vt* vyhnat, vypudit
(*from* z), vystrnadit, zbavit
(se) (*of* čeho)

out [aut] *adv* 1. venku, ven,
z domu, vně 2. pryč 3. mimo
4. v koncích, na rozpacích
5. najevě, veřejně, jasně ♦ *he
is* ~ není doma; *miners are*
~ horníci stávkují; *the book
is* ~ kniha vyšla; *the fire is* ~
oheň vyhasl; *the time is* ~ čas
vypršel; *the ball is* ~ míč je
mimo hru; *to speak* ~ mluvit
nahlas; ~ *and* ~ skrz naskrz;
~ *with* him! ven s ním!; ~ *of*
[əv] *prep* 1. z, ze 2. kromě,
mimo, bez ♦ ~ *of action* vyřazený z provozu; ~ *of the
way* z cesty; ~ *of curiosity* ze
zvědavosti; ~ *of wool* z vlny;
~ *of breath* udýchaný; ~ *of
date* zastaralý; ~ *of gear*
vypnutý, ze záběru; ~ *of
hand* z ruky, ihned; ~ *of
doubt* mimo pochybnost, nepochybně; ~ *of danger* mimo
nebezpečí; ~ *of hearing* v doslechu; ~ *of hope* beznadějný,
mimo všechnu naději; ~ *of
line* nesouosý; ~ *of love*
z lásky; ~ *of mind* zapomenutý, nepamětný; ~ *of one's
mind* pomatený; ~ *of print*
rozebrán o knize; ~ *of use*
vyšlý z užívání, neužívaný;
~ *of tune* rozladěný; *to be* ~ *of
money* být bez peněz; ~ *of*

favour v nemilosti; ~ *of
fashion* nemoderní □ *s* 1. vynechávka v tisku 2. míč poslaný mimo hřiště 3. pl. poražená politická strana; —**er**
[ˈautə], *sup* ⁱ—**ermost**, ⁱ—**most**
a zevnější, krajní; —**ing** [ˈautiŋ] *s* výlet; ~ **-of-the-way**
[ˈautəvðəˈwei] *a* odlehlý

out- [aut-] *prefix* značící „mimo", „nad"

outbalance [autˈbæləns] *vt* převážit

outbid* [autˈbid] *vt* nabídnout
více, podávat více při dražbě

outbreak [ˈautbreik] *s* 1. výbuch
2. záchvat

outbreathe [autˈbriːð] *vt* vydechnout

outbuilding [ˈautˌbildiŋ] *s* přístavba, přístavek, hospodářské stavení

outcast [ˈautkaːst] *s* vyhnanec,
psanec □ *a* vyvržený, vyhnaný

outcome [ˈautkam] *s* výsledek

outcrop [ˈautkrop] *s* geol. výchoz
vrstvy

outcry [ˈautkrai] *s* 1. výkřik 2.
vyvolávání při dražbě, dražení □ *vt* 1. vykřikovat, vyvolávat 2. překřičet

outdo* [autˈduː] *vt* překonat,
předčit

outdoor [ˈautdɔː] *a* venku, venkovní, ve volné přírodě

outer viz *out*

outfall [ˈautfɔːl] *s* 1. ústí řeky
2. odtok, odpad stoky, výtok

outfit [ˈautfit] *s* 1. výstroj,
vybavení 2. am. výprava,
parta

outflow [ˈautflou] *s* výtok, výron

outgrow* [aut'grou] *vt* přerůst, vyrůst ze šatů; **—th** ['autgrouθ] *s* **1.** výsledek **2.** výplod, produkt **3.** výhonek, výrůstek

outhouse ['authaus] *s* **1.** hospodářské stavení, kolna **2.** přístěnek, přístavba

outlast [aut'la:st] *vt* přečkat

outlaw ['autlo:] *s* psanec, vyhnanec □ *vt* postavit mimo zákon, učinit psancem

outlay ['autlei] *s* výloha, výdaj, náklad

outlet ['autlet] *s* **1.** výpust, východisko **2.** výfuk **3.** odpad, odtok **4.** průchod, vůle **5.** výběh pro drůbež **6.** odbytiště **7.** možnost vybití energie; **~ pipe** výtoková trubka, odpadová roura

outline ['autlain] *s* **1.** náčrtek, obrys **2.** pl. hlavní rysy n. zásady □ *vt* načrtnout ♦ *to ~ tasks* vytyčit úkoly

outlive [aut'liv] *vt* přežít koho, co

outlook ['autluk] *s* vyhlídka, výhled

outlying ['aut¡laiiŋ] *a* odlehlý, vzdálený

outmachine [¡autmə'ši:n] *vt* mít převahu v strojním zařízení

outmanoeuvre [¡autmə'nu:və] *vt* vymanévrovat

outness ['autnis] *s* vnějškovost

outnumber [aut'nambə] *vt* převýšit počtem

outpost ['autpoust] *s* přední stráž, předsunutá hlídka

outpour *vt* [aut'po:] vylít □ *s* ['autpo:] výlev

output ['autput] *s* výkon; produkt, produkce, těžba; **~**

standard výkonová norma; **~ transformer** výstupní transformátor

outrag|e ['autreidž] *s* urážka, potupa; znásilnění práv, citů □ *vt* hrubě urazit, potupit; znásilnit; **—ous** [aut'reidžəs] *a* násilný, krutý; urážlivý; nemravný

outreach [aut'ri:č] *vt* přesahovat

ouride* *vt* [aut'raid] **1.** předjet na koni **2.** vytrvat v bouři o lodi □ *s* ['autraid] vyjížďka na koni

outrigger ['aut¡rigə] *s* **1.** strážná loď **2.** trámy n jiné opatření vysunuté přes okraj lodi, též u domu **3.** podpěra vesla

outright ['autrait] *adv* **1.** vůbec, úplně, docela **2.** otevřeně, bez výhrady □ *a* přímý, úplný, naprostý

outroot [aut'ru:t] *vt* vykořenit, vyplenit

outrun* [aut'ran] *vt* předběhnout, předstihnout, předbíhat; utéci

outset ['autset] *s* počátek, úvod

outshine* [aut'šain] *vt* přezářit, zastínit

outside ['aut'said] *s* **1.** vnější strana, venek, zevnějšek **2.** vnější vzhled, povrch **3.** pl. vnější archy rysu papíru ♦ *at the ~* nejvýše □ *a* **1.** vnější, zevnější **2.** nejzazší **3.** nejvýše pravděpodobný □ *prep* nad, mimo, za

outsider ['aut'saidə] *s* **1.** nečlen, nezasvěcenec **3.** neznámý člověk **3.** kůň n. člověk nemající naději na vítězství v závodech

outsit* [aut'sit] vt (zůstat) sedět
n. stát déle než jiní

outskirts ['autskə:ts] s pl. 1.
okolí 2. předměstí 3. okraj

outsleep* [aut'sli:p] vt zaspat

outspoken [aut'spoukən] a vy-
slovený; otevřený, přímý

outspread ['aut'spred] a roz-
prostřený

outstanding a [aut'stændiŋ] 1.
význačný, vynikající 2. ne-
dodělaný, nevykonaný 3.
['aut‚stændiŋ] vyčnívající

outstay [aut'stei] vt zdržet se
přes stanovenou dobu

outstep [aut'step] vt (-pp-) pře-
kročit

outstreet ['autstri:t] s odlehlá
ulice

outstretch [aut'streč] vt roze-
vřít, roztáhnout

outstrip [aut'strip] vt (-pp-)
předběhnout, předstihnout

outvalue [aut'vælju:] vt předčit
cenou

outvie [aut'vai] vt překonat,
předstihnout

outvote [aut'vout] vt přehlaso-
vat

outward ['autwəd] a 1. vnější
2. zřejmý, tělesný, viditelný;
povrchní ♦ ~ form vzhled;
to ~ seeming zřejmě □ adv
ven, vně, navenek □ s
1. (ze)vnějšek, vzhled 2. pl.
vnější svět; —ly, —s ['aut-
wədli, -z] adv vně, zvenčí, na
povrchu

outwear* [aut'weə] vt 1. přetr-
vat 2. obnosit 3. promrhat čas

outweigh [aut'wei] vt předčit
vahou, hodnotou, vyvážit

outwit [aut'wit] vt (-tt-) přelstít
koho, vyzrát na kom

ouzel viz ousel

oval ['ouvəl] a vejčitý, oválný
□ s ovál

ovary ['ouvəri] s 1. vaječník
2. semeník

ovation [ou'veišən] s ovace,
pocta

oven [avn] s pec, trouba na pečení

over ['ouvə] prep nad, přes, za,
po, u, při, o, do, pro, proti
♦ with an umbrella ~ his head
s deštníkem nad hlavou;
~ our heads nad náš rozum;
~ head and ears až po uši;
with his hat ~ his eyes s klo-
boukem do očí; all ~ India
po celé Indii; to travel ~
Europe cestovat po Evropě;
all the world ~ po celém
světě; sitting ~ the fire u ohně,
nad ohněm; to go to sleep
~ one's work usnout nad
prací; he reigns ~ twenty
millions vládne nad 20 mi-
lióny; she has no command ~
herself neovládá se; ~ the way
naproti; can you stay ~
Wednesday? můžete se zdržet
přes středu? □ adv nad,
přes, příliš, kolem, opětně,
u konce, hotov ♦ all ~ zcela,
úplně, u konce; ~ again
znovu, opět; ~ and above
nadto, mimo to; it is ~ je
po všem, je konec; ~ and ~
opět a opět; to think the
matter ~ promyslit, znovu
uvážit (věc); to be ~ zbývat;
to get ~ dostat se přes; to
give ~ odevzdat, předat; to
look ~ přehlížet; to read ~
znovu přečíst; school is ~
je po škole, po vyučování □
a hořejší, vnější, vrchní

over- [ouvə-] *prefix* značící „nad", „pře-", „příliš"

overact [ˈouvərˈækt] *vt & i* přepínat, přehánět, nadsazovat

overall [ˈouvəro:l] *s* 1. pracovní plášť 2. pl. kombinéza □ *a* [též ˌouvərˈo:l] vše zahrnující

overarch [ˌouvərˈa:č] *vt & i* překlenout

overawe [ˌouvərˈo:] *vt* zastrašit

overbalance [ˌouvəˈbæləns] *vi & t* převážit (se)

overbear* [ˌouvəˈbeə] *vt* přemoci, převážit, zdolat; —ing [ˌouvəˈbeəriŋ] *a* zpupný, nadutý, pánovitý

overboard [ˈouvəbo:d] *adv* přes palubu

overbrim [ˈouvəˈbrim] *vt & i* (-mm-) přetékat, překypovat

overbuild* [ˈouvəˈbild] *vt* zastavět, stavět domy příliš hustě

overburden [ˌouvəˈbə:dn] *vt* přetížit

overburn* [ˌouvəˈbə:n] *vt* přepálit

overcare [ˈouvəˈkeə] *s* přílišná péče, starost

overcast [ˈouvəkast] *vt* 1. pokrýt mraky 2. přehánět 3. zamračit se 4. zapošít, obnitkovat, plně vyšít

overcharge [ˈouvəˈča:dž] *vt* 1. přetížit, přeplnit 2. nadsazovat, přecenit, předražit 3. přebíjet akumulátor

overcoat [ˈouvəkout] *s* svrchník

overcolour [ˈouvəˌkalə] *vt* nadsazovat, přehánět

overcome* [ˌouvəˈkam] *vt* překonat, přemoci, zvítězit

overconfidence [ˈouvəˈkonfidəns] *s* přílišná (sebe)důvěra

overcooling [ˌouvəˈku:liŋ] *s* přechlazení

overcrop [ˌouvəˈkrop] *vt* (-pp-) vymrskat půdu

overdo* [ˌouvəˈdu:] *vt* 1. předělat 2. přepéci, převařit 3. přehánět 4. přecenit sílu

overdraw* [ˈouvəˈdro:] *vt & i* 1. obch. přebrat konto 2. nadsazovat, přehánět

overdue [ˈouvəˈdju:] *a* dávno splatný, vypršelý o splatnosti; zpožděný o vlaku

overeat* [ˈouvərˈi:t] *vi & zvr.* přejíst se

over-estimate [ˈouvərˈestimeit] *vt* přecenit, nadsazovat; přehodnotit

overexertion [ˈouvərigˈzə:šən] *s* přílišná námaha, útrapy

overexpose [ˈouvəriksˈpouz] *vt* přeexponovat

overfeed* [ˈouvəˈfi:d] *vt & i* překrmit, přecpat (se)

overfill [ˌouvəˈfil] *vt* přeplnit

overflow* *vt & i* [ˌouvəˈflou] zaplavit, přetékat □ *s* [ˈouvəˈflou] 1. záplava, přetékání 2. přepad, příliv 3. nadbytek, hojnost; —ing [ˌouvəˈflouiŋ] *a* přetékající, hojný

overfreight [ˌouvəˈfreit] *vt* přetížit

overfull [ˈouvəˈful] *a* přeplněný; ˌ—ˈfilment *s* překročení (*of the plan by* plánu o)

overground [ˈouvəgraund] *a* pozemní

overgrow* [ˈouvəˈgrou] *vt & i* přerůst, zarůst; —n [ˈouvəˈgroun] *a* 1. přerostlý, přerůstající 2. zarostlý 3. vytáhlý člověk, klackovitý; — th [ˈouvəgrouθ] s 1. bujný růst 2. porost

overhand [ˈouvəhænd] a 1. shora, s paží zdviženou nad rameno 2. sport. rána s paží zdviženou nad ramenem; ~ **stoping** horn. výstupkové dobývání

overhang* [ˈouvəhæŋ] vt & i čnět, vznášet se nad čím □ [ˈouvəhæŋ] s přečnívání, převis, přečnívající konec

overhaul [ˌouvəˈhoːl] vt (-ll-) vyšetřit, zevrubně prohlédnout, rozebrat, dohonit □ [ˈouvəhoːl] s generálka, povšechná oprava

overhead [ˈouvəhed] adv nahoře, na obloze □ a 1. horní 2. režijní; ~ costs n. expenses režijní výrobní náklady; ~ **crane** mostový jeřáb; ~ **crossing** žel. nadjezd; ~ **line** el. vrchní vedení; ~ **railway** nadzemní dráha

overhear* [ˌouvəˈhiə] vt zaslechnout, vyslechnout

overjoy [ˌouvəˈdžoi] vt nesmírně rozradostnit, uchvátit radostí

overlabour [ˌouvəˈleibə] vt příliš důkladně propracovat

overlade* [ˈouvəˈleid] vt přetížit

overland [ˈouvəlænd] a po souši, pozemní □ [ˌouvəˈlænd] adv po n. na zemi

overlap [ˌouvəˈlæp] vt & i (-pp-) přesahovat, překrývat; přeplátovat

overlay* [ˌouvəˈlei] vt pokrýt vrstvou, obložit; povléci, potáhnout

overleap* [ˌouvəˈliːp] vt přeskočit

overlie* [ˌouvəˈlai] vi přeležet se, ležet na, zalehnout

overlive [ˌouvəˈliv] vt přežít

overload [ˈouvəloud] vt přetížit □ [ˈouvəloud] s přetížení

overlook [ˌouvəˈluk] vt 1. přehlédnout, prohlédnout, prozkoumat 2. prominout 3. nedbat

overlord [ˈouvəloːd] s suverén; vrchnost, nejvyšší pán

overmaster [ˌouvəˈmaːstə] vt přemoci, ovládat

overmatch [ˌouvəˈmæč] vt být silnějším soupeřem, převyšovat silou

overmuch [ˈouvəmač] a, adv, s 1. přílišný 2. příliš 3. nadbytek, přemíra

overnight [ˈouvənait] a celonoční □ adv přes noc

overpass [ˌouvəˈpaːs] vt 1. překročit 2. přejít, minout; přehlédnout 3. nedbat, vynechat

overpay [ˌouvəˈpei] vt přeplatit

overplus [ˈouvəplas] s přebytek, nadbytek

overpoise [ˌouvəˈpoiz] vt převážit

overpopulation [ˌouvəpopjuˈleišən] s přelidnění

overpower [ˌouvəˈpauə] vt přemoci, zdolat, podmanit

overpress [ˌouvəˈpres] vt 1. krutě utiskovat 2. doléhat plnou silou na 3. stlačovat, potlačovat 4. trvat úporně na; — **ure** [ˌouvəˈprešə] s přetlak, nátlak

overproduction [ˈouvəprəˈdakšən] s nadvýroba (relative ~ relativní nadvýroba), nadprodukce

overrate [ˈouvəˈreit] vt přecenit

overreach [ˌouvəˈriːč] *vi* zvr. 1. přečnívat, přesahovat 2. obelstít, ošidit

override* [ˌouvəˈraid] *vt* 1. schvátit koně jízdou 2. přejet člověka 3. projet krajinou 4. fig. přehlížet 5. přečnívat o zlomené kosti

over-ripe [ˈouvəˈraip] *a* přezrálý

overrule [ˌouvəˈruːl] *vt* 1. ovládat, rozkazovat 2. zamítnout, zrušit platnost ustanovení

overrun* [ˌouvəˈran] *vt & i* 1. učinit vpád, nájezd 2. rozšířit se 3. zamořit 4. zatopit, zaplavit, přetékat 5. uštvat, schvátit během

oversaturation [ˌouvəsæčəˈreišən] *s* přesycení

oversea [ˈouvəˈsiː] *a* zámořský; —s [ˈouvəˈsiːz] *adv* za moře, za mořem

oversee* [ˈouvəˈsiː] *vt* 1. přehlédnout, opomenout, zanedbat 2. dohlížet; —r [ˈouvəsiə] *s* dozorce

overset* [ˈouvəˈset] *vt* 1. převrhnout, překlopit 2. zvrátit ujednání, ustanovení

overshadow [ˌouvəˈšædou] *vt* zastínit

overshoot* [ˈouvəˈšuːt] *vt* přestřelit; zvr. přenáhlit se, nadsazovat

oversight [ˈouvəsait] *s* přehlédnutí, nedopatření, omyl

overskip [ˌouvəˈskip] *vt* (-pp-) přeskočit, přejít bez povšimnutí

oversleep* [ˈouvəˈsliːp] *vi* zvr. zaspat

overslip [ˈouvəˈslip] *vt* (-pp-) přehlédnout, pominout, vy-

nechat □ *s* nedopatření, vynechání

overspread* [ˌouvəˈspred] *vt* pokrýt čím, prostřít, potáhnout

overstep [ˈouvəˈstep] *vt* (-pp-) překročit

overstrain [ˈouvəˈstrein] *vt* 1. přepínat, přehánět 2. přepracovat se □ [ˈouvəstrein] *s* přepětí; tech. deformace

oversupply [ˈouvəsəˈplai] *vt* nadbytečně se zásobit □ *s* nadbytečné zásoby

overt [ˈouvəːt] *a* zjevný, veřejný

overtake* [ˌouvəˈteik] *vt* 1. dohonit, předstihnout 2. překvapit

overtask [ˈouvəˈtaːsk] *vt* přetížit prací

overtax [ˈouvəˈtæks] *vt* přetížit daněmi

overthrow* [ˌouvəˈθrou] *vt* 1. převrhnout, převrátit, porazit, skácet 2. podvrátit, zničit; učinit převrat □ [ˈouvəθrou] *s* 1. převrácení, svržení (~ *of the bourgeoisie* svržení buržoazie) 2. převrat 3. porážka 4. zničení, zrušení

overtime [ˈouvətaim] *a* přesčasový □ *adv* přes čas

overtire [ˈouvəˈtaiə] *vt* příliš unavit

overtoil [ˈouvəˈtoil] *vi* (-ll-) přetížit prací

overture [ˈouvətjuə] *s* 1. zahájení jednání, nabídka 2. hud. předehra

overturn [ˌouvəˈtəːn] *vt* 1. převrátit, povalit, skácet 2. zrušit, zničit □ [ˈouvətəːn] *s* převrat, převrácení

overvalue [ˈouvəˈvæljuː] *vt* přeceňovat, nadsazovat

overvoltage [ˌouvəˈvoultidž] *s* přepětí

overweening [ˌouvəˈwiːniŋ] *a* domýšlivě drzý, samolibý, arogantní

overweigh [ˈouvəˈwei] *vt* převážit

overweight [ˈouvəweit] *s* přívažek

overwhelm [ˌouvəˈwelm] *vt* přemoci, podrobit, rozdrtit; zaplavit (*with* čím); **—ing** [ˌouvəˈwelmiŋ] *a* ohromující, ohromný, nepřekonatelný ♦ ~ *majority* drtivá většina

overwork [ˈouvəˈwəːk] *vt & i* unavit (se) prací, přetížit (se) prací, přepracovat se □ *s* přepracování; práce přes čas; přetěžování prací

ovine [ˈouvain] *a* ovčí

ov|oid [ˈouvoid] *a* vejčitý; **—um** [ˈouvəm] *s pl. -a* [-ə] vajíčko

owe [ou] *vi & t* být zavázán, povinen, dlužen

owing [ˈouiŋ] *a* dlužný, povinný ♦ ~ *to* pro, vzhledem k, za příčinou, následkem

owl [aul] *s* sova; **—et** [ˈaulit] *s* sova, sůvka, sovička; **—ish** [ˈauliš] *a* soví; ǀ ~ -light *s* šero, soumrak

own [oun] *a* 1. vlastní 2. drahý, milý ♦ *my* ~ já sám; *to be*

one's ~ *man* být svým vlastním pánem; *to come into one's* ~ přijít si na své, přijít do vlastního; *to hold one's* ~ zachovat důstojnost, držet se; *he has nothing of his* ~ nemá vlastního majetku □ *vt* 1. mít v držení, vlastnit 2. potvrdit autorství, otcovství, majetnictví 3. přiznat se (*to* k); ~ *up* hov. doznat se, vyznat se z poklesku

owner [ˈounə] *s* vlastník, majitel; **—ship** [ˈounəšip] *s* vlastnictví; ~ *of land* držba půdy; *socialist* ~ socialistické vlastnictví

ox [oks] *s pl. -en* [-en] vůl, dobytče; ~ -eye [ˈoksai] *s* velké oko; ~ -fly [ˈoksflai] *s* střeček; ; ~ -hide [ˈokshaid] *s* hovězí useň; ǀ ~ -lip *s* petrklíč

oxid|e [ˈoksaid] *s* kysličník; **—ate** [ˈoksideit], **—ize** [ˈoksidaiz] *vt & i* okysličovat (se)

Oxon. = *Oxfordshire* [ˈoksfədšiə]; *bishop of Oxford*

oxygen [ˈoksidžən] *s* kyslík; ~ *cutting* řezání kyslíkem

oyer [ˈoiə] *s* výslech, slyšení

oyster [ˈoistə] *s* ústřice

oz. = *ounce(s)*

ozone [ˈouzoun] *s* ozón

P

P, p [piː] písmeno p ♦ *to mind one's P's and Q's* dávat si pozor na řeč, chování

Pa. = *Pennsylvania* [ˌpensilˈveinjə]

pace [peis] *s* krok, chůze ♦

~ *for* ~ krok za krokem; *to keep* ~ *with* držet krok s; *to go the* ~ 1. chvátat 2. žít rozmařile □ *vi & t* 1. kráčet 2. měřit vzdálenost kroky

paci|fic [pəˈsifik] *a* 1. mírumilovný, pokojný 2. *The P~ (Ocean)* Tichý oceán; —**fication** [ˌpæsifiˈkeišən] s sjednání míru, smíření, pacifikace; —**fist** [ˈpæsifist] s pacifista; —**fism** [ˈpæsifizəm] s pacifismus; —**fy** [ˈpæsifai] vt smířit, utišit, upokojit

pack [pæk] s 1. balík, žok 2. svazek, ranec,. tlumok 3. smečka, stádo, hejno 4. sběř, lúza 5. balíček karet 6. plovoucí led 7. hromada, spousta □ vt 1. (za)balit 2. složit 3. naložit maso, ovoce 4. rychle odeslat 5. míchat karty □ vi 6. tlačit se, shluknout se do smečky, spiknout se 7. naplnit, nacpat, napakovat 8. med. dát; ~ **up** zabalit; —**age** [ˈpækidž] s balík; —**et** [ˈpækit] s balíček; —**et-boat** [ˈpækitbout] s poštovní loď; ǀ~ **-horse** s soumar; —**ing** [ˈpækiŋ] s 1. (za)balení 2. tech. těsnění; ǀ—**ing-ǀneedle** s jehla na pytle a koše; ǀ~ **-paper** s balicí papír; ~ **-saddle** [ˈpækˌsædl] s nákladní sedlo; ~ **-thread** [ˈpækθred] s motouz

pact [pækt] s smlouva, pakt; *North-Atlantic P~* Severoatlantický pakt

pad[1] [pæd] vi (-dd-) šlapat ♦ *to ~ one's way off* odcházet □ s sl. 1. cesta 2. *knight of the ~* zbojník

pad[2] [pæd] s 1. podložka 2. sedlo 3. poduška, vycpávka 4. blok na psaní 5. nárazník 6. běh např. zajíce □ vt (-dd-) vycpat, podložit vatou; —**ding** [ˈpædiŋ] s vycpání, vycpávka

paddle [ˈpædl] s 1. pádlo, veslo 2. lopatka, měchačka 3. jeden ráz pádlem □ vi & t 1. pádlovat 2. šplouchat se, brouzdat se 3. pleskat, plácat 4. batolit se 5. am. pohlavkovat; ~ **-wheel** [ˈpædlwi:l] s lopatkové kolo parníku

paddock [ˈpædək] s ohrazené pastvisko u závodních stájí

Paddy [ˈpædi] s Ir přezdívka

paddy [ˈpædi] s neloupaná rýže; ǀ~ **-field** s rýžové pole

padlock [ˈpædlok] s visací zámek □ vt zavřít na zámek

padre [ˈpa:dri] s voj. sl. kurát

pagan [ˈpeigən] s pohan □ a pohanský; —**ism** [ˈpeigənizəm] s pohanství

page[1] [peidž] s hist. páže, sluha

page[2] [peidž] s strana, stránka knihy □ vt stránkovat

pageant [ˈpædžənt] s 1. okázalost, stavění na odiv 2. jevištní scéna, alegorický průvod, skvělá podívaná, divadlo

pagin|al [ˈpædžinl] a stránkový; —**ation** [ˌpædžiˈneišən] s stránkování

pah [pa:] int výraz znechucení nebo nevole pfí, fuj!

paid [peid] p & pp, viz *pay*; ~ *holidays* placená dovolená

pail [peil] s vědro, kbelík, džber

paillasse, palliasse [pælˈjæs] s slamník

pain [pein] s 1. bolest 2. pl. práce, námaha 3. pokuta, trest ♦ *to take -s* přičinit se o; *under* (n. *on*) ~ *of death* pod trestem smrti □ vt působit bolest, bolet; **—ful** [ˈpeinful] *a* **1.** bolestný, trapný **2.** namáhavý, obtížný; **—less** [ˈpeinlis] *a* bezbolestný; **—staking** [ˈpeinzˌteikiŋ] *a* přičinlivý □ *s* přičinlivost

paint [peint] *s* **1.** barva, barvivo **2.** nátěr **3.** líčidlo □ *vt & i* **1.** malovat, barvit, natřít **2.** zobrazit **3.** líčit, popisovat **4.** líčit (se) ◆ *to ~ in oil* malovat olejovými barvami

paint|er¹ [ˈpeintə] *s* malíř; natěrač; **—ing** [ˈpeintiŋ] *s* **1.** malování, malířství **2.** malba, obraz **3.** líčidlo

painter² [ˈpeintə] *s* nám. lano k připoutání člunu k lodi

pair [peə] *s* pár, dvojice ◆ *a ~ of compasses* kružítko; *a ~ of scissors* nůžky □ *vt & i* **1.** párovat **2.** pářit (se)

pajamas [pəˈdžaːməz] viz *pyjamas*

Pakistan [ˌpaːkisˈtaːn] *s* Pákistán

pal [pæl] *s* druh, kamarád, partner

palace [ˈpælis] *s* palác

palan|keen, -quin [ˌpælənˈkiːn] *s* palankýn nosítka

palat|able [ˈpælətəbl] *a* chutný, stravitelný; **—al** [ˈpælətl] *a* patrový; fon. palatální; **—alize** [ˈpælətəlaiz] *vt* palatalizovat; **—e** [ˈpælit] *s* **1.** patro (*hard, soft* tvrdé, měkké) **2.** chuť **3.** fig. vkus, estetický cit

palatial [pəˈleišəl] *a* jako palác, palácový, nádherný

palaver [peˈlaːvə] *s* **1.** domlouvání, jednání, dohadování **2.**

žvanění, prázdna řeč □ *vi* sáhodlouze vykládat, žvanit

pale¹ [peil] *a* l dý, mdlý ◆ *to look ~* vypadat bledý; *to grow ~* zblednout □ *vi* **1.** (z)blednout □ *vt* **2.** bílit **3.** vyblednout; **~ -face** [ˈpeilfeis] *s* běloch; **~ -hearted** [ˈpeilhaːtid] *a* sklíčený

pale² [peil] *s* **1.** kůl, plot **2.** mez, hranice **3.** ohrada **4.** obor, obsah ◆ *within the ~ of probability* v mezích pravděpodobnosti

palette [ˈpælit] *s* paleta

paling [ˈpeiliŋ] *s* kolový n. tyčkový plot, ohrada

palisade [ˌpæliˈseid] *s* palisáda, plot z kůlů

pall¹ [poːl] *s* **1.** pallium **2.** fig. plášť

pall² [poːl] *vi* **1.** zvětrat, vyčichnout **2.** zmalátnět, otupět, oslabit **3.** ztratit půvab n. chuť, omrzet, znechutit se

pallet [ˈpælit] *s* **1.** paleta **2.** hrnčířská špachtle **3.** slaměné n. nuzné lože, slamník **4.** záklopka píšťaly

palliasse viz *paillasse*

palliate [ˈpælieit] *vt* zastírat; zmírnit, omlouvat; prominout

pallid [ˈpælid] *a* bledý, sinalý

pallor [ˈpælə] *s* bledost

palm¹ [paːm] *s* dlaň, píď ◆ *to grease one's ~* podplatit koho □ *vt* **1.** ukrýt v ruce, zatajit **2.** podmazat koho; namastit si kapsu **3.** dotknout se dlaní **4.** kradmo podstrčit, vydávat zač (*on* komu); **—istry** [ˈpaːmistri] *s* hádání z ruky

palm² [paːm] *s* **1.** palma, palmová ratolest **2.** fig. vítězství

◆ *P~ Sunday* Květná ně-
děle; —y [ˈpaːmi] *a* 1. pal-
mový 2. vítězný
palp [pælp] *s* tykadlo
palpable [ˈpælpəbl] *a* makavý,
zjevný, patrný
palpit̄at|e [ˈpælpiteit] *vi* 1. tlou-
ci, bušit o srdci 2. třást se,
chvět se; **—ion** [ˌpælpiˈteišən]
s tlukot, bušení srdce
palsy [ˈpoːlzi] *s* ochrnutí, mrtvi-
ce □ *vt* ochrnout
palter [ˈpoːltə] *vi* 1. vykrucovat
se, vytáčet se 2. handrkovat
se, smlouvat
paltry [ˈpoːltri] *a* nuzný, bídný,
chatrný; nicotný
pamper [ˈpæmpə] *vt* 1. překrmit,
přecpat 2. zhýčkat
pamphlet [ˈpæmflit] *s* pamflet,
leták; brožura, příručka
pan [pæn] *s* pánev, pekáč □
vt (-nn-) proplachovat zlatou
rudu; **—cake** [ˈpænkeik] *s*
lívanec
panacea [ˌpænəˈsiə] *s* univer-
zální lék
Panama [ˌpænəˈmaː] *s* Panama
pancreas [ˈpæŋkriəs] *s* slinivka
břišní, pankreas
pandemonium [ˌpændiˈmou-
njəm] *s* 1. peklo 2. divoký
zmatek, nepořádek, anarchie
pander [ˈpændə] *s* kuplíř, -ka
□ *vt* 1. provozovat kuplířství,
být náhončím 2. podporovat,
protežovat 3. holdovat čemu
pane [pein] *s* 1. tabule skla
2. čtverec, pole šachovnice
3. tabulka ve vzoru
panegyric [ˌpæniˈdžirik] *s* chva-
lořeč □ .*a* pochvalný, pane-
gyrický
panel [ˈpænl] *s* 1. panel, výplň

2. čelní deska 3. dílec na
šatech 4. seznam porotců,
porota 5. obžalovaný 6. vy-
soký, úzký formát fotografie
◆ ~ *doctor* pokladenský lékař
□ *vt* (-ll-) 1. vykládat, ozdobit
výplněmi, táflovat 2. ozdobit
šaty vloženými díly 3. osedlat
mezka ap.
pang [pæŋ] *s* prudká tělesná n.
duševní bolest □ *vt* mučit,
trápit
pan-germanism [ˈpænˈdžəːməni-
zəm] *s* pangermanismus
panic [ˈpænik] *a* panický □ *s*
panika, zděšení; poplach ◆
war ~ válečná hysterie, pa-
nika; ~-ˌmonger [ˈpænik-
ˌmaŋgə] *s* panikář; ~-**stricken**
[ˈpænikˌstrikən] *a* vyděšený
panicle [ˈpænikl] *s* bot. lata
pannier [ˈpæniə] *s* 1. koš, -ík
soumarů 2. obruče, vyztužení
krinolíny, honzík sukně
pannikin [ˈpænikin] *s* plechový
pohárek
panoply [ˈpænəpli] *s* plná zbroj
panorama [ˌpænəˈraːmə] *s* pano-
ráma, celkový pohled
pansy [ˈpænzi] *s* maceška
pant [pænt] *vi & t* 1. těžce
oddychovat, lapat po vzdu-
chu 2. vzdychat (*for* po)
3. tlouci o srdci, chvět se ◆
to ~ *for breath* popadat dech
□ *s* těžký dech; dmutí prsou
pantaloons [ˌpæntəˈluːnz] *s pl.*
pantalóny
pantechnicon [pænˈteknikən] *s*
skladiště nábytku; ~ **van** ná-
bytkový vůz
pantheism [ˈpænθiːizəm] *s* pan-
teismus
pantheon [pænˈθiːən] *s* panteon

panther [ˈpænθə] *s* levhard; pardál

pantomime [ˈpæntəmaim] *s* němohra

pantry [ˈpæntri] *s* spižírna

pants [pænts] *s pl.* am. hov. kalhoty, dlouhé spodky

pap [pæp] *s* kaše

papa [pəˈpa:] *s* tatínek

pap|acy [ˈpeipəsi] *s* papežství; **-al** [ˈpeipəl] *a* papežský

papaverous [pəˈpeivərəs] *a* makový

paper [ˈpeipə] *s* 1. papír 2. bankovky, cenné papíry 3. noviny 4. článek, pojednání, esej 5. tapety 6. pl. spisy, listiny, dokumenty, doklady ♦ *blotting* ~ piják; *weekly* ~ týdeník □ *vt* 1. zabalit do papíru 2. pokrýt, obložit papírem 3. vytapetovat; ~ *currency* bankovky, oběživo; ~ **-hanger** [ˈpeipəˌhæŋə] *s* tapetář; ~ **-hangings** [ˈpeipəˌhæŋiŋz] *s pl.* papírové tapety; ~ **kite** [kait] *s* papírový drak; ~ **-knife** [ˈpeipənaif] *s* nůž na papír; |~ **-mill** *s* papírna; |~ **money** *s* bankovky; ~ **-pulp** [ˈpeipəpalp] *s* papírovina; ~ **-weight** [ˈpeipəweit] *s* těžítko

papist [ˈpeipist] *s* papeženec, katolík

par [pa:] *s* stejná hodnota; rovnost, parita ♦ ~ *value* obch. nominále, nominální hodnota; *at (below)* ~ za (pod) nominální hodnotu, pod pari; *up to* ~ přiměřený

parable [ˈpærəbl] *s* podobenství

parabola [pəˈræbələ] *s* parabola

parachut|e [ˈpærəʃu:t] *s* padák; ~ *troops* výsadkové oddíly; **—ist** [ˈpærəʃu:tist] *s* parašutista

parade [pəˈreid] *s* 1. paráda, nádhera, okázalost 2. voj. přehlídka 3. promenáda □ *vt* 1. stavět na odiv 2. voj. přehlížet □ *vi* 3. pochodovat při přehlídce

paradigm [ˈpærədaim] *s* gram. vzor, paradigma

paradise [ˈpærədais] *s* ráj

paradox [ˈpærədoks] *s* paradox, protismysl; **—ical** [ˌpærəˈdoksikəl] *a* paradoxní

paraffin [ˈpærəfin] *s* parafín

paragon [ˈpærəgən] *s* vzor dokonalosti

paragraph [ˈpærəgra:f] *s* 1. odstavec 2. krátký článek □ *vt* rozdělit v odstavce

parallel [ˈpærəlel] *a* 1. rovnoběžný, souběžný, 2. stejný, shodný, odpovídající; ~ **bars** bradla □ *s* 1. pl. rovnoběžky; věci souběžné; 2. rovnoběžnost 3. podobnost, podobná věc 4. srovnání □ *vt* (-ll-) 1. vést rovnoběžně 2. srovnat 3. podobat se, shodovat se; **—ism** [ˈpærəlelizəm] *s* rovnoběžnost; podobnost; **—ogram** [ˌpærəˈleləgræm] *s* rovnoběžník

paralys|e [ˈpærəlaiz] *vt* ochromit, ochrnout; ranit mrtvicí, paralyzovat; **—is** [pəˈrælisis] *s pl. -es* [-i:z] ochrnutí, mrtvice, paralýza

paralytic [ˌpærəˈlitik] *s* med. člověk raněný mrtvicí, ochrnutý □ *a* raněný mrtvicí, ochrnutý

parameter [pəˈræmitə] *s* parametr

paramount [ˈpærəmaunt] *a* svrchovaný, nejvyšší

paramour [ˈpærəmuə] *s* milenec, milenka

parapet [ˈpærəpit] *s* 1. zábradlí 2. hradba, zeď 3. ochranná stěna střechy 4. voj. přední ochranný val

paraphernalia [ˌpærəfəˈneiljə] *s pl.* osobní majetek, výstroj

paraphrase [ˈpærəfreiz] *s* parafráze, opis

parasit|e [ˈpærəsait] *s* cizopasník, příživník; **—ic** [ˌpærəˈsitik] *a* cizopasný

parasol [ˌpærəˈsol] *s* slunečník

paratroop|er [ˈpærətruːpə] *s* parašutista; **-s** [-s] *s* 1. parašutistické jednotky 2. výsadkové oddíly

parboil [ˈpaːboil] *vt* 1. nedovařit, napolo uvařit 2. fig. přehřát 3. fig. překypět

parbuckle [ˈpaːbakl] *s* dvojitá lanová smyčka

parcel [ˈpaːsl] *s* 1. balík, zásilka 2. zast. díl, část 3. kousek, hrstka 4. parcela (*of land* půdy) ♦ *by* **-s** po kouscích; ~ *post* balíková pošta; ~ *rack* síť na zavazadla □ *vt* (-ll-) 1. rozkouskovat, (roz)dělit 2. kytovat, zalepovat spáry lodě; ~ **out** rozdělit, rozkouskovat; ~ **up** nahromadit

parch [paːč] *vt & i* pražit, vyprážet; sušit (se), vyprahnout

parchment [ˈpaːčmənt] *s* pergamen

pard [paːd] *s* am. sl. společník, partner

pardon [ˈpaːdn] *s* 1. odpuštění, prominutí trestu, milost 2. odpustky ♦ *general* ~ amnestie; *I beg your* ~ promiňte, prosím □ *vt* prominout, odpustit, dát milost; **—able** [ˈpaːdnəbl] *a* odpustitelný, prominutelný; **—er** [ˈpaːdnə] *s* odpustkář

par|e [peə] *vt* okrájet, oloupat; ostříhat nehty; **—er** [ˈpeərə] *s* okrajovač, struhadlo; **—ing** [ˈpeəriŋ] *s* 1. loupání 2. slupka, kůra

parent [ˈpeərənt] *s* 1. rodič, otec, matka 2. pl. rodiče 3. fig. zdroj, původ ♦ *-s' association* rodičovské sdružení; **—age** [ˈpeərəntidž] *s* rod, původ; **—al** [pəˈrentl] *a* rodičovský

parenthesis [pəˈrenθisis] *s pl.* **-es** [-iːz] 1. vsuvka 2. závorka

parget [ˈpaːdžit] *s* omítka, nátěr □ *vt* omítnout, natřít

pariah [ˈpæriə] *s* pária

parietal [pəˈraiitl] *a* 1. stěnový 2. lebeční

Paris [ˈpæris] *s* Paříž; **—ian** [pəˈrizjən] *a* pařížský □ *s* Pařížan

parish [ˈpæriš] *s* osada, farnost ♦ *to go on the* ~ být živen obcí □ *a* osadní, farní; ~ *church* farní kostel; ~ *clerk* kostelník; ~ *register* farní matrika; **—ioner** [pəˈrišənə] *s* farník

parity [ˈpæriti] *s* rovnost, stejnost, shoda, parita

park [paːk] *s* 1. park, sad, obora 2. stanoviště vozidel □ *vt* 1. ohradit 2. parkovat

parlance [ˈpaːləns] *s* způsob řeči, žargon, hantýrka

parley [ˈpaːli] *s* projednávání; voj. vyjednávání

parliament [ˈpaːləmənt] *s* sněm, sněmovna, parlament; *interim* ~ prozatímní národní shromáždění; **—arian** [ˌpaːləmenˈteəriən] *s* parlamentář, stoupenec parlamentu; **—ary** [ˌpaːləˈmentəri] *a* parlamentní; ~ *majority* parlamentní většina

parlour [ˈpaːlə] *s* hovorna, salón, přijímací pokoj; **~ -maid** [ˈpaːləmeid] *s* pokojská

Parnassus [paːˈnæsəs] *s* Parnas

parochial [pəˈroukjəl] *a* obecní, farní

parody [ˈpærədi] *s* parodie □ *vt* parodovat

parole [pəˈroul] *s* 1. čestné slovo 2. voj. heslo

parotid [pəˈrotid] *a* příušní; ~ **gland** příušnice žláza

paroxysm [ˈpærəksizəm] *s* prudký záchvat (*of rage* hněvu, *of laughter* smíchu)

parquet [ˈpaːkei] *s* parketová podlaha □ *vt* parketovat

parricide [ˈpærisaid] *s* 1. otcovrah 2. otcovražda 3. vlastizrada, vlastizrádce

parrot [ˈpærət] *s* papoušek □ *vt* papouškovat

parry [ˈpæri] *vt* odrazit ránu □ *s* odražení, zadržení rány

parse [paːz] *vt* rozebírat mluvnicky

parsimon|y [ˈpaːsiməni] *s* spořivost, šetrnost; lakomství; **—ious** [ˌpaːsiˈmounjəs] *a* spořivý, šetrný; skoupý, lakomý

parsley [ˈpaːsli] *s* petržel

parsnip [ˈpaːsnip] *s* pastinák

parson [ˈpaːsn] *s* farář, duchovní; **—age** [ˈpaːsnidž] *s* fara

part [paːt] *s* 1. část, díl, podíl 2. strana 3. úkol, úloha; záležitost 4. povinnost, služba 5. zájem, účastenství 6. pl. nadání 7. pl. okolí, místo, kraj 8. hud. hlas 9. zast. vlohy ♦ *for my* ~ pokud se mne týče; *in* ~ částečně; *for the most* ~ většinou; *in -s* po částech; ~ *by* ~ kousek po kousku; *to take* ~ *in* účastnit se čeho: *to take the* ~ *of* n. *with* stranit, podporovat; *to take in ill* n. *bad* ~ mít za zlé, vyložit ve zlém; *to be* ~ *and parcel* tvořit podstatnou část; ~ *-time worker* polozaměstnaný, částečně zaměstnaný dělník □ *vt* 1. dělit, oddělit, odloučit 2. rozvést □ *vi* 3. odloučit se, rozloučit se, rozejít se (*with, from* s kým) ♦ *to* ~ *one's hair* rozčísnout vlasy; **—ing** [ˈpaːtiŋ] *s* 1. (roz)dělení; (roz)loučení, rozchod 2. pěšinka ve vlasech; ~ *plane* dělicí rovina; ~ *tool* upichovací nůž

partake* [paːˈteik] *vi & t* 1. mít podíl, podílet se, účastnit se (*in, of* na) 2. pojíst, popít (*of* čeho) 3. mít povahu (*of* čeho), „páchnout" po čem

parterre [paːˈteə] *s* 1. květinový sad 2. přízemí v divadle

partial [ˈpaːšəl] *a* 1. částečný 2. stranický (*to* vůči) ♦ *to be* ~ *to* mít rád co; **—ity** [ˌpaːšiˈæliti] *s* 1. zaujatost 2. stranickost 3. náklonnost (*for, of* k)

participat|e [paːˈtisipeit] *vi*

účastnit se (*in* čeho), podílet se na čem; **—ion** [pa:₁tisi-ˡpeišən] *s* účastenství; **—or** [pa:ˡtisipeitə] *s* účastník, podílník

participle [ˡpa:tsipl] *s* příčestí

particle [ˡpa:tikl] *s* 1. částečka; trocha 2. gram. částice

particular [pəˡtikjulə] *a* 1. jednotlivý, zvláštní; podrobný, obšírný 2. důkladný 3. přesný, puntičkářský (*about* v) 4. vlastní ♦ *to be ~ in, about* být přesný *n.* puntičkářský v, dbát na; *to make ~* učinit patrným □ *s* 1. bližší okolnost, detail 2. pl. podrobnosti ♦ *in ~* zvláště, zejména; *to go into -s* zacházet do podrobností; **—ity** [pə₁tikjuˡlæriti] *s* podrobnost, zvláštnost, osobitost; **—ize** [pəˡtikjuləraiz] *vt* udat podrobnosti, blíže určit; **—ly** [pəˡtikjuləli] *adv* zvláště; velmi; podrobně

partisan [₁pa:tiˡzæn] *s* 1. straník, přívrženec 2. partyzán, záškodník 3. zast. sudlice □ *atr* 1. stranický 2. partyzánský; **—ship** [₁pa:tiˡzænšip] *s* stranickost

partition [pa:ˡtišən] *s* 1. dělení, lišení 2. oddělení, přepážka, příčka, přihrádka ♦ *~ of the world* rozdělení světa □ *vt* rozdělit, oddělit, přehradit (*~ off*)

partner [ˡpa:tnə] *s* 1. společník 2. účastník, podílník 3. druh, družka 4. manžel, manželka 2. spolu|tanečník, -tanečnice ♦ *dormant, sleeping ~* obch. tichý společník; *to be a ~ in*

mít podíl v □ *vt* spojit, svést dohromady, udělat společníkem; **—ship** [ˡpa:tnəšip] *s* společenství

partook [pa:ˡtuk] *pt* viz *partake*

partridge [ˡpa:tridž] *s* koroptev

partur|ient [pa:ˡtjuəriənt] *a* pracující k porodu; **—ition** [₁pa:-tjuəˡrišən] *s* porodní bolesti, porod

party [ˡpa:ti] *s* 1. společnost 2. strana smluvní, politická 3. účastník, osoba ♦ *general ~ meeting* celostranická schůze; *to be a ~ to* n. *in* být účasten čeho; *~ affiliation* stranická příslušnost; *~ line* linie strany; *ˡ~ -ˡliner* s horlivý stoupenec linie strany; *ˡ~ -ˡspirit* *s* stranictví, stranickost

parvenu [ˡpa:vənju:] *s* povýšenec

paschal [ˡpa:skəl] *a* velikonoční

pasha [ˡpa:šə] *s* paša

pasque-flower [ˡpæskflauə] *s* koniklec

pass¹ [pa:s] *vi & t* 1. (po)minout, přejít, přejet (*frontier* hranici), jít (*by* mimo); nedbat, vynechat 2. kolovat 3. přihodit se, stát se 4. zemřít 5. být převážen z místa na místo 6. zaniknout 7. projít 8. dostat se někam 9. být schválen zákon 10. projít při zkoušce 11. nehrát při hře 12. schválit 13. překonat 14. přestát, přetrpět 15. strávit čas, zimu 16. podat 17. poslat 18. vyhlásit (*sentence* rozsudek) 19. platit 20. zapsat 21. zaúčtovat ♦ *to come to ~* přihodit se, stát se;

to ~ *an offer* nepřijmout návrh; *to* ~ *a law* vydat zákon; *to* ~ *a bill* schválit zákon; *to bring to* ~ způsobit; *to* ~ *the ball* podat míč; *to* ~ *a business* uzavřít obchod; ~ **about** obcházet; proslýchat se; ~ **along** projít, jít mimo; ~ **away** pominout, zemřít; ~ **for** být pokládán za, vydávat za; ~ **in** vejít, předčit v; ~ **into** zapsat do; ~ **off** minout; vydávat (*oneself* se); probíhat, udát se; ~ **on** jít dále, podávat dále; ~ **over** podat; přejít, minout, (po)minout, nevšimnout si; ~ **round** podávat; ~ **through** projít čím, zakusit co; ~ **upon** vnutit; vynést rozsudek nad

pass² [pa:s] *s* 1. průchod, průsmyk, přechod 2. průvodní list, propustka, pas 3. volná jízdenka 4. obstání při zkoušce 5. výpad v šermu 6. kritický stav 7. vztažení rukou (*over* nad) ♦ *to give the* ~ propustit; —**able** [¹pa:səbl] *a* 1. schůdný, přístupný, sjízdný 2. běžný 3. platný 4. průměrný, prostřední; ~ -**book** *s* kontrolní bankovní knížka; ~ -**key** [¹pa:ski:] *s* univerzální klíč; —**word** [¹pa:swə:d] *s* heslo

passage [¹pæsidž] *s* 1. průchod, přechod, průjezd, průtok 2. převoz 3. cesta; kanálek motoru 4. choroba 5. přecházení, chůze, jízda 6. událost, náhoda 7. řízení 8. potyčka 9. místo v knize, pasáž ♦ *bird of* ~ stěhovavý pták;

~ *of arms* potyčka □ *vi & t* couvnout stranou, strhnout koně stranou

passenger [¹pæsindžə] *s* cestující, pasažér; ¹*foot-* ~ *s* chodec; ~ -**boat** [¹pæsindžəbout] *s* osobní parník; ¹~ -**train** *s* osobní vlak

passer [¹pa:sə] *s* kolemjdoucí, míjející, cestující; ¹~ -¹**by** *s* kolemjdoucí

possibility [ˌpæsi¹biliti] *s* vnímavost, citlivost

passing [¹pa:siŋ] *a* 1. ¡doucí mimo, procházející 2. přechodný, pomíjející □ *s* 1. chod, chůze 2. přechod, průchod 3. schválení 4. smrt; ¹~ -**bell** *s* umíráček; ¹~ -**note** *s* hud. přechodný tón, nota; ¹~ -**place** *s* průchodiště

passion [¹pæšən] *s* 1. vášeň; hněv, vztek 2. náklonnost, žádost, chtíč 3. nadšení, horlivost (*for* pro) 4. utrpení 5. pašije; —**ate** [¹pæšənit] *a* 1. vášnivý, prudký 2. soucitný; ~ -**flower** [¹pæšən-ˌflauə] *s* mučenka; ¹~ -**play** *s* pašijová hra

passiv|e [¹pæsiv] *a* trpný, nečinný, pasívní ♦ ~ *resistence* trpný odpor □ *s* gram. trpný rod, pasívum; —**ity** [pæ¹siviti] *s* trpnost, nečinnost

passport [¹pa:spo:t] *s* cestovní pas

past [pa:st] *a* minulý, uplynulý □ *prep, adv* pryč, mimo, kolem, za, po, přes, nad, bez ♦ *half* ~ *three* půl čtvrté; *old man* ~ *seventy* přes 70; *he ran* ~ *the house* běžel mimo dům; ~ *danger* mimo nebezpečí; ~ *all doubt* beze vší pochyby; ~ *belief* neuvěřitelný; ~ *comprehension* nepochopitelný; ~ *endurance* n. *bearing* nesnesitelný; ~ *hope* beznadějný; ~ *shame* nestoudný □ *s* minulost; *heritage of the* ~ dědictví minulosti

paste [peist] *s* 1. těsto 2. maz, pasta, lep, lepidlo 3. keram. směs, masa 4. materiál na imitaci šperků □ *vt* (při)lepit *(up, on, down, together)*; ~ **-board** [ˈpeistbo:d] *s* lepenka; ~ **up** zalepit

pastel [pæsˈtel] *s* pastel, pastelová barva

pastern [ˈpæstə:n] *s* spěnka koně

pasteuriz|e [ˈpæstəraiz] *vt* sterilizovat mléko; —**er** [ˈpæstəraizə] *s* pasterizační přístroj

pastil(le) [pæsˈti:l] *s* 1. „františek" 2. kosočtverec 3. pastilka, cukrátko

pastime [ˈpa:staim] *s* kratochvíle, zábava

pastor [ˈpa:stə] *s* pastor, farář, duchovní; —**al** [ˈpa:stərəl] *a* pastýřský, pastorální □ *s* 1. pastýřská hra, zpěv, báseň 2. pastýřský list; —**ate** [ˈpa:stərit] *s* pastorství, duchovenský úřad

pastry [ˈpeistri] *s* 1. paštika 2. dort 3. pečivo, máslové těsto

pasturage [ˈpa:stjuridž] *s* 1. pastva, pastvina 2. pastvinářství 3. krmivo, píce

pasture [ˈpa:sčə] *s* 1. pastva, pastvina 2. krmivo □ *vt & i* pást (se), spásat, vyhánět na pastvu

pasty [ˈpeisti] *a* těstový □ *s* masová paštika

pat [pæt] *s* 1. za-, po|klepání, plesknutí 2. ždibec, špetka ♦ ~ *of butter* hrudka másla □ *vt & i* (-tt-) zlehka poklepat *(on the back* na záda) □ *adv* právě vhod ♦ ~ *to the time* právě včas

patch [pæč] *s* 1. záplata, náplast 2. kousek 3. příštipek 4. políčko 5. skvrna; ~ **test** med. kalmetizace □ *vt* 1. záplatovat, spíchnout 2. zašít, spravit 3. urovnat *(a quarrel* hádku); —**ery** [ˈpæčəri] *s* 1. příštipkářství 2. hudlaření; !~ **-work** *s* látání, slátanina; —**y** [ˈpæči] *a* slátaný

pate [peit] *s* hov. hlava, kotrba, palice

patent [ˈpeitənt] *a* 1. otevřený 2. zjevný, patrný, zřejmý 3. patentovaný ♦ *letters* ~ výsadní list □ *s* výsada, dekret; patent; diplom □ *vt* patentovat; ~ **-leather** [ˈpeitəntˈleðə] *s* lakovaná kůže, lakýrka

patern|al [pəˈtə:nl] *a* otcovský; —**ity** [pəˈtə:niti] *s* otcovství

path [pa:θ] *s* stezka, pěšina ♦ ~ *towards socialism* cesta k socialismu; —**less** [ˈpa:θlis] *a* neschůdný

pathetic [pəˈθetik] *a* patetický, cituplný, dojemný

pathology [pəˈθolədži] *s* patologie

pati|ence [ˈpeišəns] *s* trpělivost, vytrvalost ♦ *to take* ~ mít trpělivost; *to lose* ~ (n. *be out of* ~) ztratit trpělivost; —**ent** [ˈpeišənt] *a* trpělivý *(of* s),

vytrvalý, shovívavý □ *s*
pacient, nemocný
patriarch [ˈpeitriaːk] *s* patri-
archa, stařešina, praotec
patrician [pəˈtrišən] *s* patricij,
šlechtic □ *a* šlechtický, patri-
cijský
Patrick [ˈpætrik] *s* Patrik (mj)
patrimony [ˈpætriməni] *s* dě-
dictví, dědičný statek
patriot [ˈpætriət] *s* vlastenec;
—**ic** [ˌpætriˈotik] *a* vlaste-
necký; —**ism** [ˈpætriətizəm]
s vlastenectví, patriotismus
patrol [pəˈtroul] *s* hlídka, pat-
rola ♦ ~ *torpedo boat* hlídkový
motorový člun □ *vt & i*
hlídkovat, patrolovat
patron [ˈpeitrən] *s* 1. příznivec,
ochránce, patron (*of the
school* školy) 2. zákazník
pravidelný; —**age** [ˈpætrənidž]
s ochrana, přízeň, patronát;
—**ize** [ˈpætrənaiz] *vt* chránit,
prokazovat přízeň; podporo-
vat, přát komu; —**izing** [ˈpæ-
trənaiziŋ] *a* blahosklonný
patronymic [ˌpætrəˈnimik] *a* ro-
dový, patronymický □ *s*
patronymikon
patten [ˈpætn] *s* 1. přezůvka
s dřevěnou podrážkou, dře-
vák 2. stav. patka sloupu
patter [ˈpætə] *s* 1. drmolení,
repetění 2. pleskot, klapání
3. cupkání 4. odrhovačka □
vt & i 1. repetit, mumlat 2.
plácat, pleskat 3. cupitat ♦
to ~ *prayers* mechanicky od-
říkávat modlitby
pattern [ˈpætən] *s* vzor, vzo-
rek, model □ *vt* 1. obkreslit,
udělat podle vzoru 2. ozdo-
bit vzorem; ~-**maker** [ˈpæ-

tənˌmeikə] *s* modelář; ~
-**shop** [ˈpætənšop] *s* mode-
lárna
patty [ˈpæti] *s* paštička
paucity [ˈpoːsiti] *s* nepatrnost,
nedostatek, vzácnost; malý
počet, málo
Paul [poːl] *s* Pavel
paunch [poːnč] *s* 1. břicho 2.
bachor
pauper [ˈpoːpə] *s* chuďas; —**ism**
[ˈpoːpərizəm] *s* chudinství;
—**ize** [ˈpoːpəraiz] *vt* ochudit,
ožebračit
pause [poːz] *s* 1. přestávka,
pauza 2. oddech □ *vi* 1. ustat,
učinit přestávku 2. čekat,
prodlévat
pave [peiv] *vt* 1. dláždit 2. při-
pravovat, razit cestu (*the way
for* komu, čemu); —**r** [ˈpei-
və] *s* dlaždič; —**ment** *s* dláž-
ba, dláždění, chodník
pavilion [pəˈviljən] *s* 1. pavilón,
besídka 2. stan
paw [poː] *s* tlapa, pazour □
vt & i 1. hrabat nohou, drá-
pat, škrábat 2. neohrabaně
ohmatávat, dotýkat se (*over*
čeho)
pawl [poːl] *s* ramínko, západka
pawn [poːn] *s* 1. zástava 2. pě-
šák v šachu ♦ *at, in* ~ v zá-
stavě □ *vt* zastavit; ~-**bro-
ker** [ˈpoːnbroukə] *s* majitel
zastavárny; ~-**shop** *s* zasta-
várna
pay¹* [pei] *vt & i* 1. zaplatit
(*for* za) 2. věnovat pozornost
3. odvést, odevzdat 4. vzdá-
vat 5. vyplácet se, nést 6. na-
dehtovat ♦ *to* ~ *attention to*
věnovat pozornost čemu; *to*
~ *a visit* n. *call* navštívit;

to ~ *one's way* žít bez dluhů; ~ **away** 1. vyplatit 2. nám. vyhodit lano, ~ **for** pykat zač; ~ **in** učinit vklad; ~ **off** vyplatit; ~ **up** hotově zaplatit

pay² [pei] *s* placení, plat, výplata, mzda; —**able** [ˈpeiəbl] *a* splatný ♦ ~ *on delivery* splatný při doručení, na dobírku; ǀ~ -**day** *s* den výplaty; —**ee** [peiˈi:] *s* příjemce; —**er** [ˈpeiə] *s* platič, výplatce; ~ -**load** [ˈpeiloud] *s* užitečné zatížení; —**master** [ˈpeiǀma:stə] *s* intendant, pokladník osobní pokladny; ǀ—**ment** *s* 1. placení, placený obnos 2. výplata 3. plat, mzda 4. splátka ♦ *means of* ~ platidlo; *on* ~ po zaplacení; *to stop* ~ zastavit výplatu; ~ -**roll** [ˈpeiroul] *s* úhrn mezd, výplatní listina *(to be off the* ~ být propuštěn)

P.A.Y.E. = *pay as you earn* daň ze mzdy srážkou

P.C. = 1. *Privy Council, -lor* tajná rada, člen tajné rady 2. *Police Constable* strážník

pea [pi:] *s* hrách; ~ -**nut** [ˈpi:-nat] *s* burský ořech; ~ -**shell** [ˈpi:šel] *s* lusk; ~ -**soup** [ˈpi:-ǀsu:p] *s* hrachová polévka

peace [pi:s] *s* mír, pokoj, klid ♦ *at* ~ v míru; ~ *at any price* mír za každou cenu; *justice of* ~ smírčí soudce; *to keep* ~ pokojně se chovat, zachovat mír; *to make* ~ zjednat pokoj, mír; *to make one's* ~ *with* smířit se s; *to break the* ~ porušit mír; *to maintain* ~ zachovat mír; *champion of* ~

bojovník za mír; *dove of* ~ holubice míru; *partisan of* ~ obránce míru; *World P-* *Council* Světová rada míru.; ~ *ballot* mírové hlasování; ~ *call* mírová výzva; ~ *fighter* bojovník za mír; —**able** [ˈpi:səbl] *a* pokojný, klidný, mírumilovný; —**ful** [ˈpi:sful] *a* viz —*able*; ~ *co-existence* mírové soužití; ~ *co-operation* mírová spolupráce; —**less** [ˈpi:slis] *a* nepokojný; ~ **maker** smírce; ~ -**offering** [ˈpi:sǀofəriŋ] *s* smírčí oběť; ~ -**pipe** [ˈpi:spaip] *s* dýrnka míru; ~ **treaty** mírová smlouva

peach¹ [pi:č] *s* 1. broskev 2. am. sl. kůstka, štramanda; ~ -**brandy** [ˈpi:čǀbrændi] *s* broskvovice; ǀ~ -**tree** *s* broskev

peach² [pi:č] *vi* sl. vinit, žalovat, svádět *(against, upon* na)

pea|cock [ˈpi:kok] *s* páv; —**hen** [ˈpi:ǀhen] *s* pávice

peak [pi:k] *s* vrchol, témě, špice ♦ ~ *load* špičkové zatížení; ~ *output* špičkový výkon □ *vi & t* 1. hubenět 2. nám. kolmo se postavit, zvednout do výše

peal [pi:l] *s* 1. vyzvánění, zvonění 2. hlahol, hluk, rachot ♦ ~ *of thunder* dunění hromu □ *vi & t* 1. znít, vyzvánět 2. rachotit, hlaholit

pear [peə] *s* hruška; ǀ~ -**tree** *s* hrušeň

pearl [pə:l] *s* perla □ *vt & i* 1. vykládat perlami 2. perlit se 3. lovit perly 4. dělat kroupy; ~ -**ash** [ˈpə:læš] *s* potaš; ~ -**barley** [ˈpə:lǀba:ǀli]

s krupky, perličky; ~ -oyster
[ˈpəːlˌoistə] s perlorodka; ~
-shell [ˈpəːlšel] s perleť
peasant [ˈpezənt] s venkovan,
sedlák ♦ *middle* ~ střední
rolník; ~ *correspondent* rolnický dopisovatel; —ry [ˈpezəntri] s venkované
pease [piːz] s zast. = *pea(s)*
peat [piːt] s rašelina; ˈ~ -bog
s rašeliniště; —ery [ˈpiːtəri] s
rašeliniště
pebble [ˈpebl] s oblázek; křišťál; ~ -stone [ˈpeblstoun] s
křemen
pecc|able [ˈpekəbl] a hříšný;
—ability [ˌpekəˈbiliti] s hříšnost
pecc|ancy [ˈpekənsi] s hříšnost;
—ant [ˈpekənt] a 1. hříšný 2.
škodlivý, zkažený 3. chorobný 4. falešně znějící struna
peck¹ [pek] s 1. dutá míra 0,09 l
2. spousta
peck² [pek] vt & i klovat, zobat, dobat ♦ ~ *at* dloubat se
v jídle; ~ *out* vyklovat;
~ *up, down* vydloubnout,
vyseknout; —er [ˈpekə] s
pták, který ťuká do stromů
jako datel, žluva atd.; —ish
[ˈpekiš] a hov. hladový
pectoral [ˈpektərəl] a prsní,
hrudní □ s prsní štít
peculat|e [ˈpekjuleit] vt zpronevěřit peníze; —ion [ˌpekjuˈleišən] s zpronevěra peněz
peculiar [piˈkjuːljə] a 1. vlastní
(*to* komu, čemu) 2. podivný,
zvláštní (*flavour* příchuť), výstřední; —ity [piˌkjuːliˈæriti]
s zvláštnost, příznačnost
pecuniary [piˈkjuːnjəri] a peněžní

pedagog|ic, -al [ˌpedəˈgodžik(əl)]
a pedagogický, vychovatelský; —ue [ˈpedəgog] s pedagog, vychovatel; —y [ˈpedəgogi] s pedagogika, vychovatelství
pedal [ˈpedl] a nožní □ s nožní
páka, pedál □ vi šlapat pedály varhan, kola
pedant [ˈpedənt] s pedant;
—ic(al) [piˈdæntik(əl)] a pedantský, pedantický
peddl|e [ˈpedl] vi 1. provozovat
podomní obchod 2. zabývat
se titěrnostmi, hrát si 3.
hudlařit; —ing [ˈpedliŋ] a
malicherný
pedestal [ˈpedistl] s podstavec
pedestrian [piˈdestriən] a pěší □
s pěšák, chodec
pedicure [ˈpedikjuə] s pedikúra
□ vt léčit pedikúrou
pedigree [ˈpedigriː] s 1. rodokmen 2. odvození slova 3.
původ
pedlar [ˈpedlə] s podomní obchodník; —y [ˈpedləri] s podomní obchod; drobné zboží
pedometer [piˈdomitə] s krokoměr
peduncle [piˈdaŋkl] s stopka,
řapík
peek [piːk] vi pokukovat
peel [piːl] s slupka, kůra □
vt & i loupat (se); —ing
machine loupací stroj
peen [piːn] s nos (kladiva)
peep¹ [piːp] vi 1. pokukovat
(*at, into* na, do) 2. kradmo se
dívat 3. objevit se, vykukovat □ s kradmý pohled, pokukování ♦ ~ *of dawn* n. *day*
svítání: ~ -hole [ˈpiːphoul] s

1. skulina 2. průzor, hledítko, diopter, špehýrka

peep² [pi:p] *vi* pípat, típat □ *s* pípání, pípot

peer¹ [piə] *s* 1. druh, osoba stejného stavu 2. šlechtic, člen sněmovny lordů; pair; **—age** [ˈpiəridž] *s* hodnost šlechtice, paira

peer² [piə] *vi* 1. dívat se zblízka, pokukovat (*into*, *at* do, na); vykouknout 2. objevit se, ukázat se

peevish [ˈpi:viš] *a* 1. nevrlý, popudlivý, dráždivý; mrzutý 2. svéhlavý, umíněný; **—ness** [ˈpi:višnis] *s* 1. popudlivost, dráždivost 2. mrzutost 3. umíněnost

peg [peg] *s* 1. kolík, hřebík, flok; klínek, věšák 2. lok nápoje whisky a soda; brit. truňk 3. štulec ♦ *off the* ~ konfekční; *to take one down a* ~ *or two* srazit komu hřebínek □ *vt & i* (-gg-) 1. flokovat, připevnit hřebíčky 2. obch. zabránit poklesu nebo vzestupu akcií koupí n. prodejem za danou cenu 3. provrtat 4. vykolíčkovat; ~ *at* cílit nač; udeřit; ~ **away** pracovat o sto šest; ~ **down** připevnit kolíky, omezit; ~ **out** 1. vytyčit, zajistit 2. sl. vyčerpat se, zemřít; ǀ~-**top** *s* vlk hračka

pejorative [ˈpi:džərətiv] *a* pejorativní, hanlivý

Pekin(g) [pi:ˈkin, -iŋ] *s* Peking

Pekinese¹ [ˌpi:kiˈni:z] *s* obyvatel Pekingu

Pekinese² *s* japončík pes

pelage [ˈpelidž] *s* kožešina

pelagic [pəˈlædžik] *a* mořský, oceánský

pelargonium [ˌpeləˈgounjəm] *s* pelargónie

pelerine [ˈpeləri:n] *s* pelerína

pelf [pelf] *s* peníze, mamon

pelican [ˈpelikən] *s* pelikán

pellet [ˈpelit] *s* 1. kulička z papíru, chleba 2. pilulka 3. brok □ *vt* zasáhnout kuličkou

pellicle [ˈpelikl] *s* kožka, blána

pell-mell [ˈpelˈmel] *adv, a, s* páté přes deváté

pellucid [peˈlju:sid] *a* průhledný, jasný

pelt¹ [pelt] *s* kůže ovčí, kožešina

pelt² [pelt] *vt & i* 1. napadnout, házet na (*at*) 2. tlouci 3. ostřelovat, bombardovat (*at*) 4. prudce spadnout □ *s* 1. rychlost 2. rána, bití

pen¹ [pen] *s* 1. péro 2. psaní, sloh □ *vt* (-nn-) psát; ~ -**holder** [ˈpenˌhouldə] *s* násadka; ~ -**knife** [ˈpennaif] *s* perořízek; ǀ—**man** *s* pisatel, spisovatel; ǀ—**manship** *s* spisovatelství; ~ -**name** [ˈpenneim] *s* pseudonym

pen² [pen] *s* malá ohrada pro dobytek, drůbež □ *vt* (-nn-) zavřít do ohrady

penal [ˈpi:nl] *a* trestní, trestný ♦ ~ *offence* přestupek; ~ *servitude* trest káznice; **—ize** [ˈpi:nəlaiz] *vt* pokutovat; **—ty** [ˈpenlti] *s* 1. trest, pokuta 2. trestný bod

penance [ˈpenəns] *s* pokání ♦ *to do* ~ kát se

pence [pens] *s pl.* viz *penny*

pencil [ˈpensl] *s* 1. tužka 2. arch. štěteček 3. malířský

styl **4.** kužel paprsků □ *vt*
(-ll-) **1.** malovat, kreslit **2.** poznamenat tužkou
pendant ['pendənt] *s* **1.** přívěsek, medailónek, náušnice **2.** doplněk, protějšek, pendant **3.** závěs lampy
pendent ['pendənt] *a* **1.** visící, zavěšený, převislý **2.** očekávající vyřízení
pending ['pendiŋ] *a* nevyřízený, očekávající vyřízení, nerozhodnutý □ *prep* během (*these negotiations* těchto jednání), za, až do (*his return* jeho návratu)
pendul|ate ['pendjuleit] *vi* kývat se; **—ous** ['pendjuləs] *a* zavěšený, visící, kývající se; **—um** ['pendjuləm] *s* kyvadlo, váhavec; ~ *bearing* kyvné ložisko
penetr|ability [‚penitrə'biliti] *s* proniknutelnost, prostupnost; **—able** ['penitrəbl] *a* proniknutelný, prostupný; **—ate** ['penitreit] *vt & i* proniknout, vniknout (*into* do); **—ating** ['penitreitiŋ] *a* pronikavý, bystrý
penguin ['peŋgwin] *s* tučňák
penicillin [‚peni'silin] *s* penicilín
peninsul|a [pi'ninsjulə] *s* poloostrov; **—ar** [pi'ninsjulə] *a* poloostrovní
penis ['pi:nis] *s pl. -es* [-i:z] pyj
penit|ence ['penitəns] *s* pokání, kajícnost; **—ent, -ential** ['penitənt, ‚peni'tenšəl] *a* kajícný, kázeňský; **—entiary** [‚peni'tenšəri] *s* **1.** polepšovna **2.** káznice
pennant, pennon ['penənt, 'penən] *s* praporeček, vlajka

penny ['peni] *s* pl. *pennies* jednotlivě n. *pence* v sumě **1.** penny, pence; am. hov. cent **2.** peníz, peníze **3.** maličkost ♦ *a good (bad)* ~ (ne)poctivý chlap; *earnest* ~ zast. závdavek; *to make a* ~ zbohatnout; ~ *-weight* ['peniweit] zkr. *dwt, 24 grains* = = 1,55 gramů; ~ *-wort* ['peniwə:t] bot. *s* pupečník; ~ *-worth* ['penəθ, 'peniwəθ] *a* za groš, za babku
pennyroyal ['peni'roiəl] *s* máta
pension ['penšən] *s* **1.** důchod, penze **2.** ['pã:ŋsiõ:ŋ] penze v hotelu *old-age* ~ starobní důchod □ *vt* platit výslužné; dát do výslužby, penzionovat; **—ary** ['penšənəri] *s* penzista; **—er** ['penšənə] *s* penzista
pensive ['pensiv] *a* zamyšlený, snivý, vážný
penstock ['penstok] *s* koryto stavidla
pent [pent] *a* (u)zavřený, sevřený; ~ *-up* ['pent'ap] *a* těsně uzavřený
pentagon ['pentəgən] *s* **1.** pětiúhelník **2.** *P*~ am. generální štáb; ministerstvo války; **—al** [pen'tægənl] *a* pětiúhelníkový
Pentecost ['pentikost] *s* **1.** letnice **2.** arch. svatodušní svátky
penthouse ['penthaus] *s* přístřešek, přístavek, kolna, (pod)střešní byt
pentode ['pentoud] *s* pentoda elektronka
penultimate [pi'naltimit] *a* předposlední □ *a* předposlední slabika

penumbra [pi'nambrə] *s* polostín

penurious [pi'njuəriəs] *a* nuzný, skoupý

penury ['penjuri] *s* nuznost, chudoba, nedostatek *(of* čeho)

peon [pju:n] *s* 1. pěší voják indický 2. ['pi:ən] am. farmářský dělník

peony ['piəni] *s* pivoňka

people ['pi:pl] *s* lid, národ, lidé ♦ *working* ~ pracující lid; *P~'s democracy* lidová demokracie; *P~'s democratic order* lidově demokratický řád

pep [pep] *vt* (-pp-) sl. podnítit, povzbudit; dodat odvahy, elánu; vzbudit zájem *(up)* □ *s* am. sl. říz, verva

pepper ['pepə] *s* 1. pepř 2. fig. šleh ♦ *to take* ~ *in the nose* dopálit se □ *vt* 1. opepřit 2. někomu pořádně zasolit; ~ *-castor* ['pepə,ka:stə], —**er** ['pepərə], |~ *-box s* pepřenka; |—**mint** *s* máta peprná; —**y** ['pepəri] *a* 1. peprný 2. zlostný, prudký, horkokrevný

per [pə:] *prep* za, ze, pomocí ♦ ~ *annum* ročně; ~ *minute* za minutu; ~ *order* na objednávku; ~ *return* obratem; ~ *week* týdně; ~ *bearer* po doručiteli; ~ *steamer* parníkem; ~ *cent: 10* ~ *cent* 10 procent

peradventure [pərəd'venčə] *adv* arch. možná, snad □ *s* možnost, náhoda, pravděpodobnost; pochybnost ♦ *without* ~ bezpochyby

perambulat|e [pə'ræmbjuleit] *vt*

projít, obejít, procestovat; —**ion** [pə,ræmbju'leišən] *s* 1. obchůzka 2. cestování, putování 3. prohlídka; —**or** ['præmbjuleitə] *s* dětský kočárek

perceiv|e [pə'si:v] *vt* vnímat, chápat; —**able** [pə'si:vəbl] *a* vnímatelný, postřehnutelný, pochopitelný

percentage [pə'sentidž] *s* procento, procentní sazba

percept|ible [pə'septəbl] *a* znatelný, patrný, zřejmý; —**ion** [pə'sepsən] *s* vnímaní, pojem, postřeh. chápavost; —**ive** [pə'septiv] *a* vnímavý, chápavý

perch [pə:č] *s* 1. bidélko, hřad 2. měřická tyč 3. předmět na zvýšeném místě 4. okoun říční □ *vi & t* 1. sedět na bidélku o ptácích 2. postavit n. položit na zvýšeném místě

perchance [pə'ča:ns] *adv* snad, možná; náhodou

percipient [pə'sipiənt] *a* vnímavý, chápavý

percolat|e ['pə:kəleit] *vt & i* procedit, prosakovat; —**ion** [,pə:kə'leišən] *s* procezení; —**or** ['pə:kəleitə] *s* cedník, perkolátor

percussion [pə:'kašən] *s* 1. náraz, úder 2. otřesení 3. med. poklep

perdition [pə:'dišən] *s* záhuba, zhouba, zkáza, zatracení

perdue [pə:'dju:] *a* v záloze, skryt *(to lie* ~ ležet v záloze)

peregrinat|e ['perigrineit] *vi* cestovat; —**ion** [,perigri'neišən] *s* cestování, cesty; —**or** ['perigrineitə] *s* pocestný, poutník

peremptory [pə'remptəri] *a* rozhodný; určitý; naléhavý

perennial [pə'renjəl] *a* 1. stálý,
trvalý 2. bot. víceletý, ozimý
□ *s* bot. trvalka
perfect *a* ['pə:fikt] 1. dokonalý,
bezvadný 2. úplný, celý 3.
přesný 4. dokonalý □ *vt*
[pə'fekt] dokonat, zdokona-
lit; **—ion** [pə'fekšən] *s* 1. do-
konalost, úplnost 2. pl. před-
nosti; **—ly** ['pə:fiktli] *adv*
1. dokonale 2. zcela správně
porfid|ious [pə'fidiəs] *a* zrádný,
úskočný, věrolomný; **—y** ['pə:-
fidi] *s* věrolomnost, zrada
perforat|e ['pə:fəreit] *vt & i*
proděravit (se); propíchnout,
provrtat, perforovat; **—ion**
[‚pə:fə'reišən] *s* proděravění,
otvor, perforace; **—or** ['pə:-
fəreitə] *s* dírkovač, perfo-
rátor
perform [pə'fo:m] *vt* 1. vykonat,
provést, splnit slib 2. hrát
úlohu, vystupovat na jevišti
3. působit ♦ *to ~ devotions*
konat pobožnosti; **—ance** [pə-
'fo:məns] *s* 1. provedení 2.
čin, výkon 3. práce, dílo,
výtvor 4. představení, hra;
—er [pə'fo:mə] *s* 1. umělec,
herec, akrobat 2. vykona-
vatel
perfum|e *s* ['pə:fju:m] vůně,
voňavka □ *vt* [pə'fju:m] na-
vonět; **—er** [pə'fju:mə] *s* vo-
ňavkář; **—ery** [pə'fju:məri] *s*
1. voňavkářské zboží 2. pl.
parfumérie, voňavkářství
perfunctory [pə'faŋktəri] *a* po-
vrchní, ledabylý, nedbalý
pergola ['pə:gələ] *s* besídka,
loubí
perhaps [pə'hæps, præps] *adv*
snad

perianth ['periænθ] *s* okvětí
periapt ['periæpt] *s* amulet
pericope ['perikoupi:] *s* výňa-
tek, pasáž z knihy
periheli|on [‚peri'hi:ljən] *s* pl. *-a*
[-ə] přísluní
peril ['peril] *s* nebezpečí ♦ *you
do it at your ~* činíte to na
vlastní nebezpečí, o své újmě
□ *vt* (-ll-) ohrozit; **—ous**
['periləs] *a* nebezpečný, od-
vážný
period ['piəriəd] *s* 1. období,
doba 2. tečka 3. větná perioda
4. pl. měsíčky, menstruace;
—ic(al) [‚piəri'odik(əl)] *a* pe-
riodický, pravidelně se opa-
kující; **—ical** [‚piəri'odikəl] *s*
periodický časopis
periphery [pə'rifəri] *s* obvod
periphras|e ['perifreis] *vt* opsat;
—is [pə'rifrəsis] *s* pl. *-es*
[-i:z] opis; **—tic** [‚peri'fræs-
tik] *a* opisný; *~ conjugation*
opisná konjugace
periscope ['periskoup] *s* periskop
perish ['periš] *vi* hynout, ze-
mřít (*with, of* na), zahubit;
—able ['perišəbl] *a* pomíjející
peristyle ['peristail] *s* sloupo-
řadí
peritoneum [‚peritou'ni:əm] *s*
pobřišnice
periwig ['periwig] *s* paruka
periwinkle ['peri‚wiŋkl] *s* zimo-
stráz
perjur|e ['pə:džə] *vi* křivě pří-
sahat; **—er** ['pə:džərə] *s* kři-
vopřísežník; **—ious** [pə:-
'džuəriəs] *a* křivopřísežný;
—y ['pə:džəri] *s* křivá pří-
saha
perk [pə:k] *vi & t* 1. pyšně,
vzdorně pohodit hlavou, vy-

pínat se, nést hlavu vzhůru
2. vystrojit, vyzdobit (se)
□ *a* zpupný, domýšlivý; —y
[ˈpə:ki] *a* viz *perk*
perman|ence [ˈpə:mənəns] *s*
trvání, stálost; **—ent** [ˈpə:-
mənənt] *a* stálý, ustavičný;
trvalý; ~ *load* stálé zatížení;
~ *magnet* trvalý magnet;
~ *set* trvalá deformace
perme|ability [ˌpə:mjəˈbiliti]
s propustnost, prostupnost;
—able [ˈpə:mjəbl] *a* pro-
stupný; **—ation** [ˌpə:miˈeišən]
s prostoupení, prolnutí
permiss|ible [pəˈmisəbl] *a* pří-
pustný; ~ *error* přípustná
odchylka; ~ *load* dovolené
zatížení; **—ion** [pəˈmišən] *s*
dovolení, povolení
permit [pəˈmit] *vt* (-tt-) **1.** do-
volit, dopustit **2.** připustit **3.**
zůstavit na vůli □ [ˈpə:mit] *s*
1. dovolení, dovolenka; pro-
pustka **2.** odběrní povolení
permutat|ion [ˌpə:mju:ˈteišən] *s*
1. obměna **2.** mat. permutace;
—e [pəˈmju:t] *vt* obměňovat,
permutovat
pernicious [pəˈnišəs] *a* škodlivý,
zhoubný
pernickety [pəˈnikiti] *a* hov.
1. pedantický, puntičkářský;
choulostivý **2.** vybíravý
peroration [ˌperəˈreišən] *s* závěr
řeči
peroxide [pəˈroksaid] *s* kysličník
perpendicular [ˌpə:pənˈdikjulə]
a kolmý □ *s* kolmice
perpetrat|e [ˈpə:pitreit] *vt* do-
pustit se, spáchat; **—ion** [ˌpə:-
piˈtreišən] *s* spáchání, zločin;
—or [ˈpə:pitreitə] *s* **1.** pa-
chatel **2.** zločinec válečný

perpetu|al [pəˈpetjuəl] *a* usta-
vičný, neustálý; nekonečný,
věčný; **—ate** [pəˈpetjueit] *vt*
zvěčnit; **—ation** [pəˌpetju-
ˈeišən] *s* trvání, zvěčnění;
—ity [ˌpə:piˈtjuiti] *s* usta-
vičnost, nepřetržitost, trvání,
věčnost ♦ *for* n. *in* ~ na
věčné časy
perplex [pəˈpleks] *vt* pomást,
poplést, uvést do rozpaků;
—ed [pəˈplekst] *a* pomatený,
zmatený; rozpačitý; **—ity**
[pəˈpleksiti] *s* zmatek, roz-
paky
per pro. = *per procurationem* =
by proxy prostřednictvím zá-
stupce, zmocněnce
perquisite [ˈpə:kwizit] *a* po-
třebný, nutný □ *s* vedlejší
příjem, přídavek
perry [ˈperi] *s* hruškový mošt
persecut|e [ˈpə:sikju:t] *vt* **1.**
pronásledovat **2.** obtěžovat
(*with* čím), trápit, týrat;
—ion [ˌpə:siˈkju:šən] *s* pro-
následování, perzekuce; **—or**
[ˈpə:sikju:tə] *s* pronásledo-
vatel
persever|ance [ˌpə:siˈviərəns] *s*
vytrvalost; **—e** [ˌpə:siˈviə] *vi*
vytrvat (*in*, *with* v)
Pers|ia [ˈpə:šə] *s* Persie; **—ian**
[ˈpə:šən] *a* perský □ *s* Peršan
persiennes [ˌpə:siˈenz] *s pl.*
žaluzie
persimmon [pə:ˈsimən] *s* bot.
černodrv, datlová slíva am.
persist [pəˈsist] *vi* setrvat, vy-
trvat (*in* v), stát na, trvat
na; **—ence**, **-ency** [pəˈsis-
təns(i)] *s* **1.** vytrvalost, trvání
2. umíněnost, svéhlavost;
—ent [pəˈsistənt] *a* (vy)trvalý

person [¹pə:sn] s 1. osoba 2. tělo, postava 3. úloha divadelní 4. vzezření ♦ *in* ~ osobně; *not a* ~ ani živá duše; *for my own* ~ pokud mne se týče; —**able** [¹pə:snəbl] *a* půvabný, hezký, sličný; —**age** [¹pə:snidž] s 1. osobnost 2. div. osoba; —**al** [¹pə:snl] *a* osobní, vlastní; —**ality** [¡pə:-sə¹nӕliti] s osobnost; —**alty** [¹pə:snlti] s osobní majetek; —**ate** [¹pə:səneit] *vt* představovat; napodobit, zosobňovat

personif|ication [pə:¡sonifi¹keišən] s zosobnění, personifikace; —**y** [pə:¹sonifai] *vt* zosobnit, personifikovat

personnel [¡pə:sə¹nel] s osazenstvo, personál, mužstvo; kádry

perspective [pə¹spektiv] *a* perspektivní □ s perspektiva, vyhlídka, průhled

perspicac|ious [¡pə:spi¹keišəs] *a* bystrozraký, prozíravý; —**ity** [¡pə:spi¹kӕsiti] s bystrozrakost, ostrovtip

perspicuous [pə¹spikjuəs] *a* zřetelný, jasný

perspir|ation [¡pə:spə¹reišən] s pocení, pot; —**e** [pəs¹paiə] *vi & t* potit se

persuade [pə¹sweid] *vt* 1. přemluvit (*into doing* k) 2. namluvit, přesvědčit (*of* o) 3. přimět

persuas|ion [pə¹sweižən] s přemluvení, přesvědčení, vyznání; —**ive** [pə¹sweisiv] *a* přesvědčivý

pert [pə:t] *a* živý, čilý, smělý; všetečný, dotíravý, drzý

pertain [pə¹tein] *vi* náležet (*to* komu), týkat se (*to* koho)

pertinaci|ous [¡pə:ti¹neišəs] *a* 1. vytrvalý 2. tvrdošíjný, neústupný, umíněný; —**ty** [¡pə:-ti¹nӕsiti] s 1. vytrvalost, houževnatost 2. umíněnost

pertin|ence, —**ency** [¹pə:tinəns(i)] s přiměřenost, náležitost, případnost; souvislost; —**ent** [¹pə:tinənt] *a* přiměřený, případný, vhodný, souvisící (*to* s)

perturb [pə¹tə:b] *vt* znepokojovat, rušit; —**ation** [¡pə:tə:¹beišən] s 1. znepokojování 2. nepokoj, zmatek 3. porucha, rušení

Peru [pə¹ru:] s Peru

peruke [pə¹ru:k] s vlásenka, paruka

perusal [pə¹ru:zəl] s pročtení, prohlídka, prozkoumání

peruse [pə¹ru:z] *vt* pečlivě pročíst, prohlédnout, prozkoumat

Peruvian [pə¹ru:vjən] *a* peruánský □ s Peruánec

pervade [pə:¹veid] *vt* 1. proniknout, prostoupit 2. převládat

pervasion [pə:¹veižən] s proniknutí, prostoupení

pervers|e [pə¹və:s] *a* 1. převrácený 2. zvrácený, zvrhlý 3. svéhlavý, neústupný; —**ion** [pə¹və:šən] s 1. překroucení, převrácení 2. poblouzení 3. zvrhlost; —**ity** [pə¹və:siti] s zvrácenost, zkaženost; —**ive** [pə¹və:siv] *a* podvratný

pervert *vt* [pə¹və:t] 1. převrátit, překroutit 2. svést □ s [¹pə:və:t] 1. regenát, odpadlík 2. zvrhlík (též sexuální)

pervious [¹pə:vjəs] *a* 1. pro-

stupný, proniknutelný 2. přijatelný, přístupný (*to* čemu)
pesky ['peski] *a* hov. am. mučivý, mrzutý, trapný
pessim|ism ['pesimizəm] *s* pesimismus; —**ist** ['pesimist] *s* pesimista
pest [pest] *s* 1. slota, otrava člověk 2. mor 3. neplecha; —**er** ['pestə] *vt* obtěžovat, trápit; —**iferous** [pes'tifərəs] *a* morový, zhoubný, nakažlivý; —**ilence** ['pestilens] *s* mor, nákaza; —**ilent**, —**ilential** ['pestilent, pesti'lenšəl] *a* morový, nakažlivý, zhoubný
pestle ['pesl] *s* palička moždíře □ *vt* tlouci v moždíři
pet¹ [pet] *s* 1. miláček, mazlíček 2. oblíbené domácí zvíře ♦ ~ *name* důvěrná přezdívka, zdrobnělina □ *vt* (-tt-) mazlit se
pet² [pet] *s* mrzutost, nával hněvu ♦ *to take a* ~ *at* mít za zlé; *to be in a* ~ být mrzutý □ *vt & i* (-tt-) (roz-) mrzet (se)
petal ['petl] *s* květní lístek
petard [pe'ta:d] *s* petarda
Peter ['pi:tə] *s* Petr
peter ['pi:tə] *vi* sl. 1. povolit, končit, zmizet 2. vyčerpat se (~ *out*)
petiole ['petioul] *s* bot. řapík
petit-bourgeois [pə'tibuəžwa:] *a* maloburžoazní
petition [pi'tišən] *s* žádost, prosba, petice □ *vt & i* žádat, prosit (*for* o); —**er** [pi'tišnə] *s* 1. prosebník, žadatel 2. žalobce o rozvod
petrel ['petrəl] *s* zool buřňák

petrifaction [petri'fækšən] *s* zkamenění, zkamenělina
petrify ['petrifai] *vt & i* proměnit v kámen, petrifikovat, zkamenět, ztuhnout
petrol ['petrəl] *s* benzín ♦ ~ *filling station* čerpací benzínová stanice
petroleum [pi'trouljəm] *s* surový petrolej, ropa
petticoat ['petikout] *s* 1. spodnička, sukně 2. žena, dívka 3. pl. ženské pohlaví, ženy
pettifog ['petifog] *vi* (-gg-) tlouci hubou, žvanit, žabařit; —**ger** ['petifogə] *s* 1. tlučhuba, tlachal 2. pokoutní advokát
pettiness ['petinis] *s* malichernost, maličkost
pettish ['petiš] *a* nedůtklivý, mrzutý, nevrlý; —**ness** ['petišnis] *s* nedůtklivost, nevrlost, rozmrzelost
pettitoes ['petitouz] *s pl.* vepřové nožičky jídlo
petty ['peti] *a* malý, nepatrný, titěrný; ~ **-bourgeois** ['peti buəžwa:] 1. *a* maloburžoazní 2. *s* maloměšťák; ~ **bourgeoisie** [buəžwa:'zi] drobná buržoazie; ~ **officer** poddůstojník námořní
petul|ance, -**ancy** ['petjuləns(i)] *s* nevrlost, rozmrzelost; nedůtklivost; —**ant** ['petjulənt] *a* nevrlý, rozmrzelý; nedůtklivý, urážlivý
petunia [pi'tju:njə] *s* bot. petúnie
pew [pju:] *s* kostelní lavice
pewit, peewit ['pi:wit] *s* čejka
pewter ['pju:tə] *s* tvrdý cín; cínová nádoba

phaeton [ˈfeitn] *s* lehký otevřený kočár

phalanx [ˈfælæŋks] *s* pl. *-es* [-iz] válečný šik, falanga

phallus [ˈfæləs] *s* pl. *-es* [-iz] falos, pyj

phantasm [ˈfæntæzəm] *s* přelud, přízrak

phantom [ˈfæntəm] *s* přízrak, fantóm, zjevení

Pharis|ee [ˈfærisiː] *s* farizej, pokrytec; **—aic(al)** [ˌfæriˈseiik(əl)] *a* farizejský, pokrytecký

pharmaceut|ical [ˌfaːməˈsjuːtikəl] *a* lékárnický; **—ics** [ˌfaːməˈsjuːtiks] *s* pl. lékárnictví

pharmacology [ˌfaːməˈkolədži] *s* farmakologie

pharmacy [ˈfaːməsi] *s* 1. lékárnictví 2. lékárna

phase [feiz] *s* fáze, proměna měsíce; **—meter** [ˈfeizmiːtə] *s* el. fázoměr

Ph.D. = *Doctor of Philosophy*

pheasant [ˈfeznt] *s* bažant; **—ry** [ˈfezntri] *s* bažantnice

phenomen|on [fiˈnominən] *s* pl. *-a* [-ə] 1. úkaz, (z.)jev 2. fenomen, div ♦ *intermediate* ~ mezijev, přechodný jev

phial [ˈfaiəl] *s* lahvička

philander [fiˈlændə] *vi* dvořit se, flirtovat

philantrop|ic [ˌfilənˈθropik] *a* lidumilný; **—ist** [fiˈlænθrəpist] *s* lidumil; **—y** [fiˈlænθrəpi] *s* lidumilnost

philatel|y [fiˈlætəli] *s* filatelie; **—ic** [ˌfiləˈtelik] *a* filatelistický **—ist** [fiˈlætəlist] *s* filatelista

philharmonic [ˌfilaːˈmonik] *a* filharmonický

Philistine [ˈfilistain] *s* šosák □ *a* šosácký, maloměšťácký

philolog|ical [ˌfiləˈlodžikəl] *a* jazykozpytný, filologický; **—ist** [fiˈlolədžist] *s* filolog; **—y** [fiˈlolədži] *s* jazykozpyt, filologie

philosoph|er [fiˈlosəfə] *s* filosof; **—ic(al)** [ˌfiləˈsofik(əl)] *a* filosofický; **—ize** [fiˈlosəfaiz] *vi & t* filosofovat, hloubat, přemýšlet; **—y** [fiˈlosəfi] *s* filosofie

phiz [fiz] *s* hov. tvář, výraz tváře

phlegm [flem] *s* 1. hlen, chrchel 2. klid, netečnost; **—atic** [flegˈmætik] *a* 1. sliznatý 2. flegmatický, klidný, netečný

phlox [floks] *s* bot. flox, plaménka

Phoenician [fiˈnišiən] *a* fénický □ *s* Féničan, féničtina

phoenix [ˈfiːniks] *s* fénix

phonate [fouˈneit] *vi* vytvářet hlásky

phone [foun] *s* hov. telefon □ *vi & t* lid. telefonovat

phone|me [ˈfouniːm] *s* jaz. foném; **—mic** [fouˈniːmik] *a* jaz. fonémický, fonémový

phonetic [foˈnetik] *a* fonetický, zvukový □ *s* pl. fonetika; **—ian** [ˌfouniˈtišən] *s* fonetik; **—ist** [fouˈnetisist] *s* fonetik

phon(e)y [ˈfouni] *a* sl. předstíraný

phonograph [ˈfounəgraːf] *s* fonograf; **—ic** [ˌfounəˈgræfik] *a* fonografický

phonolog|y [fouˈnolədži] *s* fonologie; **—ical** [ˌfounəˈlodžikəl] *a* fonologický

phosphate [¹fosfeiť] s fosfát,
fosforečnan
phosphoresce [ˌfosfəˈres] vi fos-
foreskovat, světélkovat
phosphorus [¹fosfərəs] s fosfor
photo-cell [¹foutousel] s foto-
elektrický článek
photo(graph) [¹foutou, ¹foutə-
gra:f] s fotografie □ vt foto-
grafovat; —er [fəˈtogrəfə] s
fotograf; —ic [ˌfoutəˈgræfik]
a fotografický; —y [fəˈtogrəfi]
s fotografie
photomicrograph [ˌfoutouˈmaik-
rəgraf] s mikrosnímek
phrase [freiz] s rčení, fráze,
způsob mluvy ♦ bombastic ~
nabubřelá, bombastická fráze
□ vt 1. vyjádřit, říci 2.
pojmenovat, nazvat 3. styli-
zovat ústně; —ological [ˌfrei-
ziəˈlodžikəl] a frazeologický;
—ology [ˌfreiziˈolədži] s fra-
zeologie, dikce
phrenetic [friˈnetik] a šílený
phrenology [friˈnolədži] s freno-
logie
phthis|ical [¹θaisikəl] a souchoti-
vý; —is [¹θaisis] s soucho-
tiny
physic [¹fizik] s 1. pl. fyzika 2.
lékařství 3. hov. lék □ vt
dávat lék, léčit; —al [¹fizikəl]
a 1. fyzikální, přírodní, při-
rozený 2. fyzický, tělesný
3. lékařský; —ian [fiˈzišən] s
lékař; —ist [¹fizisist] s 1.
fyzik, studující fysiky 2.
filos. materialista
physiognom|ic(al) [ˌfiziəˈnomik-
(əl)] a fyziognomický; —y
[ˌfiziˈonəmi] s 1. výraz tváře,
fyziognomie 2. vulg. tvář 3.
tvářnost

physiology [ˌfiziˈolədži] s fyzio-
logie
physique [fiˈzi:k] s fyzická struk-
tura, konstituce
piaffe [piˈæf] vi o koni zvolna
klusat
pianist [¹pjænist] s pianist(k)a
piano, -forte [¹pjænou, ˌpjæno-
¹fo:ti] s piano, klavír
picaresque [ˌpikəˈresk] s pika-
reskní román □ a pikareskní
picaroon [ˌpikəˈru:n] s 1. dare-
bák 2. námořní lupič, pirát
3. pirátská loď
picayune [ˌpikəˈju:n] a am. malá
mince, věc malé hodnoty,
grešle
pick¹ [pik] vt & i 1. kopat,
klovat, dobat 2. šťárat, dla-
bat 3. párat se, nimrat se
4. škubat, trhat, sbírat, česat
5. okrást ♦ to ~ one's teeth
šťárat se v zubech; to ~ a lock
vypáčit zámek; to ~ a quarrel
vyvolat hádku; to ~ one's
words vybírat, vážit slova;
to ~ and choose vybírat
pečlivě; to ~ holes in hledat
chyby na, kritizovat; to ~ to
pieces rozebrat, strhat kriti-
kou; to ~ pockets vykrádat
kapsy; to ~ acquaintance
udělat si známost; to ~ peas
přebírat hrách; to ~ wool
česat vlnu; ~ off oškubat,
vzít si na mušku, po řadě
otrhat, odstřelovat; ~ up 1.
zvednout, sebrat ze země
2. sebrat se, zotavit se, zved-
nout se 3. získat, přibírat
(train stops ~ up passengers
vlak staví, aby přibral cestu-
jící) 4. opět nabýt 5. seznámit
se (with s) 6. zabrat motor

pick² [pik] *s* **1.** krumpáč, špice, špičák **2.** párátko (na zuby) **3.** výběr ♦ ~ *of the arms* smetánka armády; **—axe** [ˈpikæks] *s* krumpáč; **—ed** [pikt] *a* zahrocený; vybraný; **—er** [ˈpikə] *s* špice, krumpáč; **—ing** [ˈpikiŋ] *s* **1.** vybírání **2.** pl. paběrky; **—lock** *s* **1.** paklíč **2.** kasař; **—pocket** [ˈpikˌpokit] *s* kapsář; **—tooth** [ˈpiktuːθ], **tooth—** [ˈtuːθpik] *s* párátko

pickerel [ˈpikərəl] *s* mladá štika

picket [ˈpikit] *s* **1.** kolík, kůl, tyčka **2.** roubík, flok **3.** hlídka, polní stráž **4.** záměrka □ *vt* **1.** upevnit kůlem, roubíkem **2.** postavit hlídku

pickle [ˈpikl] *vt* naložit okurky ap. □ *s* **1.** lák, rosol **2.** pl. naložené ovoce, zelenina **3.** nepříjemná situace, brynda **4.** nezvedenec **5.** mořidlo

picnic [ˈpiknik] *s* výlet s jídlem v přírodě, piknik □ *vi* udělat si výlet, jít na výlet, piknik

pictorial [pikˈtoːriəl] *a* malířský, obrázkový, ilustrovaný; malebný □ *s* obrázkový časopis

picture [ˈpikčə] *s* **1.** obraz, malba **2.** pl. *the* -s film ♦ *to sit for one's* ~ dát se malovat □ *vt* (vy)líčit, představovat; **~-book** *s* obrázková kniha; **~-gallery** [ˈpikčəˌgæləri] *s* obrazárna; **~-postcard** [ˈpikčəˌpoustkaːd] *s* pohlednice; **~-writing** [ˈpikčəˌraitiŋ] *s* obrázkové písmo

picturesque [ˌpikčəˈresk] *a* malebný, živý

pidgin, pigeon [ˈpidžin] *s* (též ~ *English*) lámaná východoasijská hantýrka

pie¹ [pai] *s* straka

pie² [pai] *s* **1.** sekané maso zapečené v těstě **2.** am. ovocný koláč ♦ *to have a finger in the* ~ mít v tom prsty, být do toho zapleten

piebald [ˈpaiboːld] *a* skvrnitý, strakatý, grošovaný

piece [piːs] *s* **1.** kus, kousek **2.** mince, peníz **3.** příklad **4.** obraz **5.** skladba literární, hudební, hra **6.** sl. (místo ~ *of flesh*) kůstka, sousto o ženě **7.** dělo ♦ ~ *goods* kusové zboží; ~ *work* úkolová práce, kusová práce; *by the* ~ od kusu; *of a* ~ z jednoho kusu; *a crown a* ~ kus po koruně; *to tear to* -*s* roztrhat na kusy; *to fall to* -*s* rozpadnout se; *to take to* -*s* rozebrat; *to give a person a* ~ *of one's mind* říci někomu své mínění, vyplísnit ho □ *vt* **1.** dát dohromady, složit, spojit v celek *(on, to)* **2.** našívat, látat *(up)*; ~ **in** vložit, vsadit ~ **out** rozkouskovat, rozdělit; ~ **up** zalátat; **—meal** [ˈpiːsˌmiːl] *adv* kus po kusu, ponenáhlu; **~-rate** [ˈpiːsreit] *s* úkolová sazba

pied [paid] *a* strakatý, pestrý

pier [piə] *s* **1.** molo, přístavní hráz; nábřeží **2.** vlnolam **3.** pilíř **4.** veřeje; **—age** [ˈpiəridž] *s* poplatek za užívání mola

pierce [piəs] *vt* **1.** probodnout, provrtat **2.** prorazit **3.** proniknout *(into* do) **4.** probíhat; **—ing** [ˈpiəsiŋ] *a* **1.** pronikavý, piety 522 pillow

ostrý; průrazný **2.** třeskutý; **—ing die** děrovadlo; **—ing machine** probíječka
piety [ˈpaiəti] *s* zbožnost, úcta, pieta
piffle [ˈpifl] *vi* sl. pohrávat si, žvanit ☐ *s* žvanění
pig [pig] *s* **1.** vepř. prase **2.** slitek surového kovu ♦ *to buy a ~ in a poke* kupovat zajíce v pytli; *to drive one's -s to a fine (pretty) market* ostrouhat kolečka, utřít hubu ☐ *vt & i* (-gg-) **1.** prasit (se) **2.** žít jako v chlívku; **~ -headed** [ˈpigˈhedid] *a* svéhlavý, tvrdošíjný; **~ -iron** [ˈpigˌaiən] *s* surové železo, ingoty; **—let** [ˈpiglit] *s* prasátko; **—ling** [ˈpiglɪŋ] *s* prasátko; **—nut** [ˈpignət] *s* lanýž; **—sty** [ˈpigstai] *s* prasečí chlívek; **—tail** [ˈpigteil] *s* **1.** smotek tabáku **2.** cop
pigeon [ˈpidʒin] *s* holub, holubice ☐ *vt* ošidit; **~ -hearted** [ˈpidʒinˌhaːtid] *a* bázlivý; ostýchavý; **—hole** [ˈpidʒinhoul] *s* **1.** otvor v holubníku **2.** přihrádka psacího stolu **3.** *vt* dát do šuplíku, odložit ad akta; rozškatulkovat; **~ loft** holubník
piggery [ˈpigəri] *s* prasečí chlívek, výkrmna vepřů
piggish [ˈpigiš] *a* svinský, prasečí
piggy [ˈpigi] *s* prasátko
pigment [ˈpigmənt] *s* pigment, barvivo
pigmy [ˈpigmi] *s* viz *pygmy*
pike [paik] *s* **1.** kopí, píka, oštěp **2.** hrot, špička **3.** štika ☐ *vt* probodnout kopím;

ǀ —man *s* kopáč uhlí; **—staff** [ˈpaikstaːf] *s* kopiště
pilaster [piˈlæstə] *s* čtverhranný pilíř
pilchard [ˈpilčəd] *s* zool. placka malá sardinka
pile [pail] *s* **1.** hromada, halda **2.** hranice k pálení **3.** vysoká budova, skupina budov **4.** elektrický článek, suchá baterie **5.** kůl, pilota **6.** vlas látky **7.** pl. hemoroidy ☐ *vt* hromadit, nakupit, složit; **~ up** nahromadit, složit na hromadu, navršit; **~ -driver** [ˈpailˌdraivə] *s* beranidlo; **~ -plank** [ˈpailplæŋk] *s* štětovnice
pilfer [ˈpilfə] *vt* krást; **ǀ —age** [ˈpilfəridž] *s* malá krádež; **—er** [ˈpilfərə] *s* zloděj
pilgrim [ˈpilgrim] *s* poutník ☐ *vi* putovat; **—age** [ˈpilgrimidž] *s* pouť, putování
pill[1] [pil] *s* **1.** pilulka, kulička **2.** pl. kulečníková hra
pill[2] [pil] *vt* arch. **1.** loupit **2.** dial. loupat (= *peel*); **—age** [ˈpilidž] *s* lup, drancování ☐ *vt* drancovat, loupit, plenit
pillar [ˈpilə] *s* sloup, pilíř; **ǀ ~ -box** *s* schránka na dopisy; **~ crane** sloupový jeřáb
pillion [ˈpiljən] *s* **1.** hist. ženské sedlo, poduška na sedlo **2.** tandem
pillory [ˈpiləri] *s* pranýř ♦ *to put into the ~* postavit na pranýř ☐ *vt* pranýřovat
pillow [ˈpilou] *s* poduška, polštář; podpěra ložiska ♦ *to consult one's ~* vyspat se na to ☐ *vt & i* položit na polštář, podložit poduškou; **~ -case**

pilose 523 pink¹

[ˈpiloukeis], ǀ~ -slip s povlak na polštář

pi|lose, -lous [ˈpailous, ˈpailəs] a chlupatý, vlasatý, kosmatý

pilot [ˈpailət] s kormidelník, lodivod, pilot □ vt řídit loď n. letadlo, být pilotem; ~ plant poloprovozní zařízení, pokusný závod pro zkušební poloprovoz

pimp [pimp] s kuplíř(ka) □ vi zabývat se kuplířstvím

pimpernel [ˈpimpənəl] s bot. drchnička, bedrník

pimple [ˈpimpl] s puchýřek, pupínek, uher

pin [pin] s 1. špendlík, spínadlo; jehlice 2. roubík 3. kolík 4. cvok, flok 5. čípek 6. pl. sl. nohy 7. kuželka 8. váleček na těsto 9. soudek 4,5 gal; ♦ split ~ závlačka; -s and needles brnění v údech, mravenčení; I don't care a ~ nedbám ani za mák; to be in a merry ~ být dobře naladěn □ vt (-nn-) přišpendlit, sepnout; připnout, připevnit; zavřít ♦ to ~ one's faith on, upon pevně spoléhat na; to ~ up a gown podkasat šat spínadly; to ~ a story on věšet bulíka na nos; ~ down připevnit; ~ -case [ˈpinkeis] s jehelníček; ~ -cushion [ˈpinˌkušin] s poduška na jehly; —hold [ˈpinˈhould] s přišpendlení; ǀ~ -point vt vytyčovat špendlíkem, přesně označit, určit

pinafore [ˈpinəfo:] s zástěrka, zástěra

pincers [ˈpinsəz] s pl. 1. klíšťky, kleště 2. klepeta

pinch [pinč] vt & i 1. štípat 2. (při)skřípnout 3. tisknout, tlačit, sevřít 4. sklíčit, soužit 5. přivést do úzkých, polapit 6. sl. u()krást, uvěznit 7. spořit; lakotit, skrblit □ s 1. štípnutí, stisknutí, sevření 2. tlak 3. nouze, bída 4. špetka, štipec ♦ to be at a ~ být v úzkých; ~ bar sochor, páčidlo; —ing [ˈpinčiŋ] a 1. hlodavý, ostrý, svíravý 2. štípavý 3. skoupý □ s 1. svírání 2. skrblictví

pinchbeck [ˈpinčbek] s 1. směs mědi a zinku 2. levný šperk 3. napodobenina, padělek, falešné zlato □ a nepravý, laciný, padělaný

pine¹ [pain] s smrk, sosna, borovice, pinie; ~ -apple [ˈpainˌæpl] s šiška, ananas; ~ branches chvoj; ~ grove smrčina; ~ -martin [ˈpainmaˌtin] s kuna; ~ -tree [ˈpaintri:] s smrk; ~ -wood [ˈpainwud] s smrkový les, smrkové dřevo

pine² [pain] vi & t 1. trápit (se at nad) 2. toužit (after, for, to do po); ~ away hynout žalem

ping [piŋ] s pleskot, cinkot; ~ -pong [ˈpiŋpoŋ] s stolní tenis

pinguid [ˈpiŋgwid] a tučný, mastný

pinion [ˈpinjən] s 1. peruť, křídlo 2. brk, pero 3. pastorek, ozubené kolečko □ vt přistřihnout křídla; spoutat přivázat ruce k bokům

pink¹ [piŋk] s 1. karafiát 2. růžová barva 3. vrchol (of elegance elegance) ♦ in the ~

of condition v nejlepším sta-
vu; *the ~ of health* dokonalé
zdraví □ *a* růžový
pink² [piŋk] *vt* **1.** propíchnout,
probodnout (*with sword* me-
čem) **2.** ozdobně dírkovat;
~-eyed [ˈpiŋkaid] *a* mžou-
ravý
pinnace [ˈpinis] *s* **1.** hist. malá
lehká loď, člun **2.** osmiveslice
válečné lodi
pinnacle [ˈpinəkl] *s* **1.** věž,
vížka **2.** vrchol, témě □ *vt*
1. tvořit, opatřit, ozdobit
vížkou **2.** fig. tvořit vrchol
pinnate [ˈpinit] *a* bot. zpeřený
pint [paint] *s* pinta = 0,568 litru
pintle [ˈpintl] *s* čep; **~-hook**
s závěsný hák
piny [ˈpaini] *a* sosnový, bohatý
na sosny
pioneer [ˌpaiəˈniə] *s* zákopník,
průkopník, pionýr ♦ *~ unit*
pionýrský oddíl □ *vi & t*
1. razit cestu **2.** sloužit jako
zákopník n. v pracovním
praporu
pious [ˈpaiəs] *a* zbožný, oddaný
pip¹ [pip] *s* tipec nemoc drůbeže
pip² [pip] *s* oko na kartě,
kostce ap.
pip³ [pip] *s* jádro jablka ap.;
hvězda distinkce
pip⁴ [pip] *vt* (-pp-) lid. porazit,
zamítnout, zmařit
pip|e [paip] *s* **1.** trubice, píšťala
2. výsknutí **3.** pípnutí, zpěv
ptáka **4.** dýmka **5.** vinný
sud = 105 gal. **6.** pl. dudy
♦ *wind ~* průdušnice □
vi & t **1.** pískat na píšťalu,
hrát na trubku **2.** pípat,
pištět **3.** (o)zdobit karnýry
4. dělat ozdoby z polevy

♦ *to ~ up one's eyes* plakat;
—**er** [ˈpaipə] *s* pištec, dudák
♦ *to pay the ~* zaplatit řád;
—**ing** [ˈpaipiŋ] *a* **1.** pískající
2. slabý, churavý **3.** vařící,
klokotající □ *s* **1.** pískání
2. potrubí **3.** karnýry, lemo-
vání **4.** ozdoba z polevy na
dortu; **~-line** *s* potrubí;
~-stick *s* troubel; **~-tree**
s šeřík, bez; **~ wrench** [renč]
klíč na trubky, hasák
pipistrel(le) [ˌpipiˈstrel] *s* ne-
topýr
pipkin [ˈpipkin] *s* hrnek hliněný,
pánev
piqu|ancy [ˈpiːkənsi] *s* pikant-
nost, zajímavost; —**ant** [ˈpiː-
kənt] *a* **1.** štiplavý, dráždivý
2. pikantní
pique [piːk] *s* **1.** hněv, zlost,
dopal **2.** popudlivost, prud-
kost **3.** zvědavost □ *vt* **1.**
dráždit, popudit **2.** rozhněvat,
urazit, pokořit **3.** vzbudit
zvědavost; *~ oneself on, upon*
chlubit se čím
piquet [piˈket] *s* piket karetní
hra
piragua [piˈrægwə] *s* piroga,
člun
piracy [ˈpaiərəsi] *s* **1.** mořské
lupičství **2.** patisk, plagiát
pirat|e [ˈpaiərit] *s* **1.** pirát,
mořský loupežník **2.** patiskař
□ *vt & i* **1.** loupit na moři
2. patisknout; —**ic(al)** [pai-
ˈrætik(əl)] *a* lupičský, pla-
giátorský
pirogue [piˈroug] *s* viz *piragua*
pirouette [ˌpiruˈet] *s* pirueta
piscatory [ˈpiskətəri] *a* rybářský
pish [piš] *int* fuj!, fi!
pismire [ˈpismaiə] *s* mravenec

piss [pis] *vi & t* močit □ *s* moč;
|~ -**pot** *s* nočník
pistachio [pis¹ta:šiou] *s* pistácie
druh ořechu
pistil [¹pistil] *s* pestík
pistol [¹pistl] *s* pistole □ *vt* (-ll-)
zastřelit pistolí
piston [¹pistən] *s* píst; |~ -**rod**
s ojnice, pístnice, táhlo;
|~ **valve** pístové šoupátko
pit [pit] *s* 1. jáma, díra 2. šachta
3. peklo 4. přízemí v divadle
5. dolíček, jizva 6. zápasiště
□ *vt* (-tt-) 1. hodit do jámy,
krechtovat, silážovat 2. po-
stavit do zápasu (*against*
proti) 3. nadělat důlky 4.
poďobat; ~ -**coal** [¹pitkoul] *s*
hlubinné uhlí; ~ -**fall** [¹pitfo:l]
s vlčí jáma; |~ **man** *s* havíř
pit-(a-)pat [¹pitə¹pæt] *adv* ťuk,
ťuk, tyk tak □ *s* ťukání,
klepot
pitch¹ [pič] *s* smůla, pryskyřice
□ *vt* vy y, zasmolit, zalepit,
připevnit
pitch² [pič] *vt & i* 1. rozbít stan,
tábor 2. vetknout, vstrčit 3.
mrštit, hodit 4. vystavit zboží
na prodej 5. dláždit 6. hud.
nasadit určitou výšku 7. sl.
vyprávět 8. padnout (*on one's
head* na hlavu, *into* do),
kymácet se; ~ *into* hov.
pustit se do koho ranami,
slovy ap.; ~ *upon* rozhodnout
se o, určit, zvolit □ *s* stano-
viště prodavače ap. ♦ *to queer
the ~ for one* předem zmařit
něčí plány; —**ing** [¹pičiŋ] *s*
podélné kymácení; |~ -**pipe** *s*
áčko
pitch³ [pič] *s* 1. výška, vrchol
2. stupeň 3. svah, stou-

pání 4. mezera, rozchod
mezi zuby kola, závity
šroubu ap. ♦ *at the same ~*
v téže výšce; *to shout at the
~ of one's breath* křičet z plna
hrdla; ~ *and pay* peníze
na prkno; ~ -**fork** [¹pičfo:k] *s*
vidle, ladička; ~ -**note** [¹pič-
nout] *s* základní tón; ~ -**wheel**
[¹pičwi:l] *s* ozubené kolo
pitcher [¹pičə] *s* 1. džbán, kor-
bel 2. přihazovač při baseballu
pitchy [¹piči] *a* smolný, černý
jako smola
piteous [¹pitiəs] *a* 1. žalostný
2. ubohý, bídný 3. soucitný
pith [piθ] *s* 1. jádro, morek,
dřeň 2. síla, výbornost 3.váha,
závažnost; —**iness** [¹piθinis] *s*
jadrnost, síla; vážnost, ráz-
nost; —**y** [¹piθi] *a* jadrný,
dřeňový; obsažný
piti|able [¹pitiəbl] *a* žalostný,
politováníhodný; —**ful** [¹pi-
tiful] *a* soucitný, budící sou-
cit; žalostný, bídný; —**less**
[¹pitilis] *a* nelítostný, ne-
milosrdný, necitelný
pittance [¹pitəns] *s* 1. porce,
podíl 2. trošek, maličkost 3.
malá mzda n. penze
pitter-patter [¹pitə¹pætə] *s* cá-
pání
pity [¹piti] *s* 1. soucit, útrpnost,
lítost 2. škoda ♦ *it is a ~*
to je škoda; *to take ~ of* mít
s někým útrpnost; *to have ~
on* slitovat se nad □ *vt*
litovat, mít útrpnost
pivot [¹pivət] *s* 1. čep, kolík
2. fig. osa, střed, stěžejní bod
□ *vt* opatřit čepem □ *vi* otáčet
se na čepu; —**ed** [¹pivətid] *a*
uložený otáčivě

pixy, pixie [ˈpiksi] *s* víla □ *a* am. sl. jako u vyjevení, vyjevený

plac|ability [ˌplækəˈbiliti] *s* smířlivost, mírnost; **—able** [ˈplækəbl] *a* smířlivý, mírný

placard [ˈplækɑːd] *s* plakát □ *vt* plakátovat

placate [pləˈkeit] *vt* (u)smířit, uprosit

place [pleis] *s* 1. místo, prostor 2. prostranství 3. bydliště, sídlo 4. poloha, postavení 5. úřad, služba 6. úřední povinnost ♦ *in the first* ~ především; *in* ~ *of* místo čeho; *in some* ~ někde; *in out, of,* ~ (ne)příhodný, (ne)vhodný; *to give* ~ *to* udělat místo, ustoupit; *to take* ~ konat se; *to take the* ~ *of* zastupovat koho; *out of* ~ 1. nemístný 2. nezaměstnaný □ *vt* 1. umístit, postavit, položit 2. ustanovit v úřad, jmenovat, opatřit místo 3. uložit, investovat peníze 4. uznat (*for* za) 5. zaúčtovat 6. *to be -d* umístit se v dostizích; **~ over** ustanovit nad; **~ under** podřídit (~ *under arrest* vsadit do vězení); **~ up** postavit

placenta [pləˈsentə] *s* lůžko, placenta

placer [ˈpleisə] *s* rýžoviště zlata; **~ mining** rýžování

placid [ˈplæsid] *a* klidný, mírný; **—ity** [plæˈsiditi] *s* klidnost, mírnost

plagiar|ism [ˈpleidʒjərizəm] *s* plagiátorství; **—ist** [ˈpleidʒjərist] *s* plagiátor; **—ize** [ˈpleidʒjəraiz] *vt* plagovat

plagu|e [pleig] *s* 1. mor, nákaza 2. hov. nesnáz, trápení 3. pohroma 4. zamoření □ *vt* 1. morem nakazit, zamořit 2. trápit, soužit; **—y** [ˈpleigi] *a* hov. morový, prokletý ♦ ~ *glad* strašně rád

plaice [pleis] *s* platýs

plaid [plæd] *s* vlněný cestovní šátek kostkovaný; kostkovaná skotská látka

plain [plein] *a* 1. rovný, plochý, hladký 2. jasný, zřetelný 3. prostý, jednoduchý 4. otevřený, upřímný 5. nehezký ♦ *to make* ~ uhladit; *in* ~ *terms* prostě □ *s* planina, rovina, nížina; **~ clothes** občanský oděv; **~ dealing** přímost, upřímnost, poctivost; **~ field** rovina; **~ -hearted** [ˈpleinhɑːtid] *a* prostoduchý, dobrosrdečný, upřímný; **~ -**~ **-song** *s* církevní chorál; **~ -spoken** [ˈpleinˈspoukən] *a* přímý, mluvící bez obalu; **~ steel** nelegovaná ocel; **~ -truth** [ˈpleintruːθ] *s* čirá pravda

plaint [pleint] *s* 1. žaloba, stížnost, podání 2. bás. nářek; **—iff** [ˈpleintif] *s* žalobce; **—ive** [ˈpleintiv] *a* bědující, žalostný

plait [plæt] *s* 1. záhyb 2. pletenec, cop □ *vt* 1. skládat v záhyby 2. plést, splétat

plan [plæn] *s* 1. plán, nárys 2. úmysl, záměr, projekt ♦ *Five-Year P~* pětiletka; *production* ~ výrobní plán; ~ *of site* situační plán □ *vt* (-nn-) nakreslit, načrtnout plán, dělat plány, plánovat;

ned economy plánované hospodářství; —**ning** [ˈplæniŋ] *s* plánování

plane¹ [plein] *s* 1. rovina, plocha; *inclined* ~ nakloněná rovina; 2. úroveň □ *a* rovný, plochý

plan|e² [plein] *s* hoblík □ *vt* uhladit, hoblovat, srovnat *(away, down)*; —**er** [ˈpleinə] *s* hoblíř, hoblovka; —**ing** [ˈpleiniŋ] *s* hoblování; ~ *machine* hoblovka; ~ *tool* hoblovací nůž

plane³ [plein] *s* platan (¹~ -*tree*)

plane⁴ [plein] viz *aeroplane*

planet [ˈplænit] *s* oběžnice, planeta; ~ *wheel* planetové kolo, satelit; —**arium** [ˌplæniˈteəriəm] *s* planetárium; —**ary** [ˈplæniteri] *a* oběžnicový

planish [ˈplæniš] *vt* uhladit, srovnat; vytepat; —**ing hammer** hladicí sedlík, rovnací kladivo

plank [plæŋk] *s* 1. plaňka, prkno, fošna 2. bod (polit.) programu □ *vt* pokrýt prkny, zabednit; ¹~ -**bed** *s* pryčna

plant [plaːnt] *s* 1. rostlina, bylina 2. růst (*in* ~ rostoucí; *to lose* ~ odumřít; *to miss* ~ nevyklíčit) 3. strojní zařízení 4. dílna, továrna 5. sl. vloupání, podvod, smyšlenka 6. sl. detektiv ♦ *war industrial* ~ zbrojní podnik □ *vt* 1. zasadit 2. založit 3. vštípit, upevnit (*in*, *on* v, na) 4. postavit na, umístit, vložit, vrhnout do 5. sl. skrýt ukradené zboží ap. 6. sl. vymyslit 7. opustit 8.

dát ránu 9. usadit (*people as settlers in a colony* lidi jako osadníky v kolonii); ~ *out* přesadit, vysázet; ~ -**louse** [ˈplaːntlaus] *s* mšice

plantain [ˈplæntin] *s* 1. jitrocel 2. banán, banánovník

plantation [plænˈteišən] *s* 1. sázení 2. sad, plantáž 3. hist. osada, kolonie

planter [ˈplaːntə] *s* 1. sadař 2. osadník 3. plantážník 4. sázecí stroj

plap [plæp] *vi* (-pp-) plesknout, plácnout

plaqu|e [plaːk] *s* plaketa; —**ette** [plæˈket] *s* malá plaketa; kresba na plaketě

plash¹ [plæš] *s* 1. louže, kaluž 2. šplouchnutí □ *vt & i* šplíchat, stříkat

plash² [plæš] *vt* splétat, plést; proplést živý plot

plasm [ˈplæzəm] *s* plazma; —**atic** [plæzˈmætik] *a* tvárný, plazmatický

plaster [ˈplaːstə] *s* 1. malta, omítka 2. ~ *of Paris* sádra 3. náplast □ *vt* 1. omítnout 2. dát náplast 3. pošpinit, zamazat 4. polepit; —**er** [ˈplaːstərə] *s* štukatér

plastic [ˈplæstik] *a* plastický, výtvarný □ *s* plastická hmota; —**ity** [plæsˈtisiti] *s* plastičnost, poddajnost, tvárlivost; —**izer** [ˈplæstisaizə] *s* plastická hmota

plastron [ˈplæstrən] *s* náprsník šermířský, náprsenka

plat¹ [plæt] *s* 1. plocha, rovina, kus půdy 2. am. plán 3. pletivo, pletenec, cop □ *vt* (-tt-) plést plat² [pla:] *s* 1. chod pokrmů 2. jídlo na jídelním lístku

plate [pleit] *s* 1. deska též fotografická, plát, plotna 2. talíř, miska 3. tabule skla, tabulka 4. brnění, pancíř 5. sázka při hře 6. stříbro nádobí, příbor 7. pohár cena 8. stav. deska podpírající kryt 9. el. anoda (~ *battery* anodová baterie); *bed* ~ základová deska; *dial* ~ číselník; *glass* ~ tabule skla □ *vt* 1. pokrýt pláty, pancéřovat, obrnit 2. pokovovat, postříbřit, pocínovat; ~ -basket ['pleit-ˌba:skit] *s* košík na příbory; ~ -cover ['pleitˌkavə] *s* poklička; |~ -|glass *s* tabulové sklo; ~ -mark ['pleitma:k] *s* punc; ~ -rack ['pleitræk] *s* polička na talíře; |~ -stand *s* police na nádobí

platen ['plætn] *s* deska, traverza lisu, stůl hoblovky

plateau ['plætou] *s* planina, náhorní rovina

platform ['plætfo:m] *s* 1. plošina, terasa 2. nástupiště 3. plochá střecha 4. půdorys 5. rampa, řečniště 6. platforma 7. am. program strany; ~ body valníková karosérie; ~ lorry aut. valník

plating ['pleitiŋ] *s* obkládání stříbrem, pokovování galvanické

platinum ['plætinəm] *s* platina

platitude ['plætitju:d] *s* plochost, mělkost; všednost

Platon|ic ['leitonik] *a* platónský, platonický; —ist ['pleitənist] *s* platonik

platoon [plə'tu:n] *s* četa

platter ['plætə] *s* arch. mělká mísa, talíř

plaudit ['plo:dit] *s* hlučný potlesk

plaus|ibility [ˌplo:zə'biliti] *s* pravděpodobnost, věrohodnost, přijatelnost; —ible ['plo:zəbl] *a* 1. pravděpodobný 2. zdánlivý 3. přijatelný

play¹ [plei] *vt & i* 1. volně se pohybovat 2. hrát (si), pohrávat (si) 3. hrát na, spustit nástroj 4. dovádět, laškovat, žertovat ◊ *to* ~ *an instrument* hrát na nástroj; *to* ~ *at cards* hrát karty; *to* ~ *upon words* dělat slovní hříčky, hrát si se slovy; *to* ~ *a part* hrát úlohu; *to* ~ *fair* hrát n. jednat slušně, poctivě; *to* ~ *foul* hrát n. jednat neslušně, nepoctivě; *to* ~ *into the hands of* hrát komu do ruky; *to* ~ *the fool* dělat se hloupým; *to* ~ *tricks* provozovat žerty; *to* ~ *it on, * ~ *it low on, * ~ *it (low) down on* chovat se sprostě, nepočestně; ~ at hrát (si) na; ~ away prohrát; ~ off stavět (*person against another* koho proti komu); stavět do špatného světla; hrát si na koho; ~ out: -*ed out* vyčerpaný; obnošený, opotřebovaný, nemoderní; ~ (up)on využít čeho; ~ up hrát s vervou, účastnit se hovoru n. jednání; ~ up to přihrát; ~ with pohrávat si s

play² [plei] *s* 1. lehký pohyb 2. mrtvý chod 3. vůle 4. hra, žert, kratochvíle 5. úloha, divadlo 6. činnost, působnost ◊ *fair* ~ slušná hra, poctivé jednání; *foul* ~ nepoctivá hra, nepoctivé jednání; *at* ~ při hře; *in* ~ žertem; ~ *on words* slovní hříčka; —er [¹pleiə] *s* 1. hráč 2. herec; —**fellow** [¹plei₁felou] *s* druh při hře; —**ful** [¹pleiful] *a* 1. hravý 2. laškovný, žertovný 3. dovádivý, rozpustilý; —**goer** [¹plei₁gouə] *s* návštěvník divadla; ~-**ground** [¹pleigraund] *s* hřiště; —**house** [¹pleihaus] *s* divadlo; —**ing-cards** [¹pleiiŋka:dz] *s pl.* hrací karty; —**ing-field** [¹pleiiŋfi:ld] *s* hřiště; —**mate** [¹pleimeit] *s* spoluhráč; —**thing** [¹pleiθiŋ] *s* hračka; —**wright** [¹pleirait] *s* dramatik; dramaturg

plea [pli:] *s* 1. námitka, důvod, argument 2. obhajoba 3. pře, proces, soud 4. výmluva 5. žádost, prosba (*for* o)

plead [pli:d] *vi & t* 1. vést při, soudit se 2. obhajovat (se) před soudem ♦ *to* ~ *guilty* přiznat vinu; *to* ~ *at the bar* zastupovat, být advokátem; *to* ~ *one's cause* zastupovat při; *to* ~ *ignorance* vymlouvat se na nevědomost; *to* ~ *sickness* předstírat nemoc; ~ *with* odvolat se (*person for*, na koho, *against* proti); —er [¹pli:də] *s* obhájce; —ing [¹pli:diŋ] *s* 1. pře, přelíčení, proces 2. obhajoba 3. prosba

pleasant [¹pleznt] *a* příjemný, veselý, živý; zábavný; —ness [¹plezntnis] *s* 1. příjemnost 2. veselost, živost; —ry [¹plezntri] *s* veselost, žert- (ovnost)

please [pli:z] *vt* 1. být příjemný 2. potěšit, rozradovat 3. líbit se, lahodit 4. uspokojit, zadost učinit 5. ráčit, chtít ♦ ~ *yourself* čiňte, jak vám libo, posluzte si; *it -s me* těší mne; *if you* ~ prosím, račte; *I shall be -d to do it* s potěšením (n. rád) to učiním; *ring the bell,* ~! zazvoňte, prosím!

pleasurable [¹pleẑərəbl] *a* příjemný, rozkošný, libý

pleasure [¹pleẑə] *s* 1. potěšení, radost, rozkoš 2. libost, příjemnost, zalíbení 3. požitek, pochoutka 4. půvab ♦ *with* ~ s radostí; *at* ~ dle libosti; *to take* ~ *in* mít zálibu v, těšit se z čeho; *your* ~ ? co ráčíte?; *we have* ~ *in sending you* s potěšením vám zasíláme; *man of* ~ prostopášník □ *vt & i* 1. líbit se 2. působit radost, zavděčit se 2. prokázat službu, posloužit 3. působit rozkoš, užívat rozkoší; ~ -**ground** [¹pleẑəgraund] *s* park, hřiště

pleat [pli:t] *s* plisé, obkládání, záhyby

plebeian [pli¹bi:ən] *a* plebejský, sprostý □ *s* plebejec

plebiscit(e) [¹plebisit] *s* hlasování, plebiscit

pledge [pledž] *s* 1. záruka, zástava 2. ručení 3. rukojmí 4. přípitek 5. slib 6. závazek ♦ *to give* n. *put in* ~ dát do zástavy; *to hold in* ~ mít v zástavě; *to take the* ~ slíbit, složit slib; *to keep the* ~ dodržet slib □ *vt* 1. dát do zástavy 2. ručit 3. slíbit

4. zvr. zavázat se 5. připít ♦
to ~ one's word of honour dát
své čestné slovo; —**er** [ˈpled-
žə] *s* ručitel

pledget [ˈpledžit] *s* tampón
z vaty

plenary [ˈpliːnəri] *a* úplný,
plný ♦ ~ *session* plenární za-
sedání

plenipotentiary [ˌplenipəˈten-
šəri] *a* zplnomocněný □ *s* 1.
plnomocník 2. vyslanec

plenitude [ˈplenitjuːd] *s* plnost;
vrchol

plenteous [ˈplentjəs] *a* hojný,
bohatý

plentiful [ˈplentiful] *a* hojný,
bohatý; vydatný, úrodný

plenty [ˈplenti] *s* plnost, hoj-
nost, nadbytek ♦ *horn of ~*
roh hojnosti; *in ~* hojně; ~
of time dosti času

plenum [ˈpliːnəm] *s* plénum ♦
extended ~ rozšířené plénum

pleur|a [ˈpluərə] *s* pohrudnice;
—**isy** [ˈpluərisi] *s* zánět po-
hrudnice

plexure [ˈplekšə] *s* tkáň

plexus [ˈpleksəs] *s* zř. tkanivo

pliab|le [ˈplaiəbl] *a* ohebný;
poddajný, povolný; —**ility**
[ˌplaiəˈbiliti] *s* ohebnost; po-
volnost, poddajnost

pliant [ˈplaiənt] *a* ohebný; po-
volný, poddajný

pliers [ˈplaiəz] *s pl.* kleště
na ohýbání drátu

plight [plait] *vt* 1. dát v zástavu
2. zaručit se 3. zvr. zasnoubit
se ♦ *to ~ one's word, honour*
zaručit se slovem, ctí □ *s*
1. postavení, tísnivý n. trapný
stav 2. zástava, záruka, záva-
zek ♦ *housing ~* bytová tíseň

Plimsoll viz *mark*

plinth [plinθ] *s* podstavec plochý

plod [plod] *vi & t* (-dd-) 1.
těžce kráčet, vléci se 2. dřít,
namáhat se, úmorně praco-
vat 3. pilně studovat, dřít

plop [plop] *s* plesknutí, plác-
nutí, šplouchnutí □ *vt* (-pp-)
plácnout sebou do vody

plot [plot] *s* 1. kousek půdy,
parcela 2. děj, zápletka děje
3. plán, záměr, úmysl 4.
pleticha, úklad, spiknutí; puč,
převrat 5. diagram ♦ *to pay a*
~ zosnovat spiknutí; *counter-
revolutionary ~* kontrarevo-
luční spiknutí □ *vt* (-tt-)
1. vymyslit, nakreslit, na-
črtnout plán, vynášet do
diagramu, zakreslit 2. strojit
úklady (*against* proti) 3. za-
mýšlet, hodlat; —**ter** [ˈplotə]
s spiklenec, pletichář; —**ting**:
~ *instrument s* rýsovadlo

plough [plau] *s* 1. pluh, rádlo
2. zoraná země, oranisko □ *vt*
1. orat, rozrýt 2. brázdit
hladinu o lodi 3. sl. nechat
propadnout kandidáta při zkouš-
ce ♦ *to ~ the sand* marně se
namáhat; *to ~ the waves*
brázdit vlny, hladinu; ~ **up**
přeorat; ~ **-beam** [ˈplaubiːm]
s hřídel u pluhu; |~ **-boy** *s*
pohůnek, oráč; —**er** [ˈplauə]
s oráč; |~ **-land** *s* ornice;
|—**man** *s* oráč; ~ **-share** [ˈplau-
šeə] *s* radlice; ~ **-tail** [ˈplau-
teil] *s* rukojeť pluhu, kleč;
~ **-wright** [ˈplaurait] *s* vý-
robce pluhů

plover [ˈplavə] *s* kulík

plow [plau] viz *plough*

pluck [plak] *s* 1. škubnutí,

trhnutí 2. odmítnutí, propadnutí při zkoušce 3. drůbky, kořínek 4. fig. zmužilost □ *vt & i* 1. oškubat ptáka 2. česat 3. nechat propadnout při zkoušce 4. obrat o peníze, podvést při hře ♦ *to ~ asunder* rozškubat, roztrhat; *~ down* strhnout; *to ~ up one's heart, spirits, courage* dodat si zmužilosti

plug [plag] *s* 1. kolík, klínek; zátka, čep, ucpávka; čípek 2. svíčka 3. sl. zástrčka 4. výpust, klozetové splachovadlo □ *vt & i* (-gg-) 1. ucpat kolíkem, čípkem; zazátkovat 2. sl. střílet 3. sl. udeřit pěstí 4. am. hov., vulg. vynutit si pozornost obecenstva 5. hov. dřít se, lopotit se; *~ -contact* [ˈplagkənˌtækt] *s* zdířka; *~ -gage* [ˈplag-geidž] *s* válečkový kalibr; *~ socket* el. spodek zásuvky

plum [plam] *s* 1. švestka, slíva 2. hrozinka 3. fig. dobrá věc 4. sl. majetek 100.000 £; *~ -cake* [ˈplamkeik] *s* koláč s hrozinkami n. švestkami; *~ -pudding* [ˈplamˈpudiŋ] *s* hrozinkový vánoční pudink; *~ -tree* *s* švestka strom

plumage [ˈpluːmidž] *s* peří

plumb [plam] *s* 1. olovnice 2. kolmost □ *a* kolmý, přímý, rovný □ *adv* 1. kolmo 2. přímo, přesně □ *vt & i* 1. měřit hloubku 2. učinit kolmým 3. dostat se na dno 4. zjistit 5. instalovat, být klempířem, letovat; *~ -line* [ˈplamlain] *s* olovnice; *~ -rule* [ˈplamruːl] *s* kolmice; krokvice

plumb|ago [plamˈbeigou] *s* tuha, grafit; *—eous* [ˈplambiəs] *a* olověný, olovnatý; *—er* [ˈplamə] *s* klempíř, instalatér

plume [pluːm] *s* 1. péro, peří 2. chochol □ *vt* 1. ozdobit peřím 2. zvr. chlubit se 3. zvr. vyfintit se 4. tříbit (si) peří 5. oškubat 6. obrat, oloupit

plummet [ˈplamit] *s* olovnice, olůvko na udici

plump [plamp] *a* 1. tučný, kyprý, buclatý 2. neohrabaný 3. přímý, nekompromisní □ *vt & i* 1. (vy)krmit 2. ztloustnout 3. nadmout (se) 4. uhodit, narazit (*upon, into* na, do) 5. bacit sebou, žuchnout, těžce usednout 6. vyjádřit se pro, hlasovat (*for* pro) □ *adv* 1. náhle 2. těžce, neohrabaně 3. přímo, bez obalu 4. neočekávaně

plumy [ˈpluːmi] *a* pernatý, opeřený

plunder [ˈplandə] *vt* loupit, plenit, drancovat □ *s* kořist, plen; lup, drancování; *—er* [ˈplandərə] *s* lupič

plung|e [plandž] *vt & i* 1. ponořit (se), potopit (se) 2. vrhnout se, pustit se (*into* do) 3. vyrazit vpřed o koni 4. hnát se 5. vehnat, zaplést (*into war* do války) 6. karbanit □ *s* 1. ponoření, potopení 2. pád 3. vyhazování, kopání 4. nesnáz, rozpaky; *—er* [ˈplandžə] *s* 1. potápěč 2. sl. kavalerista 3. sl. hráč, karbaník 4. píst pumpy, plovák; *~ pin* čepová západka dělicí hlavy

pluperfect [ˈpluːˈpəːfikt] *s* předminulý čas, plusquamperfektum

plural [ˈpluərəl] *a* množný □ *s* množné číslo, plurál; —**ism** [ˈpluərəlizəm] *s* mnohoobročnictví; —**ity** [pluəˈræliti] *s* 1. mnohost, množství 2. mnohoobročnictví

plus [plas] *prep* plus, a, více □ *a* 1. přídatný 2. mat. kladný, plus □ *s* plus

plush [plaš] *s* plyš; —**y** [ˈplaši] *a* plyšový

plutocr|acy [pluːˈtokrəsi] *s* plutokracie; —**at** [ˈpluːtəkræt] *s* plutokrat; —**atic** [ˌpluːtəˈkrætik] *a* plutokratický

pluvial, pluvious [ˈpluːvjəl, ˈpluːvjəs] *a* deštivý, dešťový; vlhký, mokrý

ply [plai] *s* 1. spád, sklon 2. pramen lana 3. vrstva 4. předsudek 5. obrat, tendence □ *vt & i* 1. horlivě pracovat, přičiňovat se; namáhat se 2. mávat mečem 3. zásobovat potravinami, pohánět, nabízet k jídlu, pití 4. pravidelně jezdit 5. přetěžovat (*with work* prací) 6. provozovat (*one's trade* řemeslo) 7. naléhat, dorážet otázkami, pronásledovat; ~ **about** shánět; —**er** [ˈplaiə] *s* pilný člověk; ˈ—**wood** *s* překližka

P.M. = *Postmaster*

p.m. [ˈpiːˈem] (= lat. *post meridiem*) odpoledne, večer 12—24 hod.

P.M.G. = *Postmaster General*

pneumatic [njuːˈmætik] *a* vzduchový, pneumatický, plněný vzduchem ♦ ~ *dispatch* potrubní pošta; ~ *drill* pneuma-

tická vrtačka; ~ *tire* n. *tyre* pneumatika; —**s** [njuːˈmætiks] *s pl.* pneumatika; nauka o vzduchu

pneumonia [njuːˈmounjə] *s* zápal plic

P.O. = 1. *Post Office* 2. *Postal Order*

poach[1] [pouč] *vt* (u)vařit sázená vejce

poach[2] [pouč] *vt & i* 1. pošlapat, udupat zem 2. pytlačit 3. nepoctivě získat výhodu při závodech; —**er** [ˈpoučə] *s* pytlák

pock [pok] *s* neštovice; —**y** [ˈpoki] *a* dolíčkovitý po neštovicích

pocket [ˈpokit] *s* 1. kapsa 2. žok chmele, vlny 3. ložisko rudy ♦ *empty* ~ člověk bez peněz; *to be out of* ~ být bez peněz; *to be in* ~ mít peníze, vydělat si, získat; *she has him in her* ~ fig. má ho v moci □ *vt* 1. dát, vstrčit do kapsy 2. skrýt 3. přivlastnit si nepoctivě, shrábnout peníze 4. skrýt, potlačit city ♦ *to* ~ *one's pride* potlačit pýchu, pokořit se; ˈ~-**book** *s* tobolka, zápisník; ~-**handkerchief** [ˌpokitˈhæŋkəčif] *s* kapesník; ~-**knife** [ˈpokitnaif] *s* kapesní nůž; ~-**money** [ˈpokitˌmani] *s* kapesné

pockwood [ˈpokwud] *s* guajakové dřevo

pod [pod] *s* 1. lusk 2. tobolka, šešule 3. zámotek, kokon □ *vi & t* (-pp-) 1. tvořit, nést lusky 2. trhat lusky 3. loupat hrách

podgy [ˈpodži] *a* zavalitý, otylý

poem [ˈpouim] *s* báseň

poesy ['pouizi] *s* arch. básnictví, poezie

poet ['pouit] *s* básník, pěvec; —aster [ˌpoui'tæstə] *s* veršotepec; —ess ['pouitis] *s* básnířka; —ic(al) [pou'etik(əl)] *a* básnický, metrický, veršovaný; —ics [pou'etiks] *s pl.* poetika; —ize ['pouitaiz] *vi & t* básnit; veršovat; —ry ['pouitri] *s* básnictví, básně

poign|ancy ['poinənsi] *s* štiplavost, kousavost; dráždivost, břitkost; —ant ['poinənt] *a* 1. dráždivý, kousavý, štiplavý 2. ostrý, pronikavý 3. uštěpačný, břitký

point [point] *s* 1. bod, tečka 2. špička parohů, hrot, bodec 3. ostří 4. článek 5. špice, ostroh, mys 6. stupeň 7. věc, předmět, otázka 8. vlastnost, cíl 9. rydlo 10. okamžik 11. vlaková návěst ◆ *at ~* hotov, uchystán; *at all -s* po každé stránce, dokonale, úplně; *by ~* krok za krokem; *to be upon the ~ of doing a thing* hodlat něco učinit; *in ~ of* pokud se týče; *to the ~* k věci!; *to stick to the ~* držet se věci; *to bring to a ~* skoncovat; *to gain one's ~* dosíci svého účelu; *to make a ~ of* uložit si za povinnost; *to speak to the ~* mluvit k věci; *to stand up -s* přísně posuzovat; *at the ~ of death* blízek smrti; *it is come to that ~* tak daleko to dospělo; *~ of intersection of two lines* průsečík dvou přímek; *boiling ~* bod varu; *freezing ~* bod mrazu; *it is*

his strong ~ je to jeho silná stránka; *~ of congelation* bod tuhnutí; *~ of exclamation* vykřičník; *~ of honour* věc cti; *~ of time* určitá doba; *~ of view* stanovisko, hledisko; *to sell under the ~ system* prodávat na body □ *vt & i* 1. opatřit hrotem, zahrotit, zaostřit 2. směřovat, mířit; ukázat prstem, (po)ukazovat (*at* k) 3. tečkovat 4. vytknout 5. označit, určit 6. vyplnit maltou drážky mezi cihlami; ~ out poukázat, označit, určit, ustanovit; ~ -blank *a & adv* 1. přímý, rasantní 2. rovnou, přímo, naprosto úplně; ~ -device ['pointdi-ˈvais[*a & adv* arch. 1. správný, přesný, puntičkářský 2. správně, přesně, pěkně; ~ -duty ['pointˌdju:ti] *s* služba policisty na určitém stanovišti; —ed ['pointid] *a* zahrocený, ostrý; důrazný, případný; —edness ['pointidnis] *s* 1. špičatost 2. pádnost, trefnost; —er ['pointə] *s* 1. ukazatel 2. rafije 3. ukazovátko 4. stavěcí pes; —less ['pointlis] *a* 1. tupý 2. bez cíle

pointsman ['pointsmən] *s* výhybkář

pois|e [poiz] *s* 1. rovnováha 2. postoj, držení těla 3. nerozhodnost □ *vt* 1. udržovat se v rovnováze 2. zatížit 3. viset, vznášet se 4. mít postoj 5. váhat; —ed [poizd] *a* vyvážený, v rovnováze

poison ['poizn] *s* 1. jed, nákaza 2. otrava □ *vt* otrávit, zkazit, nakazit; —er [ˈpoiznə] s travič; ~ -fang [ˈpoiznfæŋ] s jedovatý zub hadi; ~ -gas [ˈpoizngæs] s otravný plyn; ~ -nut [ˈpoiznnat] s vraní oko; —ous [ˈpoiznəs] a otravný, jedovatý

poke¹ [pouk] s pytlík, měšec ♦ to buy a pig in a ~ kupovat zajíce v pytli; ~ -pudding [ˈpoukˈpudiŋ] s skot. tlustý n. hltavý člověk

pok|e² [pouk] vt & i 1. (pro)-hrabat (se) 2. šťourat se (at v) 3. šťouchat, vrazit, strčit (in do) 4. tropit si (fun at žerty z) ♦ to ~ one's head vystrkovat hlavu; to ~ one in the ribs šťouchnout koho do žeber; don't ~ your nose into my affairs nestrkej nos do mých záležitostí; to ~ at home válet se za pecí; to ~ a thing away schovat, zašantročit; to ~ the fire prohrabat oheň; ~ about okounět, být dotěrný; ~ into pátrat, vyšetřovat □ s štulec, šťouchnutí; —er [ˈpoukə] s 1. pohrabáč 2. americká hra v karty; —y [ˈpouki] a 1. uzavřený 2. titěrný, malý; těsný 3. nízký, podlý

Pol|and [ˈpoulənd] s Polsko; —e [poul] s Polák, Polka; —ish [ˈpouliš] a 1. polský 2. polština; Polish People's Republic Polská lidová republika

polar [ˈpoulə] a točnový, polární; —ity [poˈlæriti] s polarita; —ize [ˈpouləraiz] vt polarizovat; —izer [ˈpoulə-raizə] s polarizátor

pole¹ [poul] s 1. tyč, bidlo, žerď 2. oj 3. měřičská tyčka, míra; ~ -axe [ˈpoulæks] s halapartna; řeznická sekyra; široČina; ˈ~ -cat s tchoř; ~ -hedge [ˈpoulhedž] s šprlení, laťkoví stromů n. keřů; ˈ~ -jump(ing) s skok o tyči

pole² [poul] s pól, točna; ~ -star [ˈpoulstaː] s Polárka

polemic [poˈlemik] a polemický, sporný; □ s 1. polemika; polemik 2. pl. polemizování; —al [poˈlemikəl] a polemický, sporný

police [pəˈliːs] s 1. policie 2. strážník □ vt 1. chránit policejně; opatřit policií; být strážníkem 2. kontrolovat, řídit; ~ -court [pəˈliːskoːt] s policejní soud; —man s strážník; ~ -office [pəˈliːsofis] s policejní úřad; ~ state policejní stát; ~ -station [pəˈliːsˌsteišən] s strážnice

policlinic [ˈpoliklinik] s poliklinika

policy¹ [ˈpolisi] s 1. politika, státnictví 2. opatrnost, chytrost 3. skot. park kolem venkovského sídla

policy² [ˈpolisi] s pojistka

polio [ˈpouliou] s hov. (dětská) obrna

polish [ˈpoliš] vt 1. (u)hladit, naleštit 2. fig. zjemnit, zušlechtit 3. krášlit, zdobit □ vi 4. stát se hladkým □ lesknout se; ~ off rychle dokončit, zhruba odbýt □ s 1. hlazení, hladkost 2. lesk 3. politura 4. uhlazenost, vzdělání 5. krém na boty; ˈ~ -ing paste leštidlo

Polish viz *Poland*
polite [pə'lait] *a* uhlazený, dvorný, zdvořilý; kultivovaný ♦ ~ *letters* n. *literature* beletrie, krásná literatura; —**ness** [pə'laitnis] *s* uhlazenost, zdvořilost
politic ['politik] *a* 1. zdařilý 2. chytrý; rozšafný, neukvapený 3. zast. politický ♦ *the body* ~ stát; —**al** [pə'litikəl] *a* státní, politický, veřejný ♦ *P~ Bureau* politbyró; ~ *economy* národní hospodářství; —**ian** [ˌpoli'tišən] *s* politik; —**ize** [po'litisaiz] *vi & t* politizovat; —**s** ['politiks] *s pl.* 1. politika, státověda 2. politické přesvědčení 3. praktická denní politika ♦ *to talk* ~ debatovat o politice
polity ['politi] *s* 1. občanský řád 2. ústava 3. stát
polka ['polkə] *s* polka
poll¹ [poul] *s* 1. dial. n. žert. týl, hlava 2. sčítání hlasů při volbách 3. hlasování 4. počet hlasů 5. volební místnost, urna ♦ *to go to the -s* jít k volbám □ *vt & i* 1. arch. přistřihnout vlasy 2. uříznout vrchol stromu, rostliny 3. hlasovat 4. obdržet hlasy při volbách, sčítat hlasy, volit; |~ **-day** *s* volební den; ~ **-tax** ['poultæks] *s* daň z hlavy
poll² [pol] *s* univ. sl. bez vyznamenání (|~ *-degree* gradus bez vyznamenání)
pollard ['poləd] *s* 1. zvíře, které shodilo parohy 2. bezrohý dobytek 3. přistřižená koruna stromu 4. otruby, šrot
pollen ['polin] *s* pel □ *vt* opylit

pollinat|e ['polineit] *vt* opylit, zúrodnit pelem; —**ion** [ˌpoli'neišən] *s* opylení
pollut|e [pə'lu:t] *vt* 1. poskvrnit; znesvětit, zneuctít 2. znečistit; —**ion** [pə'lu:šən] *s* poskvrnění; zneuctění, znesvěcení
polo ['poulou] *s* pólo hra; *water* ~ vodní pólo
polony [pə'louni] *s* salám z polovařeného vepřového masa
poltroon [pol'tru:n] *s* zbabělec —**ery** [pol'tru:nəri] *s* zbabělost
poly- [poli-] *prefix* značící „mnoho-"
polyanthus [ˌpoli'ænθəs] *s* prvosenka
polychromy [ˌpoli'kroumi] *s* vícebarevnost, polychromie
polygam|ous [po'ligəməs] *a* polygamický; —**y** [po'ligəmi] *s* mnohoženství, polygamie
polyglot ['poliglot] *a* mnohojazyčný □ *s* 1. mluvící několika jazyky, polyglot 2. bible psaná v několika jazycích
polygon ['poligən] *s* mnohoúhelník
polymer ['polimə] *s* polymer; —**ization** [ˌpolimərai'zeišən] *s* polymerace
Polynesian [ˌpoli'ni:zjən] *a* polynéský □ *s* Polynésan
polyp ['polip] *s* polyp mořské zvíře; —**us** ['polipəs] *s* pl. *-uses* [əsiz], *-i* [-ai] nádor, polyp
polytechnic [ˌpoli'teknik] *a* polytechnický; ~ **school** polytechnika
polytheism ['poliθi:izəm] *s* mnohobožství, polyteismus

pomace [ˈpamis] *s* mláto
jablečné, rybí odpadky po
vytlačení oleje
pomade [pəˈmaːd] *s* pomáda
pomatum [pəˈmeitəm] viz
pomade
pome [poum] *s* jadrné ovoce
pomegranate [ˈpomˌgrænit] *s*
granátové jablko
pomelo [ˈpomilou] *s* grapefruit
pomiculture [ˈpoumiˌkalčə] *s*
ovocnářství
pommel [ˈpaml] *s* 1. hruška
jílce 2. přední rozsocha sedla
□ *vt* (-ll-) udeřít jílcem, tlouci
pěstmi
pomology [poˈmolədži] *s* ovoc-
nictví, pomologie
pomp [pomp] *s* pompa, okáza-
lost, nádhera; —osity [pom-
ˈpositi] *s* okázalost, nádhera;
přepych; —ous [ˈpompəs] *a*
1. nádherný, okázalý 2. chlub-
ný 3. nabubřelý sloh
pond [pond] *s* rybník
ponder [ˈpondə] *vt & i* uvažo-
vat, přemýšlet, meditovat o
(on, upon, over); —ability
[ˌpondərəˈbiliti] *s* zvažitel-
nost, zjistitelnost; —able
[ˈpondərəbl] *a* 1. zvažitelný
2. materiální, hmotný;
—ables [ˈpondərəblz] *s pl.*
materiální věci; —ous [ˈpon-
dərəs] *a* těžký, těžkopádný
sloh
poniard [ˈponjəd] *s* dýka □ *vt*
probodnout dýkou
Pontic [ˈpontik] *a* černomořský,
pontický
pontiff [ˈpontif] *s* velekněz,
papež, biskup
pontific|al [ponˈtifikəl] *a* biskup-
ský, papežský, pontifikální □

s 1. bohoslužebná kniha 2.
pl. biskupské roucho a odzna-
ky; —ate [ponˈtifikit] *s* ponti-
fikát, papežství; biskupství
pontoon [ponˈtuːn] *a* ponton,
mostní člun; převozní pra-
mice; ~ bridge pontonový
most
pony [ˈpouni] *s* pony, skotský
koník
P.O.O. = *Post Office Order*
pood [puːd] *s* pud ruská váha
16,38 kg
poodle [ˈpuːdl] *s* pudlík
pooh [pu] *int* nesmysl!, hlou-
posti!; ~-pooh [puːˈpuː]
vi & t vyjádřit pohrdání,
pohrdat, přezírat
pool¹ [puːl] *s* 1. louže, kaluž
2. tůň, hlubina v řece □ *vt*
podminovat
pool² [puːl] *s* 1. karetní bank
2. kulečníková hra 3. obchod-
ní kartel 4. společný fond □
vt 1. vložit do společného
fondu, být podílníkem na
zisku 2. organizovat obchodní
kartel
poop [puːp] *s* lodní záď □ *vt*
roztříštit se o lodní záď o vlně
poor [puə] *a* 1. chudý, nuzný
2. ubohý bídný 3. špatný,
4. nízký, sprostý 5. tenký,
hubený, slabý 6. neúrodný
7. bezvýznamný ♦ *the* ~
chudí, chudina; ~ *little thing*
ubožátko; ~-house [ˈpuə-
haus] *s* chudobinec; ~-law
[ˈpuəloː] *s* chudinský zákon;
—ly [ˈpuəli] *adv* nedokonale,
neúspěšně □ *a* churavý, sla-
bý; —ness [ˈpuənis] *s* 1.
chudobnost, nuznost 2. chatr-
nost 3. slabý výkon

pop¹ [pop] *vt & t* (-pp-) **1.** bouchnout, třesknout; vyfukovat **2.** vyčnívat **3.** vytasit se **4.** náhle přijít, vklouznout (*in* do) **5.** mrštit **6.** sl. dát do zástavy **7.** am. pražit kukuřici až praskne **8.** hov. *to ~ the question* vyjádřit se, vyslovit se, požádat o ruku; **~ forth** vylétnout; **~ off** prásknout do bot, upláchnout; vybuchnout; natáhnout bačkory, zemřít; **~ -gun** [ˈpopgan] *s* bouchačka, vzduchovka □ *s* **1.** třesknutí, bouchnutí **2.** šumivý nápoj, šampaňské ap.

pop² [pop] *s* hov. lidový koncert

pop|e [poup] *s* **1.** papež **2.** pop **3.** neomylný člověk ♦ *~'s nose* biskup husy; **—ish** [ˈpoupiš] *a* papež(en)ský

popinjay [ˈpopindžei] *s* **1.** arch. papoušek **2.** hejsek, nadutec **3.** dial. žluva n. datel

poplar [ˈpoplə] *s* topol

poplin [ˈpoplin] *s* popelín látka

poppet [ˈpopit] *s* koník soustruhu

popple [ˈpopl] *vi* **1.** převracet se, převalovat se; vzdouvat se **2.** bublat, čeřit se □ *s* čeření, vlnobití

poppy [ˈpopi] *s* mák ♦ *red ~* vlčí mák; *dwarf ~* planý mák; **~ -head** [ˈpopihed] *s* makovice

populace [ˈpopjuləs] *s* lid, dav

popul|ar [ˈpopjulə] *a* lidový, populární, oblíbený ♦ *~ democracy* lidová demokracie; *~ front* lidová fronta; *~ science film* populárně vědecký film; **—arity** [ˌpopju-ˈlæriti] *s* oblíbenost, popularita; **—arize** [ˈpopjuləraiz] *vt* popularizovat; **—ate** [ˈpopjuleit] *vt* zalidnit; **—ation** [ˌpopjuˈleišən] *s* lidnatost, obyvatelstvo; *civilian ~* civilní obyvatelstvo; **—ous** [ˈpopjuləs] *a* lidnatý, zalidněný

porcelain [ˈpo:slin] *s* porcelán

porch [po:č] *s* **1.** sloupoví, průčelí, krytý vchod **2.** veranda

porcine [ˈpo:sain] *a* prasečí, svinský

porcupine [ˈpo:kjupain] *s* dikobraz

pore¹ [po:] *s* pór, potní dírka

pore² [po:] *vi & t* **1.** být zabrán do, uvažovat, úporně myslit (*upon, at* na); dřít, studovat **2.** arch. důkladně pohlížet (*at, on, over* na)

pork [po:k] *s* vepřové maso; *~ chop* vepřová kotleta; **—er** [ˈpo:kə] *s* krmník; **—ling** [ˈpo:kliŋ] *s* podsvinče, prasátko; **~ -pie** [ˈpo:kpai] *s* vepřová paštika; **—y** [ˈpo:ki] *a* prasečí; tlustý

por|osity [po:ˈrositi] *s* pórovitost; **—ous** [ˈpo:rəs] *a* pórovitý

porphyry [ˈpo:firi] *s* porfyr

porridge [ˈporidž] *s* ovesná kaše ♦ *to keep one's breath to ~*, *to cool one's ~* nechat si rozumy pro sebe

porringer [ˈporindžə] *s* miska, talířek

port¹ [po:t] *s* přístav ♦ *to clear a ~* vyplout z přístavu; **~ -hole** *s* lodní otvor, střílna

port² [po:t] *s* **1.** vrata, brána **2.** střílna, postranní otvor v lodi

port³ [po:t] *s* **1.** nosnost **2.** držení těla **3.** způsobnost □ □ *vt* nést, nosit ♦ *to ~ arms* držet zbraň diagonálně před tělem

port⁴ [po:t] *s* levá přední strana lodi

port⁵ [po:t] *s* portské víno

portable [ˈpo:təbl] *a* přenosný, nositelný; *~ crane* pojízdný jeřáb; *~ steam engine* parní lokomobila

portage [ˈpo:tidž] *s* **1.** doprava hlavně mezi dvěma splavnými vodami **2.** dopravné

portal [ˈpo:tl] *s* portál, vchod; *~ vein* jaterní žíla, vrátnice

portcullis [po:tˈkalis] *s* padací mříž v bráně

portend [po:ˈtend] *vt* zvěstovat, být předzvěstí n. znamením, předvídat

portent [ˈpo:tent] *s* znamení, předzvěst; **—ous** [po:ˈtentəs] *a* zlověstný, pozoruhodný

porter¹ [po:tə] *s* vrátný

porter² [ˈpo:tə] *s* **1.** nosič **2.** porter silné černé pivo; **—age** [ˈpo:təridž] *s* **1.** nesení **2.** mzda nosičů; **|~ -house** *s* am. pivnice, restaurace

portfolio [po:tˈfouljou] *s* **1.** aktovka **2.** fig. úřad ministra **3.** am. seznam dlužních úpisů

portico [ˈpo:tikou] *s* sloupoví

portion [ˈpo:šən] *s* **1.** část, díl, podíl; příděl, porce **2.** úděl **3.** věno □ *vt* (roz)dělit, dát věno

portl|iness [ˈpo:tlinis] *s* **1.** tělnatost **2.** usedlost, statnost **3.** vážnost, důstojnost; **—y** [ˈpo:tli] *a* **1.** tělnatý **2.** statný **3.** usedlý, vážný

portmanteau [po:tˈmæntou] *s* cestovní vak

portrait [ˈpo:trit] *s* podobizna, portrét; **—ist** [ˈpo:tritist] *s* portrétista; **—ure** [ˈpo:tričə] *s* **1.** portrétování **2.** portrét, obraz **3.** živé líčení

portray [po:ˈtrei] *vt* portrétovat, popsat; **—al** [po:ˈtreiəl] *s* **1.** zobrazení **2.** portrétování, portrét

Portsmouth [ˈpo:tsmɵθ] *s* Portsmouth

Portug|al [ˈpo:tjugəl] *s* Portugalsko; **—uese** [ˌpo:tjuˈgi:z] *a* portugalský □ *s* Portugalec; portugalština

pose¹ [pouz] *vt & i* **1.** klást, položit (*claim* požadavek) **2.** předložit otázku **3.** umístit, postavit **4.** stavět se, vydávat se (*as friend* za přítele) ♦ *to ~ for one's portrait* sedět modelem □ *s* držení těla, postoj, póza

pose² [pouz] *vt* zmást někoho

poser [ˈpouzə] *s* **1.** vyslýchající **2.** umlčovač **3.** pozér **4.** nesnadná otázka, problém

posit [ˈpozit] *vt* před(po)kládat jako skutečnost, postulovat

position [pəˈzišən] *s* **1.** postavení, poloha **2.** stav duševní **3.** hodnost **4.** místo, zaměstnání, úřad ♦ *to be in a ~* mít možnost, být s to; *~ warfare* zákopová válka □ *vt* umístit, určit polohu; **—er** [pəˈzišənə] *s* přístroj na nastavení polohy

positive [ˈpozətiv] *a* **1.** určitý, jistý, nesporný **2.** rozhodný **3.** pozitivní, kladný **4.** abso-

lutní 5. praktický 6. hov.
přímý □ *s* 1. pozitiv 2. skutečnost 3. klad
positivism ['pozitivizəm] *s* pozitivismus
posse ['posi] *s* ozbrojený sbor policie ap.
possess[pə'zes] *vt* 1. mít v držení, vlastnit 2. zmocnit se, zaujmout 3. ovládat, posednout (*-ed by, with, the idea* posedlý myšlenkou) 4. *zvr.* ovládat se, opanovat se; ~ *of* učinit pánem; *-ing*: ~ *classes* majetné třídy; —**ion** [pə'zešən] *s* 1. držení, držba, majetek, vlastnictví 2. posedlost 3. zaujatost 4. *pl.* bohatství ♦ *colonial* ~ koloniální država; *to hold in* ~ mít v držení; *to get* ~ *of* zmocnit se, ujmout se; *to put in* ~ dát v držení; —**ive** [pə'zesiv] *a* 1. vlastnictví 2. *gram.* přivlastňovací; —**or** [pə'zesə] *s* vlastník, majitel
possibility [ˌposə'biliti] *s* možnost, skutečnost
possibl|e ['posəbl] *a* 1. možný 2. snesitelný ♦ *as soon as* ~ co nejdříve; —**y** ['posəbli] *adv* možná, snad
post[1] [poust] *s* 1. kůl, sloup; trám, pilíř; stojan 2. vrstva □ *vt* 1. přilepit, připevnit na kůl, tabuli 2. učinit známým, inzerovat 3. plakátovat 4. uveřejnit jméno pohřešované lodi ♦ *well -ed* dobře informován
post[2] [poust] *s* 1. pošta 2. *hist.* poštovní posel; *by* ~ poštou; *by return of* ~ obratem pošty

□ *vi & t* 1. jet poštou, poslat poštou 2. dát *dopis* na poštu, vhodit do poštovní schránky 3. pospíchat 4. zapsat *účetní položku* 5. zařadit; ~ *away* odbýt, rychle vyřídit; ~ *off* rychle odeslat; ~ *over* zastřít, omluvit; ~ *up* podat nejnovější zprávy, pospíchat; —**age** ['poustidž] *s* poštovné; —**al** ['poustəl] *a* poštovní; ~ *order* poštovní poukázka; ~ -**bag** ['poustbæg] *s* poštovní pytel, brašna listonoše; I~ -**bill** *s* směnka na krátkou lhůtu; I~ -**boy** *s* postilión, poštovní poslíček, listonoš; I~ -**box** *s* poštovní schránka; —**card** ['poustka:d] *s* dopisnice; korespondenční lístek; ~ -**chaise** ['poustšeiz], ~ -**coach** ['poustkouč] *s* poštovní dostavník; I~ -**free** franko; I—**man** *s* listonoš; I—**mark** *s* razítko na dopisu; I—**master** *s* poštmistr; I—**master** **general** ministr pošt; ~ -**office** ['poustˌofis] *s* poštovní úřad; —**age stamp** poštovní známka
post[3] [poust] *s* 1. vojenská stanice, posádka, stanoviště 2. místo, služba 3. pevnost ♦ *last* ~ večerka; poslední trubačský pozdrav při pohřbívání vojína
post- [poust-] *prefix* značící „po-", „pozdější"
poster ['poustə] *s* 1. lepič plakátů 2. plakát
posterior [pos'tiəriə] *a* pozdější, zadní □ *s obv. pl.* zadek; —**ity** [posˌtiəri'oriti] *s* pozdější doba

posterity [pos'teriti] *s* potomstvo

postern ['poustə:n] *s* zadní branka, soukromý vchod

posthumous ['postjuməs] *a* pohrobní, posmrtný

postilion [pəs'tiljən] *s* postilión

postmeridian ['poustmə'ridiən] *a* odpolední

postpone [poust'poun] *vt* 1. odložit 2. klást na druhé místo, zanedbávat; —ment *s* odklad, odložení

postscript ['pousskript] *s* (zkr. P. S.) douška, dodatek

postul|ant ['postjulənt] *s* uchazeč, žadatel; —ate *vt & i* ['postjuleit] 1. žádat, dožadovat se 2. předpokládat □ *s* ['postjulit] 1. požadavek, postulát 2. předpoklad; —ation [ˌpostju'leišən] *s* 1. požadování, požadavek; žádost 2. předpoklad

posture ['posčə] *s* držení, postavení, stav □ *vt* 1. zaujmout postavení 2. figurovat 3. postavit, zřídit, upravit

post-war ['poust'wo:] *a* poválečný ♦ ~ *boom* poválečná konjunktura

posy ['pouzi] *s* arch. 1. průpověď, moto na prstenu ap. 2. kytice vázaná

pot [pot] *s* nádoba, hrnec, džbán; konev; kořenáč ♦ *to go to the* ~ vulg. přijít na mizinu; *to make the* ~ *boil* vydělávat si na živobytí; *big* ~ velké zvíře, důležitá osoba □ *vt & i* (-tt-) 1. dát do hrnce, naložit 2. zasadit do kořenáče 3. (za)střelit

(*at* koho) 4. uchopit, zajistit; ~ -boiler ['potˌboilə] *s* výdělečná umělecká práce, výdělečný umělec; |~ -boy *s* výčepník, hostinský sluha; ~ -hat *s* buřinka; ~ -herb ['pothə:b] *s* zelenina; ~ -hook ['pothuk] *s* věšák na hrnce· klikyháky; |~ -house *s* pivnice; ~ -ladle ['potleidl] *s* sběračka; |~ -lid *s* poklička· ~ -luck ['po'lak] *s* náhodné jídlo (*come and take* ~ *with us* přijďte, ale musíte vzít za vděk tím, co máme); ~ -pan ['potpæn] *s* kastrol; ~ -sherd ['potšə:d] *s* střep(ina);|~'shot *s* výstřel z blízka; výstřel nazdařbůh

potable ['poutəbl] *a* pitný □ *s pl.* nápoje

potash ['potæš] *s* draslo, potaš

potassium [pə'tæsjəm] *s* draslík; ~ carbonate ['ka:bənit] uhličitan draselný, potaš

potation [pou'teišən] *s* pití, pitka

potato [pə'teitou] *s* pl. -*es* [-z] brambor

pot|ency ['poutənsi] *s* síla, moc; —ent ['poutənt] *a* mocný, silný

potentate ['poutənteit] *s* mocnář, vladař

potential [pə'tenšəl] *a* 1. mocný, silný 2. možný, potenciální 3. působivý 4. gram. podmínkový □ *s* el. potenciál, napětí; —ity [pəˌtenši'æliti] *s* možnost, potenciálnost

pother ['poðə] *s* 1. hluk, lomoz, zmatek 2. dusivý kouř, mrak prachu 3. rozčilení □ *vt* obtěžovat, trápit □ *vi* lomozit, hlučet

potion [ˈpoušən] *s* nápoj

pottage [ˈpotidž] *s* arch. polévka

potter [ˈpotə] *s* hrnčíř □ *vi & t* 1. pracovat nestále, po chvilkách 2. sem a tam šukat *(about)* 3. promarnit čas ap.; —**y** [ˈpotəri] *s* 1. hrnčířství 2. hrnčířské zboží, keramika 3. hrnčířská dílna

pouch [pauč] *s* 1. pytlík, vak, brašna na náboje 2. kapsa □ *vt & i* 1. dát do pytlíku, vstrčit do kapsy 2. sl. dát peníze, spropitné 3. viset jako pytel o šatech

poult [poult] *s* kuře; —**erer** [ˈpoultərə] *s* drůbežník; —**ry** [ˈpoultri] *s* drůbež; ǀ**~ -house** kurník

poultice [ˈpoultis] *s* obklad, placka (křenová) □ *vt* přiložit obklad

pounce¹ [pauns] *s* 1. úder, slétnutí, uchvácení 2. zast. dráp, pazour, pařát □ *vt & i* snést se, vrhnout se nač, uchvátit *(upon* koho, co)

pounce² [pauns] *s* pemzový prášek □ *vt* 1. posypat pemzovým práškem 2. hladit pemzou

pound¹ [paund] *s* libra, zkr. *lb.* váha, £ peníze

pound² [paund] *s* 1. ohrada pro dobytek 2. fig. vězení □ *vt* uzavřít do ohrady

pound³ [paund] *vt* 1. (roz-)tlouci na prášek v moždíři 2. rozmlátit, roztlouci *(to pieces* na kusy) 3. vléci se 4. dupat, dusat 5. bouchat; —**er**

[ˈpaundə] *s* 1. palička 2. librový kus; —**ing** [ˈpaundiŋ] *s* narážení, náraz lodi; drcení

poundage [ˈpaundidž] *s* 1. provize z libry 2. poplatek z poštovní poukázky ap.

pour¹ [po:] *vt & i* 1. lít (se) 2. sypat (se) 3. proudit 4. pronikat, vniknout 5. silně pršet, lít ♦ *the river -s itself into the sea* řeka se vlévá do moře; *to ~ cold water on* odstrašit, odradit; *-ing rain* liják; **~ down** lít se; **~ forth** vylévat; **~ in** nalít; **~ out**′ vylévat, vysypat; —**ability** [ˌpo:rəˈbiliti] *s* slévatelnost

pour² [po:] *s* liják

pout [paut] *vt & i* ohrnovat rty, špulit ústa □ *s* našpulení n. ohrnutí rtů; —**er** [ˈpautə] *s* holub volatý

poverty [ˈpovəti] *s* 1. chudoba, nouze 2. ubohost 3. chudina; **~ -stricken** [ˈpovətiˌstrikn] *a* na mizině, chudý

powder [ˈpaudə] *s* 1. prach, prášek, pudr 2. střelný prach □ *vt* 1. rozdrtit, rozetřít na prášek; *-ed sugar* práškový cukr 2. posypat, poprášit, napudrovat (se); **~ -magazine** [ˈpaudəmægəˌzi:n] *s* skladiště prachu; **~ -mine** [ˈpaudəmain] *s* podkop; **~ -puff** [ˈpaudəpaf] *s* labutěnka; —**y** [ˈpaudəri] *a* prachový, sypký; zaprášený

power [ˈpauə] *s* 1. moc, síla 2. mocnost 3. vrchnost 4. plná moc *(of attorney* zástupce) 5. lid. spousta, množství *(of people* lidí) 6. mat. mocnina ♦ *the Great P~s*

velmoci; *the party in* ~ strana
u moci, u vesla; *merciful -s*!
milosrdný Bože!; *a* ~ *of
people* množství lidí; *the
-s-that-be* vyšší, směrodatná
úřední místa; *buying* n. *pur-
chasing* ~ kupní síla; *labour* ~
pracovní síla; ~ *engineering*
energetika; —**ful** ['pauəful]
a mocný, vlivný; silný, půso-
bivý; ~ **feed** mechanický po-
suv; ~ **gas** pohonný plyn;
~ **hammer** buchar; ~ **input**
příkon; —**less** ['pauəlis] *a*
bezmocný, slabý, neschopný
(*to do* k); ~ -**loom** ['pauəlu:m]
s mechanický stav; ~ **saw**
strojní pila; ~ -**station** ['pauə-
ısteišən] *s* elektrárna
pox [poks] *s* **1.** neštovice **2.**
různé nemoci projevující se vy-
rážkou, např. svfilis, příjice
pp. = *(printed) page*
P.R.A. = *President of the Royal
Academy*
practic|ability [ıpræktikə'biliti]
s použitelnost, sjízdnost;
—**able** ['præktikəbl] *a* vy-
konatelný, uskutečnitelný,
možný; schůdný
practical ['præktikəl] *a* **1.** prak-
tický **2.** účinný **3.** výkonný
4. skutečný; —**ly** ['præktikəli]
adv skutečně, vskutku
practic|e ['præktis] *s* **1.** praxe,
cvičení, cvik, výcvik **2.** zku-
šenost, zvyk **3.** výkon, vyko-
návání **4.** upotřebení **5.** klien-
tela **6.** arch. úklad, nástraha
7. obratnost ♦ *in* ~ v čin-
nosti, v užívání, obvyklý;
out of ~ ze cviku, neužívaný;
to put in(to) ~ provést, usku-
tečnit, vykonat; —**ian** [præk-

ıtišən] *s* praktik; praktický
lékař
practise ['præktis] *vt & i* **1.**
konat, vykonávat, provozo-
vat praxi **2.** cvičit (se) **3.**
ukládat (*on* o); ~ **(up)on**
využívat koho
practitioner [præk'tišnə] *s* prak-
tický lékař, advokát
pragmatic(al) [præg'mætik(əl)]
a **1.** pragmatický, účelný **2.**
všetečný; —**ism** ['prægmə-
tizəm] *s* pragmatismus
Prague [pra:g] *s* Praha □ *a*
pražský
prairie ['preəri] *s* prérie, step
praise [preiz] *vt* chválit, velebit
□ *s* chvála, pochvala; —**ful**
['preizful] *a* chvalitebný,
chvályhodný; —**worthiness**
['preizıwə:ðinis] *s* chvaliteb-
nost; —**worthy** ['preizıwə:ði]
a chvalitebný, chvályhod-
ný
praline ['pra:li:n] *s* pralinka
pram [præm] *s* hov. **1.** dětský
kočárek **2.** mlékařský vozík
3. [pra:m] pramice
prance [pra:ns] *vi* vzpínat se,
vypínat se o koni □ *s* **1.**
vzpínání se, vzepnutí; skok
2. fig. vypínavá chůze
prank[1] [præŋk] *s* žert, šprým;
—**ful** ['præŋkful], —**ish**
['præŋkiš] *a* žertovný, šprý-
movný
prank[2] [præŋk] *vi & t* vyzdobit,
vystrojit (se), vyfintit (se)
prat|e [preit] *vi & t* žvanit,
žvatlat □ *s* žvanění, žvást,
tlach; —**er** ['preitə] *s* žvanil,
tlachal
praties ['preitiz] *s* brambory
prattl|e ['prætl] *vt* žvatlat, žva-

nit, tlachat □ *s* žvatlání; —**er**
[ˈprætlə] *s* žvanil, tlachal
pray [prei] *vt* prosit, žádat
(*for* o) □ *vi* modlit se (*to* k),
(*for* za) ♦ ~ *consider*... pro-
sím, uvažte...; —**er**¹ [ˈpreɪə] *s*
prosebník, modlitebník; —**er**²
[preə] *s* prosba, modlitba
♦ *Lord's* ~ modlitba Páně;
to say one's -*s* modlit se;
~-**book** [ˈpreəbuk] *s* modli-
tební kniha; —**ful** [ˈpreəful]
a pobožný; ~-**wheel** [ˈpreə-
wiːl] *s* buddhistický modlitební
mlýnek
pre- [pri-] předpona značící před-
nost v čase, místě, hodnosti:
„před-"
preach [priːč] *vi & t* kázat, zvěs-
tovat; napomínat; ~ **down**
číst komu levity; ~ **up** vy-
chválit; —**er** [ˈpriːčə] *s* kaza-
tel; —**ment** *s* domluva, kázá-
níčko
preamble [priːˈæmbl] *s* úvod,
předmluva
preapprehension [ˌpriːæpriˈhen-
šən] *s* předsudek, předpoja-
tost
prebend [ˈprebənd] *s* prebenda,
obročí
pre-capitalistic [priːˈkæpitəlistik]
a předkapitalistický
precarious [priˈkeəriəs] *a* 1.
nejistý, pochybný 2. nebez-
pečný, riskantní
precatory [ˈprekətəri] *a* pro-
sebný
precaution [priˈkoːšən] *s* 1.
opatrnost, opatření bezpeč-
nostní n. preventivní 2. vý-
straha, varování ♦ *to take* -*s*
against učinit opatření proti;
to use -*s* počínat si opatrně;

—**ary** [priˈkoːšnəri] *a* opa-
trný
preced|e [priˈsiːd] *vt* 1. před-
cházet 2. mít přednost, před-
stihnout; —**ence**, —**ency** [pri-
ˈsiːdəns(i)] *s* 1. přednost,
priorita 2. služební stáří ♦
to hold the ~ mít přednost;
to give ~ dát přednost; —**ent**
a [priˈsidənt] *a* předchozí,
předešlý □ *s* [ˈpresidənt]
předchozí případ
precentor [priˈsentə] *s* vedoucí
pěveckého sboru (chrámo-
vého)
precept [ˈpriːsept] *s* předpis,
pravidlo; —**or** [priˈseptə] *s*
učitel, preceptor
precinct [ˈpriːsiŋkt] *s* 1. ná-
dvoří 2. obvod, okres 3. am.
volební okres 4. pl. okolí 5.
hranice
preci|osity [ˌprešiˈositi] *s* draho-
cennost, skvostnost, vyuměl-
kovanost; —**ous** [ˈprešəs] *a*
1. drahocenný, skvostný;
~ **stone** drahokam 2. vzácný,
výborný 3. vyumělkovaný
styl
precipice [ˈpresipis] *s* propast,
sráz
precipit|ance, **-ancy** [priˈsipi-
təns(i)] *s* překotnost, kvap;
—**ant** [priˈsipitənt] *a* 1. pře-
kotný, ukvapený 2. srázný
3. rychlý, prudký; —**ate** *vt & i*
[priˈsipiteit] 1. svrhnout, sho-
dit 2. fig. uvrhnout (*into* do)
3. uspíšit, ukvapit se, unáhlit
se 4. vrhnout se dolů, řítit
se 5. chem. srážet (se) □ *a*
[priˈsipitit] 1. střemhlav pa-
dající 2. ukvapený, náhlý
3. srázný □ *s* chem. sraženina,

sedlina; —ation [pri₁sipi-
|teišən] s 1. sražení, svržení
2. ukvapení, unáhlení 3. srá-
žení, srážky dešťové; —ous
[pri|sipitəs] a 1. srázný, přík-
rý 2. ukvapený, náhlý, pře-
kotný
precis|e [pri|sais] a 1. určitý,
přesný 2. úzkostlivý, puntič-
kářský 3. přepjatý; —ely
[pri|saisli] adv právě (přesně)
tak, ba právě v odpovědi;
—eness [pri|saisnis] s 1. přes-
nost, určitost 2. úzkostlivost;
—ian [pri|sižən] s puntičkář;
—ion [pri|sižən] s přesnost,
určitost; ~ mechanics přesná
mechanika
preclu|de [pri|klu:d] vt 1. vy-
loučit 2. zabránit, předejít
(from čemu); —sion [pri-
|klu:žən] s vyloučení, zame-
zení; —sive [pri|klu:siv] a
vylučující (of co), výlučný
precoc|ious [pri|koušəs] a před-
časný, předčasně zralý; před-
časně vyvinutý; —iousness
[pri|koušəsnis] s předčasnost;
—ity [pri|kositi] s před-
časná zralost
preconceive [|pri:kən|si:v] vt na-
před si učinit představu;
pojmout plán
preconception [|pri:kən|sepšən]
s předsudek
pre-conscription [|pri:kən|skrip-
šən] s předvojenská výchova
preconsign [|pri:kən|sain] vt na-
před zaslat
precursor [pri|kə:sə] s před-
chůdce
pred|acious [pri|deišəs] a dravý
o zvířatech; —atory [|pre-
dətəri] a 1. loupeživý, lou-

pežný, kořistnický 2. dravý,
dravčí o zvířatech
pre-date [pri:|deit] vt anteda-
tovat
predecessor [|pri:disesə] s 1.
předchůdce 2. předek
predestinat|e vt [pri:|destineit]
předurčit, napřed ustanovit
□ a [pri|destinit] předurčený,
vyvolený; —ion [pri:|desti-
|neišən] s předurčení, vyvo-
lení
predestine [pri|destin] vt =
predestinate
predetermin|ation [|pri:di₁tə:mi-
|neišən] s předurčení; —e
[|pri:di|tə:min] vt předurčit,
napřed rozhodnout, předem
stanovit
predial [|pri:diəl] a 1. pozemko-
vý 2. zemědělský, agrární
predic|able [|pridikəbl] a při-
souditelný, vypovídatelný;
—ament [pri|dikəmənt] s 1.
tvrzení, výrok 2. log. kate-
gorie, třída 3. nesnáz, tíseň;
—ate vt [|predikeit] tvrdit
(of, about o), vypovídat, při-
soudit □ s [|predikit] 1.
výrok, tvrzení 2. gram. pří-
sudek; —ation [|predi|keišən]
s 1. tvrzení 2. oznámení 3.
kázání 4. gram. predikace;
—ative [pri|dikətiv] a gram.
přísudkový
predict [pri|dikt] vt předpo-
vědět, prorokovat; —ion [pri-
|dikšən] s předpověď, pro-
roctví; —or [pri|diktə] s pro-
rok
predilection [|pri:di|lekšən] s
záliba (for pro)
predispos|e [|pri:dis|pouz] vt 1.
učinit náchylným (to k)

2. napřed připravit; **—ition**
[ˈpriːˌdispəˈzišən] *s* náchyl-
nost (*to* k)
predomin|ance [priˈdominəns] *s*
převaha nad (*over*), nadvláda
—ant [priˈdominənt] *a* pře-
vládající; **—ate** [priˈdomineit]
vt mít převahu (*over* nad),
převládat
pre-eminence [priːˈeminəns] *s*
prvotnost, přednost (*in* v)
preen [priːn] *vt* **1.** čechrat si
peří zobákem **2.** zvr. upravit
se, šlechtit se
prefab(ricat|e) [ˈpriːˈfæb, ˈpriː-
ˈfæbrikeit] *vt* hov. předem
vyrobit; vyrábět dílce domů
♦ *-ed element* hotový stavební
dílec, prefabrikát; **—ion** [ˈpriː-
ˌfæbriˈkeišən] *s* výroba hoto-
vých dílců domů
preface [ˈprefis] *s* předmluva,
úvod □ *vt & i* **1.** opatřit
předmluvou **2.** uvést, zahájit
prefatory [ˈprefətəri] *a* úvodní
prefect [ˈpriːfekt] *s* představený,
prefekt
prefer [priˈfəː] *vt* (-rr-) **1.** dávat
přednost (*to* před) **2.** předlo-
žit, přednést, navrhnout (*sta-
tement, information, to a per-
son* zprávu. informaci ko-
mu) **3.** povýšit ♦ *to ~ a charge
against* vznést žalobu proti;
—able [ˈprefərəbl] *a* výhod-
nější, lepší než (*to*); **—ably**
[ˈprefərəbli] *adv* raději; **—ence**
[ˈprefərəns] *s* přednost, prio-
rita; **—ential** [ˌprefəˈrenšəl] *a*
přednostní, preferenční (*shop*
družstevní obchod pro čle-
ny odborových organizací);
—ment *s* **1.** povýšení, po-
vznesení **2.** čestné postavení

prefilling [priˈfiliŋ] *s* předplnění
prefix [ˈpriːfiks] *s* předpona,
prefix
pregn|ancy [ˈpregnənsi] *s* těho-
tenství; **—ant** [ˈpregnənt] *a*
1. těhotná (*with*) **2.** závažný,
důležitý; plný; obsáhlý; plod-
ný
preheat [ˈpriːhiːt] *vt* předehřát
prehension [priˈhenšən] *s* chá-
pání, uchopení
prehistoric [ˈpriːisˈtorik] *a*
předhistorický
prejudic|e [ˈpredžudis] *s* před-
sudek (*against* proti), (*in
favour of* pro); škoda, újma
□ *vt* vyvolat zaujetí pro n.
proti, naplnit předsudkem,
(po)škodit; **—ial** [ˌpredžu-
ˈdišəl] *s* **1.** předpojatý, zasle-
pený **2.** škodlivý, na újmu
(*to* čeho)
prelate [ˈprelit] *s* prelát
prelect [priˈlekt] *vi* předčítat,
přednášet (*on, upon* o); **—ion**
[priˈlekšən] *s* přednáška
preliminary [priˈliminəri] *a* **1.**
předběžný, předchozí **2.** pří-
pravný **3.** zahajovací **4.** vy-
čkávací □ *s* **1.** úvod, příprava
2. předběžné články (úmluvy)
preload [priˈloud] *s* předběžné
zatížení □ *vt* předběžně za-
tížit; *-ed bearing* ložisko
s předpětím
prelude [ˈpreljuːd] *s* předehra,
úvod (*of, to* k) □ *vt & i*
1. být předehrou, hrát přede-
hru (*to* k) **2.** připravit se
prelusive [priˈljuːsiv] *a* **1.** tvořící
předehru **2.** úvodní, příprav-
ný
pre-Marxist [priˈmaːksist] *a*
předmarxistický

prematur|e [ˌpreməˈtjuə] *a* 1. raný, předčasný 2. ukvapený, přenáhlený; **—ity** [ˌpreməˈtjuəriti] *s* 1. předčasná zralost, předčasnost 2. ukvapenost, přenáhlenost

premeditat|e [priːˈmediteit] *vt* napřed uvážit; **—ion** [priːˌmediˈteišən] *s* 1. předchozí uvážení, úvaha 2. úmysl, záměr

premier [ˈpremjə] *a* první, přední, vedoucí □ *s* ministerský předseda; *am.* státní tajemník, ministr zahraničí

premise[1] [ˈpremis] *s* 1. návěst, premisa, předpoklad 2. pl. hospodářská stavení při domě, dům s příslušenstvím 3. pl. půda při stavení, domě ♦ *production -s* provozní budovy

premise[2] [priˈmaiz] *vt* předeslat, napřed podotknout

premium [ˈpriːmjəm] *s* 1. odměna, cena, prémie 2. pojistné 3. náhrada 4. *fin.* ážio 5. bonus

premonish [priˈmoniš] *vt* varovat

premonit|ion [ˌpriːməˈnišən] *s* předběžné napomenutí, výstraha; **—ory** [priˈmonitəri] *a* varovný, výstražný

pre-Munich [priːˈmjuːnik] *a* předmnichovský

prentice [ˈprentis] *s* arch. = *apprentice*

preoccupation [priːˌokjuˈpeišən] *s* 1. předpojatost, předsudek 2. dřívější držba 3. obsazení místa předem

preoccupy [priːˈokjupai] *vt* 1. napřed obsadit, zaujmout 2. naplnit předsudkem

preopinion [ˈpriːoˈpinjən] *s* předpojatý názor, předpojatost

preordain [ˈpriːoˈdein] *vt* předurčit

preordination [priːˌoˈdiˈneišən] *s* předurčení

prep [prep] *s* sl. 1. příprava 2. přípravka škola

prepaid [ˈpriːˈpeid] *a* napřed zaplacený, porta prostý

preparat|ion [ˌprepəˈreišən] *s* 1. příprava, úprava 2. preparát; **—ive** [priˈpærətiv] *a* přípravný, předběžný; **—ory** [priˈpærətəri] *a* přípravný (*committee* výbor, *worker's courses* dělnické přípravky), předběžný; **~ school** přípravka

prepar|e [priˈpeə] *vt & i* 1. připravit (si), chystat (se) (*for* k) 2. zvr. připravit se; **—edness** [priˈpeədnis] *s* připravenost, pohotovost

prepay[*] [ˈpriːˈpei] *vt* napřed zaplatit, předplatit; frankovat dopis

prepense [priˈpens] *a* úmyslný, záměrný

pre-plan [priːˈplæn] *vt* naplánovat předem

preponder|ance [priˈpondərəns] *s* převaha; **—ant** [priˈpondərənt] *a* převážný, převládající; silnější, těžší; **—ate** [priˈpondəreit] *vi* 1. převážit, 2. převládat, mít převahu

preposition [ˌprepəˈzišən] *s* gram. předložka

prepossess [ˌpriːpəˈzes] *vt* 1. nadat, inspirovat, zaujmout (*with* čím) 2. způsobit dobrý dojem; **—ing** [ˌpriːpəˈzesiŋ] *a* 1. způsobující předsudek

2. přitažlivý, okouzlující, půvabný; —ion [ˌpri:pəˈzešən] *s* zaujatost

preposterous [priˈpostərəs] *a* převrácený, nesmyslný, pošetilý

preproduction [ˌpri:prəˈdakšən] *s* pokusná výroba

prepuce [ˈpri:pju:s] *s* med. předkožka

pre-requisite [ˈpri:ˈrekwizit] *s* předběžný, základní požadavek

presage [ˈpresidž] *s* předzvěst, předtucha, znamení □ *vt* předvídat, věštit, tušit

presbyopia [ˌprezbiˈoupjə] *s* dalekozrakost

presbyter [ˈprezbitə] *s* presbyter, starší církve; —**ian** [ˌprezbiˈtiəriən] *a* presbyteriální □ *s* presbyterián; —**y** [ˈprezbiteri] *s* 1. presbyteř 2. rada starších církve

presci|ence [ˈpresiəns] *s* předvídavost, předtucha; —**ent** [ˈpresiənt] *a* předvídavý

prescribe [prisˈkraib] *vt & i* 1. nařídit 2. předepsat lék

prescript [ˈpri:skript] *s* předpis, nařízení, rozkaz; —**ion** [prisˈkripšən] *s* 1. předpis 2. recept 3. práv. vydržené právo; —**ive** [prisˈkriptiv] *a* 1. předpisující, nařizovací 2. zakládající se na promlčení

preselector [ˌpri:siˈlektə] *s* 1. aut. volič rychlosti 2. el. třídič

presence [ˈprezns] *s* 1. přítomnost, výskyt 2. chování, vzezření ♦ ~ *of mind* duchapřítomnost; ~**-chamber** [ˈprezns-ˌčeimbə] *s* audienční síň

present[1] [ˈpreznt] *a* 1. přítomný 2. nynější 3. pozorný (*to* k) 4. arch. pohotový ♦ ~ *money* hotovost v penězích; ~ *tense* přítomný čas □ *s* přítomnost, přítomný čas ♦ *at* ~ nyní; *for the* ~ pro tentokráte

present[2] [ˈpreznt] *s* dar ♦ *to make a* ~ obdarovat

present[3] [priˈzent] *vt & i* 1. představit (se), objevit se 2. předvést, ukázat; předložit, podat žádost 3. obdařit (*with* čím), poskytovat pohled 4. udat, obžalovat 5. navrhnout 6. zamířit (*arms at* zbraň na) 7. poroučet se, vyřídit poručení, pozdrav ♦ *to* ~ *a bill* předložit směnku (*for acceptance* k přijetí); ~ *arms*! k poctě zbraň!; —**able** [priˈzentəbl] *a* slušný, reprezentativní

present|ation [ˌprezenˈteišən] *s* 1. uvedení, představení u dvora 2. podání, předvedení; návrh 3. darování, věnování ♦ *letter of* ~ doporučovací list; *on* ~ při předložení; —**ee** [ˌprezenˈti:] *s* osoba uvedená n. představená n. obdarovaná

presentiment [priˈzentimənt] *s* předtucha

presently [ˈprezntli] *adv* za chvíli, brzy

presentment [priˈzentmənt] *s* 1. představení 2. předvedení díla 3. obraz, portrét 4. podání určité věci, trestní žaloba 5. popis

preserv|ation [ˌprezəˈveišən] *s* zachování, udržení (*of peace* míru); —**ative** [priˈzə:vətiv]

a ochranný (*against* proti) □
s ochranný prostředek
preserve [pri'zə:v] *vt* **1.** udržet,
uchovat, zachovat **2.** chránit
(*from* před) **3.** nakládat, za-
vařovat □ *s* **1.** zavařenina,
džem **2.** obora
preside [pri'zaid] *vi* předsedat
(*over* komu, čemu)
presid|ency ['prezidənsi] *s* před-
sednictví, presidentství; —**ent**
['prezidənt] *s* **1.** předseda **2.**
president **3.** am. rektor koleje
n. university; —**ential** [ˌprezi-
'denšəl] *a* předsednický, presi-
dentský
press¹ [pres] *s* **1.** tlak, nátlak
2. tlačenice **3.** naléhavost **4.**
tisk (*freedom of the* ~ svoboda
tisku) **5.** tiskárna, tikařství
6. skříň, šatník **7.** tiskařský
lis (též *printing-*~) **8.** rekvi-
zice **9.** noviny ♦ *at* ~, *in
the* ~ v tisku; ~ *conference*
tisková konference; ~ *office*
tiskový úřad; ~ *service* tisko-
vá služba □ *vt & i* **1.** tisknout
2. svírat, tlačit (se), při-
tisknout k sobě **3.** lisovat
4. utiskovat, potlačovat **5.**
nutit, naléhat (*upon* na), být
naléhavý; vnucovat se **6.**
žehlit; ~ **down** stlačit; ~ **for**
usilovat o, naléhat na; ~ **in**
vtlačit; ~ **on 1.** naléhat, po-
pohánět **2.** vnucovat; ~ **out**
vymáčknout, vylisovat; ~ **up**
vytlačit; ~ **-button** ['pres-
batn] *s* **1.** tlačítko **2.** pa-
tentka; —**ing** ['presiŋ] *a* nalé-
havý □ *s* lisování, výlisek;
|—**man** *s* žurnalista; ~ **-mark**
['presma:k] *s* signatura kni-
hy; ~ **-proof** ['prespru:f] *s*

poslední kartáčový obtah;
~ **-room** ['presrum] *s* tiskárna
press² [pres] *vt* násilně odvádět
k vojsku
pressure ['prešə] *s* **1.** tlačení,
tlak **2.** tisknutí **3.** lisování
4. nátlak, útisk **5.** nesnáz,
nouze, tíseň ♦ *under* ~
pod nátlakem, nedobrovolně;
~ **-height** ['prešəhait] *s* tla-
ková výše; ~ **pump** tlakové
čerpadlo; ~ **spring** tlačná pru-
žina; ~ **valve** výtlačný ventil;
~ **welding** svařování tlakem
prestige [pres'ti:ž] *s* dobrá po-
věst, důstojnost; prestiž
prestressing [pri'stresiŋ] *s* před-
pětí
presum|able [pri'zju:məbl] *a* **1.**
domnělý, pomyslný **2.** prav-
děpodobný; —**ably** [pri-
'zju:məbli] *adv* podle před-
pokladu, pravděpodobně; —**e**
[pri'zju:m] *vt* **1.** předpoklá-
dat, soudit, domnívat se □
vi **2.** domýšlet si; dovolit si,
troufat si **3.** opovážit se **4.**
spoléhat se (*on* nač)
presumpt|ion [pri'zampšən] *s* **1.**
domnění, předpoklad, prav-
děpodobnost **2.** domýšlivost,
troufalost, smělost; —**ive** [pri-
'zamptiv] *a* **1.** domnělý **2.**
pravděpodobný **3.** domýšlivý;
—**uous** [pri'zamptjuəs] *a* do-
mýšlivý, opovážlivý, drzý
presuppos|e [ˌpri:sə'pouz] *vt*
předpokládat, domnívat se;
—**ition** [ˌpri:sapə'zišən] *s*
předpoklad, domněnka
pretence [pri'tens] *s* předstírání;
záminka; nárok ♦ *under the*
~ *of helping* pod záminkou
pomoci

pretend [pri¹tend] *vt* **1.** předstírat **2.** namítat, tvrdit □ *vi* **3.** dělat si nároky, domáhat se **4.** osobovat si, požadovat **5.** dělat se, tvářit se **6.** nalhávat si **7.** osmělit se; —**er** [pri¹tendə] *s* uchazeč (*to* o), žadatel, nápadník trůnu, pretendent

preten|sion [pri¹tenšən] *s* nárok, domnělé právo (*to* na); —**tious** [pri¹tenšəs] *a* **1.** náročný, neskromný **2.** osobitý **3.** strojený **4.** okázalý

preterite [¹pretərit] *a* minulý □ *s* minulý čas, préteritum

preter|mission [ˌpri:tə¹mišən] *s* vynechání, opominutí; —**mit** [ˌpri:tə¹mit] *vt* (-tt-) (o)pominout; zanechat, opustit

preternatural [ˌpri:tə¹næčrəl] *a* nepřirozený

pretext [¹pri:tekst] *s* záminka, výmluva, důvod

pretty [¹priti] *a* **1.** pěkný, hezký, roztomilý, půvabný **2.** arch. značný ♦ *a* ~ *kettle of fish* pěkná kaše □ *s* krasavec, kráska □ *adv* do jisté míry, dosti; pěkně, slušně ♦ ~ *much* hodně, mnoho; ~ *well* dost dobře

prevail [pri¹veil] *vi* **1.** převládat, mít převahu nad, nabývat vrchu (*over* nad) **2.** vítězně obstát (*against*, *over* proti) **3.** přemluvit (*with*, *on*, *upon* koho)

preval|ence [¹prevələns] *s* převaha, vliv; —**ent** [¹prevələnt] *a* **1.** převládající, v módě **2.** zavedený

prevaricat|e [pri¹værikeit] *vi* vykrucovat se, dvojsmyslně

mluvit; —**ion** [priˌværi¹keišən] *s* **1.** překrucování, vykrucování **2.** dvojsmysl

prevent [pri¹vent] *vt* předejít, zabránit (*from* v), zamezit, překazit; —**ion** [pri¹venšən] *s* **1.** zabránění, zamezení **2.** předstižení **3.** opatření; —**ive** [pri¹ventiv] *a* zabraňovací, ochranný, preventivní □ *s* ochranný prostředek n. lék, ochrana

previous [¹pri:vjəs] *a* předešlý, předchozí ♦ ~ *to* dříve než; —**ly** [¹pri:vjəsli] *adv* předešle, dříve

prevision [pri:¹vižən] *s* předvídání, prozřetelnost

pre-war [¹pri:¹wo:] *a* předválečný

prey [prei] *s* kořist, loupež ♦ *bird of* ~ dravec □ *vi* **1.** živit se lupem, kořistit **2.** mít zhoubný vliv (*upon* nač) **3.** užírat, hlodat

price [prais] *s* cena, hodnota ♦ *selling* ~ prodejní cena; *fall of* -*s* pokles cen; ~ *control* cenová kontrola; *above*, *beyond*, *without* ~ neocenitelný; *at any* ~ za každou cenu; *set a* ~ *upon* vypsat cenu na □ *vt* stanovit cenu; ~ -**current** [¹praiskarənt], |~ -**list** *s* ceník; |~ -**cut** *s* snížení cen; —**less** [¹praislis] *a* neocenitelný; ~ **reduction** snížení cen

prick¹ [prik] *vt* **1.** píchnout, bodnout **2.** propíchnout, připíchnout **3.** vytečkovat obrys **4.** pobodnout, pobízet koně **5.** sázet (~ *in*), přisazovat □ *vi* **6.** arch. cválat **7.** mít píchání; ~ **down** vytečkovat;

~ **for** ustanovit čím; ~ **on** pobídnout; ~ **out** zasadit, vytečkovat; ~ **up:** ~ *one's ears* stříhat ušima, nastavovat uši, zbystřit sluch, pozornost
prick² [prik] *s* **1.** zast. hrot, osten **2.** cíl, terč **3.** šídlo **4.** bodnutí **5.** stopa ♦ ~ *of conscience* výčitka n. hryzení svědomí; —**ed** [prikt] *a* štiplavý, nakyslý; —**er** ['prikə] *s* šídlo, bodec; —**le** ['prikl] *s* **1.** osten, trn **2.** košíček □ *vt & i* bodat, píchat; —**ly** ['prikli] *a* **1.** ostnatý, trnitý **2.** bodavý, pichlavý
pride [praid] *s* **1.** pýcha, hrdost **2.** nadutost, domýšlivost **3.** zast. smyslný chtíč ♦ *to take* ~ *in* být pyšný na; *in the* ~ *of his years* v nejlepším věku; ~ *of the morning* ranní mlha n. déšť □ zvr. chlubit se, pyšnit se, honosit se, být pyšný (*on* na)
prie-dieu ['pri:djə:] *s* klekátko
priest [pri:st] *s* kněz, duchovní; ~ **craft** ['pri:stkra:ft] *s* kněžské intriky; —**hood** ['pri:sthud] *s* kněžství, duchovenstvo; —**ly** ['pri:stli] *a* kněžský
prig [prig] *s* puntičkář v řeči, fouňa, domýšlivec, sl. zloděj □ *vt* (-gg-) sl. štípnout, ukrást; —**gish** ['prigiš] *a* puntičkářský, pedantický
prim [prim] *a* **1.** pravidelný, formalistický **2.** strojený, přepjatý, nucený **3.** upejpavý, ostýchavý
primacy ['praiməsi] *s* **1.** prvenství, primát **2.** úřad primase

primaeval viz *primeval*
primary ['praiməri] *a* **1.** první, prvotní, původní; základní **2.** hlavní **3.** primární, elementární **4.** neodvozený ♦ ~ *party organization* základní stranická organizace; ~ *chain*, ~ *shaft* hnací řemen n. hřídel; ~ *colour* základní barva; ~ *winding* primární vinutí
primate ['praimit] *s* primas, arcibiskup
primates [prai'meiti:z] *s pl.* zool. primáti, nehetnatci nejvyšší řád savců
prime [praim] *a* **1.** první, přední **2.** hlavní **3.** nejlepší **4.** prvotní, původní, primární, základní ♦ ~ *cost* výrobní cena; ~ *minister* ministerský předseda □ *s* **1.** počátek **2.** úsvit, jaro; ráno; mládí **3.** květ **4.** jádro, výbor **5.** nejlepší část, druh **6.** prvočíslo **7.** prima kanonická hodinka ♦ ~ *of life* rozkvět života □ *vt & i* **1.** připravit k výstřelu, opatřit střelným prachem **2.** opatřit, naplnit, napojit **3.** podmalovat, podbarvit **4.** nastříkovat; ~ -**number** ['praimnambə] *s* prvočíslo
primer ['praimə] *s* **1.** slabikář **2.** hist. modlitební kniha **3.** výbušný zápalník **4.** druh písma
prim|eval, -**aeval** [prai'mi:vəl] *a* pravěký, prvotní
priming ['praimiŋ] *s* **1.** střelný prach **2.** kapslík **3.** podmalování, nastřikování **4.** zapalování, rozněcování **5.** rychlé naučení ♦ ~ *arrangement* voj. roznětka

primitive ['primitiv] a 1. prvot- ní, původní 2. primitivní, naivní 3. gram. kmenový 4. základní, neodvozený 5. staromódní ♦ ~ accumulation původní akumulace; ~ communial system prvobytně pospolný řád □ s 1. primitiv 2. gram. kořenné slovo 3. předrenesanční malba, malíř 4. základní barva

primogeniture [ˌpraimou'dženičə] s právo prvorozenství

primordial [prai'mo:djəl] a prvotní, původní

primrose ['primrouz] s petrklíč, prvosenka

primula ['primjulə] s petrklíč, prvosenka

prince [prins] s 1. princ, kníže, vladař 2. vynikající osoba ♦ P~ Royal n. P~ of Wales korunní princ; ~'s feather bot. laskavec; —dom ['prinsdəm] s knížectví; —ly ['prinsli] a knížecí, nádherný, vznešený □ adv vznešeně

princess [prin'ses] s kněžna, princezna

principal ['prinsəpəl] a hlavní, základní, přední; nejdůležitější □ s 1. hlava, hlavní osoba; přednosta, ředitel, šéf 2. hlavní viník 3. stoliční sloup krovu 4. hlavní věc, jádro 5. jistina, kapitál; —ity [ˌprinsi'pæliti] s knížectví

principle ['prinsəpl] s 1. princip, zásada 2. základ, prvek 3. kořen, pramen, původ ♦ on ~ zásadně

prink [priŋk] vt & i vystrojit (se), vyfintit (se)

print [print] s 1. tisk, výtisk, kniha 2. otisk 3. pečeť; razidlo 4. stopa, šlépěj 5. tiskací písmo 6. kartoun 7. pl. tištěné bavlněné látky ♦ in ~ v tisku; out of ~ rozebraný o knize □ vt 1. (po)tisknout, vtisknout, otisknout 2. uveřejnit 3, psát tiskacím písmem 4. tisknout vzory na látky 5. obtisknout, vtlačit, vyrazit; —er ['printə] s tiskař, sazeč ♦ ~'s devil tiskařský učeň; text. tiskař potištěné látky; —ing ['printiŋ] s tisk, tiskařství; '~ -ink s tiskařská čerň; ~ -machine ['printiŋmə|ʃi:n] s tiskařský lis; ~ -office ['printiŋ|ofis] s tiskárna; '~ -press s tiskařský lis; '~ -works s tiskárna kartounů '~ -|seller s prodavač rytin

prior ['praiə] a dřívější, předešlý, přednostní ♦ ~ to dříve než □ s převor; —ess ['praiəris] s převorkyně; —ity [prai'oriti] s priorita, časová přednost (to před); —y ['praiəri] s převorství

prism ['prizəm] s hranol; —atic [priz'mætik] a hranolový, prizmatický

prison ['prizn] s vězení, žalář ♦ to put to ~ uvěznit □ vt bás. & řeč. uvěznit; —er ['priznə] s vězeň ♦ ~ at the bar obžalovaný; ~ of State politický vězeň; ~ of war válečný zajatec; to take ~ uvěznit, zatknout, zajmout

pristine ['pristain] a starodávný

prithee ['priði:] arch = I pray thee prosím

privacy ['praivəsi] s soukromí, samota, tajnost

private [ˈpraivit] *a* **1.** soukromý (*dealer* podnikatel), privátní **2.** důvěrný **3.** tajný **4.** domácí ♦ *in* ~ důvěrně, tajně; *this is for your* ~ *ear* to je důvěrné □ *s* **1.** soukromí, samota **2.** důvěrné sdělení **3.** prostý vojín **4.** pl. stydké údy (též *private parts*); —**ness** [ˈpraivitnis] *s* soukromí, samota, odloučenost

privateer [ˌpraivəˈtiə] *s* kaperská, zajímací loď; mořský lupič, kořistník

privat|ion [praiˈveišən] *s* **1.** nedostatek **2.** strádání, nouze, bída **3.** degradace; —**ive** [ˈprivətiv] *a* **1.** zbavující, odnímající, újmu působící **2.** záporný

privet [ˈprivit] *s* ptačí zob

privilege [ˈprivilidž] *s* výsada, přednost □ *vt* nadat výsadou

priviti [ˈpriviti] *s* **1.** (po)vědomost, zasvěcenost **2.** zast. tajemství **3.** společenství zájmů; vstupní právo v nájemní smlouvu, držení ap.

privy [ˈprivi] *a* **1.** tajný, skrytý **2.** privátní, soukromý **3.** spoluvinný ♦ ~ *parts* stydké údy, genitálie; *P*~ *Council* tajná rada; ~ *counsillor* tajný rada; ~ *seal* tajná pečeť; *Lord P*~ *Seal* lord strážce tajné pečeti □ *s* **1.** účastník, spoluzájemce **2.** zast. záchod

prize¹ [praiz] *s* **1.** odměna, cena čestná, ideální **2.** výhra, zisk **3.** výnosné postavení ♦ *International Peace P*~ Mezinárodní cena míru; *Lenin P*~ Leninova cena □ *vt* vysoce si cenit, vážit si; ~ **-fighter**

[ˈpraizfaitə] *s* zápasník o cenu; ⌐ —**man** *s* vítěz, výherce

prize² [praiz] *s* kořist, lup, lapená loď; *to make* ~ *of* ukořistit co

pro [prou] *s* zkr. hov. profesionál

pro- [prou-] prefix značící „místo-“, „více-“, „pro-“, „před“

pro-and-con [ˈprouəndˈkon] *adv* & *s* pro a proti

prob|ability [ˌprobəˈbiliti] *s* pravděpodobnost ♦ *in all* ~ nejspíše; —**able** [ˈprobəbl] *a* pravděpodobný; —**ably** [ˈprobəbli] *adv* pravděpodobně, nejspíše

probat|e [ˈproubit] *s* soudní prozkoumání závěti; —**ion** [prəˈbeišən] *s* **1.** zkouška, důkaz **2.** zkušební doba, lhůta **3.** podmíněné propuštění **4.** ověřená závěť; —**ional** [prəˈbeišnl] *a* zkušební, průkazný; —**ioner** [prəˈbeišnə] *s* **1.** zkoušenec, kandidát **2.** osoba s podmíněným trestem

probe [proub] *s* lékařská sonda □ *vt* prozkoumat, sondovat

probity [ˈproubiti] *s* poctivost, čestnost, bezúhonnost

problem [ˈprobləm] *s* **1.** problém **2.** úkol **3.** otázka, záhada; —**atic(al)** [ˌprobliˈmætik(əl)] *a* problematický, záhadný, pochybný

proboscis [prəˈbosis] *s* **1.** chobot, rypák **2.** sosák

pro-capitalist [prouˈkæpitəlist] *a* prokapitalistický

procedure [prəˈsi:džə] *s* postup, procedura; řízení, jednání

proceed [prəˈsi:d] *vi* **1.** postupovat, kráčet kupředu, ubí-

rat se **2.** pokračovat **3.** pochá-
zet, povstávat (*from* z) **4.**
řídit, jednat **5.** vést při, soud-
ně zakročit (*against* proti) **6.**
přejít (*to* k) ♦ *a rule* -s pra-
vidlo platí; *to* ~ *to business*
přistoupit k jednání, řízení;
to ~ *with a case* práv. zavést
soudní řízení □ *s* pl. výnos,
výtěžek; —**ing** [prə¦si:diŋ] *s*
1. jednání, řízení **2.** pl. soudní
řízení, rokování (*legal* -s soud-
ní řízení; *civil* -s civilní ří-
zení; *disciplinary* -s discipli-
nární řízení) ♦ *to take* n.
institute -s *against* zahájit
soudní kroky proti
process¹ [¦prouses] *s* **1.** postup,
chod, (prů)běh **2.** pře, proces,
spor, přelíčení **3.** výkon, jed-
nání, řízení **4.** med. výrůstek
♦ *in* ~ *of time* během doby;
social and political ~ sociální
a politické dění, proces; ~ *of*
social production společenský
výrobní proces; ~ *waste* vý-
robní odpad □ *vt* **1.** zavést při
2. zpracovat
process² [prə¦ses] *vi* lid. jít
průvodem
procession [prə¦sešən] *s* **1.** prů-
vod **2.** procesí □ *vi & t*
pochodovat, jít průvodem;
—**al** [prə¦sešənl] *a* průvodový,
týkající se procesí □ *s* ná-
božná píseň, hymnus, který
se zpívá na závěr mše n. při pro-
cesí
proclaim [prə¦kleim] *vt* **1.** pro-
hlásit, provolat, vyhlásit **2.**
uvalit výjimečný stav
proclamation [¦proklə¦meišən] *s*
provolání, prohlášení, vyhláš-
ka: výzva, proklamace

proclivity [prə¦kliviti] *s* náklon-
nost (*to* k), náchylnost, sklon
procrastinat|e [prou¦kræstineit]
vi & t **1.** odkládat ze dne na
den, zdržovat **2.** váhat, otá-
let; —**ion** [prou¦kræsti¦nei-
šən] *s* odkládání, otálení
procre|ate [¦proukrieit] *vt* plo-
dit; —**ation** [¦proukri¦eišən] *s*
plození, tvoření; —**ative**
[¦proukrieitiv] *a* plodný, tvo-
řivý; —**ator** [¦proukrieitə] *s*
plodítel, otec
proctor [¦proktə] *s* **1.** universitní
úředník s disciplinární mocí **2.**
právní zástupce u církevních
soudů **3.** plnomocník
procumbent [prou¦kambənt] *a*
1. ležící, ležatý **2.** bot. pla-
zivý
procur|able [pro¦kjuərəbl] *a*
opatřitelný; —**ation** [¦pro-
kjuə¦reišən] *s* **1.** opatření,
zjednání **2.** plnomocenství,
zastupování **3.** vedení, ří-
zení **4.** obch. prokuratura
5. provize (~ *money*); —**ator**
[¦prokjuəreitə] *s* zástupce,
plnomocník, prokurátor; —**e**
[prə¦kjuə] *vt & i* **1.** obstarat,
opatřit, získat **2.** zast. způso-
bit **3.** zabývat se kuplířstvím;
—**er** [prə¦kjuərə] *s* **1.** opatřo-
vatel, dodavatel **2.** prostřed-
ník **3.** kuplíř
prod [prod] *vt* (-dd-) **1.** dloub-
nout prstem, popíchnout **2.**
fig. pošťuchovat. podněco-
vat □ *s* **1.** bodec, šídlo **2.**
dloubnutí, bodnutí
prodigal [¦prodigəl] *a* marno-
tratný, plýtvající (*of* čím) □
s marnotratník; —**ity** [¦pro-
di¦gæliti] *s* marnotratnost

prodig|ious [prə|didžəs] *s* **1.** podivuhodný, úžasný **2.** nesmírný, ohromný, abnormální; **—y** [|prodidži] *s* **1.** zázrak, div **2.** ohromnost **3.** zázračné dítě, zázračný člověk

produc|e *s* [|prodju:s] **1.** výrobek, produkt **2.** výtěžek, výnos **3.** výsledek práce, úsilí ☐ *vt* [prə|dju:s] **1.** předvést, předložit (*tickets* lístky); vyrobit, napsat (knihu) **2.** prodloužit, rozšířit **3.** přinášet, zplodit ♦ *to ~ a play* uvést hru na jeviště; *to ~ a profit* nést zisk; *to ~ on the line* vyrábět pásově; **—er** [prə|dju:sə] *s* výrobce (*small ~* malovýrobce), producent; **—ible** [prə|dju:səbl] *a* vyrobitelný, vykazatelný, předložitelný

product [|prodəkt] *s* **1.** plod, plodina; výrobek, produkt **2.** výsledek **3.** mat. součin; **—ion** [prə|dakšən] *s* **1.** výroba, produkce **2.** výnos, plod **3.** předvedení **4.** dílo, výtvor ♦ *~ line* výrobní linka; *small commodity ~* malovýroba zboží; *small scale ~* malovýroba; *cost of ~* n. *~ cost* výrobní náklady; *forces of ~* výrobní síly; *instruments of ~* výrobní nástroje; *means of ~* výrobní prostředky; *mode of ~* výrobní způsob; **—ive** [prə|daktiv] *a* **1.** plodný, plodivý, úrodný **2.** výnosný **3.** tvořivý, tvůrčí ♦ *~ forces* výrobní síly; **—ivity** [|prodak|tiviti] *s* produktivita, plodnost, výnosnost

Prof. = *Professor*

profan|ation [|profə|neišən] *s* znesvěcení; **—e** [prə|fein] *a* **1.** světský, znesvěcený, nezasvěcený **2.** rouhavý ☐ *vt* znesvětit, zneuctít, rouhat se, profanovat; **—ity** [prə|fæniti] *s* rouhavost, neuctivost

profess [prə|fes] *vt & i* **1.** vyznat, přiznat (se) **2.** vyjádřit, osvědčit **3.** hlásit se k **4.** vydávat se za, předstírat **5.** zavazovat se (*to* k) **6.** provozovat řemeslo, praxi **7.** být učitelem, učit, přednášet; **—ed** [prə|fest] *a* osvědčený, veřejný; **—ion** [prə|fešən] *s* **1.** vyznání **2.** ujištění, **3.** povolání vyšší, stav **4.** řeholní slib **5.** svědectví ♦ *by ~* povoláním; **—ional** [prə|fešənl] *a* stavovský, odborný, řemeslný, profesionální; *~ journal* odborný časopis ☐ *s* profesionál

professor [prə|fesə] *s* profesor universitní; **—ial** [|profe|so:-riəl] *a* profesorský; **—ship** [prə|fesəšip] *s* profesura

proffer [|profə] *vt* kniž. nabízet pomoc ☐ *s* nabídka, nabídnutí

profici|ence, -ency [prə|fišəns(i)] *s* **1.** prospívání, pokrok, zlepšení **2.** dovednost, obratnost, zdar **3.** stupeň dokonalosti, voj. stupeň výcviku; **—ent** [prə|fišənt] *a* dovedný, obratný (*in, at* v) ☐ *s* znalec, mistr, umělec; zdatný odborník

profile [|proufi:l] *s* profil ♦ *in ~* z profilu ☐ *vt* nakreslit z profilu

profit [ˈprofit] *s* **1.** zisk, prospěch, užitek, výtěžek **2.** příjem, důchod ♦ ~ *and loss account* účet zisků a ztrát; *clear* ~ čistý zisk □ *vt & i* **1.** mít zisk, vydělat, těžit (*from* z) **2.** vykořisťovat (*of* koho) **3.** prospět **4.** získat (*by* něčím), profitovat **5.** pomáhat; **—able** [ˈprofitəbl] *a* výnosný, užitečný; **—eer** [ˌprofiˈtiə] *s* zbohatlík; keťas, spekulant; šmelinář; **—less** [ˈprofitlis] *a* neužitečný, nevýnosný
proflig|acy [ˈprofligəsi] *s* prostopášnost, zvrhlost; nestoudnost; **—ate** [ˈprofligit] *a* prostopášný, zvrhlý, neřestný □ *s* prostopášník, zhýralec
profound [prəˈfaund] *a* **1.** hluboký, **2.** temný, nejasný **3.** důkladný **4.** upřímný, srdečný
profundity [prəˈfanditi] *s* hloubka, hlubokost
profus|e [prəˈfjuːs] *a* oplývající (*of* čím), hojný, bohatý, přeštědrý; **—ion** [prəˈfjuːʒən] *s* **1.** hojnost, nadbytek **2.** rozhazování, plýtvání, utrácení
prog [prog] *s* sl. proviant, strava zvláště na cestu
progenit|or [prouˈdženitə] *s* předek; **—ure** [prouˈdženičə] *s* zplození potomstva, potomstvo
progeny [ˈprodžini] *s* **1.** potomstvo, pokolení, rod; původ **2.** potomek
prognos|is [progˈnousis] *s* **1.** předvídání, předpověď **2.** med. prognóza; **—ticate** [progˈnostikeit] *vt* prorokovat, před-

povídat, tušit; **—tication** [prəgˌnostiˈkeišən] *s* předpovědění; příznak, znamení, předzvěst
program(me) [ˈprougræm] *s* program; plán
progress *s* [ˈprougres] **1.** postup, pokrok, zlepšení **2.** běh, chod **3.** arch. cesta úřední □ *vi* [prəˈgres] **1.** postupovat **2.** dělat pokroky **3.** ubíhat **4.** dařit se; **—ion** [prəˈgrešən] *s* postup, pokrok; **—ive** [prəˈgresiv] *a* postupující; postupný; pokrokový; ~ *assembly* proudová montáž
prohibit [prəˈhibit] *vt* zakázat zabránit (*from* v), zamezit; **—ion** [ˌprouiˈbišən] *s* zákaz, prohibice, zabránění ♦ ~ *of the atomic weapon* zákaz atomové zbraně; **—ive**, **—ory** [prəˈhibitiv, -əri] *s* zakazující, zapovídající
pro-imperialist [ˌprouimˈpiəriəlist] *a* proimperialistický
project *vt & i* [prəˈdžekt] **1.** navrhnout, projektovat **2.** vrhat, házet **3.** vyčnívat, vybíhat, trčet □ *s* [ˈprodžekt] návrh, projekt, plán
projectile *a* [prəˈdžektail] vržený, mrštěný, metací; ženoucí; □ *s* [ˈprodžiktail] střela, projektil
project|ion [prəˈdžekšən] *s* **1.** projekt, plán; nárys, nákres **2.** hod, metání **3.** výtěžek, výčnělek **4.** fig. transmutace, přeměna **5.** průmět, promítání; ~ *screen* promítací plátno; **—or** [prəˈdžektə] *s* **1.** navrhovatel **2.** promítací přístroj, projektor **3.** voj. ply-

nomet; —**ure** [prə¹džikčə] *s* zř. výčnělek, výstupek, přečnívání

prolapse [¹proulæps] *vi* vypadnout, vyhřeznout ☐ *s* med. výhřez

prolate [¹prouleit] *a* 1. geom. prodloužený 2. fig. rozšířený 3. gram. doplňkový

prolet|arian [ˌproule¹teəriən] *a* proletářský ☐ *s* proletář; —**ariat** [ˌproule¹teəriət] *s* proletariát ♦ *dictatorship of the* ~ diktatura proletariátu; —**ary** [¹proulətəri] *a* proletářský ☐ *s* proletář

prolific [prə¹lifik] *a* úrodný, plodný, bohatý (*of, in* čím)

prolix [¹prouliks] *a* obšírný, rozvláčný

prologue [¹proulog] *s* prolog, proslov, úvod ☐ *vt* učinit proslov

prolong [prə¹loŋ] *vt* prodloužit; —**ation** [ˌprouloŋ¹geišən] *s* 1. prodloužení 2. zast. odložení, odklad

promenade [ˌpromi¹na:d] *s* procházka, promenáda ♦ ~ *concert* promenádní koncert ☐ *vi* 1. procházet se, promenovat 2. doprovázet

promin|ence, —**ency** [¹prominəns(i)] *s* 1. vynikající postavení 2. výčnělek, výstupek 3. výšina; —**ent** [¹prominənt] *a* 1. vynikající, vyčnívající; přední 2. nápadný

promiscu|ity [ˌpromis¹kju:iti] *s* smíšenost, nerozlišování; —**ous** [prə¹miskjuəs] *a* smíšený, bez rozdílu, nerozlišovaný

promis|e [¹promis] *s* 1. slib 2.

očekávání, naděje, zaslíbení ♦ *of good* ~ slibný; *to keep one's* ~ dostát slovu; *the land of* ~ zaslíbená země; *the work of* ~ slibné dílo ☐ *vt & i* 1. slíbit, ujistit, ubezpečit 2. budit naději; ~ **-breaker** [¹promis¦breikə] *s* věrolomník; —**ing** [¹promisiŋ] *a* nadějný, slibný; —**sory** [¹promisəri] *a* slibující, obsahující slib, záslibný. ♦ ~ *note* úpis, vlastní směnka

promontory [¹proməntri] *s* předhoří, mys

promot|e [prə¹mout] *vt* 1. pomáhat, podporovat 2. rozšiřovat 3. povýšit (*to* na) 4. hájit zájmy; —**er** [prə¹moutə] *s* 1. podporovatel, příznivec 2. zakladatel; —**ion** [prə¹moušən] *s* 1. povzbuzení, podpora 2. agitace 3. povýšení 4. promoce

prompt [prompt] *a* 1. rychlý 2. ochotný 3. pohotový, hbitý, včasný 4. poslušný (*to* koho) 5. zast. náchylný ☐ ~ *cash, payment* placení v hotovosti; ~ *day* den splatnosti ☐ *s* napovídání, nápověď ☐ *vt* 1. div. napovídat 2. našeptávat, navádět, poštvat 3. povzbudit; ¦~ **-book** *s* kniha nápovědy; ¦~ **-box** *s* nápovědova budka; —**er** [¹promptə] *s* nápověda; —**itude**, —**ness** [¹promptitju:d, ¹promptnis] *s* ochota, hbitost, pohotovost; —**ly** [¹promptli] *adv* ihned, pohotově

promulgát|e [¹proməlgeit] *vt* vyhlásit; —**ion** [ˌproməl¹geišən] *s* vyhlášení, vyhláška

prone [proun] *a* 1. ležící čelem k zemi, nakloněný, nachýlený 2. náchylný (*to* k) 3. příkrý ♦ ~ *to anger* prchlivý; —**ness** ['prounnis] *s* 1. nakloněnost 2. příkrost 3. náchylnost

prong [proŋ] *s* vidle, bodec, špice vidličky □ *vt* probodnout, nabodnout; —**ed** [proŋd] *a* špičatý

pronominal [prə'nominl] *a* zájmenný

pronoun ['prounaun] *s* zájmeno

pronounce [prə'nauns] *vt & i* 1. vyslovit (se), vyjádřit (se), pronést 2. prohlásit 3. přednést; —**d** [prə'naunst] *a* vyslovený; rozhodný; —**ment** *s* prohlášení, vyhlášení

pronunciation [prə,nansi'eišən] *s* výslovnost

proof [pru:f] *s* · 1. zkouška, pokus 2. důkaz, důvod 3. pevnost, neprostupnost 4. kartáčový otisk, korektura ♦ *in* ~ *of it* na důkaz toho; *to learn by* ~ učit se ze zkušenosti; *to put to the* ~ podrobit zkoušce □ *a* 1. zkušený, vyzkoušený, osvědčený 2. pevný, neprostupný (*water* voda, *fire* oheň) 3. vzdorující (*against* čemu) 4. obsahující určité procento alkoholu; ~ -**copy** ['pru:fkopi] *s* korektura

prop [prop] *s* podpora, opěra, opora, kůl ♦ *to be a* ~ *for* být podporou čeho, podporovat co □ *vt* (-pp-) 1. opřít, podepřít, vyztužit 2. fig. opírat (*oneself upon* se oč)

propaedeutic(al) [,proupi:'dju:-tik(əl)] *a* úvodní, přípravný, propedeutický

propagand|a [,propə'gændə] *s* propaganda, šíření; —**ist** [,propə'gændist] *s* šiřitel, propagátor, propagandista

propag|ate ['propəgeit] *vt & i* 1. rozšiřovat (se), propagovat 2. plodit, rozplozovat, plemenit se; —**ation** [,propə'geišən] *s* 1. propagace, rozšiřování 2. rozplozování; —**ator** ['propəgeitə] *s* 1. šiřitel, propagátor 2. rozplozovatel

propel [prou'pel] *vt* (-ll-) pohánět, hnát; -*ling pencil* šroubovací tužka; —**ler** [prə'pelə] *s* 1. lodní šroub 2. vrtule 3. pohon 4. poháněč; ~ **shaft** [ša:ft] kardanový hřídel

propensity [prə'pensiti] *s* sklon, náchylnost (*to, for* k)

proper ['propə] *a* 1. vlastní 2. náležitý, řádný 3. správný, pravý 4. vhodný, slušný 5. zast. pěkný, úhledný 6. zast. úplný ♦ ~ *channel* služební postup; ~ *fraction* pravý zlomek

propertiless ['propətilis] *a* nemajetný

property ['propəti] *s* 1. vlastnost, zvláštnost 2. majetek, vlastnictví 3. pl. náčiní, potřeby, divadelní rekvizity ♦ *real* ~ nemovité jmění; *private* ~ soukromé vlastnictví; *devoid of all* ~ nemajetný, zbavený majetku

prophe|cy ['profisi] *s* proroctví, předpověď; —**sy** ['profisai] *vt* prorokovat, předpovídat

prophet ['profit] *s* prorok; —**ess** ['profitis] *s* věštkyně; —**ic(al)**

[prə⎸fetik(əl)] *a* prorocký;
—**ize** [⎸profitaiz] *vt* prorokovat
prophylactic [⎸profi⎸læktik] *a*
profylaktický, ochranný ☐
s ochranný prostředek
propinquity [prə⎸piŋkwiti] *s* pří-
buznost, pokrevenství
propiti|able [prə⎸pišiəbl] *a* smi-
řitelný, smířlivý, nakloněný;
—**ate** [prə⎸pišieit] *vt* usmířit,
uprosit, udobřit ☐ *vi* pykat
za viny, kát se; —**ator** [prə-
⎸pišieitə] *s* smírce, kajícník;
—**ous** [prə⎸pišəs] *a* smířlivý,
příznivý, blahovolný
proportion [prə⎸po:šən] *s* 1.
poměr, míra 2. rozměr 3. sou-
měrnost 4. bás. tvar 5. část
poměrná, podíl ♦ *in ~ to*
v poměru k; *in ~ as* podle
toho, jak; *in due ~* úměrný;
rule of ~ trojčlenka; *to
bear a ~ to* být poměrný k;
~ in gross output podíl na
celkové výrobě ☐ *vt* uvést
v poměr, srovnat, dát tvar;
—**al** [prə⎸po:šənl] *a* úměrný
(*~ limit* mez úměrnosti);
—**ate** [prə⎸po:šnit] *a* poměr-
ný, úměrný
proposal [prə⎸pouzəl] *s* 1. návrh
(*for* na), podání 2. nabídka,
nabídnutí k sňatku; *to make
n. offer of* navrhnout, na-
bídnout
propos|e [prə⎸pouz] *vt* 1. na-
vrhnout, nabídnout, předložit
2. zamýšlet 3. zast. zvr. umínit
si, předsevzít si 4. ucházet
se (*for* oč), učinit nabídku
k sňatku 5. pronést přípitek;
—**ition** [⎸propə⎸zišən] *s* 1.
tvrzení 2. návrh, nabídka
3. téma, věta 4. propozice

propound [prə⎸paund] *vt* před-
ložit, navrhnout
propriet|ary [prə⎸praiətəri] *a*
vlastnický ☐ *s* 1. vlastníci,
majitelé 2. vlastnictví; —**or**
[prə⎸praiətə] *s* vlastník, ma-
jetník, majitel ♦ *landed ~*
statkář; *private ~* soukromý
vlastník; —**ress** [prə⎸praiətris]
s majitelka; —**y** [prə⎸praiəti]
s 1. zast. vlastnictví, majetek
2. vlastnost, zvláštnost, oso-
bitost 3. slušnost, způsobnost
propuls|ive [prə⎸palsiv] *a* po-
honný, hnací; —**ion** [prə-
⎸palšən] *s* pohon
prorog|ation [⎸prourə⎸geišən] *s*
odročení; —**ue** [prə⎸roug] *vt*
odročit
prosa|ic [prou⎸zeiik] *a* prozaic-
ký; —**ist** [⎸prouzeiist] *s* pro-
zaik
proscribe [pros⎸kraib] *vt* za-
vrhnout, prohlásit za psance,
proskribovat
proscription [pros⎸kripšən] *s* vy-
povědění, proskripce
prose [prouz] *s* 1. próza 2. nudné
vypravování ☐ *vi & t* 1.
psát prózou 2. mluvit pro-
zaicky
prosecut|e [⎸prosi:kju:t] *vt* 1
stíhat, pronásledovat 2. sle-
dovat (*inquiry* vyšetřování,
studies studie) 3. pokračovat
v bádání, dále provádět, pro-
vozovat (*trade* obchod) 4.
pohnat, žalovat; —**ion** [⎸pro-
si⎸kju:šən] *s* 1. žaloba, stíhání
2. provozování 3. pokračo-
vání 4. zast. pronásledování;
—**or** [⎸prosi:kju:tə] *s* 1. ža-
lobce 2. voj. prokurátor ♦
public ~ státní zástupce

proselyt|e ['prosilait] *s* proze-
lyta, novověrec; —**ize** ['pro-
silitaiz] *vt* získávat stoupence,
obracet na víru
prosod|ic [prə'sodik] *a* prozo-
dický; —**y** ['prosədi] *s* pro-
zódie, nauka o verši
prospect *s* ['prospekt] 1. výhled,
vyhlídka 2. přehled 3. naděje
(*of* na), očekávání 4. názor
5. podívaná 6. pravděpo-
dobný zákazník; ♦ *to have
in* ~ mít na zřeteli, mít naději
na □ *vi & t* [prəs'pekt]
pátrat (*for* po), hledat zlato,
kutat; —**ive** [prəs'pektiv] *a*
budoucí, očekávaný; —**or**
[prəs'pektə] *s* hledač zlata,
prospektor; —**us** [prəs-
'pektəs] *s* pl. -*es* [-iz] pro-
spekt, oznámení, program
prosper ['prospə] *vi & t* pro-
spívat, dařit se, dát zdar;
—**ity** [pros'periti] *s* zdar,
prospěch, štěstí, blahobyt,
rozkvět; —**ous** ['prospərəs]
a 1. prospívající, zdárný 2.
příznivý 3. zámožný, bohatý
prostitut|e ['prostitju:t] *s* pro-
stitutka, nevěstka □ *vt* 1.
smilnit 2. prostituovat (*one-
self* se); —**ion** [,prosti'tju:šən]
s prostituce, zaprodanost
prostrat|e *a* ['prostreit] 1. pova-
lený, pokorně ležící, ponížený
2. vysílený □ *vt* [pros'treit]
1. povalit, porazit 2. pokořit
3. vyčerpat; —**ion** [pros-
'treišən] *s* 1. povalení, pora-
žení 2. pokoření (se) poní-
žení 3. pokora, sklíčenost
4. vyčerpání, zmoženost
prosy ['prouzi] *a* 1. prozaický
2. rozvláčný, nudný

protagonist [prou'tægənist] *s*
hlavní osoba dramatu, prota-
gonista, zastánce (*of war*
války)
protect [prə'tekt] *vt* 1. chránit
(*from, against* před), krýt 2.
obch. zaplatit směnku; —**ion**
[prə'tekšən] *s* 1. ochrana 2.
obch. krytí ♦ *a draft will find
n. meet with due* ~ směnce
se dostane náležitého krytí;
—**ive** [prə'tektiv] *a* ochranný,
zajišťovací; ~ *screen* ochran-
ná clona; —**or** [prə'tektə] *s*
1. ochránce, protektor 2.
chránítko; —**orate** [prə'tek-
tərit] *s* protektorát
protégé(e) ['proutežei] *s* chrá-
něnec, chráněnka
protein ['prouti:n] *s* protein
pro tem. = *pro tempore* = *for the
time being*
protest ['proutest] *s* protest,
ohražení, námitka ♦ *under* ~
s ohražením; *to enter a* ~
ohradit se, protestovat; ~
for non-payment obch. protest
pro neplacení □ [prə'test]
vt & i 1. protestovat (*against*
proti), ohražovat se, odpo-
rovat 2. dokládat se ♦ *to* ~
a bill protestovat směnku;
—**ant** ['protistənt] *a* pro-
testantský □ *s* protestant;
—**antism** ['protistəntizəm] *s*
protestantismus; —**ation**
[,proutes'teišən] *s* 1. ohražení
se, odpor (*against* proti) 2.
ujištění, slib (*of* čeho)
protocol ['proutəkol] *s* proto-
kol
proton ['prouton] *s* proton
protoplasm ['proutəplæzəm] *s*
protoplazma

protoplast [ˈproutəplaːst] *s* 1. pratvar, pravzor 2. originál

prototype [ˈproutətaip] *s* prototyp, pravzor

protract [prəˈtrækt] *vt* protahovat, prodlužovat, odkládat; **—ed** [prəˈtræktid] *a* 1. prodlužovaný, zpomalený 2. stálý; **—ion** [prəˈtrækšən] *s* prodlužování, průtah, zpomalení; **—or** [prəˈtræktə] *s* 1. nerozhodný člověk 2. úhloměr 3. natahovač *sval*

protrude [prəˈtruːd] *vt & i* 1. vystrčit, vysunout 2. vyčnívat, vystupovat 3. vypláznout *jazyk*

protrusion [prəˈtruːžən] *s* výčnělek, vysunutí

protuber|ance [prəˈtjuːbərəns] *s* 1. výčnělek, pahorek 2. nádor, nárůstek; **—ant** [prəˈtjuːbərənt] *a* čnějící (*above* nad), vyčnívající, vysedlý, naběhlý

proud [praud] *a* 1. hrdý (*of* na), pyšný, nadutý, zpupný 2. vzdorovitý, bujný *kůň* 3. domýšlivý 4. veliký, nádherný

prov|e [pruːv] *vt & i* 1. dokázat 2. vyzkoušet, přezkoušet 3. *zvr.* ukázat se (být čím), objevit se 4. ověřit ♦ ~ *true* potvrdit se; ~ *false* ukázat se nesprávným, falešným; **—en** [ˈpruːvən] *zvl.* am, = **—ed**

provenance [ˈprovinəns] *s* původ ♦ *to settle the* ~ *of* zjistit původ čeho

provender [ˈprovində] *s* 1. píce 2. *žert.* potraviny

proverb [ˈprovəb] *s* přísloví;

—ial [prəˈvəːbjəl] *a* příslovečný

provid|e [prəˈvaid] *vt & i* 1. opatřit (se), připravit, přichystat, zjednat, obstarat, (po)starat (se); poskytnout, učinit opatření (*for* pro, *against* proti) 2. zásobit (se) (*with* čím) 3. ~ *that* uložit za povinnost, nakázat; **—ed** (n. -ing): ~ *that* předpokládaje n. s podmínkou, že; **—ence** [ˈprovidəns] *s* 1. prozřetelnost 2. opatrnost, pečlivost 3. šetrnost; **—ent** [ˈprovidənt] *a* 1. obezřelý, šetrný 2. prozřetelný; **—ential** [ˌproviˈdenšəl] *a* 1. božskou prozřetelností způsobený 2. příhodný, šťastný; **—er** [prəˈvaidə] *s* 1. opatřovatel, dodavatel 2. správce

provinc|e [ˈprovins] *s* 1. provincie, kraj, diecéze 2. obor, působiště; **—ial** [prəˈvinšəl] *a* provinciální, venkovský □ *s* venkovan

provision [prəˈvižən] *s* 1. opatření, zaopatření 2. zásoba, potraviny, píce 3. opatrnost, výhrada ♦ *to make -s against* učinit opatření proti; **—al** [prəˈvižənl] *a* (pro)zatímní, dočasný, provizorní

provis|o [prəˈvaizou] *s* podmínka, výhrada ♦ *with usual* ~ s obvyklou výhradou; *on the* ~ *that* jestliže; **—ory** [prəˈvaizəri] *a* podmínečný, zatímní, provizorní

provocat|ion [ˌprovəˈkeišən] *s* vyzvání (*to* k), pobídnutí, provokace; **—ive** [prəˈvokətiv] *a* vyzývavý, provokativní

(of), dráždivý □ *s* dráž-
didlo
provok|e [prə'vouk] *vt & i*
1. popudit, vydráždit, pro-
vokovat **2.** pobídnout **3.** pod-
nítit, přimět (*to, into doing* k)
4. pohoršit **5.** vyvolat, způso-
bit; —**ing** [prə'voukiŋ] *a* vy-
zývavý, pohoršlivý, provo-
kační
provost ['provəst] *s* **1.** předsta-
vený, přednosta **2.** probošt
3. rektor koleje v Oxfordu,
Cambridgei aj. **4.** voj. polní
četník; ~ **marshal** [prə'vou-
'ma:šəl] četnický velitel;
~ **sergeant** četnický šikova-
tel
prow [prau] *s* **1.** lodní příď
2. zool. hruď
prowess ['prauis] *s* statečnost,
srdnatost
prowl [praul] *vi & t* **1.** být na
číhané, slídit po kořisti **2.**
chodit křížem krážem □ *s*
loupežné slídění ♦ *on the* ~
na číhané; —**er** ['praulə] *s*
1. lupič, loupežník **2.** obchůz-
ka, hlídka
proxim|ate ['proksimit] *a* nej-
bližší, bezprostřední; —**ity**
[prok'simiti] *s* blízkost, sou-
sedství ♦ ~ *of blood* příbu-
zenství; —**o** ['proksimou] *adv*
příštího měsíce ♦ *on the*
10th ~ desátého příštího mě-
síce
prox. = *proximo*
proxy ['proksi] *s* **1.** zastupování
2. plná moc **3.** zástupce, plno-
mocník ♦ *by* ~ v zastoupení
prud|e [pru:d] *s* upejpavá, afek-
tovaná žena; —**ery** ['pru:dəri]
s upejpavost, zdráhavost;

—**ish** [pru:diš] *a* upejpavý,
zdráhavý
prud|ence ['pru:dəns] *s* rozšaf-
nost, opatrnost; —**ent** ['pru:-
dənt] *a* rozšafný, opatrný
prune [pru:n] *s* švestka, slíva
sušená □ *vt* **1.** prořezávat,
klestit stromy **2.** zjednodušit,
zmenšit □ *vi* **3.** zast. strojit
se, fintit se
pruri|ence, -ency ['pruəriəns(i)]
s **1.** svědění, svrbění **2.** chlíp-
nost; —**ent** ['pruəriənt] *s* **1.**
svědivý, svrbivý **2.** chlípný
Prussian ['prašən] *a* pruský □
s Prus
prussic ['prasik] *s* chem. kyano-
vodík; ~ **acid** kyselina kyano-
vodíková
pry [prai] *vt* **1.** slídit, pátrat
2. fig. strkat nos (*into* do) ♦
to ~ *open* vypáčit
P.S. = *Post Scriptum* = *postscript*
psalm [sa:m] *s* žalm; —**ist** ['sa:-
mist] *s* žalmista
psalter ['so:ltə] *s* žaltář
pseudo- ['sju:dou-] prefix zna-
čící „pseudo-", „lži-"
pseudonym ['sju:dənim] *s*
pseudonym; —**ous** ['sju:'do-
niməs] *a* píšící pod pseudo-
nymem
pseudoscientific ['sju:dousaiən-
'tifik] *a* pavědecký, pseudo-
vědecký
pseudo-Socialists ['sju:dou'sou-
šəlists] *s* také socialisté, rádo-
by socialisté
pshaw [pšo:] *int* pah!, bodejť!
psora ['pso:rə] *s* prašivina,
svrab
psychiat|rist [sai'kaiətrist] *s* psy-
chiatr; —**ry** [sai'kaiətri] *s*
psychiatrie

psychic [ˈsaikik] *a* psychický, duševní; **—al** [ˈsaikikəl] *a* psychický, duševní
psycholog|ist [saiˈkolədžist] *s* psycholog; **—y** [saiˈkolədži] *s* psychologie
ptarmigan [ˈtaːmigən] *s* zool. sněžník, sněhule
Pte = *Private (soldier)*
pub [pab] *s* hov. hostinec
puberty [ˈpjuːbəti] *s* pohlavní dospělost, puberta
pubesc|ence [pjuːˈbesns] *s* 1. dospívání 2. bot. ochlupení; **—ent** [pjuːˈbesnt] *a* dospívající pohlavně
public [ˈpablik] *a* veřejný, obecný, státní ♦ *in* ~ veřejně; *to make* ~ uveřejnit, rozhlásit; ~ *cash* státní hotovost; ~ *economist* národní hospodář; ~ *holiday* státní svátek; ~ *house* hostinec; ~ *law* mezinárodní zákon; ~ *library* veřejná knihovna; ~ *nursery* dětská opatrovna; ~ *prosecutor* veřejný žalobce; ~ *school* národní škola; ~ *spirit* občanský smysl, vlastenectví; ~ *utilities* městské n. veřejné podniky □ *s* obec, veřejnost *(general* ~ široká veřejnost)*, obecenstvo, publikum; **—an** [ˈpablikən] *s* 1. hospodský 2. hist. výběrčí cla, publikán; **—ation** [ˌpabliˈkeišən] *s* vydání, uveřejnění, publikace, spis, vyhlášení ♦ *P~ Council* ediční rada
public|ist [ˈpablisist] *s* publicista, vydavatel; **—ity** [pabˈlisiti] *s* veřejnost, známost publicita ♦ *to give to* ~ uveřejnit

publish [ˈpabliš] *vt* 1. uveřejnit, vydat tiskem 2. oznámit, vyhlásit; **—er** [ˈpablišə] *s* vydavatel, nakladatel
puce [pjuːs] *a* bleší barvy, hnědočervený
puck[1] [pák] *s* šotek, skřítek
puck[2] [pak] *s* puk, touš
pucker [ˈpakə] *vt & i* nakrčit, vraštit (se), skládat v záhyby ♦ *to* ~ *one's brow* krčit čelo; *to* ~ *one's lips* špulit ústa □ *s* 1. záhyb, nabírání 2. vráska, našpulení
pudding [ˈpudiŋ] *s* 1. pudink, nákyp 2. jelito *(black* ~)*, jitrnice *(white* ~) ♦ ~ *face* tlustý, kulatý obličej; **~-head** [ˈpudiŋhed] *s* hlupák; **~-heart** [ˈpudiŋhaːt] *s* zbabělec; **~-stone** [ˈpudiŋstoun] *s* slepenec
puddle [ˈpadl] *s* 1. louže, kaluž 2. hrubý beton 3. ucpávka, materiál k ucpání □ *vt & i* 1. zakalit 2. hníst jíl s pískem 3. míchat tavené železo, pudlovat 4. vymazat betonem 5. válet se ve vodě n. v blátě
pudency [ˈpjuːdənsi] *s* cudnost, stydlivost
pueril|e [ˈpjuərail] *a* dětinský, chlapecký, dětský; **—ity** [pjuəˈriliti] *s* dětinství
puff [paf] *s* 1. vydechnutí; fouknutí, bafnutí, zadutí 2. lehké pečivo, lístkové pečivo n. těsto 3. labuťěnka 4. nabírání látky 5. pochvalné uznání v novinách, dryáčnická reklama □ *vt & i* 1. odfukovat, bafat; funět, supět 2. nafouknout (se); *-ed eyes, lips* otekle oči, odulé rty 3. dělat reklamu;

~ *at* dýmat, nakašlat na, nafukovat se nad; ~ *away* odfouknout; ~ *by* mihnout se kolem; ~ *out* 1. sfouknout, zhasit, vyfouknout 2. podříci se ve zlosti, vyplesknout; ~ *up* nadmout, vychválit dryáč- nicky; ~-**ball** [ˈpaʃboːl] *s* pýchavka; ~-**box** *s* pudřen- ka; —**ery** [ˈpafəri] *s* dryáč- nická reklama; —**iness** [ˈpafi- nis] *s* nabubřelost, nadutost; otylost; ~-**paste** [ˈpafpeist] *s* pečivo z máslového těsta; ~-**stone** [ˈpafstoun] *s* tuf; —**y** [ˈpafi] *a* 1. nafoukiý, otylý 2. nabubřelý

pug [pag] *s* mopslík, pinčlík; ~-**nose** [ˈpagnouz] *s* tupý nos

pugil|ism [ˈpjuːdžilizəm] *s* pěst- ní zápas, box; —**ist** [ˈpjuːdži- list] *s* pěstní zápasník, boxer

pugnac|ious [pagˈneišəs] *a* bo- jovný, zápasnický; —**ity** [pagˈnæsiti] *s* bojovnost, svárlivost

puiss|ance [ˈpjuːisns] *s* moc, síla; —**ant** [ˈpjuːisnt] *a* arch. mocný, silný

puke [pjuːk] *vi & t* dávit (se), vrhnout □ *s* dávidlo

pule [pjuːl] *vi* vrnět, kňourat

pull[1] [pul] *vt & i* 1. tahat, (o)škubat, trhat 2. vléci 3. vochlovat 4. fig. nepříznivě kritizovat, ztrhat 5. stisknout 6. dělat grimasy 7. pohánět (vesly) 8. učinit otisk ♦ *to* ~ *one's ears, s.o. by the ear* vytahat koho za uši; *to* ~ *to, in, pieces* strhat kritikou; *to* ~ *up a good heart* dodat si odvahy; *to* ~ *a good oar* být

dobrým veslařem; *to* ~ *a person's leg* někoho škádlit, vodit za nos; *to* ~ *a face* dělat posunky; ~ **about** clou- mat, sekýrovat, hrubě zachá- zet; ~ **apart** roztrhat, oddělit se, rozlomit se; ~ **down** 1. strhnout, zbourat 2. pokořit 3. zničit zdraví; ~ **in** škub- nout; krotit; roztrhat, vtáh- nout; utáhnout řemen fig. ~ **off** 1. stáhnout, svléknout, zout, smeknout 2. omezit, zredukovat 3. vyhrát; ~ **on** natáhnout, obléci si; ~ **out** vytáhnout, prodloužit, roz- šířit *(a tale)*; ~ **over** pře- táhnout si přes hlavu, navléci si; ~ **through** dostat (se) z něčeho, vyváznout, vyléčit (se); ~ **oneself together** sebrat se, uzdravit se; ~ **up** 1. vytáhnout, vytrhnout, vy- škubnout 2. zakřiknout 3. zabrzdit koně, zastavit, zajet s vozem, dohonit 4. nabýt odvahy, povzbudit, zjet koho; *to* ~ *up an old habit* vykořenit starý zvyk; *to* ~ *oneself up* krotit se, zdržet se

pull[2] [pul] *s* 1. zatáhnutí, škub- nutí, trhnutí 2. náraz, ráz 3. svár, boj, zápas 4. doušek, tah 5. táhlo, rukojeť, klika 6. obtah 7. zabrání veslem 8. pomoc, vliv; ~-**over** [ˈpulˌouvə] *s* svetr, pulovr; ~-**rod** *s* táhlo; ~**rope** tažné lano

pullet [ˈpulit] *s* mladá slepice

pulley [ˈpuli] *s* kladka, kladko- stroj, rumpál; řemenice

Pullman [ˈpulmən] *s*: ~ *car* Pullmanův vůz

pullulate [ˈpaljuleit] *vi* klíčit, růst

pulmon|ary [ˈpalmənəri] *a* plicní ☐ *s* plicník; **—ic** [palˈmonik] *s* **1.** plicní lék **2.** souchotinář

pulp [palp] *s* **1.** dužnina *ovoce* **2.** dřeň, morek **3.** papírová drť, kaše ☐ *vt & i* **1.** oloupat, vyloupat jádra **2.** roztlouci na kaši; **—ous** [ˈpalpəs] *a* kašovitý, dužnatý; **—y** [ˈpalpi] *a viz -ous*

pulpit [ˈpulpit] *s* kazatelna, tribuna

pulsat|e [palˈseit] *vi* **1.** bít, tlouci, bušit, tepat *též fig.* **2.** chvět se; **—ile** [ˈpalsətail] *a hud.* bicí; **—ion** [palˈseišən] *s* bušení, tlukot *srdce;* pulzace; **—ory** [ˈpalsətəri] *a med.* bušící, tlukoucí, tepavý

pulse¹ [pals] *s* **1.** tepna, puls **2.** tlukot, záchvěv **3.** tep ☐ *vi & t* chvět se *též fig.,* tepat, bít, pulzovat

pulse² [pals] *s* luštěniny

pulver|ization [ˌpalvəraiˈzeišən] *s* **1.** rozetření na prach, rozmělnění, rozprašování **2.** zkáza, demolování; **—ize** [ˈpalvəraiz] *vt* **1.** rozetřít na prach **2.** rozmělnit, rozdrtit, demolovat ☐ *vi* **3.** rozpadnout se v prach; **—izer** [ˈpalvəraizə] *s* rozmělňovač, rozprašovač

puma [ˈpjuːmə] *s zool.* puma

pumice [ˈpamis] *s* (*též* ~ -*stone*) pemza ☐ *vt* drhnout, čistit, hladit pemzou

pummel [ˈpaml] *vt* (-ll-) (z)tlouci pěst(mi

pump¹ [pamp] *s* pumpa, hustilka, stříkačka ☐ *vt & i* **1.** pumpovat, čerpat **2.** *fig.* vy-

zvídat, vyptávat se ♦ ~ *out,* *up* napumpovat vodu; ~ *dry* vypumpovat vodu; ~ *up* n. *hard* n. *tight* **1.** nahustit **2.** vyptávat se, vypumpovat co z koho; ~ -**brake** [ˈpambreik] *s* táhlo, držadlo; ~ -**room** [ˈpamprum] *s* vřídelní lázeňská dvorana

pump² [pamp] *s* lakovaný taneční střevíc

pumpkin [ˈpampkin] *s* dýně, tykev

pun¹ [pan] *s* slovní hříčka, vtip ☐ *vi* (-nn-) dělat slovní hříčky, vtipkovat

pun² [pan] *vt* (-nn-) napěchovat *zem*

punch¹ [panč] *s* **1.** šídlo, vrták, průbojník **2.** razidlo **3.** punc **4.** klíštky na jízdenky

punch² [panč] *vt* **1.** tlouci pěstí, šťouchat **2.** *am.* vyhánět dobytek **3.** provrtat, dírkovat **4.** zarazit, vbít, zatlouci (*nail in* hřebík do); -*ed card* děrný štítek; -*ed-card processing machine* stroj na zpracování děrných štítků ☐ *s* rána pěstí, rohovnický úder; **—ing** [ˈpančiŋ] *s* děrování, prorážení, prostřihování; ~ -*machine* děrovačka, probíječka

punch³ [panč] *s* **1.** punč **2.** láhev punče **3.** společnost při punči

punch⁴ [panč] *s* **1.** zavalitý krátkonohý kůň **2.** *P~* paňáca, kašpárek **3.** *dial.* cvalík

puncheon [ˈpančən] *s* **1.** sloupek **2.** = *punch¹* **3.** sud; dutá míra *74 n. 84 gallonů*

punctate [ˈpaŋkteit] *a* kropenatý, tečkovaný

punctilious [paŋk⹂tiliəs] a puntičkářský

punctu|al [⹂paŋktjuəl] a 1. přesný, dochvilný 2. arch. puntičkářský 3. geom. bodový; —ality [⹂paŋktjuˈæliti] s přesnost, dochvilnost; —ate [⹂pæŋktjueit] vt 1. dělit rozdělovacími znaménky 2. fig. přerušit řeč výkřiky ap. 3. zdůraznit; —ation [⹂paŋktjuˈeišən] s dělení vět, interpunkce

puncture [⹂paŋkčə] s 1. hrot, bodec 2. píchání, píchnutí zvl. pneumatiky 3. dírka □ vt & i 1. propíchnout, dírkovat 2. udělat (si) díru v pneumatice

pung|ency [⹂pandžənsi] s pichlavost; štiplavost, ostrost, pronikavost; —ent [⹂pandžənt] a pichlavý, ostrý; pronikavý, dráždivý

Punic [⹂pju:nik] a punský □ a Kartáginec

punish [⹂paniš] vt trestat (for za); —able [⹂panišəbl] a trestný, trestuhodný; —ment s potrestání, trest, pokuta ♦ capital ~ trest smrti

punit|ive [⹂pju:nitiv] a trestající trestný, kárný; —ory [⹂pju:nitəri] a viz punitive

punnet [⹂panit] s košíček na ovoce

punster [⹂panstə] s vtipálek, šprýmař

punt¹ [pant] s pramice, člun □ vt pohánět pramici, odstrkávat se bidlem

punt² [pant] vi 1. sázet v karetní hře 2. hov. vsadit na koně □ s sázkař

puny [⹂pju:ni] a maličký, mrňavý, slabý

pup [pap] s štěně ♦ in ~ březí; to sell person a ~ podvést, oklamat koho □ vt & i (-pp-) vrhat štěňata

pupa [⹂pju:pə] s kukla hmyzu, pupa

pupil [⹂pju:pl] s 1. žák, žákyně 2. chovanec 3. zřítelnice, pupila; —(l)age [⹂pju:pilidž] s 1. nezletilost 2. chovanectví, poručenství 3. žákovství; —(l)arity [⹂pju:piˈlæriti] s nezletilost, nedospělost; —(l)ary [⹂pju:piləri] a 1. žákovský 2. zřítelnicový

puppet [⹂papit] s 1. loutka 2. fig. nástroj, stvůra ♦ ~ government loutková vláda; —ry [⹂papitri] s fintivost; ~-show [⹂papitšou] s loutkové divadlo

puppy [⹂papi] s 1. štěně 2. hejsek, švihák

purblind [⹂pə:blaind] a 1. krátkozraký 2. fig. zaslepený, hloupý

purchasable [⹂pə:čəsəbl] a prodejný, na prodej

purchas|e [⹂pə:čəs] s 1. koupě 2. práv. nabytí majetku, dosažení 3. zisk, výnos roční 4. páka, rukojeť 5. záběr ♦ grain ~ výkup obilí □ vt 1. koupit 2. získat, nabýt 3. ném. zdvihnout kotvu rumpálem; ~ out skoupit, nahradit; —er [⹂pə:čəsə] s kupec, zákazník; —ing [⹂pə:čəsiŋ] a ♦ ~ power kupní síla; ⹂~ -money s kupní cena

pure [pjuə] s 1. čistý, ryzí, pouhý 2. cudný, nevinný 3. úplný, naprostý, čirý; —ly [⹂pjuəli] adv pouze, zcela;

—**ness** [ˈpjuənis] *s* 1. čistota
2. ryzost, pravost 3. ne-
poskvrněnost, nevinnost

purée [ˈpjuərei] *s* hustá polévka
z masa a zeleniny

purfle [ˈpəːfl] *s* arch. ozdobná
obruba, vyšívání, lemování □
vt vyšívat, lemovat

purgat|ion [pəːˈgeišən] *s* 1. očiš-
tění 2. pročištění, průjem;
—**ive** [ˈpəːgətiv] *a* 1. očišťu-
jící 2. projímavý □ *s* projí-
madlo; —**ory** [ˈpəːgətəri] *s*
očistec

purge [pəːdž] *vt & i* 1. očistit
(*from* od), odkalovat 2. očistit
se (*of, from* z), ospravedlnit
se 3. dát projímadlo 4. mít
průjem □ *s* 1. projímadlo
2. čistka

puri|fication [ˌpjuərifiˈkeišən] *s*
očišťování, očista; —**fier**
[ˈpjuərifaiə] *s* čistič, čistidlo,
čisticí přístroj; —**fy** [ˈpjuə-
rifai] *vt* (o)čistit (*of, from* od):
ospravedlnit

purist [ˈpjuərist] *s* purista

puritan [ˈpjuəritən] *s* puritán
□ *a* puritánský; —**ism** [ˈpjuə-
ritənizəm] *s* puritánství

purity [ˈpjuəriti] *s* 1. čistota
2. ryzost 3. nevinnost, cud-
nost

purl¹ [pəːl] *s* obruba, porta,
lemovka; smyčkování □
vt & i olemovat, obroubit

purl² [pəːl] *vi* čeřit se, šumět,
bublat □ *s* vlnka, bublání

purl³ [pəːl] *vt & i* hov. převrátit,
překotit (se) □ *s* střemhlavý
pád, překocení; —**er** [ˈpəːlə]
s hov. přemet, střemhlavý pád

purlieu [ˈpəːljuː] *s* 1. okraj lesa
2. okolí, sousedství

purlin [ˈpəːlin] *s* podval, trám
podstřešní, vaznice krovu

purloin [pəːˈloin] *vt* odcizit,
ukrást; —**er** [pəːˈloinə] *s*
zloděj

purple [ˈpəːpl] *s* 1. purpur,
nach, nachové roucho 2. pl.
spála, červenka vepřů □ *a*
nachově (se) zbarvit

purport [ˈpəːpət] *s* 1. význam,
smysl, obsah řeči, dokumentu
2. účel ♦ *ideological* ~ ideový
obsah □ *vt* mít smysl, zna-
menat, obsahovat

purpose [ˈpəːpəs] *s* 1. úmysl,
záměr 2. cíl, účel 3. účinek
4. výsledek 5. obsah, před-
mět rozmluvy ♦ *for that* ~
za tím účelem; *for the* ~ *of*
za účelem čeho; *on* ~
úmyslně, schválně; *to the* ~
za tím účelem; *to no* ~ bez-
účelně, marně; *of set* ~
úmyslně; *he is wanting in* ~
neví, co chce; *to answer* n.
serve the ~ *of* sloužit dosažení
cíle □ *vt & i* mít v úmyslu,
zamýšlet; —**ful** [ˈpəːpəsful]
a směřující k cíli, záměrný;
—**less** [ˈpəːpəslis] *a* bezúčel-
ný, marný; —**ly** [ˈpəːpəsli]
adv úmyslně, záměrně

purr [pəː] *vi & t* příst o kočce,
vrčet □ *s* předení kočičí

purse¹ [pəːs] *s* 1. peněženka,
tobolka, měšec 2. fig. peníze,
suma 3. cena ♦ *public* ~
veřejné prostředky, národní
pokladna; *to make a* ~ sebrat
peníze; ~ **-bearer** [ˈpəːsbeərə]
s pokladník; |~ **-string** *s* tka-
nice měšce; *to hold the*
~ **-strings** držet měšec, mít
vládu nad pokladnou; *to*

tighten, loosen, the ~ -strings
fig. utáhnout, uvolnit, mě-
šec
purse² [pə:s] *vt & i* našpulit
rty, svraštit obočí
purser [ˈpə:sə] *s* pokladník na
lodi, nakupovač zásob
pursu|ance [pəˈsju:əns] *s* sledo-
vání, plnění, provádění (*of
plan* plánu, *object* předmětu,
idea myšlenky) ♦ *in ~ of*
následkem čeho; **—ant** [pə-
ˈsju:ənt] *a* ♦ *~ to* podle čeho,
ve shodě s čím
pursu|e [pəˈsju:] *vt* 1. pronásle-
dovat, stíhat 2. usilovat oč
3. sledovat, cílit k, hnát se
(*after* za) □ *vi* 4. pokračovat
♦ *to ~ a political line* prosa-
zovat politickou linii; **—er**
[pəˈsju:ə] *s* 1. pronásledo-
vatel 2. provozovatel 3.
pokračovatel
pursuit [pəˈsju:t] *s* 1. pronásle-
dování, úklady, stíhání 2.
pokračování, provádění 3.
snaha 4. obírání se, studie,
práce ♦ *to be in hot ~ of the
enemy* ostře pronásledovat
nepřítele
purs|y [ˈpə:si] *a* 1. dýchavičný,
otylý 2. svraštělý 3. bohatý;
—iness [ˈpə:sinis] *s* dýchavič-
nost
purulent [ˈpjuərulənt] *a* hni-
savý, hnisající .
purvey [pəˈvei] *vt* 1. opatřit,
obstarat, zjednat □ *vi* 2.
zásobit (*for*) 3. postarat se;
—ance [pəˈveiəns] *s* 1. záso-
bování, dodávka potravin,
zásob 2. zast. zásoba, potra-
viny; **—or** [pəˈveiə] *s* doda-
vatel, obstaravatel

purview [ˈpə:vju:] *s* 1. dosah.
hranice, meze 2. rozsah
pus [pas] *s* hnis
push¹ [puš] *vt* 1. strkat, tlačit
2. pohánět 3. obtěžovat, do-
tírat, naléhat na koho, urgo-
vat □ *vi* 4. snažit se, přičinit
se 5. pučet ♦ *to ~ too far*
přehánět; *to ~ one's question*
naléhat na odpověď; *to ~
one's way* proklestit si cestu;
I am -ed for money (time)
jsem v peněžní (časové) tísni;
to ~ home zasouvat; *~ aside*
odstrčit; *~ at* chopit se čeho;
snažit se; dorážet na; *~ away*
postrkovat, odstrčit, zahnat;
~ back odstrčit, zatlačit; od-
razit; *~ down* 1. zastrčit 2.
stlačit; *~ for* usilovat oč;
~ forward postrčit, pohánět;
~ off odstrčit se, odrazit od
břehu; *~ on* hnát se, útočit;
~ out vystrčit, odrazit
push² [puš] *s* 1. náraz, ráz 2.
napadení, útok 3. podnik,
úsilí, snaha 4. podnikavost 5.
poslední prostředek 6. nátlak
7. krize ♦ *at one ~* jedním
rázem; *to bring a matter to
the last ~* hnát věc do kraj-
nosti; *to get the ~* sl. dostat
vyhazov, být propuštěn;
|*~ -back s* odbytí, koš; *~-bolt*
[ˈpušboult] *s* závora; *~-button*
[ˈpušˌbatn] *s* tlačítko; **—ing**
[ˈpušiŋ] *a* podnikavý, sna-
živý, rázný; **—ful** [ˈpušful] *a*
dotěrný; podnikavý
pusillanim|ity [ˌpju:sileˈnimiti]
s bojácnost, nerozhodnost,
malomyslnost; **—ous** [ˌpju:si-
ˈlæniməs] *a* bojácný, neroz-
hodný

puss [pus] *s* kočička; —y [ˈpusi] *s* kočička; **|~-foot** *vt* pohybovat se kradmo, jednat obezřetně

pustul|ar [ˈpastjulə] *a* puchýřovitý, pupencovitý; **—ate** [ˈpastjuleit] *vt* podbírat se, tvořit puchýřky; **—e** [ˈpastju:l] *s* puchýřek

put¹* [put] *v*¹ **1.** klást, položit, dát kam **2.** umístit (*on* na) **3.** postavit, posadit **4.** vyjádřit, napsat **5.** hodit **6.** způsobit, přinutit **7.** užít **8.** řídit **9.** připojit, přidat □ *vi* **10.** klíčit, pučet, růst **11.** jít **12.** plout, plavit se ♦ *to ~ things right* dát do pořádku, udělat pořádek; *to ~ into operation* uvést do chodu; *to ~ everything wrong* udělat vše špatně; *to ~ a case* předložit případ; *I don't know how to ~ it* nevím, jak to vyjádřit; *to ~ a question* položit otázku; tázat se; *to ~ fair* dělat se pěkným; **~about 1.** rozšířit, roztrousit (*a rumour* pověst) **2.** obrátit (se), otočit lod **3.** sužovat; *~ a man wise about, on* sl. informovat koho o; **~ aside** odstrčit, odložit, odstranit; **~ at:** *I ~ him at twenty* hádám mu dvacet; *I ~ his income at £ 5000 a year* odhaduji jeho příjem na ...; **~ away 1.** odložit, zapudit, propustit **2.** sníst, vypít **3.** sl. zkonzumovat, spořádat **4.** odstranit, zbavit se **5.** sl. zastavit v zastavárně; **~ back** položit na dřívější místo, postrčit nazpět (*the hands of the clock* ručičky

hodin); opozdit (se), odepřít, vrátit se; **~ by** odložit, uložit; ušetřit, odvrátit (se), upustit od; zanedbat; pohrdat; **~ down 1.** složit, položit **2.** snížit, pokořit, potlačit **3.** připočíst **4.** vyvrátit, odrazit **5.** zaznamenat, napsat; *to ~ one's foot down* zaujmout pevné stanovisko; *to ~ down a questioner* umlčet tazatele; *to ~ prices down* stlačit, snížit ceny; **~ forth 1.** vystrčit, vyvinout (*all one's energies* všechnu energii), ukázat, přednést **2.** jít kupředu; vyplout (*to sea, upon the sea* na moře) **3.** podporovat; klíčit, pučet, růst **4.** uveřejnit; **~ forward** ukázat, pomáhat; navrhnout, objevit (*a new plan* nový plán, *theory* teorii), urychlit; **~ in** vsadit, vstrčit; uvést, vejít; zastavit se na čas, přistát; připojit, vložit; *to ~ in array* rozestavit; *to ~ in fear* nahnat strach; *to ~ in force* uvést v platnost; *to ~ in courage* dodat mysli; *to ~ in hand* uvést v chod; *to ~ in mind of* připomenout; *to ~ in an appearance* objevit se; *to ~ in motion* uvést v pohyb; *to ~ in practice* provést, uvést ve skutek; *to ~ in prison* uvěznit; *to ~ in a hole* přivést do nesnází; *to ~ in possession of* opatřit čím; *to ~ in jail* uvrhnout do vězení; *to ~ in order* dát do pořádku; *to ~ in repair* opravit, spravit; *~ yourself in her place* vžijte se do její situace; *to ~ in for* kandidovat, ucházet se o; **~ into** vložit, uvést; *to ~ into port* vjet do přístavu; *to ~ one's foot into it* vměšovat se do toho; *to ~ into a rage* rozhněvat; **~ off upon** svalovat na; **~ off** odložit, svléci; *to ~ off doubts, fears* odložit pochyby, obavy; *we are sorry to ~ you off today* odříci, odmítnout; *her face -s me off* její tvář mne odpuzuje; *to ~ off on a long journey* vydat se na dlouhou cestu; **~ on** obléci; zapřáhnout do práce; uhánět; šálit; odvolat se; *to ~ on airs and graces* chovat se afektovaně; *his modesty is all ~ on* jeho skromnost je jen předstíraná, zdánlivá; *to ~ on a new play* uvést na jeviště novou hru; *to ~ on flesh* ztloustnout; *to ~ on weight* přibrat na váze; *to ~ on the market* uvést na trh; *to ~ on the pace* přidat do kroku; *to ~ on (the hands of) the clock* postrčit hodiny napřed; *to ~ it on* přetvařovat se; *to ~ on a pound on a horse* vsadit libru na koně; *to ~ a person on the track of* uvést někoho na něčí stopu; *to ~ something on paper* něco napsat; *to ~ a saddle on a horse* osedlat koně; **~ out** 1. vystrčit, vytáhnout, vyložit 2. zhasit 3. rozhněvat, pobouřit 4. ukončit, produkovat, vyrábět 5. půjčit (*to sea* na moře); **~ out of** připravit o; uvést v nepořádek, rozházet; *to ~ out of countenance*

připravit o rozvahu; *to ~ out of doors* vyhodit ze dveří; *to ~ one's head out of the window* vystrčit hlavu z okna; *to ~ out of the way* odklidit; *to ~ out of operation* vyřadit z provozu; *to ~ out one's strength, energies* rozvinout sílu, energii; *to ~ out one's knee-joint* vyvrtnout si nohu; *to ~ out a boy to apprenticeship* dát chlapce do učení; **~ over** 1. ustanovit nad, dát přednost, posunout, odkázat na 2. přejet, přeplout (*to the other side of river* na druhý břeh řeky); **~ through** prostrčit, prorazit, provést, vykonat; *~ me through to* spojte mne telefonicky s; **~ to** zapřáhnout; připojit, přidat, přispět; *to ~ to account* připsat na účet; *to ~ the hand to* přiložit ruku k; *to ~ to print, press* dát do tisku; *to ~ to shame* zahanbit; *to ~ to silence* umlčet; *to ~ to the venture* odvážit se; *to ~ a question to the vote* dát hlasovat o otázce; *to ~ an end to* učinit konec, ukončit co; *to ~ to death* usmrtit; *to ~ to sleep* uložit k spánku; *to ~ to torture* mučit; *to ~ to flight* zahnat na útěk; *to ~ to the blush* zahanbit; *to ~ to test n. trial* zkoušet, podrobit zkoušce; *to ~ one's brain* n. *mind to the problem* věnovat se problému, zaměstnávat se problémem; *I ~ to you that* přenechávám vám, abyste; **~ together** složit, spojit, zhotovit, připravit; *to ~ two and* *two together* činit závěr, uzavírat; **~ up** 1. zvednout; vyvěsit; postavit, položit 2. pobídnout, pohánět 3. uložit 4. zavařit, nakládat, konzervovat 5. zabalit 6. vykasat 7. zosnovat 8. klidně snést; zdržet se; stavět se; spokojit se 9. bydlit, mít útulek 10. navrhnout; hlásit se, ucházet se; *to ~ up a person's back* vyprovokovat koho; *to ~ up for sale* prodávat; *to ~ up the prices* zvýšit ceny; *to ~ up the shutters* uzavřít obchod, krám, fig. nechat obchodu; **~ up at** zarazit se u, dočasně bydlit u; **~ up to** otevřít komu oči, uvědomit koho; navést koho k, svádět, ponoukat k; **~ up with** snést co, spokojit se s; **~ upon:** *to ~ a punishment upon* uložit trest

put² [put] *s* 1. házení, vrhání kladivem, koulí 2. úmluva o nabídce a koupi cenných papírů 3. hlupák; **|~-|off** *s* vytáčka; **|—ter-|on** *s* podněcovatel, naváděč; **|~-|to** *s* nesnáz

putative [ˈpjuːtətiv] *a* domnělý

put|log, -lock [ˈpatlog, -lok] *s* horizontální trám lešení

putre|faction [ˌpjuːtriˈfækʃən] *s* hnití, hniloba, tlení; **—factive** [ˌpjuːtriˈfæktiv] *a* hnijící; **—fy** [ˈpjuːtrifai] *vi & t* hnít, kazit se, působit hnití; **—scence** [pjuːˈtresns] *s* zahnívání, hniloba; **—scent** [pjuːˈtresnt] *a* hnijící, hnilobný

putrid [ˈpjuːtrid] *a* 1. hnijící,

shnilý, ztuchlý 2. špatný, nepříjemný; **—ity** [pjuːˈtriditi] *s* hniloba, shnilost

putsch [puč] *s* puč, převrat, vzpoura

puttee [ˈpati] *s* ovinovačka

putty [ˈpati] *s* sklenářský kyt □ *vt* (za)kytovat, (za)tmelit

puzzle [ˈpazl] *s* 1. hádanka 2. rozpaky, zmatenost ♦ *cross-word* ~ křížovka □ *vt & i* uvést do rozpaků, být v rozpacích, poplést; **~ out** rozluštit; **—r** [ˈpazlə] *s* nesnadný problém

P/W = *prisoner of war*

py|gmy, pi- [ˈpigmi] *s* 1. trpaslík, 2. zákrsek

pyjamas [pəˈdʒaːməz] *s* pyžama

pyorrhoea [ˌpaiəˈriə] *s* výtok hnisu z dásní

pyramid [ˈpirəmid] *s* pyramida jehlan; **—al** [piˈræmidl] *a* jehlancovitý, pyramidový

pyre [ˈpaiə] *s* hranice k spálení m tvoly; **—tic** [paiˈretik] *a* horečnatý

pyrites [paiˈraitiːz] *s* pyrit, kazivec

pyrotechn|ics [ˌpairouˈtekniks] *s* pyrotechnika; **—y** [ˌpairouˈtekni] *s* 1. pyrotechnika 2. ohňostroj

Pyrrhic [ˈpirik]: ~ *victory* Pyrrhovo vítězství

python [ˈpaiθən] *s* 1. hroznýš 2. věštec; **—ess** [ˈpaiθənes] *s* věštkyně; **—ic** [paiˈθonik] *s* věštecký

pyx [piks] *s* 1. monstrance, ciborium 2. schránka na mince v mincovně

Q

Q, q [kju:] písmeno q
Q.C. = *Queen's Counsel*
Q.E.D. = *quod erat demontran-
dum* = *which was to be de-
monstrated*
Q.E.F. = *quod erat faciendum* =
= *which was to be done*
Q.M.G. = *quartermaster-general*
quack [kwæk] *vi* 1. kvákat 2.
chvástat se 3. dělat mastič-
káře □ *s* 1. kvákání 2. mastič-
kář, šarlatán, dryáčník; ~
salver mastičkář, šarlatán;
—**ery** [ˈkwækəri] *s* chvásta-
vost, šarlatánství, dryáčnic-
tví
quad [kwod] viz *quadrangle,
quadrat*
quadragenarian [ˌkwodrədži-
ˈneəriən] *a* čtyřicetiletý □ *s*
čtyřicátník
quadrangle [ˈkwoˌdræŋgl] *s* 1.
čtyřúhelník 2. čtverec, čtver-
hranný dvůr universitní koleje
quadrant [ˈkwodrənt] *s* 1. čtvrt-
kruh 2. kvadrant měřicí přístroj
quadrat [ˈkwodrit] *s* typ. čtve-
rečkový výplněk
quadrat|e *s* [ˈkwodrit] 1. čtve-
rec, kvadrát 2. kvadrátová
kost, sval □ *a* čtvercový,
čtverečný □ *vi & t* [kwoˈdreit]
1. udělat čtverec 2. souhlasit
(*with* s); —**ic** [kwəˈdrætik] *a*
čtverečný, kvadratický □ *s*
mat. kvadratický výraz, rov-
nice druhého stupně; —**ure**
[ˈkwodrəčə] *s* kvadratura (*of
the circle* kruhu)
quadrennial [kwodˈreniəl] *a*
čtyřletý

quadrilateral [ˌkwodriˈlætərəl] *a*
čtyřboký, čtyřstranný □ *s*
čtverhran
quadrille [kwəˈdril] *s* čtverylka
quadripartite [ˌkwodriˈpa:tait] *a*
čtyřdílný
quadru|ped [ˈkwodruped] *s* čtyř-
nožec; —**ple** [ˈkwodrupl] *a*
čtyřnásobný □ *s* čtvernáso-
bek □ *vt & i* násobit čtyřmi;
—**plicate** *vt* [kwoˈdru:plikeit]
násobit čtyřmi □ *a* [kwo-
ˈdru:plikit] čtyřnásobný, po-
výšený na čtvrtou □ *s* 1. *in* ~
ve čtyřech kopiích 2. pl.
čtveřice stejných věcí, čtyři
kopie dokumentu
quaff [kwa:f] *vi & t* lokat, pít □
s doušek, lok
quag [kwæg] *s* močál; —**mire**
[ˈkwægmaiə] *s* močál; —**gy**
[ˈkwægi] *a* bažinatý
quail [kweil] *s* křepelka □ *vi*
ztratit odvahu, chvět se stra-
chem (*before, at* před), umdlé-
vat; ustoupit
quaint [kweint] *a* 1. zvláštní,
kuriózní 2. podivínský
quak|e [kweik] *vi* chvět se,
třást se (*at* před, *with* čím)
□ *s* chvění, třesení; —**er**
[ˈkweikə] *s* kvaker člen ná-
boženské „Společnosti přátel"
qualif|ication [ˌkwolifiˈkeišən] *s*
1. způsobilost 2. schopnost
3. kvalifikace 4. uzpůsobení
5. podmínka, výhrada 6.
bližší určení; —**ied** [ˈkwoli-
faid] *a* 1. oprávněný 2. způ-
sobilý, kvalifikovaný 3. pod-
míněný; —**y** [ˈkwolifai] *vt & i*

1. uzpůsobit **2.** oprávnit **3.** podmínit **4.** zmírnit, křtít lihoviny **5.** kvalifikovat (se) **6.** blíže určit, přisoudit vlastnost

qualitative [ˈkwolitətiv] *a* jakostní, kvalitní; kvalitativní (*analysis* rozbor)

quality [ˈkwoliti] *s* **1.** jakost, kvalita **2.** vlastnost, rys, stav **3.** stupeň, třída, druh **4.** způsobilost, schopnost, dovednost **5.** urozenost **6.** fil. vlastnost, atribut □ *to give a taste of one's* ~ ukázat, co dovedu; *people of* ~ vznešení lidé

qualm [kwo:m] *s* **1.** mdloba, mdlo, nevolno **2.** pochybnost, obava **3.** výčitky svědomí; —**ish** [ˈkwo:miš] *a* pociťující nevolno ♦ *I am* ~ dělá se mi nanic, je mi špatně

quandary [ˈkwondəri] *s* rozpaky, nesnáze; pochyba, dilema

quant|ify [ˈkwontifai] *vt* kvantifikovat, určit množství; —**i-tative** [ˈkwontitətiv] *a* kvantitativní (*analysis* rozbor); —**ity** [ˈkwontiti] *s* **1.** množství, kvantita, veličina **2.** poet. délka n. krátkost samohlásek **3.** poměr, úměr **4.** díl, část **5.** míra, váha ♦ *unknown* ~ neznámá veličina; ~ *production* hromadná výroba; —**um** [ˈkwontəm] *s* **1.** množství, kvantum **2.** míra

quarantine [ˈkworənti:n] *s* karanténa □ *vt* uložit komu karanténu

quarrel [ˈkworəl] *s* hádka, spor, stížnost (*against, with* proti, na) ♦ *to have a* ~ *with* pohádat se s; *to pick a* ~ vyhledávat hádku; *to take up someone's* ~ přidat se ve sporu na něčí stranu □ *vi* (-ll-) hádat se (*about* pro, *with* s kým), hašteřit se, neshodnout se, znesvářit se; —**some** [ˈkworəlsəm] *a* hašteřivý

quarry [ˈkwori] *s* **1.** lom **2.** lovná zvěř **3.** kořist **4.** čtvercová tabulka skla, cihly ap. □ *vt* **1.** lámat kámen **2.** hledat, pachtit se po dokumentech ap. **3.** pracně sbírat fakta, bádat

quart[1] [kwo:t] *s* **1.** čtvrtina galonu = 1,14 litru, kvart **2.** nádoba, odměrka na čtvrtinu **3.** čtvrtinka piva; —**an** [ˈkwo:-tn] *a* čtyřdenní □ *s* med. střídavá horečka vracející se každý čtvrtý den

quart[2] [ka:t] *s* kvarta pozice v šermu

quarter [ˈkwo:tə] *s* **1.** čtvrt, čtvrtina **2.** čtvrtina roku, kvartál **3.** školní období **4.** končina, místo; bod, strana; směr **5.** městská čtvrt **6.** byt, příbytek obv. pl., kvartýr **7.** voj. milost **8.** čtvrt měsíce **9.** pl. stanoviště, tábor **10.** $1/4$ mořského sáhu ♦ *bad* ~ *of an hour* krátký nepříjemný zážitek; *a* ~ *to five* $3/4$ 5; *a* ~ *past five* $1/4$ 6; *what* ~ *is the wind in?* z které strany vane vítr?, též fig.; *flecked in from all -s* sehnaný ze všech končin n. každý pes jiná ves; *news from a good* ~ zprávy z dobrého pramene; *to take up one's* —*s* ubytovat se; *to give, receive,* ~ dát, obdržet, milost od nepřítele; *to ask for* n. *cry* ~ žádat, prosit o milost □ *vt & i* 1. rozčtvrtit, rozdělit 2. ubytovat (se), bydlit 3. ležet posádkou 4. slídit o honicím psu 5. rozdělit štít na čtvrtiny; —**age** [ˈkwoːtəridž] *s* kvartál, čtvrtletní placení; |~**-day** *s* kvartální den, konec čtvrtletí; |~**-deck** *s* vyhrazená část horní paluby; ~**-final** [ˈkwoːtəˌfainl] *s* čtvrtfinále ve sportu; —**ly** [ˈkwoːtəli] *a* čtvrtletní □ *adv* po čtvrtinách, jednou za čtvrt roku □ *s* čtvrtletník (též *review*); ~**-master** [ˈkwoːtəˌmaːstə] *s* proviantní důstojník; |~**-step**, |~**-tone** *s* čtvrttón

quartet(te) [kwoːˈtet] *s* hud. kvarteto; kvartet

quarto [ˈkwoːtou] *a* kvartový □ *s* pl. kvartový formát

quartz [kwoːts] *s* křemen; —**ite** [ˈkwoːtsit] *s* křemenec

quash [kwoš] *vt* 1. .potlačit 2. práv. zamítnout, zrušit

quasi [ˈkwaːzi] *adv* jakoby, jaksi; téměř; zdánlivě

quaternary [kwəˈtəːnəri] *a* sestávající ze čtyř, po čtyřech □ *s* skupina čtyř, číslo 4

quaternion [kwəˈtəːnjən] *s* čtveřice, čtyřka

quaver [ˈkweivə] *vi & t* chvět se, trylkovat □ *s* 1. trylek 2. osminová nota

quay [kiː] *s* přístaviště, přístavní hráz, nábřeží; —**age** [ˈkiːidž] *s* 1. přístavní poplatek 2. přístavní zařízení

queasy [ˈkwiːzi] *a* 1. hazardní, nesnadný 2. choulostivý, cit-

livý 3. jsoucí v nesnázích 4. vybíravý 5. působící zvracení

queen [kwiːn] *s* 1. královna 2. královna, dáma v šachu □ *vt & i* 1. učinit královnou 2. vládnout (~ *it*), mít moc královny 3. šachy udělat z pěšáka královnu ♦ ~ *apple* renetové jablko; ~ *consort* králova choť; ~ *dowager* královna vdova; ~ *posts* dva svislé trámy ve vazbě krovu; ~'s *weather* brit. slunné počasí

queer [kwiə] *a* 1. zvláštní, podivný 2. podezřelý, sporný 3. mdlý, slabý, nesvůj 4. výstřední 5. brit. sl. opilý ♦ *I feel* ~ je mi nevolno; ~ *in one's attic* pytlem praštěný

quell [kwel] *vt* 1. potlačit 2. uklidnit, utišit (*grief* zármutek)

quench [kwenč] *vt & i* 1. uhasit (*fire, thirst* oheň, žízeň) 2. utišit (se) 3. potlačit, utlumit 4. kalit (*steel* ocel); —**er** [ˈkwenčə] *s* 1. hasič 2. dusítko 3. doušek; —**less** [ˈkwenčlis] *a* neuhasitelný

quern [kwəːn] *s* ruční mlýnek na obilí

querulous [ˈkwerʊləs] *a* hašteřivý, bručivý, naříkavý

query [ˈkwiəri] *s* 1. otázka, dotaz 2. pochyba 3. otazník □ *vt & i* 1. tázat se, klást otázky 2. vyšetřovat 3. označit otazníkem 4. pochybovat o správnosti

quest [kwest] *s* 1. hledání, pátrání 2. vulg. vyšetřování ♦ *to be in* ~ *of* hledat; *to go in* ~

of doptávat se na □ *vi* 1. vyhledávat, pátrat 2. stopovat zvěř o psech

question [ˈkwesčən] *s* 1. otázka 2. debata, námitka, pochyba 3. vyšetřování, zkoumání 4. předmět rozmluvy n. hlasování 5. zast. mučení ♦ *to put a* ∼ *to* tázat se; *indirect* ∼ nepřímá otázka; *beyond all* ∼ , *out of* ∼ , *past* ∼ , *without* ∼ nepochybný, nepochybně; *to call in* ∼ vznést námitky, pochybovat; *to call to* ∼ pohnat k zodpovědnosti; *to make a* ∼ *of* brát v potaz, pochybovat; *the person in* ∼ dotyčná osoba; *to come into* ∼ přijít na přetřes; *that is not the* ∼ to nerozhoduje, to je irelevantní; *to put the* ∼ položit otázku důvěry □ *vt & i* 1. tázat se, vyptávat se 2. pochybovat, vznést námitky 3. zkoumat, rozebírat; —**able** [ˈkwesčənəbl] *a* sporný, nesrovnávající se s; —**ary** [ˈkwesčənəri] *s* dotazník; —**er** [ˈkwesčənə] *s* tazatel; ∼ -**mark** [ˈkwesčənma:k], ı∼ -**stop** *s* otazník

questionnaire [ˌkwestiəˈneə] *s* dotazník

queue [kju:] *s* 1. fronta lidí 2. cop (mužský) □ *vt & i* 1. utvořit frontu, postavit se do fronty, stát ve frontě (*up for* na) 2. uplést vlasy v cop

quibble [ˈkwibl] *s* slovní hříčka, vytáčka, dvojsmysl; úskok □ *vi* vykrucovat se, vytáčet se, dělat vtipy

quick [kwik] *a* 1. arch. živý 2. rychlý, mrštný, pohyblivý 3. ostrý, prudký, rázný 4. pohotový 5. vnímavý □ ∼ *with child* těhotná; *a* ∼ *child* inteligentní dítě; *he has* ∼ *wits* je pohotový; *to be* ∼ pospíšit si (*at, about* s); ∼ *of parts* nadaný; ∼ *to take offence* urážlivý □ *s* živé maso, citlivé místo; *to sting to the* ∼ bolestně ɪanit; *to pɪobe to the* ∼ zevrubně vyšetřit; *he is a Tory to the* ∼ je skrz naskrz toryovec; ∼ -**ear** [ˈkwikiə] *s* bystré ucho; ∼ -**firing** [ˈkwikˌfaiəriŋ] *a* rychlopalný dělo; —**ing cement** rychle tuhnoucí cement; ∼ -**lime** [ˈkwiklaim] *s* hašené vápno; ∼ -**match** [ˈkwikmæč] *s* doutnák; —**ness** [ˈkwiknis] *s* živost, bystrost; —**sand** [ˈkwiksænd] *s* nános písku, pohyblivý písek; —**set:** ∼ *hedge* rychle rostoucí živý plot; ∼-**sighted** [ˈkwiksaitid] *a* bystrozraký; ∼ -**silver** [ˈkwikˌsilvə] *s* rtuť, neposednost

quicken [ˈkwikən] *vt & i* 1. osvěžit (se), oživit (se), vzrušit (se), (nadchɪout (se) 2. posílit o léku 3. zrychlit (se)

quid [kwid] *s* 1. žvanec tabáku 2. sl. sovereign, libra peníze; —**dity** [ˈkwiditi] *s* 1. podstata věci 2. jemný ɪozdíl, slovní hříčka; —**nunc** [ˈkwidnaŋk] *s* zvědavec, klepař

quiesc|ence [kwaiˈesns] *s* 1. odpočívání 2. přezimování 3. nehlasnost; —**ent** [kwaiˈesnt] *a* klidný, odpočívající, nehlasný

quiet [ˈkwaiət] *a* 1. klidný 2. tichý, mírný 3. jemný 4.

skromný 5. spokojený 6. osamělý, odloučený, nerušený □ s klid, ticho ♦ on the ~ tajně; at ~ klidný; in ~ tiše □ vt & i uklidnit (se), spokojit (se); **—en** ['kwaiətn] vt uklidnit; **—ude** ['kwaiitju:d] s tichost, odpočinek, duševní klid; **—us** [kwai'li:təs] s 1. vypořádání, vyřízení 2. propuštění (from debt, office, duty, life, death z dluhu, úřadu, povinnosti, života, smrti)

quill [kwil] s 1. brk 2. osten, třtina, rákos, píšťala z rákosu 3. hud. trsátko 4. brkové pero 5. cívka 6. dutý hřídel □ vt 1. nakrčit v záhyby 2. navíjet na cívku; **~ driver** škrabák písař, úředník, žurnalista, spisovatel

quilt [kwilt] s prošívaná pokrývka □ vt 1. prošívat, všít 2. vycpat 3. brit. komplikovat literární dílo; **—ing** ['kwiltiŋ] s 1. prošívání 2. materiál k prošívání, vycpávka

quince [kwins] s kdoule

quinquennial [kwiŋ'kweniəl] a po pěti letech se opakující, pětiletý □ s 1. pětiletí 2. kvinkvenálka

quinsy ['kwinzi] s med. zánět mandlí, angína

quint [kwint] s 1. hud. kvinta 2. [kint] kvint řada pěti karet téhož druhu v piketu; **—al** ['kwintl] s cent; **—essence** [kwin'tesns] s 1. pravá podstata 2. nejtypičtější případ

quintuple ['kwintjupl] a pateronásobný; **—t** ['kwintjuplit] s paterče

quip [kwip] s odseknutí, sarkastická poznámka; slovní hříčka, žert, hloupost □ vt & i (-pp-) mluvit sarkasticky, vtipně

quire ['kwaiə] s 1. = choir 2. kniha papíru 24 archů

quirk [kwə:k] s 1. náhlý obrat, křivka 2. úskok 3. odseknutí, vtipná poznámka, finta 4. individuální zvláštnost 5. okrasa, ozdobné písmo, kresba 6. zářez □ vt 1. udělat zářez 2. udeřit bičem

quirt [kwə:t] s am. jezdecký bičík □ vt spráskat bičíkem

quisling ['kwizliŋ] s quisling, zrádce, kolaborant

quit [kwit] vt & i 1. vzdát se, opustit místo, odejít 2. zříci se 3. ustat 4. zprostit (of čeho) 5. zapravit 6. arch. zvr. zbavit se 7. arch. chovat se 8. oplatit, vyrovnat ♦ ~ hold of uvolnit, propustit, zbavit □ a volný, zbavený, prostý (of čeho), vypořádaný (of s); ~ claim upuštění od nároku

quite [kwait] adv 1. zcela, úplně 2. skutečně 3. lid. do značné míry, nemálo, velmi

quits [kwits] a rovný, stejný, vyrovnaný placením ap. ♦ now we are ~ jsme vyrovnáni, kvit; to be ~ with pomstít se na; to cry ~ uznat, že věc je vyřízena, dohodnout se

quittance ['kwitəns] s 1. propuštění ze závazku, dluhu 2. stvrzenka, kvitance 3. odměna, odplata

quiver ['kwivə] vi třást se, chvět se □ s 1. chvění 2. toulec quiz [kwiz] *s* 1. kviz, hádanka, tvrdý oříšek 2. posměváček 3. podivín 4. am. dotazování, zkouška □ *vt* (-zz-) 1. škádlit, posmívat se, dělat si dobrý den 2. zvědavě si prohlížet 3. am. zkoušet dotazy; —zical ['kwizikəl] *a* potutelný, posměvačný; komický

quod [kwod] *s* sl. basa, vězení

quoin [koin] *s* 1. úhel, roh budovy 2. klín 3. úhelný kámen, vnitřní roh místnosti

quoit [koit] *s* 1. sport. železný kroužek k házení 2. házení kroužky hra □ *vt* házet železným kroužkem

quondam ['kwondæm] *a* dřívější, někdejší

quorum ['kwo:rəm] *s* počet potřebný k usnesení ♦ *to lack a* ~ nebýt schopen usnášení

quota ['kwoutə] *s* poměrný díl, kvóta; *delivery* ~ kontingent, dodávková kvóta

quotation [kwou'teišən] *s* 1. citování, citát 2. kvóta 3. udání ceny, nabídka ♦ ~ *marks* uvozovky

quote [kwout] *vt* 1. citovat, uvádět citát 2. obch. udat ceny; nabídnout 3. opakovat, opsat pasáž z knihy □ *s* 1. citát 2. uvozovky

quoth [kwouθ] *vt* arch. *I* ~ řekl jsem; —a ['kwouθə] jak by ne!

quotidian [kwo'tidiən] *a* 1. každodenní, obvyklý 2. med. střídavý □ *s* med. střídavá horečka

quotient ['kwoušənt] *s* mat. kvocient, podíl

q. v. = 1. *quod vide* = *which see* 2. *quantum vis* = *as much as you will*

R

R, r [a:] písmeno r

R. = 1. *Reaumur* 2. *Regina* 3. *Rex*

R.A. = 1. *Royal Academy* n. *Academician* 2. *Royal Artillery*

rabbet ['ræbit] *s* drážka, žlábek, rýha □ *vt* žlábkovat, dělat drážky

rabbi ['ræbai] *s* rabín; —nical [ræ'binikl] *a* rabínský

rabbit ['ræbit] *s* 1. králík 2. am. zajíc; ~ -hutch ['ræbithač] *s*, ~ -warren ['ræbit‚worin] *s* králíkárna

rabble[1] ['ræbl] *s* sběř, chátra, lůza

rabble[2] ['ræbl] *s* hřeblo □ *vt* pohrabovat, pudlovat

rabid ['ræbid] *a* zuřivý, vzteklý pes ♦ *to be* ~ *on* hněvat se na; —ness ['ræbidnis] *s* zuřivost, vzteklost

rabies ['reibi:z] *s* vzteklina

race ['reis] *s* 1. druh, rod, plémě, potomstvo, rasa 2. dostihy, závod 3. běh slunce, života, o závod 4. proud, strouha 5. dráha valivého ložiska ♦ *arms* ~ zbrojní horečka, závody ve zbrojení □ *vi* běžet o závod, závodit, hnát se; ~-course [ˈreisko:s], ~-ground [ˈreisgraund] *s* závodiště; ~-horse [ˈreisho:s] *s* závodní kůň; —er [ˈreisə] *s* závodní kůň; —ial [ˈreišəl] *a* rasový; ~ *discrimination* rasová diskriminace; —ialism [ˈreišəlizəm] *s* rasismus; —ing [ˈreisiŋ] *s* 1. běh o závod, dostihy 2. proběhnutí turbiny

raceme [rəˈsi:m] *s* bot. hrozen květenství

rack [ræk] *s* 1. police, podstavec, věšák 2. síť na zavazadla 3. mučidlo, skřipec 4. hrazda 5. žebřina vozu, brlení 6. lešení; koza, kozlík, jesle 7. ozubení, ozubený segment ♦ *card* ~ lístkovnice; *spanner* ~ nástěnná deska s klíči; *tool* ~ polička na nářadí; *to put to the* ~ natáhnout na skřipec □ *vt* 1. položit na polici 2. napínat, natahovat 3. mučit, trápit 4. utiskovat, vydírat, přemrštit (*the value* cenu) 5. vymrskat půdu □ *vi* 6. snášet muka 7. táhnout o mracích ♦ *to* ~ *wine* stáčet víno; —er [ˈrækə] *s* 1. mučitel, kat 2. překrucovač práva 3. osoba stáčející víno n. jiné nápoje 4. přístroj na stáčení vína ap.; —ing [ˈrækiŋ] *s* 1. napínání, natahování, mučení 2. stáčení nápojů 3. pl. výčitky (*-s of conscience* svědomí); ~ -railway [ˈrækreilwei] *s* ozubená dráha; ~ -rent *s* příliš vysoké nájemné; ~ -wheel [ˈrækwi:l] *s* ozubené kolo

racket [ˈrækit] *s* 1. raketa 2. lyže sněžnice 3. vřava, lomoz, rámus; vzrušení, spěch 4. am. vydírání, vyděračství ♦ *to stand the* ~ *of* vydržet, co si člověk nadrobil; *to go on the* ~ oddat se rozptýlení □ *vt* 1. odrážet, odpalovat míč 2. am. vydírat 3. žít vesele, hýřit □ *vi* 4. hřmotit, lomozit; —eer [ˌrækiˈtiə] *s* am. vyděrač, raketýř, gangster; —y [ˈrækiti] *a* lomozný; hýřivý

racquet [ˈrækit] *s* raketa

racy [ˈreisi] *a* 1. řízný, jadrný, pikantní 2. plný života, duchaplný 3. svérázný, osobitý, typický

radar [ˈreidə, ˈreida:] *s* radar

raddle¹ [ˈrædl] *s* prut, proutí □ *vt* splétat

raddle² [ˈrædl] *s* červený okr □ *vt* natřít, kreslit červeným okrem

radi|al [ˈreidjəl] *a* 1. paprskovitý (~ *engine* hvězdicový motor) 2. poloměrový 3. anat. rádiový; —ance [ˈreidjəns] *s* zář(ivost), lesk, oslňující pohled n. krása; —ant [ˈreidjənt] *a* 1. jasný, zářící, sálající 2. paprskovitý 3. oslňující 4. radostný □ *s* bod n. předmět vyzařující paprsky; ohnisko; —ate [ˈreidieit] *vi & t* 1. zářit, sálat, svítit 2. být paprskovitě upraven 3. šířit (radost); —ated [ˈreidieitid] *a* 1. ozářený 2. paprskovitý; —ation [ˌreidiˈeišən] *s* záření, vyzařování, sálání, radiace; —ator [ˈreidieitə] *s* radiátor, topné těleso, chladič

radical ['rædikəl] a 1. základní, původní, kořenový 2. radikalní, důkladný 3. mat. odmocninový 4. gram. kmenový □ s 1. kořen, základ 2. pol. radikál 3. mat. odmocninová značka; —ism ['rædikəlizəm] s radikalismus

radio ['reidiou] s rádio, rozhlas □ vt vysílat rozhlasem; —active ['reidiou'æktiv] a radioaktivní; ~-beacon ['reidiou'bi:kn] s rádiový maják; ~-engineering ['reidiou͵endži'niəriŋ] s radiotechnika; —gram ['reidiougræm] s radiogram, gramorádio; —isotope ['reidiou'aisotoup] s radioizotop; —locate ['reidioulo'keit] vt zaměřit letadlo rádiem; —logy [͵reidi'olədži] s radiologie; ~ receiver rozhlasový přijímač; —therapy ['reidiou'θerəpi] s radioterapie; ~ transmitter rádiový vysílač

radish ['rædiš] s ředkvička

radium ['reidjəm] s rádium

radi|us ['reidjəs] s pl. -i [-ai] 1. paprsek 2. poloměr; ~ of action akční rádius

radi|x ['reidiks] s pl. -ces [-si:z] 1. kořen slova 2. odmocnina, základ

R.A.F. = Royal Air Force

raff [ræf] s sběř, lúza; —ish ['ræfiš] a trhanský, zpustlý, vyžilý

raffle ['ræfl] vi zúčastnit se tomboly □ s tahání losu, tombola

raft [ra:ft] s prám, pramice, vor □ vt 1. dělat vory, plavit dříví 2. řídit vor; —er ['ra:ftə]

s 1. krokev, podval 2. vorař; —ing ['ra:ftiŋ] s plavení dříví

rag [ræg] s 1. hadr, cár, onuce; utěrka 2. tig. otrhanec, dareba 3. sl. bulvární tisk ♦ to cram n. spread every ~ vytáhnout všechny plachty; ~-and-bone-man [͵rægən'bounmæn] s obchodnik hadry a kostmi; ~-man s hadrář; ~-stone s drobnozrnný pískovec; ~-tag and bobtail ['rægtægən'bobteil] s chátra, sběř, lúza, sebranka

ragamuffin ['rægə͵mafin] s otrhanec, dareba

rage [reidž] s 1. hněv, vztek, zuřivost 2. nadšení (for pro), vytržení, touha 3. vášeň ♦ ~ of hunger zuřivý hlad □ vi zuřit, vztekat se (against, at na), řádit; —ful ['reidžful] a zast. zuřící, zuřivý

ragged ['rægid] a 1. otrhaný, rozedraný 2. drsný, hrubý

ragout ['rægu:] s ragú

ragtime ['rægtaim] s synkopovaná hudba zvláště černošská

raid [reid] s nájezd, vpád, útok n. nálet □ vt přepadnout

rail¹ [reil] s 1. kolejnice 2. příčka, závora 3. žebřina 4. mříž 5. zábradlí 6. doprava železnicí ♦ to go by ~. jet vlakem; to go off the -s vést si chybně; sliding ~ výhybka; ~ car motorová drezína; ~ gauge template [~ geidž templit] rozchodka; ~ mill válcovna kolejnic □ vt 1. ohradit mříží, zábradlim, plotem 2. položit kolejnice 3. cestovat n. poslat drahou; —ed [reild] a kolejemi opatřený; —ing [ˈreiliŋ] s zábradlí, mřížoví; —road [ˈreilroud] s am. železnice; ~-shifter [ˈreilšiftə] s výhybkář; ~-switch [ˈreilswič] s žel. výhybka

rail² [reil] vi posmívat se, ušklíbat se; spílat, hubovat □ s zool. chřástal; —er [ˈreilə] s posměváček; —ing [ˈreiliŋ] a posměvačný, vtipkující; —lery [ˈreiləri] s škádlení, úšklebky, vtipkování ♦ to turn in.to ~ obrátit v žert

railway [ˈreilwei] s železnice, dráha; ~ accident železniční neštěstí; ~ carriage železniční vůz; ~ crossing železniční přejezd; ˈ—man, ˈrailman s železničář; ~ track vrchní stavba železniční, trať; ~ works železniční dílny

raiment [ˈreimənt] s řeč. roucho, oděv

rain [rein] s déšť □ vi pršet ♦ it -s cats and dogs lije jako z konve; ~ bird žluva; ~-bow [ˈreinbou] s duha; ~ -gauge [ˈreingeidž] s dešťoměr; ~-proof [ˈreinpru:f] a nepromokavý; ~ time doba dešťů; —wear [ˈreinweə] s nepromokavý oděv; —y [ˈreini] a deštivý

raise [reiz] vt 1. (po)zvednout, povznést 2. vystavět, zřídit 3. (vy)pěstovat 4. podporovat 5. způsobit, vyvolat 6. vzbudit 7. vychovat 8. vytáhnout, povýšit 9. zvýšit daně 10. opatřit, sbírat, najímat do vojska 11. zvr. povznést se, vyšvihnout se 12. způsobit kynutí 13. vypsat

daně ♦ to~ a dust zvířit prach; vyvolat vřavu, zatemnit, způsobit nesnáz; to ~ one's glass to pozvednout číši k přípitku; to ~ one's voice pozdvihnout hlas, mluvit hlasitě ve hněvu; to ~ from the dead vzkřísit; to ~ money sehnat peníze; to ~ taxes vybírat daně; to ~ the siege upustit od obléhání, ukončit obléhání n. blokádu, přinutit obléhané místo k vzdání se; to ~ prices zvýšit ceny; to ~ a sedition způsobit vzbouření; to ~ spirits vyvolávat duchy; to ~ the question vznést otázku; to ~ affection vzbudit lásku; to ~ a quarrel způsobit hádku; to ~ sheep chovat ovce; where was he -d? am. kde se narodil a byl vychován?; ~ up zdvihnout, pobouřit □ s stoupnutí platu

raisin [ˈreizn] s hrozinka

rajah [ˈra:džə] s rádža, indický král n. princ n. šlechtic

rake¹ [reik] s hrábě 2. pohrabáč 3. sklon, šikmá poloha 4. sklon jeviště n. hlodiště divadla □ vt 1. hrabat, přehrabat 2. shromáždit, sehnat (together, up) 3. proštárat, prohledat (~ over), vyslídit, pátrat 4. naklánět se vzad ♦ to ~ a ship with fire zasypat loď palbou; ~ off, away odhrabat, odklidit; ~ out vyzkoumat; ~ up vyhrabávat staré věci

rak|e² [reik] s arch. prostopášník, chlípník □ vi žít prostopášně; ˈ~-hell s prostopášník, zhýralec; ˈ~-helly a prostopášný, zhýralý; —ish [ˈreikiš] a zhýralý, prostopášný, světácký

rak|er [ˈreikə] s pohrabáč; škrabka; —ing [ˈreikiŋ] s hrabání, hrabivost

rally¹ [ˈræli] vt & i 1. znovu (se) sebrat, spořádat, shromáždit (se) 2. obch. stoupnout v ceně, zotavit se o trhu □ s 1. zotavení 2. znovuuspořádání poraženého vojska 3. rychlá výměna míčů např. v tenisu 4. shromáždění, sraz; sjezd, slet; manifestace, oslava

rally² [ˈræli] vt & i vysmívat se, ušklíbat se; žertovat □ s žertování, škádlení

ram [ræm] s 1. beran, skopec 2. palice □ vt (-mm-) 1. zatlouci, zarazit 2. hodit, nacpat, narazit (one's hat on over one's ears klobouk přes uši) 3. fig. vtloukat komu (Latin into his head latinu do hlavy) ♦ to ~ one's head against the wall vrazit hlavou do zdi; ǀ~ -rod s nabiják

rambl|e [ˈræmbl] vi 1. těkat, toulat se 2. nesouvisle mluvit □ s toulka, výlet; —er [ˈræmblə] s 1. tulák, poběhlík 2. popínavá růže; —ing [ˈræmbliŋ] a potulný, těkavý, nestálý; neuspořádaný □ s těkání, toulka

ram|ification [ˌræmifiˈkeišən] s 1. rozvětvení 2. fig. rodokmen; —ified [ˈræmifaid] a větevnatý, rozvětvený; —ify [ˈræmifai] vi & t rozvětvovat (se)

ramm|er [ˈræmə] s beran, palice, dusadlo; —ish [ˈræmiš] a 1.

beranovitý, kozlovitý 2. smrdutý 3. fig. chlípný

ramp¹ [ræmp] vi 1. stát na zadních nohou 2. stavět se na zadní nohy, zuřit, zmateně pobíhat 3. vystupovat, lézt 4. vinout se o rostlině, pnout se 5. opatřit rampou □ s 1. svah, nakloněná plošina 2. rampa 3. arch. odpad; —ancy [ˈræmpənsi] s bujnost, útočnost; —ant [ˈræmpənt] a 1. stojící na zadních nohou 2. útočný, bujný 3. nekontrolovatelný 4. pnoucí se 5. stoupavý oblouk; —ing: ~ and raging vzpouzející se, zuřící

ramp² [ræmp] s sl. vydírání peněz

rampage [ræmˈpeidž] vi divoce a vzrušeně pobíhat □ s vzrušení, povyk, výtržnost

rampart [ˈræmpaːt] s 1. val, bašta, násep; opevnění 2. záštita □ vt ohradit baštami

ramshackle [ˈræmˌšækl] a na spadnutí dům, zchátralý

ran [ræn] pt viz run

ranch [raːnč] s dobytčí farma

rancid [ˈrænsid] a zažluklý, zahořklý, ztuchlý; —ity [rænˈsiditi] s žluklost, zahořklost, trpkost másla

rancour [ˈræŋkə] s zahořklost, hněv, zlost

random [ˈrændəm] s náhoda; ~ test zkouška namátkou; at ~ nazdařbůh □ a nahodilý

randy [ˈrændi] a 1. bujný 2. prostořeký 3. chtivý, smyslný

rang [ræŋ] pt viz ring

rang|e [reindž] s 1. řada, řetěz 2. obvod; rozsah, dosah, dostřel, dálka 3. pásmo hor

4. vlnové pásmo v rádiu 5. místo, prostor 6. střelnice 7. kuchyňský sporák 8. fyz. doběh, dolet (*of particles* částic) □ *vi & t* 1. (za)řadit (se), pořádat, sestavovat 2. nařídit, zaměřit (*on* na), mít dostřel 3. zvr. postavit se na čí stranu, stranit 4. zvr. usadit se k spořádanému životu 5. potulovat se, těkat (*over, along, through* po) 6. sahat, prostírat se, rozkládat se 7. nalézat se, vyskytovat se o zvířatech, rostlinách 8. pohvbovat se mezi o cenách ♦ *to give free ~* dát volný průchod; *within ~* v dostřelu; *out of ~* mimo dostřel; — er [ˈreindžə] *s* 1. tulák, poběhlík 2. lovecký pes 3. hajný 4. vojenská policie v Kanadě; ~ -finder [ˈreindžˌfaində] *s* dálkoměr, hledáček

rank [ræŋk] *s* 1. řád, řada, pořadí 2. třída, stav, hodnost, důstojenství 3. šik 4. stanoviště aut ♦ ~ *and file* mužstvo obyčejní lidé □ *vt & i* 1. (se)řadit (se), spořádat, sešikovat (se) 2. (roz)třídit 3. mít hodnost 4. mít nárok □ *a* 1. bujný, zamořený plevelem 2. zažluklý, smrdutý, zkažený 3. zast. chlípný 4. křiklavý, zlý 5. jedovatý; ~ -badge [ˈræŋkbædž] *s* odznak hodnosti, výložka; — er [ˈræŋkə] *s* důstojník vyšlý z řad mužstva

rankle [ˈræŋkl] *vi* jitřit se, podbírat se

ransack [ˈrænsæk] *vt* 1. prozkoumat, prohledat, prošťá-rat, zpřevracet 2. (vy)plenit, (vy)loupit

ransom [ˈrænsəm] *s* 1. výkupné, vykoupení 2. výpalné □ *vt* vykoupit ze zajetí, z otroctví; — er [ˈrænsəmə] *s* vykupitel

rant [rænt] *s* bezduchá, nabubřelá řeč, chvástavost □ *vt* nabubřele mluvit, přehánět

ranuncul|us [rəˈnaŋkjuləs] *s* pl. -*uses* [-əsiz], -*i* [-ai] pryskyřičník

rap [ræp] *s* klepnutí, klepání, ťuknutí ♦ *it does not matter a ~* nezáleží na tom ani za mák □ *vt* (-pp-) 1. klepnout, uhodit, ťuknout (*at, on* na) 2. vyhrknout že sebe ♦ *to ~ out an oath* vyrazit ze sebe kletbu

rapacious [rəˈpeišəs] *a* 1. dravý, loupeživý 2. chtivý, hladový, žravý

rape[1] [reip] *s* 1. únos, loupež 2. znásilnění ♦ *to commit a ~* znásilnit; ~ *of the forest* lesní pych □ *vi* 1. uloupit, unést 2. znásilnit, zprznit

rape[2] [reip] *s* řepka, olejka; ~ oil řepkový olej; ~ seed řepkové semeno

rapid [ˈræpid] *a* 1. rychlý 2. prudký, dravý 3. příkrý, srázný □ *s* pl. peřeje; — ity [rəˈpiditi] *s* 1. rychlost, prudkost 2. sráz 3. chvat 4. kadence

rapier [ˈreipjə] *s* rapír, bodlo; ~ -fish *s* mečoun; ;~ thrust břitká, řízná odpověď

rapine [ˈræpain] *s* loupež, násilí □ *vt* vyloupit, poplenit

rappee [rəˈpiː] *s* šňupnutí

rapper [ˈræpə] *s* klepátko

rapprochement [ræ‖prošmã:ŋ] *s* navázání přátelských styků (mezi státy)

rapt [ræpt] *a* pohřížený v myšlenky, vytržený, uchvácený □ *s* zanícení, vytržení, extáze; —ure [‖ræpčə] *s* 1. zř. únos, lup 2. vytržení, zanícení; —urous [‖ræpčərəs] *a* úchvatný, unášející

rare [reə] *a* 1. řídký, vzácný 2. zast. sporý 3. am. nedovařený 4. velmi dobrý, výtečný ♦ *to have a ~ time* lid. mít se nádherně; *~ gas* vzácný plyn; *~ show* kukátkové jeviště, podívaná; —faction [‚reəri‖fækšən] *s* (roz)ředěni; —fy [‖reərifai] *vt & i* 1. rozředit (se) 2. zjemnit; —ness [‖reənis] *s* 1. řídkost 2. vzácnost, drahocennost

rascal [‖ra:skəl] *s* 1. šibal, taškář 2. lump, darebák □ *a* 1. šibalský 2. sprostý 3. bídný; —ity [ra:s‖kæliti] *s* šibalství, taškářství; —ly [‖ra:skəli] *a* taškářský, darebácký, ničemný

rash¹ [ræš] *a* prudký, ukvapený, přenáhlený; nepředložený; —ness [‖ræšnis] *s* prudkost, rychlost, unáhlenost

rash² [ræš] *s* osutina, vyrážka

rasher [‖ræšə] *s* plátek opečené slaniny

rasp [ra:sp] *vt* 1. pilovat, oškrabat 2. fig. skuhravě pronést □ *s* hrubý pilník, rašple; —er [‖ra:spə] *s* struhadlo, pilník; —ings [‖ra:spiŋz] *s* piliny

raspberry [‖ra:zbəri] *s* malina

rasure [‖reižə] *s* vyškrabání

písma, škrabání; vyholení, tonzura

rat [ræt] *s* 1. krysa 2. fig. krysa, stávkokaz ♦ *to smell a ~* mít v podezření, tušit, čichat čertovinu; *mountain ~* svišť □ *vi* (-tt-) 1. opustit společnost, plán ap., podle jednat 2. honit krysy; *~ -catcher* [‖ræt‚kæčə] *s* krysař; *~ -trap* [‖rættræp] *s* past na krysy

ratable [‖reitəbl] *a* 1. ocenitelný, hodnotitelný 2. poměrný 3. zdanitelný, platící daně

rataplan [‚rætə‖plæn] *s* bubnování

ratch [ræč] *s* viz *ratchet*

ratchet [‖ræčit] *s* 1. ozubená tyč n. segment 2. hřebenové kolečko v hodinách 3. rohatka, kotva (*~ gear* rohatkové ústrojí)

rate¹ [reit] *s* 1. poměr, stupeň, třída 2. taxa, sazba; cena, ocenění 3. míra, podíl, úměra, měřítko 4. daň 5. rychlost 6. spád ♦ *at any ~* za každou cenu; *at a high ~* draze; *at a low ~* laeino; *flrst-~* prvního řádu, prvotřídní, výborný; *piece ~* kusová sazba; *~ of interest* úroková míra; *~ of profit* výnosnost; *to talk at a high ~* mluvit zvysoka; *~ of exchange* kurs valut; *to buy (sell) at a high ~* kupovat (prodávat) draze □ *vt & i* 1. cenit (si), odhadnout, klasifikovat 2. vyměřit poplatek, taxu, daň, zdanit; *~ -payer* [‖reit‚peiə] *s* poplatník

rate² [reit] *vi* vynadat, plísnit, peskovat

rather [ˈraːðə] *adv* spíše, raději;
poněkud; dosti ♦ *the* ~ *that*
tím spíše, že; ~! jistě!;
I had ~ raději bych; *it was* ~
bad bylo to dost zlé

ratif|ication [ˌrætifiˈkeišən] *s*
schválení, ratifikace; —y [ˈræ-
tifai] *vt* schválit, potvrdit,
ratifikovat smlouvu

rating [ˈreitiŋ] *s* 1. předpis daní,
odhad 2. třída lodi podle
tonáže atd. 3. pl. hodnostní
pořadí lodních důstojníků 4.
charakteristika stroje 5. sta-
novení rozměrů, výkonu, ohod-
nocení

ratio [ˈreišiou] *s* 1. poměr, pro-
porce 2. přesazení

ratiocinat|e [ˌrætiˈosineit] *vi*
usuzovat, uzavírat, rozumo-
vat, uvažovat; —ion [ˌrætio-
siˈneišən] *s* úsudek, závěr,
rozumování, uvažování

ration [ˈræšən] *s* dávka, porce,
příděl □ *vt* odměřit, přidělit;
—al [ˈræšənl] *a* rozumový,
racionální; —ality [ˌræšəˈnæ-
liti] *s* rozumnost; —alize
[ˈræšnəlaiz] *vt* vysvětlit rozu-
mově; —ing [ˈræšəniŋ] *s* pří-
dělový systém

rattle[1] [ˈrætl] *vi* 1. chrastit,
rachotit, drnčet 2. s rachotem
se pohybovat n. padat n.
ujíždět 3. křápat, žvanit □
vt 4. vyjet si na koho n.
repetit, odříkávat 6. spěšně
udělat, odbýt 7. hov. zmást,
uvést v rozpaky; ~ along
(pře)hrčet kolem; ~ away za-
plašit řehtačkou; ~ in: ~ the
throat chroptět

rattl|e[2] [ˈnætl] *s* 1. chřestot,
rachot 2. řehtačka 3. žvanění,

křápání 4. treperenda; —head
[ˈrætlhed] *s* splašený člověk;
—ing [ˈrætliŋ] *a* 1. rachotivý,
chřestivý 2. mocný, silný,
důkladný □ *s* 1. rachot,
chřestění 2. křápání, žvanění;
~ -mouse [ˈrætlmaus] *s* zast.
netopýr; ~ -snake [ˈrætl-
sneik] *s* chřestýš; ~ -trap
[ˈrætltræp] *s* rachotina o sta-
rém autu

raucous [ˈroːkəs] *a* chraptivý,
drsný, nevlídný

ravage [ˈrævidž] *vt* zpustošit,
vydrancovat □ *s* zpustošení

rave [reiv] *vt* 1. zuřit, vztekat
se 2. blouznit (*of*, *about* o)
3. zmítat se

ravel[1] [ˈrævəl] *vt & i* (-ll-) roz-
motat, rozplést, zaplést (se),
třepit (se); ~ out rozplést
(se), uvolnit (se); ~ over po-
vrchně proběhnout

ravel[2] [ˈrævəl] *s* 1. zámotek 2.
motanice 3. komplikace

raven [ˈreivn] *s* havran, krkavec
□ *vt & i* [ˈrævn] 1. hltat,
požírat, žrát 2. pustošit;
—ous [ˈrævinəs] *a* 1. žravý,
hltavý, hladový 2. dravý

ravine [rəˈviːn] *s* strž, úvoz,
úval

ravish [ˈræviš] *vt* 1. uloupit,
uchvátit, unést 2. práv. zná-
silnit, zprznit 3. fig. okouzlit,
roznítit; —ing [ˈrævišiŋ] *a*
úchvatný; —ment *s* 1. lup,
únos 2. znásilnění, zprznění 3.
nadšení, zanícení; okouzlení,
vytržení

raw [roː] *a* 1. surový (*cast*
odlitek), syrový 2. hrubý,
drsný 3. nezpracovaný (~
hide nevydělaná kůže) 4. ne-

zkušený 5. nezahojený, otevřený o ráně 6. sychravý o počasí; ~ *material* surovina □ *s* odřenina, citlivé místo; ~ -**boned** [ˈro:bound] *a* kost a kůže

ray [rei] *s* 1. paprsek 2. prut, proužek, pásmo 3. rejnok ♦ *Roentgen* n. *X-rays* rentgenové paprsky □ *vi* paprskovitě vyzařovat □ *vt* vystavit záření

rayon [ˈreion] *s* umělé hedvábí, látka z umělého hedvábí

raze, rase [reiz] *vt* 1. srovnat (*to the ground* se zemí) 2. škrabat, strouhat 3. zničit, z kořene vyvrátit, vyhladit 4. vymazat

razee [reiˈzi:] *s* válečná loď bez horní paluby

razor [ˈreizə] *s* břitva; ~ -**blade** [ˈreizəbleid] *s* čepelka, žiletka; ~ -**edge** [ˈreizərˈedž] *s* 1. ostří 2. kritická situace; ~ -**shell** [ˈreizəšel] *s* střenka; ~ -**strap** [ˈreizəstræp] *s* obtahovací řemen

razzia [ˈræziə] *s* 1. loupežný vpád 2. racie

razzle-dazzle [ˈræzlˌdæzl] *s* sl. pitka, hlučné veselí

R.C. = *Roman Catholic*

re-¹ [ri:-] prefix značíci „opět", „znovu", „zase"

re² [ri:] týká se, věc; ~ *your letter of* týká se Vašeho dopisu z

reach [ri:č] *vi & t* 1. sahat, prostírat se, rozkládat se 2. dosáhnout, dosíci 3. dorazit, dostat se kam 4. (po)stačit 5. napínat se 6. zmocnit se 7. podat 8. sundat *(~ down)*

9. pochopit □ *s* 1. sáhnutí, vztažení, dosah, rozsah 2. rozpětí 3. část toku řeky mezi dvěma ohyby 4. snaha, účel ♦ *within* ~ v dosahu; *beyond one's* ~, *out of* ~ mimo dosah, nedosažitelný

react [ri:ˈækt] *vi* 1. vzájemně n. zpětně působit (*upon* na), reagovat 2. voj. protiútočit, provádět protiútok; —**ion** [ri:ˈækšən] *s* 1. zpětné působení, reakce 2. rad. zpětná vazba 3. zpátečnictví (*political* ~ politická reakce); —**ionary** [ri:ˈækšnəri] *a* reakční □ *s* zpátečník, reakcionář; —**ive** [ri:ˈæktiv] *a* působivý, reaktivní; —**or** [ri:ˈæktə] *s* reaktor atomový

read¹* [ri:d] *vt & i* 1. číst (se) 2. učit se, studovat 3. uhodnout, před(po)vídat 4. znát ♦ *to* ~ *aloud* číst nahlas; *to* ~ *for an examination, for honours* studovat ke zkoušce, na doktorát; *to* ~ *one's hand* číst osud z ruky; *the thermometer* -*s* teploměr ukazuje...; ~ **into** začíst se; ~ **off** 1. předčítat 2. číst přístroj; ~ **on** číst dále, pokračovat ve čtení; ~ **out** číst nahlas, přečíst; ~ **over** přečíst, prohlédnout; ~ **to** předčítat; ~ **up** důkladně prostudovat; —**able** [ˈri:dəbl] *a* 1. čitelný 2. zajímavě psaný; —**er** [ˈri:də] *s* 1. čtenář 2. universitní lektor 3. korektor 4. čítanka; —**ing** [ˈri:diŋ] *s* 1. čtení, četba 2. výklad, přednáška 3. sčetlost; —**ing-room** [ˈri:diŋrum] *s* čítárna

read² [red] *a* sčetlý, sběhlý
(*in* v)

read|ily [ˈrediliˌ] *adv* **1.** ochotně,
bez váhání **2.** snadno; **—iness**
[ˈredinis] *s* **1.** pohotovost,
ochota, úslužnost **2.** hbitost,
obratnost; **—y** [ˈredi] *a* **1.** hotov(ý) **2.** pohotový **3.** ochotný
4. obratný, hbitý, rychlý **5.**
pohodlný, lehký ♦ **~** *apprehension* dobrá chápavost;
~ *money* hotové peníze; *to
pay* **~** *money* platit hotově;
~ *at hand* po ruce; **~** *to please*
úslužný; *to get* **~** připravit
(se); *to make* **~** uchystat,
připravit □ *adv* napřed, předem, pohotově □ *s* lid. hotové
peníze, hotovost □ *vt* připravit (se); **~ up** sl. platit ihned,
hotově, na ruku; |**~-**|**made** *a*
konfekční

readjust [ˈriːəˈdžast] *vt* znovu
nastavit, znovu seřídit;
—ment [ˈriːəˈdžastmənt] *s*
rekonstrukce, přizpůsobení,
opětné seřízení

readmit [ˈriːədˈmit] *vt* (-tt-)
znovu připustit

reaffirm [ˈriːəˈfəːm] *vt* opět
ujistit

reagent [riːˈeidžənt] *s* chem.
činidlo, reagencie

real [ˈriəl] *a* **1.** skutečný, reální
2. pravý, opravdový **3.** přirozený **4.** upřímný **5.** věcný,
podstatný **6.** nemovitý; **—ism**
[ˈriəlizəm] *s* realismus (*socialist* **~** socialistický realismus);
—ist [ˈriəlist] *s* realista;
—istic [riəˈlistik] *a* realistický; **—ity** [riːˈæliti] *s* skutečnost, realita, pravá podoba,
podstatnost ♦ *objective* **~**

objektivní realita; **—ization**
[ˌriəlaiˈzeišən] *s* **1.** uskutečnění, realizace **2.** zpeněžení;
—ize [ˈriəlaiz] *vt* **1.** uskutečnit, provést, realizovat, být
si vědom čeho **2.** zpeněžit **3.**
nahromadit majetek **4.** prodat
majetek

realm [relm] *s* království,
říše

realty [ˈriəlti] *s* **1.** zast. poddanost, poslušnost **2.** nemovité
jmění

ream¹ [riːm] *s* **1.** rys papíru **2.**
pl. spousta papíru

ream² [riːm] *vt* zvětšit otvor
v kovu, vystružit výstružníkem; **—er** [ˈriːmə] *s* výstružník

reap [riːp] *vt & i* žnout, sklízet;
—er [ˈriːpə] *s* **1.** žnec, žnečka
2. žací stroj; **—ing** [ˈriːpiŋ]
s žeň, žatva, sklizeň; |**—ing-
-hook** *s* srp; **—ing-machine**
[ˈriːpiŋməˈšiːn] *s* žací stroj

reappear [ˈriːəˈpiə] *vi* opět se
objevit

rear¹ [riə] *s* **1.** zadní voj **2.**
zadní část, zád; pozadí; týl,
zázemí; **~ admiral** kontradmirál; **~-guard** [ˈriəgaːd] *s*
zadní voj; **~ guard action**
ústupový boj; **~ line**, **~ rank**
zadní šik; **~-mouse** [ˈriə-
maus] *s* netopýr

rear² [riə] *a* polovařený, na
měkko vařený o vejci

rear³ [riə] *vt & i* **1.** pěstovat
dobytek, odchovat **2.** pozdvihnout, postavit, vztyčit; narovnat se **3.** připravit **4.**
plašit se **5.** dosíci, obdržet
6. vzdělávat půdu **7.** zvr
udělat štěstí, povznést se

rearmament [ˈriːˈaːməmənt] *s* znovuvyzbrojení

rearrange [ˈriːəˈreindž] *vt* znovu upravit, znovu uspořádat

reason [ˈriːzn] *s* 1. důvod, příčina 2. rozum, smysl 3. úsudek, soud, závěr 4. právo, spravedlnost, oprávnění ♦ *by* ~ *of* za příčinou čeho, pro; *by* ~ *that* protože; *to bring s.o. to* ~ přivést koho k rozumu; *to speak* ~ mluvit rozumně; *to do* ~ učinit po vůli; *to hear* (n. *listen to*) ~ dát si říci □ *vi* 1. myslit, usuzovat, uzavírat, soudit 2. domlouvat (*with* komu) 3. vymlouvat komu co (*out of*) 4. domyslit se čeho (*out*); —**able** [ˈriːznəbl] *a* 1. rozumný 2. slušný, mírný, snesitelný 3. přiměřený 4. levný; —**ing** [ˈriːzniŋ] *s* 1. usuzování, soud, úvaha 2. důvod; —**less** [ˈriːznlis] *a* nerozumný, bezdůvodný

reassure [ˈriːəˈšuə] *vt* ujistit, uklidnit

reave, reive [riːv] *vi & t* arch. 1. loupit, oloupit 2. zbavit (*of* čeho) 3. unést (*away, from*)

rebarbative [riˈbaːbətiv] *a* odpuzující, nepřitažlivý

rebate *vt* [riˈbeit] 1. zmenšit, slevit 2. arch. otupit, omráčit 3. dělat drážky, žlábkovat □ *s* [ˈriːbeit] 1. srážka, sleva, rabat 2. žlábkování

rebel *vi* [riˈbel] (-ll-) (vz)bouřit se (*against* proti), povstat □ *s* [ˈrebl] vzbouřenec, povstalec □ *a* odbojný; —**lion** [riˈbeljən] *s* odboj, povstání, vzpoura; —**lious** [riˈbeljəs] *a*

odbojný ♦ ~ *spirit* rebelantský duch

rebirth [ˈriːˈbə:θ] *s* znovuzrození, obrození

reborn [ˈriːˈbɔːn] *a* znovuzrozený ♦ *Reborn National Front* obrozená Národní fronta

rebound [riˈbaund] *vi & t* odrazit (se), odhodit, odskočit □ *s* odraz, zpětný náraz

rebuff [riˈbaf] *vt* 1. odrazit, odmrštit 2. zadržet, odříci, odmítnout ♦ *to* ~ *the aggressive forces* zadržet agresívní síly □ *s* 1. odraz, odmrštění 2. zadržení, odmítnutí

rebuild [ˈriːˈbild] *vt* znovu vystavět, přestavět, obnovit

rebuke [riˈbjuːk] *vt* pokárat □ *s* pokárání, důtka ♦ *to give a* ~ pokárat; *without* ~ bezúhonný

rebus [ˈriːbəs] *s* hádanka, rébus

rebut [riˈbat] *vt* (-tt-) 1. odrazit 2. vyvrátit

recalcitrance [riˈkælsitrəns] *s* svéhlavost, vzpurnost, vzdorovitost

recall [riˈkɔːl] *vt* 1. zavolat zpět, odvolat 2. připomenout (si) 3. vzít si zpět dar □ *s* 1. zavolání zpět 2. odvolání, zrušení; *beyond* n. *past* ~ neodvolatelný, zapomenutý

recant [riˈkænt] *vt* odvolat mínění

recap[1] [ˈriːˈkæp] *vt* (-pp-) vulkanizovat (pneumatiku)

recap[2] [ˈriːkæp] *vt* hov. rekapitulovat, shrnout □ *s* rekapitulace

recapitulat|e [ˌriːkəˈpitjuleit] *vt* stručně si zopakovat, rekapitulovat, shrnout; —ion ['ri:-kə‚pitju'leišən] s rekapitulace

recast ['ri:ka:st] vt přelít, přetvořit; zlepšit úpravu n. zařízení, dát nový tvar

recede [ri:'si:d] vi 1. ustoupit (into the background do pozadí), couvat 2. vzdát se (from čeho) 3. svažovat se 4. ztrácet na ceně

receipt [ri'si:t] s 1. příjem, obdržení 2. kvitance, potvrzenka 3. předpis, recept ♦ to be in ~ of obdržet, přijmout □ vt napsat stvrzenku

receive [ri'si:v] vt 1. přijmout, obdržet 2. přivítat 3. vyslechnout prosbu 4. odolat 5. připustit 6. utrpět 7. uznávat ♦ to ~ a loss utrpět ztrátu; to ~ upon credit dostat na dluh; —r [ri'si:və] s 1. příjemce 2. rad. přijímač 3. sluchátko 4. účastník 5. výběr 6. nádrž 7. přechovávač

recency ['ri:snsi] s novost, novota, nedávnost

recense [ri'sens] vt posoudit, zkoumat; —ion [ri'senšən] s posouzení, recenze, revize textu

recent ['ri:snt] a nedávný, nový, moderní

receptacle [ri'septəkl] s 1. nádržka, nádoba 2. úkryt, útulek, útočiště; skrýše 3. lůžko rostliny

receptibility [ri‚septi'biliti] s vnímavost

reception [ri'sepšon] s 1. přijetí, příjem 2. přivítání 3. recepce ♦ ~ area sběrná oblast evakuovaných; —ive [ri'septiv] a vnímavý; —ivity [‚risep'tiviti] s vnímavost

recess [ri'ses] s 1. přerušení 2. ústup, odchod 3. prázdniny parlamentu 4. zátiší, úkryt 5. výklenek 6. kryt, skrýše 7. úpadek, klesání 8. odpočinek, oddech 9. postoupení smlouvy ♦ to take a ~ odročit se; —ion [ri'sešən] s 1. odstoupení, ustoupení 2. odchod 3. připuštění; —ional [ri'sešənl] a 1. prázdninový 2. závěrečný □ s závěrečná píseň pobožnosti; —ive [ri'sesiv] a ustupující, odstupující, odstupný

recheck [ri'ček] vt překontrolovat

recidivation [ri‚sidi'veišən] s zast. návrat nemoci, recidiva; —ous [ri'sidivəs] a návratný o nemoci, recidivní

recipe ['resipi] s recept, návod

recipient [ri'sipiənt] s příjemce, recipient

reciprocal [ri'siprəkəl] a 1. vzájemný, obapolný 2. střídavý 3. odvetný □ s mat. převratná, reciproká hodnota; —ate [ri'siprəkeit] vt 1. vzájemně na sebe působit 2. střídat se 3. odplatit se (with čím); —ation [ri‚siprə'keišən] s 1. střídání 2. vzájemnost 3. odveta; —ity [‚resi'prositi] s 1. vzájemnost, reciprocita 2. pravo odvetné

recital [ri'saitl] s 1. vypravování, odříkávání 2. přednes, koncert sólisty; —ation [‚resi'teišən] s přednes, recitace, deklamace; —ative [‚resitə'ti:v] s recitativ; —e [ri'sait] vt 1. odříkávat, recitovat, deklamovat 2. opakovat; zkoušet

reck [rek] *vi & t* řeč. & bás. dbát, hledět si čeho, starat se (*of* o); **—less** [ˈreklis] *a* 1. bezstarostný, nedbající (*of* čeho) 2. bezohledný; **—lessness** [ˈreklisnis] *s* 1. nedbalost, bezstarostnost, lehkomyslnost 2. bezohlednost

reckon [ˈrekn] *vt & i* 1. počítat, spočítat si (*up*) 2. hledět, dbát 3. cenit, odhadovat 4. považovat (*for* za) 5. skládat účty, účtovat 6. pykat 7. am. myslit (si) 8. vypořádat se (*with* s) ♦ ~ *upon* spoléhat se na; ~ *without one's host* dělat účet bez hostinského; **—ing** [ˈrekəniŋ] *s* 1. počítání, účtování, odplata 2. spoléhání ♦ *to be out in one's* ~ mýlit se v počtech, zklamat se; *to make* ~ *of* dbát, vážit si čeho

reclaim [riˈkleim] *vt* 1. zpět žádat, zavolat, odvolat 2. odvrátit od bludu, vzdělat 3. odvolávat se 4. polepšit, napravit, reformovat 5. podrobit, zkrotit, ochočit 6. civilizovat 7. opět nabýt, získat, dosíci 8. učinit půdu obdělavatelnou □ *s* 1. opětné dosažení, znovuzískání 2. napravení, polepšení ♦ *past* n. *beyond* ~ nepolepšitelný, beznadějný; **—able** [riˈkleiməbl] *a* polepšitelný, napravitelný; **—ant** [riˈkleimənt] *s* zast. odpůrce, protivník □ *a* reklamující, vracející

reclamation [ˌrekləˈmeišən] *s* 1. reklamace 2. napravení

recline [riˈklain] *vt & i* 1. nahnout, naklonit (se) 2. pod-

pírat (se), ležet, spočívat (*upon* na) □ *a* opřený

recluse [riˈkluːs] *a* uzavřený, odloučený, osamělý □ *s* samotář, poustevník

recognition [ˌrekəgˈnišən] *s* 1. poznání, uznání 2. zast. posouzení, úsudek; **—izable** [ˈrekəgnaizəbl] *a* poznatelný; **—izance** [riˈkognizəns] *s* zř. 1. opětné poznání 2. uznání 3. arch. znak, odznak 4. závazek, záruka soudní; **—ize** [ˈrekəgnaiz] *vt & i* 1. uznat 2. znovu poznat 3. pochopit 4. připustit (*that* že) 5. potvrdit (*for* za) ♦ *to* ~ *the state* právně uznat stát

recoil [riˈkoil] *vi & t* 1. odrazit se, odskočit, ùstoupit 2. zaleknout se (*from* čeho) 3. trhnout, mít zpětný náraz o pušce □ *s* 1. odskok, odražení, zpětný odraz 2. trhnutí 3. couvnutí; ~ **-liquid** [riˈkoil-likwid] *s* brzdová kapalina

recollect [ˌrekəˈlekt] *vt* 1. rozpomenout se 2. vzpamatovat se 3. znovu sebrat; **—ion** [ˌrekəˈlekšən] *s* 1. rozpomenutí, vzpomínka; paměť, upomínka 2. vzpamatování se

recommend [ˌrekəˈmend] *vt* 1. doporučit (*as, for, that*) 2. odporučit péči 3. přimlouvat se; **—ation** [ˌrekəmenˈdeišən] *s* odporučení, doporučení ♦ *letter of* ~ doporučující list

recommit [ˌrikəˈmit] *vt* (-tt-) vrátit návrh komisi

recompensation [ˌrekəmpenˈseišən] *s* odplata, odměna, náhrada; **—e** [ˈrekəmpens] *vt* odměnit se; odškodnit, odplatit, nahradit □ *s* odměna, odplata; náhrada

reconcil|e [ˈrekənsail] *vt* 1. smířit se (*to*, *with* s), uprosit 2. urovnat spor 3. zvr. smířit se; **—ement** *s* smíření, smír; **—iation** [ˌrekənsiliˈeišən] *s* smíření, smír

recondit|e [riˈkondait] *a* 1. skrytý, ukrytý 2. těžko srozumitelný 3. tajný 4. málo známý; **—ion** [ˌrikənˈdišən] *vt* důkladně opravit, znovu vybavit lod; **—ory** [ˌriːkənˈditəri] *s* zast. zásobárna, úkryt, skrýše

reconnaissance [riˈkonisəns] *s* průzkum ♦ *armed* ~ ozbrojený průzkum; ~ *group* n. *unit* předzvědný oddíl

reconnoitre [ˌrekəˈnoitə] *vt* prozkoumat, zjišťovat

reconsider [ˈriːkənˈsidə] *vt* znovu uvážit, rozmyslit si

reconstruct [ˈriːkənsˈtrakt] *vt* 1. přestavět 2. rekonstruovat; **—ion** [ˈriːkənsˈtrakšən] *s* přestavba; znovuvybudování, obnova, rekonstrukce

reconversion [ˈriːkənˈvəːšən] *s* přebudování podniku na mírovou výrobu

record *vt & i* [riˈkoːd] 1. zapsat, zaznamenat (si), protokolovat 2. uchovat v paměti 3. slavit 4. vypravovat □ *s* [ˈrekoːd] 1. záznam, zápis (*gramophone* ~ gramofonová deska) 2. prezenční listina, dokument 3. protokol 4. zast. paměť, památka 5. pl. paměti, archív 6. sport. rekord ♦ *-s of time* letopisy; *keeper*

of -s archivář; *on* ~ zapsaný; úřední; *off the* ~ neúřední; **—er** [riˈkoːdə] *s* 1. zapisovatel 2. archivář 3. kronikář 4. zaznamenávací přístroj 5. soudce městský; **—ing** [riˈkoːdiŋ] *s* záznam, zápis; zapisování

recount¹ [ˈriːˈkaunt] *vt* přepočítat

recount² [riˈkaunt] *vt* obšírně vyprávět

recoup [riˈkuːp] *vt* 1. odškodnit, vyrovnat 2. práv. zadržet částku peněz, snížit

recourse [riˈkoːs] *s* 1. útočiště 2. zdroj pomoci ♦ *to have* ~ *to* uchýlit se ke komu o

recover¹ [riˈkavə] *vt* 1. znovu nabýt, získat 2. objevit 3. odebrat, odejmout 4. nahradit ztracený čas 5. osvobodit, vykoupit 6. zvr. vzpamatovat se, nabýt vědomí, sebrat se □ *vi* 7. uzdravit se, zotavit se (*from* z) 8. regenerovat ♦ *to* ~ *a loss, a damage* dostat náhradu za ztrátu; *to* ~ *one's feet* n. *legs* povstat po pádu; **—y** [riˈkavəri] *s* 1. znovunabytí, náhrada 2. uzdravení, rekonvalescence 3. vyrovnání letadla 4. obnova

re-cover² [ˈriːˈkavə] *vt* znovu pokrýt, znovu potáhnout

recre|ant [ˈrekriənt] *a* řeč. & bás. 1. bázlivý, zbabělý, zbabělecký 2. odpadlický, zrádcovský □ *s* zbabělec, odpadlík; **—ate** [ˈrekrieit] *vt & i* 1. osvěžit (se), občerstvit, zotavit se, okřát 2. obveselit (se), pobavit (se); těšit (se z) 3. trávit čas příjemně; **—ation** [ˌrekri-

ǀeišən]ǀ *s* 1. osvěžení, občerstvení; zotavení, reklamace 2. obveselení, zábava; —ive [ǀrekrieitiv] *a* osvěžující, občerstvující; zábavný

recrement [ǀrekrimənt] *s* 1. výměšek 2. struska, škvár

recriminat|e [riǀkrimineit] *vt & i* vzájemně (se) obviňovat, rekriminovat; —ion [riǀkrimiǀneišən] *s* vzájemně obviňování, rekriminace

recrudescence [ǀri:kru:ǀdesns] *s* obnova, recidiva, propuknutí nemoci, války

recruit [riǀkru:t] *vt* 1. odvádět na vojnu 2. obnovit, osvěžit, občerstvení 3. doplnit 4. zvr. zotavit se ♦ *to ~ the fire* přiložit na oheň; *to ~ one's flesh* přibrat na váze, tloustnout ◻ *s* branec, nováček; —ing [riǀkru:tiŋ] *s* odvod, nábor ♦ *~ money* závdavek; *~ officer* verbíř do vojska; —ment *s* najímání, odvod

rectal [ǀrektəl] *a* konečníkový

rectang|le [ǀrekǀtæŋgl] *s* pravoúhelník; —ular [rekǀtæŋgjulə] *a* pravoúhelný

rectif|ier [ǀrektifaiə] *s* usměrňovač proudu; —ication [ǀrektifiǀkeišən] *s* 1. napravení, oprava 2. vzpřímení, rektifikace; —y ǀrektifai] *vt* 1. narovnat, napravit 2. opravit *(a mistake* chybu) 3.zlepšit 4.přečistit, rafinovat; —ying: *~ tube* rad. usměrňovací elektronka

rectilinear [ǀrektiǀliniə] *a* přímočarý

rectitude [ǀrektitju:d] *s* 1. rovnost, přímost 2. poctivost, počestnost 3. spravedlnost

rector [ǀrektə] *s* ředitel školy, rektor; správce, farář, —y [ǀrektəri] *s* fara

rect|um [ǀrektəm] *s* pl. *-ums* [-əmz], *-a* [-ə] konečník

recumb|ency [riǀkambənsi] *s* ležení, odpočívání, odpočinek; —ent [riǀkambənt] *a* 1. odpočívající, opřený, ležící 2. nečinný 3. spoléhající *(on, upon)* na

recuperat|e [riǀkju:pəreit] *vt & i* 1. znovu nabýt 2. zotavit se; —ion [riǀkju:pəǀreišən] *s* 1. zotavení 2. znovunabytí, dosažení

recur [riǀkə:] *vi* (-rr-) 1. vracet se, utéci *(to* k) 2. opět se opakovat, přiházet se; —rence [riǀkarəns] *s* 1. návrat 2. útočiště 3. opakování; —rent, —ring [riǀkarənt, riǀkə:riŋ] *a* vracející se, opětující se, obíhající ♦ *~ decimal* periodický zlomek

recurv|ate, -ed [riǀkə:vət, riǀkə:vd] *a* nazpět zahnutý

recus|ancy [ǀrekjuzənsi] *s* vzpírání se, odpor; —ant [ǀrekjuzənt] *a* odpírající, nepovolující ◻ *s* rozkolník

red [red] *a* červený, rudý, ryšavý ♦ *Red Army* Rudá armáda; *Red Cross* Červený kříž; *to paint ~* líčit se; *to grow ~* rdít se; *~ -letter day* svátek, památný den: *caught ~ -handed* dopaden při činu ◻ *s* 1. červeň, červená barva 2. ruměnec 3. červené šaty ♦ *the Reds* rudí, komunisté; ǀ*~ -bird* *s* hejl; ǀ*~ -blooded* *a* am. silný, energický, chrabrý; *~ -clover* [ǀredklouvə] *s* jetel; ~ **currants** [ˈkarənts] *s* rybíz; ~ **deer** ušlechtilý jelen; ~ **-haired** [ˈredˈhᵊəd] *a* ryšavý, rudovlasý; |~ -ˈ**herring** *s* uzený sleď; |~ -ˈ**hot** *a* 1. do ruda rozžhavený 2. rozčilený; ~ **lead** [led] suřík, rumělka; |—**man**, |—**skin** *s* rudoch, Indián; ~ **plague** [pleig] růže nᵊmoc; ~ **pestilence** [ˈpestilᵊns] úplavice; |~ **-poll** *s* konopka, jiřice polní; ~ **robin** červᵊnka, čermák; ~ **tape** [teip] úřední šiml; ~ **-tapism** [ˈredˈteipizᵊm] *s* byrokratismus; ~ **-tapist** [ˈredˈteipist] *s* byrokrat; ~ **-weed** [ˈredwiːd] *s* vlčí mák

redact [riˈdækt] *vt* redigovat, vydávat; —**ion** [riˈdækšᵊn] *s* 1. redakce 2. vydávání 3. nové vydání; —**or** [riˈdæktə] *s* redaktor

redden [ˈredn] *vt & i* červenat (se), rdít se (*at* nad) ◆ *to* ~ *with shame* rdít se studem

reddish [ˈrediš] *a* červenavý, zarudlý

rede [riːd] *s* arch. rada □ *vt* (po)radit

redeem [riˈdiːm] *vt* 1. vykoupit, vysvobodit 2. odpykat, napravit, smířit 3. splatit, zaplatit 4. splnit slib 5. nahradit ◆ *to* ~ *one's crime* pykat za zločin; —**er** [riˈdiːmə] *s* vykupitel, spasitel

redemption [riˈdempšᵊn] *s* vykoupení, spasení

rediffusion [ˈriːdiˈfjuːžᵊn] *s* 1. rozhlas po drátě 2. veřejný rozhlas 3. televizní přenos

redintegrat|e [reˈdintigreit] *vt*

obnovit, doplnit, scelit, znovu zřídit; —**ion** [riˌdintᵊˈgreišᵊn] *s* obnovení, scelení

redivision [ˌiridiˈvižᵊn] *s* znovurozdělení (*of the world* světa)

redolent [ˈredolᵊnt] *a* libovonný

redouble [riˈdabl] *vt & i* zdvojnásobit (se)

redoubt [riˈdaut] *s* 1. reduta 2. pevnůstka □ *vt* řeč. bát se, štítit se; —**able** [riˈdautᵊbl] *a* strašný, mocný

redound [riˈdaund] *vi* 1. zast. přetékat, oplývat 2. jít k duhu, prospívat

redraw [ˈriːˈdroː] *vt* vydat návratnou směnku

redress[1] [riˈdres] *vt* 1. napravit, odčinit křivdu 2. upravit, opravit 3. potěšit, ukojit 4. nahradit 5. zvr. pomoci si □ *s* 1. opravení, náprava 2. pomoc, přispění; *to give* ~ přispět ku pomoci 3. náhrada, kompenzace

re-dress[2] [ˈriːˈdres] *vt & i* znovu (se) obléci

reduc|e [riˈdjuːs] *vt* 1. zmenšit, snížit, ztenčit, redukovat 2. přemoci, podmanit 3. dobýt pevnosti 4. podřídit 5. nazpět přivézt, obrátit 6. uvést v jistý stav, napravit ◆ *to* ~ *costs of production* snížit výrobní náklady; *to* ~ *in rank* voj. odnít hodnost; *to* ~ *a rule to practice* uplatnit pravidlo v praxi; *to* ~ *to discipline* přivést ke kázni; *to* ~ *to ashes* spálit na popel; *at -ed prices* za sníženě ceny; *to* ~ *to nothing* zničit; *to* ~ *to slavery* zotročit; *-ed circumstances* bídné poměry, chudoba; —**er**

[ri'dju:sə] *s* chem. redukční činidlo, odkysličovadlo;—**ible** [ri'dju:səbl] *a* 1. zjednodušitelný, redukovatelný 2. přemožitelný; —**tion** [ri'dakšən] *s* 1. snížení, zmenšení, redukce 2. přeměna 3. srážka, sleva, pokles cen 4. podrobení 5. přivedení zpět; ~ *gear* redukční převod n. soukolí; ~ *valve* redukční ventil

redund|ance, —**ancy** [ri'dandəns(i)] *s* hojnost. nadbytek; —**ant** [ri'dandənt] *a* 1. přebytečný, nadbytečný 2. nepotřebný 3. obšírný, rozvláčný

reduplicat|e [ri'dju:plikeit] *vt* zdvojit, zdvojnásobit; —**ion** [ri,dju:pli'keišən] *s* zdvojení, reduplikace

re-ech|o [ri:'ekou] *vt & i* znovu se ozývat ozvěnou, opakovat, napodobit

reed [ri:d] *s* 1. rákos, třtina 2. píšťala 3. jazýček varhan 4. šíp, střela 5. brdo ♦ *a broken* ~ nespolehlivý člověk; —**eń** [ˈri:dn] *a* zř. rákosový; ~**-grass** [ˈri:dgra:s] *s* ostřice; ~**-mace** [ˈri:dmeis] *s* orobinec; ~**-pipe** [ˈri:dpaip] *s* šalmaj; —**y** [ˈri:di] *a* rákosnatý

re-edify [ˈri:ˈedifai] *vt* 1. znovu zbudovat 2. upevnit zdraví

re-educat|e [ˈri:ˈedjukeit] *vt* převychovat; —**ion** [ˈri,edju'keišən] *s* převýchova

reef¹ [ri:f] *s* 1. útes, úskalí, skalnatý břeh 2. nános písku u moře 3. žíla rudy

reef² [ri:f] *s* nám. skasávací pruh plachty □ *vt* svinovat plachty

reek [ri:k] *s* dým, výpar, zápach □ *vi* 1. kouřit, čadit 2. pařit se 3. páchnout, být prosáklý (*of tobacco* tabákem; fig. *with snobbery* snobstvím)

reel [ri:l] *s* 1. moták, naviják, cívka 2. cívka filmu 3. rumpál 4. vrávorání 5. tanec skotský ♦ *off the* ~ rychle po sobě □ *vt* namotávat, navíjet ♦ *my brain -s* motá se mi hlava, mám závrať; ~ **along** vrávorat; ~ **off** odemlít, oddrmolit

re-elect [ˈri:i'lekt] *vt* znovu zvolit

reenforce [ˈri:in'fo:s] *vt* znovu posílit, vyztužit

re-engage [ˈri:in'geidž] *vt & i* 1. znovu najmout 2. obnovit boj, smlouvu

re|-enter [ˈri:'entə] *vt & i* znovu vstoupit, nastoupit (*in* do); —**entrant** [ˈri:'entrənt] *a* vypuklý úhel □ *s* údolí zařezávající se do boku hory n. pohoří

re-equip [ˈri:i'kwip] *vt* vybavit novou technikou

re-establish [ˈri:is't æbliš] *vt* obnovit, znovuzřídit

reeve¹ [ri:v] *s* 1. rychtář 2. přednosta, úředník

reeve² [ri:v] *vt* nám. prostrčit lano hřídelem

re-examine [ˈri:ig'z æmin] *vt* přezkoušet

re-exchange [ˈri:iks'čeindž] *s* zpětná směna

refectory [ri'fektəri] *s* refektář, jídelna

refer [ri'fə:] *vt & i* (-rr-) 1. odkázat, poukázat (*to* na) 2. odvolávat se (*to* na) 3. upozornit, zmínit se o 4. odevzdat, svěřit **5.** přičítat komu **6.** vztahovat se na, týkat se (*to* čeho) **7.** zvr. dovolávat se (*to* koho) **8.** vysvětlit **9.** narážet (*to* nač); **—ee** [ˌrefə-ˈriː] *s* **1.** rozhodčí **2.** sport. soudce; **—ence** [ˈrefrəns] *s* **1.** postoupení věci k vyřízení **2.** odkaz, poukázání **3.** zařadění **4.** odporučení, doporučení **5.** narážka, zmínka, odvolání (*to* na) **6.** ukazovací znaménko v knize **7.** nahlédnout do knihy **8.** souřadnice ♦ *cross* ~ odkaz v knize na jinou stránku; ~ *library* příruční knihovna; *book of* ~ naučná kniha, příručka jako slovník, encyklopedie ap.; *in*, *with* ~ *to* s ohledem na, pokud jde o; *to make* ~ *to* zmínit se o; *without* ~ *to* bez ohledu na **referend|ary** [ˌrefəˈrendəri] *s* zř. **1.** rozhodčí **2.** referent, přednášeč; **—um** [ˌrefəˈrendəm] *s* veřejné hlasování, referendum politické, plebiscit **refill** [ˈriːˈfil] *vt* znovu naplnit □ *s* náplň, náhradní inkoust; **—ing** [ˈriːˈfiliŋ] *s* doplňování **refin|e** [riˈfain] *vt & i* **1.** přečistit, (vy)tříbit (se), rafinovat, zjemnit, zušlechtit **2.** zlepšit se, zdokonalit se; **—ed** [riˈfaind] *a* **1.** vytříbený **2.** uhlazený, vzdělaný **3.** strojený, rafinovaný; **—ement** [riˈfainmənt] *s* **1.** tříbení, vytříbenost **2.** uhlazenost **3.** strojenost **4.** prohnanost, rafinovanost **5.** jemné rozlišování; **—ery** [riˈfainəri] *s* rafinerie **refit** [ˈriːˈfit] *vt & i* (-tt-) opra-

vit, znovuzřídit; vybavit loď, být v opravě **reflect** [riˈflekt] *vt & i* **1.** odrážet světlo, zrcadlit (se) **2.** odrazit se, ohnout se zpět **3.** přemýšlet (*on*, *upon* o), uvažovat **4.** špatně mluvit (*on*, *upon* o) **5.** kárat; **—ion** [riˈflekšən] *s* **1.** odraz (*theory of* ~ teorie odrazu), zrcadlení **2.** přemýšlení, přemítání, myšlenka, uvážení **3.** pokárání **4.** hanlivý výrok, skutek ♦ *to cast* -*s on* špatně mluvit o; *on* ~ po uvážení; **—ive** [riˈflektiv] *a* **1.** odrážející, odrazový **2.** přemítavý, přemýšlivý **3.** gram. zvratný; **—or** [riˈflektə] *s* **1.** reflektor, odrazové zrcadlo **2.** předmět n. osoba odrážející názory, předsudky ap. **reflex** [ˈriːfleks] **1.** *a* reflexívní, bezděčný **2.** odrazový, introspektivní □ *s* **1.** reflex, odraz světla, odlesk, odražené světlo, obraz v zrcadle **2.** přemítání; ~ *camera* fot. zrcadlovka; **—ion** [riːˈflekšən] *s* odraz světla, tepla, zrcadlení; **—ive** [riˈfleksiv] *a* **1.** zvratný, zpětný **2.** odrazový **3.** hanlivý **4.** gram. reflexívní, zvratný □ *s* gram. reflexívum, zvratný tvar **refluence** [ˈrefluəns] *s* zpětný tok, odtok n. odtékání **reflux** [ˈriːflaks] *s* odtok, odliv, zpětný tok **reform** [riˈfɔːm] *vt* **1.** změnit se, napravit, opravit, přetvořit **3.** znovu uzpůsobit □ *vi* **4.** napravit se, polepšit se ♦ *to* ~ *the currency* reformovat měnu

□ *s* přetvoření, oprava, reforma; *agrarian (land')* ~ zemědělská (pozemková) reforma; —**ation** [ˌrefəˈmeišən] *s* oprava, reformace; —**atory** [riˈfoːmətəri] *a* polepšovací, opravný □ *s* polepšovna; —**er** [riˈfoːmə] *s* oprávce, reformátor

refract [riˈfrækt] *vt* lámat světlo; —**ion** [riˈfrækšən] *s* lámání; lom světla; —**or** [riˈfræktə] *s* refraktor dalekohled; —**oriness** [riˈfræktərinis] *s* ohnivzdornost; —**ory** [riˈfræktəri] *a* neústupný, tvrdošíjný, vzpurný □ *s* ohnivzdorná látka

refrain[1] [riˈfrein] *vt* držet na uzdě, krotit (*oneself* se) □ *vi* zdržovat se (*from* čeho)

refrain[2] [riˈfrein] *s* refrén

refresh [riˈfreš] *vt* **1.** občerstvit, posilnit, osvěžit **2.** ochladit **3.** zvr. občerstvit se, zotavit se; —**ment** *s* občerstvení, zotavení

refriger|ant [riˈfridžərənt] *a* osvěžující, chladící □ *s* chladící nápoj; —**ate** [riˈfridžəreit] *vt* (o)chladit, mrazit; —**ation** [riˌfridžəˈreišən] *s* (o)chlazení, mrazení, zmrazování; —**ator** [riˈfridžəreitə] *s* lednička, chladnička, chladič

refuel [riˈfjuəl] *vt & i* (-ll-) znovu nabrat palivo; *-ling station* čerpací stanice

refug|e [ˈrefjuːdž] *s* **1.** útulek, útočiště; ochranná chata v horách **2.** chodníček, refýž **3.** pomoc ♦ *to take* ~ uchýlit se o pomoc □ *vt & i* vzít pod ochranu, utéci se; —**ee** [ˌre-**fjuˈdžiː]** *s* utečenec, uprchlík, emigrant

refulg|ence, —**ency** [riˈfaldžəns-(i)] *s* lesk, třpyt, záře; —**ent** [riˈfaldžənt] *s* třpytivý, zářivý, lesklý

refund [ˈriːfand] *vt* nahradit, vrátit peníze, refundovat, splatit; —**ment** *s* náhrada

refusal [riˈfjuːzəl] *s* odmítnutí, odepření ♦ *to give a* ~ dát košem; *to meet with a* ~ dostat košem, být odmrštěn

refuse [riˈfjuːz] *vt* odmítnout, odepřít, dát košem □ *s* odpadky, zbytky, smetí, brak, výkal; ~ **rock** jalová hornina

refut|able [ˈrefjutəbl] *a* vyvratitelný; —**ation** [ˌrefjuˈteišən] *s* vyvrácení, popření; —**e** [riˈfjuːt] *vt* vyvrátit, popřít

regain [riˈgein] *vt* znovu získat, znovu nabýt vědomí

regal [ˈriːgəl] *a* královský, nádherný

regale [riˈgeil] *vt & i* bohatě pohostit, počastovat (*with* čím), hodovat □ *s* hostina, hody

regalia [riˈgeiljə] *s pl.* královské odznaky, korunovační klenoty

regality [riˈgæliti] *s* královské důstojenství

regard [riˈgaːd] *vt* **1.** dívat se, hledět, pohlížet; pozorovat **2.** dbát **3.** týkat se **4.** chovat se ke komu, vážit si **5.** považovat (*as* za) ♦ *as -s* pokud se týče; *-ing* s ohledem na, pokud jde, ohledně čeho □ *s* **1.** pohled utkvělý **2.** zřetel, pozornost **3.** úcta, vážnost **4.**

vztah, ohled **5.** pl. pozdrav, poručení ♦ *in* ~ *of* vzhledem k; *with* ~ *to* pokud se týče; *to pay* ~ *to* mít zřetel k; *to have a great* ~ *for* velmi si vážit; —**ful** [ri'ga:dful] *a* pozorný (*of* k), uctivý, šetrný; —**less** [ri'ga:dlis] *a* bezohledný (*of* k), nedbající (*of* čeho)
regatta [ri'gætə] *s* veslařský závod
regency ['ri:džənsi] *s* vladařství, vláda, úřad regenta
regenerat|e *vt & i* [ri'dženəreit] obrodit (se), znovuzrodit (se), obnovit (se) ♦ *R~ed National Front* obrozená Národní fronta □ *a* [ri'dženərit] znovuzrozený, obrozený; —**ion** [ri,dženə'reišən] *s* znovuzrození, obrození
regent ['ri:džənt] *s* vladař, regent □ *a* vládnoucí
regicide ['redžisaid] *s* **1.** kralovražda **2.** kralovrah
regime [rei'ži:m] *s* režim, vládní systém
regimen ['redžimen] *s* **1.** med. předepsaná dieta **2.** chem. způsob, metoda **3.** gram. rekce **4.** zř. režim
regiment ['redžimənt] *s* **1.** pluk **2.** zř. vláda, vládní zřízení; —**al** [,redži'mentl] *a* plukovní □ *s* pl. stejnokroj, uniforma
region ['ri:džən] *s* **1.** krajina **2.** oblast, kraj ♦ *border* ~ pohraničí; *lower -s* peklo; *upper -s* nebesa, obloha; —**al** ['ri:-džənl] *a* krajinný, krajový, oblastní ♦ ~ *theatre* krajské (oblastní) divadlo
register ['redžistə] *s* **1.** seznam,

rejstřík **2.** záznam, zápis **3.** registr, rejstřík u varhan **4.** hud. rejstřík hlasový, nástroje ap. **5.** regulátor **6.** záklopka **7.** šoupátko u kamen ♦ ~ *office* spisovna, registratura □ *vt* zapsat do seznamu;. zaznamenat, registrovat ♦ *to* ~ *a letter* poslat dopis doporučeně; *to* ~ *oneself* zapsat se do volebního seznamu
registr|ar [,redžis'tra:] *s* registrátor; —**ation** [,redžis'treišən] *s* zapsání, záznam,registrace ♦ ~ *number* matrikulační číslo; —**y** ['redžistri] *s* **1.** zápis do seznamu, seznam, protokol **2.** spisovna, registratura ♦ ~ *office* zprostředkovatelna práce, pracovní úřad
regnant ['regnənt] *a* vládnoucí, převládající ♦ *Prince R~* princ vladař
regorge [ri'go:dž] *vt* **1.** vyplivnout, vydávit **2.** pohltit, požřít
regress *s* ['ri:gres] návrat □ *vi* [ri'gres] vracet se; —**ion** [ri-'grešən] *s* **1.** zpětný pohyb, ústup **2.** návrat **3.** obrat křivky **4.** mravní úpadek; —**ive** [ri'gresiv] *a* návratný, sestupný
regret [ri'gret] *s* **1.** lítost, žal, politování **2.** zklamání ♦ *to express* ~ *for* vyslovit politování s □ *vt* (-tt-) litovat, želet, mrzet se (*that* pro, že); —**ful** [ri'gretful] *a* žalostný, nerad; politováníhodný; lítostivý, litující; —**table** [ri'gretəbl] *a* politováníhodný
regrouping ['ri:'gru:piŋ] *s* přeskupení (*of forces* sil)

regular ['regjulə] *a* 1. pravidelný; řádný, pořádný, správný 2. řádový 3. z povolání ♦ ~ *army* pravidelné vojsko; ~ *officer* aktivní důstojník; ~ *slave* úplný otrok; ~ *soldier* voják z povolání; ~ *people* řádní lidé □ *s* 1. řádový kněz, řeholník 2. pl. řadové vojsko; —ity [ˌregju'læriti] *s* pravidelnost, řádnost

regulat|e ['regjuleit] *vt* 1. upravit, přizpůsobit, regulovat 2. uspořádat, řídit 3. omezit; —ion [ˌregju'leišən] *s* 1. pořádání, řízení; nastavení, regulace 2. nařízení 3. pravidlo, předpis 4. pl. nařízení, předpisy, směrnice, stanovy; ~ *speed* předepsaná rychlost; —or ['regjuleitə] *s* pořadatel, upravovatel, regulátor

regurgitate [ri'gə:džiteit] *vt* vyvrhnout, vyhazovat, zpět chrlit

rehabilitat|e [ˌri:ə'biliteit] *vt* 1. rehabilitovat 2. zvr. rehabilitovat se; —ion ['ri:əˌbilitteišən] *s* rehabilitace, obnova, doléčení

rehash ['ri:'hæš] *vt* znovu upravit, předělat

rehears|al [ri'hə:səl] *s* opakování, nácvik, zkouška divadelní ♦ *dress* ~ generální zkouška; —e [ri'hə:s] *vt* opakovat, nacvičovat, konat zkoušku

reign [rein] *vi* vládnout, panovat (*over* nad) □ *s* panování, vláda

reimburse [ˌri:im'bə:s] *vt* nahradit výdaje, zaplatit; —ment *s* náhrada, úhrada

reimpression ['ri:im'prešən] *s* nový otisk, nové vydání

rein [rein] *s* uzda, otěž ♦ *to give -s* popustit uzdu, dát zvůli; *to draw* ~ zastavit koně, držet na uzdě; *to assume the -s of government* ujmout se vlády □ *vt* 1. držet na uzdě, řídit uzdou 2. krotit 3. vládnout; —less ['reinlis] *a* bezuzdný

reindeer ['reindiə] *s* sob

reinforce [ˌri:in'fo:s] *vt* posílit, zesílit; vyztužit ♦ *-d concrete* železobeton; —ment *s* posila, zesílení, vyztužení

reins [reinz] *s pl.* zast. ledviny

reinstall ['ri:in'sto:l] *vt* opět dosadit v úřad

reinstate ['ri:in'steit] *vt* 1. vrátit do dřívějšího stavu 2. znovu dosadit 3. uzdravit

reinterpretation [ˌri:intə:pri'teišən] *s* přehodnocení, přehodnocující výklad

reiterat|e [ri:'itəreit] *vt* opětovat, opakovat; —ion [ri:ˌitə'reišən] *s* opakování, opětování

reive viz *reave*

reject [ri'džekt] *vt* 1. odmítnout, zamítnout 2. odhodit, odvrhnout 3. vyřadit; —ion [ri'džekšən] *s* 1. zamítnutí, zavržení 2. výplivek, výmět 3. zmetek, výrobek

rejoic|e [ri'džois] *vi* radovat se, těšit se (*in, at, that* z, že) □ *vt* 1. potěšit 2. oslavovat; —ing [ri'džoisiŋ] *s* 1. těšení se, radost 2. pl. veselí □ *a* potěšitelný, radostný

rejoin[1] [ri'džoin] *vt* 1. podat

repliku 2. přidružit se □ *vi*
odvětit, odpovědět; **—der** [ri-
ˈdžoində] *s* odpověď, replika
re-join² [ˈriːˈdžoin] *vt* znovu
spojit, vrátit se k
rejolt [riˈdžolt] *s* zast. otřesení,
úraz
rejuven|ate [riˈdžuːvineit] *vt*
osvěžit, omladit, obrodit;
—ation [riːˌdžuːviˈneišən] *s*
omlazení; **—escence** [riːˌdžuː-
viˈnesns] *s* mládnutí
rekindle [ˈriːˈkindl] *vt* znovu
zapálit, rozdmýchat, roz-
žehnout; rozohnit; osvěžit □
vi opět vzplanout
relapse [riˈlæps] *vi* znovu upad-
nout v nemoc, chybu atd. □ *s*
recidiva
relat|e [riˈleit] *vt* 1. vypravovat,
líčit 2. uvádět ve vztah, ve
spojení, spojovat (*to*, *with* s)
□ *vi* 3. vztahovat se (*to* k),
být v poměru k, týkat se
čeho; **—ed** [riˈleitid] *a* pří-
buzný, spřízněný, spojený
(*to* s); **—ion** [riˈleišən] *s* 1.
vztah, poměr, relace, spojení
2. příbuzenství 3. zpráva, vy-
pravování 4. příbuzn|ý, -á ◆
in ~ *to* pokud se týče, s ohle-
dem na, ve spojení s; *-s of
production* výrobní vztahy,
výrobní poměry; **—ive** [ˈre-
lətiv]´ *a* 1. gram. vztažný,
relativní 2. poměrný 3. vzta-
hující se k 4. příbuzný 5.
relativní □ *s* 1. příbuzný 2.
zast. vztah, poměr 3. gram.
vztažné zájmeno; **—ivity** [ˌre-
ləˈtiviti] *s* vztažnost, relativ-
nost, relativita
relax [riˈlæks] *vt* 1. popustit,
uvolnit, rozvázat 2. zmírnit,

polevit 3. obveselit, rozptý-
lit □ *vi* 4. zotavit se 5. viklat
se, uvolnit se 6. ochabnout
◆ *to* ~ *the bowels* odlehčit si
tělesně; *a -ed throat* zanícený
krk; **—ation** [ˌriːlækˈseišən]
s 1. popuštění, povolení,
ochabnutí, uvolnění (*of ten-
sion* napětí) 2. obveselení,
odpočinek; zotavení, povy-
ražení, rekreace
relay¹ [ˈriːˈlei] *s* 1. čerstvá
zápřež 2. směna 3. přenos,
relé 4. štafeta □ *vt & i* 1.
opatřit převáděčem, relé 2.
přenášet rozhlasem 3. pra-
covat na směny 4. běžet
štafetu
re-lay² [ˈriːˈlei] *vt* opět polo-
žit
release [riˈliːs] *vt* 1. propustit,
uvolnit, osvobodit 2. vy-
pustit balón 3. uvést film
v premiéře 4. uveřejnit zprávy
◆ *to* ~ *one's right* vzdát se
svého práva □ *s* 1. propuště-
ní, vypuštění; osvobození 2.
uvolnění, odlehčení 3. vzdání
se 4. kvitance, stvrzenka 5.
nájemní smlouva 6. odjištění,
rozpojení 7. odjišťovač stroje,
zástrčka; spoušť 8. cenzurní
povolení
relegat|e [ˈreligeit] *vt* 1. vy-
povědět, poslat do vyhnan-
ství 2. vyloučit, propustit,
degradovat 3. odevzdat k vy-
řízení 4. poslat (*to* k); **—ion**
[ˌreliˈgeišən] *s* vypovědění,
vyloučení, relegace
relent [riˈlent] *vi* 1. mírnit se,
obměkčit se, slitovat se 2.
zast. tát, rozpustit se 3. po·
volit, ochabnout □ *vt* 4.

unavit; **—less** [ri'lentlis] *a* nepovolný, neúprosný, zatvrzelý

relev|ance, —ancy ['relivəns(i)] *s* 1. závažnost, relevance 2. souvislost; **—ant** ['relivənt] *a* důležitý, závažný; platný, relevantní; týkající se, souvisící (*to* s)

reli|able [ri'laiəbl] *a* spolehlivý; **—ability** [ri͵laiə'biliti] *s* spolehlivost; **—ance** [ri'laiəns] *s* spolehnutí, důvěra (*on, upon* v) ♦ *to place ~ in* spoléhat se na

relic ['relik] *s* 1. zbytek, ostatek 2. památka, relikvie 3. pl. pozůstatky, zbytky

relict.['relikt] *s* zast., žert. vdova

relief[1] [ri'li:f] *s* 1. ulehčení, úleva 2. podpora, pomoc, přispění 3. směna stráže, stráž 4. voj. rozšíření ústí hlavně; **~ attacks** odlehčovací útoky; **~ works** nouzové práce

relief[2] [ri'li:f] *s* reliéf, kontrast

relieve [ri'li:v] *vt* 1. ulehčit, vyhovět 2. pomoci, přispět 3. osvobodit 4. vystřídat 5. zprostit (*of* čeho) 6. zmírnit 7. vyjádřit plasticky ♦ *to ~ one's feelings* ulevit svým citům; *to ~ a guard* vystřídat stráž; *to ~ a person of his money* okrást koho o peníze; *to ~ the dullness of the evening with a few songs* oživit nudný večer několika písněmi; *to ~ pain* zmírnit bolest

religi|on [ri'lidžən] *s* náboženství, zbožnost; **—onize** [ri'lidžənaiz] *vt & i* 1. znáboženštit, projevovat nábožen-

skou horlivost 2. přivést k náboženství, obrátit na víru; **—ous** [ri'lidžəs] *a* 1. náboženský 2. zbožný 3. svědomitý □ *s* mnich

relinquish [ri'liŋkwiš] *vt* opustit, zanechat; upustit od, zříci se

reliquary ['relikwəri] *s* relikviář

relish ['reliš] *vt & i* 1. jíst s chutí, chutnat 2. libovat si, pochvalovat si 3. líbit se, zamlouvat se (*with* komu) 4. zavánět, mít příchuť (*of* čeho) □ *s* 1. příjemná chuť, příchuť, říz, aróma 2. pochoutka 3. požitek, záliba (*for* v) 4. náklonnost

reload ['ri:'loud] *vt* znovu naložit, znovu nabít

relocation [͵ri:lə'keišən] *s* am. nucené vyklizení vojenského území

reluct|ance, —ancy [ri'laktəns(i)] *s* odpor, nechuť (*against* k), neochota; **—ant** [ri'laktənt] *a* neochotný, odporující

relume [ri'lu:m] *vt* znovu rozžít, ozářit, rozzářit

rely [ri'lai] *vi* 1. spoléhat (se) (*on, upon* na) 2. opírat se, spočívat

remain [ri'mein] *vi* zbývat, zůstat, trvat ♦ *for what -s* ostatně □ *s* 1. zbytek, pozůstatek 2. pl. zbytky, tělesné pozůstatky, mrtvola; **—der** [ri'meində] *s* 1. ostatek, zbytek 2. právo nástupní

remak|e* ['ri:'meik] *vt* předělat, přetvořit ♦ *plan for -ing nature* plán na přetvoření přírody; **—er** ['ri:'meikə] *s* přetvořitel

remand [ri'ma:nd] *vt* zpět poslat do vazby; odvolat, odročit

remark [ri'ma:k] *s* poznámka, povšimnutí ♦ *worthy of* ~ pozoruhodný □ *vt & i* 1. pozorovat, spatřit 2. všimnout si 3. podotknout, připomenout, poznamenat (*upon, on* o); **—able** [ri'ma:kəbl] *a* pozoruhodný, pamětihodný; proslulý; nápadný

remarr|iage ['ri:'mæridž] *s* nový sňatek; **—y** ['ri:'mæri] *vt & i* znovu (se) oženit, vdát

remed|iable [ri'mi:djəbl] *a* vyléčitelný; **—ial** [ri'mi:djəl] *a* 1. hojivý, léčivý 2. pomocný, nápravný; **—iless** ['remidilis] *a* 1. nezhojitelný 2. nenapravitelný 3. neodvratný; **—y** ['remidi] *s* 1. lék, prostředek 2. pomoc (*against, for* proti) 3. náprava, odstranění poruchy ♦ *past* ~ nenapravitelný □ *vt* napravit

remember [ri'membə] *vt* 1. pamatovat si, rozpomenout se 2. zmínit se, připomenout, upomenout 3. vzkázat uctivý pozdrav, poroučet se (~ *me to your friend* vyřiďte můj pozdrav svému příteli) 4. obdarovat, dát spropitné (*the waiter* číšníkovi)

remembrance [ri'membrəns] *s* 1. vzpomínka, památka (*of* na) 2. paměť, pamětní spis 3. pl. pozdravy ♦ *to bear in* ~ chovat v paměti; *to call to* ~ vzpomenout si; *to come to* ~ přijít na mysl; *to put in* ~ připomenout

remilitariz|e ['ri:'militəraiz] *vt* remilitarizovat; **—ation** [,ri:-

militarai'zeišən] *s* remilitarizace

remind [ri'maind] *vt* upomenout (*of* na), připomenout komu co (*of, to do, that, how*); **—er** [ri'maində] *s* připomínka

reminisc|ence [,remi'nisns] *s* 1. vzpomínka, upomínka 2. fil. rozpomínání, anamnéza 3. pl. lit. vzpomínky; **—ent** [,remi'nisnt] *a* připomínající (*of* co), dbalý čeho

remiss [ri'mis] *a* 1. ochablý, chabý 2. zdlouhavý 3. nedbalý, líný; **—ible** [ri'misibl] *a* odpustitelný; **—ion** [ri'mišən] *s* 1. prominutí, odpuštění 2. úleva, ulehčení

remit [ri'mit] *vt* (-tt-) 1. prominout, odpustit 2. zmírnit 3. ochabnout, povolit 4. poslat nazpět, vrátit k vyjádření 5. odeslat, poukázat peníze 6. podrobit (*to* čemu) 7. odložit; **—tance** [ri'mitəns] *s* 1. odeslání 2. zásilka peněz, odeslaný obnos 3. úhrada; **—tee** [,remi'ti:] *s* příjemce zaslaných peněz; **—tent** [ri'mitənt] *a* střídavý □ *s* střídavá horečka; **—ter** [ri'mitə] *s* zasílatel peněz

remnant ['remnənt] *s* zbytek

remodel ['ri:'modl] *vt* (-ll-) přetvořit, přeměnit ♦ *to* ~ *nature* přetvářet přírodu

remonstr|ance [ri'monstrəns] *s* námitka, protest, rozklad; **—ate** [ri'monstreit] *vi & t* protestovat (*against* proti, *with* u koho, *on, upon, matter* o věci), podat námitky; **—ation** [,rimən'streišən] *s* namítání, odpor remorse [ri'mo:s] *s* výčitka n. hryzení svědomí, lítost ♦ *without* ~ nelítostně, bezcitně; —**ful** [ri'mo:sful] *a* kajícný; —**less** [ri'mo:slis] *a* nemilosrdný, zatvrzelý; nelítostný, krutý

remote [ri'mout] *a* 1. vzdálený, daleký, odlehlý 2. nepatrný v sup. ♦ ~ *control* řízení na dálku

remount[1] [ri:'maunt] *vt & i* opět vystoupit, vylézt na; vsednout na koně

re-mount[2] [ri:'maunt] *vt* znovu zasadit □ *s* remonta, náhradní vojenský kůň

remov|able [ri'mu:vəbl] *a* odstranitelný, sesaditelný; odmontovatelný; —**al** [ri'mu:vəl] *s* 1. doprava 2. odstranění, přemístění, stěhování 3. vyloučení; —**e** [ri'mu:v] *vt & i* 1. odstranit (se), odklidit 2. odložit, odstrčit 3. vzdálit (se) 4. odstěhovat (se), přestěhovat (se) 5. propustit, zbavit místa; vyloučit žáka ♦ *to* ~ *one's hat* smeknout □ *s* 1. zř. odstranění, odklizení 2. chod jídla 3. zř. odcestování 4. zř. vzdálenost, mezera 5. stupeň 6. postoupení do vyšší třídy 7. oddělení školní 8. koleno, pokolení ♦ *to give one a* ~ odstrčit koho; —**ed** [ri'mu:vd] *a* 1. vzdálený příbuzný; odlehlý 2. odstraněný 3. odloučený 4. soukromý

remunerat|e [ri'mju:nəreit] *vt* odměnit, zaplatit, nahradit; —**ion** [ri,mju:nə'reišən] *s* 1. plat, mzda 2. odměna,

odplata; —**ive** [ri'mju:nərətiv] *a* výnosný

renaissance [rə'neisəns] *s* 1. *R*~ renesance epocha 2. viz *renascence*

renascence [ri'næsns] *s* renesance; obrození, obnovení, obnova

rend* [rend] *vt & i* 1. trhat, roztrhnout 2. rvát 3. pukat 4. rozdělit, rozštípnout 5. trhat se o mracích ♦ *to* ~ *from* odtrhnout; *to* ~ *one's hair* rvát si vlasy

render ['rendə] *vt* 1. splatit (*good for evil* zlé dobrým), vrátit, prokázat (*thanks* díky) 2. vydat (*fortress* pevnost) 3. učinit co čím, vykonat, provést 4. předložit účty 5. vylíčit, vypsat 6. přeložit (*from English into Czech* z angličtiny do češtiny) 7. nahodit malbu ♦ *to* ~ *an account of* popsat, vylíčit; *to* ~ *useless* učinit zbytečným; *to* ~ *the meaning* podat vysvětlení, vysvětlit; *to* ~ *help* pomoci; *to* ~ *reason* udat příčinu; —**ing** ['rendəriŋ] *s* překlad; zpodobení, vyobrazení

rendezvous ['rondivu:] *s* schůzka; shromaždiště

renegade ['renigeid] *s* odpadlík, odrodilec, renegát

renew [ri'nju:] *vt & i* 1. obnovit (se), osvěžit 2. prolongovat (*bill* směnku); —**al** [ri'nju:əl] *s* obnova, prolongace ♦ ~ *of fascism* obnova fašismu

renounce [ri'nauns] *vt & i* 1. zříci se, odříci se 2. zapřít, vzdát se 3. odvolat 4. nectít

barvu v kartách; **—ment** *s*
1. odvolání 2. zapření
renovat|e ['renoveit] *vt* obnovit;
—ion [ˌreno'veišən] *s* obnovení
renown [ri'naun] *s* sláva, slovutnost, věhlas; **—ed** [ri'naund]
a slavný, proslavený, věhlasný
rent¹ ['rent] *s* trhlina, rozsedlina, skulina
rent² ['rent] *s* nájemné, renta,
důchod ♦ *ground* ~ pozemková renta; *labour* ~ renta
v úkonech; *money* ~ peněžní
renta; ~ *in produce* naturální
renta □ *vt & i* 1. najmout,
pronajmout (*at* za) 2. vyplácet se; **—al** ['rentl] *s* nájemné;
~ -charge ['rentča:dž] *s* výměnek; **—er** ['rentə] *s* nájemník, nájemce; **~ -roll**
['rentroul] *s* seznam důchodů
renunciation [riˌnansi'eišən] *s*
1. odřeknutí se, vzdání se
2. odvolání 3. sebezapření
reopen ['ri:'oupən] *vt & i* 1.
znovu otevřít 2. opět začít,
obnovit
reorganization ['ri:ˌo:gənai'zeišən] *s* znovuzřízení, přebudování, reorganizace
rep¹ [rep] 1. zkr. *reprobate* 2.
zkr. *repetition*
rep² [rep] *s* 1. žebrovaná látka
čalounická 2. rips
repair [ri'peə] *vt & i* 1. opravit,
spravit 2. nahradit, odčinit
3. znovu zřídit 4. odebrat se
5. obrátit se na, uchýlit se
(*to* ke komu) □ *s* 1. oprava,
správka 2. náhrada 3. bydliště 4. doupě, brloh 5. dobrý
stav ♦ *out of* ~ ve špatném

stavu; *under* ~ ve správce;
~ shop správkárna, opravna
repar|able ['repərəbl] *a* nahraditelný; **—ation** [ˌrepə'reišən]
s 1. oprava 2. náhrada, odškodné, reparace; ~ *loan*
reparační půjčka
repartee [ˌrepa:'ti:] *s* odseknutí,
pádná odpověď □ *vt* odseknout, pádně odpovědět
repartition [ˌripa:'tišən] *s* znovurozdělení
repast [ri'pa:st] *s* 1. jídlo 2.
hostina
repatriat|e [ri:'pætrieit] *vt* poslat
zpět do vlasti, repatriovat;
—ion ['ri:pætri'eišən] *s* poslání do vlasti, repatriace
repay* [ri:'pei] *vt & i* odplatit,
nahradit; odměnit, odsloužit
se; **—ment** *s* oplacení, splátka
repeal [ri'pi:l] *vt* odvolat, zrušit
□ *s* odvolání, zrušení
repeat [ri'pi:t] *vt* 1. opakovat,
opětovat 2. odříkávat, nacvičovat 3. reprodukovat 4. zvr.
opakovat se □ *s* opakování;
—edly [ri'pi:tidli] *adv* opět
a opět, opětně
repel [ri'pel] *vt* (-ll-) 1. zahnat,
odrazit 2. odpudit, být odporný 3. odstrašit 4. nepřipustit; *-ling power* odpudivost; **—lent** [ri'pelənt] *a* nepříjemný, odporný, odstrašující
repent [ri'pent] *vi* litovat, kát
se (*of* z); **—ance** [ri'pentəns]
s lítost, pokání
repercussion [ˌri:pə:'kašən] *s*
1. odraz, odpuzení 2. ozvěna
repertoire, repertory ['repətwa:,
'repətəri] *s* repertoár
repetition [ˌrepi'tišən] *s* 1. opa-

kování **2.** kopie; ~ *work* sériová práce

repine [ri'pain] *vi* mrzet se, soužit se; být nespokojen (*at, against* s)

replace [ri'pleis] *vt* **1.** dát na dřívější místo, znovu dosadit, přeložit **2.** nahradit, najít náhradu **3.** nastoupit po kom; **—ment** *s* **1.** přeložení, znovudosazení **2.** náhrada ♦ ~ *of workers by machinery* vytlačování dělníků stroji; ~ **part** náhradní součástka

replant ['ri:'pla:nt] *vt* znovu zasadit, přesadit

replenish [ri'pleniš] *vt & i* opět naplnit (se) (*with* čím)

replet|e [ri'pli:t] *a* plný (*with* čeho), naplněný, plně zásobený; **—ion** [ri'pli:šən] *s* naplněnost, nasycenost

replevin [ri'plevin] *s* zrušení neoprávněného soudního zabavení; vybavení, propuštění, vyplacení

replic|a ['replikə] *s* replika; kopie obrazu, faksimile; **—ate** ['replikeit] *vt* zř. **1.** opakovat **2.** udělat kopii

replot [ri'plot] *vt* (-tt-) znovu vynášet do diagramu

reply [ri'plai] *vi & t* odpovědět, odvětit (*upon, to* na) □ *s* odpověď ♦ *in* ~ *to* odpovídajíce na

report [ri'po:t] *vt & i* **1.** podat zprávu, ohlásit, oznámit, referovat **2.** rozšířit (pověst) **3.** přednést **4.** být zpravodajem **5.** napsat do novin zprávu (*on, upon* o) **6.** střelit, dát ránu **7.** zvr. ohlásit se ♦ *it is -ed* povídá se; *I shall ~*

you budu na tebe žalovat □ *s* **1.** zpráva, referát, hlášení **2.** dobrozdání **3.** rána, výstřel, třesk **4.** vysvědčení, školní zpráva ♦ *there is a* ~ *that* říká se, že; *to make* ~ podat zprávu; *to have an ill* ~ mít špatnou pověst; **—age** [ˌrepo:'ta:ž] *s* reportážní sloh; **—er** [ri'po:tə] *s* **1.** zpravodaj, reportér **2.** referent; **—ing** [ri'po:tiŋ] *s* **1.** zpravodajství **2.** novinářství

repos|al [ri'pouzl] *s* **1.** skládání důvěry **2.** odpočinek; **—e** [ri'pouz] *vt & i* **1.** položit, uložit k odpočinku, odpočívat **2.** důvěřovat, spoléhat (*on, upon* na): *to ~ one's trust in* skládat důvěru v **3.** spočívat na □ *s* odpočinek, klid

repository [ri'pozitəri] *s* **1.** krám **2.** skladiště **3.** přihrádka, schránka **4.** spižírna **5.** místo pohřbení **6.** fig. zdroj, studna, pramen

reprehend [ˌrepri'hend] *vt* kárat, hanět, vytýkat

reprehens|ible [ˌrepri'hensəbl] *a* zasluhující pokárání; **—ion** [ˌrepri'henšən] *s* pokárání, domluva, důtka; **—ive** [ˌrepri'hensiv] *a* káravý, hanlivý

represent [ˌrepri'zent] *vt* **1.** představovat, znázorňovat **2.** vylíčit, popisovat **3.** zastupovat (*Mr. X will ~ me at the meeting* pan X. mne bude zastupovat na schůzi) **4.** sehrát **5.** tvrdit **6.** reprezentovat; **—ation** [ˌreprizen'teišən] *s* **1.** představení, zpodobení, znázornění **2.** vylíčení **3.** zastoupení, zastupování **4.** zastupitelství 5. urgence, protest; —ative [ˌrepriˈzentətiv] *a* 1. představující, typický, reprezentativní 2. zastupující (*of* koho, co) □ *s* 1. vzor, typ 2. zástupce, zastupitel 3. am. poslanec

repress [riˈpres] *vt* potlačit; —**ion** [riˈpreʃən] *s* potlačování, utiskování

reprieve [riˈpriːv] *vt* 1. dát lhůtu 2. odložit, odročit 3. dát milost □ *s* 1. lhůta 2. odročení 3. milost změna rozsudku smrti

reprimand [ˈreprimaːnd] *s* pokárání, důtka, výstraha □ *vt* dát důtku, pokárat

reprint [ˈriːˈprint] *vt* znovu otisknout □ *s* otisk, separát

reprisal [riˈpraizəl] *s* odveta, odvetné opatření, represálie ♦ *to make ~ on* užít odvetného práva proti

reproach [riˈprouč] *vt* vytýkat, vyčítat, vinit, kárat (*for, with* pro) □ *s* 1. výčitka, výtka, důtka 2. hanba, potupa ♦ *without ~* bezúhonný; —**ful** [riˈproučful] *a* káravý, urážlivý, hanlivý

reprobate *vt.* [ˈreprobeit] zavrhnout, odsoudit, zatratit □ *a* [ˈreprobeit] zavržený, mrzký, hanebný □ *s* padouch, zpustlík, hříšník

reproduc|e [ˌriːprəˈdjuːs] *vt* 1. znovu vytvořit, zplodit, pěstovat 2. obnovit, reprodukovat; —**tion** [ˌriːprəˈdakʃən] *s* znovuplození, znovu(vy)tvoření, reprodukce ♦ *~ of capital* reprodukce kapitálu

reproof [riˈpruːf] *s* výtka, důtka, domluva

reprove [riˈpruːv] *vt* 1. pokárat 2. zast. vyvrátit, usvědčit (*of* z)

reps viz *rep*

reptile [ˈreptail] *a* plazivý □ *s* plaz

republic [riˈpablik] *s* republika; —**an** [riˈpablikən] *a* republikánský □ *s* republikán

repudiat|e [riˈpjuːdieit] *vt* zavrhnout, zapudit; —**ion** [riˌpjuːdiˈeiʃən] *s* zapuzení, zavržení, neuznávání

repugn|ance, —**ancy** [riˈpagnəns(i)] *s* 1. odpor, ošklivost, nechuť (*to, against* k) 2. nesrovnatelnost (*of, between, with, in*); —**ant** [riˈpagnənt] *a* 1. odporný, odporující si 2. protivící se (*to* komu, čemu), nesrovnatelný (*with* s)

repuls|e [riˈpals] *vt* odrazit, odmrštit, odmítnout □ *s* odmrštění, odražení; zahnání ♦ *to meet with* (n. *suffer*) *a ~* dostat košem, být odmítnut; —**ion** [riˈpalʃən] *s* odmrštění, odmítnutí; odpor, nechuť; —**ive** [riˈpalsiv] *a* odpuzující, odporný; *~ power* odpudivost

repump [riˈpamp] *vt* přečerpat

reput|able [ˈrepjutəbl] *a* těšící se dobré pověsti, vážený, ctěný; —**ation** [ˌrepjuˈteiʃən] *s* vážnost, úcta; reputace, pověst, jméno; —**e** [riˈpjuːt] *vt* vážit si, ctít □ *s* jméno (dobré), obecné mínění; pověst, věhlas, úcta; —**edly** [riˈpjuːtidli] *adv* podle obecného mínění, podle doslechu

request [ri'kwest] *s* 1. prosba, žádost 2. poptávka *(for* pro) ♦ *much in* ~ velice hledaný; *by* ~ podle přání, na žádost □ *vt* 1. žádat o dovolení, požadovat, prosit 2. pozvat

requiem ['rekwiem] *s* rekviem, zádušní mše

require [ri'kwaiə] *vt* 1. žádat, požadovat *(of* od), nařídit 2. potřebovat; **—ment** *s* požadavek

requisit|e ['rekwizit] *a* žádoucí, potřebný, nutný □ *s* potřeba; **—ion** [ˌrekwi'zišən] *s* 1. žádost, vyzvání 2. vymáhání, zabavení, rekvizice 3. pohledávka □ *vt* dožadovat se; rekvírovat, zabavit

requital [ri'kwaitl] *s* 1. odplata, odveta 2. náhrada

requite [ri'kwait] *vt* odměnit se *(with, for* čím za), odsloužit se, oplatit

rescind [ri'sind] *vt* odvolat, zrušit

rescission [ri'sižən] *s* odvolání, zrušení

rescue ['reskju:] *vt* zachránit *(from* před), osvobodit; vyprostit □ *s* záchrana, pomoc; vyproštění, osvobození; **~ station** záchranná stanice

research [ri'sə:č] *s* vyšetřování; bádání, zkoumání, výzkum; pátrání *(after, for)*; ~ *institute* výzkumný ústav; ~ *work* výzkum, bádání ♦ *to make* ~ *into* vyšetřovat, zkoumat □ *vt* vyšetřovat, zkoumat, bádat

resect [ri'sekt] *vt* proříznout, rozříznout, provést resekci; **—ion** [ri:'sekšən] *s* resekce

reseda ['residə, ri'si:də] *s* rezeda

resembl|ance [ri'zembləns] *s* podobnost, podoba *(to, between, of* s); **—e** [ri'zembl] *vt* podobat se

resent [ri'zent] *vt* neschvalovat, nést nelibě, pohoršit se; **—ful** [ri'zentful] *a* nelibě nesoucí, rozmrzelý; nedůtklivý, pohoršený; **—ment** *s* nelibost, nedůtklivost, pohoršení; hněv, nevole, zášť

reservation [ˌrezə'veišən] *s* 1. výhrada, výminka 2. zamlčení, zatajení 3. rezervace 4. zajištění pokoje v hotelu

reserv|e [ri'zə:v] *vt* 1. zachovat, uschovat, zajistit 2. *zvr.* vyhradit si 3. určit □ *s* 1. zásoba, rezerva 2. záloha *(labour -s* pracovní zálohy) 3. výhrada, vyhražení; výjimka; záruka 4. rezervovanost; **—ed** [ri'zə:vd] *a* 1. zdrženlivý, rezervovaný 2. skromný 3. zamluvený *(seats* sedadla) ♦ ~ *troops* záložní jednotky; ~ *officer* záložní důstojník; **—ist** [ri'zə:vist] *s* rezervista

reservoir ['rezəvwa:] *s* nádržka

reset* ['ri:'set] *vt & i* 1. znovu seřídit 2. znovu vsadit, přesadit, přesázet 3. *arch.* přechovávat kradené zboží

re-settlement [ri:'setlmənt] *s* znovuosídlení

reside [ri'zaid] *vi* 1. bydlit *(at, in* v), zdržet se, usadit se; spočívat v o moci

resid|ence ['rezidəns] *s* sídlo, bydliště, byt ♦ *to have one's* ~ bydlit; *to take up one's* ~

usadit se; —ent [ˈrezidənt] a bydlící, usedlý □ s 1. bydlící, usedlík 2. rezident britský politický úředník; —ential [ˌrezi'denšəl] a 1. domovní 2. usedlý, domácí 3. obytný; vázaný na bydliště; ~ halls studentské koleje

residu|al [ri'zidjuəl] a pozůstalý, zbylý, zbvtkový □ s zbytek, rozdíl; - ary [ri'zidjuəri] viz residual; —e [ˈrezidju:] s zůstatek, zbytek; přebytek; usazenina

resign[1] [ri'zain] vt 1. vzdát se, odříci se, rezignovat 2. postoupit, ponechat 3. oddat se (to čemu), podrobit se; —ation [ˌrezig'neišən] s odstoupení z úřadu; odevzdanost, rezignace

resign[2] [ˈri:'sain] vt opět podepsat

resili|ence [ri'ziliəns] s pružnost; —ent [ri'ziliənt] a pružný

resin [ˈrezin] s 1. pryskyřice 2. kaučuk (~ elastic); —ous [ˈrezinəs] a pryskyřičný

resist [ri'zist] vt & i 1. postavit se na odpor, odporovat; protivit se, vzpírat se, bránit se 2. překážet 3. odolat, ubránit se 4. být v opozici; —ance [ri'zistəns] s odpor, překážka ♦ ~ bridge el. odporový můstek; ~ furnace odporová pec; ~ movement hnutí odporu, odboj; to take line of least ~ jít směrem nejmenšího odporu; —ibility [riˌzisti'biliti] s odolnost; —ible [ri'zistibl] a odolatelný, schopný odporu; —ivity [ˌrizis'tiviti] s 1. odolnost 2. el. měrný odpor; —less [ri'zist-

lis] a bás. nezdolatelný; —or [ri'zistə] s el. odporník

resoluble [ˈri'zoljubl] a rozložitelný, rozpustitelný

resolut|e [ˈrezəlu:t] a odhodlaný, rozhodný; —ion [ˌrezə'lu:šən] s 1. rozhodnutí, odhodlanost, odhodlání 2. předsevzetí 3. rezoluce, usnesení 4. rozložení, rozpuštění 5. (roz)řešení (of a problem problému) ♦ to come to a ~ rozhodnout se; to pass a ~ usnést se

resolv|e [ri'zolv] vt & i 1. rozhodnout (se) (upon o) 2. rozpustit (se), rozložit, analyzovat 3. vysvětlit 4. přimět 5. usnést se (upon na) ♦ ~ a doubt odstranit pochybnost □ s 1. rozhodnutí 2. usnesení 3. odhodlání 4. předsevzetí; —ed [ri'zolvd] a odhodlaný; rozhodnutý, odhlasovaný; —ent [ri'zolvənt] s rozpouštědlo

reson|ance [ˈreznəns] s rezonance, ozvěna; —ant [ˈreznənt] a (o)zvučný, rezonantní

resort [ri'zo:t] vt uchýlit se, odebrat se, docházet (to k) ♦ to ~ to a policy of war uchýlit se k politice války □ s 1. útočiště, útulek 2. návštěva, docházka 3. příčina 4. východisko 5. instance ♦ health ~ ozdravovna, lázně

resound [ri'zaund] vi & t 1. zvučet, ozývat se, rozléhat se (with čím) 2. vzbudit senzaci, šířit se

resource [ri'so:s] s 1. pomoc, pomůcka, prostředek 2. útočiště 3. zdroj 4. zaměstnání ve volné chvíli, možnost zábavy, kratochvíle

respect [ris'pekt] *s* 1. vážnost, úcta 2. ohled, zřetel 3. vztah 4. přízeň 5. zast. příčina, pohnutka 6. pozdrav 7. stránka, věc ♦ *with ~ to* n. *in ~ of* vzhledem k, pokud se týče; *in all -s* každým způsobem; *in my ~* podle mého mínění; *in every ~* v každém ohledu; *in many -s* v mnohém ohledu; *in some ~* poněkud, jaksi; *to show ~ to* mít koho v úctě; *to pay -s to* složit komu poklonu; *give him my -s* vyřiď mu mé poručení □ *vt* 1. vážit si, ctít 2. dbát, mít ohled 3. týkat se; **—ability** [ris₁pektə'biliti] *s* ctihodnost, vážnost; **—able** [ris'pektəbl] *a* úctyhodný, vážený, řádný; **—ful** [ris'pektful] *a* uctivý; **—ing** [ris'pektiŋ] *a* týkající se, pokud se týče; **—ive** [ris'pektiv] *a* 1. vztahující se, příslušející, náležitý 2. vlastní, dotyčný 3. poměrný 4. každého zvlášť se týkající; **—ively** [ris'pektivli] *adv* popřípadě, eventuálně

respir|ation [₁respə'reišən] *s* dýchání, oddychování, (vý)-dech; **—e** [ris'paiə] *vi* 1. dýchat, oddychovat 2. oddechnout si

respite ['respait] *s* lhůta, odročení, odklad, posečkání □ *vt* odložit, odročit

resplend|ence, —ency [ris'plendəns(i)] *s* jas, záře, lesk; skvělost; **—ent** [ris'plendənt] *a* zářivý, jasný, lesklý; skvělý

respond [ris'pond] *vt* 1. odpovídat, reagovat (*to* na) 2. ručit 3. být shodný, analogický; **—ent** [ris'pondənt] *s* 1. obhájce 2. obžalovaný

respons|e [ris'pons] *s* 1. odezva, odpověď (*to* na) 2. reakce 3. citlivost přístroje; **—ibility** [ris₁ponsə'biliti] *s* 1. odpovědnost, ručení 2. schopnost placení; **—ible** [ris'ponsəbl] *a* 1. (z)odpovědný (*for* za) 2. solventní; **—ive** [ris'ponsiv] *a* odpovídající (*to* na), reagující, citlivý

rest [rest] *s* 1. odpočinek, klid, pokoj 2. spánek 3. zastávka, přestávka, oddech, pohov 4. smrt 5. zbytek, ostatek 6. opěra, podpěra, podstavec 7. úkryt, skrýš 8. podložka ♦ *~ home* zotavovna; *to go, retire, to ~* jít spat; *to take a ~* odpočinout si; *to set at ~* uspokojit; *to lay to ~* pohřbít; *for the ~* ostatně □ *vi & t* 1. odpočívat, hovět si, ležet, spát 2. opírat se, spočívat (*on, upon* na); nechat spočinout 3. spoléhat 4. upokojit se 5. zbývat 6. opřít, podepřít 7. položit (*on* na) 8. upokojit, utišit ♦ *to ~ on one's oars* fig. hovět si po těžké práci; *it -s with you* záleží to na vás; *~ assurred* buďte ujištěn

restaur|ant ['restəro:ŋ] *s* restaurace, hostinec, jídelna; **—ation** [₁resto:'reišən] *s* obnovení, opětné zřízení

restful ['restful] *a* klidný, pokojný, odpočívající

restiff ['restif] viz *restive*

restitution [₁resti'tju:šən] *s* obnovení; vrácení; náhrada, odškodnění

restive [ˈrestiv] *a* svéhlavý, tvrdošíjný, jankovitý kůň; neústupný

restless [ˈrestlis] *a* nepokojný, neklidný

restorat|ion [ˌrestəˈreišən] *s* 1. obnovení, znovuzřízení, restaurování 2. uzdravení, zotavení; —**ive** [risˈtorətiv] *a* sílící, posilňující □ *s* sílící prostředek, posilnění

restore [risˈto:] *vt* 1. uvést do původního stavu, znovuzřídit, obnovit (*capitalism* kapitalismus), restaurovat 2. (na)vrátit 3. uzdravit *(~ to health)*

restrain [risˈtrein] *vt* 1. zdržovat (*from* od) 2. krotit, držet na uzdě 3. překážet (*from* v) 4. potlačit 5. zavřít, uvěznit; —**edly** [risˈtreinidli] *adv* střízlivě, bez nadsázky

restraint [risˈtreint] *s* 1. zadržení, brzdění, bránění 2. kontrola 3. nátlak 4. nucený pobyt v ústavu 5. sebeovládání, umírněnost, zdrželivost 6. střízlivost ♦ *without ~* volně, bez nátlaku; *under ~* pod dozorem

restrict [risˈtrikt] *vt* omezit nač *(to, within)*; —**ion** [risˈtrikšən] *s* omezení, překážka; —**ive** [risˈtriktiv] *a* 1. omezující 2. med. stahovací

result [riˈzalt] *vi* 1. vyplývat (*from* z) 2. končit (*in victory* vítězstvím) □ *s* výsledek, závěr; —**ant** [riˈzaltənt] *a* výsledný □ *s* výslednice sil

resume [riˈzju:m] *vt* 1. znovu

začít, znovu se chopit, znovu nabýt 2. pokračovat 3. strhnout, rezumovat

résumé [ˈrezju:mei] *s* výtah, obsah

resumption [riˈzampšən] *s* 1. zpětné nabytí, převzetí 2. obnova 3. krátký přehled, rekapitulace 4. znovuzahájení

re-surface [ˈri:ˈsə:fis] *vt* znovu se vynořit na povrch o *ponorce*

resurg|e [riˈsə:dž] *vi* vstát z mrtvých; —**ent** [riˈsə:džənt] *a* znovupovstávající

resurrection [ˌrezəˈrekšən] *s* zmrtvýchvstání, vzkříšení

resuscitat|e [riˈsasiteit] *vt* oživit, vzkřísit; —**ion** [riˌsasiˈteišən] *s* vzkříšení, oživit

ret [ret], **rate, rait** [reit] *vt & i* močit len

retail *vt* [ri:ˈteil] 1. prodávat v malém 2. vyprávět podrobně, do detailu □ *s* [ˈri:teil] obchod v malém ♦ *by ~* v malém; *to buy ~* kupovat v malém; *~ dealer* maloobchodník; —**er** [ri:ˈteilə] *s* 1. maloobchodník 2. vyprávěč.

retain [riˈtein] *vt* 1. (po)držet, zadržet 2. podržet v paměti 3. mít ve službě, zajistit si služby; —**ing dam** hráz údolní přehrady; —**er** [riˈteinə] *s* 1. držitel 2. nevolník, stoupenec, chráněnec 3. závdavek 4. zachycovač

retaliat|e [riˈtælieit] *vt* 1. odplatit stejným, sáhnout k represáliím 2. svést opovržení *(upon* na) 3. uložit odvetné clo na dovážené zboží; —**ion** [riˌtæliˈeišən] *s* odplata, odveta; ;—ory [ri'tæliətəri] *a* odvetný

retard [ri'ta:d] *vt & i* 1. zdržet, zpomalit 2. odložit, odročit 3. zdržet (se); —ation [ˌri:ta:-'deišən] *s* 1. opoždění, zpomalení, průtah 2. překážka

retch [ri:č] *vi* říhat, krkat; dávit se; být na zvracení

retell ['ri:'tel] *vt* znovu vyprávět

retent|ion [ri'tenšən] *s* 1. zadržení 2. vězení, vazba 3. med. zácpa, chorobné zadržování moče 4. paměť; —ive [ri'tentiv] *a* zadržující, zadržovací ♦ ~ *memory* dobrá n. věrná paměť

retest [ri'test] *s* opakovací zkouška

retic|ence ['retisəns] *s* 1. mlčení, mlčenlivost 2. nesdílnost, zdrženlivost, zamlklost 3. šetrnost; —ent ['retisənt] *a* mlčenlivý, nesdílný

retic|le ['retikl] *s* síťka, mřížka; —ular [ri'tikjulə] *a* síťovitý, mřížkovitý; —ulate [ri'tikjuleit] *vt* mřížkovat, síťkovat; —ule ['retikju:l] *s* 1. dámská taštička 2. nitkový kříž

retin|a ['retinə] *s* pl. -*as* [əz], -*ae* [-i:] sítnice

retinue ['retinju:] *s* průvod, družina

retir|e [ri'taiə] *vi* 1. odejít, odebrat se 2. ustoupit, odvolat vojsko 3. odejít do výslužby 4. jít spat □ *vt* 5. odstranit z úřadu, dát na odpočinek □ *s* 1. ústup, odchod 2. odloučenost 3. signál k ústupu; —ed [ri'taiəd] *a* 1. žijící v soukromí, v ústraní, ve výslužbě 2. skrytý, tajný ♦ ~ *pay*

penze, důchod; —ing [ri'taiəriŋ] *a* skromný ♦ ~ *pay* penze; —ement *s* 1. odloučení, odloučenost 2. soukromí 3. odchod do výslužby, výslužba 4. zátiší ♦ ~ *pension* penze, výslužné, důchod

retort [ri'to:t] *vt* 1. oplatit stejným 2. odseknout, ostře odvětit, vrátit urážku 3. ohnout nazpět 4. žíhat v křivuli □ *s* 1. odveta 2. odpověď, odseknutí 3. křivule; —ion [ri'to:šən] *s* 1. přehnutí 2. odveta 3. odseknutí

retouch ['ri:'tač] *vt* opravit, retušovat

retrace [ri'treis] *vt* 1. stopovat, sledovat 2. opět přehlédnout 3. vrátit se stejnou cestou

retract [ri'trækt] *vt* vzít nazpět, vtáhnout; stáhnout, odvolat; —able [ri'træktəbl] *a* 1. vtažitelný 2. odvolatelný; —ion [ri'trækšən] *s* odtažení, odvolání

retread* ['ri:'tred] *vt* vulkanizovat starou pneumatiku

retreat [ri'tri:t] *s* 1. ústup, couvání, útěk 2. útočiště, útulek 3. zátiší, soukromí 4. voj. čepobití □ *vi* 1. couvat, ustupovat 2. vrátit se, odejít

retrench [ri'trenč] *vt* 1. ubrat, omezit, zredukovat 2. opatřit zákopem n. záseky 3. zkrátit, odstranit (*literary work* literární dílo) 4. seškrtat výdaje

retribut|e [ri'tribju:t] *vt* 1. zř. oplatit, nahradit 2. potrestat; —ion [ˌretri'bju:šən] *s* 1. odplata, pomsta 2. pokuta 3. trest; —ive [ri'tribjutiv] *a* 1. odvetný 2. trestný

retriev|al [ri'tri:vəl] *s* 1. znovu-
nabytí, nalezení, rehabilitace
2. záchrana 3. správka; **—e**
[ri'tri:v] *vt* 1. znovu nabýt,
opět dostat 2. obnovit, oži-
vit 3. nahradit, vrátit 4.
zachránit (*from* z, od) 5.
spravit, napravit (*error* chy-
bu), rehabilitovat 6. aporto-
vat o psu □ *s* 1. nalezení 2.
náhrada 3. zlepšení, uzdravení
retro- ['retrou-] prefix značící
„zpět", „za"
retroact [ˌretrou'ækt] *vi* působit
zpětně, mít zpětný účinek;
—ion [ˌretrou'ækšən] *s* zpět-
né působení
retrocede [ˌretrou'si:d] *vi* ustu-
povat, couvat
retrocession [ˌretrou'sešən] *s*
ustupování, couvání
retrograde ['retrougreid] *a* zpět-
ný, příčící se (*to* čemu) □ *vi*
kráčet zpět, ustupovat, cou-
vat; odchylovat se; upadat
retrogression [ˌretrou'grešən] *s*
zpětný pohyb
retrospect ['retrouspekt] *s* po-
hled zpět, minulost, vzpo-
mínka; **—ion** [ˌretrou'spek-
šən]*s* pohled zpět, vzpomínka,
přehled; **—ive** [ˌretrou'spek-
tiv] *a* retrospektivní, libující
si v minulosti
retry ['ri:'trai] *vt* obnovit pro-
ces
return [ri'tə:n] *vi & t* 1. vrátit
(se) 2. obrátit (se) 3. odpově-
dět, odvětit 4. podat zprávu
5. přinést, dopravit, doručit
6. oznámit 7. volit 8. oplatit,
nahradit ♦ *to ~ thanks* po-
modlit se před jídlem; *to
~ a visit* oplatit návštěvu;

to ~ s word to scabbard za-
strčit meč do pochvy; *to ~
like for like* oplatit stejné
stejným; *to ~ one's love*
opětovat něčí lásku □ *s* 1.
návrat, vrácení 2. obrat peněz
3. oplacení, oplátka 4. odveta
5. odpověd 6. oznámení,
zpráva úřední 7. zpáteční
lístek (*~ ticket*) 8. seznam
nemocných 9. výnos, zisk,
důchod 10. závist ♦ *in ~*
navzájem; *in ~ for* v oplátku
za; *to answer by ~* odpovědět
obratem pošty; *~ match* od-
vetný zápas; *~ spring* vratná
pružina
reunion ['ri:'ju:njən] *s* 1. opětné
sjednocení 2. rodinná schůze
reunite ['ri:ju:'nait] *vt & i* 1.
opět (se) spojit, sjednotit 2.
smířit
Rev. = *Reverend* ['revərənd] dů-
stojný, duchovní
reveal [ri'vi:l] *vt* odhalit, zjevit,
(pro)zradit; *~ itself* ukázat se,
vyjít najevo
reveille [ri'væli] *s* voj. budíček
revel ['revl] *vt* (-ll-) hýřit, ho-
dovat, veselit se □ *s* hýření,
hodování, hody, hostina;
—ler ['revlə] *s* hýřil, prosto-
pášník; **—ry** ['revlri] *s* hý-
ření, veselost
revelation [ˌrevi'leišən] *s* 1.
zjevení 2. novina
revenge [ri'vendž] *vt & i* 1.
mstít (se) 2. trestat, poku-
tovat (*for* za) 3. zvr. pomstít
se (*upon* na) 4. oplatit (*on,
upon* komu) □ *s* 1. (po)msta
2. oplátka, odveta, revanš
3. trest, pokuta ♦ *to take* n.
have ~ on, upon pomstít se

na; —ful [ri¦vendžful] a msti-
vý, pomstychtivý

revenue [¦revinju:] *s* 1. důchod,
příjem státní 2. důchodkový
úřad ♦ *public* -*s* státní dů-
chody; *board of* -*s* finanční
komora

reverberat|e [ri¦və:bəreit] *vt & i*
odrážet (se), ozývat se, znít
ozvěnou; —**ion** [ri¦və:bə¦rei-
šən] *s* ozvěna, odraz

rever|e [ri¦viə] *vt* (u)ctít, vážit
si, mít v úctě; —**ence** [¦revə-
rəns] *s* 1. úcta, vážnost
(*of, for, to* k) 2. arch. pocta
3. arch. poklona ♦ *to hold in* ∼
mít v úctě; *saving your* ∼ arch.
s odpuštěním; *to do* ∼ vzdát
poctu □ *vt* vážit. si; —**end**
[¦revərənd] *a* ctihodný, ve-
lebný, důstojný □ *s* kněžský ti-
tul před jménem duchovního (zkr.
the Rev.); —**ent** [¦revərənt] *a*
ctihodný, uctivý

reverie [¦revəri] *s* blouznění,
přelud, vidina

revers|al [ri¦və:səl] *s* 1. zvrat,
obrat 2. zrušení rozsudku; —**e**
[ri¦və:s] *a* obrácený, opačný;
zpětný, zpáteční; vratný □
vt 1. obrátit naruby, pře-
klopit 2. změnit, vyměnit 3.
dát opačný směr 4. couvat 5.
odvolat, zrušit ♦ *to* ∼ *the
course of events* zvrátit běh
událostí □ *s* 1. rub, opak 2.
protiva 3. změna, obrat, stří-
dání 4. neúspěch, porážka 5.
zpáteční rychlost ♦ *the* ∼
side zadní strana; *to suffer a*
∼ být poražen v bitvě, utrpět
porážku; *to have* -*s* utrpět
finanční ztrátu; —**ible** [ri-
¦və:səbl] *a* 1. zrušitelný, od-

volatelný 2. sklopný 3. vrat-
ný, reverzní 4. oboustranný;
dvojitý, double látka; obra-
titelný; —**ion** [ri¦və:šən] *s* 1.
návrat, zvrat 2. biol. atavis-
mus 3. nápadnictví

revert [ri¦və:t] *vt & i* 1. obrátit
2. změnit 3. odvrátit oči 4.
vrátit se (*to* k), přijít znovu na
mysl 5. připadnout 6. znovu
upadnout v předešlý stav

revet [ri¦vet] *vt* (-tt-) obezdít,
opažit; —**ment** *s* obezdění,
obezdívka, vyztužení

review [ri¦vju:] *vi* 1. opět pro-
hlédnout, posoudit, napsat
posudek o knize ap. 2. konat
přehlídku □ *s* 1. prohlídka,
revize 2. posudek, recenze,
kritika knihy ap., referát o kni-
ze 3. revue 4. voj. přehlídka;
—**er** [ri¦vjuə] *s* posuzovatel,
recenzent, kritik

revile [ri¦vail] *vt* hanobit, spí-
lat, tupit

revis|al [ri¦vaizl] *s* prohlídka,
revize; —**e** [ri¦vaiz] *vt* znovu
prohlédnout, opravit, revi-
dovat □ *s* druhá korektura;
—**ion** [ri¦vižən] *s* 1. prohlídka,
revize 2. revidované vydání
3. kontrola, přezkoušení 4.
odvolací řízení

reviv|al [ri¦vaivəl] *s* oživení,
obrození; —**e** [ri¦vaiv] *vi & t*
1. oživnout, obživit, osvěž t
2. obnovit; —**ify** [ri¦vivifai]
vt oživit, vzkřísit

revoc|able [¦revəkəbl] *a* odvola-
telný; —**ation** [¦revə¦keišən]
s odvolání, zrušení

revoke [ri¦vouk] *vt* 1. odvolat 2.
zrušit 3. zadržet, zastavit
4. zř. povolat nazpět □ *vi*

nepřiznat, nectít barvu v kartách

revolt [ri'voult] *vi* **1.** vzbouřit se (*against* proti) **2.** odpadnout (*from* od) **3.** pociťovat odpor □ *s* **1.** odpadnutí **2.** odboj, vzpoura, vzbouření, povstání ♦ *to rise in ~* vzbouřit se

revolution [ˌrevə'lu:šən] *s* **1.** převrat, revoluce (*Great October Socialist R~* Velká říjnová socialistická revoluce) **2.** oběh otáčení se, kroužení, obrátka; **—ary** [ˌrevə'lu:šnəri] *a* odbojný, revoluční □ *s* revolucionář; **—ize** [ˌrevə'lu:šnaiz] *vt* způsobit převrat v, revolucionovat

revolv|e [ri'volv] *vt & i* **1.** otáčet (se), obíhat, točit se **2.** přemítat, uvažovat (*problems* o problémech) **3.** vrátit se **4.** připadnout; **—er** [ri'volvə] *s* revolver; **—ing** [ri'volviŋ] *a* otáčivý

revue [ri'vju:] *s* revue, satirická hra

revulsion [ri'valšən] *s* **1.** med. rozehnání, odvedení bolesti **2.** náhlý odklon, prudká změna citová

reward [ri'wo:d] *vt* odměnit (se) □ *s* odměna, odplata

rewind* [ri'waind] *vt & i* převinovat

reword [ri:'wə:d] *vt* přestylizovat

rewrite* [ri:'rait] *vt* přepsat, znovu opsat, revidovat

R.G.S. = *Royal Geographical Society*

Rgt. = *regiment*

R.H. = *Royal Highness*

rhapsody [ræpsədi] *s* rapsódie

rheostat [ri:ostæt] *s* reostat

rhetoric [retərik] *s* **1.** řečnictví **2.** nabubřelá řeč; **—ical** [ri'torikəl] *a* řečnický; **—ician** [ˌretə'rišən] *s* řečník

rheum [ru:m] *s* arch. katar; rýma; **—atic** [ru:'mætik] *a* revmatický; **—atism** [ru:mətizəm] *s* revmatismus

Rhine, the [rain] *s* Rýn

rhinoceros [rai'nosərəs] *s* nosorožec

rhizome [raizoum] *s* bot. oddenek

Rhodesia [rou'di:zjə] *s* Rhodesie

rhododendron [ˌroudə'dendrən] *s* růže alpská

rhomb [rom] *s* kosočtverec; **—oid** [romboid] *s* kosodélník

rhubarb [ru:ba:b] *s* reveň, rebarbora

rhym|e, rime [raim] *s* rým, verš □ *vi & t* rýmovat (se), veršovat; **—er, —ester** [raimə, raimstə] *s* veršotepec

rhythm [riðəm] *s* rytmus, rozměr; **—ical** [riðmikəl] *a* rytmický

R.I. = *Rhode Island*

rib [rib] *s* žebro ♦ *to poke one in the -s* šťouchnout koho do žeber □ *vt* (-bb-) opatřit žebry, žebrovat; **—bing** [ribiŋ] *s* žebroví

ribald [ribəld] *s* prostopášník, chlípník, hanebník □ *a* **1.** sprostý, darebný, hanebný **2.** nešetrný, neuctivý **3.** jízlivý, uštěpačný **4.** necudný; **—ry** [ribəldri] *s* oplzlost, sprostáctví

riband [ribənd] viz *ribbon*

ribbon [ribən] *s* **1.** stuha, stužka, páska do psacího stroje *(typewriter* ~ *)* **2.** pentle **3.** prým, lem **4.** lišta **5.** pl. lid. otěže, opratě **6.** hadr ♦ *breath* ~ popruh

rice [rais] *s* rýže

rich [rič] *a* **1.** bohatý zámožný **2.** oplývající *(in* čím*)*, úrodný, plodný **3.** plný, tučný o jídle; sytý o barvě **4.** skvostný, drahý **5.** podařený vtip **6.** *the* ~ boháči; *rural* ~ vesnický boháč; *village* ~ kulak; **—es** [ˈričiz] *s pl.* bohatství; **—ness** [ˈričnis] *s* **1.** bohatost **2.** plnost, velikost **3.** úrodnost, plodnost **4.** drahocennost, skvostnost

rick [rik] *s* kupa, mandel, stoh

rick|ets [ˈrikits] *s pl.* med. křivice; **—ety** [rikiti] *a* **1.** křivicí stižený, křivičný, rachitický **2.** vratký, roztřesený; kodrcavý

ricochet [ˈrikəšet] *vi & t* odskočit, odrazit se o kulce □ *s* odražená rána, odskočení, odraz

rid* [rid] *vt* **1.** zbavit, vyprostit z, osvobodit *(of* od*)* **2.** zř. odstranit, odehnat **3.** arch. vyčistit, vyplet ♦ *to get* ~ *of* zbavit se čeho; **—dance** [ˈridəns] *s* **1.** zbavení, zproštění **2.** vybavení, osvobození; **—den** [ˈridn] *pp* viz *ride* ♦ ~ *by fears* posedlý strachem

riddle¹ [ˈridl] *s* hádanka □ *vi & t* **1.** mluvit v hádankách **2.** luštit **3.** uhádnout

riddle² [ˈridl] *s* síto, řešeto □ *vt* **1.** prosívat **2.** fig. zkoušet **3.** prostřílet jako řešeto

ride¹* [raid] *vi* **1.** jet, jezdit *(on horseback* na koni, koň-

mo; *on bicycle* na kole; *the ship -s on the waves* loď pluje na vlnách), vézt se na *(on)*, vznášet se **2.** *the country -s well* krajinou se dobře jede □ *vt* **3.** jet, projíždět *(~ the country* zemí; *to* ~ *a ford* přebrodit na koni řeku; *to* ~ *a horse, a bicycle* jet na koni, na kole) **4.** *to* ~ *a race* zúčastnit se dostihů **5.** hov. tísnit, doléhat na, tyranizovat koho **6.** hov. *he -s a child on his back* hraje si s děckem na koníčky ♦ *to* ~ *for a fall* jet n. jednat lehkomyslně; *to* ~ *the high horse* nadýmat se, mluvit zvysoka, naparovat se; *to* ~ *to death* uhnat *(a horse* koně*)*; *to* ~ *a free horse to death* nadužívat něčí dobroty; *to* ~ *the whirlwind* krotit rozvratné síly; *to* ~ *one's horse at the fence (at the enemy)* rozejet se s koněm proti zdi (na nepřítele); ~ **about** objet, objíždět; ~ **away** odejet, odjíždět; ~ **down** sjet, sjíždět *(a hill* s pahorku*)*, dohnat, předejet; uhnat *(a horse* koně*)*; zatlačit, rozehnat *(a mob* dav*)*; ~ **out** přestát *(a storm* bouři*)*; provést *(a plan* plán*)*, prorazit s čím; ujet, urazit: ~ **up** vybočit, vyjet z obvyklých kolejí

rid|e² [raid] *s* **1.** jízda, projížďka *(to go for a* ~ vyjet si*)* **2.** cesta zvl. lesem; **—er** [ˈraidə] *s* **1.** jezdec **2.** podkoní, sluha **3.** doplněk, dodatek k předloze zákona n. k jiné právní listině **4.** list vložený do rukopisu, vložka **5.** pl.

trámy, pláty k zesílení mezi-
palubí 6. test 7. přirozený dů-
sledek 8. geometrická úloha
ridg|e [ridž] *s* 1. hřbet, hřeben
páteř (~ *of a roof* hřeben
střechy, ~ *of the nose* hřbet
nosu) 2. vrchol, hřeben hory,
pásmo hor, předěl 3. hrůbek
brázdy □ *vt* 1. brázdit 2.
hrbit, svraštit; ~ **up** vyorat
brázdy; ~ **-tile** [¹ridžtail] *s*
prejz; ~ **-tree** [¹ridžtri:] *s* slé-
mě, hřeben; —**y** [¹ridži] *a*
hřebenovitý, brázditý
ridicul|e [¹ridikju:l] *s* 1. po-
směch, úsměšek 2. arch. směš-
nost, směšná věc ♦ *to put a ~
upon, to turn into ~* v posměch
uvést; *to fall into ~* zesměšnit
□ *vt* zesměšnit, posmívat se;
—**ous** [ri¹dikjuləs] *a* směšný
Riding[1] [¹raidiŋ] *s* jeden ze tří
správních krajů yorského hrabství
(*East, West, North ~*)
riding[2] [¹raidiŋ] *a* jízdní, jez-
decký □ *s* 1. jízda (*to take a ~*
projet se) 2. cesta pro jezdce
zvl. lesem 3. hist. klání, turnaj
4. hist. slavnostní průvod;
~ **-breeches** [¹raidiŋ¹bričiz] *s*
jezdecké kalhoty; |~ -|**mas-
ter**; |~ -|**mistress** *s* učitel(ka)
jízdy na koni ♦ *Little Red
Riding Hood* Červená kar-
kulka
rife [raif] *a* 1. častý, bohatý
(*with* na) 2. obecný, vše-
obecný; —**ness** [¹raifnis] *s*
1. obecnost 2. množství
riff-raff [¹rifræf] *s* lůza, chátra
rifl|e [¹raifl] *vt* 1. obrat, olou-
pit 2. žlábkovat hlaveň ručnice
□ *s* 1. ručnice 2. pl. střelci,
pěchota 3. střílet ručnicí; ~

-barrel [¹raifl₁bærəl] *s* hlaveň
ručnice; —**ing** [¹raifliŋ] *s* rý-
hování, závit |—**eman** *s* stře-
lec, ostrostřelec; |~ **-shot** *s*
dostřel ručnice
rift [rift] *s* trhlina, puklina,
rozsedlina □ *vt* roztrhnout □
vi puknout, prasknout
rig [rig] *vt & i* (-gg-) 1. vystrojit
loď, opatřit loď lanovím 2.
~ *out, up* vystrojit 3. spěšně
postavit; ~ *about* skotačit
□ *s* 1. žert, vtip, finta 2.
hřbet, hřeben; hrůbek 3.
výstroj lodi 4. hov. ústroj 5.
nevěstka 6. dial. bouře ♦ *to
run ~ upon* dial. ztropit si
smích z; —**ger** [¹rigə] *s* 1. me-
chanik letecký 2. ráhnař;
—**ging** [¹rigiŋ] *s* 1. lanoví
a plachtoví lodi 2. nosné la-
noví vzducholodi 3. seřízení
draka n. letounu 4. výstroj
right [rait] *a* 1. pravý, rovný,
přímý (*to go ~ on* jít přímo;
a ~ angle pravý úhel) 2.
správný (~ *use of words*
správné užití slov) 3. dobrý,
zdravý (*are you ~ now?*) je
vám nyní dobře?); *to set* n.
put ~ spořádat, napravit;
~ *reason* zdravý rozum 4.
poctivý 5. ryzí 6. pohodlný
♦ ~ *against* rovnou proti; *to
be ~* mít pravdu; *to get ~*
uspořádat, napravit, osvědčit
se; *he is all ~* 1. daří se mu
dobře 2. má pravdu; ~ *side
(of cloth)* líc látky; ~ *side up*
nalíc □ *s* 1. právo (*to work* na
práci), oprávnění, spraved-
livý nárok 2. pravda 3. pra-
vice, pravá ruka, pravá stra-
na 4. *the -s* politická pravice,

pravičáci ♦ *in the* ~ v právu;
to have a ~ *to* mít právo na;
by ~ právem; *to stand on
one's* ·*s* stát na svém právu;
to do anyone ~ učinit komu po
právu; *to the* ~ vpravo; *by* ~
of merit zasloužené □ *adv* 1.
správně, řádně, spravedlivě
2. přímo, rovnou 3. vpravo
4. velmi 5. právě ♦ ~ *in the
middle* právě uprostřed; *I was*
~ *glad to hear* velmi rád jsem
slyšel; ~ *you are* správně;
it serves him ~ to mu patří;
eyes ~! vpravo hleď! povel;
~ *turn!* vpravo bok!; ~ *away*
ihned □ *vt & i* 1. vzpřímit
(se), narovnat se *(oneself)*, po-
stavit (se) 2. dopomoci k prá-
vu 3. zvr. domoci se práva ♦
to ~ *one's honour* obhájit
svou čest, napravit svou po-
věst; |~ -**down** *a* důkladný:
—**en** [ˈraitn] *vt* 1. učinit po
právu 2. zř. napravit; —**eous**
[ˈraičəs] *a* spravedlivý, čest-
ný;poctivý;upřímný; —**eous-
ness** [ˈraičəsnis] *s* spravedl-
nost, poctivost; —**ful** [ˈrait-
ful] *a* spravedlivý, oprávně-
ný; zákonitý, právoplatný;
| —**hand** *s* pravá ruka, pravi-
ce; |~ -|**handed** *a* 1. pravo-
točivý 2. jsoucí na pravé
straně; —**ist** [ˈraitist] *s* stou-
penec 'n. člen politické pra-
vice, pravičák; ~ **line** přímka;
—**ly** [ˈraitli] *adv* správně,
spravedlivě,patřičně;~-**mind-
ed** [ˈrait|maindid] *a* čestný;
—**ness** [ˈraitnis] *s* 1. přímost
2. spravedlnost 3. správnost;
~ -**wing** [ˈraitwiŋ] *a* pravi-
cový

rigid [ˈridžid] *a* 1. tuhý, neo-
hebný, ztrnulý 2. přísný,
krutý; —**ity** [ri|džiditi] *s* 1.
tuhost, neohebnost, ztrnu-
lost 2. přísnost
rigmarole [ˈrigməroul] *s* blábo-
lení, žvanění
rigor [ˈraigo:] *s* med. 1. třesavka,
zimnice, mrazení 2. ztuhnutí
těla po smrti
rigour [ˈrigə] *s* 1. přísnost, kru-
tost 2. tuhost, drsnost po-
časí
rigorous [ˈrigərəs] *a* 1. přísný
2. ostrý, krutý; —**ness** [ˈri-
gərəsnis] *s* 1. přísnost 2.
drsnost, krutost
rill [ril] *s* potůček, pramének
rim [rim] *s* 1. okraj, obruba,
lem 2. loukoť 3. rámec
4. obruč 5. výčnělek 6. vodní
hladina
rime [raim] *s* jíní, jinovatka □
vi ojínit
rimer [ˈraimə] viz *reamer*
rind [raind] *s* 1. kůra, lýko,
kůže (slaniny) 2. slupka,
skořápka □ *vt* oloupat
ring¹ [riŋ] *s* I. prsten, prstenec,
kruh, kroužek 2. zápasiště,
ring 3. okraj, obruba 4. klika
lidí 5. léta stromů ♦ *seal* ~
pečetní prsten; *wedding-*~
snubní prsten □ *vt* 1. opatřit
kruhem 2. obklíčit 3. navlék-
nout prsten; ~ -**bone** [ˈriŋ-
boun] *s* obručí koní; ~ -**dove**
[ˈriŋdav] *s* hřivnáč; ~ -**finger**
[ˈriŋfiŋgə] *s* prsteník;~-**flower**
[ˈriŋflauə] *s* měsíček; ~-**leader**
[ˈriŋli:də] *s* náčelník, vůdce
vzbouřenců; —**let** [ˈriŋglit] *s*
1. prstýnek 2. kadeř; ~ **mains**
el. okružní vedení; ~ -**pigeon**

[ˈriŋˌpidžin] *s* hřivnáč;
~ -thimble [ˈriŋˌθimbl] *s* krej-
čovský náprstek; ~ -worm
[ˈriŋwəːm] *s* lišej kroužkový
ring²* [riŋ] *vi & t* 1. zvonit,
znít, zvučet 2. vyzvánět,
hlaholit čím *(with)* ♦ *to* ~
the bell zazvonit u dveří; *to* ~
false znít falešně; *to* ~ *in
one's ears* znít v uších; ~ off
odzvonit telefonem; ~ out
odzvonit; ~ up zazvonit,
vzbudit zvoněním, zatelefo-
novat; —er [ˈriŋə] *s* 1. zvoník
2. zvonítko 3. liška běhající
v kruhu 4. sport. kroužek,
který dopadl na kolík
rink [riŋk] *s* kluziště □ *vi* klou-
zat se, bruslit
rins|e [rins] *vt* vypláchnout
(out), vyprat, vymáchat *(out,
away)*; —ing [ˈrinsiŋ] *s* 1.
vyplachování 2. pl. pomyje
riot [ˈraiət] *s* 1. hluk, povyk,
výtržnost 2. povstání, po-
zdvižení, vzbouření 3. hýření,
prostopášnost ♦ *to run* ~
popustit uzdu řeči n. chování,
spustit se □ *vi* 1. hýřit 2.
tropit hluk, výtržnost; —er
[ˈraiətə] *s* 1. hýřil, prosto-
pášník 2. buřič; —ous [ˈraiət-
əs] *a* 1. prostopášný, hýřivý
2. odbojný, buřičský
R.I.P. = *Requiescat in pace* =
may he (n. *she*) *rest in peace*
ať odpočívá v pokoji
rip¹ [rip] *vt & i* (-pp-) 1. párat
(se), trhat (se) 2. uhánět;
~ off odtrhnout (se); odpárat;
~ open, up rozpárat, roz-
trhnout (se); rozjitřit *(wound
ránu, sorrow zármutek)*;
~ out vytrhnout (se), vy-

párat □ *s* 1. roztržení, trhlina
2. rozparek 3. struhadlo 4.
jizva; ~ -cord [ˈripkoːd] *s*
odjišťovací lanko padáku
rip² [rip] *s* 1. herka, mrcha · 2.
ničema, rozmařilec
rip|e [raip] *a* zralý, dospělý
(for pro) □ *vt & i* 1. zrát,
dospívat 2. činit zralým; —en
[ˈraipən] *vt & i* 1. zrát, do-
spívat 2. činit zralým
ripp|er [ˈripə] *s* 1. páral, párač
2. sl. chlapík, kabrňák; —ing
[ˈripiŋ] *s* párání, trhání □ *a*
lid. velmi pěkný, znamenitý,
báječný
ripple¹ [ˈripl] *s* 1. vlnka, vlnění,
čeření; bublání 2. zvlnění
vlasů □ *vi* 1. vlnit se, čeřit
se 2. bublat, šumět 3. dělat
vlnky
ripple² [ˈripl] *s* vochlice □ *vt*
vochlovat
ris|e* [raiz] *vi* 1. povstat, vstát;
vzpřímit se, zdvihnout se 2.
vystupovat, zdvihat se *(above
nad)*, vycházet 3. povstávat,
vznikat, počínat; vyvěrat
(from, in z, v) 4. vzrůstat
5. vzbouřit se 6. rozmnožit se
7. kynout 8. vytáhnout 9.
odročit sněm 10. povznést se
11. domoci se vyššího posta-
vení ♦ *to* ~ *again*, ~ *from
the dead* vstát z mrtvých;
to ~ *from table* vstát od
stolu, od jídla; *to* ~ *up early*
vstát časně; *to* ~ *in arms*
povstat ve zbrani; *to* ~
against oppression vzbouřit se
proti útlaku; *stomach -s* žalu-
dek se zvedá; *tree -s 20 ft*
strom dosahuje výšky 20 stop;
barometer (river) -s tlakoměr

(řeka) stoupá; *spirits* ~ nálada stoupá; *prices* ~ ceny stoupají; *to* ~ *to order* přikročit k dennímu pořádku; *river -s from a spring* řeka vzniká z pramene; *the wind is rising* vítr se zvedá □ *s* 1. povstání, zdvižení se 2. stoupání 3. výšina, svah 4. vznik, původ, počátek 5. zdražení, zvýšení, vzestup 6. vzkříšení 7. povýšení, vzrůst, pokrok 8. východ slunce ♦ *prices are on the* ~ ceny stoupají; ~ *in the prices* vzestup cen; ~ *in the standard* vzestup úrovně; *to give* ~ *to* způsobit; *to speculate on a* ~ spekulovat na vzestup; —er [ˈraizə]*s* stoupačka trubka, stoupací vedení

risen [ˈrizn] *pp* viz *rise*

risible [ˈrizibl] *a* směšný

rising [ˈraiziŋ] *a* povstávající, vystupující, vznikající □ *s* 1. vstávání 2. povstání, odboj (*Slovak National Rising* Slovenské národní povstání) 3. původ, počátek 4. kvašení, kvasnice 5. nežit, puchýř ♦ ~ *again* vzkříšení

risk [risk] *s* nebezpečí, riziko; sázka, možnost ztráty; odvážnost ♦ *to run the* ~ odvážit se, riskovat, vydat se v nebezpečí, podniknout něco na vlastní nebezpečí □ *v:* odvážit se, riskovat, dávat v sázku; —y [ˈriski] *a* odvážný, riskantní

rite [rait] *s* obřad ♦ *conjugal, nuptial, -s* manželský styk

ritual [ˈritjuəl] *a* obřadní, slavnostní □ *s* 1. obřadní kniha, rituál 2. obřad

rival [ˈraivəl] *s* sok, soupeř □ *vt* (-ll-) soupeřit, závodit; —ry [ˈraivəlri] *s* 1. soupeření 2. závodění

rive [raiv] *vt & i* rozštěpit (se), rozpoltit (se), ukroutit *(away, from, off)* □ *s* štěrbina

rivelled [ˈrivld] *a* arch. scvrklý

river [ˈrivə] *s* řeka, proud ♦ *up the* ~ proti proudu; *down the* ~ po proudu; ~ *crossing* přechod řeky; —**ain**, —**ine** [ˈrivərein, ˈrivərain] *a* říční, poříční; ~ **-horse** [ˈrivəho:s] *s* hroch; —**side** [ˈrivəsaid] *s* břeh řeky

rivet [ˈrivit] *s* nýt(ek), hřeb, skoba □ *vt* 1. nýtovat, upevnit; *-ed joint* nýtovaný spoj 2. upnout pozornost ♦ ~ *on* přinýtovat; ~ *over* roznýtovat; —**ing** [ˈrivitiŋ] *s* nýtování; —**ing-machine** [ˈrivitiŋməˈši:n] *s* nýtovací stroj, nýtovačka

rivulet [ˈrivjulit] *s* říčka

R:M.A. = *Royal Military Academy*

R.M.C. = *Royal Military College*

R.N. = *Royal Navy*

roach [rouč] *s* bělice, plotice

road [roud] *s* 1. silnice, cesta 2. rejda, kotviště ♦ *to be on the* ~ být na cestách; *to take the* ~ vydat se na cestu; ~ *to Socialism* cesta k socialismu; ~ **-fence** [ˈroudfens] *s* zábradlí při silnici; ǀ~ **-hog** *s* příliš rychle jedoucí motorista; ~ **-labourer** [ˈroudˌleibərə] *s* cestář; ǀ—**manship** *s* umění jízdy na frekventovaných silnicích; ~ **-metal**

['roud|metl] *s* štěrk na stavbu silnic; ~ -roller ['roud|rolə] *s* silniční válec; ~ -side ['roud-said] *s* okraj cesty, silnice; —stead ['roudsted] *s* kotviště, rejda; —ster ['roudstə] *s* 1. dvousedadlové otevřené auto 2. loď kotvící v rejdě 3. kůň, jízdní kolo schopné jízdy na silnicích 4. pocestný; —way ['roudwei] *s* veřejná silnice; —work ['roudwə:k] *s* silniční stavba

roam [roum] *vi* potulovat se, chodit; bloudit, těkat *(about)* □ *vt* procestovat, projít □ *s* toulka, potulka

roan [roun] *a* grošovaný □ *s* 1. grošovaný kůň 2. safián; ~ -tree ['rountri:] *s* jeřáb

roar [ro:] *vi* 1. řvát 2. hučet, ječet, burácet □ *s* 1. řvaní, řev 2. hučení, ječení 3. rachot, burácení 4. bouře smíchu; —ing ['ro:riŋ] *a* hlučný, řvoucí, řvavý ♦ ~ *health* znamenité zdraví

roast [roust] *vt & i* 1. péci na ohni, pražit (se), smažit 2. hov. posmívat se □ *a* pečený, smažený, pražený ♦ *to cry* ~ *meat* zast. chlubit se, honosit se □ *s* 1. pečeně 2. pečení ♦ *to rule the* ~ vládnout, být pánem; ~ -beef ['roustbi:f] *s* hovězí pečeně; —er ['roustə] *s* 1. pečicí trouba 2. strojek na pražení kávy; pražírna 3. selátko 4. brambor na pečení; ~ -meat ['roustmi:t] *s* pečeně

rob [rob] *vt* (-bb-) oloupit, okrást *(of* o); —ber ['robə] *s* loupežník, lupič; —bery ['rob-əri] *s* loupež

robe [roub] *s* roucho ♦ *master of the* -*s* komorník; *the gentlemen of the long* ~ právníci, soudcové, soudní úředníci; *the long* ~ talár, kutna

robin ['robin] *s* čermák, červenka; am. drozd stěhovavý

robust [rə'bast] *a* 1. silný, pevný 2. statný, hřmotný, robustní 3. nebojácný

rochet ['ročit] *s* rocheta, roucho

rock¹ [rok] *s* 1. skála, skalisko, útes 2. hornina; am. kámen, balvan 3. tvrdý bonbón; ~ -cork ['rokko:k] *s* osinek; ~ crystal ['kristl] křišťál; ~ -doe ['rokdou] *s* kozorožec samička; —ery ['rokəri] *s* skalka v zahradě; ~ -garden ['rok|ga:dn] *s* skalka zahrádka; ~ oil kamenný olej, nafta; ~ -salt ['rok|so:lt] *s* sůl kamenná; —y ['roki] *a* skalnatý, skalistý

rock² [rok] *s* hist. přeslice, kužel

rock³ [rok] *vt & i* 1. kolébat (se), uspávat 2. viklat (se), houpat (se), potácet se 3. (o)třást *(earthquake* -*s house* zemětřesení otřásá domem) 4. prohýbat se smíchem; —er ['rokə] *s* 1. kdo houpá; houpací kůň 2. vahadlo 3. am. houpací židle 4. voj. vrchní lafeta, vahadélko; —er bearing vahadlové ložisko; ~ -n-roll *s* druh tance

rocket ['rokit] *s* raketa; ~ *bomb* raketová bomba □ *vt* vyletět do výše, prudce stoupat o cenách

rocking ['rokiŋ] *s* kolébání, houpání; ~ -chair ['rokiŋčeə]

s houpací židle; ~ -**horse** [ˈrokiɲhoːs] *s* houpací kůň
Rocky Mountains [ˈrokiˈmauntinz] Skalisté hory
rococo [rəˈkoukou] *s* rokoko
rod [rod] *s* 1. prut, hůl, tyč; ~ *aerial* tyčová anténa; ~ *gauge* [geidž] odpich; ~ *gear* [giə] tyčoví; ~ *iron* tyčová ocel; *connecting* ~ ojnice; *fishing-*~ rybářský prut; ˈriding-~ jezdecká rákoska 2. míra = 4,6 m ♦ *to make a* ~ *for one's own back* fig. uplést si na sebe bič; *to kiss the* ~ přilézt ke křížku, kát se; *to have a* ~ *in pickle for* mít v záloze potrestání; ~ -**horse** [ˈrodhoːs] *s* náruční kůň
rode [roud] *pt* viz *ride*
rodent [ˈroudənt] *s* hlodavec
rodomontade [ˌrodəmonˈteid] *s* vychloubání, žvást □ *vi* chlubit se
roe[1] [rou] *s* srna, laň; ~ -**buck** [ˈroubak] *s* srnec; ~ -**calf** [ˈroukaːf] *s* kolouch, srnče
roe[2] [rou] *s* jikry, potěr; *soft* ~ mlíčí; ~ -**stone** [ˈroustoun] *s* vápenec jikrnatý
rogation [rouˈgeišən] *s* prosba, modlitba, litanie
rogu|**e** [roug] *s* 1. šelma, taškář 2. pobuda, tulák □ *vt & i* toulat se; —**ery** [ˈrougəri] *s* darebáctví, čtveráctví; —**ish** [ˈrougiš] *a* darebácký, čtverácký
roisterer [ˈroistərə] *s* křikloun, tlučhuba, chvastoun
role [roul] *s* úloha herecká, role
roll [roul] *s* 1. svitek, role, válec, balík 2. výpis, seznam,

listina *of heroes* hrdinů) 3. vrkoč (*of hair* vlasů) 4. rohlík 5. kladka; kolečko, kroužek 6. hrouda másla 7. kolébání lodi, kolébavá chůze 8. pl. spisy, archív (*master of the* ~ archivář) 9. hromobití 10. víření bubnů, bubnování 11. paměti, zápisky 12. válení, valení 13. ohrnutí ♦ *to call the* -*s* číst seznam přítomných □ *vt & i* 1. koulet (se), válet, valit se 2. vinout (se), zavinout; koulet se, točit se, kroužit se 3. vířit bubny 4. balit 5. dunět 6. dmout se 7. (u)válet, válcovat 8. stočit si cigaretu ♦ *to* ~ *one's eyes* koulet očima; ~ **along** ubíhat, valit se; ~ **back** srazit ceny energickým zásahem; ~ **up** svinout (se); —**er** [ˈroulə] *s* 1. kladka, váleček, roletová tyč, silniční válec 2. povijan, obvaz 3. valoun 4. vlna; —**er bearing** válečkové ložisko; —**er-skates** [ˈrouləˌskeits] *s pl.* brusle na kolečkách; ~ **film** svitkový film; —**ing** [ˈrouliŋ] *s* kymácení, válení, točení kolem podélné osy; —**ing-board** [ˈrouliŋboːd] *s* vál; —**ing-chair** [ˈrouliŋčeə] *s* židle na kolečkách; ˈ—**ing friction** [ˈfrikšən] valivé tření; —**ing-mill** [ˈrouliŋmil] *s* válcový mlýn; ˈ—**ing-pin** *s* válek na těsto; ˈ—**ing-press** *s* válcový lis; ˈ—**ing resistance** [riˈzistəns] odpor valivého tření; —**ing stock** železniční park
rollicking [ˈrolikiŋ] *a* hlučně veselý, žoviální

roly-poly [ˈrouliˈpouli] *s* závin těstový
Romaic [rouˈmeiik] *s* novořečtina □ *a* novořecký
Roman [ˈroumən] *a* římský □ *s* Říman; ~ **Catholic** *a* & *s* římskokatolický, římský katolík
romance [rəˈmæns] *s* **1.** povídka středověká, romance **2.** *R~* románský jazyk **3.** romance, romantika **4.** smyšlenka □ *R~ a* románský, starofrancouzský □ *vt* nadsazovat, překrucovat fakta
Roman|esque [ˌrouməˈnesk] *a* románský □ *s* románský sloh; —**ic** [rouˈmænik] *a* románský □ *s* románský sloh
roman|ize [ˈroumənaiz] *vt* pořímštit, pokatoličtit; —**tic** [rəˈmæntik] *a* romantický, dobrodružný □ *s* romantik; —**ticism** [rəˈmæntisizəm] *s* romantika
Romany [ˈroməni] *s* cikán, cikánština □ *s* cikánský
Rom|e [roum] *s* Řím; *Church of* ~ Římská církev; —**ish** [ˈroumiš] *a* římský, papežský
romp [romp] *s* **1.** skotačení **2.** rozpustilé děvče, uličnice; divoška □ *vi* dovádět, skotačit, prát se
rood [ruːd] *s* **1.** krucifix, kříž **2.** ¹/₄ akru; ~ **-arch** [ˈruːdaːč] *s* oblouk mezi chrámovou lodí a kněžištěm
roof [ruːf] *s* střecha, krov, kryt □ *vt* pokrýt střechou; —**er** [ˈruːfə] *s* **1.** pokrývač **2.** sl. děkovný dopis odjíždějícího hosta; —**ing** [ˈruːfiŋ] *s* krytina
rook¹ [ruk] *s* **1.** havran polní

2. falešný hráč □ *vt* & *i* klamat, podvádět, falešně hrát
rook² [ruk] *s* věž v šachu
rookie [ˈruki] *s* sl. **1.** chlapík **2.** nováček, rekrut
room [rum] *s* **1.** pokoj, světnice, komnata **2.** místo, prostor **3.** postavení **4.** možnost, příležitost ♦ *to make* ~ *for* udělat místo komu; *in one's* ~, *in the* ~ *of* místo koho; ˈbread-~ spižírna; ˈdining-~ jídelna; ˈdrawing-~ **1.** přijímací pokoj, salón **2.** rýsovna; ˈsitting-~ obývací pokoj; —**age** [ˈrumidž] *s* am. zř. prostor; —**er** [ˈrumə] *s* am. podnájemník; —**y** [ˈrumi] *a* prostorný, rozlehlý, prostranný
roost [ruːst] *s* **1.** hřad **2.** ložnice, postel ♦ *at* ~ na hřadu; v posteli □ *vi* & *t* sedět na hřadě, usednout na hřad; připravit (se) k spánku; —**er** [ˈruːstə] *s* am. kohout
root [ruːt] *s* **1.** kořen **2.** původ, počátek **3.** základ, zdroj **4.** fig. kořen slova **5.** mat. odmocnina; *square* (*cubic* n. *cube*) ~ druhá (třetí) odmocnina **6.** úpatí, pata (*of mountain* hory) ♦ *to take* n. *strike* ~ zakořenit se; *to get at the -s of things* dostat se na kořen věcí □ *vi* & *t* **1.** zakořenit (se), ujmout se **2.** vykořenit, z kořene vyvrátit (*up, out*); —**let** [ˈruːtlit] *s* kořínek
rope [roup] *s* **1.** provaz, lano **2.** *the* ~ oprátka **3.** *the* -*s* provazy ringu **4.** pl. dial. vnitřnosti **5.** ~ *of onions*

pletenec cibule ♦ *to be on the high* ~ hov. vypínat se, nadýmat se □ *vt & i* táhnout se jako nitě, upevnit provazem, zatáhnout provazem *(in, off)*; ~ *in* podvést; ~ -**dancer** [ˈroupˌdaːnsə] *s* provazochodec; ~ -**drum** [ˈroupdram] *s* naviják; ~ -**ladder** [ˈroupˌlædə] *s* provazový žebřík; ~ -**maker** [ˈroupˌmeikə] *s* provazník; ~ **railway,** ˈ—**way** *s* lanovka

rorty, raughty [ˈroːti] *a* sl. radostný, veselý, rozdováděný

rosary [ˈrouzəri] *s* 1. záhon růží, růžová zahrada 2. růženec

rose[1] [rouz] *s* 1. růže; růžice 2. kropítko konve ♦ *under the* ~ tajně, důvěrně; *without the* ~ bez obalu; *to gather -s* fig. hledat potěšení; *no* ~ *without a thorn* žádná růže bez trní □ *a* růžový, červený jako růže; —**ate** [ˈrouziit] *a* 1. růžový 2. nadějný; ~ -**bay** [ˈrouzbei] *s* oleandr, rododendron, azalka; ~ -**chafer** [ˈrouzˌčeifə] *s* chrobák zlatý; ~ -**laurel** [ˈrouzˌlorəl] *s* oleandr; ˈ~ -ˌ**liniment** *s* růžová mast; ~ -**mallow** [ˈrouzˌmælou] *s* sléz; ~ -**rash** [ˈrouzræš] *s* kopřivka; ~ -**vinegar** [ˈrouzˌvinigə] *s* růžový ocet; ˈ~ -ˌ**window** *s* růžicové okno

rose[2] [rouz] *pt* viz *rise*

rosette [rouˈzet] *s* růžice, rozeta

rosin [ˈrozin] *s* pryskyřice, smola, kalafuna □ *vt* nakalafunovat

roster [ˈroustə] *s* 1. seznam 2.

kádr 3. voj. rozdělovač služby

rostrum [ˈrostrəm] *s* 1. řečniště 2. zool., bot. zobák 3. špice lodi

rosy [ˈrouzi] *a* 1. růžový 2. slibný

rot[1] [rot] *vi* (-tt-) hnít, tlít, práchnivět; ~ **away** upadat; ~ **off** uhnívat

rot[2] [rot] *s* 1. hniloba, tlení, práchnivění 2. sl. nesmysl, bláznovství ♦ *don't talk* ~ ! nemluv bláhově!

rota [ˈroutə] *s* seznam, pořadí

rotary [ˈroutəri] *a* otáčející se; točivý, otočný, rotační □ *s* rotor; ~ **press** rotační tiskařský lis, rotačka

rotat|e [rouˈteit] *vt & i* otáčet (se), kroužit; —**ion** [rouˈteišən] *s* otáčení, rotace, pravidelné střídání ♦ *by* n. *in* ~ po řadě, střídavě

rote [rout] *s* rutina, zvyk, bezduché odříkávání ♦ *by* ~ zpaměti, ze zvuku

rotten [ˈrotn] *a, p.p.* od *rot* 1. shnilý, zetlelý, zpráchnivělý 2. zkažený 3. na spadnutí 4. bezcenný ♦ *to grow* ~ nahnívat

rotter [ˈrotə] *s* sl. dareba, ničema

rotund [rouˈtand] *a* okrouhlý, oblý; —**ity** [rouˈtanditi] *s* okrouhlost, oblost

rouble [ˈruːbl] *s* rubl

rouge [ruːž] *a* červený, rudý □ *s* rúž, líčidlo □ *vt* napudrovat se, líčit se

rough [raf] *a* 1. drsný, hrubý 2. nerovný, kostrbatý 3. chlupatý, ježatý 4. bouřlivý (*sea* moře) 5. neotesaný, neuhla-

zený, neurvalý; nezdvořilý,
sprostý 6. necitelný 7. ne-
pořádný 8. nouzový (*bandage*
obvaz*), prozatímní; ~ *and
ready* nevypracovaný, zběžný
♦ *in the* ~ zhruba; ~ *calcula-
tion* přibližný rozpočet;
~ *draft, copy* koncept □ *vt*
1. naostro okovat 2. zdrsnit
3. cuchat 4. zhruba vypraco-
vat ♦ *to* ~ *it* potloukat se; *to
have a* ~ *time* lid. být postižen
čím; |~-and-|ready *a* hrubý;
~-cast [|rafka:st] *s* 1. hrubý
náčrt, nákres 2. hrubá omítka
□ *a* hrubě omítnutý □ *vt*
1. zhruba omítat 2. zhruba
naznačit; ~-coat [|rafkout] *s*
hrubá omítka; ~ diamond ne-
broušený diamant též fig.
o člověku; ~ draft, copy hru-
bý, zběžný, nákres n. náčrt;
~-draw [|rafdro:] *vt* zhruba
načrtnout; —en [|rafn] *vt & i*
zhrubit, zhrubnout, zdrsnět;
~ file [fail] hrubý pilník,
uběrák; ~ forging [|fo:džiŋ]
hrubý výkovek; ~-grind
[|rafgraind] *vt* zhruba brou-
sit; ~-hew [|raf|hju:] *vt* zhru-
ba otesat; ~-legged [|raflegd]
a srstnatých nohou; —ly
[|rafli] *adv* hrubě ♦ ~ *speaking*
zhruba; ~-machine [|rafmə-
|ši:n] *vt* obrábět nahrubo;
~-rider [|raf|raidə] *s* jezdec
na nezkroceném koni; ~-shod
[|rafšod] *a* naostro okovaný
kůň; ~-turn [|raftə:n] *vt*
soustružit na hrubo
roulette [ru:|let] *s* ruleta hra
Roumania, —n viz *Rumania*,
—*n*
round [raund] *a* 1. kulatý, oblý,

kruhovitý 2. plný, celý; nelo-
mený oblouk 3. hladký 4.
boubelatý 5. hbitý 6. přímý,
otevřený, upřímný 7. zvučný
♦ *to make* ~ zaokrouhlit;
in a ~ *manner* bez obalu;
~ *dealing* přímé jednání;
~ *iron* kruhová ocel; *a* ~
number zaokrouhlené číslo;
~ *timber* kulatina dřevo; *the* ~
trip am. zpáteční n. okružní
cesta □ *s* 1. koule, kruh, kolo
2. náboj 3. obrátka 4. ob-
chůzka, objížďka 5. kolová
píseň 6. salva 7. příčel 8.
kolo hry ♦ *to make the* ~ *of*
n.*go* ~ činit obchůzku, obejít;
news, story, goes the ~ pověst
koluje □ *adv & prep* kolem,
dokola, po řadě, u (~ *the
table* kolem stolu, u stolu),
za (~ *the corner* za rohem),
oklikou, vesměs ♦ *all* ~
kolem dokola; ~ *about* kolem;
all the year ~ po celý rok;
to sleep the clock ~ spát
plných 12 n. 24 hodin; *an
all-*~ *man* všestranný člověk;
to come ~ vzpamatovat se,
změnit smýšlení, přelstít; *to
turn* ~ obrátit se, otočit se
□ *vi & t* 1. zakulatit (se),
zaokrouhlit (se) 2. obejít,
objíždět, obeplout 3. zahnout
za 4. obklopit, obklíčit; ~ *in*
svinout lano; ~ *off* zakulatit,
zaokrouhlit; obejít, obklopit;
~ *up* sehnat stádo; |—about *a*
nepřímý, s oklikami; obšírný,
rozvláčný; tučný, břichatý □
s 1. oklika, zatáčka 2. tanec
dokola 3. pl. okolky 4. kolo-
toč; ~ glass duté sklo;
|~-house *s* 1. šatlava, vězení

2. nám. kabina **3.** am. vý-
topna lokomotiv s točnou;
I—**log** s kulatina dřevo; —**ly**
[Iroundli] *adv* bez obalu, bez
okolků, přímo; ~ **-shouldered**
[Iraund,Isouldəd] *a* vysedlých,
kulatých zad
rouse [rauz] *vi & t* **1.** vyburco-
vat (*up, out, of, from* z, *to* k)
2. povzbudit, pobídnout **3.**
rozjitřit, pobouřit **4.** schnat
5. zvr. sebrat se, zmužit se. □
s arch. pitka, opilost
rout [raut] s **1.** sběh, srocení,
pokřik **2.** arch. shromáždění,
společnost hostí **3.** neuspořá-
daný ústup, útěk **4.** armáda
na zmateném útěku ♦ *to put
to* ~ zahnat na útěk □ *vt*
zahnat, rozptýlit, porazit □
vi sbíhat se, srocovat se ♦
to ~ *deviation* vymýtit úchyl-
ku
rout|e [ru:t] s **1.** předepsaná
cesta **2.** voj. cestovní rozkaz;
—**ing** [Iru:tiŋ] s postup práce
dílnou
routine [ru:Iti:n] s pravidelný
postup n. běh povinnosti
rov|e¹ [rouv] *vi* těkat, potulo-
vat se □ *vt* projít, procesto-
vat; —**er** [Irouvə] s **1.** pobuda,
tulák, větroplach **2.** skaut
3. pirát
rove² [rouv] *vt* **1.** provléknout
uchem n. otvorem jehlu, ko-
rálky na nit **2.** soukat
row [rou] s řada ♦ *in a* ~
v řadě; *to set in a* ~ postavit
do řady
row² [rou] *vt & i* veslovat; —**er**
[Irouə] s veslař; —**ing** [Irouiŋ]
s veslování; —**lock** [Irolək] s
vidlice na veslo

row³ [rau] s hov. povyk, sběh;
pokřik, hádka ♦ *to make,
kick up, a* ~ **1.** ztropit
výtržnost, způsobit povyk
2. protestovat □ *vi* (z)tropit
výtržnost, způsobit povyk,
pokřik
rowan [Irauən] s jeřáb, jeřabina
rowdy [Iraudi] s rváč, darebák
□ *a* rváčský, hlučný
rowel [Irauəl] s **1.** kroužek na
udidle **2.** provazec z vlasů **3.**
kolečko ostruhy
royal [Iroiəl] *a* královský, vzne-
šený ♦ *the blood* ~ královská
rodina; —**ist** [Iroiəlist] s roa-
jalista, monarchista; —**ty**
[Iroiəlti] s **1.** královská důstoj-
nost n. výsost **2.** dolovací
poplatek **3.** pl. královská
rodina **4.** autorský honorář
Rs. = *rupees* [ru:Ipi:z] rupie
R.S.A. = *Royal Scottish
Academy*
rub¹ [rab] *vt & i* (-bb-) **1.** třít
(se), drbat, drhnout, škrabat
2. otírat, utírat, cídit **3.**
mnout (si) **4.** hladit, leštit,
brousit **5.** protloukat se ♦
to ~ *one's hands* mnout si
ruce; *to* ~ *shoulders with*
přijít denně do styku s; *to* ~
the wrong way třít proti
srsti, urazit, rozhněvat;
~ **against, on, over** narážet,
třít; ~ **down** setřít, obrousit;
~ **off, out** utřít, vymazat,
smazat; ~ **up 1.** vycídit,
vyleštit, uhladit **2.** obnovit,
osvěžit **3.** utřít těsto
rub² [rab] s **1.** tření, drhnutí,
váznutí **2.** nerovnost v půdě
ve hře *bowls* **3.** překážka,
obtíž **4.** důtka, výtka **5.** brus

6. úštěpek, posměšek ♦ *there's*
the ~ tu to vězí; —ber ['rabə]
s 1. cídič 2. utěrka, hadr 3.
pilník 4. brus, brusič 5.
kaučuk 6. zápas, hra, robber
ve whistu 7. pl. galoše; —bing
['rabiŋ] *s* tření, mnutí, drhnu-
tí, cídění
rubbish ['rabiš] *s* 1. smetí, od-
padky, rum 2. nesmysl
rubble ['rabl] *s* 1. stav. rum, suť
2. valoun, oblázek
rubicund ['ru:bikənd] *a* červe-
navý, zarudlý, červenolící
rubric ['ru:brik] *s* 1. rubrika,
titul 2. sloupec, oddíl, odsta-
vec 3. záhlaví 4. pořádek
bohoslužebný; —ate ['ru:bri-
keit] *vt* 1. zvlášť (červeně)
označit, napsat, natisknout
2. rozdělit v rubriky
ruby ['ru:bi] *s* 1. rubín; *oriental*
~ pravý, ryzí rubín 2. nach
3. vřídek na nose □ *a* rubí-
nový, nachový
ruck [rak] *vi* krčit se, vrásčit □
s záhyb, vráska
rucksack ['ruksæk] *s* tlumok,
batoh
ruction ['rakšən] *s* sl. hádka;
povyk
rudder ['radə] *s* 1. kormidlo
2. směrovka 3. směrnice,
zásada
rudd|iness ['radinis] *s* rudost,
červenost; —y ['radi] *a* zdra-
vě červený, zdravě vyhlíže-
jící; rudohnědý
ruddle ['radl] *s* červená hlinka,
hrudka
rude [ru:d] *a* 1. hrubý, drsný
2. prostý, nevzdělaný 3. drzý,
surový, sprostý 4. prudký,
silný 5. náhlý 6. plný zdraví

rudiment ['ru:dimənt] *s* 1. zá-
klad, začátek 2. zakrnělý
orgán 3. pl. základy, počátky
vědění; —ary [,ru:di'mentəri]
a základní, počáteční
rue[1] [ru:] *vt* litovat □ *s* lítost;
—ful ['ru:ful] *a* žalostný,
smutný
rue[2] [ru:] *s* bot. arch. routa
ruff [raf] *s* 1. okruží, krejzlík
2. proužek peří na krku 3.
vráska 4. drsnost 5. holub
korunáč
ruffian ['rafjən] *s* darebák,
rošťák, lotr
ruffl|e ['rafl] *vt* 1. shrnout,
nakrčit, zmuchlat 2. zamotat
3. překvapit, zneklidnit 4.
skládat, sbírat □ *vi* 5. čeřit
se o moři 6. třepat se, vlát
7. plát, plápolat 8. hádat se
9. naparovat se □ *s* 1. zvlnění,
čeření 2. okruží, krejzlík 3.
plachetka hub 4. hádka; —er
['raflə] *s* zast. rváč, chvas-
toun
rug [rag] *s* 1. houně, pokrývka
2. rohožka 3. koberec
Rugby ['ragbi] *s* sport. ragby
rugged ['ragid] *a* 1. drsný, ne-
rovný, rozeklaný; neotesaný
2. huňatý, chlupatý 3. ne-
vlídný, mrzutý 4. neumělý
rugose [ru:'gous] *a* zvraštělý,
vrásčitý, krabatý
ruin [ruin] *s* 1. zřícení; zkáza,
pád, záhuba 2. zbořenina,
troska, zřícenina ♦ *to bring*
to ~ zničit; *to fall to -s* pro-
padnout zkáze, rozpadnout
se, sesout se □ *vt* zničit,
zbořit, zahubit, rozvrátit □
vi sesout se, rozpadnout se;
—ous ['ruinəs] *a* sešlý, na

spadnutí; nebezpečný, zhoubný

rul|e [ru:l] *s* 1. pravidlo, norma 2. řád, obyčej 3. vláda 4. pravítko 5. pořádek 6. pl. směrnice ♦ *as a* ~ zpravidla; *by* ~ podle předpisu; ~ *of proportion* n. ~ *of three* trojčlénka; *to bear* ~ vládnout; *world* ~ světovláda; *Party Rules* stanovy strany; *to be on the* ~ být ve stadiu porad o parlamentní předloze □ *vt & i* 1. vládnout, panovat (*over* nad) 2. nařídit 3. ovládat, krotit 4. linkovat (*lines* linky); ~ **out** vyloučit jako neplatné; —**er** [ˈru:lə] *s* 1. vladař 2. pravítko, měřítko; —**ing** [ˈru:liŋ] *a* 1. vládnoucí, panující 2. obecný, hlavní □ *s* 1. soudní n. úřední rozhodnutí 2. linkování, rastr; —**y** [ˈru:li] *a* spořádaný, pořádný

rum¹ [ram] *s* rum

rum², **rummy** [ram, ˈrami] *a* sl. překvapující, podivínský, zvláštní

Rumani|a [ru:ˈmeinjə] *s* Rumunsko; —**an** [ru:ˈmeinjən] *a* rumunský □ *s* 1. Rumun 2. rumunština; *Rumanian People's Republic* Rumunská lidová republika

rumble [ˈrambl] *vi* 1. rachotit, dunět, drnčet 2. mručet, hlučet 3. kručet v žaludku 4. zast. házet sebou v posteli 5. sl. prohlédnout, objevit □ *s* 1. rachot, dunění 2. zadní sedadlo

rumin|ant [ˈru:minənt] *a* přežvýkavý □ *s* přežvýkavec; —**ate** [ˈru:mineit] *vt & i* 1. přežvykovat 2. přemítat, uvažo-

vat (*over, about, of, on* o); —**ation** [ˌru:miˈneišən] *s* 1. přežvykování 2. přemítání, dumání

rummage [ˈramidž] *vt* 1. prohledat, prošťourat, slídit *(in)* 2. odhrnout □ *vi* 3. hledat, pátrat □ *s* 1. prohlídka 2. zbytky; ~ **sale** 1. prodej zbytků 2. dobročinný prodej

rummer [ˈramə] *s* velká sklenice n. číše

rummy [ˈrami] *s* karetní hra

rumour [ˈru:mə] *s* pověst, věhlas, doslech; ~ -**mongering** [ˈru:məˌmaŋgəriŋ] *s* am. šeptanda

rump [ramp] *s* 1. zadek, řiť zvířecí 2. kýta; ~ -**bone** [ˈrampboun] *s* zast. kostrč; ~ -**steak** [ˈrampsteik] *s* řízek z kýty

rumple [ˈrampl] *s* zř. vráska, záhyb □ *vt* 1. svraštit 2. zmačkat, zmuchlat, rozcuchat

rumpus [ˈrampəs] *s* sl. kraval, výtržnost; ~ **room** herna místnost, zpravidla v suterénu

run¹* [ran] *vi* 1. běžet, pádit, utíkat; kvapit, uhánět, klusat 2. prchat 3. pohybovat se, otáčet se, jet, běžet, plynout *(ball, carriage, wheel, spindle sledge, time -s)* 4. téci, roztékat se, rozpouštět se 5. ronit, kapat, oplývat (*feeling ran high* cit vzkypěl; *one's blood -s cold* krev tuhne) 6. mít se, být ve stavu 7. trvat, převládat 8. tavit, slévat 9. upadnout v 10. vyrůstat, měnit se 11. opakovat se 12. pašovat, riskovat 13. hrát si 14. znít, číst se

15. mít kurs n. cenu ☐ *vt*
16. hnát, honit 17. rozpouštět 18. vydávat se v
19. provléci, prostrčit, navléknout nit do jehly 20. zavést 21. tajně donášet 22. vrazit 23. postavit kandidáta
24. řídit podnik ◆ *the machine is -ning in order* stroj pracuje dobře; *the road -s over the hill* cesta vede přes vrch; *to ~ dry* vyschnout, vyčerpat; *the policy -s* pojistka trvá, platí; *to ~ hard* dotírat na; *to ~ high* vysoko stoupat, bouřit se; *to ~ low* menšit se, ubývat; *to ~ short* docházet o zásobách; *to ~ true* běžet soustředně hřídel; *to ~ wild* zdivočet; *to ~ a business* provozovat obchod; *to ~ a temperature* hov. mít horečku; *to ~ the risk* riskovat; *to ~ to leaves* vyhánět do listí; *to ~ to seed* zakládat na semeno; *to ~ into confusion* přijít ve zmatek; *to ~ into debts* upadnout do dluhů, zadlužit se; *to ~ errands, messages* dělat pochůzky; *to ~ the danger, the hazard* vydávat se v nebezpečí; *to ~ one's head against the wall* chtít prorazit zeď hlavou; *to ~ a horse* pohánět koně; *to ~ a race, races* běžet o závod; *to ~ a ribbon in a ring* provléci stužku prstenem; *to ~ goods* pašovat zboží; *this will ~ us into particulars* to nás zavede do podrobností; *to ~ by a name* být znám pod jménem; *to ~ mad* zbláznit se; **~ about** toulat se, potloukat se, po-

bíhat; **~ after** běhat za, stát o; pronásledovat; **~ against** narazit na; **~ away** utéci, proběhnout turbína; *to ~ away from the matter* odchylovat se od věci, vyhýbat se věci; **~ away with** splašit se s čím. vést k utrácení, odcizit; **~ down** 1. odjet z města 2. dojít o hodinách 3. dohnat 4. přemoci, skolit 5. srazit se 6. vyčerpat, spotřebovat, vybít baterii 7. zašroubovat 8. předválcovat; **~ for** ucházet se o úřad; jmenovat jako kandidáta; **~ from** pocházet od, vycházet od, z; **~ in** 1. vběhnout, octnout se v 2. zatknout 3. zaběhávat (se), zajíždět nový vůz; **~ into** 1. narazit na; 2. mít sklon, navyknout si 3. nabývat; **~ off** 1. utéci, odbočit 2. mít odbyt 3. plynně recitovat 4. vytéci, vypustit z pece; *to ~ off the rails* vykolejit se; **~ on** běžet dále, pokračovat, postupovat; **~ out** 1. vyběhnout 2. vypršet končit se 3. dobíhat o stroji; *to ~ oneself out* upachtit se, zničit se; **~ -out bearing** vyběhané ložisko; **~ over** 1. přetékat 2. přeběhnout 3. prohlédnout 4. přejet; **~ through** 1. proběhnout 2. utratit 3. probodnout, prorazit 4. zběžně prohlédnout; **~ to** dosáhnout, vyrůstat, hnát; **~ up** 1. jet do města 2. narůstat 3. stupňovat, povznést, vynášet, vychvalovat 4. sečíst; **~ upon** točit se kolem čeho

run² [ran] *s* **1.** běh, náběh; průběh, posttp **2.** oběh, trvání **3.** výlet, exkurze **4.** spád **5.** směr **6.** tok, koryto **7.** řada repríz **8.** povaha, typ. druh zboží **9.** lomoz, povyk; poplach, poprask **10.** nápor, run vkladatelů na banku **11.** cesta, plavba **12.** odpor **13.** doupě **14.** obrat, poptávka (*for, on po*) **15.** *ill* ~ neštěstí vo hře **16.** skupina, hejno **17.** tah zvěře, ryb, výběh drůbeže **18.** dovolení **19.** chod stroje **20.** potrubí ♦ *the common* ~ *of men* obyčejní, průměrní lidé; *to have a general* ~ dobře prospívat, potkat se se zdarem; *in the long* ~ konec konců; *to have one's* ~ provést svou; **—away** [ˈranəwei] *s* **1.** uprchlík, utečenec, dezertér **2.** útěk □ *a* uprchlý, na útěku; **~ -down** [ˈrandaun] *s* snížení zvl. počtu vojska demobilizací; **—way** [ˈranwei] *s* **1.** rolovací dráha **2.** kanál, koryto řeky **3.** vyšlapaná stezka zvířaty **4.** cesta pro povozy **5.** žlábek u kuželníku **6.** výběh **7.** sport. dráha

rundle [ˈrandl] *s* **1.** příčel žebříku **2.** hřídel **3.** bot. okolík

rune [ru:n] *s* runa, runové písmo

rung [raŋ] *pt, pp* viz *ring* □ *s* příčel žebříku

runner [ˈranə] *s* **1.** běhoun **2.** posel **3.** uprchlík, běženec **4.** ratolest, výhonek **5.** mlýnský kámen **6.** sanice **7.** oběžné kolo, rotor turbíny; **~ -up** *s* závodník druhý za vítězem

running [ˈraniŋ] *a* běžící; tekoucí, proudící (*water* voda)

□ *s* **1.** běh, chod **2.** tok **3.** průběh; ~ **account** běžný účet; ~ **board** stupátko; ~ **conditions** provozní podmínky n. poměry; ~ **fight** ústupový boj; ~ **-knot** [ˈraniŋnot] *s* pohyblivá smyčka; **~-place** [ˈraniŋpleis] *s* závodiště

runt [rant] *s* **1.** zakrslík, drobné p emeno ovcí, skotu **2.** dial. pahýl

rupture [ˈrapčə] *s* **1.** protržení, trhlina **2.** průtrž, kýla **3.** roztržka, nesvornost **4.** průlom □ *vi & t* protrhnout (se), puknout; trpět kýlou

rural [ˈruərəl] *a* venkovský, selský ♦ ~ *population* venkovské obyvatelstvo

ruse [ru:z] *s* **1.** lest, úskok **2.** pl. voj. klamné zemní práce

rush¹ [raš] *vi & t* **1.** vrhat (se), hnát (se) překotně, pohánět **2.** pádit, kvapit; řítit se, valit se **3.** přepadnout, zmocnit se **4.** téci, šumět; ~ **forth** vyrazit; ~ **in** vrazit do pokoje; *to* ~ *in upon one* dát se do koho; *to* ~ *to battle* vrhnout se do boje; ~ **on** vrhat se na, do (*to* ~ *on certain death* vrhnout se vstříc jisté smrti); ~ **out** vyběhnout vyhrnout se

rush² [raš] *s* **1.** běh, úprk **2.** přískok **3.** zteč, přepad **4.** náraz **5.** shon, hluk, ruch ♦ ~ *hours* doba největší dopravy

rush³ [raš] *s* sítí

rusk [rask] *s* suchar

russet [ˈrasit] *a* hnědočervený

Russ|ia [ˈrašə] *s* Rusko; **—ian** [ˈrašən] *a* ruský □ *s* **1.** Rus **2.** ruština

rust [rast] *s* **1.** rez **2.** sněť, plíseň □ *to gather* ~ **1.** rezavět, plesnivět **2.** pozbýt cviku, **—y** [ˈrasti] *a* rezavý, plesnivý ♦ *to grow* ~ rezavět

rustic [ˈrastik] *a* **1.** venkovský, vesnický, selský **2.** hrubý, drsný **3.** prostý □ *s* **1.** venkovan, sedlák **2.** hrubec; **—ate** [ˈrastikeit] *vi & t* **1.** žít na venkově, poslat na venkov **2.** dočasně vyloučit z vysoké školy

rustle [ˈrasl] *vi* šumět, šustět, šelestit □ *s* šum, šelest

rut¹ [rat] *s* vyjetá kolej, stopa

□ *vt* (-tt-) vyjezdit koleje, nadělat rýh

rut² [rat] *s* říje □ *vi* (-tt-) říjet; **—tish** [ˈratiš] *a* chlípný

ruth [ruːθ] *s* arch. soucit, lítost; **—less** [ˈruːθlis] *a* **1.** nelítostný, nemilosrdný **2.** bezcitný, krutý

Ruthenian [ruːˈθinjən] *s* zast. **1.** Rusín(ka) **2.** Malorus(ka) □ *a* zast. **1.** rusínský **2.** maloruský

R.V. = *Revised Version*

rye [rai] *s* žito; ~ **bread** žitný chléb; ~ **-grass** [ˈraigraːs] *s* bot. jílek

S

S, s [es] písmeno s

S. = **1.** *Saint* **2.** *Signor* **3.** *Society* **4.** *South*

S.A. = *South Africa*

sabbath [ˈsæbəθ] *s* sobota, sváteční den židů; neděle křesťanů

sable [ˈseibl] *s* **1.** sobol, sobolí kožešina **2.** smuteční oděv □ *a* černý, chmurný hrozný

sabot [ˈsæbou] *s* dřevák

sabotage [ˈsæbotaːž] *s* sabotáž □ *vt* sabotovat

sabre [ˈseibə] *s* šavle □ *vt* tít šavlí

sabulous [ˈsæbjuləs] *a* písečnatý, písčitý

sac [sæk] *s* míšek, váček

saccharine [ˈsækərin] *s* sacharín

sacerdotal [ˌsæsəˈdoutl] *a* kněžský

sack¹ [sæk] *s* **1.** pytel, vak **2.**

měch, měšec **3.** ženský šat plášť ♦ *to give (get) the* ~ dát (dostat) výpověď, ~ **-but** [ˈsækbat] *s* polnice; ~ **-cloth** [ˈsækkloθ] *s* pytlovina; ~ **-cloth and ashes** [ˈæšiz] známky velkého zármutku; ~ **coat** sako; **—ing** [ˈsækiŋ] *s* pytlovina

sack² [sæk] *vt* vydrancovat, vyloupit □ *s* drancování, loupení; **—ing** [ˈsækiŋ] *s* loupení, plen

sack³ [sæk] *vt* hov. propustit z práce, dát výpověď

sacrament [ˈsækrəmənt] *s* svátost; **—al** [ˈseikrəl] *a* **1.** svátostní, posvátný **2.** bohoslužebný **3.** křížový kost

sacred [ˈseikrid] *a* **1.** posvěcený, zasvěcený **2.** posvátný, svatý **3.** církevní, náboženský **4.** nedotknutelný

sacrific|e [ˈsækrifais] *vt* **1.** obětovat, zasvětit (*to* komu) **2.** vzdát se □ *s* oběť, obětování; **—ial** [ˌsækriˈfiʃəl] *a* obětní

sacrileg|e [ˈsækrilidʒ] *s* rouhání, svatokrádež; **—ious** [ˌsækriˈlidʒəs] *a* rouhavý, svatokrádežný

sacrist, sacristan [ˈsækrist(ən)] *s* kostelník

sacristy [ˈsækristi] *s* sakristie

sacrum [ˈseikrəm] *s* kost křížová

sad [sæd] *a* **1.** smutný, truchlivý, zasmušilý, sklíčený **2.** těžkomyslný **3.** nevykynutý (*bread* chléb) **4.** mrzutý **5.** mdlý o barvě **6.** hov. hotový, vyslovený; **—den** [ˈsædn] *vt & i* **1.** zarmoutit (se), truchlit (*at* nad), zesmutnět **2.** temně zabarvit **3.** stlačit, slisovat, sednout se **4.** ztlumit barvy; **~-hearted** [ˈsædhaːt-id] *a* těžkomyslný, zádumčivý

saddl|e [ˈsædl] *s* **1.** sedlo **2.** hřbet maso **3.** horský hřbet, sedlo □ *vt* **1.** (o)sedlat **2.** naložit; **~** *with* uvalit poplatek, povinnost; **~ -bag** [ˈsædlbæg] *s* sedlová brašna; **—er** [ˈsædlə] *s* sedlář; **—ery** [ˈsædləri] *s* **1.** sedlářství **2.** sedlářské zboží; **~ -horse** [ˈsædlhoːs] *s* jezdecký kůň; **~ -maker** [ˈsædlmeikə] *s* sedlář

sadism [ˈsædizəm] *s* sadismus

safe [seif] *a* **1.** bezpečný, jistý (*from* před) **2.** zast. nedotčený, zdravý **3.** spolehlivý, důvěryhodný □ **~** *and sound* živ a zdráv □ *s* **1.** bezpečnostní schránka, pokladna, sejf **2.** spižírna □ *vt* zabezpečit, bezpečně uložit; **~ -conduct** [ˈseifˈkondəkt] *s* bezpečný průvod, průvodní list; **—guard** [ˈseifgaːd] *s* **1.** záruka, ochrana, ochranná stráž **2.** průvodní list □ *vt* **1.** zajistit, zaručit **2.** chránit, hájit

safety [ˈseifti] *s* **1.** jistota, bezpečí **2.** neporušenost **3.** zdraví **4.** zast. zajištění, vězení ◆ *to play for* **~** neriskovat; **~ -cock** [ˈseiftikok] *s* pojistný kohoutek; **~ goggles** [ˈgoglz] ochranné brýle; |**~ -lamp** *s* bezpečnostní lampa, kahan; **~ -match** [ˈseiftimæč] *s* švédská zápalka; |**~ -pin** *s* zavírací špendlík; **~ razor** [ˈreizə] holicí strojek; **~ -valve** [ˈseiftivælv] *s* pojišťovací záklopka

saffron [ˈsæfrən] *s* **1.** šafrán **2.** žlutá, šafránová barva □ *a* šafránový

sag [sæg] *vi* (-gg-) **1.** prohýbat se, pronášet se tíhou, sedat se **2.** klesnout, podlehnout **3.** viset uprostřed □ *s* **1.** sednutí, prohnutí **2.** průvěs, zborcení

saga [ˈsaːgə] *s* sága

sagac|ious [səˈgeiʃəs] *a* ostrovtipný, bystrý; **—ity** [səˈgæsiti] *s* ostrovtip, prozíravost

sage[1] [seidʒ] moudrý □ *s* mudřec, mudrc

sage[2] [seidʒ] *s* šalvěj

sago [ˈseigou] *s* ságo

Sahara [səˈhaːrə] *s* Sahara

said [sed] *pt, pp* viz *say*

sail [seil] *s* **1.** lodní plachta, plachtoví **2.** plachetní loď, plavidlo **3.** plavba **4.** peruť

♦ *main* ~ hlavní plachta; *to be under* ~ plavit se; *to lower* ~ stáhnout plachty, vzdát se; *to set* ~ rozvinout plachty, odplout, vydat se na cestu □ *vi* plavit se, plout (*for* do); ~ *in* dát se rozhodně do čeho; ~ **-cloth** [ˈseilkloθ], ~ **-duck** [ˈseildak] *s* plachtovina; **—er** [ˈseilə] *s* plachetní loď; ǀ **—ing-ship**, ǀ **—ing-ǀvessel** *s* plachetnice; **—or** [ˈseilə] *s* plavec, námořník; ~ **-plane** [ˈseilplein] *s* větroň; ~ **-yard** [ˈseilja:d] *s* ráhno

saint [seint, sənt, sn] *s* svatý □ *s* světec □ *vt* prohlásit za svatého; **—ed** [ˈseintid] *a* posvěcený, svatý; **—ess** [ˈseintis] *s* světice; **—hood** [ˈseinthud] *s* svatost; **—ly** [ˈseintli] *a* svatý, bohabojný

sake [seik] *s* příčina, původ ♦ *for the* ~ *of* pro, kvůli; *for your* ~ kvůli tobě

salable [ˈseiləbl] *a* prodejný, na prodej

salac|ious [səˈleišəs] *a* chlípný, vilný; **—ity** [səˈlæsiti] *s* vilnost, chlípnost

salad [ˈsæləd] *s* salát; ~ **-dressing** [ˈsæləd ǀdresiŋ] *s* olej a ostatní přípravky na úpravu salátu; ~ **-oil** [ˈsælədoil] *s* olivový olej; ~ **-parsley** [ˈsæləd ǀpa:sli] *s* řeřicha

salamander [ˈsælə ǀmændə] *s* mlok, salamandr

salame [səˈla:mi] *s* salám

salary [ˈsæləri] *s* plat, služné

sale [seil] *s* **1.** prodej, odbyt **2.** dražba ♦ ~ *a* výprodej za nízké ceny; *for* n. *on* ~ na prodej; *to* have ready ~ jít

dobře na odbyt; **-s-crises** odbytová krize; *clearance* ~ výprodej; ǀ **—sman**, ǀ **—swoman** *s* prodavač(ka), obchodní cestující; **—smanship** [ˈseilsmən ǀšip] *s* prodavačství, umění získávat zákazníky

salient [ˈseiljənt] *a* **1.** vybíhající, vyčnívající, vystupující **2.** tryskající **3.** vynikající, nápadný □ *s* **1.** výběžek, výčnělek **2.** vybíhavý úhel

saline *a* [ˈseilain] solný □ *s* [səˈlain] solna, solný roztok

saliv|a [səˈlaivə] *s* slina; **—ate** [ˈsæliveit] *vi* slintat, slinit; **—ation** [ǀsæliˈveišən] *s* slinotok

sallow [ˈsælou] *a* sinalý; bledý; sivý, bleděžlutý

sally [ˈsæli] *s* **1.** výpad **2.** výstupek, výběžek **3.** vtipný nápad n. poznámka **4.** výlet □ *vi* **1.** učinit výpad **2.** vyrazit na výlet, vypadnout odněkud někam

salmon [ˈsæmən] *s* pl. = sg. losos; ~ **peals** mladí lososi; ~ **radish** řcdkvička

saloon [səˈlu:n] *s* **1.** dvorana, salón **2.** kryté auto **3.** am. výčep, pivnice **4.** železniční salónní vůz

salt [so:lt] *s* **1.** sůl **2.** vtip **3.** chuť ♦ *an old* ~ zkušený námořník; *to take it with a grain of* ~ brát to „cum grano salis"; *the* ~ *of the earth* fig. dobří lidé □ *a* **1.** slaný, solený, solný **2.** trpký, štiplavý **3.** fig. námořní □ *vt* (o)solit, nasolit; ~ **-box** [ˈso:ltboks], ~ **-cellar** [ˈso:lt ǀselə] *s* slánka; ~ **-house** [ˈso:lthaus] *s* solnice; ~ -mine [¹so:lt¦main] s solný důl; ~ -works [¹so:lt-wə:ks] s solivárna

saltation [sæl¹teišən] s 1. poskakování, hopsání 2. křepčení, tanec 3. náhlá změna n. přechod.

saltern [¹so:ltən] s solivar, solnice

saltpetre [¹so:lt¦pi:tə] s ledek, salnitr

salty [¹so:lti] a solný, slaný

salubrious [sə¹lu:briəs] a zdravý, prospěšný

salut|ary [¹sæljutəri] a zdravý, prospěšný; —ation [¸sælju:-¹teišən] s 1. pozdrav(ení) 2. oslovení v dopise; —e [sə-¹lu:t] vt 1. pozdravit 2. salutovat, vzdát poctu

salvage [¹sælvidž] s 1. záchrana, zachránění 2. zachráněné zboží 3. náhrada 4. sběr odpadových surovin □ vt sbírat odpadové suroviny; ~ value tech. hodnota při vyřazení

salvation [sæl¹veišən] s záchrana, spása, spasení; *Salvation Army* Armáda spásy

salve¹ [sa:v] s hojivá mast □ vt namazat mastí

salve² [sælv] vt spasit, zachránit

salver [¹sælvə] s podnos, mísa, tácek

salvo [¹sælvou] s 1. salva 2. práv. výhrada

same [seim] *pron* týž, táž, totéž □ *adv* spolu, zároveň □ *at the* ~ *time* zároveň; *the very* ~ právě ten, týž; *it is all the* ~ *to me* je mi to jedno; *all the* ~ přes to přese všechno; *just the* ~ právě takový,

přesto; *much the* ~ bezmála takový; —**ness** [¹seimnis] s totožnost; stejnost, podobnost, jednotvárnost

Samoa [sə¹moə] s Samoa skupina ostrovů v Tichomoří

samovar [¸sæmo¹va:] s samovar

sampl|e [¹sa:mpl] s vzor, vzorek (~ *fair* vzorkový veletrh); příklad □ vt dát za vzor, ukázat vzorky, vyzkoušet jakost; —**er** [¹sa:mplə] s vzorník; —**ing** [¹sa:mpliŋ] s braní vzorků

sanat|ion [sə¹neišən] s 1. zahojení 2. zast. uzdravení; —**ive**, —**ory** [¹sænət¦iv, -əri] a hojivý, léčivý; —**orium** [¸sænə¦to:riəm] s sanatorium, ozdravovna

sancti|fication [¸sæŋktifi¦keišən] s posvěcení, zasvěcení; —**fy** [¹sæŋktifai] vt posvětit, zasvětit; —**monious** [¸sæŋkti¦mounjəs] a pobožnůstkářský, pokrytecký; —**mony** [¹sæŋktiməni] s pokrytectví, pobožnůstkářství

sanct|ion [¹sæŋkšən] s potvrzení, schválení, sankce ♦ *to give* ~ potvrdit, schválit □ vt 1. potvrdit, schválit 2. sankcionovat, uzákonit; —**itude** [¹sæŋktitju:d] s svatost, bohabojnost; —**uary** [¹sæŋktju-əri] s 1. svatyně 2. azyl, útočiště 3. sanctuarium v kostele; —**um** [¹sæŋktəm] s posvátné místo, svatyně

sand [sænd] s 1. písek 2. pl. písčina, mělčina 3. am. hov. odvaha, cílevědomost □ vt 1. posypat n. zanést pískem 2. zahnat na písčinu □ vi

3. uváznout v písku, na mělčině; ~ -bag ['sændbæg] s pytel písku; ~ -bank ['sændbæŋk] s písčina, mělčina; ~ -bath ['sændba:θ] s písečná lázeň; ~ -eel ['sændi:l] s candát; ~ -glass ['sændgla:s] s přesýpací hodiny; ~ -iron ['sændaiən] s druh golfové hole; ~ martin ['sændma:tin] s břehule; |~ -ıpaper s skelný papír; |~ -pit s pískoviště; |~ -stone s pískovec; —y ['sændi] a 1. písečný, pískový 2. ryšavý

sandal ['sændl] s sandál, opánek
sandwich ['sænwidž] s obložený chlebíček; ~ material tech. vrstvený materiál; |~ -man s nosič reklam

sane [sein] a příčetný, rozumný, zdravý

San Francisco [ˌsænfrənˈsiskou] s San Francisco

sang [sæŋ] pt viz sıng

sanguinary ['sæŋgwinəri] a krvavý, krvežíznivý

sanguine ['sæŋgwin] a 1. krvavý krevnatý 2. horkokrevný 3. krvavě zbarvený 4. plný naděje □ s krvavá barva □ vt krvavě zbarvit, z(a)krvavět; —ous [sæŋˈgwiniəs] a 1. krvavý, krevnatý, krevní 2. horkokrevný, sangvinický

sanit|arium [ˌsæniˈteəriəm] s am. sanatorium, ozdravovna; —ary ['sænitəri] a zdravotnický; ~ engineering zdravotnictví; —ation [ˌsæniˈteišən] s příčetnost, zdraví duševní, rozumnost; vyrovnanost

sanscrit, sanskrit ['sænskrit] s sanskrt

Santa Claus [ˌsæntəˈklo:z] s Ježíšek, sv. Mikuláš, děda Mráz

sap¹ [sæp] s šťáva, míza □ vt (-pp-) vysát, vyčerpat, zbavit mízy; zeslabit; —less ['sæplis] a bez mízy, nechutný

sap² [sæp] s 1. podkop, podkopávání zdraví, autority 2. sl. dříč ve škole 3. am. sl. blázen, pošetilec □ vt & i (-pp-) 1. podkopat, podminovat 2. ničit důvěru 3. škol. sl. dřít

sapid ['sæpid] a chutný; —ity [səˈpiditi] s chutnost

sapi|ence ['seipjəns] s moudrost; —ent ['seipjənt] a moudrý přemoudřelý

sapling ['sæpliŋ] s mladý stromek; výrostek

sapon|aceous [ˌsæpoˈneišəs] a mýdlovitý; —ification [ˌsæponiˈkeišən] s zmýdelnění

sapper ['sæpə] s zákopník, pionýr, sapér

sapphire ['sæfaiə] s 1. safír 2. modř □ a safírový

sapp|iness ['sæpinis] s 1. šťavnatost 2. chutnost 3. živost, čilost; —y ['sæpi] a 1. šťavnatý, plný mízy 2. jemný, měkký 3. svěží, živý, čilý 4. silný

sarcas|m ['sa:kæzəm] s úšklebek, jízlivost, sarkasmus; —tic [sa:ˈkæstik] a jízlivý, sarkastický

sarcopha|gus [sa:ˈkofəgəs] s pl. -guses [-gəsiz], -gi [-gai] sarkofág, rakev

Sardinia [sa:ˈdinjə] s Sardinie
sardine [sa:ˈdi:n] s sardinka

sardonic [sa:ˈdonik] *a* sardonický, křečovitý, jízlivý

sarmentous [sa:ˈmentəs] *a* úponkovitý

sartorial [sa:ˈto:riəl] *a* krejčovský

sash[1] [sæš] *s* páska, šerpa □ *vt* opásat šerpou

sash[2] [sæš] *s* okenní rám ♦ ~ *window* vysouvací okno □ *vt* opatřit vysouvacími okny

sat [sæt] *pt, pp* viz *sit*

satan [ˈseitən] *s* ďábel, satan; **—ic** [səˈtænik] *a* ďábelský, satanský

satchel [ˈsæčəl] *s* vak, brašna na knihy

sate [seit] *vt* nasytit, uspokojit; **—less** [ˈseitlis] *a* nenasytný

sateen [sæˈti:n] *s* satén látka

satellite [ˈsætəlait] *s* 1. pol. satelit stát 2. satelitní město 3. astr. družice, satelit

sati|ate [ˈseišieit] *vt* nasytit, uspokojit □ *a* nasycený; **—ation** [ˌseišiˈeišən] *s* nasycení; **—ety** [səˈtaiəti] *s* 1. přesycení, sytost 2. omrzelost

satin [ˈsætin] *s* satén, atlas

satir|e [ˈsætaiə] *s* satira; **—ic** [səˈtirik] *a* satirický; **—ical** [səˈtirikəl] *a* satirický; **—ist** [ˈsætərist] *s* satirik; **—ize** [ˈsætəraiz] *vt* satirizovat, napadnout satirou

satis|faction [ˌsætisˈfækšən] *s* 1. uspokojení, spokojenost 2. zadostiučinění, satisfakce; *to demand* ~ žádat zadostiučinění 3. zaplacení; **—factory** [ˌsætisˈfæktəri] *a* uspokojivý, dostatečný; **—fy** [ˈsætisfai] *vt & i* 1. uspokojit, vyhovět,

učinit zadost 2. ukojit 3. přesvědčit (*of, that* o) 4. zvr. přesvědčit se 5. postačovat ♦ *to* ~ *one's hunger* ukojit hlad

saturat|e [ˈsæčəreit] *vt* 1. nasytit, saturovat (*-ed steam* nasycená pára) 2. namočit 3. naplnit, nabít (*with* čím) 4. uspokojit; **—ion** [ˌsæčəˈreišən] *s* nasycení, saturace

Saturday [ˈsætədi] *s* sobota

Saturn [ˈsætən] *s* Saturn

saturnalian [ˌsætəˈneiljən] *a* rozpustilý, nevázaný

saturnine [ˈsætə:nain] *a* chmurný, těžkomyslný, zádumčivý; saturnský

satyr [ˈsætə] *s* satyr

sauc|e [so:s] *s* 1. omáčka 2. koření 3. hov. drzost, hrubost, nevážnost; |~ -pan *s* kastrol, pánvička; **—er** [ˈso:sə] *s* 1. omáčník 2. talířek pod číši n. pod koflík

sauc|y [ˈso:si] *a* 1. drzý, rozpustilý 2. smělý 3. nestydatý 4. lid. fešný; **—iness** [ˈso:sinis] *s* drzost, všetečnost

sauerkraut [ˈsauəkraut] *s* kyselé zelí

saunter [ˈso:ntə] *vi* líně kráčet, loudat se, courat se □ *s* loudání, nedbalá n. líná chůze

sausage [ˈsosidž] *s* 1. klobása, vuřt, jitrnice 2. salám, uzenka

savage [ˈsævidž] *a* divoký, krutý, surový, hrubý □ *s* divoch, surovec □ *vt* 1. zdivočet 2. o koni napadnout, pokousat, pošlapat; **—ness** [ˈsævidžnis] *s* divokost, nezkrocenost

savanna(h) [səˈvænə] *s* step savana

savant [ˈsævənt] *s* učenec
save¹ [seiv] *vt & i* **1.** zachránit (*from* před) **2.** spasit **3.** zachovat si, ušetřit (si) (u)spořit, strádat ♦ *to ~ time* ušetřit čas; *to ~ appearance* zachovat dobré zdání; *to ~ one's breath* mlčet; *to ~ one's face* zachovat (si) reputaci; *to ~ one's longing* vyplnit něčí touhu; |–**all** *s* **1.** lakomec, držgrešle **2.** nástrčka na svícen **3.** pokladnička **4.** nádrž na zbytky n. odpadky
save² [seiv] *adv & prep* kromě, vyjma; leč, že
saveloy [ˈsæviloi] *s* cerbulát
saver [ˈseivə] *s* **1.** ochránce, zachránce **2.** hospodář **3.** spořitel **4.** úsporné zařízení
saving¹ [ˈseiviŋ] *a* **1.** šetřící, spořivý, úsporný, hospodárný **2.** zachraňující, spasitelný **3.** vyhrazující □ *s* **1.** záchrana **2.** vykoupení **3.** úspora; |–**s-bank** *s* spořitelna
saving² [ˈseiviŋ] *adv & conj* kromě, vyjma
saviour [ˈseivjə] *s* spasitel, zachránce
savour [ˈseivə] *s* (pří)chuť, pikantnost; vůně □ *vi* chutnat; vonět (*of* čím); pochutnat si; —**y** [ˈseivəri] *a* **1.** chutný, vonný, libý **2.** pikantní □ *s* chutný předkrm n. zákusek
saw¹ [so:] *pt* viz *see*
saw² [so:] *s* **1.** pila **2.** říkadlo, průpověď **3.** pověst ♦ *circular, band, frame,* ~ cirkulárka, pásovka, rámovka □ *vt & i* řezat pilou; ~ -**dust** [ˈso:dast] *s* piliny; ~ -**fish** [ˈso:fiš] *s*

piloun; —**ing** [ˈso:iŋ] *s* řezání pilou (~ *machine* strojní pila); |~ -**mill** *s* pila parní; —**yer** [ˈso:jə] *s* **1.** dřevorubec, drvoštěp **2.** am. strom spadlý do vody
sawn [so:n] *pp* viz *saw* ♦ ~ *timber* řezivo
saxifrage [ˈsæksifridž] *s* lomikámen
Saxon [ˈsæksn] *s* Sas □ *s* saský
saxophone [ˈsæksəfoun] *s* saxofon
say* [sei] *vt & i* **1.** říci, pravit, povídat **2.** mínit, tvrdit **3.** odříkávat ♦ *to ~ grace* pomodlit se před jídlem a po jídle; *to ~ mass* sloužit mši; *to ~ prayers* odříkávat modlitby; *that is to ~* to jest …; *not to ~* neřkuli; *it is said* n. *they ~* říká se, povídá se; *you don't ~ so!* ale jděte!; *to ~ over again* opakovat; *I ~!* jářku!; ~ *on!* pokračujte!; ~ *out* upřímně vyložit □ *s* **1.** řeč, slovo, povídání **2.** zast. říkadlo, pořekadlo **3.** vzorec ♦ *to have one's ~* mít slovo; *to ~ one's ~* říci své co kdo má na srdci; —**ing** [ˈseiiŋ] *s* rčení, pořekadlo, přísloví ♦ *as the ~ is* n. *goes* jak se říkává
S.C. = *South Carolina*
sc. = **1.** *scilicet* = totiž **2.** *sculpsit* = *engraved*
scil. = *scilicet* = totiž
scab [skæb] *s* **1.** svrab **2.** strup **3.** (~ *labour*) stávkokaz(ové); —**bed** [skæbd] *a* **1.** strupovitý **2.** prašivý, mizerný **3.** ošumělý —**by** [ˈskæbi] *a* **1.** prašivý, strupovitý **2.** ošumělý

3. podlý; **~-wort** [ˈskæbwəːt]
s **1.** chrastavec **2.** darebák
scabbard [ˈskæbəd] *s* pochva
scabi|es [ˈskeibiiːz] *s* svrab;
—ous [ˈskeibjəs] *s* bot. hlaváč
scabrous [ˈskeibrəs] *a* **1.** ne-
rovný, drsný; krkolomný **2.**
nesnadný **3.** nevhodný, ne-
slušný
scaffold [ˈskæfəld] *s* **1.** lešení
2. šibenice, popraviště; **—ing**
[ˈskæfəldiŋ] *s* lešení
scalable [ˈskeiləbl] *a* dostupný,
vyjadřitelný stupnicí, měři-
telný
scald [skoːld] *vt & i* **1.** (o)pařit
(se) **2.** vařit mléko **3.** ~ *out*
vyvařit prádlo □ *s* opařenina,
spálenina
scale[1] [skeil] *s* miska, váhy
(obyč. pl.; *a pair of -s*) ♦ *to
hold the -s even* nestranně
posuzovat; *to throw (argument
etc.) into the* ~ hodit na váhu,
ovlivnit rozhodnutí; *to turn
the* ~ udat směr □ *vt & i*
vážit (se); **~ balance** [ˈbæ-
ləns] miskové váhy; **~-beam**
[ˈskeilbiːm] *s* rameno váhy
scal|e[2] [skeil] *s* **1.** šupina **2.**
slupka, tříska **3.** zast. dřevěný
plátek **4.** zubní kámen, ko-
telní kámen, povlak □ *vt & i*
1. oloupat (se), potáhnout
(se), zbavit šupin **2.** tvořit
okuje **3.** odstranit zubní n.
kotelní kámen **4.** plátkovat,
lístkovat, loupat se, rozštíp-
nout se; **—ing** [ˈskeiliŋ] *s*
tvoření okují, otloukání ko-
telního kamene
scale[3] [skeil] *s* **1.** stupnice,
škála **2.** míra, stupeň **3.** arch.
žebřík **4.** příčel žebříku **5.**

schodiště ♦ ~ *of map* mě-
řítko mapy; *on a large* ~ ve
velkém (měřítku), široce; *on
a small* ~ v malém, skromně;
~ *wage* mzdy podle sazebníku
□ *vt* **1.** slézat žebřík, vystou-
pit **2.** zjistit měřítko; pro-
měřit; **~ down** snížit; **~ up**
zvýšit
scalene [ˈskeiliːn] *a* mající ne-
stejné strany □ *s* trojúhelník
nerovnostranný
scallawag [ˈskæləwæg] viz
scallywag
scallop [ˈskoləp] *s* **1.** zool. hřebe-
natka **2.** lastura, mušle □
vt **1.** vařit n. péci na lasturách
2. vroubkovat, zoubkovat **3.**
vykroužit
scallywag [ˈskæliwæg] *s* sl. **1.**
spratek, zakrslík, zakrnělé
dobytče **2.** budižkničemu, da-
rebák, lotr
scalp [skælp] *s* kůže na hlavě,
skalp □ *vt* skalpovat; **—el**
[ˈskælpəl] *s* skalpel, lékařský
nožík
scaly [ˈskeili] *a* šupinatý
scamp [skæmp] *s* bídák, ničema,
pobuda; **—er** [ˈskæmpə] *vi*
utíkat ustrašeně □ *s* **1.** trysk,
úprk **2.** zběžná četba **3.** vy-
jíždka na koni
scan [skæn] *vt* (-nn-) **1.** pro-
hlížet pečlivě, zkoumat, uva-
žovat **2.** počítat, měřit **3.**
skandovat **4.** rozložit obraz
na světla a stíny za účelem
přenosu v televizi
scandal [ˈskændl] *s* ostuda, po-
horšení, skandál ♦ *to lie under
a* ~ být rozkřičen, mít
špatnou pověst; *to raise a* ~
vzbudit pohoršení; **~-grubber**

['skændl₁grabə] *s* utrhač; —ize ['skændəlaiz] *vt* pohoršovat, budit pohoršení, urazit; —ous ['skændələs] *a* pohoršlivý, utrhačný, ostudný

Scandinavian [₁skændi'neivjən] *a* skandinávský □ *s* 1. Skandinávec 2. severská jazyková skupina

scansion ['skænšən] *s* skandování, měření veršů

scant [skænt] *vt & i* 1. skrovně udílet, zmenšovat 2. činit újmu, uskrovnit, nedostatečně zásobit; omezovat koho v 3. přistřihnout, přiříznout 4. zanedbávat 5. ustávat vítr, bouře □ *a* skrovný, sporý, skoupý □ *adv* stěží, sotva; —ily ['skæntili] *adv* skrovně, spoře, skoupě; —iness ['skæntinis] *s* skrovnost, nedostatečnost; —y ['skænti] *a* skrovný, sporý, skoupý

scantling ['skæntliŋ] *s* 1. rozměr, míra 2. malá část 3. *zast.* vzorek, náčrt 4. trámek

scape [skeip] *vi & t* arch. vyhnout se, utéci, vystříhat se □ *s* uniknutí, útěk; —-gallows ['skeip₁gælouz] *s* šibeničník; —-goat ['skeipgout] *s* obětní beránek; —-grace ['skeipgreis] *s* dareba

scapula ['skæpjulə] *s* fyziol. lopatka

scar¹ [ska:] *s* jizva □ *vt & i* (-rr-) zjizvit (se), zahojit se

scar² [ska:] *s* skalisko, útes, sráz

scarab ['skærəb] *s* skarabeus, chrobák

scaramouch ['skærəmauč] *s* arch. šašek, paňáca

scarce [skeəs] *a* vzácný, řídký, skrovný; —ly ['skeəsli] *adv* sotva, stěží; —ness ['skeəsnis] *s* skrovnost, vzácnost, nedostatek

scarcity ['skeəsiti] *s* nedostatek, nouze

scare¹ [skeə] *vt* postrašit, polekat; ~ away zaplašit; ~ up vyplašit, splašit

scare² [skeə] *s* panika, poplach, leknutí; —crow ['skeəkrou] *s* strašák, hastroš

scar|f [ska:f] *s* pl. -ves [-vz], -fs [-fs] šátek na krk, šerpa, vázanka □ *vt* přehodit, volně odít, zastřít; spojit, sešít kosým řezem

scarify ['skeərifai] *vt* 1. trhat, drásat 2. med. učinit zářezy 3. zjizvit 4. činit zářezy do kůry 5. podrobit ostré kritice

scarlatina [₁ska:lə'ti:nə] *s* spála

scarlet ['ska:lit] *s* červeň, nach □ *a* nachový, červený ♦ ~ fever spála; ~ hat kardinálský klobouk; ~ oak dub křemelák

scarp [ska:p] *s* příkop, škarpa □ *vt* 1. prokopat příkop, opatřit příkopem 2. sl. ukrást, štípnout 3. skrouhnout, odříznout nepravidelným řezem

scathe [skeið] *s* pohroma, škoda ♦ too keep from ~ chránit před škodou □ *vt* uškodit; —full ['skeiðful] *a* škodlivý; —less ['skeiðlis] *a* neškodný, bez pohřomy

scathing ['skeiðiŋ] *s* prudký útok v řeči, tisku □ *a* sžíravý, útočný, kousavý

scatter ['skætə] *vt* 1. rozházet, roztrousit (se), rozptýlit (se), rozprášit **2.** rozlétat se; **~-brained** [ˈskætəbreind] *a* roztržitý, nesoustředěný; **—ing** [ˈskætəriŋ] *s* rozptyl, rozptýlení; **—ling** [ˈskætəliŋ] *s* arch. pobuda

scavage [ˈskævidž] *s* tržné, místné, poplatek z místa

scavenger [ˈskævindžə] *s* **1.** metař **2.** zvíře živící se zdechlinami □ *vt & i* mést, být metařem

Sc.B. = *Bachelor of Science*

Sc.D. = *Doctor of Science*

scenario [siːˈnaːriou] *s* scénář

scen|e [siːn] *s* **1.** scéna, jeviště, dějiště **2.** výjev, výstup **3.** hra, úloha **4.** kulisa **5.** obraz **6.** krajina □ *vt* uvést na jeviště, představovat; |**~-dock** *s* kulisárna; **—ery** [ˈsiːnəri] *s* **1.** scenérie, výjev **2.** obraz na jevišti **3.** krajina **4.** rozhled; **—ic** [ˈsiːnik] *a* scénický, jevištní, divadelní; **~-painter** [ˈsiːnˌpeintə] *s* malíř kulis; **~-shifter** [ˈsiːnˌšiftə] *s* kulisář

scent [sent] *s* **1.** vůně, zápach **2.** čich, větření **3.** stopa zvěře ♦ *on the* **~** na stopě □ *vt & i* **1.** čichat **2.** větřit **3.** navonět, naplnit vůní, parfumovat; **~** *out* vyčenichat, vyhledat; **—ed** [ˈsentid] *a* navoněný, vonící, vydávající vůni

sceptic [ˈskeptik] *a* skeptický, pochybovačný □ *s* skeptik, pochybovač; **—al** [ˈskeptikəl] *a* skeptický, pochybovačný; **—ism** [ˈskeptisizəm] *s* pochybovačnost, skepticismus

sceptr|e [ˈskeptə] *s* žezlo, berla; **—ed** [ˈskeptəd] *a* žezlem vládnoucí, královský, panovnický

schedul|e [ˈšedjuːl] *s* **1.** list, seznam, soupis **2.** formulář, cedule, tabulka ♦ *ahead of the* **~** před stanovenou lhůtou; *wage* **~** mzdový řád, tarif □ *vt* **1.** uvést v seznamu **2.** určit, stanovit; **—ing** [ˈšedjuːliŋ] *s* plánování, (časový) rozvrh

schematic [skiˈmætik] *a* schematický

schem|e [skiːm] *s* **1.** zast. podoba, tvar **2.** zobrazení, nákres, nárys **3.** plán **4.** tajný záměr, úklad ♦ *to lay* **-s** strojit úklady □ *vt & i* **1.** dělat plány, plánovat **2.** navrhnout, dělat návrhy **3.** pletichařit; **—er** [ˈskiːmə] *s* **1.** navrhovatel **2.** pletichář

schism [ˈsizəm] *s* rozkol, schizma; **—atic** [sizˈmætik] *a* rozkolnický □ *s* rozkolník; **—atize** [ˈsizmətaiz] *vt* způsobit rozkol □ *vi* odštěpit se

schist [šist] *s* břidlová hornina; **—ose** [ˈšistous] *a* břidlově štěpný

scholar [ˈskolə] *s* **1.** učenec **2.** žák **3.** stipendista; **—ly** [ˈskoləli] *a* učený; **—ship** [ˈskoləšip] *s* **1.** učenost, vzdělání **2.** stipendium

scholastic [skəˈlæstik] *a* **1.** školský **2.** scholastický □ *s* scholastik

school [skuːl] *s* **1.** škola **2.** učebna ♦ *a* **~** *of painting* malířská škola; *elective* **~** výběrová škola; *nursery* **~** mateřská škola; *primary* (n. *junior elementary*) **~** národní škola; *technical* ~ průmyslová škola; *continuation* ~ učňovská škola; *secondary* (am. *high*) ~ střední škola; *junior high* ~ (am.) škola druhého stupně; *a* ~ *of fish* hejno ryb; *to put to* ~ poslat do školy □ *vt* 1. vyučovat, cvičit 2. školit (*politically* politicky); ~ -book [ˈskuːlbuk] *s* učebnice; ~ -boy [ˈskuːlboi] *s* školák; ~ -fellow [ˈskuːlˌfeˌlou] *s* spolužák; ~ -girl [ˈskuːlgəːl] *s* školačka; ~ -hire [ˈskuːlhaiə] *s* školné; —ing [ˈskuːliŋ] *s* 1. vyučování 2. vzdělání 3. výcvik, školení 4. školné; ˈ—man *s* učenec; ˈ—ˌmaster *s* učitel, ředitel; ˈ—ˌmistress [ˈskuːlˌmistris] *s* učitelka, ředitelka; —room [ˈskuːlrum] *s* učebna

schooner [ˈskuːnə] *s* škuner, dvoj- n. trojstěžník

sciatica [saiˈætikə] *s* med. ischias

science [ˈsaiəns] *s* 1. (přírodní) věda, vědění 2. dovednost, zručnost ♦ *man of* ~ vědec

scientific [ˌsaiənˈtifik] *a* vědecký; ~ *management* vědecké řízení práce; —ist [ˈsaiəntist] *s* vědec

scimitar [ˈsimitə] *s* křivá šavle turecká

scintillate [ˈsintileit] *vt & i* jiskřit, sršet, třpytit se

sciolism [ˈsaiəlizəm] *s* pavěda, pavzdělání

scion [ˈsaiən] *s* 1. štěp, roub 2. potomek

scissible [ˈsisəbl] *a* štěpný, štípatelný; —ion [ˈsižən] *s* rozštěpení

scissors [ˈsisəz] *s pl.* nůžky

scissure [ˈsižə] *s* zast. puklina, trhlina

sclerosis [skliəˈrousis] *s* kornatění; —otic [skliəˈrotik] *a* zatvrdlý, sklerotický □ *s* oční bělmo

scoff [skof] *vi & t* posmívat se, ušklíbat se (*at* na) □ *s* 1. posměch, úšklebek 2. předmět posměchu; —er [ˈskofə] *s* posměvač

scold [skould] *vi & t* plísnit, peskovat, vadit se (*at* s) □ *s* vadivá žena; —ing [ˈskouldiŋ] *s* 1. vadění 2. domluva, pokárání, důtka

sconce [skons] *s* 1. bašta, hradba 2. svítilna, lucerna, nástěnný svícen 3. hlava, lebka 4. rozum 5. pokuta peněžní □ *vt* pokutovat za přestoupení předpisů, hlavně při stolování □ *vi* odejít bez zaplacení z hostince

scoop [skuːp] *s* 1. lopatka, naběračka 2. kbelík na uhlí 3. čerpadlo 4. sl. dobrý úlovek, velký zisk; zvláštní zpráva novin, „sólokapr" □ *vt* 1. vyhloubit, vydlabat 2. vybrat lopatkou, vyprázdnit

scoot [skuːt] *vt* sl. uhánět, pospíšit si; —er [ˈskuːtə] *s* koloběžka; skútr

scope [skoup] *s* 1. rozhled, rozsah, šíře 2. prostor, dráha 3. příležitost, volnost 4. cíl 5. obor, pole

scorbute [ˈskoːbjuːt] *s* kurděje; —ic [skoːˈbjuːtik] *a* trpící kurdějemi, kurdějový

scorch [skoːč] *vt* 1. vypálit, vyprahnout, vysušit 2. smažit, pražit 3. ujíždět velkou rychlostí

score [sko:] *s* 1. vrub, zářez 2. účet, dluh 3. dvacet, dvacítka 4. příčina 5. partitura 6. sport. počet bodů, skóre, počet zásahů; stav zápasu, výsledek 7. pl. množství 8. úspěšný zásah do debaty- ♦ *-s of time* velmi často; *to pay the ~* platit účet, fig. něco komu oplatit; *to pay off old -s* odplatit komu zlé; *upon what ~?* z jaké příčiny?; *upon the ~ of friendship* na základě přátelství; *to make a ~ off one's own bat* učinit něco bez pomoci jiných □ *vt* 1. vroubkovat, činit zářezy 2. připsat na účet, připočítat, napsat na vrub *(up, against)* 3. zavést 4. rozepsat partituru 5. bodovat, skórovat 6. mít úspěch; **~ off** sl. porazit, pokořit; **~ out** vyškrtnout; **~ under** podškrtnout

scoria [ˈsko:riə] *s* struska, škvár

scorn [sko:n] *vt & i* 1. pohrdat, posmívat se 2. zdráhat se 3. považovat za nedůstojné ♦ *I would ~ to do it* styděl bych se to udělat □ *s* posměch, pohrdání, předmět posměchu; **—ful** [ˈsko:nful] *a* posměšný, pohrdlivý

scorpion [ˈsko:pjən] *s* štír; **~ -grass** [ˈsko:pjəngra:s], **~ -wort** [ˈsko:pjənwə:t] *s* ledenec

scotch [skoč] *vt* 1. arch. udělat zářez, vrub 2. rozdrtit 3. zneškodnit 4. pohmoždit, zmrzačit 5. podložit klínem □ *s* 1. zářez, vrub 2. klín na podložení; **~ hobby** herka; **~ hoppers** skákačka dětská hra

Scotch [skoč] *a* skotský ♦ **~** *collops* plátky masa s cibulí □ *s* 1. skotština 2. skotská whisky; **—man** [ˈskočmən] *s* Skot

Scot|land [ˈskotlənd] *s* Skotsko; **—sman** [ˈskotsmən] *s* Skot

Scottish [ˈskotiš] *a* skotský

scoundrel [ˈskaundrəl] *s* lotr. darebák, padouch

scour[1] [ˈskauə] *vt & i* 1. drhnout, prát, (o)čistit 2. plavit 3. vypláchnout, pročistit, dát klystýr 4. odstranit, odmést 5. zast. mrskat, bít 6. pospíchat, potulovat se ♦ *to ~ the sea* provozovat námořní loupičství; **~ about** pobíhat, toulat se; **~ away** utéci

scour[2] [ˈskauə] *s* vydrhnutí, vyčištění; **—er** [ˈskauərə] *s* loupačka na obilí; **—ing** [ˈskauəriŋ] *s* 1. drhnutí, mytí 2. průjem

scourge [skə:dž] *s* bič, metla, rána □ *vt* 1. bičovat, mrskat 2. trestat

scout [skaut] *s* 1. zvěd 2. posel 3. hlídka, stráž 4. poštovní loď 5. skaut, junák ♦ *~ work* výzvědná služba □ *vi* 1. jít na zvědy, vyzvídat 2. jednat jako skaut □ *vt* odmítat

scow [skau] *s* pramice; **—ing** [ˈskauiŋ] *s* průzkum

scowl [skaul] *vi* mračit se *(at, on* na*)* □ *s* mračení, škaredění

scrabble [ˈskræbl] *vt & i* 1. škrábat, čmárat 2. spěšně sebrat, shromáždit

scrag[1] [skræg] *a* tenký, hubený □ *s* 1. hubený člověk 2. podkrčí, odřezky masa

3. chřtán, krk **4.** skrček; **—gy** [ˈskræ gi] *a* **1.** drsný, nerovný **2.** hrbatý **3.** hubený

scrag² [skræg] *vt* (-gg-) zardousit, pověsit

scramble [ˈskræmbl] *vt* **1.** lézt, šplhat; ~ *up* vydrápat se kam **2.** tahat se, rvát se (*for* oč) **3.** lapat **4.** míchat vejce; □ *s* **1.** tahanice, rvačka **2.** šplhání, lezení

scrap [skræp] *s* **1.** kousek, drobět, ždibec **2.** útržek, odřezek **3.** výstřižek z novin **4.** obnošené věci **5.** pl. zbytky **6.** sl. hádka, pranice ♦ ~ *of paper* cár papíru; ~ *iron* šrot; ~ *collecting* sběr odpadků; *to have a* ~ sl. bojovat; *I don't care a* ~ nedbám za mák □ *vt* (-pp-) dát do šrotu, hodit na smetí; vyřadit loď □ *vi* hádat se, prát se

scrape¹ [skreip] *vt & i* **1.** (o)-škrábat, strouhat **2.** skřípat **3.** šumařit **4.** šoupnout nohou **5.** *to* ~ *acquaintance* hledět se seznámit; ~ **out** vyškrábat, vyhrabat; ~ **through** prodrat se; ~ *through an examination* prolézt u zkoušky

scrap|e² [skreip] *s* **1.** škrábání, škrábnutí **2.** strouhání **3.** fig. rozpaky, nesnáz **4.** koš ♦ *to get into -es* dostat se do nesnází; **~-penny** [ˈskreipˌpeni] *s* držgrešle; **—er** [ˈskreipə] *s* **1.** škrabačka, struhadlo **2.** stěrač **3.** fig. lakomec **4.** šumař; **—ings** [ˈskreipiŋz] *s pl.* odpadky, smetí

scrap-heap [ˈskræphiːp] *s* skládka

scratch [skræč] *vt* **1.** (po)škrá-

bat, (po)drápat **2.** drbat, drhnout **3.** škrtat **4.** vzdát zápas; ~ *out* vyškrabat □ *s* **1.** škrabání, škrábnutí **2.** škrtnutí (*of the pen* perem) **3.** čára rozběhu ♦ *a* ~ *collection* spěšně provedená sbírka; *not up to* ~ ne tak dobrý jako obvykle; *old* ~ čert, ďábel □ *a* narychlo sehnaný n. načrtnutý; **—er** [ˈskræčə] *s* **1.** škrabadlo **2.** škrábal **3.** mazal; **—y** [ˈskræči] *a* **1.** naškrábaný o psaní **2.** dráždivý, svědivý **3.** skřípavý o peru **4.** sport. nesehraný o mužstvu

scrawl¹ [skro:l] *vt & i* škrábat, čmárat, škrtat □ *s* škrábanice, čmáranice

scrawl² [skro:l] *vi* lézt, plazit se

screak [skri:k] *vi* kvičet, pištět □ *s* kvičení, pištění

scream [skri:m] *vi* křičet; vřískat, ječet ♦ *to* ~ *with laughter* smát se na celé kolo □ *s* **1.** (vý)křik **2.** jekot, vřískot; skuhrání **3.** sl. legrace

screech [skri:č] *vi* **1.** pištět, skučet **2.** skuhrat, skřehotat □ *s* **1.** skřehotání, skuhrání **2.** nářek, jekot; **~-owl** [ˈskri:čaul] *s* sýček; **~-thrush** [ˈskri:čθraš] *s* druh drozda

screed [skri:d] *s* dlouhé a nudné psaní n. řeč

screen¹ [skri:n] *s* **1.** záclona, plenta, stínítko **2.** promítací plátno **3.** záštita, ochrana **4.** prolamovaná přehrada □ *vt* **1.** zaclonit, zastínit; *-ed cable* stíněný kabel **2.** chránit **3.** promítat na plátně; **—play** [ˈskri:nplei] *s* scénář; **~-wiper** [ˈskri:nwaipə] *s* aut. stěrač skla; —**writer** [ˈskriːn|raitə] *s* scenárista

screen² [skriːn] *s* řešeto, síto, filtr ☐ *vt* **1.** podsívat **2.** podrobit důkladné prohlídce

screw [skruː] *s* **1.** šroub, závit, vrtule **2.** lakomec, vyděrač **3.** sl. mzda, plat ♦ *female* ~ šroubová matice; *main* ~ vřeteno šroubu; *there is a* ~ *loose* někde to vázne, někde je chyba; *to have a* ~ *loose* mít o kolečko víc ☐ *vt & i* **1.** šroubovat, otáčet (se) **2.** utiskovat, utlačovat **3.** přitáhnout šroub, stisknout, zmáčknout **4.** vynutit (něčí souhlas *out of s. o.*) **5.** vydírat **6.** lakotit **7.** znetvořit; ~ *down* přišroubovat; ~ *in* zašroubovat; ~ *off* odšroubovat; ~ *on* přišroubovat; našroubovat; ~ *out* vyšroubovat; ~ *up* vyšroubovat, zvýšit ceny; ~ *up one's courage* dodat (si) odvahy; ~ **-arbor** [ˈskruː|aːbə] *s* vřeteno šroubu; ~ **-driver** [ˈskruː|draivə] *s* šroubovák, vývrtka; ~ **-jack** [ˈskruːdʒæk] *s* šroubový hever, přímidlo chrupu; ~ **-knob** [ˈskruːnob] *s* hlavice šroubu; —**like** [ˈskruːlaik] *a* šroubovitý; ~ **-propeller** [ˈskruː|propələ] *s* lodní šroub, vrtule; ~ **-thread** [ˈskruːθred] *s* závit, chod; ~ **-wrench** [ˈskruːrenč] *s* stavitelný klíč, francouzský klíč

scribbl|e [ˈskribl] *vt & i* čmárat, mazat ☐ *s* mazanice, škrábanice; —**er** [ˈskriblə] *a* škrabák; ; ~ **-scrabble** [ˈskribl|ˈskræbl] *s* mazání

scrib|e [skraib] *s* **1.** písař **2.** žert. spisovatel, autor **3.** bibl. zákoník ☐ *vt* orýsovat, označit ryskou; —**er** [ˈskraibə] *s* rýsovací jehla; —**ing** [ˈskraibiŋ] *s* opisování kružidlem

scrimmage [ˈskrimidž] *s* rvačka, tahanice ☐ *vi* tahat se o

scrimp [skrimp] *a* krátký, těsný, skrovný ☐ *s* držgrešle ☐ *vt & i* uskrovnit se, skrblit; —**y** [ˈskrimpi] *a* skoupý

scrip [skrip] *s* **1.** kapsa **2.** lístek, poukázka **3.** arch. mošna, pytlík, sáček **4.** bankovka vydaná v okupačním pásmu

script [skript] *s* **1.** psané písmo, kurzíva **2.** lístek **3.** scénář; —**ural** [ˈskripčərəl] *a* biblický; —**ure** [ˈskripčə] *s* Písmo, bible

scrivener [ˈskriːvnə] *s* hist. **1.** písař **2.** notář **3.** pokoutní peněžník

sçroful|a [ˈskroufjulə] *s* krtice; —**ous** [ˈskrofjuləs] *a* krtičnatý

scroll [skroul] *s* svitek, závitek; seznam

scroop [skruːp] *vi* skřípat, vrzat

scrotum [ˈskroutəm] *s* šourek

scrub [skrab] *vt* (-bb-) **1.** drhnout rýžákem, třít, mýt, promývat **2.** vydestilovat ☐ *s* **1.** hadr **2.** koště **3.** bezvýznamný člověk **4.** herka **5.** křoví, podrost **6.** zákrsek **7.** drhnutí; —**ber** [ˈskrabə] *s* pračka plynu, skrubr; —**bing-brush** [ˈskrabiŋbraš] *s* rýžák na drhnutí; —**by** [ˈskrabi] *a* **1.** zakrnělý, sešlý **2.** ošumělý, zchátralý **3.** zarostlý houštím

scruff [skraf] *s* zátylek

scrumptious [ˈskrampšəs] *a* sl. prvotřídní, skvělý, báječný scrunch [skranč] *vt & i* 1. skřípat zuby 2. chroupat, vrzat pod nohama

scruple [ˈskru:pl] *s* 1. pochybnost, úzkostlivost 2. skrupule, vrtochy 3. 20 zrn lékárnické váhy, ¹/₃ drachmy 4. špetka □ *vi* rozpakovat se, být v rozpacích, váhat

scrupul|osity [ˌskru:pjuˈlositi] *s* úzkostlivost, puntičkářství; —ous [ˈskru:pjuləs] *a* úzkostlivý, puntičkářský, svědomitý; přísný

scrut|able [ˈskru:təbl] *a* vyzpytatelný; —ation [skru:ˈteišən] *s* zpytování, zkoumání; —ator [skru:ˈteitə] *s* 1. zkoumatel 2. sčitatel hlasů při volbě, skrutátor; —inize [ˈskru:tinaiz] *vt* 1. zkoumat, zpytovat 2. pečlivě prohlížet 3. počítat hlasy; —inous [ˈskru:tinəs] *a* hloubavý; —iny [ˈskru:tini] *s* 1. zkoumání, zpytování 2. zkoumavý pohled 3. sčítání hlasů při volbě

scud [skad] *vi* (-dd-) 1. běžet úprkem, pospíchat, uhánět 2. plout před větrem; —dle [ˈskadl] *vi* dial. uhánět, pelášit

scuffle [ˈskafl] *s* rvačka, šarvátka, srážka □ *vi* 1. rvát se, prát se 2. šourat se

sculk [skalk] viz *skulk*

scull [skal] *s* 1. člun 2. veslař 3. krátké veslo; —er [ˈskalə] *s* 1. člun, loďka 2. veslař, kormidelník

scullery [ˈskaləri] *s* umývárna nádobí; ~ maid, girl myčka nádobí

scullion [ˈskaljən] *s* umývač,

myčka nádobí, kuchyňská; —ly [ˈskaljənli] *adv* sprostě

sculp [skalp] *s* zast. řezba, rytina hov. = -ture □ *vt* vyřezávat, rýt; —tor [ˈskalptə] *s* řezbář, sochař; —ture [ˈskalpčə] *s* 1. sochařství, řezbářství 2. řezba, rytina; skulptura, plastika □ *vt* 1. vyřezávat, rýt, tesat 2. ozdobit sochařským dílem

scum [skam] *s* 1. pěna 2. špína, kal, sedlina ♦ *the ~ of the earth* sedlina lidská, sběř, spodina □ *vt* (-mm-) pěnit, sbírat pěnu; —my [ˈskami] *a* 1. pěnovitý, vylučující pěnu, pokrytý pěnou 2. kalný

scumble [ˈskambl] *vt* tlumit barvy, temperovat □ *s* krycí barva

scupper [ˈskapə] *s* jícen lodní odpadové trubice □ *vt* voj. sl. zničit, potopit loď

scurf [skə:f] *s* lupy, strupy, šupina; —y [ˈskə:fi] *a* lupovitý, strupovitý

scurril|ity [skaˈriliti] *s* sprostota, oplzlost; —ous [ˈskariləs] *a* sprostý, oplzlý

scurry [ˈskari] *vi* běžet, utíkat, pelášit

scurvy [ˈskə:vi] *a* 1. zast. prašivý, strupovitý 2. opovržení hodný 3. bídný □ *s* kurděje

scut [skat] *s* ocásek, pírko

scutcheon [ˈskačən] *s* 1. štít 2. záklopka klíčové dírky ♦ *a blot on the ~* hanba rodiny

scutter [ˈskatə] *vi* pospíchat, běžet, mít běhavku

scuttle¹ [ˈskatl] *s* 1. koš 2. nám. koš na stěžni 3. ošatka 4. uhlák 5. poklop, světlík, otvor s poklopem 6. velké síto

scuttle² [ˈskatl] s 1. rychlá chůze, cupot 2. útěk □ *vi* 1. uspat 2. chvátat pryč, utíkat

scuttle³ [ˈskatl] s nám. okénko v lodním boku □ *vt* provrtat loď úmyslně, potopit loď

scythe [saið] s kosa □ *vt* kosit

S.D. = *South Dakota* [dəˈkoutə]

se- [si-] prefix značící „pryč", „stranou"

sea [si:] s 1. moře 2. vlna, vlnobití 3. spousta (*of* čeho) ♦ *across the* ~ přes moře, za moře(m); *by* ~ po moři; *main* ~ širé moře; *narrow* ~ mořská úžina; *a heavy* ~ rozbouřené moře; *the high* ~ širé moře; *to put to* ~ vyplout na moře; *we are all at* ~ *on this subject* nevíme si rady v této věci; *to head the* ~ plout proti vlnám; *to stand out to* ~ vyrazit na moře; ~ **air** mořský vítr; ~ **-bank** s mořský břeh; ~ **-bear** [ˈsi:beə] s bílý medvěd; ~ **-bird** [ˈsi:bə:d] s mořský pták; **—board** [ˈsi:bo:d] s přímoří; ~ **-borne** [ˈsi:bo:n] a dopravovaný po moři, vedený po moři obchod; ~ **-boy** s plavčík; ~ **-breeze** [ˈsi:bri:z] s mořský vánek, vzduch; ~ **-calf** [ˈsi:ka:f] s tuleň; ~ **card, chart** [ča:t] námořní mapa; ~ **-coast** [ˈsi:koust] s břeh, pobřeží; ~ **-cob** [ˈsi:kob] s racek; ~ **-cow** [ˈsi:kau] s mrož; ~ **-dog** [ˈsi:dog] s 1. tuleň 2. druh menšího žraloka 3. starý námoř-

ník; ~ **-duck** [ˈsi:dak] s mořská kachna; ~ **-eagle** [ˈsi:i:gl] s orel mořský; ~ **-eel** s úhoř mořský; ~ **-fairy** [ˈsi:feəri] s mořská panna; ~ **-farer** [ˈsi:feərə] s námořník, plavec; ~ **-faring** [ˈsi:feəriŋ] a námořnický, mořeplavecký; ~ **-gauge** [ˈsi:geidž] s lodní ponor, hlubinná sonda; ~ **-grass** s mořská řasa; ~ **-gull** [ˈsi:gal] s racek; ~ **-horse** [ˈsi:ho:s] s mrož; ~ **-lion** [ˈsi:laiən] s lvoun; druh kraba; ~ **-maid** s mořská panna; **—man** s plavec, námořník; **—manship** s námořnictví, plavectví; ~ **-mew** [ˈsi:mju:], ~ **-moss** s korál; **—plane** [ˈsi:plein] s hydroplán (~ *carrier* mateřská letadlová loď); **—port** [ˈsi:po:t] s mořský přístav; **—shell** [ˈsi:šel] s ústřice mořská; **—shore** [ˈsi:šo:] s mořské pobřeží; **—sick** a postižený mořskou nemocí; **—side** [ˈsi:said] s pobřeží; ~ **-wall** [ˈsi:wo:l] jesep; mořská hráz, vlnolam; ~ **-weed** [ˈsi:wi:d] s chaluha; **—worthy** [ˈsi:wə:ði] a schopný plavby

seal¹ [si:l] s pečeť, znak, cejch, plomba; (u)těsnění, ucpávka ♦ *to put* n. *set one's* ~ *upon* zapečetit, zpečetit, potvrdit □ *vt & i* 1. vtisknout, přivěsit pečeť, (za)pečetit 2. těsně uzavřít 3. dokázat (*with* čím) 4. cejchovat; **—ing** [ˈsi:liŋ] s pečetění; **—ing-wax** [ˈsi:liŋwæks] s pečetní vosk; **—ring** [ˈsi:riŋ] s pečetní prsten

seal² [si:l] s tuleň; ~ **blubber**

['si:lblabə], '~-oil *s* tulení
tuk; —ing ['si:liŋ] *s* lov tu-
leňů; '—skin *s* tulení kůže
seam [si:m] *s* 1. šev 2. jizva,
šrám 3. spára, tenká vrstva
4. žíla v hornině; —less ['si:m-
lis] *a* bezešvý; —stress
['semstris] *s* krejčová, švadle-
lena; —y ['si:mi] *a* 1. mající
švy 2. zjizvený ♦ *the ~ side
(of life)* rub (života)
seance ['seiã:ns] *s* seance spiri-
tistická
sear[1], sere[1] [siə] *a* suchý, zvad-
lý □ *vt* 1. sežehnout, spálit
2. (vy)sušit 3. vadnout,
seschnout 4. vypálit znamení
5. zatvrdit srdce; —ed [siəd]
a 1. spálený, zvadlý 2. ura-
žený 3. necitelný
search [sə:č] *vt* hledat *(for*
co), pátrat, zkoumat, bádat
(after co), vyšetřovat *(into* co);
~ *out* vyhledat, vyzkoumat □
s 1. hledání 2. vyšetřování,
pátrání *(for* po), prohlídka
♦ *to be in ~ of* pátrat po,
shánět se po; *the right of* ~
právo prohlídky neutrální
lodi; —er ['sə:čə] *s* 1. hledač,
vyšetřovatel 2. zast. ohledá-
vač mrtvých 3. hledáček,
mikroskopu; —ing ['sə:čiŋ]
a pátrající □ *s* hledání, pro-
hlídka, zkouška; ~-light ['sə:č-
lait] *s* reflektor, světlomet
season ['si:zn] *s* 1. roční doba,
období, sezóna 2. vhodná
doba 3. koření ♦ *in ~* včas;
out of ~ v nepravý čas; *for a*
~ na čas ♦ *vt & i* 1. činit
zralým, uzrát 2. (o)kořenit 3.
zařídit 4. zpříjemnit 5. při-
způsobit (se), navyknout (si),

aklimatizovat (se) 6. balza-
movat 7. sušit dřevo na
vzduchu ♦ *to ~ with sugar*
sladit; *to ~ with salt* solit;
—able ['si:znəbl] *a* včasný,
vhodný, příležitý; —age ['si:-
znidž] *s* zast. kořenění, pří-
chuť; —al ['si:zənl] *a* sezónní;
—ing ['si:zniŋ] *s* 1. kořenění
2. koření 3. sušení dřeva na
vzduchu 4. stárnutí uleže-
ním
seat [si:t] *s* 1. sedadlo, židle, se-
dačka 2. sídlo 3. byt, bydliště
4. sedací prkno záchodu 5.
jeviště 6. zadnice kalhot ♦ *the
~ of government* sídlo vlády;
a ~ in the country venkovské
sídlo; *to change one's ~*
přestěhovat se; ~ *of war*
ohnisko války □ *vt & i* 1.
opatřit sedadly 2. posadit
(se); *be -ed* sedněte si! 3.
umístit, zaujímat, mít dost
místa *(this hall -s 500 people*
tato síň pojme 500 lidí) 4. za-
jistit volbu; *two—~er s* dvou-
sedadlový vůz
S.E.A.T.O. = *South Eastern
Asian Treaty Organization*
Jihovýchodoasijský pakt
sebaceous [si'beišəs] *a* tukový,
lojovitý
Sec. = *secretary*
secant ['si:kənt] *s* sečna
secateur(s) ['sekətə:(z)] *s* za-
hradnické nůžky
secede [si'si:d] *vi* odloučit se
(from od), vystoupit z, odejít
secession [si'sešən] *s* vystoupení,
odloučení se, odštěpení; od-
chod
seclude [si'klu:d] *vt* odloučit
(from od), vyloučit

seclusion [si'klu:žən] *s* **1.** odloučení, odloučenost **2.** vyloučení **3.** osamělost, ústraní
second ['sekənd] *a* **1.** druhý, následující, příští **2.** druhotný **3.** horší než *(to)* ♦ *he is ~ to none* s nikým si nezadá □ *s* **1.** vteřina, sekunda **2.** sekundant **3.** člověk n. věc v pořadí druhá □ *vt* **1.** být druhý **2.** přizvukovat, podporovat návrh, pomáhat **3.** voj. přidělit; **—ary** ['sekəndəri] *a* sekundární, druhotný, podružný; podřaděný, odvozený ♦ *~ school* střední škola □ *s* **1.** pověřenec, delegát **2.** průvodce, družice *(~ planet)* **3.** příručí; *~ ballot* užší volba; |*~-best* *a* druhý nejlepší; |*~-hand* *a* obnošený, antikvární; *~ in command* zástupce velitele; *~ lieutenant* [lef'tenənt] podporučík; **—ly** ['sekəndli] *adv.* za druhé; *~ means* [mi:nz] nepřímá pomoc; *~-rate* ['sekənd'reit] *a* druhého řádu, prostřední; *~-sight* ['sekənd'sait] *s* prorocký dar
secrecy ['si:krisi] *s* **1.** tajemství, taj(em)nost **2.** utajení, mlčelivost ♦ *in ~* tajně
secret ['si:krit] *a* **1.** tajný, tajemný **2.** skrytý **3.** odloučený, osamělý **4.** zamlklý □ *s* tajemství □ *to be in the ~* být zasvěcen; *The S~ Service* tajná služba, am. ochrana presidenta; *in ~* tajně; *~ ballot* tajné volby; **—ary** ['sekrətri] *s* tajemník ♦ *general ~* generální tajemník; *S~ of State* am. ministr zahraničí

secret|e [si'kri:t] *vt* **1.** odloučit, odstranit. **2.** skrýt, zatajit **3.** odměšovat, vylučovat; **—ion** [si'kri:šən] *s* **1.** odměšování výměšek **2.** přechovávání kradených věcí; **—ive** [si'kri:tiv] *a* mlčelivý, tajnůstkářský: rezervovaný
sect [sekt] *s* **1.** sekta **2.** zast. rod lidský; **—arian** [sek'teəriən] *a* sektářský, rozkolnický □ *s* sektář, rozkolník; **—arianism** [sek'teəriənizəm] *s* sektářství
section ['sekšən] *s* **1.** řez, řezání, odříznutí **2.** průřez **3.** pitva **4.** část, oddíl, oddělení **5.** odbor **6.** území, kraj **7.** vrstva **8.** skupina, družstvo ♦ *privileged ~* privilegovaná kasta; **—al** ['sekšənl] *a* **1.** oddílový, sekční **2.** průřezový **3.** odborový
sector ['sektə] *s* **1.** kruhová výseč **2.** úsek, sektor ♦ *distributive ~* distribuční sektor
secular ['sekjulə] *a* **1.** věky trvající, staletý **2.** světský □ *s* laik, světský kněz; **—ize** ['sekjuləraiz] *vt* zesvětštit, sekularizovat
secur|e [si'kjuə] *a* **1.** bezpečný, jistý *(against from,* před) **2.** bezstarostný □ *vt* **1.** zabezpečit *(from* před) **2.** opevnit **3.** zamknout **4.** zatknout, zajistit, uvěznit **5.** opatřit, poskytnout **6.** podvázat tepnu, zastavit krvácení; **—ity** [si'kjuəriti] *s* **1.** bezpečí, jistota **2.** bezstarostnost **3.** ochrana **4.** zástava, záruka **5.** pl. cenné papíry, obligace ♦ *to give ~* zaručit se, dát zástavu;

S ~ *Council* Rada bezpečnosti

sedan [si'dæn] *s* 1. nosítka 2. am. salónní vůz

sedat|e [si'deit] *a* usedlý, klidný; **—ion** [si'deišən] *s* ukojení, utišení; **—ive** ['sedətiv] *a* utišující, uklidňující □ *s* uklidňující prostředek

sedentary ['sedntəri] *a* 1. sedavý 2. stálý, usedlý 3. voj. poziční válka ♦ *to live a* ~ *life* vést sedavý život

sedge [sedž] *s* ostřice, třtina, rohoží

sediment ['sedimənt] *s* sedlina, usazenina, kal

sediti|on [si'dišən] *s* vzbouření, povstání; **—ous** [si'dišəs] *a* odbojný, povstalecký

seduc|e [si'dju:s] *vt* svádět; **—ement** *s* zř. 1. svedení, svádění, svod 2. zmrhání 3. pokušení; **—er** [si'dju:sə] *s* svůdce; **—tion** [si'dakšən] *s* 1. svedení, svádění, svod 2. pokušení; **—tive** [si'daktiv] *a* svůdný, vábný, lákavý

sedul|ity [si'dju:liti] *s* přičinlivost, vytrvalost, píle, pracovitost; **—ous** ['sedjuləs] *a* pilný, přičinlivý, vytrvalý

see¹ [si:] *s* sídlo, diecéze ♦ *the Holy See* Svatá stolice

see²* [si:] *vt* & *i* 1. vidět, hledět, (s)patřit 2. pozorovat 3. starat se, dbát 4. poznat 5. navštívit, přijmout (návštěvu) 6. zažít 7. chápat, rozumět, nahlížet, uvážit 8. zkusit ♦ *I'll* ~ *you home* doprovodím vás domů; *well, I'll* ~ dobře, uvážím to; *to go to* ~ jít na návštěvu; *let me* ~!

ukažte!, počkejte!; *it is worth -ing* stojí to za podívanou; ~ **about** 1. uvážit co 2. vzít si na starost, věnovat čemu pozornost; ~ **after** postarat se o; ~ **for** zast. ohlédnout se po, hledat; ~ **into** 1. prohlížet, zkoumat 2. rozumět; ~ **a person off** vyprovodit koho (na nádraží); ~ **out** vyprovodit; čekat do konce; dožít se konce; ~ **through** prokouknout, pochopit; *to* ~ *s.o. through s.t.* postarat se, aby někdo překonal něco ve zdraví, stát při někom až do konce; ~ **to** všimnout si, dohlédnout, postarat se; *to* ~ *one's way to* (*doing* n. *to do*) být schopen co vykonat; **—ing**: ~ *that* n. ~ poněvadž. vzhledem k tomu, že

seed [si:d] *s* 1. sémě, semeno, zrno 2. plod, potomstvo 3. původ, počátek ♦ *to run to* ~ zakládat na semeno □ *vt* & *i* 1. zakládat na semeno, sbírat semena z plodu 2. osévat 3. semenit se; **—bed** *s* pařeniště; ~ **-cover** ['si:d'kavə] *s* kalíšek; ~ **drill** řádkovací secí stroj; **—er** ['si:də] *s* 1. rozsévač(ka), rozsévadlo 2. ryba v době tření; **—iness** ['si:dinis] *s* sešlost; **—ling** ['si:dliŋ] *s* sazenice, semenáč, bylinka; **—lip, —lop** *s* rozsévačka; ~ **-plot** *s* semeniště, školka; ~ **-sower** ['si:d|souvə] n. **—ing machine** *s* secí stroj; **—sman** *s* 1. rozsévač 2. obchodník se semeny; ~ **-time** ['si:dtaim] *s* čas setí; **—y** ['si:di] *a* 1. semenatý

2. lid. sešlý, ošumělý 3. churavý

seek* [si:k] *vt & i* 1. hledat, shánět se (*after, for* po) 2. snažit se, usilovat (*to do* o) 3. ucházet se (*after, for* o) 4. žádat (*of, from* o) ♦ *to be to* ~ chybět, být žádoucí

seem [si:m] *vi* zdát se ♦ *it* -*s* zdá se; —**er** [¹si:mə] *s* ramenář, licoměrník; —**ing** [¹si:miŋ] *a* zdánlivý, napohled □ *s* 1. zdání, vzezření 2. úsudek, mínění ♦ *to my* ~ podle mého mínění; —**less** [¹si:mlis] *a* nevhodný, neslušný; —**liness** [¹si:mlinis] *s* úhlednost, slušnost, způsobnost; —**ly** [¹si:mli] *a* 1. úhledný 2. slušný, způsobný

seen [si:n] *pp* viz *see*

seep [si:p] *vt* skot., am. vsakovat, prosakovat; —**age** [¹si:pidž] *s* skot. am. vsakování, prosakování

seer [siə] *s* věštec

see-saw [¹si:⁞so:] *s* 1. houpání 2. houpačka z prkna podepřeného uprostřed

seethe* [si:ð] *vt & i* 1. vřít, vařit (se), kypět 2. fig. být rozrušen 3. planout hněvem

segment [¹segmənt] *s* 1. úsek, úseč, výsek 2. lamela 3. koš psacího stroje; —**al** [seg¹mentl] *a* úsekový, úsečový

segregat|e *vt* [¹segrigeit] 1. oddělit, odloučit 2. tech. segregovat, odměšovat 3. vycezovat □ *a* [¹segrigit] oddělený; —**ion** [¹segri¹geišən] *s* 1. oddělení, odloučení 2. tech. vycezování, segregace, odměšování 3. vycezeniny

seine [sein] *s* rybářská (vlečná) síť

seisin [¹si:zin] viz *seizin*

seism|ic [¹saizmik] *a* seizmický; —**oscope** [¹saizmoskoup] *s* seizmoskop

seiz|e [si:z] *vt* 1. uchopit, uchvátit 2. zmocnit se, chopit se, vzít 3. zatknout, uvěznit 4. připevnit ♦ *seized with* zachvácen čím; —**er** [¹si:zə] *s* uchvatitel; —**in** [¹si:zin] *s* 1. držba 2. svobodný statek; —**ure** [¹si:žə] *s* 1. uchopení, držba, zmocnění se 2. zabavení 3. zatčení 4. záchvat nemoci

seldom [¹seldəm] *adv* zřídka

select [si¹lekt] *vt* vybrat, vyvolit □ *a* vybraný, vyvolený, nejlepší ♦ ~ *school* výběrová škola; —**ion** [si¹lekšən] *s* 1. volba, výběr, selekce 2. výbor 3. citlivost rádia; —**ive** [si¹lektiv] *a* výběrový; ~ *assembly* montáž výběrovým způsobem; —**ivity** [¸silek¹tiviti] *s* selektivita, odladivost rádia

selenium [si¹li:njəm] *s* selen

self [self] *pron (*pl. *selves)* 1. sám, sama, samo 2. já 3. týž, tentýž □ *a* vlastní □ *s* vlastní já *(your better* ~ *)*, osobnost, sobectví; —**abuse** [¹selfə¹bju:s] *s* sebeprznění, onanie; ¹—**active**, ¹—**acting** *a* samočinný, automatický; ~ **-applause** [¹selfə¹plo:z] *s* samochvála; ~ **-assertion** [¹selfə¹sə:šən] *s* vtíravost; ~ **-assumption** [¹selfə¹sampšən] *s* domýšlivost; ~ **-command** [¹selfkə¹ma:nd] *s* sebeovládání; **~ -composure** [ˈself-kəmˈpouʒə] *s* duchapřítomnost; **~ -complacency** [ˈself-kəmˈpleisənsi] *s* samolibost; **~ -conceit** [ˈselfkənˈsi:t] *s* ješitnost, domýšlivost; **~ -confidence** [ˈselfˈkonfidəns] *s* sebedůvěra; **~ -conscious** [ˈself-ˈkonšəs] *a* rozpačitý, plachý; **~ -contained** [ˈselfkənˈteind] *a* soběstačný, uzavřený, rezervovaný; **~ -criticism** [ˈself-ˈkritisizəm] *s* sebekritika; **~ -deceit** [ˈselfdiˈsi:t] *s* sebeklam; **~ -defence** [ˈselfdi-ˈfens] *s* sebeobrana; **~ -denial** [ˈselfdiˈnaiəl] *s* sebezapření; **~ -destruction** [ˈselfdiˈstrak-šən] *s* sebezničení; **~ -determination** [ˈselfdiˌtə:miˈnei-šən] *s* sebeurčení; **~ -evident** [ˈselfˈevidənt] *a* samozřejmý; **~ -examination** [ˈselfigˌzæ-miˈneišən] *s* sebeanalýza; **~ -excitation** [ˈselfˌeksiˈteišən] *s* el. vlastní buzení; **~ -fluxing** [ˈselfˈflaksiŋ] *a* tavný ruda; **~ -government** [ˈselfˈgavn-mənt] *s* samospráva; **~ -help** [ˈselfˈhelp] *s* svépomoc; **~ -homicide** [ˈselfˈhomisaid] *s* sebeponížení; **~ -importance** [ˈselfimˈpo:tənts] *s* domýšlivost, nadutost; **~ -imposture** [ˈselfimˈposčə] *s* sebeklam; **~ -interest** [ˈselfˈintrist] *s* zištnost, sobeckost; **~ -love** [ˈself-ˈlav] *s* sebeláska; **~ -made** [ˈselfˈmeid] **man, selfmade-man** člověk vypracovavší se od píky; **~ -opinion** [ˈselfə-ˈpinjən] *s* domýšlivost, umíněnost, paličatost; **~ -possessed** [ˈselfpəˈzest] *a* 1. du-

chapřítomný 2. rozvážný, klidný; **~ -preservation** [ˈselfˌprezə:ˈveišən] *s* sebezáchova; **~ -propelling** [ˈselfprəˈpeliŋ] *a* samohybný; **~ -regard** [ˈselfriˈga:d] *s* sebeláska, sobectví; **~ -renunciation** [ˈselfriˌnansi-ˈeišən] *s* sebezapření; **~ -respect** [ˈselfrisˈpekt] *s* sebeúcta; **~ -restraint** [ˈselfriˈstreint] *s* sebeovládání, zdrželivost; **~ -sacrifice** [ˈselfˈsækrifais] *s* oběť; **—same** [ˈselfseim] *a* právě týž, táž, totéž; **~ -satisfaction** [ˈselfˌsætisˈfækšən] *s* samolibost; **~ -service** [ˈself-ˈsə:vis] *s* samoobsluha; **~ -slaughter** [ˈselfˈslo:tə] *s* sebevražda; **~ -sufficient** [ˈself-səˈfišənt] *a* 1. soběstačný 2. samolibý; **~ -supplier** [ˈself-səˈplaiə] *s* samozásobitel; **~ -trailer** [ˈselfˈtreilə] *s* dvoukolový přívěsný vozík; **~ -ˈwill** *s* svévole, tvrdohlavost, umíněnost; **~ -willed** [ˈself-ˈwild] *a* svévolný, svéhlavý, neústupný; **~ -wise** [ˈself-ˈwaiz] *a* domýšlivý, samolibý

selfish [ˈselfiš] *a* sobecký; **—ness** [ˈselfišnis] *s* sobectví, zištnost

sell¹* [sel] *vt & i* 1. prodat, prodávat 2. jít na odbyt 3. vést obchod 4. zaprodat ♦ *to ~ under points system* prodávat na body; **~ off, out** vyprodat; *to ~ out one's own nation* zaprodat vlastní národ; **~ up** vyprodat zboží v dražbě

sell² [sel] *s* 1. zaprodání 2. zklamání 3. léčka, „bouda", ošálení; **—er** [ˈselə] *s* 1. prodavač, obchodník **2.** am. úspěšná kniha ♦ *good (bad)* ~ věc, která jde dobře (špatně) na odbyt; *best* ~ nejžádanější kniha

selvage [ˈselvidž] *s* obruba látky, lem □ *vt* obroubit

selves [selvz] *pron pl.* od *self*

semantics [siˈmæntiks] *s* sémantika

semaphore [ˈseməfoː] *s* semafor

semblance [ˈsembləns] *s* podoba, zdání, vzezření ♦ *to have a* ~ *of honesty* předstírat počestnost

semester [siˈmestə] *s* semestr, období školní

semi- [semi-] prefix značící „polo-"; ~ **-annual** [ˈsemiˈænjuəl] *a* pololetní; —**breve** [ˈsemibriːv] *s* čtyřčtvrťová nota; ~ **-circle** [ˈsemiˌsəːkl] *s* polokruh; ~ **-circular** [ˈsemiˈsəːkjulə] *a* polokruhový; ~ **-colon** [ˈsemiˈkoulən] *s* středník; ~ **-detached** [ˈsemidiˈtæčt] *a*: ~ *house* dvojdomek; ~ **-final** [ˈsemiˈfainəl] *s* semifinále; ~ **-literacy** [ˈsemiˈlitərəsi] *s* pologramotnost; ~ **-monthly** [ˈsemiˈmanθli] *a & s & adv* **1.** čtrnáctidenní **2.** čtrnáctideník **3.** dvakrát za měsíc; ~ **-proletarian** [ˈsemiˌproulə-ˈteəriən] *s* poloproletář; —**quaver** [ˈsemiˌkweivə] *s* hud. šestnáctina; —**tone** [ˈsemitoun] *s* půltón; —**vowel** [ˈsemiˈvauəl] *s* polosamohláska

seminal [ˈsiːminl] *a* semenný

seminar [ˈseminaː] *s* seminář na universitě

seminary [ˈseminəri] *s* **1.** semeniště **2.** seminář

semination [ˌsemiˈneišən] *s* **1.** setí, rozsévání **2.** oplození

Semit|e [ˈsiːmait] *s* semita; —**ic** [siˈmitik] *a* semitský

semolina [ˌseməˈliːnə] *s* pšeničná hrubá mouka na makaróny

sempiternal [ˌsempiˈtəːnl] *a* věčný, stálý

sempstress [ˈsempstris] *s* švadlena, krejčová

senat|e [ˈsenit] *s* senát; —**or** [ˈsenətə] *s* senátor

send* [send] *vt* **1.** poslat, posílat **2.** seslat, udělit **3.** způsobit ♦ *to* ~ *flying* porazit na hlavu, rozprášit; *to* ~ *word* vzkázat; ~ *away* odeslat; propustit, odbýt; ~ *back* vrátit; ~ *down* **1.** snížit ceny **2.** vyloučit z university; ~ *for* poslat pro; ~ *forth* **1.** vyslat **2.** plodit; ~ *off*: ~ *off a person* vyprovodit, být při odjezdu někoho; ~ *out* n. *forth* vys(í)lat; vydávat ze sebe; pouštět; —**er** [ˈsendə] *s* **1.** odesílatel, zasílatel **2.** rádiový vysílač; —**ing** [ˈsendiŋ] *s* odesílání, posílání, poslání, zásilka

senesc|ence [siˈnesəns] *s* stárnutí; —**ent** [siˈnesnt] *a* stárnoucí

seneschal [ˈsenišəl] *s* správce dvora, statku n. velkého domu, majordom

senil|e [ˈsiːnail] *a* stařecký, letitý; —**ity** [siˈniliti] *s* kmetství, stařeckost, stáří

senior [ˈsiːnjə] *a* starší věkem; ~ *officer* služebně starší důstojník, vyšší důstojník □ *s* **1.** stařešina, senior **2.** am. posluchač 4. ročníku na uni-

versitě; —ity [ˌsiːniˈoriti] s
starší věk, věkové pořadí
senna [ˈsenə] s bot. senes
sennight [ˈsenait] s arch. týden
♦ *this day* ~ ode dneška za
týden
sensation [senˈseišən] s 1. čití,
vnímání, vjem 2. cítění, pocit
3. pohnutí, rozruch, senzace;
—**alism** [senˈseišnəlizəm] s
honba za senzací, senzace-
chtivost
sense [sens] s 1. smysl 2. pocit,
cit 3. rozum, vědomí (*of* čeho)
4. duch 5. úsudek, mínění,
význam ♦ *common* ~ zdravý
rozum; *to speak good* ~ mlu-
vit rozumně; *to make* ~ *of*
dávat smysl, být srozumi-
telný; *I cannot see the* ~ *of it*
nevidím význam toho; *to be
out of* -*s* nemít všech pět
pohromadě; *it stands to* ~ to
dá rozum ☐ *vt* 1. vnímat,
cítit 2. chápat, tušit; —**less**
[ˈsenslis] a 1. bez smyslů,
bez vědomí 2. nesmyslný,
nerozumný 3. necitelný ☐ *to
fall* ~ omdlít
sens|ibility [ˌsensiˈbiliti] s citli-
vost, vnímavost; —**ible** [ˈsen-
səbl] a 1. citlivý, vnímavý 2.
citelný 3. patrný, zřejmý 4.
rozumný, soudný, moudrý ♦
to be ~ *of* mít smysl pro, být
si vědom; —**itive** [ˈsensitiv] a
1. smyslový 2. citelný, cit-
livý 3. vnímavý 4. dráždivý,
popudlivý, nedůtklivý; —**ori-
um** [senˈsoːriəm] s 1. ústrojí
smyslové, smysl 2. mozek,
šedá kůra mozková n. míšní;
—**ory**, —**orial** [ˈsensəri, sen-
ˈsoːriəl] a smyslový, senzorický

sensual [ˈsensjuəl] a smyslový,
smyslný; —**ity** [ˌsensjuˈæliti]
s smyslnost, tělesnost; —**ize**
[ˈsensjuəlaiz] vt dráždit, či-
nit smyslným
sensuous [ˈsensjuəs] a smyslový
sent [sent] pt, pp viz *send*
sentence [ˈsentəns] s 1. věta 2.
průpověď 3. rozsudek, ortel,
trest ☐ vt rozsoudit, odsoudit
(*to* k)
sententious [senˈtenšəs] a 1.
duchaplný, důvtipný 2. po-
učný 3. úsečný, jadrný, afo-
ristický 4. bombastický
sentient [ˈsenšənt] a cítící, vní-
mavý
sentiment [ˈsentimənt] s 1. cí-
tění, cit, pocit 2. myšlenka
citově zabarvená 3. mínění,
úsudek, smýšlení; *revolutio-
nary* ~ revoluční smýšlení
4. přípitek; —**al** [ˌsentiˈmentl]
a 1. citlivý, sentimentální,
přecitlivělý 2. dojímavý, uny-
lý; —**ality** [ˌsentimenˈtæliti] s
citlivost, přecitlivělost, senti-
mentalita
sentinel, sentry [ˈsentinl, ˈsentri]
s stráž, hlídka ♦ *on* ~ na
stráži; *to keep* ~ stát na
stráži; **sentry-box** [ˈsentri-
boks] s strážní budka
sepal [ˈsepəl] s bot. kališní list
separ|able [ˈsepərəbl] a odděli-
telný, rozlučitelný; —**ability**
[ˌsepərəˈbiliti] s oddělitelnost,
rozlučitelnost; —**ate** a [ˈsep-
rit] oddělený, odloučený, se-
parátní ☐ vt & i [ˈsepəreit]
oddělit (se), rozloučit (se),
odloučit (se) (*from* od); —**ation**
[ˌsepəˈreišən] s 1. oddělení,
odloučení 2. odtržení 3. roz-

luka; —**atist** [ˈsepərətist] *s*
rozkolník; —**ator** [ˈsepəreitə]
s 1. oddělovač 2. odstředivka
sepia [ˈsiːpjə] *s* sépie
sepsis [ˈsepsis] *s* sepse, otrava
krve
sept[1] [sept] *s* irský klan
sept-[2] [sept-] prefix značící „sed-
mero"
September [səpˈtembə] *s* září
septennial [sepˈtenjəl] *a* sedmi-
letý
septic [ˈseptik] *a* septický, hni-
savý, rozežíravý
septuagenary [ˌseptjuəˈdžinəri]
a sedmdesátiletý □ *s* sedm-
desátník
Septuagint [ˈseptjuədžint] *s* Sep-
tuaginta
septuple [ˈseptjupl] *a* sedmero-
násobný, sedmerý □ *s* sed-
meronásobek □ *vt* násobit
sedmi
sepulchral [siˈpalkrəl] *a* hro-
bový, pohřební
sepulchre [ˈsepəlkə] *s* náhrobek,
hrob, hrobka
sepulture [ˈsepəlčə] *s* 1. pohřbe-
ní, pohřeb 2. arch. hrobka
sequel [ˈsiːkwəl] *s* 1. výsledek,
následek 2. pokračování ka-
pitoly 3. dostatek ♦ *in ~ to*
následkem toho; *in the ~* jak
se ukázalo; *by ~* postupně
sequ|ence [ˈsiːkwəns] *s* 1. po-
sloupnost, pořadí, sled 2. ná-
sledek 3. gram. souslednost;
~ of tenses gram. souslednost
časová ♦ *in ~* po sobě, po
pořádku; —**ent** [ˈsiːkwənt] *a*
1. následující, druhý 2. vý-
sledný, vyplývající, prame-
nící *(to, (up)on* z)
seques|ter [siˈkwestə] *vt & i*

1. oddělit, odloučit (*se one-
self*) 2. zabavit, vzít; —**trate**
[siˈkwestreit] *vt* zabavit;
—**trator** [ˌsiːkwesˈtreitə] *s* se-
kvestor, vnucený správce
seraglio [seˈraːliou] *s* serail
seraph [ˈserəf] *s* pl. -*im* [-im],
-*s* [-s] anděl, seraf; —**ic**
[seˈræfik] *a* serafínský, ne-
beský
Serb(ian) [ˈsəːbjən] *s* 1. Srb
2. srbština □ *a* srbský
sere, sear [siə] *a* suchý, zvadlý
serenade [ˌseriˈneid] *s* zastave-
níčko, serenáda □ *vt* zahrát n.
zazpívat serenádu n. zasta-
veníčko
seren|e [siˈriːn] *a* jasný, klidný
□ *vt* vyjasnit, uklidnit; —**ity**
[siˈreniti] *s* jasnost, klid
serf [səːf] *s* otrok, nevolník;
—**dom** [ˈsəːfdəm] *s* nevol-
nictví, otroctví
serge [səːdž] *s* serž, šerka látka
sergeant [ˈsaːdžənt] *s* 1. seržán,
četař 2. šikovatel 3. strážník
Sergt. = *Sergeant*
serial [ˈsiəriəl] *a* řadový, sériový
□ *s* seriál, dílo vycházející na
pokračování
series [ˈsiəriːz] *s* pl. = sg. řada,
série
serious [ˈsiəriəs] *a* 1. vážný,
opravdový 2. důležitý 3.
upřímný; —**ness** [ˈsiəriəsnis]
s vážnost, opravdovost; dů-
ležitost
serjeant [ˈsaːdžənt] *s* hist. práv-
ník vyššího řádu ♦ *S~ at
Arms* sněmovní pořadatel,
královský ceremoniář
sermon [ˈsəːmən] *s* řeč, kázání,
promluva □ *vt & i* kázat,
řečnit; —**ette** [ˌsəːməˈnet] *s*

kázáníčko; —ize [ˡsə:mənaiz]
vi kázat, řečnit; —izer [ˡsə:-
mənaizə] s kazatel, řečník
serpent [ˡsə:pənt] s had; —ine
[ˡsə:pəntain] a 1. hadí, hado-
vitý 2. točený, vinoucí se 3.
chytrý 4. zákeřný □ s 1. min.
serpentin, hadec 2. tech. spi-
rála □ vi vinout se, klikatit se
serrat|ed [seˡreitid] a pilovitý,
zoubkovaný; —ion [seˡreišən]
s zoubkování
serried [ˡserid] a nacpaný, stla-
čený; semknutý, v hustých
řadách
serum [ˡsiərəm] s sérum
servant [ˡsə:vənt] s sluha, služ-
ka ♦ ~ girl, ~ maid služka
serve [sə:v] vt & i 1. sloužit,
posluhovat 2. posloužit, po-
moci 3. podávat jídlo, obslu-
hovat u stolu, být číšníkem
4. hodit se, postačit, plnit
úkol 5. sport. podat, servíro-
vat míč 6. vynést rozsudek
7. tech. opřádat kabel ♦ that
will ~ to postačí; that -s
him right to mu patří, to
zaslouží; to ~ an office zastá-
vat úřad; to ~ one's turn
hodit se do krámu, uspoko-
jit; to ~ one's time odbýt si
službu, přizpůsobit se okol-
nostem, odsedět si trest ap.;
to ~ a trick vyvést nějaký
kousek; to ~ a writ doručit
obsílku; ~ in, up nosit, po-
dávat na stůl; ~ out 1. vy-
sloužit, dosloužit 2. rozdávat,
rozdělovat 3. oplatit
service [ˡsə:vis] s 1. služba,
práce 2. obsluha 3. zdvořilost,
úslužnost 4. jídlo 5. poručení
6. divine ~ služby boží 7.

stolní souprava 8. služba
ve vojsku a námořnictvu, pl.
branná moc 9. úřad 10. do-
prava, doručení □ at your ~
k vašim službám; in active ~
ve službě; to be of ~ to být
komu nápomocen; to do, to
render, a ~ prokázat službu;
to give ~ sport. servírovat;
civil ~ státní služba; public ~
veřejná služba; home ~ služ-
ba ve vlasti (protiklad: foreign
~ služba v koloniích); ~
conditions tech. provozní pod-
mínky, provozní poměry; ~
instructions tech. provozní
předpisy, návod k obsluze;
~ life životnost stroje; ~ of
a writ doručení obsílky; —able
[ˡsə:visəbl] a 1. prospěšný,
užitečný 2. ochotný 3. trvan-
livý 4. schopný provozu;
~ -dress, ~ -kit s služební,
všední uniforma; ~ -pipe
[ˡsə:vispaip] s vedlejší po-
trubí
servicing [ˡsə:visiŋ] s obsluha,
údržba
serviette [ˌsə:viˡet] s ubrousek
servil|e [ˡsə:vail] a otrocký,
podlízavý; —ity [sə:ˡviliti] s
otrockost, podlízavost
servitor [ˡsə:vitə] s arch. & bás. 1.
sluha, fámulus 2. přisluhovač
servitude [ˡsə:vitju:d] s otroctví,
nevolnictví, poddanství ♦
penal ~ trest žaláře, káznice
servo-motor [ˡsə:vouˌmoutə] s
servomotor
sessile [ˡsesil, ˡsesail] a bot.
přisedlý, beze stopky
session [ˡsešən] s schůze, se-
zení, zasedání ♦ to hold ~
konat schůzi

set¹* [set] *vt & i* (-tt-) **1.** položit, postavit; posadit, umístit **2.** uspořádat, seřadit **3.** zařídit **4.** upevnit **5.** uvést v pohyb, nařídit (*watch* hodinky) **6.** odhadnout, označit cenou **7.** brousit, obtáhnout břitvu **8.** ozdobit, okrášlit (*with* čím) **9.** sázet tisk **10.** přiložit ruku k dílu *(to)* **11.** chovat naději (*on, upon* k) **12.** vsadit (*on, upon* na) **13.** vkloubit, napravit **14.** dát za vzor, za úkol **15.** uložit se, usadit se **16.** zapadat o slunci **17.** sednout se **18.** zhasnout **19.** odejít, vydat se na cestu **20.** zvr. snažit se **21.** zhudebnit **22.** padnout, slušet o šatech **23.** namačkat, upravit vlny na vlasech ♦ *to ~ at ease* ukojit, ubezpečit; *to ~ close* sázet, psát hustě; *to ~ going* uvést do pohybu; *to ~ free, to ~ at liberty* osvobodit, pustit na svobodu; *to ~ open* otevřít; *to ~ right* zřídit, napravit, srovnat, uspořádat; *to ~ an example* být příkladem; *to ~ a hen* nasadit slepici; *to ~ eyes on* zamanout si nač; *to ~ in motion* uvést v pohyb, uvést do chodu, spustit stroj; *to ~ on fire, to ~ fire* zapálit; *to ~ on foot* pomoci na nohy; *to ~ sail* vyplout; *to ~ to music* zhudebnit; *to ~ to rights* uspořádat; *to ~ to sale* vystavit na prodej; *to ~ to work* dát se do práce, přimět k práci, uvést v chod; *to ~ a jewel* zasadit klenot; *to~ on shore* vysadit na břeh; *to*

~ the sights vizírovat; *to ~ the table* připravit stůl; *to ~ the teeth* zatnout zuby; *to ~ a fine upon* uložit komu pokutu; *to ~ a dog upon* poštvat psa na; *to ~ at defiance* vzdorovat; *to ~ side* řídce sázet; **~ about 1.** dát se do, začít **2.** rozšířit pověst; **~ against** postavit naproti, poštvat proti; **~ apart** dát stranou, oddělit, vyhradit, vyjmout; **~ aside 1.** odstrčit **2.** zrušit **3.** nedbat **4.** šetřit; **~ at** napadnout, poštvat na; **~ away** odstavit, odložit; **~ back 1.** překazit, zvrátit **2.** odstavit, odstrčit; **~ before** předložit; **~ by 1.** odložit stranou, uspořit **2.** vážit si; **~ down 1.** složit **2.** napsat, připisovat, poznamenat si **3.** předepsat, ustanovit, zařídit; **~ forth 1.** vydat se na cestu **2.** oznámit, ukázat, dát najevo **3.** vypravit loď; **~ in 1.** vzniknout, nastat **2.** začít, dát se do; **~ off 1.** vyzdobit **2.** vydat se na cestu; **~ s.o. off** rozesmát koho; **~ on, upon 1.** pobízet, povzbuzovat **2.** přepadnout **3.** posunout kupředu **4.** štvát psa; **~ out 1.** vysázet řídce **2.** určit, ustanovit, prohlásit **3.** rozšířit, vydat knihu **4.** vyložit na prodej **5.** vychvalovat vynášet **6.** vyzdobit **7.** vypravit loď **8.** dokázat, ukázat **9.** vyrazit, vydat se na cestu **10.** počít; **~ over** ustanovit nad; **~ to** dát se do jídla, do práce, začít, věnovat se; **~ together** sestavit, složit; **~ up 1.** vztyčit **2.** založit,

zařídit, začít 3. nastavit, seřídit 4. zotavit se ♦ to ~ up a flag rozvinout vlajku; to ~ up a mouse-trap nalíčit past na myši; to ~ up a shop zařídit obchod; to ~ up a cry zdvihnout pokřik; to ~ up for oneself zařídit se pro sebe; ~ upon napadnout koho
set² [set] s 1. řada 2. soubor, sbírka 3. sada, souprava, garnitura 4. spřežení 5. sazenice 6. západ slunce 7. sázka 8. směr větru, proudu 9. zaměření, tíhnutí 10. uspořádání 11. postavení 12. stolní příbor 13. sport. set, sada ♦ a ~ of men třída lidí; to pay a ~ zahrát jednou dokola; a ~ of teeth chrup; ~-back [ˈsetbæk] s nezdar, nehoda, překážka; l~-ldown s odseknutí slovem; l~-loff s 1. protiva, protějšek 2. protipožadavek 3. vyrovnání 4. ústupek zdi; ~-lout s 1. počátek 2. vybavení, vyložení; ~ screw [skru:] stavěcí šroub; ~ square [skweə] rýsovací trojúhelník; l~-lto s hádka, rvačka; l~-up s 1. držení těla 2. osazenstvo (the hospital ~ osazenstvo nemocnice)
settee [seˈti:] s pohovka
setter [ˈsetə] s 1. sazeč 2. skladatel 3. pořadatel 4. pobuřovatel 5. kuplíř 6. stavěcí pes 7. fot. ustalovač; l~-lon s štváč
setting [ˈsetiŋ] s 1. sázení, kladení 2. seřízení, nastavení přístroje 3. uspořádání 4. sázení písmen 5. rozvádění pily 6. západ slunce 7. zhudebnění

8. lůžko drahokamu 9. divadelní výprava; l~-dog s lovecký pes, stopař, stavěcí pes; l~-lin s počátek; l~-loff s odcestování; l~-lout s vydání se na cestu; ~-pole [ˈsetinpoul] s plavecká tyč; l~-stick s 1. roubík, kolík 2. typ. řádečník, sázítko; l~-lup s 1. nastavení, seřízení stroj 2. stanovení
settlle [ˈsetl] vt & i 1. postavit, položit 2. usadit (se), osadit 3. urovnat 4. uspořádat, zařídit, zaopatřit; ustanovit 5. vyrovnat (~ a debt dluh) 6. pročistit víno 7. zvr. usadit se 8. dohodnout se 9. snést se (down) 10. ustálit se, uklidnit se 11. věnovat se 12. odpočívat, spočinout 13. sednout se, klesat ♦ to ~ at the bottom usadit se na dně; to ~ to sleep uložit se k spánku; —ement s 1. usazení, uspořádání, zařízení 2. odkaz, zaopatření 3. vyměření penze 4. osada, kolonie 5. dohoda, úmluva, smlouva 6. vyrovnání účtu 7. sedlina, kal 8. převod 9. sesedání se půdy, zdiva ♦ to make a ~ vyrovnat se; in ~ of account k úhradě účtu; —er [ˈsetlə] s 1. osadník, kolonista 2. sl. usazení někoho argumentem; —ing [ˈsetliŋ] s 1. usazování, sedlina, kal 2. osada 3. sazenice 4. zúčtování, clearing na burze
seven [ˈsevn] num sedm; —fold [ˈsevnfould] a sedmeronásobný; —teen [ˈsevnˈti:n] num sedmnáct; —th [ˈsevnθ]

num & a sedmý □ *s* sedmina;
—**tieth** [ˈsevntiiθ] *num & a*
sedmdesátý; —**ty** [ˈsevnti]
num sedmdesát
sever [ˈsevə] *vt & i* 1. rozdvojit,
oddělit, odloučit (se) 2. od-
seknout 3. roztít, roztrhnout,
přetrhnout 4. rozpadnout se
5. rozdělovat
several [ˈsevrəl] *a* 1. několik,
více 2. rozličný, různý,
zvláštní 3. odloučený ♦
~ *times* několikrát; —**ly**
[ˈsevrəli] *adv* zvláště, každý
pro sebe; odděleně, jednot-
livě; —**ty** [ˈsevrəlti] *s* indivi-
duální držba
severance [ˈsevərəns] *s* rozdě-
lení, odloučení, oddělení ♦
~ *pay* odstupné, odškodné
sever|e [siˈviə] *a* 1. přísný 2.
drsný, krutý; trpký; prudký
3. bouřlivý o počasí 4. střízlivý
sloh 5. štiplavý poznámka;
—**ity** [siˈveriti] *s* 1. přísnost,
krutost 2. vážnost, opravdo-
vost
sew[1]* [sou] *vt & i* šít; ~ **on**
přišít; ~ **together** sešít; ~ **up**
1. zašít 2. sl. nadobro zdolat
sew[2] [sou] *vt* vypustit vodu
z rybníka
sewage [ˈsjuːidž] *s* kal, rmut;
splašky, odpadní vody;
~ **disposal** [disˈpouzəl] čiš-
tění odpadních vod; ~ **works**
kanalizační stanice
sewer[1] [souə] *s* krejčí, švadlena
sewer[2] [ˈsjuə] *s* stoka, kanál;
—**age** [ˈsjuəridž] *s* kanali-
zace
sewing [ˈsouiŋ] *s* 1. šití 2. pl.
nitě; ~ -**machine** [ˈsouiŋ
məˈšiːn] *s* šicí stroj; ~ -**press**

s sešívací lis knihařský;
~ -**silk** *s* šicí hedvábí
sex [seks] *s* pohlaví, rod ♦ *the
fair* ~ krásné pohlaví; *the
sterner* ~ silnější pohlaví
sexagenarian [ˌseksədžiˈneəriən]
s šedesátník
sextant [ˈsekstənt] *s* šestina
kruhu, sextant, úhloměr
sexton [ˈsekstən] *s* 1. kostelník
2. hrobník
sextuple [ˈsekstjupl] *a* šesterý,
šestinásobný □ *s* šestinásobek
□ *vt* násobit šesti
sexual [ˈseksjuəl] *a* pohlavní,
sexuální ♦ ~ *intercourse* n.
commerce pohlavní styk
shab|biness [ˈšæbinis] *s* 1. ošu-
mělost, otrhanost 2. dare-
báctví, sprostota 3. lakomost;
—**by** [ˈšæbi] *a* 1. ošumělý,
otrhaný 2. darebný, podlý,
mrzký 3. lakomý
shack [šæk] *s* am. chata
shackle [ˈšækl] *s* 1. článek řetě-
zu, spona 2. tech. závěs listové
pružiny 3. pl. pouta, okovy □
vt spoutat, překážet
shaddock [ˈšædək] *s* velký po-
meranč, grapefruit
shad|e [šeid] *s* 1. stín, odstín;
chládek 2. stínítko, clona,
záclona 3. přízrak ♦ *to throw*
n. *put into the* ~ zastínit;
a ~ *of colour* barevný odstín;
eye-~ *s* oční stínítko □ *vt*
1. stínit, zastínit, stínovat
2. chránit před světlem 3.
přecházet v odstín o barvě
—**y** [ˈšeidi] *a* 1. stinný,
temný 2. pochybný, pode-
zřelý
shadow [ˈšædou] *s* 1. vržený stín
2. přítmí, temno 3. zdání 4.

fig. ochrana ☐ *vt* 1. stínit 2. chránit ♦ *to* ~ *a person* stopovat, tajně sledovat koho; —**ing** [ˈšædouiŋ] *s* stínování obrazu; —**y** [ˈšædoui] *a* stinný, šerý, temný, tmavý

shaft [ša:ft] *s* 1. kopí, střela, šíp 2. držadlo, násada 3. peň, dřík; osa 4. oj, ojnice; hřídel 5. pestík 6. žert 7. šachta 8. hlaveň 9. komín ♦ *a* ~ *of light* paprsek světla; ~ -**horse** [ˈša:ftho:s] *s* náruční kůň; —**ing** [ˈša:ftiŋ] *s* tech. hřídelové vedení, transmise

shag [šæg] *s* 1. chundel, dlouhý chlup; čupřina 2. řezaný tabák; —**gy** [ˈšægi] *a* chundelatý, huňatý, chlupatý

shagreen [šæˈgri:n] *s* 1. šagrén druh usně 2. žraločí kůže

shake[1]* [šeik] *vt & i* 1. (o)třást (se), chvět se 2. třepat, lomcovat 3. mávat 4. viklat (se), kolísat, potácet se 5. trylkovat ♦ *to* ~ *hands with* potřást si rukou s; *to* ~ *one's head* vrtět hlavou; *to* ~ *one's belief* otřást něčí vírou; ~ **down** 1 (se)třást (se) 2. sesednout se; uvelebit se; ~ **off** setřást, zbavit se; ~ **out** 1. vytřást 2. rozvinout plachty; ~ **up** 1. smísit 2. natřást podušky

shak|**e**[2] [šeik] *s* 1. třesení, otřes 2. ráz, náraz 3. trhlina 4. potřesení hlavou 5. trylek 6. kokteil ♦ *in two* -*s* velmi brzy, za okamžik; |~ -ˈ**down** *s* spěšně připravené lůžko na zemi; —**en** [ˈšeikən] *pp* viz *shake*; —**y** [ˈšeiki] *a* 1. viklavý, třesoucí se, třaslavý 2.

rozpukaný, nepevný 3. nespolehlivý

Shakespear|**e** [ˈšeikspiə] *s* Shakespeare; —**ian** [šeiksˈpiəriən] *a* shakespearovský

shako [ˈšækou] *s* vojenská čáka

shale [šeil] *s* 1. slupka, šupina 2. lupek 3. skořápka

shall [šæl, šəl, šl] pomocné sloveso *pt & cond should* musím, jsem povinen ♦ *I* ~ *go* půjdu; ~ *I go?* mám jít?; *I should go* šel bych; *he says we should go* říká, že bychom měli jít

shallop [ˈšæləp] *s* šalupa

shallot [šəˈlot] *s* bot. šalotka

shallow [ˈšælou] *a* 1. mělký, povrchní, slabý 2. triviální, všední ☐ *vt* (z)mělčit ☐ *s* mělčina; ~ -**brained** [ˈšæloubreind] *a* zpozdilý, mělký

sham [šæm] *a* 1. klamný, falešný, předstíraný, lživý 2. padělaný ♦ ~ *fight* předstíraný boj ☐ *s* podvod, klam, předstírání, lež ☐ *vt* (-mm-) oklamat, podvést, předstírat; dělat (se) (*dead* mrtvým)

shamble[1] [ˈšæmbl] *s* 1. řeznický stůl 2. pl. jatky; řeznický krám

shamble[2] [ˈšæmbl] *vi* kolébat se, belhat, šmajdat, pajdat

shame [šeim] *s* 1. hanba, stud, ostuda 2. zast. ohanbí ♦ *for* ~! hanba!, styď se!; *it's a* ~ *to* je hanba; *to put to* ~ zahanbit; *to think* ~ *to (do it)* považovat za hanbu (udělat to) ☐ *vt* zahanbit, zneuctít ☐ *vi* hanbit se, stydět se; ~ -**faced** [ˈšeimfeist] *a* stydlivý, ostýchavý; —**ful** [ˈšeimful] *a* hanebný,

ohavný, neslušný; —less
[ˈšeimlis] a nestoudný, nesty-
datý
shammer [ˈšæmə] s podvodník,
lhář
shammy [ˈšæmi] s kamzičí kůže,
semiš
shamois [šæmˈwa:] s viz *chamois*
shampoo [šæmˈpu:] vt & i mýt
(si) vlasy šamponem
shamrock [ˈšæmrok] s bílý jetel
shank [šæŋk] s 1. holeň 2. noha
3. peň, stonek 4. troubel 5.
tyč, rameno 6. držadlo 7.
vřeteno, dřík kotvy 8. násada,
čep kola; ~ cutter [ˈkatə] tech.
stopková fréza
shan't [ša:nt] = *shall not*
shanty [ˈšænti] s chatrč, bouda,
chýše
shap|e [šeip] s 1. tvar, podoba
2. forma, kadlub, vzor, model
3. fantóm 4. kroj 5. pl. tech.
tvarová ocel ♦ *of the newest ~*
nejnovější módy □ vt & i
1. tvořit (se), utvářet, (z)for-
movat, přizpůsobit tvarem
(*to* čemu), brát na sebe tvar;
obrábět 2. sestavit, spořádat
3. vyvíjet se; *-ed iron* tvarová
ocel; —ing [ˈšeipiŋ] s tech.
tváření, profilování; ~ *machine*
vodorovná obrážečka; —eless
[ˈšeiplis] a beztvárný, beztva-
rý, neforemný; —ely [ˈšeipli]
a pěkných tvarů, pěkně rostlý,
souměrný
shard [ša:d] s 1. střep(ina) 2.
krovka
share [šeə] s 1. díl, podíl (*in the
commodities* na zboží), úděl
2. účastenství 3. akcie, divi-
denda 4. radlice ♦ *to fall to
one's ~* dostat se, připadnout

podílem; *to go -s* účastnit se,
mít podíl, stejně se rozdělit;
to take ~ in mít podíl na □
vt & i 1. dělit (se), rozdělit
2. mít účast, podílet se (*in*
na), mít stejný podíl; —holder
[ˈšeəˌhouldə] s akcionář;
ˈ~ -out s rozdělení, rozvržení
shark [ša:k] s 1. žralok 2. lich-
vář, podvodník, taškář 3.
celník 4. am. schopný člověk,
kabrňák □ vi & t 1. podvá-
dět, vydírat, přiživovat se
2. provozovat lichvu 3. arch.
shrábnout, krást 4. hltat;
—er [ˈša:kə] s zast. podvod-
ník, šejdíř
sharp [ša:p] a 1. ostrý, špičatý
2. kousavý; řízný, rázný 3.
přísný 4. bystrý, chytrý;
mazaný, lstivý 5. bdělý 6.
bolestný 7. hbitý, rychlý krok
8. hud. o půltón vyšší ♦ *to
look ~* přičinit se; *at two
o'clock ~* přesně ve dvě
hodiny □ s 1. ostří, ostrá
zbraň 2. hov. znalec 3. hud.
nota s křížkem □ vt & i 1.
arch. n. lid. ostřit, brousit 2.
provozovat šejdířství, pod-
vádět 3. zvýšit o půltón;
~ *edge* ostrá hrana, ostří,
břit; ~ -edged [ˈša:pedžd] a
ostrohranný; —en [ˈša:pən]
vt 1. ostřit, brousit, zahrotit
2. povzbuzovat 3. roztrpčit □
vi 4. zostřit se 5. kysat; —ener
[ˈša:pnə] s 1. brusič 2. brus,
brousek; —er [ˈša:pə] s 1.
podvodník, taškář, falešný
hráč 2. brusič; ~ -eyed [ˈša:p-
aid] a bystrozraký; —ing
[ˈša:piŋ] s broušení, (z)ostře-
ní; ˈ~ -ˈset a chtivý, hltavý,

hladový; ~-shooter [ˈša:p-ˌšu:tə] s ostrostřelec; ~-witted [ˈša:pˈwitid] a důvtipný, ostrovtipný

shatter [ˈšætə] vt & i 1. roztříštit (se), rozbít (se) 2. roztrousit, rozptýlit 3. zničit zdraví, nervy □ s pl. zast. trosky, střepy

shav|e* [šeiv] vt & i 1. holit (oneself se) 2. ostrouhat, ohoblovat, okrájet 3. fig. obrat, okrást, ošidit 4. proklouznout, jen taktak minout □ s 1. oholení; to have a ~ oholit se 2. hoblík 3. tech. poříz 4. ošizení, podvod 5. únik o vlásek; —er [ˈšeivə] s 1. holič 2. mladík, holobrádek 3. zloděj, lichvář; —ing [ˈšeiviŋ] s 1. holení 2. pl. hoblovačky; —ing-brush [ˈšeiviŋbraš] s štětka na holení

shawl [šo:l] s šátek, přehoz, šál

shawm [šo:m] s šalmaj

she [ši:] pron ona; ~ herself ona sama □ s žena; samice; ~-cousin [ˈši:kazn] s sestřenice; ~-friend [ˈši:frend] s přítelkyně; ~-goat [ˈši:ˈgout] s koza; ~-servant [ˈši:sə-vənt] s služka

shea|f [ši:f] s pl. -ves [ši:vz] snop, otep, svazek □ vt vázat do snopů

shear* [šiə] vt 1. ostříhat, zbavit ovce vlny 2. obrat □ vi 3. prosekat, uvolnit cestu 4. žnout srpem □ s 1. střihání, střih, stříž ovcí 2. pl. nůžky (a pair of -s) 3. zdvihadlo v docích 4. smyk; ~ off odstřihnout, ustřihnout; ~ steel

[sti:l] svářková ocel; —ing [ˈšiəriŋ] s 1. střihání, střih, stříž ovcí 2. pl. odstřižky; ~ machine strojní nůžky; ~ strength pevnost ve střihu (ve smyku)

sheath [ši:θ] s pochva; —e [ši:ð] vt 1. strčit do pochvy, opatřit pochvou, pouzdrem 2. povléci, potáhnout 3. obednit, šalovat

sheave [ši:v] s kladka □ vt vázat do snopů

sheaves [ši:vz] pl viz sheaf

shebang [šiˈbæŋ] s sl. zařízení, výstroj

shed[1] [šed] s 1. přístřeší 2. bouda, kolna 3. hangár, garáž

shed*[2] [šed] vt & i 1. vylévat, ronit, prolévat krev 2. ztrácet, shazovat parohy, opadávat, pelichat 3. šířit světlo ♦ to ~ light on osvětlit; vysvětlit □ s prolití; blood— krveprolití

she'd [ši:d] = 1. she would 2. she had

sheen [ši:n] s lesk, třpyt, jas, záře

sheep [ši:p] s pl. = sg. 1. ovce 2. ovčí kůže 3. nesmělý člověk ♦ black ~ prašivá ovce; to cast n. make ~'s eyes vrhat zamilované pohledy ǀ~-cot, ǀ~-fold, ǀ~-pen s ovčinec, salaš; —ish [ˈši:piš] a 1. ovčí 2. nesmělý, ostýchavý 3. zast. hloupý; ~-master [ˈši:p-ˌma:stə] s ovčák; ~'s-head [ˈši:pshed] s hlupák; ~-shearing [ˈši:pˌšiəriŋ] s stříž ovcí; ~'s-sorrel [ˈši:psˌsorəl] s šťovík

sheer[1] [šiə] a 1. pouhý, naprostý 2. čistý, ryzí 3. strmý, příkrý

□ *adv* příkře, srázně ♦
~ *nonsense* úplný nesmysl
sheer² [šiə] *vi* nám. odchýlit se
od kursu, změnit kurs lodi;
~ *off* odejít, táhnout pryč,
prchnout; odvrátit se □ *s*
odchylka; ohyb
sheet [ši:t] *s* 1. arch papíru 2.
pokrývka, prostěradlo, plach-
ta 3. vrstva, plocha 4. tabule
skla 5. kus plechu 6. nám.
plachetní lano 7. vodní hla-
dina; -*s of rain* lijavec □ *vt*
1. pokrýt plachtou, upevnit
plachtu 2. zabalit, povléci
(*a bed* postel) ♦ ~ *anchor*
nouzová kotva, poslední úto-
čiště; ~ *cable* kotevní lano;
~ *copper* desková měď;
~ *covering* oplechování, ple-
chový kryt; ~ *glass* tabulové
sklo; ~ *lightning* [ˈlaitniŋ] *s*
blýskavice; ~ *metal* plech;
—**ing** [ˈši:tiŋ] *s* 1. véba, ložní
prádlo 2. materiál k válco-
vání, válcovaný tovar 3.
vrstva
sheik(h) [šeik] *s* šejch, šejk
shel|f [šelf] *s* pl. -*ves* [-vz] 1.
police, přihrádka 2. útes,
písčina, mělčina
shell [šel] *s* 1. skořápka, slupka,
kůra, lusk 2. krovka, krunýř
3. granát, puma 4. rakev
vnitřek 5. pouzdro, plášť u pří-
strojů 6. stav. kostra domu,
skořepina □ *vt & i* 1. loupat
(se), louskat 2. ostřelovat
granáty; ~ *out* sl. vyplatit;
~ **-board** [ˈšelbo:d] *s* žebřiny;
—**fish** [ˈšelfiš] *s* korýš, měk-
kýš; —**ing** [ˈšeliŋ] *s* bombar-
dování, ostřelování; ~ **-pit**
[ˈšelpit] *s* granátová jáma;

~ **-proof** [ˈšelpru:f] *a* zajiš-
těný proti bombám a graná-
tům; ~ **transformer** plášťový
transformátor; ~ **-work** [ˈšel-
wə:k] *s* ozdoba, zdobení
z lastur; —**y** [ˈšeli] *a* oplýva-
jící lasturami
she'll [ši:l] = *she will*
shellac [šəˈlæk] *s* šelak
shelter [ˈšeltə] *s* 1. útulek, pří-
střeší 2. útočiště, ochrana
(*from* před), kryt □ *vt & i*
chránit, krýt, skrývat (se)
(*under* pod, *in* v, *from* před),
hledat ochranu; —**less** [ˈšeltə-
lis] *a* bez přístřeší
shelve¹ [šelv] *vt* 1. postavit na
polici 2. opatřit regály 3.
fig. opustit, odložit plán
shelve² [šelv] *vi* mírně se na-
klánět, mít svah
shelves [šelvz] *s pl.* viz *shelf*
shepherd [ˈšepəd] *s* 1. ovčák,
pastýř 2. pastor □ *vt* pást,
hlídat (ovce); —**ess** [ˈšepədis]
s pastýřka
sherbet [ˈšə:bət] *s* šerbet nápoj,
ovocná šťáva
sherd [šə:d] viz *shard*
sheriff [ˈšerif] *s* 1. úředník
hrabství 2. am. šerif, soudce;
—**dom**, —**ship**, —**wick** [ˈše-
rif|dəm, -šip, -wik] *s* úřad
šerifa
Sherwood [ˈšə:wud] *s* Sher-
wood
she's [ši:z] = 1. *she is* 2. *she has*
shew [šou] viz *show*
shibboleth [ˈšibələθ] *s* heslo,
příznak, znamení
shied [šaid] *pt* viz *shy*
shield [ši:ld] *s* 1. štít 2. fig.
ochránce, ochrana □ *vt* chrá-
nit, skrývat (*from* před);

~ **-bearer** [ˈʃiːld‖beərə] s štíto-
noš
shift¹ [ʃift] vi & t 1. posu-
novat (se), posunout (se),
sesout (se) 2. vinout se,
3. měnit (se), zaměnit za,
střídat (se); přendat z ruky
do ruky, vyměnit si 4. starat
se, pečovat 5. ohánět se 6.
převléci (se) 7. přesadit, od-
stranit 8. protloukat se 9.
zaujmout novou pozici 10.
aut. řadit rychlosti ♦ to ~
the sails přestavit plachty;
~ **about** obrátit se; ~ **away,
off** odsunout, odstrčit, odstra-
nit; vzdálit se; ~ **for oneself**
starat se sám o sebe; ~ **into**
měnit se v; ~ **out of** odchýlit
se od; ~ **upon** svést (vinu) na
shift² [ʃift] s 1. změna, otočení,
posunutí 2. prostředek, po-
můcka, pomoc z nouze, ná-
hražka 3. změna, výměna,
směna (night ~ noční směna)
4. vytáčka 5. zř. ženská košile
♦ to make ~ hledět si pomoci;
to make ~ to live hledět se
uživit; he is put to his last -s
dospěl až k nejhoršímu; —**ing**
[ˈʃiftiŋ] a chytrý, úskočný □
.s 1. zast. n. dial. úskok 2. aut.
řazení rychlostí; ~ spanner
francouzský klíč; —**less** [ˈʃift-
lis] a bezradný, neschopný;
—**y** [ˈʃifti] a měnlivý, vy-
chytralý, úskočný
shilling [ˈʃiliŋ] s šilink 12 pencí
shilly-shally [ˈʃili‖ʃæli] a ne-
rozhodný, váhavý □ s neroz-
hodnost, kolísání, váhání □
vi kolísat, váhat
shimmer [ˈʃimə] vi třpytivě
svítit, lesknout se □ s třpyt

shimmy [ˈʃimi] s 1. am. hov.
košilka 2. druh tance
shin [ʃin] s holeň, holenní kost
□ vi (-nn-): ~ **up** šplhat
shindy [ˈʃindi] s hluk, povyk,
rvačka ♦ to kick up a ~ sl.
hlučet
shin|e* [ʃain] vi & t 1. svítit,
třpytit se, zářit 2. lesknout
se 3. leštit □ s 1. svit, lesk,
třpyt, záře 2. sl. rozruch,
senzace, povyk; —**ing** [ˈʃain-
iŋ] a lesklý, svítivý; —**y**
[ˈʃaini] a jasný, lesklý, blýs-
kavý
shingle¹ [ˈʃiŋgl] s šindel □ vt
1. pokrýt šindelem 2. krátce
ostříhat vlasy
shingle² [ˈʃiŋgl] s oblázky, štěrk
ship [ʃip] s loď ♦ on board ~
na loď, na lodi, na palubě □
vi & t (-pp-) 1. nakládat na
loď, dopravovat, nalodit 2.
jet lodí, plout, plavit (se)
3. dát se najmout za plavce,
najmout posádku 4. upevnit,
zasadit na lodi; ~ away od-
vážet na lodi; ~ off nakládat
na loď, odvážet; ~ **-based**
[ˈʃipbeist] a mající základnu
na lodi; ǀ~ **-boy** s plavčík;
~ **-broker** [ˈʃipbroukə] s lodní
agent; ~ **-builder** [ˈʃip‖bildə]
s lodař; ~ **-carriage** [ˈʃip-
‖kæridʒ] s lodní náklad;
ǀ—**man** s námořník, lodník;
ǀ—**ment** s lodní zásilka, lodní
náklad, nakládání, zasílání;
lodní doprava; ~ **-owner**
[ˈʃip‖ounə] s vlastník lodi;
—**per** [ˈʃipə] s 1. lodař, lodník
2. dovozce, vývozce; —**ping**
[ˈʃipiŋ] s 1. nakládání na loď,
náklad 2. lodní prostor 3. loď-

stvo; **—ping-agent** [ˈšipiŋ-ˌeidžənt] *s* lodní jednatel; **—ping documents** přepravní doklady; **~'s company** lodní posádka; **—shape** [ˈšipšeip] *a* dobře uložený, v pořádku; **—wreck** [ˈšiprek] *s* ztroskotání lodi, záhuba, ztráta; **~ -wright** [ˈšiprait] *s* loďař; **~ -yard** [ˈšipja:d] *s* loděnice

shire [ˈšaiə] *s* hrabství, okres

shirk [šə:k] *vt & i* **1.** stranit se, vyhýbat se práci, povinnosti **2.** šálit □ *s* lenoch, ulejvák

shirt [šə:t] *s* košile, blůza ♦ **~** *of mail* železná košile □ *vt & i* obléci košili, převléci se; I**~ -front** *s* náprsenka; **—ing** [ˈšə:tiŋ] *s* plátno na košile; **—y** [ˈšə:ti] *a* sl. rozladěný, hněvivý

shiver¹ [ˈšivə] *vi* třást se, chvět se □ *s* třesení, chvění

shiver² [ˈšivə] *vt & i* roztříštit, rozdrobit (se), rozbít (se) na kusy □ *s* tříska, střep

shoal¹ [šoul] *s* množství, houf, roj, hejno ryb □ *vi* rojit se, hemžit se

shoal² [šoul] *a* mělký □ *s* mělčina □ *vi* stát se mělkým; **—y** [ˈšouli] *a* mělký

shock¹ [šok] *s* **1.** rána (*an electric* **~**), uhození, úder, ráz **2.** otřes, šok **3.** leknutí **4.** pohoršení ♦ *to give -s* působit pohoršení □ *vt & i* **1.** otřást **2.** pohoršit, působit n. dát pohoršení **3.** urážet **4.** poděsit; **—ing** [ˈšokiŋ] *a* pohoršlivý, urážlivý, skandální **2.** protivný, odporný, hrozný; **~ troups** úderné oddíly; **~ worker** úderník

shock² [šok] *s* kupa, mandel snopů ♦ **~** *of hair* chumáč vlasů □ *vi* skládat v mandele

shod [šod] *pt* viz *shoe*

shodden [ˈšodn] *pp* viz *shoe*

shoddy [ˈšodi] *s* cucky, šmejd, odpadky □ *a* chatrný, šmejdový; **~** *goods* zmetky

shoe [šu:] *s* **1.** střevíc, bota **2.** podkova **3.** nánožka **4.** zarážka ♦ *that's another pair of -s* to je jiná věc; *to walk in s.o.'s -s* lézt komu do zelí; *to be in another person's -s* být na místě někoho jiného; *to place a person in the -s of another person* ustanovit někoho na místo někoho □ *vt* obout, okovat, podkovat; **~ -black** [ˈšu:blæk], I**~ -boy** *s* cídič bot; **~ -blacking** [ˈšu:blækiŋ] *s* leštidlo na obuv; **~ -brush** [ˈšu:braš] ˙*s* kartáč na boty; **~-buckle** [ˈšu:ˌbakl] *s* přezka střevíce; I**~ -horn** *s* lžíce na obouvání; **~ -knife** [ˈšu:naif] *s* knejp; **—last** *s* kopyto (ševcovské); I**~ -ˌmaker** *s* obuvník, švec; **—maker's fellow** obuvnický tovaryš; I—ˌmaking-trade** *s* obuvnictví; **~nail** [ˈšu:neil] *s* cvoček; **~ -string** [ˈšu:striŋ] *s* šněrovadlo

shone [šon] *pt* viz *shine*

shoo [šu:] *vt* plašit ptáky □ *int* vššššš, pryč!

shook [šuk] *pt* viz *shake*

shoot¹* [šu:t] *vt* **1.** střílet (*at* na), vystřelit, vypálit **2.** vyrazit, hnát (se), proběhnout (*along, past*), řítit se **3.** slevit, ulevit **4.** okolkovat **5.** filmovat □ *vi* **6.** vyrážet **7.** kmitnout se, minout se **8.** pučet, klíčit, rychle růst *(up)* 9. poletovat 10. vystřelovat bolesti 11. táhnout se, dosahovat, trčet, zdvihat se *(out, up)* 12. vyšpulit, ohrnout rty 13. usadit se 14. učinit snímek 15. sport. vstřelit, dát branku ♦ *to ~ ahead* vyrazit vpřed; *to ~ a bolt* zastrčit závoru; *to ~ a bridge* podeplout most; *to ~ a cart* převrátit vůz; *to ~ corn* sypat obilí z pytle; *to ~ a line* sl. chvástat se; **~ down** sestřelit; zřítit se; **~ forth** 1. klíčit, pučet, vyrážet 2. dosahovat; **~ off** vystřelit, vypálit; **~ out** 1. vyhodit 2. vyčnívat 3. napínat, natáhnout 4. vyrážet; **~ up** 1. vyrážet, růst 2. zničit

shoot² [šu:t] *s* 1. arch. výstřel, rána 2. odstřel, střelba, střílení 3. výhonek planý, ratolest 4. slap, vodopád 5. nakloněná plocha, skluzný žlab, skluzavka 6. střelci, honci 7. revír; **—er** [ˈšu:tə] *s* střelec; **—ing** [ˈšu:tiŋ] *s* 1. střílení, střelba, výstřel 2. revír, honba 3. pučení, klíčení 4. píchání ♦ *~ star* létavice

shop [šop] *s* 1. krám, obchod 2. dílna 3. řemeslo ♦ *to talk ~* mluvit o obchodních záležitostech □ *vt & i* (-pp-) nakupovat, jít nakupovat; ǀ**~-boy** *s* poslíček; ǀ**~-ǀkeeper** *s* majitel obchodu; ǀ**~-ǀlifter** *s* krámský zloděj; **~ meeting** dílenská schůze; **—per** [ˈšopə] *s* nakupující; **—ping** [ˈšopiŋ] *s* nakupování ♦ *to go, be, ~* nakupovat; **~-walker** [ˈšopǀwo:kə] *s* obchodvedoucí;

~-window [ˈšopǀwindou] *s* výklad, výloha

shore¹ [šo:] *s* 1. břeh, pobřeží 2. podpora, vzpěra □ *vt* vysadit na břeh; **~ up** podepřít *vzpěrou*

shore² [šo:] *pt* viz *shear*

shorn [šo:n] *pp* viz *shear*

short [šo:t] *a* 1. krátký, malý 2. krátkodobý 3. nedostatečný, obmezený 4. úsečný, stručný 5. sporý, skoupý 6. křehký 7. silný, řízný o lihovině ♦ *in ~* zkrátka, stručně řečeno; *to be, come, fall, ~* nedostačit, nebýt spokojen; *to cut ~* zkrátit; *to bring n. pull, up ~* zarazit, přerušit; *to keep ~* držet zkrátka; *to run ~ of* nevystačit s; *to stop ~* náhle se zastavit, přestat; *to turn ~* náhle se obrátit; *to take ~* pokárat; *~ of sight* krátkozraký □ *s* 1. krátká slabika 2. obch. baissista 3. obch. krátkodobý dluhopis 4. pl. krátké kalhotky, šortky; **—age** [ˈšo:tidž] *s* nedostatek; *housing ~* bytová tíseň; **~ circuit** [ˈsə:-kit] krátké spojení; **—coming** [šo:tˈkamiŋ] *s* nedostatek; **~ commons** nedostatečné stravování; **~ cut** nadcházka, zkratka *cesty*; **—en** [ˈšo:tn] *vt & i* 1. (z)krátit (se) 2. omezit; ǀ**—hand** *s* těsnopis; **—ly** [ˈšo:tli] *adv* zakrátko, brzy; **—ness** [ˈšo:tnis] *s* 1. krátkost 2. nedostatečnost, omezenost 3. skoupost 4. skrovnost; ǀ**~-run** *production* malosériová výroba; **~-sighted** [ˈšo:tǀsaitid] *a* krátkozraký; ~ -spoken [ˈšo:t-ˌspoukn] *a* úsečný; ~-tempered [ˈšo:tˌtempəd] *a* popudlivý; ˈ~—wave transmitter krátkovlnný vysílač; ~-witted [ˈšo:tˌwitid] *a* krátkého rozumu, hloupý

shot [šot] *s* 1. výstřel, rána 2. zásah, trefa 3. dostřel 4. náboj, kulka, brok 5. střelec 6. účet v hostinci 7. vrh rybářskou sítí 8. prohození tkalcovského člunku 9. zmetek 10. film. záběr, šot ♦ *within an ear-~* v doslechu; *to shave a ~ at it* sl. pokusit se o to; *small ~* broky; *great ~* koule □ *vt* (-tt-) nabíjet pušku, dělo

shotten [ˈšotn] *pp* viz *shoot*

should [šud, šəd, št] *pt & cond* viz *shall*

shoulder [ˈšouldə] *s* 1. rameno, plece, paže 2. ohbí 3. pl. bedra, záda 4. plecko 5. úbočí hory ♦ *to shrug one's -s* pokrčit rameny □ *vt & i* vzít na ramena, strkat (se); ~ -blade [ˈšouldəbleid] *s*, ~ -bone [ˈšouldəboun] *s* lopatka; ~-chapper [ˈšouldəˌčæpə] *s* úřední osoba vybavená zatykačem

shout [šaut] *vi & t* pokřikovat, jásat; ~ *at* křičet na □ *s* (po)křik, jásot, výskot

shove¹ [šav] *vt & i* strkat (se), šoupat; ~ along strkat kupředu; ~ backward strkat nazpět; ~ down sestrčit; ~ off odstrčit

shove² [šav] *s* strčení, rýpnutí, ráz

shovel [ˈšavl] *s* lopata ♦ ~ blade

list lopaty; *mechanized* ~, *steam* ~ lžícovitý bagr □ *vt* (-ll-) házet lopatou; ~ up nahromadit

show¹* [šou] *vt & i* 1. ukazovat, stavět na odiv; vystavovat 2. dát najevo, prozrazovat, značit 3. osvědčit, prokázat 4. (pro)jevit (se), dokázat 5. ukazovat se, dělat se, stavět se 6. slušet ♦ *to* ~ *him the door* fig. ukázat mu dveře; *to* ~ *clean pair of heels* fig. ukázat paty; *to* ~ *mercy* dát milost, slitovat se; ~ forth arch. prohlásit, oznámit; vykázat se, honosit se; ~ in uvést návštěvu; ~ off vystavit na odiv, chlubit se; ~ out doprovodit ke dveřím; ~ up *a person* odhalit koho; ~ up at být přítomen při

show² [šou] *s* 1. odiv, podívaná 2. představení, divadlo 3. nádhera, okázalost, sláva 4. výstava 5. zdání ♦ *for* ~ okázale, na odiv; *to make a* ~ *of* chlubit se, dělat se, stavět se; *to make a fine* ~ skvěle vypadat; *dumb* ~ němohra; ˈ~ -case *s* vitrína; ˈ—man *s* majitel cirku n. loutkového divadla; ˈ~ -room *s* výkladní skříň, výstavní místnost; ~-window [ˈšouˌwindou] *s* výkladní skříň; —y [ˈšoui] *a* okázalý, nádherný

shower [ˈšauə] *s* liják, přeháňka, prška □ *vi & t* lít, silně pršet; ~ -bath [ˈšauəbɑ:θ] *s* sprcha; —y [ˈšauəri] *a* deštivý

shown [šoun] *pp* viz *show*

shrank [šræŋk] *pt* viz *shrink*

shrapnel [¹šræpnl] s šrapnel
shred* [šred] vt odříznout, ustřihnout, rozřezat n. roz-
trhat na kousky □ s kousek, odřezek, odstřižek ♦ to tear to -s roztrhat na cucky
shrew [šru:] s 1. zlá žena, dra-
čice 2. rejsek (též ~ -mouse); —ish [¹šru:iš] a vadivý, hašte-
řivý
shrewd [šru:d] a 1. zchytralý 2. zast. úskočný, lstivý 3. zast.
vadivý, zlomyslný; —ness [¹šru:dnis] s 1. zchytralost,
úskočnost 2. svárlivost, hašte-
řivost 3. zlomyslnost
shriek [šri:k] vi ječet, křičet, vřískat
shrieval [¹šri:vəl] a šerifský; —ty [¹šri:vəlti] s šerifství
shrift [šrift] s arch. zpověď, rozhřešení
shrike [šraik] s ťuhýk
shrill [šril] a pronikavý, ostrý □ vi ječet, vřískat
shrimp [šrimp] s 1. garnát mořský krab 2. skrček □ vi zakrnět
shrine [šrain] s skříň s ostat-
ky 2. kaple, svatyně 3. oltář
shrink¹* [šriŋk] vi 1. zmenšit se, scvrknout se, srazit se 2. za-
krnět 3. zalézt 4. leknout se, děsit se (at čeho) 5. třást se
□ vt 6. srážet, ztuhnout, svraštit; ~ back ustoupit,
couvnout; ~ under podleh-
nout, zhroutit se pod; ~ up srazit se; ~ up one's shoulders
pokrčit rameny
shrink² [šriŋk] s 1. nakrčení, sražení 2. leknutí, zděšení 3.
vráska; —age [¹šriŋkidž] s

srážení, smrštění, scvrkání; sesychání dřeva
shriv|e* [šraiv] vt & i zpovídat (se), dát rozhřešení; —er
[¹šraivə] s zpovědník
shrivel [¹šrivl] vi & t (-ll-) scvrkat se, krčit se, svraštit
(se)
shriven [¹šrivn] pp viz shrive
shroud¹ [šraud] s 1. zast. pří-
střeší, krov 2. zast. útočiště 3. příkrov 4. rubáš 5. tajná
činnost □ vt 1. zahalit, odít rubášem 2. (po)krýt 3. chránit
shroud² [šraud] s 1. nám. lano stěžňové 2. větev, ratolest
shrov|e [šrouv] s půst ♦ ~ Tuesday masopustní úterý;
—ing [¹šrouviŋ] s zast maso-
pustní veselí
shrub [šrab] s zákrsek, křoví; —by [¹šrabi] a keřnatý
shrug [šrag] vi & t (-gg-) 1. (po)krčit rameny 2. zast. za-
chvět se, otřást se, trhat sebou
shrunk [šraŋk] pt & pp viz shrink; ~ ring tech. zděř;
—en [¹šraŋkən] pp viz shrink
shudder [¹šadə] vi (o)třást se, (za)chvět se hrůzou, děsit se
□ s hrůza, zachvění, otře-
sení, mrazení
shuffle¹ [¹šafl] vt 1. míchat, mí-
sit □ vi 2. šoupat nohama štrachat se; batolit se, kolé-
bat se; vrtět se na židli 3. vytáčet se, vymlouvat se 4.
promísit, přeházet 5. míchat karty; ~ in vměšovat se do
vetřít se; ~ off setřást, od-
mítnout, zbavit se; ~ through protlouci se, protřít se; ~ up
spískat

shuffl|e² [ˈšafl] *s* **1.** šoupání, šoupavý krok **2.** míchání karet **3.** lest, úskok; **—ing** [ˈšafliŋ] *a* úskočný, lstivý, podvodný □ *s* **1.** míchání, přehazování **2.** výmluva, vytáčka **3.** lest, úskok

shun [šan] *vt & i* (-nn-) vyhýbat se, stříci se; **—less** [ˈšanlis] *a* bás. nezbytný, nevyhnutelný

shunt [šant] *vt* **1.** přešinout, přepojit elektrický proud; posunovat vagóny **2.** odložit □ *s* **1.** přešinutí **2.** přepínač **3.** přípojka kolej, výhybka **4.** odklad; ~ *motor* derivační motor; **—ing station** seřaďovací nádraží

shut¹* [šat] *vt & i* **1.** zavřít (se), zamknout, zahradit **2.** svářet kovy; **~ down** stáhnout roletu, zavřít obchod; **~ from** vyloučit z; **~ off from** odříznout od, vyloučit z; **~ out** zahradit, vyloučit; **~ up** zamknout, (u)zavřít, umlknout, umlčet; ~ *up*! drž hubu!

shut² [šat] *s* **1.** závěr; zavření, zavírání **2.** víko, záklopka, okenice **3.** šev trubky

shutter [ˈšatə] *s* **1.** okenice **2.** fot. uzávěrka **3.** klapka **4.** bednění

shuttle [ˈšatl] *s* tkalcovský člunek

shy [šai] *a* **1.** plachý, ostýchavý **2.** opatrný **3.** podezíravý □ *vi & t* **1.** plašit se o koních **2.** váhat, uhnout (*at* před) **3.** posmívat se (*at* čemu) **4.** lid. hodit (*at* na) □ *s* **1.** vrh, hod **2.** hov. trefa **3.** uleknutí, uskočení koně; **—ness** [ˈšai-**

nis] *s* **1.** plachost, bázlivost **2.** opatrnost **3.** nedůvěřivost

Siam [saiæm] hist. *s* Siam; **—ese** [ˌsaiəˈmi:z] *a* siamský

Siberia [saiˈbiəriə] *s* Sibiř

sibilant [ˈsibilənt] *s* sykavý, sykavkový □ *s* sykavka hláska

siccative [ˈsikətiv] *s* tech. sušidlo, sikativ

sice [sais] *s* šestka na kostce

Sicily [ˈsisili] *s* Sicílie

sick [sik] *a* **1.** nemoc|ný, -en; cítící se špatně od žaludku, zvracející **2.** nabažen, sytý (*of* čeho) **3.** mdlý, smutný ♦ *to fall* n. *grow* ~ onemocnět; *to be* ~ **1.** zvracet **2.** am. být nemocen; *to be* ~ *of* být znechucen, přejeden, přesycen; *to be* ~ *for* toužit po; *to be sea-*~ mít mořskou nemoc; *to be home-*~ mít stesk po domově; *it makes me* ~ dělá se mi z toho nanic; ⌐~ **-bed** *s* lůžko pro nemocného; ~ **benefit** nemocenské; ~ **certificate** lékařské vysvědčení; **—en** [ˈsikn] *vi* **1.** onemocnět, (o)churavět (*of* čím) **2.** být syt (*of* čeho) □ *vt* **3.** stihnout nemocí; nutit k zvracení **4.** unavovat (*of* čím); ~ **-fund** [ˈsikfand] *s* nemocenská pokladna; ~ **-leave** [ˈsikli:v] *s* zdravotní dovolená; **—ly** [ˈsikli] *a* chorý, neduživý, bledý, mdlý; **—ness** [ˈsiknis] *s* **1.** choroba, nemoc **2.** zvracení ♦ ~ *insurance* nemocenské pojištění; **—nurse** [ˈsiknə:s] *s* ošetřovatelka nemocných

sickle ['sikl] *s* srp; **~ -shaped** ['sikl₁šeipt] *a* srpovitý

side [said] *s* **1.** strana, bok, stěna skříně aj., bočnice, postranice (též ~ *plate*) **2.** svah, stráň **3.** krajina **4.** břeh **5.** politická strana **6.** stránka, vlastnost ♦ ~ *by* ~ bok po boku, vedle sebe; *sea~* mořské pobřeží; *the water~* břeh; *to speak on one's* ~ mluvit v něčí prospěch; *to take one's* ~*s* postavit se po bok, zastat se, souhlasit s, stranit komu; *to put on* ~ chovat se hrdě; *on the other* ~ na druhé straně; *the wrong* ~ *up* vzhůru nohama □ *a* **1.** postranní, poboční **2.** strmý **3.** dlouhý **4.** úzký, těsný □ *vi* **1.** pohybovat se n. otočit se na stranu **2.** stranit, podporovat (*with* koho) **3.** kráčet n. stát na čí straně, rovnat se komu; **—board** ['saidbo:d] *s* kredenc; **|~ -box** *s* postranní lóže v divadle; **|~ -car** *s* přívěsný vozík motocyklu; **|~ -dish** *s* příkrm; **~ -face** ['saidfeis] *s* profil; **~ -glance** ['saidgla:ns] *s* kosý pohled; **—long** ['saidloŋ] *a* kosý, šikmý, postranní; **~ notes** okrajové poznámky; **~ splitter** ['splitə] švanda; **|~ -₁table** *s* servírovací stolek; **—view** ['saidvju:] *s* profil; **~ -walk** ['saidwo:k] *s* am. chodník; **|—ways** *adv* stranou, bočmo

sidereal [sai'diəriəl] *a* hvězdný

siding ['saidiŋ] *s* výhybka, vedlejší kolej, tovární vlečka

sidle ['saidl] *vi* blížit se bokem;

~ **up to** přikrást se, přitočit se k

siege [si:dž] *s* obležení, obléhání ♦ *to lay* ~ *to a town* oblehnout město; *to raise the* ~ upustit od obležení

sienna [si'enə] *s* siena pálená, hněď

siesta [si'estə] *s* odpočinek polední, siesta

sieve [siv] *s* síto, řešeto

sift [sift] *vt & i* **1.** prosívat **2.** tříbit **3.** vyšetřovat, zkoumat; **—er** ['siftə] *s* **1.** prosévač **2.** vyšetřovatel **3.** sítko, sypátko; **—ing** ['siftiŋ] *s* **1** prosívání, přesívání **2.** pl. prosevek, propad

sigh [sai] *vi* **1.** vzdychat, toužit (*after, for* po) **2.** kvílet o větru; ~ **out** vydechnout, vypustit ducha □ *s* vzdech, povzdech

sight [sait] *s* **1.** zrak, pohled, podívaná **2.** (za)měření, míření **3.** mířidlo **4.** okénko, hledí **5.** předložení směnky ♦ *at* ~ **1.** na pohled **2.** obch. na viděnou; *at first* ~ na první pohled; *by* ~ od vidění; *in* ~ *of* v dohledu; *out of* ~ z dohledu; *the* ~ *of a gun* muška pušky; *to catch* ~ *of* zahlédnout; *to come in* ~ ukázat se; *to have in* ~ mít v úmyslu; *to play at* ~ hrát z listu; *to see the* ~*s* prohlédnout si památky; *a* ~ *of money* spousta peněz □ *vt* zahlédnout, zpozorovat, pozorně se dívat, prohlédnout si (na)mířit; **—fulness** ['sait₁fulnis] *s* zast. zřetelnost, patrnost; **~ -hole** ['saithoul] *s*

hledí; vizírka; **—ing** [ˈsaitiŋ]
s zaměřování, nastřelování;
—less [ˈsaitlis] *a* bás. 1. nevi-
domý, slepý 2. neviditelný;
—ly [ˈsaitli] *a* úhledný, pěk-
ný; **~ -see*** *vt* prohlížet pamě-
tihodnosti
sign [sain] *s* 1. znamení 2. znak,
značka 3. štít vývěsní, odznak
4. firma 5. pokynutí, pokyn
6. podpis ♦ **~** *of exclamation*
vykřičník; **~** *of interrogation*
otazník; **~** *of quotation* uvo-
zovka □ *vt* 1. označit, po-
znamenat 2. podepsat 3.
naznačit (*I -ed to Mr X. to
come* naznačil jsem p. *X*, aby
přišel) ♦ *to* **~** *one's name*
podepsat se; **~** *and seal* schva-
lovat; **~** *off* končit rozhla-
sové vysílání; **~** *on* (dát se)
najmout k práci; **—board**
[ˈsainbɔ:d], **~ -post** [ˈsain-
poust] *s* ukazatel směru;
ˈ**~ -ˈoff** *s* konec rozhlasového
hlášení
signal [ˈsignl] *s* návěští, zna-
mení, signál □ *a* znamenitý,
pozoruhodný, výtečný □ *vt*
(ll-) dát znamení, signál,
ohlašovat signálem; ˈ**~ book**,
s klíč smluvených značek;
—ize [ˈsignəlaiz] *vt* vyznačit,
vyznamenat; **—ler**, **—man**
[ˈsignələ, -mən] *s* signalista
signat|ory [ˈsignətəri] *a* pode-
psaný na smlouvě, signatární
□ *s* signatář, podpisovatel
smlouvy; **—ure** [ˈsigničə] *s*
1. podpis 2. znamení, ozna-
čení 3. pečeť ♦ **~** *tune* sig-
nál rozhlasové stanice
signet [ˈsignit] *s* pečeť
signif|icance, -icancy [sigˈnifi-

kəns(i)] *s* významnost, důle-
žitost; **—icant** [sigˈnifikənt] *a*
významný, důležitý, pozoru-
hodný; **—ication** [ˌsignifiˈkei-
šən] *s* 1. označení, oznámení
2. význam, smysl; **—icative**
[sigˈnifikətiv] *a* náznakový,
významný; **—y** [ˈsignifai] *vt*
& i 1. znamenat; označit,
oznámit 2. mít důležitost,
význam
sil|ence [ˈsailəns] *s* mlčení, ticho;
opomenutí ♦ *to keep* **~** mlčet,
zachovat ticho; *to pass over
in* **~** pominout mlčením; *to
put to* **~** umlčet □ *vt* umlčet,
utišit; **—encer** [ˈsailənsə] *s*
tlumič výfuku; **—ent** [ˈsai-
lənt] *a* mlčící, klidný, tichý,
němý, bezhlučný
Silesia [saiˈli:zjə] *s* Slezsko
silex [ˈsaileks] *s* křemen
silhouette [ˌsiluːˈet] *s* silueta,
stínový obraz
silic|a [ˈsilikə] *s* křemen;
—ious [siˈlišəs] *a* křemenitý;
—on [ˈsilikən] *s* křemík;
—osis [ˌsiliˈkousis] *s* med.
silikóza
silk [silk] *s* 1. hedvábí, hedváb-
ný šat 2. pl. hedvábné látky
n. zboží □ *a* hedvábný; **—en**
[ˈsilkən] *a* 1. hedvábný 2.
jemný, měkký 3. v hedvábí
oděný; **~** *hat* cylindr; **~** *hus-
bandry* hedvábnictví; **~ -husk**
[ˈsilkhask] *s* kokon; **~ -worm**
[ˈsilkwəːm] *s* bourec moru-
šový; **—y** [ˈsilki] *a* hedvábný;
měkký, hebký, jemný
sill [sil] *s* práh ♦ *window* **~**
okenní římsa
sill|iness [ˈsilinis] *s* pošetilost,
zpozdilost, hloupost; **—y** [ˈsi-

li] *a* pošetilý, zpozdilý, hloupý, slabý □ *s* hlupáček

silo [ˈsailou] *s* silo, zásobník

silt [silt] *s* kal, sedlina, náplav, bahno □ *vt & i* ucpat (se) bahnem

silvan [ˈsilvən] *a* lesní, lesnatý

silver [ˈsilvə] *s* stříbro, stříbrné peníze n. nádobí □ *a* stříbrný □ *vt* postříbřit; **~-beater** [ˈsilvəˌbi:tə] *s* stříbrotepec; **~ coin** stříbrný peníz; **~-mine** [ˈsilvəmain] *s* stříbrné doly; **~ mounted** [ˈmauntid] zasazený do stříbra; **~ ore** stříbrná ruda; **~-smith** [ˈsilvəsmiθ] *s* stříbrník; **~-weed** [ˈsilvəwi:d] *s* mochna; **—y** [ˈsilvəri] *a* 1. stříbrný, stříbřitý, stříbrošedý 2. stříbrozvuký

simian [ˈsimiən] *a* opičí

simil|ar [ˈsimilə] *a* podobný, stejný; **—arity** [ˌsimiˈlæriti] *s* podobnost, stejnost; **—e** [ˈsimili] *s* podobenství; **—itude** [siˈmilitju:d] *s* 1. podobnost, přirovnání, podobenství 2. protějšek (*of* čeho)

simmer [ˈsimə] *vi & t* zvolna (se) vařit, vřít *též* fig.

Simon [ˈsaimən] *s* Šimon

simony [ˈsaiməni] *s* hist. simonie, svatokupectví

simper [ˈsimpə] *vi* 1. šklebit se, ušklíbat se 2. hloupě se usmívat, culit se □ *s* ušklíbání, zubení se, culení

simple [ˈsimpl] *a* jednoduchý 2. prostý 3. upřímný; prostoduchý, hloupý 4. nelíčený, přirozený, nestrojený 5. mat. prvního stupně rovnice □ *s* 1. prostá věc 2. léčivá bylina

□ *vi* arch. sbírat byliny; **~-hearted** [ˈsimplˈha:tid] *a* prostosrdečný; **~-minded** [ˈsimplˈmaindid] *a* prostoduchý

simpleton [ˈsimpltən] *s* hlupák, blbeček

simpli|city [simˈplisiti] *s* jednoduchost, prostota; **—fication** [ˌsimplifiˈkeišən] *s* zjednodušení; **—fy** [ˈsimplifai] *vt* zjednodušit

simul|ant [ˈsimjulənt] *a* podobající se (*of* komu); **—ate** [ˈsimjuleit] *vt* předstírat, napodobit, simulovat; **—ation** [ˌsimjuˈleišən] *s* napodobení, přetvářka, simulování

sin [sin] *s* hřích, přestupek (*against* proti) □ *vi* (-nn-) hřešit (*against* proti); **—ful** [ˈsinful] *a* hříšný; **—ner** [ˈsinə] *s* hříšník

sinapism [ˈsinəpizəm] *s* hořčičná náplast

since [sins] *adv* od té doby co □ *conj* ježto, poněvadž □ *prep* od (**~** *the morning* od rána)

sincer|e [sinˈsiə] *a* upřímný, opravdový, ryzí; **—ity** [sinˈseriti] *s* upřímnost

sinciput [ˈsinsipat] *s* přední (horní) část hlavy

sine [sain] *s* mat. sinus

sinecure [ˈsainikjuə] *s* sinekura, výnosný úřad

sinew [ˈsinju:] *s* 1. šlacha, sval 2. pl. svalstvo, síla ♦ *of mighty* **-s** silný, šlachovitý, svalnatý; **—y** [ˈsinju:i] *a* šlachovitý, svalnatý, silný, houževnatý; výrazný styl

sing* [siŋ] *vt & i* 1 zpívat, opěvovat 2. znít v uších ♦ *to* **~** *of* zpívat o; *to* **~** *out* zahlaholit; *to ~ small* zpívat jinou; —er [ˈsiŋ(g)ə] *s* pěvec, zpěvák, —ing [ˈsiŋiŋ] *s* zpívání, zpěv; |—ing-bird *s* zpěvavý pták; |—ing-ˌmaster (mistress) *s* učitel(ka) zpěvu; —song [ˈsiŋsoŋ] *s* monotónní verše n. rýmy, monotónní spád řeči n. písně; schůzka se zpěvem

singe [sindž] *vt* sežehnout, připálit, opálit □ *s* připálenina, přiboudlina

singl|e [ˈsiŋgl] *a* 1. jednoduchý, jediný, jednotlivý; prostý 2. svobodný, -á □ *s* sport. dvouhra, singl □ *vt* 1. osamotnit 2. vybrat, vyhledat; ~ *out* vybrat; ~ -breasted [ˈsiŋglˌbrestid] *s* jednořadový kabát; ~ -chamber [ˈsiŋglˌčeimbə] *s*: ~ -chamber system jednokomorová soustava; ~ combat souboj; ~ -engined [ˈsiŋglˌendžind] *a* jednomotorový; ~ entry jednoduché účetnictví; ~ file husí řada; |~ -ˈhanded *a* bez pomoci; ~ -hearted [ˈsiŋglˈhaːtid] *a* upřímný; ~line jednoduché vedení; ~-minded [ˈsiŋglˈmaindid] *a* prostomyslný; ~ -track line jednokolejná trať; —y [ˈsiŋgli] *adv* 1. po jednom 2. bez cizí pomoci

singlet [ˈsiŋglit] *s* tílko, tričko

singleton [ˈsiŋgltən] *s* 1. jediná karta trumfů v ruce 2. jediný člověk, ojediněle se vyskytující věc

singular [ˈsiŋgjulə] *a* 1. zvláštní, neobyčejný, pozoruhodný 2. jednoduchý, jedinečný 3. výstřední □ *s* gram. jednotné

číslo; —ity [ˌsiŋgjuˈlæriti] *s* 1. jednoduchost, jednotnost 2. zvláštnost, podivnost 3. jedinečnost

Sinhalese [ˌsinhəˈliːz] *a* cejlonský □ *s* 1. Sinhalec 2. sinhalština

sinister [ˈsinistə] *a* 1. neblahý, zlý, zlověstný 2. levý 3. zlomyslný, nekalý 4. nešťastný ♦ *a ~ look* zlý pohled; |— -ˌhanded *a*, *s* leviták

sink[1]* [siŋk] *pt* 1. klesat, klesnout, sedat se, padat 2. zanikat, hynout, přestávat 3. potopit, tonout, potápět se 4. snižovat, ubývat 5. prorážet 6. (vy)hloubit, vykopat (*a well* studnu) 7. ukrývat 8. ignorovat 9. zapomenout ♦ *we are sunk* jsme u konce, na dně; *to ~ eyes* sklopit oči; *to ~ in years* stárnout; *to ~ money* zpronevěřit peníze; ~ down potopit se, utonout; ~ into pomalu vnikat, pronikat; ~ to *idealism* upadnout do idealismu; ~ under klesnout, podlehnout

sink[2] [siŋk] *s* 1. stoka, kanál, žumpa 2. lodní ponor, dno 3. umyvadlo ve zdi; mycí dřez; —ing [ˈsiŋkiŋ] *s* 1. potopení 2. vyčerpanost 3. výlevka; —*ing fund* umořovací jistina

Sinn Fein [ˈšinˈfein] *s* irské nacionalistické hnutí za samostatnost

sinology [siˈnolədži] *s* sinologie

sinter [ˈsintə] *s* spečenec, sintrovaná ruda □ *vt* spékat, sintrovat

sinu|ate [ˈsinjueit] *vt* ohýbat

□ *vi* vinout se, klikatit se □ *a* bot. zvlněný, vykroužený o listu; **—ation** [ˌsinjuˈeišən] *s* 1. záhyb, vinutí se, vlnitost 2. chobot, zákrut; **—osity** [ˌsinjuˈositi] *s* 1. vlnitost 2. chobot, zákrut; **—ous** [ˈsinjuəs] *a* vinoucí se, vlnitý, klikatý; chobotnatý

sinus [ˈsainəs] *s* pl. *-es* [-iz] záhyb, záliv, sinus; dutina; píštěl

Sioux [su:] pl. ~ [su:z] Sioux člen indiánského kmene

sip [sip] *vt & i* (-pp-) srkat, lokat □ *s* uskrnutí, doušek, lok

siphon [ˈsaifən] *s* 1. násoska 2. sifon

sir [sə:] *s* 1. pane oslovení 2. Sir před vlastním jménem označuje šlechtický titul

sire [saiə] *s* 1. oslovení králů (Sire!, Vaše Veličenstvo!) 2. bás. otec, předek

siren [ˈsaiərin] *s* 1. mořská panna, Siréna 2. siréna 3. svůdnice

sirloin [ˈsə:loin] *s* svíčková pečeně

siskin [ˈsiskin] *s* čížek

sister [ˈsistə] *s* 1. sestra (*of*, *to* čí) 2. ošetřovatelka 3. jeptiška; ~ **-in-law** [ˈsistərinlo:] *s* švagrová; **—hood** [ˈsistəhud] *s* sesterstvo, sesterský řád; **—ly** [ˈsistəli] *a* sesterský

sit* [sit] *vi* (-tt-) 1. sedět, zasedat 2. sídlit 3. slušet 4. sedět na vejcích □ *vt* 5. posadit 6. nasadit, upevnit 7. ~ *oneself* usednout ♦ *the coat -s well* kabát dobře padne; *to* ~ *in judgement*

zasedat na soudu, soudit; *to* ~ *on a jury (a committee)* být členem poroty (výboru); *to* ~ *tight* sl. trvat na svém; ~ **back** sedět nečinně; ~ **down** sednout si; ~ *down under* mlčky trpět; ~ **for** zastupovat v parlamentě; sedět malíři (*for one's portrait* na portrét); ~ **on** *a person* radit se o kom; konat poradu; být členem výboru; osopit se, pokárat; ~ **out** *a play* neúčastnit se hry; ~ **up** vzpřímit se, posadit se na loži; ~ *up (late)* sedět (do noci); **—ing** *a* sedící □ *s* 1. sezení, zasedání 2. sezení na vejcích; ~ *-room* [ˈsitiŋrum] *s* obývací pokoj

site [sait] *s* 1. poloha, umístění 2. stanoviště 3. staveniště, montážní místo

situat|e [ˈsitjueit] *vt* umístit; **—ed** [ˈsitjueitid] *a* položený; **—ion** [ˌsitjuˈeišən] *s* 1. postavení, poloha, položení, situace 2. stav 3. místo

six [siks] *num* šest □ *s* šestka; **—fold** [ˈsiksfould] *a* šesteronásobný; **—footer** [ˈsiksˈfutə] *s* osoba n. věc 6 stop vysoká; **—pence** [ˈsikspəns] *s* šest pencí; ˈ—**penny** *a* šestipencový; ~ **score** dvě kopy; **—shooter** [ˈsiksˈšu:tə] *s* šestiranovka; ˈ **—teen** [ˈsiksˈti:n] *num* šestnáct; **—teenth** [ˈsiksˈti:nθ] *a* šestnáctý; **—th** [siksθ] *a* šestý; **—tieth** [ˈsikstiiθ] *a* šedesátý; **—ty** [ˈsiksti] *num* šedesát

sizable [ˈsaizəbl] *a* poměrně velký, značný, rozměrný

sizar [ˈsaizə] s chudý student, fámulus

siz|e [saiz] s 1. velikost, míra, objem 2. formát, rozměr, číslo 3. stav, vlastnost 4. lepidlo, klíh, maz; apretura □ vt 1. odměřit, vyměřit, seřadit podle velikosti, dimenzovat 2. ustanovit, určit 3. klížit, škrobit 4. obrobit na přesný rozměr, kalibrovat ♦ to ~ up a situation odhadnout situaci; —ed [saiz] a určité velikosti ♦ middle - ~ , under-~ prostřední, podprůměrné velikosti; ~ paper klížený papír; —ing [ˈsaiziŋ] s 1. dimezování, kalibrování 2. obrobení na přesný rozměr 3. klížení; —y [ˈsaiz] a klihovitý, lepkavý

sizzle [ˈsizl] vi hov. škvířit se, syčet

skat|e[1] [skeit] vi & t bruslit □ s pl. brusle; |—ing-ring s kluziště

skate[2] [skeit] s rejnok

skean, skene, skain [skiːn] s dýka, nůž

skedaddle [skiˈdædl] vi hov. utéci, uprchnout

skein [skein] s přadeno, klubko

skeleton [ˈskelitn] s 1. kostra 2. jádro, kádr 3. výtah ♦ ~ key paklíč n. univerzální klíč

skelp [skelp] s pásová ocel

skelter [ˈskeltə] vi spěchat, hnát se, řítit se □ s bezhlavý útěk

skep [skep] s 1. koš 2. úl

skeptic viz sceptic

sketch [skeč] s 1. nástin, náčrtek, skica, črta, nárys 2. koncept 3. výňatek 4. skeč,

krátká hra ♦ she looks a ~ je ohavně oblečena □ vt načrtnout, nakreslit, navrhnout, nastínit; ~ -book [ˈskečbuk] s náčrtník; |~ -map s situační náčrt; —y [ˈskeči] a náčrtkovitý

skew [skjuː] a šikmý, kosý, příčný □ vt šilhat, zahlížet na; uhýbat čemu □ vi nedařit se; —bald [ˈskjuːbɔːld] a stratký, grošovitý; —er [skjuə] s špejl □ vt špejlovat

ski [skiː, ši:] s lyže; ~ suit lyžařský oblek, lyžařská kombinéza

skid [skid] s 1. řetězová brzda, brzdicí špalík, zarážka 2. podpěrný trám 3. smyk □ vt (-dd-) 1. podepřít 2. (za)brzdit 3. dostat smyk

skiff [skif] s lehký člun □ vt & i přeplavit (se)

skilful [ˈskilful] a dovedný, obratný, zručný;

skill [skil] s obratnost, dovednost, zručnost; —ed [skild] a zručný, odborný

skillet [ˈskilit] s kastrol, pánvička

skim [skim] s 1. pěna, šum 2. smetana, sbírané mléko □ vt (-mm-) 1. sebrat pěnu, smetanu 2. povrchně se dotknout, přelétnout zrakem 3. povrchně, spěšně číst ♦ ~ milk sbírané mléko; —mer [ˈskimə] s 1. sběračka 2. sběrač 3. povrchní člověk 4. zool. zoboun černý mořský pták

skimp [skimp] vt & i skrblit; —y [ˈskimpi] a skrovný, skoupý, hubený

skin [skin] s 1. kůže, pleť

2. lusk, šešule 3. kožešina 4. slupka, kůra, obal 5. měch na víno □ *vt & i* (-nn-) 1. stáhnout kůži, oloupat, odřít (si) 2. stáhnout (šat *off*) 3. pokrýt (se) koží *(over)* 4. zahojit se 5. okrást; —ful [ˈskinful] *a* co se vejde do měchu n. žaludku; —ner [ˈskinə] *s* 1. kožišník 2. stahovač koží 3. sl. podvodník, vydřiduch, bandita; —ny [ˈskini] *a* hubený, vyzáblý; kožnatý, mázdřivý

skip [skip] *vi* (-pp-) 1. skákat, poskakovat 2. přeskakovat text při čtení; ~ *over* přeskočit □ *s* 1. skok, poskok 2. přeskočení, vynechávka 3. důlní klec 4. sklopný vozík; |~ -frog *s* skládačka hra; |~ jack *s* arch. 1. holobrádek 2. skákající hračka 3. létající ryba; |~ -ˌkennel *s* poslíček; —per [ˈskipə] *s* 1. skokan 2. tanečník 3. plavčík, loďař 4. kapitán; —ping [ˈskipiŋ] *s* skákání; —ping-rope *s* švihadlo

skirl [skəːl] *vt* hrát na dudy

skirmish [ˈskəːmiš] *s* šarvátka, potyčka, hádka □ *vi* potýkat se; —ers [ˈskəːmišəz] *s pl* 1. rojnice 2. úderníci

skirt [skəːt] *s* 1. sukně 2. lem, okraj, obruba, hranice 3. šos 4. hovězí bránice 5. chlopně sedla □ *vt* 1. olemovat, obroubit 2. zdržovat se na okraji 3. plout podél břehu

skit [skit] *s* 1. šprým, žert 2. satira, burleska, parodie; —tish [ˈskitiš] *a* 1. plachý 2. povrchní, nestálý 3. lehkomy-

slný 4. podivínský 5. splašený, zbrklý

skittle [ˈskitl] *s* 1. kuželky 2. pl. hra v kuželky ♦ *-s!* nesmysl!; ~ -alley [ˈskitlˌæli], —ground [ˈskitlˌgraund] *s* kuželník

skive [skaiv] *vt* odřezávat, krájet tence, např. kůži; štípit

skulk [skalk] *vi* číhat, skrývat se; vyhýbat se, ulejvat se

skull [skal] *s* lebka; ~ -cap [ˈskalkæp] *s* čepička

skunk [skaŋk] *s* 1. tchoř 2. sl. ničema

sky [skai] *s* 1. obloha, nebe, blankyt 2. podnebí; ~ -blue [ˈskaiˌbluː], —coloured [ˈskaiˌkaləd] *a* blankytný; ~ colour blankyt; —ey [ˈskaii] *a* vzdušný, nebeský, vznosný, ztepilý; —ish [ˈskaiiš] *a* blankytný; vznosný; —lark [ˈskaiˌlaːk] *s* skřivan; ~ -light [ˈskaiˌlait] *s* vikýř, světlík; ~ -parlour [ˈskaiˌpaːlə] *s* podkrovní světnice; ~ -rocket [ˈskaiˌrokit] *vt* vyhnat ceny rychle do výše, rychle stoupat; —scraper [ˈskaiˌskreipə] *s* mrakodrap; ~ truck nákladní letadlo

slab[1] [slæb] *s* deska, plát, tabulka čokolády; tech. ploska; —bing [ˈslæbiŋ] *s* tech. rovinné frézování

slab[2] [slæb] *s* louže, kaluž □ *a* zast. lepkavý, mazlavý, hustý; —by [ˈslæbi] *a* lepkavý, mazavý, špinavý

slabber [ˈl|ˈslæbə] *vt* slintat, bryndat

slack [slæk] 1. ochablý, uvolněný, volný; mdlý, malátný 2. nedbalý, lenivý 3. mírný

vítr **4.** pomalý ♦ *to grow* ~
povolit; ~ *lime* hašené vápno;
~ *water* stojatá voda □ *s*
1. uhelný prach, mour **2.**
důl **3.** pl. volné kalhoty **4.**
mrtvý obchod **5.** volný konec
lana **6.** pomalost; —**en** [ˈslækn]
vt & i **1.** ochabnout, povo-
lit; zanedbávat **2.** ubývat **3.**
rozpouštět se **4.** jít pomalu
na odbyt **5.** zpomalit (jízdu
up) **6.** uvolnit lano *(off)*
hasit vápno, žízeň ♦ *to* ~
one's leg zpomalit krok; —**er**
[ˈslækə] *s* lenoch, ulejvák,
bulač; —**ness** [ˈslæknis] *s*
ochablost, malátnost, zdlou-
havost

slade [sleid] *s* údolíčko

slag [slæg] *s* struska, škvár;
~ **concrete** struskový beton;
—**ging** [ˈslægiŋ] *s* zestrusko-
vatění, odstranění strusky

slain [slein] *pp* viz *slay*

slake [sleik] *vi & t* **1.** zast. ukojit
2. mírnit **3.** hasit vápno

slam [slæm] *vt* (-mm-) **1.** uhodit,
bouchat, prásknout dveřmi **2.**
přebít, obehrát v kartách □
s **1.** bouchnutí, prásknutí **2.**
přebití trumfy

slander [ˈslɑːndə] *s* pomluva,
urážka □ *vt* pomluvit, osočit,
urazit; —**ous** [slɑːndərəs] *a*
pomlouvačný, utrhačný

slang [slæŋ] *s* hantýrka, slang;
—**y** [ˈslæŋi] *a* slangový

slank [slæŋk] *pt* viz *slink*

slant [slɑːnt] *a* kosý, příčný,
šikmý □ *vt* naklonit, svažo-
vat se, ležet šikmo □ *s* **1.**
svah, šikmá poloha, sklon **2.**
am. příležitost, názor **3.**
dial. & am. sarkastická naráž-

ka; —**ing** [ˈslɑːntiŋ] *a* svažu-
jící se, kosý, šikmý

slap [slæp] *vt* (-pp-) plácnout,
plesknout, pohlavkovat □ *s*
plácnutí, plesknutí, pohlavek
□ *adv* **1.** náhle **2.** přesně **3.**
úplně **4.** rovnou, přímo;
~ **-dash** [ˈslæpdæš] *adv* bez-
ohledně, prudce, náhle;
—**jack** [ˈslæpdžæk] *s* am.
lívanec, placka; |—**stick** *s*
plácačka

slash [slæš] *vt* **1.** bičovat,
mrskat, seřezat **2.** posekat,
rozřezat, rozpárat □ *vi* **3.**
práskat bičem **4.** fig. ostře
kárat n. kritizovat □ *s* **1.**
seknutí, rána bičem **2.** roz-
parek, výstřih

slat [slæt] *s* lať žaluzie, příčka
v posteli, lišta □ *vt* (-tt-) tlouci,
narážet na

slat|e [sleit] *s* **1.** břidlice **2.**
břidlicová tabulka (též
~ *-board*) ♦ *to have a clean* ~
fig. mít čistý štít □ *vt* **1.** krýt
břidlicí **2.** pokárat, vyčinit,
vyhubovat; ~ **-pencil** [ˈsleit-
|pensl] *s* rydlo, pisátko, ka-
mínek na psaní; ~ **-quarry**
[ˈsleit|kwori] *s* břidličný lom;
—**er** [ˈsleitə] *s* pokrývač; —**y**
[ˈsleiti] *a* břidlicovitý

slatter [ˈslætə] *vi* courat se,
být nepořádný; —**n** [ˈslætən]
s. coura, nepořádná žena;
—**nly** [ˈslætənli] *a* nepořádný,
rozcuchaný

slaughter [ˈslɔːtə] *vt* **1.** vraždit,
zabíjet, prolévat krev **2.** po-
rážet dobytek □ *s* **1.** vraždění,
krveprolití, řež **2.** porážka;
|~ **-house** *s* jatky; |~**man** *s*
řezník

Slav [sla:v] *s* Slovan □ *s* slovanský

slav|e [sleiv] *s* otrok(yně), nevolník □ *vt & i* (z)otročit; dřít (se) (*for, at* na); **~ -driver** [ˈsleivˌdraivə] *s* dozorce nad otroky; **~ -holder** [ˈsleivˌhouldə] *s* otrokář; **—elike** [ˈsleivlaik] *a* otrocký; **—er** [ˈsleivə] *s* 1. otrokářská loď 2. otrokář; **—ery** [ˈsleivəri] *s* otroctví; **~ -ship** *s* otrokářská loď; **~ -trade** [ˈsleivtreid] *s* obchod otroky; **—ey** [ˈslævi] *s* sl. služka; **—ish** [ˈsleiviš] *a* otrocký, podlý

slaver [ˈsleivə] *s* slina □ *vi & t* slintat

Slavon|ian [sləˈvounjən] *a* slovanský □ *s* Slovan, slovanský jazyk; **—ic** [sləˈvonik] *s* slovanský □ *s* slovanština

slaw [slo:] *s* am. salát ze syrového zelí

slay* [slei] *vt* zavraždit, zabít

sleave [sli:v] *vt* dial. rozmotávat, rozpouštět hedvábné vlákno □ *s* rozštěpené hedvábné vlákno; spletenina

sled, sledge[1], **sleigh** [sled, sledž, slei] *s* saně

sledge[2] [sledž] *s* perlík (též **~ -hammer**)

sleek [sli:k] *a* 1. hladký, jemný, měkký; úhledný 2. nasládlý, úlisný, farizejský □ *vt* (u)hladit, česat

sleep[1]* [sli:p] *vi* 1. spát, usnout 2. poskytnout nocleh ♦ *to ~ on both ears* spát klidně; **~ away** zaspat; **~ off** vyspat se z

sleep[2] [sli:p] *s* spánek, spaní ♦ *to go to ~* usnout; *a dog's ~* lehký spánek; **—er** [ˈsli:pə]

s 1. spáč 2. pražec železniční 3. spací vůz; **—full** [ˈsli:pful] *a* ospalý; **—less** [ˈsli:plis] *a* bezesný; **—y** [ˈsli:pi] *a* ospalý, netečný ♦ *to make ~* uspat; **—yhead** [ˈsli:pihed] *s* ospalec

sleeping [ˈsli:piŋ] *a* spící □ *s* spaní; **~ -bag** [ˈsli:piŋbæg] *s* spací pytel; **~ -car**, **~ -carriage** *s* lůžkový, spací vůz; **~ dogs** nepříjemné vzpomínky; **~ -draught** [ˈsli:piŋdra:ft] *s* prášek pro spaní; **~ partner** brit., obch. tichý společník; **~ -powder** [ˈsli:piŋˌpaudə] *s* prášek pro spaní; **~ -room** *s* ložnice; **~ -sickness** [ˈsli:piŋˌsiknis] *s* spavá nemoc

sleet [sli:t] *s* plískanice □ *vi* pršet se sněhem nebo kroupami

sleeve [sli:v] *s* 1. rukáv 2. objímka, trubice ♦ *to have s.t. up one's ~* mít něco za lubem; *to laugh in one's -s* vysmát se komu za zády; *to turn up one's -s* vyhrnout si rukávy; **~ -coupling** [ˈsli:vˌkapliŋ] *s* objímková spojka

sleigh [slei] viz *sled*

sleight [slait] *s* úskok, trik, lest, obratnost; **~ -of-hand** *s* kejkle

slender [ˈslendə] *a* 1. tenký, štíhlý, útlý 2. nepatrný, malý

slept [slept] *pt & pp* viz *sleep*

sleuth-hound [ˈslu:θˌhaund] *s* 1. stopař pes 2. am. detektiv

slew[1] [slu:] *pt* viz *slay*

slew[2] [slu:] viz *slue*

slice [slais] *s* 1. krajíc, řízek, plátek 2. velká lžíce, lopatka 3. špachtle □ *vt* rozřezat,

krájet na tenké kousky; ~ **off**
odkrojit
slick [slik] viz *sleek*
slid [slid] *pt* viz *slide*; —**den**
[ˈslidn̩] *pp* viz *slide*
slide¹* [slaid] *vi & t* 1. klouzat
(se), nechat proklouznout 2.
vyklouznout; ~ **by** proklouz-
nout; ~ **into** *an error* upad-
nout v omyl; ~ **off** stáhnout;
~ **on** natáhnout
slid|e² [slaid] *s* 1. (s)klouznutí,
skluzavka, klouzačka, klu-
ziště 2. diapozitiv 3. krycí
sklíčko 4. šoupátko 5. destič-
ka 6. tech. saně suportu 7.
beran lisu 8. posunutí půdy;
~ *gauge* [geidž] posuvné mě-
řítko; ~ *rest* tech. suport;
~ *rule* logaritmické pravítko;
~ *valve gear* šoupátkový roz-
vod parního stroje; —**er**
[ˈslaidə] *s* 1. klouzač 2. šou-
pátko 3. saně
sliding [ˈslaidiŋ] *a* klouzající,
skluzný □ *s* klouzání; ~ **-knot**
[ˈslaidiŋnot] *s* smyčka;
~ *pencil* šroubovací tužka;
ˈ~ **-place** *s* skluzavka; ~ **rail**
[reil] výhybka; ~ **roof** sklá-
pěcí střecha auta; ~ **rule** loga-
ritmické pravítko; ~ **weight**
[weit] posuvné závaží
slight [slait] *a* 1. útlý, křehký;
nepatrný, lehký 2. slabý,
tenký 3. zast. nízký, podlý □
s pohrdání, opovržení ♦ *to*
make ~ of a thing nevážit si,
pohrdat □ *vt* 1. pohrdat, ne-
vážit si, přezírat, podceňovat
2. odbýt, povrchně udělat
(~ *over*)
slily, slyly [ˈslaili] *adv* chytře,
úskočně

slim [slim] *a* 1. tenký, štíhlý 2.
nepatrný, zchytralý
slim|e [slaim] *s* sliz, hlen; —**y**
[ˈslaimi] *a* sliznatý
sliness [ˈslainis] viz *slyness*
sling [sliŋ] *s* 1. osidlo, smyčka
2. prak 3. páska (*his arm was*
in a ~ měl paži v pásce) 4.
hod, rána □ *vt* 1. házet
prakem, vrhat, mrštit 2. vy-
tahovat, zavěsit, přehodit
přes ♦ *to ~ mud at* fig. po-
mlouvat; ~ *up* vytáhnout;
—**er** [ˈsliŋə] *s* prakovník;
ˈ~ **-shot** *s* prak
slink* [sliŋk] *vi* 1. plazit se,
plížit se (*by* mimo), krást se
2. předčasně vrhnout mláďata
□ *s* zmetek, nedonošené do-
bytče; ~ **aside** odstranit se;
~ **away, off** vykrást se, od-
plížit se
slip¹ [slip] *vi & t* (-pp-) 1.
klouznout, klouzat, klouzavě
jít; mihnout se 2. vy-, pro-
klouznout; vykrást se, utéci,
uniknout 3. přeřeknout se,
podříci se; chybovat 4. ply-
nout, míjet 5. podstrčit; za-
strčit závoru 6. předčasně
vrhnout mládě 7. spustit
kotvu, vypustit střelu 8.
dostat smyk ♦ *to ~ open*
vycházet, jít vzhůru, vyrážet,
provalit se; *to let ~* pustit;
~ **away** proklouznout, vy-
krást se; ~ **into** vloudit se;
~**off** utrhnout, stáhnout, svlé-
ci; ~ **on** hodit na sebe (šaty);
~ **out** vy-, proklouznout;
~ **over** přeběhnout, minout;
~ **up** zmýlit se
slip² [slip] *s* 1. klouzání, klouz-
nutí, smeknutí; skluz, smyk

2. přeřeknutí **3.** chyba, omyl; poklesek **4.** lístek, proužek, sloupcová korektura **5.** řemen na psa **6.** dětská zástěrka **7.** odnož, sazenice **8.** hráz, příkrý břeh **9.** kombiné, živůtek **10.** pl. loděnice **11.** potomek **12.** mezikulisí **13.** povlak polštáře **14.** plavky **15.** hráč kriketu ♦ *a* ~ *of a girl* mladá dívka; ~ *of the pen, tongue* přepsání, přeřeknutí; ~ *of the press* tisková chyba; *to get the* ~ dostat košem; *to give the* ~ upláchnout; **~-board** ['slipbo:d] *s* šoupací prkno; **—py** ['slipi] *a* vulg. **1.** kluzký, hladký **2.** útlý; štíhlý; **~-ring** *s* el. sběrací kroužek; **~-shod** ['slipšod] *a* mající sešlapané střevíce, nedbalý; **~-shoe** ['slipšu:] *s* sešlapaný střevíc; **~-slop** *s* tlachání; nedbalec; slabý nápoj, brynda, břečka; **~-string** *s* dial. šibeničník, darebák

slipper ['slipə] *s* **1.** trepka, pantofel **2.** smykadlo tramvaje; **—y** ['slipəri] *a* **1.** kluzký, hladký **2.** nestálý, nejistý, nespolehlivý **3.** prostořeký **4.** choulostivý, ošemetný

slit* [slit] *vt* rozříznout, rozštípnout, rozdělit □ *vi* rozštěpit se, puknout □ *s* štěrbina, puklina, zářez, rozparek ♦ ~ *trenches* úzké zákopy, příkopy

slither ['sliðə] *vi* hov. šoupat se, vléci se, šourat se

sliver ['slivə] *vt & i* štěpit (se); trhat, párat, řezat; drát □ *s* tříska

slobber ['slobə] *s* slina, slintání

□ *vi & t* slintat; **—y** ['slobəri] *a* uslintaný, vlhký

slocken ['slokən] *vt* uhasit

sloe [slou] *s* trnka

slog [slog] *vt* (-gg-) **1.** tvrdě zasáhnout míč pálkou, pěstí **2.** vytrvale pracovat n. jít

slogan ['slougən] *s* heslo

sloop [slu:p] *s* šalupa; ~ *of war* korveta

slop¹ [slop] *s* sl. strážník

slop² [slop] *s* pl. **1.** slivky, břečka **2.** pomeje, špína **3.** skvrna **4.** široké kalhoty námořnické **5.** hotové šaty □ *vt* (-pp-) **1.** vybryndat **2.** pošpinit, pobryndat; **~-basin** ['slopbeisn] *s* nádoba na slivky; **~-pail** ['sloppeil] *s* vědro na odpadky, na pomeje; **—py** ['slopi] *a* **1.** pobryndaný, mokrý, špinavý **2.** nedbalý, nepořádný **3.** ufňukaný; **~-shop** *s* prodejna hotových obleků

slop|e [sloup] *s* **1.** svah, stráň, úbočí, násep **2.** stoupání □ *a* šikmý, sklánějící se □ *vt & i* **1.** sklánět (se), svažovat se **2.** šikmo seříznout **3.** zdvihat se; ♦ ~ *arms*! na rámě zbraň!; **—ing** ['sloupiŋ] *a* **1.** svažující se, šikmý **2.** svislý, úbočný □ *s* svah, stráň, úbočí

slot¹ [slot] *s* **1.** štěrbina, skulina **2.** drážka; **~-machine** ['slotməˌši:n] *s* automat na mince

slot² [slot] *s* stopa zvěře

sloth [slouθ] *s* **1.** lenost, loudavost **2.** lenochod; **—ful** ['slouθful] *a* lenivý, loudavý

slouch [slauč] *vi & t* **1.** schlíple se pohybovat **2.** věšet hlavu **3.** sklopit střechu klobouku

☐ *s* 1. lenoch 2. nedbalec 3. neohrabaný člověk 4. věšení hlavy 5. ohrnutí, ohyb klobouku

slough¹ [slau] *s* louže, bláto, bahnisko; —**y** [ˈslaui] *a* blátivý, bahnitý

slough² [slaf] *s* 1. svlečená hadí kůže 2. strup 3. fig. opuštěný zvyk, vlastnost ap. ☐ *vi* loupat se, svléci kůži

Slovak [ˈslouvæk] *s* 1. Slovák 2. slovenština ☐ *a* slovenský; —**ian** [slouˈvækiən] viz *Slovak*

sloven [ˈslavn] *s* coura, zanedbaná osoba; —**ly** [ˈslavnli] *a* nedbalý, zanedbaný, ucouraný

Sloven|e [ˈslouviːn] *s* Slovinec ☐ *a* slovinský; —**ia** [slouˈviːnjə] *s* Slovinsko

slow [slou] *a* 1. pomalý, zdlouhavý, loudavý 2. opatrný, váhavý; rozvážný 3. lenivý, nedbalý, tupý 4. hloupý 5. nezajímavý ♦ *the clock is* ~ hodiny jdou pozadu; ~ *of speech* nevýmluvný ☐ *vt* zdržet, zpomalit, zvolnit; ~ **-couch** [ˈsloukaučʹ] *s* loudal; ~ **down** zpomalit; |~ -|**gaited**, |~ -|**paced**, |~ -|**pacing** *a* loudavý, zdlouhavý; ~ **-witted** [ˈslouˈwitid] *a* nechápavý; ~ **-worm** [ˈslouwəːm] *s* slepýš

slub [slab] *vt* (-bb-) motat, soukat ☐ *s* hrubá příze, lunt

sludge [sladž] *s* bláto, bahno, kal

slue, slew [sluː] *vt & i* točit rumpálem ap.; —**ing crane** otočný jeřáb

slug [slag] *s* 1. slimák 2. brok, sekané olovo 3. hov. úder

pěstí 4. ospalec ☐ *vt & i* (-gg-) 1. (z)lenošit, zahálet 2. hov. zasáhnout tvrdě, udeřit 3. pomalu se pohybovat; zpomalit, zabránit 4. nabít (pušku) sekaným olovem; —**gard** [ˈslagəd] *s* lenoch, povaleč, tulák ☐ *a* lenivý, loudavý; —**gish** [ˈslagiš] *a* 1. zdlouhavý, loudavý 2. lenivý, netečný, nečinný

sluice [sluːs] *s* stavidlo, splav, vrata splavu n. jezu, zdymadlo ☐ *vt & i* opatřit stavidlem, proudit stavidlem, vypustit stavidlem; vylít, vytékat; ~ **out, down** propláchnout; ~ **weir** [wiə] stavidlový jez

slum [slam] *s* 1. brloh, obydlí chudých 2. špinavá ulička ☐ *vt* (-mm-) navštěvovat chudé

slumber [ˈslambə] *s* dřímota, spánek ☐ *vt & i* spát, dřímat

slump [slamp] *vi* sl. propadnout, proborit se; (po)klesnout v ceně ☐ *s* náhlý pokles cen na burze

slung [slaŋ] *pt & pp* viz *sling*

slur [sləː] *vt* (-rr-) 1. dial. pošpinit, potřísnit 2. pomluvit 3. lehce přejít bez zmínky 4. drmolit 5. spojovat, vázat noty ☐ *s* 1. skvrna, špína 2. hanba 3. výčitka 4. úskok 5. hud. legato, znaménko vázací ♦ *to put a* ~ *upon* očernit

slurry [ˈslari] *s* 1. kal 2. řídký cement n. beton

slush [slaš] *s* 1. sněhová kaše, bláto 2. mazadlo 3. fig. limonáda o četbě; —**y** [ˈslaši] *a* mokrý, plískavý

slut [slat] *s* **1.** slota, coura, děvka, fena **2.** žert. dívka, žába; —**tish** [ˈslatiš] *a* nepořádný, nečistotný

sly [slai] *a* úskočný, lstivý, chytrý ♦ *on the* ~ pokradmu; ~ *boots* tichošlápek; —**ness** [ˈslainis] *s* lstivost, zchytralost

smack¹ [smæk] *vi* **1.** mlaskat, plesknout; dát facku, prásknout bičem **2.** chutnat (*of* čím) □ *s* **1.** chuť, příchuť **2.** mlasknutí **3.** plácnutí, prásknutí **4.** mlaskavá hubička; —**er** [ˈsmækə] *s* **1.** mlaskot, pleskot, plesknutí **2.** sl. mlaskavý polibek, rána **3.** ohromná věc

smack² [smæk] *s* malý rybářský člun, šalupa

small [smo:l] *a* **1.** malý, nepatrný **2.** slabý, útlý, tenký **3.** ubohý **4.** lakomý **5.** nevýznamný ♦ *the* ~ *of the back* kříž těla; *to look* ~ být v úzkých, stydět se, ostýchat se; *to make one feel* ~ uvést do rozpaků, pokořit, zahanbit; *to think no* ~ *beer of oneself* být domýšlivý; —**age** [ˈsmo:lidž] *s* různé druhy celeru; |~ -**arms** *s* pěchotní zbraně; ~ **beer** obyčejné pivo; ~ **change** drobné peníze; ~ -**clothes** [ˈsmo:lklouðz] *s* krátké nohavice; ~ **fry** [frai] potěr; ~ -**holder** [ˈsmo:l-ˈhouldə] *s* drobný rolník; —**ish** [ˈsmo:liš] *a* malinký; |~ -**lot production** malosériová výroba; ~ **money** drobné peníze; —**ness** [ˈsmo:lnis] *s* **1.** drobnost, tenkost **2.** sla-

bost, jemnost **3.** malichernost; |—**pox** *s* neštovice; ~ -**scale** [ˈsmo:lskeil] **farming** malorolnictví; ~ -**scale production** malovýroba; ~ **shot** broký; ~ **sword** kord; ~ **talk** všední hovor; ~ **wine** lehké víno

smalt [smo:lt] *s* smalt □ *a* kobaltový

smart [sma:t] *a* **1.** palčivý, štiplavý, kousavý **2.** bolestný **3.** prudký, ostrý, řízný **4.** živý, čiperný **5.** bystrý, chytrý **6.** čilý, svěží **7.** veselý **8.** uhlazený, vystrojený **9.** hezký, pěkného vzhledu, elegantní (*clothes* šaty) ♦ *the* ~ *set* lidé vybraného vkusu; ~ *money* pokuta, náhrada, bolestné □ *vi* **1.** cítit ostrou bolest, bolet, působit bolest **2.** pykat (*for* zač) □ *s* **1.** palčivá bolest **2.** švihák; —**en** [ˈsma:tn] *vt* vystrojit, vyfintit

smash [smæš] *vt* **1.** rozbít, roztříštit, rozdrtit; zničit **2.** obch. učinit úpadek **3.** proklestit cestu (*through* čím) **4.** napadnout **5.** srazit se (*into* v) **6.** sport. smečovat □ *s* **1.** třesk, rozbití, roztříštění, zničení **2.** sport. velmi tvrdý úder, smeč; —**ing** [ˈsmæšiŋ] *a* sl. báječný, nádherný, prima

smatter [ˈsmætə] *s* povrchní znalost □ *vi* povrchně znát; —**ing** [ˈsmætəriŋ] *s* povrchní znalost

smear [smiə] *s* **1.** zast. mast, mazadlo **2.** skvrna □ *vt* **1.** namazat olejem, zašpinit **2.** rozetřít; —**y** [ˈsmiəri] *a* mazavý, mazlavý, lepkavý: zašpiněný

smell¹ [smel] *vt* čichat, větřit, čenichat *(about)* □ *vi* vonět, páchnout *(of* čím) ♦ *to ~ a rat* mít podezření; *~ at* přičichnout; *~ out* vyčenichat, vypátrat

smell² [smel] *s* 1. čich 2. zápach, vůně ♦ *a bad ~* zápach; —er [ˈsmelə] *s* 1. čmuchal 2. nos 3. rána do nosu; —less [ˈsmellis] *a* bez čichu, bez zápachu

smelt¹ [smelt] *pt & pp*, viz *smell*

smelt² [smelt] *vt* tavit, rozpouštět, roztápět; —er [ˈsmeltə] *s* 1. tavič 2. tyglík; —ery [ˈsmeltəri] *s* tavírna, tavicí pec, huť; —ing [ˈsmeltiŋ] *s* roztápění: tavení rudy, natavování; —ing-furnace [ˈsmeltiŋˌfə:nis] *s* tavicí pec; |—ing-house *s* tavírna, huť

smew [smju:] *s* potápka, morčák bílý pták

smile [smail] *vi* usmívat se *(upon, at* na) □ *s* úsměv

smirch [smə:č] *vt* 1. počernit, zamazat 2. očernit jméno

smirk [smə:k] *s* afektovaný úsměv

smit [smit] *pt & pp* viz *smite*

smite [smait] *vt* 1. udeřit, uhodit 2. porazit 3. zničit, rozbít 4. zachvátit 5. (po)trestat ♦ *to ~ s.o. hip and thigh* porazit koho na hlavu; *smitten with* zachvácen, uchvácen čím □ *s* rána, úder

smith [smiθ] *s* kovář; *black·~ s* kovář; *gold—— s* zlatník; *lock— s* zámečník; *silver— s* stříbrník; *~'s forge* [fo:dž]

kovářská výheň □ *vt* kout, kovat; —ery [ˈsmičəri] *s* 1. kovárna 2. kovářství; —y [ˈsmiði] *s* kovárna

smithereens [ˈsmiðəˈri:nz] *s pl.* kousky ♦ *to break into ~* rozbít na padrť

smitten [ˈsmitn] *pp* viz *smite*; *~ with* obdivující velmi

smock [smok] *s* arch. ženská košile, kazajka □ *vt* odít halenou; |~-ˈfrock *s* halena

smog [smog] *s* hustá mlha nasycená kouřem

smok|e [smouk] *s* 1. kouř, dým 2. zakouření ♦ *to hang n. dry in the ~* udit; *from ~ into smother* z deště pod okap □ *vi & t* 1. kouřit, podkuřovat, čadit 2. udit 3. pařit, vypařovat 4. vyčenichat 5. vodit za nos 6. arch. vysmívat se; *~ out* vykouřit; |~-black *s* kopt; |~-box *s* lapač kouře, udírna; ~-dried [ˈsmoukdraid] *a* uzený; ~-dry [ˈsmoukdrai] *vt* udit; ~-flue [ˈsmoukflu:] *s* kouřovod; —eless [ˈsmouklis] *a* bezdýmný; —er [ˈsmoukə] *s* 1. kuřák 2. kuřácký vůz; —ing [ˈsmoukiŋ] *s* 1. kouření 2. uzení; —ing-room *s* kuřárna; ~-screen [ˈsmoukskri:n] *s* kouřová clona; ~-stack [ˈsmoukstæk] *s* komín; —y [ˈsmouki] *a* zakouřený

smolder [ˈsmouldə] viz *smoulder*

smooth [smu:ð] *a* 1. hladký, uhlazený, rovný 2. měkký, jemný 3. lahodný, příjemný; vlídný 4. klidný 5. bez vláken, vlasů ap. □ *vt* 1. uhladit, urovnat *(out, down)* 2. zmír-

nit, zjemnit **3**. lahodit, licho-
tit **4**. urovnat, získat, naklo-
nit si; **~ away** 1. odstranit
2. vzdálit, zaplašit; **~ over**
omlouvat; **~ up** zjemnit,
srovnat, udobřit; **~ -bore**
['smu:ðbo:] *s* hladká hlaveň;
—en ['smu:ðn] *vt* hladit,
srovnat, **—er** ['smu:ðə] *s*
hladič, hladicí kámen, úlisník;
~ -faced ['smu:ðfeist] *a* hlad-
ce oholený; vlídný, úlisný;
—ing ['smu:ðiŋ] *s* hlaze-
ní, uhlazování; **—ing-iron**
['smu:ðiŋ₁aiən] *s* žehlička;
~ -tongued ['smu:ðtaŋd] *a*
lichotivý
smote [smout] *pt* viz *smite*
smother ['smaðə] *vt & i* 1.
(u)dusit (se) **2**. potlačit, zničit
3. utlumit, ututlat *(up)* **4**.
zalykat se *(with* čím) □ *s* **1**.
dým, prach **2**. doutnání,
doutnavý oheň ♦ *to keep in ~*
dusit
smoulder ['smouldə] *vi* doutnat,
čadit □ *s* dým
smudge¹ [smadž] *s* **1**. šmouha,
skvrna **2**. drobné uhlí, mour
□ *vt* **1**. pošpinit, umounit **2**.
zhudlařit co
smudge² [smadž] *s* am. dusivý
kouř; ohníček na zahánění
moskytů ap.
smug [smag] *a* čistý, upra-
vený, úhledný; strojený, sa-
molibý □ *vt* (-gg-) **1**. vystro-
jit, vyfintit **2**. sl. štípnout,
ukrást
smuggl|e ['smagl] *vt & i* pašovat
(in, out, of, over); **—er**
['smaglə] *s* podloudník, pašе-
rák; **—ing** ['smagliŋ] *s* pod-
loudnictví

smut [smat] *s* **1**. saze, skvrna
2. sněť obilná **3**. oplzlost □
vt (-tt-) zakoptit, začadit,
zamazat □ *vi* snětivět;
—tiness ['smatinis] *s* špina-
vost, černost, snětivost obilí;
—ty ['smati] *a* **1**. začazený,
zakoptěný **2**. špinavý, umou-
něný **3**. oplzlý **4**. snětivý
o obilí
snack [snæk] *s* **1**. kousek, díl,
podíl **2**. lehké jídlo, zákusek,
zakousnutí **3**. přesnídávka ♦
to go· -s with dělit se s; |**~ -bar**
s automat, bufet
snaffle ['snæfl] *s* ohlávka, otěž
□ *vt* **1**. držet na uzdě **2**. sl.
odcizit, ukrást
snag [snæg] *s* **1**. hrob, hrbol;
suk; pahýl, pařez **2**. větev
parohů **3**. kmen n. větev
v korytě řeky **4**. neočekávaná
nesnáz, překážka; **—gy**
['snægi] *a* **1**. hrbolatý, suko-
vitý **2**. skot. dial. tvrdohlavý,
neústupný
snail [sneil] *s* **1**. hlemýžď, slimák
2. loudal, lenoch; **~ -clover**
['sneil₁klouvə] *s* vojtěška
snak|e [sneik] *s* had; **—y**['sneiki]
a **1**. hadovitý, kroutící se **2**.
plný hadů
snap¹ [snæp] *vt & i* (-pp-) **1**.
lapat, chňapat **2**. ulomit,
ukousnout **3**. puknout **4**. za-
klapnout, cvaknout, prásk-
nout bičem **5**. vyfotografovat
momentkou, udělat snímek **6**.
odseknout, obořit se ♦ *to ~
one's fingers* louskat prsty;
~ asunder puknout, prask-
nout; **~ away** lapit, chňap-
nout; **~ off** ukousnout; **~ out**
odseknout; **~ up** polapit;

obořit se, odbýt, odseknout; pochytit; spolykat

snap² [snæp] *s* 1. chňapnutí, lapení 2. ulomení 3. snímek (*to take a ~ of* vyfotografovat) 4. kousnutí 5. bouchnutí, prásknutí 6. pérová západka, uzávěr ♦ *at one ~* jedním rázem; *merry ~* čtverák, ferina; *a cold ~* náhlá studená vlna počasí; **—sack** [ˈsnæpsæk] *s* vak, tlumok; **—shot** [ˈsnæpʃot] *s* fotografický snímek, momentka; **—pish** [ˈsnæpiʃ] *a* chňapavý; prostořeký, kousavý, nevrlý

snar|e [ˈsneə] *s* osidlo, oko, léčka, past □ *vt* chytit do oka, zaplést v osidla; **—er** [ˈsneərə] *s* svůdce;

snarl [snaːl] *vt & i* 1. vrčet, bručet (*at* na) 2. fig. zaplést (se) do, chytit (se) do pasti □ *s* vrčení, bručení

snatch [snæč] *vt* 1. lapit, chňapnout 2. zchlamstnout (*a meal* jídlo) 3. ulovit, popadnout, unést, uloupit □ *vi* chňapat, lapat (*at* po); *~ up* polapit □ *s* 1. lapnutí, chňapnutí 2. úlomek, úštipek, úryvek, kousek ♦ *to get a ~ of sleep* zdřímnout si; **—er** [ˈsnæčə] *s* chytač, lapač, loupežník; **—ingly** [ˈsnæčiŋli] *adv* trhavě, škubavě, chvatně; **—y** [ˈsnæči] *a* trhavý, nesouvislý

sneak¹ [sniːk] *vt & i* 1. plížit se, plazit se, přikrást se 2. žalovat ve škole □ 3. skrýt, ukrýt; *~ away, off* odkrást se, táhnout; *~ of* udat, žalovat; *~out of* vyvléci se z; *~ to* podlézat

sneak² [sniːk] *s* 1. patolízal, pokrytec, potměšilec 2. udavač; **—ing** [ˈsniːkiŋ] *a* plazivý, plíživý; tajný; potměšilý

sneer [sniə] *vi* ušklíbat se; posmívat se, vysmát se, dobírat si (*at* koho) □ *s* úsměšek, úšklebek, posměch

sneeze [sniːz] *vi* 1. kýchat 2. hov. vykašlat se (*at* na) □ *s* kýchnutí, kýchání; |*~*-**wort** *s* bot. čemeřice

snick [snik] *s* říznutí, řez, jizva, šrám; **—er** [ˈsnikə] *vi* 1. hihňat se, zubit se, smát se komu za zády 2. řehtat □ *s* tlumený smích n. řehot; **—ersnee** [ˈsnikəˈsniː] *s* nůž, zabiják

snide [snaid] *a* sl. padělaný, nepravý □ *s* padělek

sniff [snif] *vi* 1. funět; větřit, čenichat, čmuchat; krčit nos 2. vdechovat nosem, popotahovat □ *s* funění; čmuchání, čenichání; **—y** [ˈsnifi] *a* hov. nepříjemný; páchnoucí

snigger [ˈsnigə] *s* posměšek, hihot

snip [snip] *vt & i* (-pp-) stříhat, šmikat □ *s* 1. řez, střih 2. ústřižek 3. podíl 4. jistota 5. lid. krejčí; **—pet** [ˈsnipit] *s* 1. výstřižek, kousek 2. úryvek; **—pings** [ˈsnipiŋz] *s pl.* odřezky, odstřižky; **—py** [ˈsnipi] *a* skoupý, lakomý

snip|e [snaip] *s* bekasína. *sg. za pl.* sluky □ *vt & i* střílet z úkrytu; **—er** [ˈsnaipə] *s* záškodník

snipsnap [ˈsnipˈsnæp] *s* třesky plesky

snivel [ˈsnivl] *vi* (-ll-) 1. fňukat,

kňourat 2. potahovat nosem,
mít rýmu □ *s* 1. kapička
u nosu, smrk 2. fňukání; —ler
[ˈsnivlə] *s* usmrkanec
snob [snob] *s* 1. snob, fouňa
2. dial. příštipkář 3. hlupák;
—bery [ˈsnobəri] *s* snobství,
nafoukanost, foukovství
snood [snu:d] *s* stuha do vla-
sů
snooze [snu:z] *vi* zdřímnout si
snore [sno:] *vi* chrápat □ *s*
chrápání
snort [sno:t] *vi* frkat, funět,
chrápat, supět
snot [snot] *s* lid. kapička u nosu,
smrk; |~-rag *s* kapesník;
—ty [ˈsnoti] *a* usmrkaný,
sprostý
snout [snaut] *s* frňák, čenich,
čumák, rypák; zobák
snow [snou] *s* sníh □ *vi* 1.
sněžit 2. zbělet; ~-ball
[ˈsnoubo:l] *s* sněhová koule;
|~-bank *a* am. závěj; ~-bound
[ˈsnoubaund] *a* zapadlý sně-
hem; |~-drift *s* závěj, mete-
lice; |~-drop *s* sněženka;
~-flakes [ˈsnoufleiks] *s pl.*
sněhové vločky; |~-shoes *s*
pl. sněžnice, lyže, ~-slide
[ˈsnouslaid] *s* sesun sněhu,
malá lavina; |~-slip *s* lavina;
|~-track *s* stopa ve sněhu;
|—|white *a* sněhobílý; —y
[ˈsnoui] *a* sněžný, sněhobílý
snub¹ [snab] *vt* (-bb-) 1. plísnit,
peskovat, kárat 2. pohrdat □
s 1. důtka 2. urážka ♦ ~ *nose*
tupý nos
snub² [snab] *a* tupý, krátký,
pahýlovitý
snuff [snaf] *s* 1. šňupací tabák
2. oharek, ohořelý knot 3.

mrzutost ♦ *to take* ~ šňupat;
to take ~ *at, to take in* ~
mrzet se nad; *in a* ~ dopá-
lený □ *vt* 1. šňupat 2. ustřih-
nout knot, uhasit svíčku □ *vi*
3. čenichat, čmuchat ♦ *to* ~
pepper být uražen; ~ *out*
vysmrkat, vyfouknout, zhas-
nout; ~ *up* sebrat; |~-box
s tabatěrka; —er [ˈsnafə] *s*
1. šňupák 2. pl. kratiknot;
~-taker [ˈsnafteikə] *s* šňu-
pák; —y [ˈsnafi] *a* 1. šňupavý
2. rozmrzelý
snuffle [ˈsnafl] *vi* čenichat, čmu-
chat, funět; huhňat □ *s*
funění, huhňání, vrnění
snug [snag] *a* 1. útulný, pří-
jemný, pohodlný 2. skrytý,
chráněný ♦ *to lie* ~ hovět si,
být v záloze □ *vi* (-gg-) hovět
si; —gle [ˈsnagl] *vi* hovět si
♦ *to* ~ *down in bed* hovět si
v posteli; ~ *up to* přitulit se,
přivinout se k
so [sou] *adv, conj, int, pron* 1.
tak, takto, tímto způsobem.
tedy 2. zast. jestliže, když 3.
pokud 4. tak ano, budiž
(~ *be it*) 5. to 6. asi tolik
♦ *not* ~ ... *as* ne tak... ja-
ko; *and* ~ *on* a tak dále;
~ *as* jen když; ~ *far* doposud;
~ *far as* pokud; ~ *far from*
natož; ~ *much* tolik; ~ *long*
nazdar; ~ *long as* pokud;
~ *much as* jakkoliv; ~ *to say*
takřka; *how* ~ ? jak to?
soak [souk] *vt & i* 1. sáknout,
namočit, promočit (se) 2.
vyprázdnit 3. chlastat □ *s*
1. sání, vsáknutí, promočení
2. pitka, piják 3. déšť 4. lák;
—er [ˈsoukə] *s* chlastoun;

—**ing furnace** [ˈfəːnis] hlubinná pec
soap [soup] *s* mýdlo □ *vt* mydlit; |∼-|**boiler** *s* mydlář; ∼-**bubble** [ˈsoupˌbabl] *s* mýdlová bublina; —**er** [ˈsoupə] *s* mydlář; |∼-**house** *s* mydlárna; |∼-**stone** *s* mastek; ∼-**suds** [ˈsoupsadz] *s* mydliny; |∼-**weed**, |∼-**wort** *s* bot. mydlice; |∼-**works** *s* mydlárna; —y [ˈsoupi] *a* mýdlovitý, namydlený
soar [soː] *vi* vznášet se, vysoko poletovat, prudce stoupat □ *s* vysoký let, kroužení; —**ing** [ˈsoːriŋ] *a* 1. vznášející se 2. vzletný, nabubřelý sloh
sob [sob] *vi & t* (-bb-) vzlykat, štkát, lkát □ *s* vzlykání, štkaní
sober [ˈsoubə] *a* 1. střízlivý, střídmý, skromný 2. vážný, rozvážlivý, klidný 3. usedlý; ∼-**sides** [ˈsoubəsaidz] *s* usedlý člověk □ *vt* vystřízlivět, přivést k vystřízlivění
sobriety [souˈbraiəti] *s* střízlivost; rozvaha, rozmysl, klidnost
so(u)briquet [ˈsoubrikei] *s* přezdívka
soccer [ˈsokə] *s* hov. kopaná
soci|ability [ˌsoušəˈbiliti] *s* družnost, společenskost; —**able** [ˈsoušəbl] *a* družný, společenský □ *s* 1. otevřená trojkolka 2. pohovka 3. am. večírek
social [ˈsoušəl] *a* společenský, sociální, družný; ∼ **being** společenské bytí; ∼-**chauvinism** [ˈsoušəlˈšouvinizəm] *s* sociálšovinismus; ∼ **democracy** so-

ciální demokracie; ∼ **democrat** sociální demokrat; ∼ **worker** sociální pracovnice; —**ism** [ˈsoušəlizəm] *s* socialismus ♦ *Critical-Utopian* ∼ kritickoutopický socialismus; *establishment of* ∼ nastolení socialismu; *scientific* ∼ vědecký socialismus; —**ist** [ˈsoušəlist] *a* socialistický □ *s* socialista; —**ist-biased** [ˈsoušəlistˌbaiəst] *a* přikloněný k socialismu; —**ist-bound** [ˈsoušəlistbaund] *a* směřující k socialismu; —**ite** [ˈsoušəlait] *s* povaleč z vyšších vrstev; —**ization** [ˌsoušəlaiˈzeišən] *s* socializace ♦ ∼ *of labour* zespolečenštění práce; —**ize** [ˈsoušəlaiz] *vt* socializovat, zespolečenštit; —**ly:** ∼ *necessary labour time* společensky nutná pracovní doba
society [səˈsaiəti] *s* 1. společnost 2. družstvo, spolek
sociolog|ic(al) [ˌsousjəˈlodžik(əl)] *a* sociologický; —**y** [ˌsousiˈolodži] *s* sociologie
sock [sok] *s* 1. ponožka 2. vložka do boty 3. podnožka, podnož 4. střevíc, koturn 5. fig. veselohra 6. sl. rána, úder; —**er** [ˈsokə] *s* viz *soccer*; —**et** [ˈsokit] *s* 1. podnožka 2. ložisko 3. důlek oční 4. objímka žárovky 5. zásuvka telefonu 6. hrdlo trubky, nátrubek; ∼ *plug* [plag] el. vidlice zásuvky, zástrčka
socle [ˈsokl] *s* 1. pata podstavce 2. podezdívka
sod¹ [sod] *pt, pp* viz *seethe*
sod² [sod] *s* drn, trávník
soda [ˈsoudə] *s* soda, sodovka;

~ **ash** kalcinovaná soda; ~ **lye** [lai] sodný louh

sodality [souˈdæliti] *s* družstvo, bratrstvo

sodden [ˈsodn] *a, pp,* viz *seethe* 1. zast. vařený 2. namočený, nasáklý, bažinatý 3. nevypečený □ *vt & i* namočit (se)

sodium [ˈsoudjəm] *s* sodík

soever [souˈevə] *adv* jakkoli ♦ *who—* kdokoli; *what—* cokoli

sofa [ˈsoufə] *s* pohovka, sofa

soffit [ˈsofit] *s* 1. kazetovaný strop 2. spodní plocha násloupí, klenby, okna

soft [soft] *a* 1. měkký, hebký, jemný; vláčný, plastický 2. něžný, mírný 3. křehký 4. zženštilý 5. přihlouplý 6. laskavý, vlídný, soucitný 7. slabý 8. sl. snadný □ *s* 1. slabina 2. slaboch, hlupáček; ~-**brained** [ˈsoftbreind] *a* hloupý; blbý; ~ **currency** měkká měna; ~ **drink** nealkoholický nápoj; —**en** [ˈsofn] *vt* 1. (z)měkčit, zjemnit; zmírnit 2. rozmazlit, zženštit □ *vi* 3. měknout, mírnit se 4. slitovat se; ~ *up* zdemoralizovat; ~ *goods* textilie; —**ish** [ˈsoftiš] *a* naměklý, zženštilý; —**ling** [ˈsoftliŋ] *s* zženštilec; ~ **roe** [rou] mlíčí; ~ **sex** ženy; ~ **soap** [soup] mazlavé mýdlo; fig. lichocení

soggy [ˈsogi] *a* vlhký, mokrý, bažinatý

soho [soˈhou] *int* hej!, hola!

soil [soil] *s* 1. půda, země, prsť 2. louže, bláto 3. kal, kaliště zvěře 4. skvrna □ *vt & i* 1. pošpinit (se) 2. zast. mrvit,

hnojit; ~-**pipe** [ˈsoilpaip] *s* odpadová roura

soiree [ˈswa:rei] *s* večírek

sojourn [ˈsodžə:n] *s* dočasný pobyt □ *vi* zdržovat sè, bydlet (*in* v, *at* u, *among* mezi)

solace [ˈsoləs] *s* útěcha □ *vt & i* potěšit (se), zotavit (se)

solar [ˈsoulə] *a* sluneční, -ý ♦ ~ *year* sluneční rok

sold [sould] *pt, pp* viz *sell*

solder [ˈsoldə] *s* pájka □ *vt* spájet, letovat; —**ing** [ˈsoldəriŋ] *s* pájení naměkko; —**ing copper** pájedlo

soldier [ˈsouldžə] *s* voják, vojín ♦ *to go, enlist, for a* ~ dát se na vojnu; *private, common* ~ prostý vojín; *old* ~ veterán; *red* ~ červenka; —**like** [ˈsouldžəlaik] *a* vojenský, vojácký; —**y** [ˈsouldžəri] *s* vojsko

sole[1] [soul] *a* jediný, sám; prostý ♦ ~ *trade* monopol; —**ly** [ˈsoulli] *adv* pouze, jen

sole[2] [soul] *s* 1. chodidlo 2. podešev, podrážka 3. kopyto 4. základy 5. spodek 6. plaz pluhu, patka □ *vt* podrazit obuv

sole[3] [soul] *s* plotice, platejs

solecism [ˈsolisizəm] *s* chyba, prohřešení

solemn [ˈsoləm] *a* velebný, slavnostní, slavný; vážný; posvátný ♦ ~ *truth* svatá pravda; —**ity** [səˈlemniti] *s* slavnostní ráz, vážnost, velebnost, posvátnost; —**ize** [ˈsoləmnaiz] *vt* slavit, oslavovat, obřadně vykonat; zvážnět

solicit [səˈlisit] *vt* 1. žádat,

snažně prosit (*of* koho, *for* oč) 2. povzbudit, vybídnout 3. zast. naléhat na 4. obtěžovat, činit milostné nabídky; — **ation** [sǝ͵lisi͵teišǝn] *s* naléhavá žádost, prosba; — **or** [sǝ‖lisitǝ] *s* 1. žadatel 2. právní zástupce; — **ous** [sǝ‖lisitǝs] *a* 1. úzkostlivý, znepokojený 2. starostlivý (*about, for* o), pečlivý 3. usilovný ♦ *to be* ~ bedlivě dbát; — **ude** [sǝ‖lisitju:d] *s* starost(livost), péče, úzkostlivost

solid [‖solid] *a* 1. pevný, celistvý, hutný 2. důkladný, solidní 3. spolehlivý 4. určitý 5. důležitý, vážný 6. kubický, ☐ *s* pevné těleso, tuhá látka, hmota; ~ **bearing** [‖beǝriŋ] nedělené ložisko; ~ **fuel** [‖fju- ǝl] tuhé palivo; — **ify** [sǝ- ‖lidifai] *vt* 1. ustálit, upevnit; zhutnit 2. krystalizovat; — **i- ty** [sǝ‖liditi] *s* 1. pevnost, hustota, tuhost; hmotnost, masívnost 2. důkladnost, řádnost; spolehlivost 3. schopnost úvěru 4. kubický obsah

solidarity [͵soli‖dæriti] *s* společné ručení, solidarita, vzájemnost

soliloqu‖ize [sǝ‖lilǝkwaiz] *vi* sám s sebou mluvit; — **y** [sǝ‖li- lǝkwi] *s* samomluva

solitaire [͵soli‖teǝ] *s* 1. poustevník, samotář 2. šperk s jedním drahokamem 3. karetní hra pro jednu osobu, samohra, sólo, am. pasiáns

solitary [‖solitǝri] *a* osamělý, opuštěný; sám, samoten, jediný ☐ *s* samotář

solitude [‖solitju:d] *s* osamělost, samota

solo [‖soulou] *s pl.* -*s* [-z] sólo; — **ist** [‖soulouist] *s* sólista

solsti‖ce [‖solstis] *s* slunovrat; — **tial** [sols‖tišǝl] *a* slunovratný

solub‖ility [͵solju‖biliti] *s* 1. rozpustnost, tavitelnost 2. (roz)- řešitelnost; — **le** [‖soljubl] *a* 1. rozpust(itel)ný 2. (roz)- řešitelný

solution [sǝ‖lu:šǝn] *s* 1. roztok, rozpuštění 2. (roz)řešení 3. med. vyproštění, osvobození 4. med. oddělení dvou částí od sebe

solv‖ability [͵solvǝ‖biliti] *s* 1. rozluštitelnost 2. způsobilost k placení; — **able** [‖solvǝbl] *a* 1. rozpustitelný 2. (roz)řešitelný 3. solventní 4. zast. splatný; — **e** [solv] *vt* 1. rozřešit, rozluštit 2. vyložit, objasnit 3. rozpustit; — **ency** [‖solvǝnsi] *s* platební schopnost: — **ent** [‖solvǝnt] *a* 1. rozpouštěcí, uvolňující, rušivý 2. rozřešovací 3. platební, solventní ☐ *s* 1. rozpouštědlo 2. podvratný vliv

sombre [‖sombǝ] *a* temný, pochmurný, zasmušilý

some [sam] *pron, a, adv* nějaký, některý, něco ♦ ~ *20 minutes* asi 20 minut; *to* ~ *extent* do jisté míry; ǀ — **body,** ǀ — **one** někdo, kdosi; ǀ — **day** někdy; ǀ — **how** nějak, jaksi; ǀ — **thing** něco, cosi; ǀ — **thing like** něco jako; ǀ — **time** kdysi, někdy; ǀ — **times** někdy, časem, druhdy; ǀ — **what** poněkud. trochu, jaksi, cosi; ǀ—**where** kdesi, někde, někam

somersault, somerset [ǀsaməso:lt, ǀsaməsit] *s* kotrmelec, přemet

somnambul|ism [somǀnæmbjulizəm] *s* náměsíčnost; —**ist** [somǀnæmbjulist] *s* náměsíčník

somniferous [somǀnifərəs] *a* uspávací, narkotický

somno|lence [ǀsomnələns] *s* spavost; —**lent** [ǀsomnələnt] *a* spavý, ospalý

son [san] *s* syn ♦ *god-* ~ kmotřenec; ~ *-in-law* [ǀsaninlo:] *s* zeť

sonant [ǀsounənt] *a* znělý, hlasný, znějící, zvučný □ *s* znělá hláska

sonar [ǀsouna:] *s* odposlouchávací přístroj pro odrazy zvuků pod vodou

sonata [səǀna:tə] *s* sonáta

song [soŋ] *s* píseň, zpěv, báseň ♦ *to buy for a* ~ koupit za babku; ǀ~-**bird** *s* zpěvavý pták; ǀ~-**book** *s* zpěvník; —**ster** [ǀsoŋstə] *s* 1. pěvec, básník 2. zpěvavý pták; —**stress** [ǀsoŋstris] *s* pěvkyně, zpěvačka

sonic [ǀsonik] *a* zvukový

sonnet [ǀsonit] *s* sonet, znělka

sonny [ǀsani] *s* fam. synáček

sonor|ity [səǀnoriti] *s* zvučnost; —**ous** [səǀno:rəs] *a* libozvučný, hlasný

soon [su:n] *adv* brzo, časně ♦ *as* ~ *as* jakmile; *the -er the better* čím dříve tím lépe; *no -er than* sotvaže, jakmile, ihned; *at the -est* co nejdříve; *I would -er die than do it* raději bych zemřel než to učinil

soot [sut] *s* saze, kopt, mour □ *vt* začadit, umazat n. pohnojit sazemi; —**iness** [ǀsutinis] *s* umouněnost, ukoptěnost, začazenost; —**y** [ǀsuti] *a* ukoptěný, začazený ♦ ~ *soul* černá duše

sooth [su:θ] *a* zast. 1. líbezný, milý, příjemný 2. pravdivý □ *s* zast. pravda, skutečnost; —**e** [su:ð] *vt* 1. mírnit 2. konejšit, upokojit 3. lichotit; —**er** [ǀsu:ðə] *s* 1. bonbónek 2. utěšitel 3. utěšující řeč, uklidňující prostředí; —**ing** [ǀsu:ðiŋ] *a* konejšivý, lichotivý; lahodný □ *s* lichocení, konejšení; —**say** [ǀsu:θsei] *vt* věštit, hádat; —**sayer** [ǀsu:θǀseiə] *s* věštec

sop [sop] *s* 1. namočený kousek chleba, cumel 2. úplatek □ *vt* (-pp-) namočit, nasáknout, promočit; —**py** [ǀsopi] *a* nasáklý, namočený, čvachtavý, mokrý; deštivý

Sophia [səǀfaiə] *s* Žofie

soph|ism [ǀsofizəm] *s* klamný závěr, sofismus; —**ist** [ǀsofist] *s* sofista; —**isticate** [səǀfistikeit] *vt* obloudit, falšovat; —**istry** [ǀsofistri] *s* sofistika, chytráctví, faleš

sophomore [ǀsofəmo:] *s* am. student university v 2. roce studií

soporific [ˌsoupəǀrifik] *a* uspávací □ *s* uspávací droga

sopran|o [səǀpra:nou] *s* pl. -*os* [-ouz], -*i* [-i:] soprán

sorcer|er [ǀso:sərə] *s* kouzelník, čarodějka; —**y** [ǀso:səri] *s* kouzelnictví, čarodějství

sordid [ǀso:did] *a* 1. špinavý

2. podlý, sprostý 3. lakomý, skoupý

sore [so:] *a* 1. bolavý 2. bolestný, citlivý 3. divoký, prudký 4. dráždivý, popudlivý ♦ ~ *throat* bolení v krku □ *s* 1. bolavé místo, bolák, vřed 2. bolest, žal

sorrel¹ [ˈsorel] *s* šťovík

sorrel² [ˈsorel] *a* ryšavý, zahnědlý, zarudlý ♦ ~ *horse* ryzák kůň

sorriness [ˈsorinis] *s* ubohost; lítost, smutek

sorrow [ˈsorou] *s* žal, zármutek, smutek; bolest, starost (*for, over, at* o) □ *vi* rmoutit se (*at, over* nad), trápit se, soužit se, truchlit (*after, for* pro); —**ful** [ˈsoreful] *a* zarmoucený, truchlivý, utrápený, usoužený; bolestný

sorry [ˈsori] *a* zarmoucený, smutný, litující (*for, about* čeho); ubohý ♦ *I am* ~ je mi líto; *I am* ~ *for you* lituji vás; *I am* ~ *to say* bohužel

sort [so:t] *s* 1. druh 2. třída, řád 3. stav, hodnost 4. pár, hejno, houf 5. pl. tiskařské typy ♦ *a* ~ *of* jakýsi; *in some* ~ poněkud; *out of* -*s* mrzut(ý); *to put out of* -*s* rozmrzet; *nothing of the* ~ nic takového, podobného □ *vt* 1. roztřídit, uspořádat □ *vi* 2. arch. hodit se 3. přidružit se; ~ *out* vybrat si; —**ment** *s* třídění

sortie [ˈso:ti] *s* 1. výpad z obleženého místa 2. voj. úkolový let

sorti|lege [ˈso:tilidž] *s* hádání, věštění; —**tion** [so:ˈtišen] *s* losování

SOS [ˈesˈouˈes] bezdrátový signál nebezpečí

sot [sot] *s* 1. zast. hlupák, blbec 2. piják, opilec, ochlasta □ *vi* (-tt-) opít se; —**tish** [ˈsotiš] *a* 1. zast. hloupý, blbý 2. opilý, ožralý

Soudanese [ˌsu:deˈni:z] *a* súdánský □ *s* Súdánec

souffle [ˈsu:flei] *s* pečivo ze šlehaných bílků

sough [sau] *s* 1. stoka, kanál, žlab 2. skučení větru □ *vi* fičet

sought [so:t] *pt, pp* viz *seek*

soul [soul] *s* duše, duch; člověk ♦ *upon my* ~ na mou duši; *with all my* ~ z celé duše; *not a* ~ ani živá duše, nikdo; *poor* ~ ubožák; —**ful** [ˈsoulful] *a* oduševněný, duchaplný; —**less** [ˈsoullis] *a* bezduchý, duchaprázdný; ~-**mass** [ˈsoulmæs] *s* zádušní mše; ~-**vexed** [ˈsoulvekst] *a* hluboce zarmoucený

sound¹ [saund] *a* 1. zdravý, silný, statný 2. řádný, platný; spolehlivý 3. pořádný, důkladný; neklamný ♦ ~ *sleep* hluboký spánek

sound² [saund] *s* 1. olovnice 2. sonda □ *vt* 1. zkoumat, vyšetřovat, měřit olovnicí, sondovat 2. vyšetřovat stetoskopem 3. vyzvídat (*on, about, as to*)

sound³ [saund] *s* 1. zvuk, hlas; šum neurčitý ♦ ~ *detection apparatus* odposlouchávací přístroj □ *vi & t* 1. zvučet, znít; hlaholit, ozývat se 2. zdát se ♦ *to* ~ *the retreat* troubit k ústupu; *to* ~ *the*

charge troubit k útoku; ~
engineer mixér zvuků; |~
-film *s* zvukový film; ~ **pro-
jector** [prə|džektə] zvukový
promítací přístroj; ~ **track**
zvukový záznam na filmu;
~ **truck** rozhlasový vůz; ~
-wave [|saundweiv] *s* zvuková
vlna
sound⁴ [saund] *s* 1. úžina, prů-
liv 2. rybí měchýř
sounding¹ [|saundiŋ] *a* zvučný,
hlasný, znějící; ~ **-board**
[|saundiŋbo:d] *s* ozvučná des-
ka
sounding² [|saundiŋ] *s* 1. mě-
ření olovnicí, sondování 2.
hloubka; ~ **-lead** [|saundiŋ-
led] *s* olovnice
soup [su:p] *s* polévka; ~ **-plate**
[|su:ppleit] *s* hluboký talíř
sour [sauə] *a* 1. kyselý, trpký
2. mrzutý, nevrlý, zahořklý
□ *vt & i* 1. ztrpčit, zatrpknout,
rozhořčit (se) 2. kysat 3. ška-
redět, mračit se; —**crout**
[|sauəkraut] viz *sauerkraut*;
~ **-faced** [|sauəfeist] *a* nevrlý,
nevlídný
source [so:s] *s* 1. zdroj, pra-
men 2. původ, příčina
souse [saus] *vt & i* 1. nakládat
do octa 2. nasolit 3. hodit do
vody, namočit □ *s* 1. lák 2.
naložené maso 3. ponoření do
vody, zkoupání; máčení □
adv náhle, rychle; prudce; se
žblunknutím
soutane [su:|ta:n] *s* sutana
south [sauθ] *s* jih □ *a* jižní □
adv na jih; —**east** [|sauθ|i:st]
a jihovýchodní; —**erly**, —**ern**
[|saðə|li, -n] *a* jižní, polední;
—**erner** [|saðənə] *s* obyvatel

jihu; —**ernwood** [|saðənwud]
s brotan, pelyněk; —**ing**
[|sauðiŋ] *s* 1. směřování
k jihu, jižní směr 2. záporná
svislá souřadnice; |—**most** *a*
nejjižnější; —**ward** [|sauθ-
wəd] *a & adv* jižním směrem,
k jihu; ~ **-west** [|sauθ|west]
a jihozápadní; |~ **-|wester** *s*
1. jihozápadní vítr 2. rybář-
ský nepromokavý klobouk
Southampton [sauθ|æmptən] *s*
Southampton
Southwark [|saðək, |sauθwək]
s Southwark
souvenir [|su:vəniə] *s* památka,
upomínka
sovereign [|sovrin] *a* 1. svrcho-
vaný, neobmezený 2. nej-
vyšší ♦ ~ *power* svrchovaná
moc □ *s* 1. panovník, monar-
cha, suverén 2. anglická zla-
tá mince; —**ty** [|sovrənti] *s*
svrchovanost, neomezená
moc, zeměvláda
Soviet [|souviet] *s* 1. sovět;
Supreme ~ Nejvyšší sovět
2. občan Sovětského svazu □
a sovětský; ~ *Union* Sovět-
ský svaz; *Union of Soviet
Socialist Republics* Svaz so-
větských socialistických re-
publik
sow¹ [sau] *s* svině, prasnice;
~ **-baby** *s* sele, podsvinče;
~ **-bread** [|saubred] *s* bram-
bořík; ~ **-thistle** [|sauθisl] *s*
bot. mléč hladký
sow² ⃰ [sou] *vt* 1. sít, rozsévat
2. fig. rozšiřovat; —**er** [|souə]
s 1. rozsévač 2. rozšiřovatel
3. secí stroj; —**ing machine**
secí stroj
sown [soun] *pp* viz *sow*

spa [spa:] *s* léčivé lázně

spac|e [speis] *s* 1. prostor, místo 2. lhůta, doba 3. mezera, oddělení 4. proklad v tisku ♦ ~ *flight* let do vesmíru; |—*ship* vesmírný koráb; ~ *station* vesmírná stanice ☐ *vi* typ. proložit, dělat mezery; —**ing** [ˈspeisiŋ] *s* 1. vzdálenost, odstup 2. odb. rozestup, rozteč nýtů 3. typ. prokládání; —**ious** [ˈspeišəs] *a* prostorný, prostranný

spade [speid] *s* 1. rýč, lopata 2. pl. špády karetní hra ♦ *to call a* ~ *a* ~ mluvit bez obalu, nazvat věc pravým jménem; —**ful** [ˈspeidful] *s* rýč n. lopata čeho

spadix [ˈspeidiks] *s* palice květenství

spaghetti [spəˈgeti] *s* makaróny

Spain [spein] *s* Španělsko

spall [spo:l] *s* odštěpek, tříska, úlomek kamene

span [spæn] *s* 1. rozpětí; píď 2. chvilka 3. spřežení ♦ *for a* ~ nakrátko ☐ *vt & i* (-nn-) 1. napínat se 2. roztahovat se 3. měřit píď, vyměřovat 4. přepnout, překlenout (*with* čím); —**ner** [ˈspænə] *s* francouzský klíč (též *adjustable* ~)

spangle [ˈspæŋgl] *s* cetka ☐ *vt* cetkami posázet

Spaniard [ˈspænjəd] *s* Španěl

spaniel [ˈspænjəl] *s* lovecký pes španěl, křepelák

Spanish [ˈspæniš] *a* španělský ☐ *s* španělština

spank [spæŋk] *vt* plesknout, plácnout dlaní; naplácat; pobízet koně; čile se pohybovat ☐ *s* plácnutí; —**er** [ˈspæŋkə] *s*

dial., hov. 1. rychlý kůň 2. něco velmi krásného n. nápadného; pašák

spar [spa:] *s* 1. krokev 2. bidlo, vzpěra, trám, ráhno 3. závora 4. živec 5. zápas v boxu; kohoutí zápas 6. fig. hov. slovní potyčka ☐ *vt* (-rr-) 1. opatřit bidlem, závorou apod. ☐ *vi* 2. boxovat, zápasit; udeřit v kohoutím zápasu 3. hádat se

spar|e [speə] *vt & i* 1. (u)šetřit, spořit 2. obejít se bez 3. postrádat, pohřešovat 4. být shovívavý 5. šetřit se 6. ušetřit (*from* čeho) 7. ostýchat se ♦ *to* ~ nazbyt; *to* ~ *for nothing* všemožně se přičinit ☐ *a* 1. spořivý, šetrný (*of*) 2. sporý, hubený, skrovný 3. přebytečný, zbývající; náhradní, záložní ♦ ~ *time* volný čas; ~ *wheel* náhradní kolo; ~ *parts* náhradní součástky; ~ *rib* žebírka vepřová; —**ely** [ˈspeəli] *adv* sotva, stěží; —**er** [ˈspeərə] *s* střádal; —**ing** [ˈspeəriŋ] *a* šetrný

spark [spa:k] *s* 1. jiskra 2. cetka 3. švihák ☐ *vi* vysílat jiskry, jiskřit (se), zapalovat jiskrou; ~ **-coil** [ˈspa:kkoil] *s* indukční cívka; ~ **erosion** [iˈroužən] elektrojiskrové obrábění —**ful** [ˈspa:kful] *a* jiskrný; ~ **-ignition** [ˈspa:kigˌnišən] *engine* výbušný motor; —**ish** [ˈspa:kiš] *a* 1. jiskrný, živý 2. vyfintěný, vystrojený; —**le** [ˈspa:kl] *s* 1. jiskra, cetka 2. jiskření, záře ☐ *vi & t* 1. jiskřit se, blýskat se 2. sršet jiskry 3. perlit se o víně; —**ler** [ˈspa:klə] *s* 1.

světluška **2.** fešák, fešanda **3.** jiskrné oko; **—let** [ˈspaːklit] *s* **1.** jiskřička **2.** drobek; **~-plug** [ˈspaːkplag], **|—ing--plug** *s* svíčka motoru

sparrow [ˈspærou] *s* vrabec; **|~-bill** *s* cvoček; **~-hawk** [ˈspærouhoːk] *s* krahujec

sparse [spaːs] *a* rozptýlený, řídký

Spartan [ˈspaːtən] *s* Spartan ☐ *a* spartský

spasm [ˈspæzəm] *s* křeč; **—odic** [spæzˈmodik] *a* křečovitý

spat¹ [spæt] *pt* viz *spit*

spat² [spæt] *s* **1.** potěr ústřic **2.** pl. kamaše

spat³ [spæt] *vi* (-tt-) **1.** vyměšovat jikry **2.** rojit se včely **3.** lid. vyplesknout, plácnout něco

spate [speit] *s* náhlá povodeň

spathe [speið] *s* bot. toulec rostliny

spatial [ˈspeišəl] *a* prostorový

spatter [ˈspætə] *v & i* **1.** (po)stříkat (*with* čím), pokropit **2.** pošpinit, zneuctít; **—dashes** [ˈspætəᵢdæšiz] *s* kamaše

spatul|a [ˈspætjulə] *s* pl. *-ae* [-iː], *-as* [-əz] lopatka, špachtle

spavin [ˈspævin] *s* koňská chromost, nákolnice

spawn [spoːn] *s* **1.** potěr, jikry **2.** podhoubí **3.** zplozenec, výplod ☐ *vt* plodit ☐ *vi* třít se o rybách; **—er** [ˈspoːnə] *s* jikrnáč; **—ing** [ˈspoːniŋ] *s* tření ryb

speak* [spiːk] *vt & i* **1.** mluvit (*to, with* s) **2.** říci, pravit, hovořit, vyslovit **3.** řečnit **4.** oslovit ♦ *to ~ by the book*

mluvit jako když tiskne; *to ~ fair to* rozumně domluvit; *to ~ the truth* mluvit pravdu; *to ~ one's mind* říci své mínění; *to ~ volumes* být výmluvný; *~ for* přimlouvat se za; *~ for o.s.* mluvit za sebe; *~ of* zmínit se o; *~ on, upon* přednášet; *~ out, up* mluvit volně, bez obalu; *~ up* mluvit hlasitě n. směle; **~-easy** [ˈspiːkᵢiːzi] *s* am. sl. podloudná prodejna alkoholických nápojů; **—er** [ˈspiːkə] *s* **1.** mluvčí, řčcník **2.** předseda dolní sněmovny; **—ies** [ˈspiːkiz] *s* pl. sl. divadelní hry; **—ing** [ˈspiːkiŋ] *s* mluvení, mluva, řeč ♦ *~ likeness* živá podoba; **—ing--trumpet** [ˈspiːkiŋᵢtrampit] *s* hlásná trouba; **—ing-tube** [ˈspiːkiŋtjuːb] *s* **1.** zvukovod **2.** domácí telefon

spear [spiə] *s* **1.** kopí, oštěp **2.** výhonek; mladý strom ☐ *vt* (pro)bodnout kopím ☐ *vi* vypučet, vyhnat dlouhé stéblo

special [ˈspešəl] *a* zvláštní, speciální; neobyčejný; odborný ♦ *~ steel* slitinová n. legovaná ocel ☐ *s* zvláštní vydání novin, zvláštní vlak apod.; **—ist** [ˈspešəlist] *s* specialista, odborník; **—ity** [ᵢspešiˈæliti] *s* **1.** zvláštnost, specialita **2.** záliba **3.** odborný předmět; **—ize** [ˈspešəlaiz] *vt & i* specializovat (se), být odborníkem; vymezit, rozlišit (se); soustředit (se)

specie [ˈspiːši] *s* kovové peníze

species [ˈspiːšiz] *s* pl. = sg. druh, třída, představitel specific [spi'sifɪk] *a* specifický, druhový; výslovný, určitý ☐ *s* zvláštní prostředek, lék; —ation [ˌspesifi'keišən] *s* specifikace, zevrubný výčet; výkaz, údaj

specify ['spesifai] *vt* zevrubně udat, výslovně uvést, specifikovat

specimen ['spesimin] *s* ukázka, zkušební vzorek, výstavní kus

specious ['spi:šəs] *a* 1. pěkný, úhledný 2. zdánlivý;

speck [spek] *s* skvrna, bod, částka; smítko ☐ *vt* poskvrnit, potřísnit; —le ['spekl] *s* skvrnka, tečka ☐ *vt* poskvrnit, potečkovat

spectacle ['spektəkl] *s* 1. pohled, podívaná, divadlo, výjev 2. pl. brýle (též *a pair of -s*); ~ -case ['spektəklkeis] *s* pouzdro na brýle; —d ['spektəkld] *a* nosící brýle, obrýlený; ~ -snake ['spektəklsneik] *s* brejlovec

spectacular [spek'tækjulə] *s* nápadný, okázalý, divadelní

spectator [spek'teitə] *s* divák

spectr|al ['spektrəl] *a* 1. duchový, strašidelný 2. spektrální; —e ['spektə] *s* zjev, duch, strašidlo; —oscope ['spektrəskoup] *s* spektroskop; —um ['spektrəm] *s* pl. -a [-ə] spektrum, vidmo

speculat|e ['spekjuleit] *vt* hloubat (o), přemýšlet; spekulovat ♦ *to ~ on war* spekulovat na válku; —ion [ˌspekju'leišən] *s* hloubání, přemýšlení; bádání, spekulace; —ive ['spekjulətiv] *a* hloubavý, bádavý, zkoumavý, pátravý;

spekulativní; —or ['spekjuleitə] *s* 1. pozorovatel, badatel 2. spekulant

speculum ['spekjuləm] *s* zrcadlo, reflektor; ~ **metal** zrcadlovina bronz

sped [sped] *pt, pp* viz *speed*

speech [spi:č] *s* řeč, mluva, jazyk ♦ *to make a ~* pronést řeč, řečnit; —less ['spi:člis] *a* němý, oněmělý

speed [spi:d] *s* 1. rychlost (*at full ~* plnou rychlostí) 2. chvátání, chvat, kvap 3. zdar, úspěch ♦ *to make ~* přispíšit si; *to bid him God ~* přát mu bezpečnou cestu; *to wish a person good ~* přát komu hodně úspěchů ☐ *vt* 1. chvátat, kvapit, spěchat 2. zast. dařit se, mít úspěch 3. urychlit 4. odbýt, vyřídit 5. uchystat, vyhotovit ♦ *to ~ well* mít úspěch, dařit se; *to ~ badly* n. *ill* nedařit se; |~ -change *box* převodová n. rychlostní skříň; ~ -lever ['spi:d‚li:və] aut. rychlostní páka, řadicí páka; —ometer [spi'domitə] *s* rychloměr, tachometr; —y ['spi:di] *a* kvapný, chvatný, ukvapený

spell¹* [spel] *vi & t* 1. slabikovat, hláskovat 2. správně psát, číst (se) 3. znamenat; —ing ['speliŋ] *s* 1. hláskování 2. pravopis; |—ing-book *s* slabikář

spell² [spel] *vt* okouzlit, očarovat ☐ *s* kouzlo, zaříkávání, kouzelná formule; ~ -bound ['spelbaund] *a* okouzlený, očarovaný

spell³ [spel] *s* 1. chvíle, doba 2.

střídání, směna v práci ♦ *cold*
~ období chladna, studená
vlna ☐ *vt* střídat
spelt¹ [spelt] *pt, pp* viz *spell*
spelt² [spelt] *s* špalda ☐ *vt* dial.
šrotovat
spelter [ˈspeltə] *s* zinek, tvrdá
pájka
spenc|e [spens] *s* zast. špižírna;
—**er** [ˈspensə] *s* špensr, bolero
spend* [spend] *vt & i* 1. vydat,
vynaložit, strávit čas 2. utra-
tit, promarnit; spotřebovat
(se) 3. vyčerpat (se) ♦ *to*
~ *one's breath* mluvit do
větru; —**thrift** [ˈspendθrift] *s*
marnotratník
spent [spent] *pt, pp* viz *spend*
sperm [spə:m] *s* semeno, chám;
—**aceti** [ˌspə:məˈseti] *s* tuk
z vorvaně; —**atic** [spə:ˈmæ-
tik] *a* semenný, chámový
spew, **spue** [spju:] *vt & i*
dávit (se), blít, vyplivnout
spher|e [sfiə] *s* 1. koule, země-
koule 2. nebeské těleso 3,
kruh, kruhová dráha, oběh;
sféra 4. okres 5. rozsah,
působiště, obor, okruh zájmů
6. společenské postavení, tří-
da; —**ic**, —**ical** [ˈsferik(əl)] *a*
kulovitý, kulový, sférický;
—**oid** [ˈsfiəroid] *s* sféroid;
—**ule** [ˈsferju:l] *s* kulička
sphinx [sfiŋks] *s* sfinga
spic|e [spais] *s* 1. koření, pří-
chuť 2. nátěr, zdání 3. náznak
4. trocha ♦ *to have a* ~ *of*
zavánět, chutnat po ☐ *vt*
okořenit (*with* čím), opepřit;
—**ery** [ˈspaisəri] *s* 1. koření
2. sklad koření, kořenářský
krám 3. skřínka na koření;
~ **-wort** [ˈspaiswə:t] *s* puš-

kvorec; —**y** [ˈspaisi] *a* koře-
něný, kořenný, aromatický;
pikantní
spick-and-span (new) [ˈspikənd-
ˈspæn(nju:)] *a* zbrusu nový
spider [ˈspaidə] *s* pavouk; tří-
nožka; |~ **-web**, |~ **-work** *s*
pavučina
spied [spaid] *pt, pp* viz *spy*
spigot [ˈspigət] *s* zast. čep, pípa,
kohoutek
spik|e [spaik] *s* 1. hřeb, nýt;
hrot, bodec; roubík; cvoček
2. klas 3. levandule ☐ *vt*
zahrotit, zaostřit, pobít hře-
by, přibít ♦ *to* ~ *up a gun*
zaklínovat dělo; *to* ~ *one's*
guns zničit čí plány; —**elet**
[ˈspaiklit] *s* klásek; —**y** [ˈspai-
ki] *a* hrotitý, ostnatý
spile [spail] *s* kolík, čep, kůl
spill¹* [spil] *vt & i* 1. rozlít,
vylít (se) 2. vyklopit, shodit
3. spadnout n. shodit s koně
4. utrousit zprávu ♦ *to* ~
blood prolít krev; —**ing** [ˈspil-
iŋ] *s* vylévání, rozlévání,
nalévání
spill² [spil] *vt* točit, motat ☐ *s*
1. tříska, kolíček, fidibus 2.
stočený papír na zapalování;
—**ing** [ˈspiliŋ] *s* odtok
spin* [spin] *vt* (-nn-) 1. příst,
spřádat 2. točit, motat, soukat
3. vysoustruhovat 4. vymýšlet
si ☐ *vi* 5. točit (se), vrtět se
6. vytékat, proudit 7. vířit ♦
to ~ *a top* honit káču; ~ *out*
rozprádat, protahovat, pro-
dlužovat; vytékat; strávit,
spotřebovat ☐ *s* předení, ví-
ření, točení; *split* ~ závlačka
spinach, **spinage** [ˈspinidž] *s*
špenát

spinal [ˈspainl] *a* páteřní, míchový; **~ column** páteř; **~ cord, ~ marrow** mícha
spindle [ˈspindl] *s* 1. vřeteno 2. přeslen, brslen 3. stopka 4. trn, závlačka, hřídel □ *vi* pučet, růst, vyhánět do výšky; **~ -shanks** [ˈspindlšæŋks] *s* noháč, dlouhán
spine [spain] *s* páteř, hřbet; trn, osten; **—less** [ˈspainlis] *a* bezpáteřný; měkkýšovitý
spinel [spiˈnel] *s* korund
spinet [spiˈnet] *s* 1. zast trní, křoví 2. hud. spinet
spiniferous [spaiˈnifərəs] *a* trnitý
spinn|er [ˈspinə] *s* 1. přadlák, přadlena 2. spřádací stroj 3. pavouk; **—eret** [ˈspinəret] *s* přední bradavka pavouka, bourec; **—ery** [ˈspinəri] *s* přádelna; **—ing** [ˈspiniŋ] *s* předení, příze; **—ing-factory, -mill** *s* přádelna; **—ing-frame** [ˈspiniŋfreim] *s* spřádací stroj; **—ing-wheel** [ˈspiniŋwi:l] *s* kolovrat; **—y** [ˈspini] viz *-ey*
spinney [ˈspini] *s* křoví, houští, mlází
spin|osity [spiˈnositi] *s* 1. trnitost 2. obtížnost; **—ose, —ous** [ˈspainəus, -əs] *a* 1. trnitý, bodlavý, ostnatý 2. obtížný
spinster [ˈspinstə] *s* 1. stará panna 2. přadlena
spiny [ˈspaini] *a* trnitý, ostnatý, bodlinatý
spiracle [ˈspaiərəkl] *s* průduch
spiral [ˈspaiərəl] *a* točivý, závitkovitý, šroubový, šroubovitý; kroužkovitý, spirální □ *s* závitnice, spirála; **~ -stair-**

case [ˈspaiərəlˈsteəkeis] *s* točité schody
spirant [ˈspaiərənt] *s* spiranta, dyšná hláska
spire [ˈspaiə] *s* 1. závitek, spirála 2. jehlan, hrot 3. tenký sloup 4. štíhlá věž 5. vrchol 6. tenký stonek, výhonek 7. jazyk plamene □ *vi* 1. ostře vybíhat, pnout se do výše 2. zast. růst 3. zast. dýchat 4. vinout se spirálovitě, tvořit spirálu 5. pnout se do výše
spirit [ˈspirit] *s* 1. duch, duše, dech 2. strašidlo, přízrak 3. duchaplnost 4. líh, lihovina 5. živost; mysl, nálada, rozmar 6. odvaha ♦ *to be in -s* být dobře naladěn; *in high -s* velmi dobrého rozmaru, v dobré náladě, veselý; *in low -s* špatného rozmaru, ve špatné náladě, sklíčený; *to recover one's -s* sebrat se; *to give, put, into -s* dodat mysli, rozveselit □ *vt* 1. oživit, oduševnit 2. povzbudit, rozohnit, dodat mysli *(up)* 3. odnést, odstranit tajuplně; **~ away children** unést děti; **—ed** [ˈspiritid] *a* duchaplný, živý, čilý, horlivý; rázný; odvážný ♦ *high ~* veselý; *low ~* sklíčený; **—ism** [ˈspiritizəm] *s* spiritismus; **~ -rapping** [ˈspiritˌræpiŋ] *s* klepání v seanci; **—ual** [ˈspiritjuəl] *a* 1. duševní, duchovní 2. církevní □ *s* černošská duchovní píseň; **—ualist** [ˈspiritjuəlist] *s* spiritualista; **—uality** [ˌspiritjuˈæliti] *s* duchovnost, duševnost; **—uous** [ˈspiritjuəs]

a **1.** zř. duchaplný, živý **2.** lihový; alkoholový, alkoholický
spirt [spə:t] viz *spurt*
spiry [ˈspaiəri] *a* **1.** zašpičatělý **2.** točitý **3.** věžatý
spit[1]* [spit] *vt & i* (-tt-) **1.** plivat (*at* na) **2.** prskat **3.** mžít, mrholit; ∼ *.out* vyplivnout; dávit; klnout □ *s* slina, plivnutí; ∼ **-fire** [ˈspitfaiə] *s* **1.** zlá kočka **2.** třeštidlo, ztřeštěnec
spit[2] [spit] *vt* (-tt-) nabodnout na rožeň, probodnout □ *s* **1.** rožeň, bodec **2.** výběžek **3.** hloubka rýče; I∼ **-pin** *s* špikovačka
spite [spait] *s* zášť, nenávist, zloba; vzdor ♦ *in* ∼ *of* přes □ *vt* zlobit, hněvat, dělat navzdory; **—ful** [ˈspaitful] *a* zlomyslný, nevraživý
spitten [ˈspitn] *pp* viz *spit*
spitting [ˈspitiŋ] *s* plivání; I∼ **-box** *s* plivátko
spittle [ˈspitl] *s* slina, chrchel
spittoon [spiˈtu:n] *s* plivátko
spiv [spiv] *s* pásek, hochštapler; šmelinář
splash [splæš] *vt & i* **1.** šplouchat (se), (po)stříkat, (po)cákat (*on* na) **2.** vyplachovat □ *s* **1.** šplouchnutí **2.** louže, kaluž **3.** skvrna **4.** senzace □ *int* plesk!, žbluňk!; ∼ **-board** [ˈsplæšbo:d] *s* blatník; **—y** [ˈsplæši] *a* zablácený, pocákaný, postříkaný; mokrý
splatter [ˈsplætə] *vi & t* šplouchat (se)
splay [splei] *vt* vymknout; roztáhnout; sešikmit, být šikmý □ *s* šikmá plocha, rozšíření

♦ ∼ *feet (mouth)* křivé nohy (-á ústa)
spleen [spli:n] *s* **1.** slezina **2.** zasmušilost, nevrlost, nevlídnost; mrzutost, těžkomyslnost, podrážděnost; **—y** [ˈspli:ni] *a* nevrlý, mrzutý, těžkomyslný
splend|ent [ˈsplendənt] *a* zářící, skvoucí (se); **—id** [ˈsplendid] *a* skvělý, velkolepý, skvostný, nádherný; **—our** [ˈsplendə] *s* nádhera, lesk, jasnost
splenetic [spliˈnetik] *a* nevrlý, popudlivý, mrzutý, vrtošivý
splenic [ˈsplenik] *a* slezinový
splice [splais] *vt* **1.** splétat, spojovat **2.** nastavit provaz, desku **3.** sl. oddat snoubence □ *s* splétání, spojování, vázání
splint [splint] *s* štěpina, tříska, dlážka □ *vt* štípat, rozštěpit
splinter [ˈsplintə] *s* tříska, štěpina, dláha, klínek □ *vt* štípat, tříštit, rozbít na třísky; ∼ **-bar** [ˈsplintəba:] *s* váhy vozu; ∼ **-proof glass** netříštivé sklo; **—y** [ˈsplintəri] *a* třískovitý, štěpný, tříštivý
split* [split] *vt & i* **1.** štípat, rozštěpit, roztrhnout (se), puknout, pukat **2.** roztříštit **3.** rozdělit v části, podíly ♦ *to* ∼ *hairs* přehánět, dělat z komára velblouda, hledat hnidy; *to* ∼ *one's sides with laughing* pukat smíchem; *my head is -ting* div se mi hlava nerozskočí; ∼ *on* sl. vykecnout □ *s* **1.** rozštěpení, trhlina, puklina **2.** rozkol; ∼ **bearing** [ˈbeəriŋ] dělené ložisko; ∼ **pin** závlačka

splodge [splodž] viz *splotch*

splotch [sploč] *s* skvrna, kaňka

splurge [splə:dž] *vi & t* breptat, prskat □ *s* lomoz

spoil* [spoil] *vt & i* **1.** oloupit, obrat (*of* o) **2.** zkazit (se), zničit, zpustošit **3.** mazlit se, rozmazlit □ *s* **1.** lup, kořist **2.** plenění **3.** zast. zkažení, poškození **4.** hlína z odkopávky **5.** výtěžek, zisk ◆ *-s system* systém stranického obsazování úřadů; **—age** [ˈspoilidž] *s* zmetek; **—er** [ˈspoilə] *s* **1.** pustošitel **2.** lupič **3.** kazisvět

spoke¹ [spouk] *pt* viz *speak*

spoke² [spouk] *s* špice n. paprsek kola; příčel žebříku ◆ *to put a ~ in his wheel* fig. zabránit mu v provedení plánu

spokesman [ˈspouksmən] *s* mluvčí, řečník

spoliat|e [ˈspoulieit] *vt* oloupit, poplenit; **—ion** [ˌspouliˈeišən] *s* (o)loupení, lup, plen

spong|e [spandž] *s* **1.** houba mycí **2.** pórovité těsto, pečivo **3.** příživník □ *vt* **1.** utřít, smazat houbou, zahladit □ *vi* **2.** vsát, vlít do sebe (*up*) **3.** přiživovat se, týt (*upon* z); |~ -*cake* *s* piškotová buchta; **—y** [ˈspandži] *a* **1.** houbovitý, pórovitý **2.** nasáklý, mokrý

sponsion [ˈsponšən] *s* ručení, rukojemství

sponson [ˈsponsn] *s* boční vyčnívající plošina lodní

sponsor [ˈsponsə] *s* **1.** kmotr **2.** rukojmí ◆ *to stand ~* být kmotrem □ *vt* (za)ručit

spontane|ity [ˌspontəˈni:iti] *s*

bezděčnost, samovolnost, živelnost; dobrovolnost; **—ous** [sponˈteinjəs] *a* samočinný, samovolný; dobrovolný, bezděčný ◆ *~ combustion* samovolné vznícení

spook [spu:k] *s* strašidlo, duch □ *vt* strašit

spool [spu:l] *s* cívka, špulka, vřeteno □ *vt* navíjet, soukat; **—er** [ˈspu:lə] *s* stroj na navíjení drátu na cívky

spoon [spu:n] *s* **1.** lžíce **2.** vnadidlo □ *vt & i* **1.** nabrat lžicí **2.** lovit ryby na vnadidlo **3.** sl. namlouvat si ◆ *~ drift* mořská pěna, šum; **—ful** [ˈspu:nful] *s* lžíce čeho, troška; **—y** [ˈspu:ni] *a* sl. **1.** zpozdilý, hloupý **2.** zamilovaný

sporadic [spəˈrædik] *a* ojedinělý, řídký, sporadický

spore [spo:] *s* výtrus rostlin

sport [spo:t] *s* **1.** hra, zábava, žert **2.** sport **3.** rostlinná n. zvířecí zrůda **4.** sl. sportovec; dobrý společník **5.** pl. závody ◆ *to make ~* veselit se, žertovat; *to make ~ of* tropit si žerty, dělat si dobrý den z; *in ~* žertem □ *vt & i* **1.** hrát (si), zahrávat si (*with* s), žertovat, bavit (se), veselit se **2.** pěstovat sport, sportovat **3.** plodit zrůdy **4.** stavět na odiv, okázale nosit; **—ful** [ˈspo:tful] *a* hravý, veselý, žertovný, zábavný; **—ing** [ˈspo:tiŋ] *a* sportovní; zábavný; **—ive** [ˈspo:tiv] *a* hravý, žertovný, veselý; **—sman** [ˈspo:tsmən] *s* hráč, lovec; sportovec; **—smanlike** [ˈspo:tsmənlaik] *a* sportovní;

—**smanship** [ˈspo:tsmənšip] *s* sportovní chování

spot [spot] *s* 1. bod, místo 2. skvrna, bradavička 3. puntíkovaná látka 4. trocha ♦ *on the* ~ na místě, ihned; *a* ~ trochu; *to pay* ~ *cash* platit hotově; *without a* ~ bez poskvrny □ *vt* (-tt-) 1. poskvrnit, tečkovat 2. hov. poznamenat, odkrýt, vystopovat, vypátrat 3. dát na určité místo 4. vyčistit skvrny; —**light** [ˈspotlait] *s* světelný kužel, světlo reflektoru; —**less** [ˈspotlis] *a* bez poskvrny, neposkvrněný; —**ted** [ˈspotid] *a* skvrnitý, kropenatý; —**ty** [ˈspoti] *a* skvrnitý, tečkovaný, strakatý; ~ **-welder** [ˈspotweldə] *s* bodová svářečka

spouse [spauz] *s* 1. ženich, nevěsta 2. manžel, manželka; druh, družka

spout [spaut] *s* 1. hubička u nádoby; odpadová trubice, okap, žlab 2. trysk, proud □ *vt & i* 1. stříkat, tryskat, chrlit vodu 2. sl. rychle mluvit, chrlit ze sebe, deklamovat 3. sl. dát do zastavárny

sprain [sprein] *vt* vymknout □ *s* vymknutí, podvrtnutí

sprang [spræŋ] *pt* viz *spring*

sprat [spræt] *s* šprota

sprawl [spro:l] *vi* 1. protáhnout si nedbale údy vleže 2. lézt, plazit se, svíjet se

spray [sprei] *s* 1. haluz, větev, ratolest 2. vodní tříšť, sprška 3. rozstřikovač, rozprašovač 4. postřik, rozstřik □ *vt* postříkat, pokropit; ~ **gun**, —**er**

[ˈspreiə] *s* rozprašovač, postřikovač

spread* [spred] *vt & i* 1. rozestřít (se), rozšířit (se) 2. pokrýt, (roz)prostřít, povléci 3. potáhnout, namazat (*with* čím) ♦ *to* ~ *the cloth* prostřít na stůl; *to* ~ *butter on bread* namazat chléb máslem □ *s* 1. (roz)šíření 2. rozpětí křídel 3. rozloha 4. am. pokrývka obv. prachov. 5. hov. jídlo, hostina; ~ **-eagle** [ˈspredi:gl] *a* nabubřelý, chvástavý; ~ **-over** *s* rozvrh práce

spree [spri:] *s* veselí, pitka, flám

sprig [sprig] *s* 1. výhonek, ratolest, haluz 2. hřebíček bez hlavičky 3. spratek, mladík

sprightly [ˈspraitli] *a* čilý, živý, veselý; řízný

spring¹* [spriŋ] *vi & t* 1. skákat 2. vyvěrat, prýštit, pramenit, tryskat 3. puknout 4. pučet, růst 5. povstávat, nastávat 6. vyhnat, vyplašit 7. objevit, odhalit 8. trhat, explodovat 9. napnout 10. bortit se ♦ *to* ~ *a leak* puknout, proděravět; *to* ~ *a light* rozžít světlo; ~ **from** pocházet z; ~ **out of** vzniknout z; ~ **over** přeskočit; ~ **to** přiskočit; ~ **up** vyskočit, vznikat

spring² [spriŋ] *s* 1. skok 2. nám. puklina, štěrbina 3. zřídlo, zdroj, pramen, studánka 4. původ, počátek 5. jaro 6. mlází, houští 7. pero, zpruha, pružnost; ~ **-arbour** [ˈspriŋa:bə] *s* přeslen, vřeteno; ~ **-balance** [ˈspriŋˈbæləns] *s* přezmen, mincíř; ~ **-board** [ˈspriŋbo:d] *s* pérový můstek,

lyžařský můstek; |~ -box s
bubínek póra v hodinkách;
~ -clean [ˈspriŋkliːn] vt dělat
jarní úklid; |~ -dividers [di-
ˈvaidəz] s pružinové odpicho-
vací kružítko; ~ -funnel
[ˈspriŋˌfanl] s nálevka;
~ -hammer [ˈspriŋˌhæmə] s
pružinový buchar; ~ suspen-
sion [səsˈpenšən] pérování
auta; |~ time s jarní čas;
~ water pramenitá voda; —y
[ˈspriŋi] a 1. pružný 2. bohatý
na prameny 3. jarní
springe [sprindž] s oko, smyčka
springer [ˈspriŋə] s 1. skokan 2.
stav. pata oblouku, žebro
střechy 3. gazela 4. druh
španěla psa 5. kuřátko na
smažení
springle [ˈspriŋgl] viz springe
sprinkl|e [ˈspriŋkl] vt & i 1.
pokropit, postříkat, pocákat
(with čím) 2. posypat □ s
1. (pře)prška, přeháňka 2.
kropáč, kropenka; —er
[ˈspriŋklə] s 1. kropáč, roz-
prašovač, stříkačka; posý-
pátko 2. roztroušená hrstka;
—ing [ˈspriŋkliŋ] s 1. (po)-
kropení 2. špetka, hrstka
sprint [sprint] s sprint běh na
krátkou vzdálenost □ vt & i
běžet, závodit na krátké trati;
—er [ˈsprintə] s sprinter zá-
vodník na krátké trati
sprit [sprit] s 1. tyč k pohánění
člunu 2. nám. čelen, plachetní
zápora
sprite [sprait] s duch, skřítek,
víla
sprocket [ˈsprokit] s 1. zub ozu-
beného kola 2. raketové ko-
lečko; ~ wheel ozubené kolo

sprout [spraut] vi 1. pučet,
vyrážet 2. mít rohy, vousy □
s výhonek, pupen; ratolest,
haluz
spruce [spruːs] a. úpravný,
úhledný, švarný □ vt & i
ustrojit (se), upravit (se);
~ -fir [ˈspruːsfə:] s jedle smol-
ná; —ness [ˈspruːsnis] s
úpravnost, střízlivost
sprung [spraŋ] pt, pp viz
spring
spry [sprai] a živý, čilý, hbitý;
bystrý
spud [spad] s 1. zahradnický
nůž, rýček; plecí stroj 2. pl. sl.
brambory □ vt (-dd-) (z)kyp-
řit půdu, okopávat
spum|e [spjuːm] s pěna, šum □
vi pěnit se; —ous [ˈspjuːməs]
a pěnivý
spun [span] pt, pp viz spin ♦
~ wire opředený drát
spunge [spandž] arch. viz sponge
spunk [spaŋk] s zast. 1. troud,
doutnák 2. jiskra 3. odvaha
4. hněv, vášeň; —y [ˈspaŋki]
a jiskrný, odvážný
spur [spəː] s 1. ostruha 2. osten,
bodec 3. podpěra, výběžek
4. zobák lodě 5. popud, pod-
nět 6. kvap, chvat 7. pl.
zápory, záporníky 8. horský
výběžek ♦ to set -s to pobod-
nout ostruhou; to come upon
the ~ přikvačit nenadále; to
win one's -s vydobýt si ostruh
□ vt (-rr-) 1. dát ostruhy,
pobodnout, popohnat 2. po-
vzbudit, pobízet, podněcovat
3. urychlit 4. chvátat; ~ gear-
ing [ˈgiəriŋ] čelní soukolí,
čelní převod
spurious [ˈspjuəriəs] a nepravý,

podvržený; předstíraný, strojený

spurn [spə:n] *vt & i* **1.** odhodit, odkopnout, odstrčit **2.** pohrdnout □ *s* **1.** kopnutí **2.** opovržení, pohrdání **3.** odmítnutí

spurt [spə:t] *vi & t* **1.** skříkat, vytrysknout, vyrazit *(out, up)* **2.** rychle běžet, hnát se, spurtovat □ *s* **1.** výtrysk **2.** výbuch energie **3.** prudký běh, spurt

sputnik [ˈsputnik] *s* sputník

sputter [ˈspatə] *vi & t* **1.** prskat **2.** sršet **3.** breptat □ *s* **1.** prskot **2.** breptání **3.** povyk

sputum [ˈspju:təm] *s* slina, chrchel

spy [spai] *s* vyzvědač, špeh □ *vt & i* pátrat, vyzvídat, špehovat; ~ *into* zkoumat; ~ *out* vyslídit, vyzvědět; ~ **-boat** [ˈspaibout] *s* výzvědný člun; ~ **-glass** *s* dalekohled

sq. = *square (200 sq. ft.* 200 čtverečných stop)

squab [skwob] *a* **1.** otylý, zavalitý, bachratý, baňatý **2.** holý, neopeřený □ *s* **1.** tlouštík, baňáč **2.** holoubě **3.** vycpané sedadlo, poduška, otoman □ *int* bác!; — **by** [ˈskwobi] *a* bachratý, otylý, neohrabaný

squad [skwod] *s* **1.** voj. roj, četa, setnina **2.** skupina; — **ron** [ˈskwodrən] *s* švadrona, eskadra

squalid [ˈskwolid] · *a* špinavý, nečistý; sešlý; bídný, sprostý

squall[1] [skwo:l] *s* **1.** náraz větru **2.** bouře **3.** přeháňka; — **y** [ˈskwo:li] *a* bouřlivý, větrný

squall[2] [skwo:l] *s* křik, jekot □ *vi* křičet o dítěti; — **er** [ˈskwo:lə] *s* křikloun

squaloid [ˈskweiloid] *a* žralokovitý

squalor [ˈskwolə] *s* špína, nečistota

squander [ˈskwondə] *vt* mrhat, utrácet, promarnit

square [skweə] *a* **1.** čtverhranný, čtvercový, čtverečný; pravoúhlý; stejný, rovný; plošný **2.** hranatý **3.** poctivý, řádný **4.** přiměřený, vhodný **5.** zavalitý, ramenatý **6.** přímý **7.** přesný ♦ *a* ~ *meal* dobré jídlo; *a* ~ *dealing* poctivé jednání; *to get* ~ *with creditors* vyrovnat se s věřiteli □ *s* **1.** čtverec, čtyřúhelník **2.** náměstí **3.** měřítko, úhelník, příložník **4.** zast. vzor, princip **5.** dvojmocnina ♦ *to bring to a* ~ umocnit, povýšit na druhou; *on the* ~ **1.** v pravém úhlu **2.** počestně □ *vt* **1.** učinit čtvercovým n. čtyřrohým **2.** uspořádat, uvést v soulad, uzpůsobit, přizpůsobit **3.** povýšit na druhou, umocnit **4.** hov. platit, podplatit □ *vi* **5.** hodit se, být přiměřený (*with* čemu), souhlasit (*with* s) **6.** zaujmout obranné postavení ♦ *to* ~ *accounts with* fig. vyřídit si účty s; *io* ~ *up with* vypořádat se, splatit dluhy; *I've -d him* vyrovnal jsem se s ním; *to* ~ *well* podařit se; ~ **dealing** poctivost, přímost; ~ **foot** čtvereční stopa; ~ **iron** čtvercová ocel; ~ **mile** čtvereční míle; ~ **number** číslo umoc-

něné na druhou; **~ root** od-
mocnina; **~ sails** ráhnové
plachty; **~ -toes** [ˈskweəˌtouz]
s puntičkář, pedant; **~ yard**
ráhno
squash [skwoš] *vt* **1.** rozmačkat,
namačkat **2.** umlčet □ *s* **1.**
am. dýně, tykev **2.** hra s mí-
čem proti zdi **3.** něco měkkého;
nezralé ovoce; kaše, kašovitá
hmota **4.** žuchnutí **5.** čvach-
tání **6.** nápoj **7.** zástup
squat [skwot] *vt & i* (-tt-) po-
sadit se na bobek, sedět na
bobku n. v dřepu, skrčit (se);
usadit se bez práva □ *a* sedící
na bobku, skrčený; zavalitý
□ *s* sedění na bobku, dřep;
— ter [ˈskwotə] *s* **1.** am. ne-
zákonný osadník, farmář **2.**
samozvaný nájemník **3.**
australský pěstitel ovcí
squaw [skwo:] *s* Indiánka
squawk [skwo:k] *vi & t* hrubě
křičet, skuhrat
squeak [skwi:k] *vi* kvičet, křičet
□ *s* (za)kvičení, křik ♦ *to
give a ~* zakvičet; *I had
a narrow ~* unikl jsem o vlas,
měl jsem namále; **— er** [ˈskwi:-
kə] *s* **1.** křikloun **2.** ptačí
mládě, pískle **3.** holoubek
squeal [skwi:l] *vi* kňučet, vrnět,
kňourat □ *s* kňučení, vrnění,
kňourání
squeamish [ˈskwi:miš] *a* slabého
žaludku, choulostivý, vybě-
ravý;. **— ness** [ˈskwi:mišnis] *s*
odpornost, hnus, vybíravost;
zhnusení
squeegee [ˈskwi:ˈdži:] *s* stěrač
squeez|e [skwi:z] *vt* **1.** (vy)mač-
kat (*out, of, from* z), (v)tlačit,
lisovat **2.** stisknout ruku,

stáhnout spoušť □ *vi* **3.**
tlačit se, protlačit se (*in,
into, past, through* do, čím);
~ out vytlačit, vymačkat □
s **1.** mačkání, smáčknutí,
(s)tlačení, tlačenice **2.** tlak,
stisknutí **3.** otisk; **— er**
[ˈskwi:zə] *s* lis, šroub, mač-
kadlo na citróny
squelch [skwelč] *s* čvachtání □
vt **1.** hov. rozmačkat, rozdrtit,
potlačit, zničit **2.** odmítnout
3. udupat **4.** lid. čvachtat **5.**
umlčet ironickými poznám-
kami
squib [skwib] *s* **1.** prskavka,
žabka **2.** satira, hanopis, úště-
pek □ *vi* (-bb-) **1.** špičkovat,
dělat uštěpačné poznámky
2. napadnout hanopisem
squill [skwil] *s* cibule mořská,
starček
squint [skwint] *vi* šilhat, pošil-
hávat (*at* po), dívat se úkosem
□ *s* **1.** šilhání, šilhavost **2.**
pohled úkosem **3.** náklonnost,
sklon **4.** zvrácený sklon □ *a*
šilhavý; I**~ -eyed** *a* šilhavý,
závistivý
squire [ˈskwaiə] *s* **1.** venkovský
šlechtic, statkář **2.** hist. štíto-
noš, panoš
squirm [skwə:m] *vi* kroutit se,
svíjet se; být dotčen
squirrel [ˈskwirəl] *s* veverka;
I**~ cage motor** motor s kot-
vou nakrátko
squirt [skwə:t] *vt & i* stříkat,
tryskat □ *s* **1.** stříkačka, roz-
prašovač,. klystýr **2.** trysk
vody **3.** hov. hejsek
S.S. = **1.** *Steamship* **2.** *Secretary
of State*
St. = *Saint*

st. = *stone*

stab [stæb] *s* 1. bodnutí, píchnutí 2. rána dýkou ♦ ~ *in the back* 1. úkladná rána 2. pomluva □ *vt & i* (-bb-) bodat, probodnout, píchnout ♦ *to* ~ *in the back* pomluvit

stabil|ity [stəˈbiliti] *s* stálost, pevnost; —**ization** [ˌsteibilaiˈzeišen] *s* stabilizace (*of capitalism* kapitalismu); —**ize** [ˈsteibilaiz] *vt* vyrovnat, ustálit, stabilizovat, upevňovat

stabl|e [ˈsteibl] *a* stálý, pevný, trvalý □ *s* stáj, konírna, chlév □ *vt & i* 1. ustálit, upevnit 2. dát do stáje, chovat ve stáji; |~-**boy**, |~-**man** *s* stájník; ~-**bread** [ˈsteiblbred] *a* sprostý; |~-**room** *s* stáj; —**ing** [ˈsteibliŋ] *s* 1. chov koní ve stáji, ustájení 2. stáj, konírna

stack [stæk] *s* stoh, kupa, hranice dříví, cihel ap.; komín lokomotivy, parníku; šachta vysoké pece □ *vt* (na)kupit, (na)rovnat na hromadu ♦ *to* ~ *up wood* vyrovnat dříví v sáhy; |*smoke-*~ *s* dlouhý komín

stadium [ˈsteidjəm] *s* závodiště, stadión

staff [staːf] *s* 1. hůl, tyč, berla 2. podpora 3. oštěp, kopí 4. příčel 5. voj. štáb 6. sloka 7. učitelský sbor 8. personál 9. výbor 10. hud. notová osnova (pl. *staves*) ♦ *levelling* ~ nivelační lať; ~ *officer* štábní důstojník; ~ *college* válečná škola

stag [stæg] *s* 1. jelen 2. bulík; burzovní spekulant; ~-**beetle**

[ˈstægˌbiːtl] *s* roháč; ~-**horn** [ˈstæghoːn] *s* paroh; —**hound** [ˈstæghaund] *s* chrt

stag|e [steidž] *s* 1. jeviště 2. stanice 3. stupeň, stav 4. lešení 5. místo odpočinku, oddechu po cestě 6. období, stadium 7. úsek cesty 8. zastávka, stanice ♦ *to go on the* ~ jít k divadlu, stát se hercem; *to enter the* ~ vystoupit na scéně ♦ *vt* 1. uvést na jeviště, inscenovat, (z)režírovat 2. vystavit na odiv; ~-**coach** [ˈsteidžkouč] *s* dostavník; —**er** [ˈsteidžə] *s* zkušený muž, praktik; ~-**manager** [ˈsteidžˌmænidžə] *s* režisér; ~-**fight** [ˈsteidžfait] *s* provozovací právo; —**ing** [ˈsteidžiŋ] *s* 1. lešení 2. uvedení hry, inscenace 3. doprava dostavníky

stagger [ˈstægə] *vi* 1. potácet se, vrávorat 2. kolísat, váhat 3. překvapit □ *vt* 4. uvést v pochybnost, zviklat, zmást 5. uspořádat střídavě □ *s* 1. zavrávorání, zakolísání 2. pl. motolice 3. pl. závrať; —**er** [ˈstægərə] *s* ohromení, ohromující věc, událost

stagn|ancy [ˈstægnənsi] *s* 1. stojatost vody 2. hniloba 3. močálovitost 4. váznutí, stagnace; —**ant** [ˈstægnənt] *a* 1. stojatý o vodě; hnijící 2. lenivý; —**ate** [ˈstægneit] *vi* stát o vodě; hnít; váznout; —**ation** [stægˈneišən] *s* 1. stojatost, močálovitost; hniloba 2. váznutí, stagnace, deprese

staid [steid] *a* 1. usedlý, usazený

2. rozvážlivý, rozmyslný, klidný

stain [stein] *s* skvrna, hanba, potřísnění □ *vt & i* 1. potřísnit, poskvrnit (se) 2. zneuctít 3. (z)barvit (se); *-ed glass* barevné sklo 4. mořit dřevo; **—less** [ˈsteinlis] *a* bez poskvrny, čistý; ~ *steel* antikorózní ocel

stair [steə] *s* 1. schod, stupeň 2. pl. schody, schodiště; **—case** [ˈsteəkeis], **—way** [ˈsteəwei] *s* schodiště

stake [steik] *s* 1. kůl, sloup 2. pranýř, hranice 3. sázka 4. záměrka ♦ *at* ~ v sázce □ *vt* 1. dát v zástavu 2. nasadit, ohradit koly *(in)*, upevnit, přivázat ke kůlu; nabodnout na kůl 3. odvážit se, vsadit *(on* na), riskovat

Stakhanov|ite [stəˈkænovait] *a* stachanovský □ *s* stachanovec; **—ism** [-izəm] *s* stachanovština

stalact|ical [ˈstælæktikəl] *a* krápníkový, stalaktitový; **—ite** [ˈstælæktait] *s* krápník, stalaktit

stalagmite [ˈstæləgmait] *s* stalagmit

stale [steil] *a* 1. zvětralý, vyčichlý 2. okoralý 3. starý, zastaralý, opotřebovaný ♦ *to grow* ~ vyčichnout, zvětrat □ *vi* 1. vyčichnout, zvětrat 2. opotřebovat 3. močit o koních; **—mate** [ˈsteilˈmeit] *s* šachy mat

stalk [stoːk] *s* 1. stonek, stéblo, brk 2. bodec, rydlo 3. troubel 4. podpěra, násada 5. sloupek vinné sklenky 6. hrdá chůze

□ *vi* 1. vykračovat si 2. přikrást se, stopovat; **—ing** [ˈstoːkiŋ] *s* 1. vykračování si 2. honba, lov koňmo; stopování zvěře 3. výmluva, záminka

stall [stoːl] *s* 1. stání, příhrada v konírně n. chlévě 2. krámek, bouda, stánek tržní 3. sedadlo, křeslo v divadle, v kostele 4. ztráta rychlosti □ *vt & i* 1. dát do stáje, chovat ve stáji 2. mít na krmníku, vykrmovat 3. usadit, nastolit v úřad 4. opatřit křesly 5. stát, zastavit se 6. bydlet 7. rozdělit stáj na stání; ~ *together* snášet se, srovnat se; **—age** [ˈstoːlidž] *s* poplatek z místa; ~ **-boat** [ˈstoːlˈbout] *s* člunek, lodka zakotvená u ústí řeky; ~ **-fed** *a* vykrmený; **—ing** [ˈstoːliŋ] *s* 1. let. ztráta rychlosti 2. zhasnutí motoru auta; **—man** *s* 1. majitel stánku s knihami, prodavač v stánku s knihami 2. havíř v štole; ~ **-reader** *s* ten, kdo kupuje knihy od bukinistů

stallion [ˈstæljən] *s* hřebec

stalwart [ˈstoːlwət] *a* 1. statný, silný, statečný 2. vynikající člen politické strany 3. oddaný, věrný

stamen [ˈsteimen] *s* bot. tyčinka, čnělka

stamina [ˈstæminə] *s pl.* 1. pralátka; životní síla, energie 2. odolnost 3. činnost, zájem

stammer [ˈstæmə] *vi* koktat, zajíkat se □ *s* koktání, koktavost

stamp [stæmp] *vt* 1. dupat, drtit 2. orazítkovat 3. lisovat plechy 4. razit mince 5. kolkovat, frankovat 6. označit (*as* za), značkovat, cejchovat □ *s* 1. dupání, dupnutí 2. tlučení, pěchování 3. razítko, otisk, cejch 4. kolek, známka 5. peníz 6. ráz, druh, povaha ♦ ~ *duty* kolkovné; — ing [ˈstæmpiŋ] *s* 1. výlisek 2. lisování plechu 3. ražení 4. razítkování, puncování 5. drcení; ~ *mill* stoupa

stampede [ˈstæmpiːd] *s* úprk stáda, útěk; poplach

stanch, staunch [staːnč] *a* 1. pevný, stálý 2. pravý, věrný, řádný 3. spolehlivý 4. upřímný, statečný □ *vt* zastavit krev, utišit; ucpat

stanchion [ˈstaːnšən] *s* podpěra železná, nosník, opěrný sloup

stand¹* [stænd] *vi & t* 1. stát, zastavit se 2. dlít, trvat, zdržovat se, zůstat, setrvat 3. mít se 4. platit, být v platnosti, moci 5. spoléhat se 6. hodit se 7. postavit 8. obstát 9. snést, vydržet 10. opatřit na své útraty ♦ *to ~ chance* mít vyhlídku; ~ *at ease!* voj. pohov!; *to ~ in the way* stát v cestě; *to ~ one's word* dostát slovu; *to ~ fair* dařit se, mít úspěch; *to ~ fair for s.t.* mít naději nač; *to ~ god-father* být kmotrem; *to ~ proof* obstát ve zkoušce; *to ~ in need of* mít čeho zapotřebí; *to ~ to an opinion* setrvávat v mínění; *I can't ~ it* nemohu to vystát; *it -s to reason* to se rozumí samo sebou, to je logické; *to ~ sentry* stát na stráži; *to ~ sponsor* být

kmotrem; *to ~ all hazard* odvážit se všeho; *to ~ the loss* hradit škodu; *to ~ fire* odolat ohni nepřátelské palby; *to ~ fast* stát pevně; ~ **against** postavit se na odpor, vzdorovat; ~ **aside** stát stranou, nezúčastnit se; ~ **away** nepřijít; ~ **back** (po)odstoupit; ~ **by** stát při kom; přihlížet jako divák; dostát slovu; přispět; ~ **for** 1. znamenat 2. ucházet se 3. ručit; ~ **forth** vystoupit, ukázat se; ~ **in** trvat, stát o ceně; ~ **in with** sl. držet dohromady; ~ **off** 1. stát opodál 2. dočasně propustit zaměstnance; ~ **out** vyčnívat, vystupovat; ~ **out for** trvat na, usilovat oč; ~ **to** stát při, setrvat; ~ **under** 1. odporovat 2. vytrpět 3. být podřízen; ~ **up** vstát, povstat, zdvihnout se, vystupovat; ~ **up for** postavit se za, zastat se; ~ **up to** čelit odpůrci; ~ **upon** záležet; trvat na, naléhat; ~ **with** stát s, odpovídat čemu

stand² [stænd] *s* 1. stání, místo 2. zastavení; pře-, za|stávka, nečinnost, klid 3. podstavec, stojan, věšák, police 4. stativ mikroskopu 5. kozlík 6. stánek výstavní 7. tribuna, stupínek 8. stanoviště drožek 9. stav 10. postavení 11. am. místo pro svědky ♦ *to bring to ~* zastavit jednání; *to make a ~* zastavit se, postavit se na odpor; *to put anyone to a ~* uvést do rozpaků; *to be at ~* být na rozpacích; |~ **-by** *s* 1. pomoc, útěcha 2. spolehlivý přítel, opora; ~ *-by motor* výpomocný motor; —er ['stændə] *s* stojící ♦ *old* ~ stálý host; *by-*~ divák; ¦~ **-grass** *s* bot. vstavač; ¦~-¦**in** *s* náhradník herce; —**ing** ['stændiŋ] *a* stojící, stojatý, stálý □ *s* 1. stání, místo 2. stav, postavení, hodnost; jméno, reputace 3. trvání ♦ *of old* ~ dávný; *of the same* ~ současný; —**ing derrick** sloupový jeřáb; —**ing jump** skok z místa; —**ing-place** ['stændiŋpleis] *s* stanoviště; —**ing-room** ['stændiŋrum] *s* místo k stání; ~ **-point** ['stændpoint] *s* hledisko, stanovisko; ~ **-still** ['stændstil] *s* za-, pře¦stávka, klid, ochabnutí; ¦—**up** *a* stojatý límec, vztyčený

standard ['stændəd] *s* 1. prapor, korouhev, standarta 2. vzor, standard, míra, měřítko, norma 3. podstavec. stojan 4. určitý poměr, pravidlo ♦ *living* ~ n. ~ *of living* životní úroveň; *to raise* ~ *of living* zvyšovat životní úroveň □ *a* standardní, uznaný, směrodatný; standardizovaný, normalizovaný, zavedený; —**ize** ['stændədaiz] *vt* upravit podle vzoru, standardizovat, normalizovat, ustálit; ~ **gauge** [geidž] 1. žel. normální rozchod 2. porovnávací kalibr

standee ['stændi:] *s* am. hov. ten, kdo má lístek k stání v divadle

stanhope ['stænəp] *s* 1. lehký otevřený kočár 2. tiskařský lis

stank [stæŋk] *pt* viz *stink*

stann|ary ['stænəri] *s* doly na cín; —**ic** ['stænik] *a* cínový

stanza ['stænzə] *s* sloha, strofa, znělka

staple ['steipl] *a* 1. skoba, svorka, sponka 2. hlavní součástka, hlavní odvětví n. plodina n. surovina 3. sklad, skladiště 4. zast. sklad(iště), tržiště 5. vlákno vlny, bavlny ap. 6. zboží 7. jádro, jakost ♦ *cotton of long (short)* ~ dlouhá (krátká) bavlna; ~ **commodity** n. **goods** skladné zboží; ~ **trade** skladový obchod

star [sta:] *s* 1. hvězda, hvězdička 2. osud 3. vynikající herec n. herečka, „hvězda" ♦ *fixed* ~ stálice; *flying* n. *shooting* ~ létavice; —**board** ['sta:bəd] *s* pravý bok lodi; ~ **-bright** ['sta:brait] *a* hvězdnatý, lesklý; ~ **connection** el. spojení do hvězdy; ~ **-crossed** ['sta:-krost] *a* narozený pod nešťastnou hvězdou; ~ **fish** ['sta:fiš] *s* hvězdice mořská; ~ **-gazer** ['sta:¦geizə] *s* hvězdář; ~ **-handle** ['sta:¦hændl] *s* rukojeťový kříž; —**less** ['sta:lis] *a* bezhvězdný; —**light** ['sta:lait] *s* záře hvězd; ~ **lighting** silně omezené osvětlení ulic

starch [sta:č] *s* 1. škrob, škrobovina 2. fig. škrobenost □ *a* škrobený, nucený, upjatý □ *vt* škrobit; —**y** ['sta:či] *a* 1. naškrobený 2. upjatý, nucený 3. škrobovitý, moučný o jídle

star|e [steə] *s* strnulý pohled, civění □ *vi* 1. upřeně n. vyjeveně se dívat, civět 2. ježit

se **3.** být nápadný ♦ ~ *down-*
n. *out of countenance* zmást
upřeným pohledem; —**ing**
[ˈsteəriŋ] *a* -upřený, utkvělý,
ztrnule hledící; nápadný,
křiklavý
stark [sta:k] *a* **1.** ztuhlý **2.** arch.
drsný, přísný **3.** naprostý,
úplný **4.** pouhý, čirý **5.** bás.
silný, pevný **6.** bás. neústup-
ný, neoblomný □ *adv* dočista,
úplně ♦ ~ *blind* slepý;
~ *naked* úplně nahý; ~ *mad*
hotový blázen
starling [ˈsta:liŋ] *s* špaček
starry [ˈsta:ri] *a* hvězdnatý;
zářivý
start[1] [sta:t] *vi & t* **1.** začít,
uvést v činnost, v chod, na-
točit stroj **2.** vyjít, vyjet,
vyběhnout **3.** trhnout sebou,
vyrazit, vyskočit *(up)*; lesk-
nout se, polekat (se) **4.** vy-
mlouvat se, vytáčet se **5.**
náhle se objevit, vyplašit **6.**
dát na přetřes **7.** vymknout
♦ *his eyes -ing out of his head*
mající oči na stopkách;
~ **back** uskočit, ustoupit;
~ **from, off** odchýlit se, od-
skočit
start[2] [sta:t] *s* **1.** trhnutí, škub-
nutí **2.** leknutí **3.** skok **4.**
uvedení do chodu, spuštění
stroje **5.** rozběh, začátek, start,
vzlet letadla **6.** popud, pod-
nět **7.** výbuch, nával **8.**
náběh **9.** zast. ohon, ocas
10. násada ♦ *by -s* škubavě;
to get the ~ of nadběhnout,
předběhnout, předstihnout;
by fits and -s nepravidelně;
ˈ*up*— povýšenec; —**er** [ˈsta:-
tə] *s* **1.** startér, natáčecí za-

řízení, spouštěč **2.** závodník;
—**ing** [ˈsta:tiŋ] *s* natáčení,
spouštění, uvedení do chodu;
ˈ—**ing-crank** *s* natáčecí kli-
ka; ˈ—**ing-gate** *s* pohyblivá
bariéra; start při dostizích;
ˈ—**ing point** východiště;
ˈ—**ing-post** *s* start při dosti-
zích; ˈ—**ing position** spouštěcí
poloha, výchozí poloha; ˈ—**ing
time** doba rozběhu motoru
startle [ˈsta:tl] *vt & t* překvapit,
polekat (se), poplašit (se);
trhnout sebou □ *s* **1.** lek-
nutí, otřes **2.** poplašná zprá-
va
starv|**ation** [sta:ˈveišən] *s* hlad,
(vy)hladovění ♦ ~ *wages*
hladové mzdy; —**e** [sta:v]
vi & t **1.** hladovět, mřít hla-
dy, hynout, trpět bídou **2.**
umořit hladem, vyhladovět;
—**eling** [ˈsta:vliŋ] *s* hladově-
jící, špatně živený, hlado-
mřivec
state [steit] *s* **1.** stav, postavení,
okolnosti **2.** vzrušení **3.** stát
4. panství **5.** nádhera, pompa
6. zast. baldachýn **7.** katafalk
8. pl. zemské stavy ♦ ~
apparatus státní aparát; *S~
Department* am. minister-
stvo zahraničí; ~ *discipline*
státní disciplína; ~ *folks*
státní úředníci; ~ *farm* sov-
choz, státní statek; *to live in
great* ~ vést nádherný život;
to take ~ *upon* zast. vést si
vznešeně □ *vt* **1.** (u)stanovit,
zařídit, spořádat **2.** uvést,
udat, prohlásit, konstatovat;
—**less** [ˈsteitlis] *a* **1.** prostý
2. bez státní příslušnosti **3.**
zbavený důstojnosti n. vzne-

šenosti; **4.** ubohý ♦ ~ *communist society* bezestátní komunistická společnost; —**liness** [ˈsteitlinis] *s* nádhera, vznešenost, okázalost; —**ly** [ˈsteitli] *a* vznešený, nádherný, okázalý; důstojný; —**ment** *s* **1.** výpověď, osvědčení **2.** údaj, výkaz, přehled **3.** návrh **4.** zpráva, prohlášení ♦ ~ *of account* výpis z účtu; ~ -**owned** [ˈsteitound] *a* státní, státem vlastněný; —**sman** [ˈsteitsmən] *s* státník; |—**smanship** *s* státnictví; —**swoman** [ˈsteitswumən] *s* státnička

static, —**al** [ˈstætik(əl)] *a* statický; —**s** [ˈstætiks] *s pl.* statika

station [ˈsteišən] *s* **1.** postavení, stanoviště, místo **2.** stanice, nádraží **3.** stav, úřad, služba **4.** hodnost **5.** zř. klid ♦ *breeding* ~ chovatelská stanice; *machine and tractor* ~ STS; *electric power* ~ elektrárna; *pumping* ~ čerpací stanice, vodárna □ *vt* **1.** ubytovat, umístit **2.** vykázat místo; —**ary** [ˈsteišnəri] *a* nehybný, stálý, pevný; ~-**house** [ˈsteišənhaus] *s* strážnice; ~-**master** [ˈsteišənˌmaːstə] *s* náčelník stanice

stationer [ˈsteišnə] *s* papírník; —**y** [ˈsteišnəri] *s* **1.** papírnictví **2.** papírnické zboží

statistic, —**al** [stəˈtistik(əl)] *a* statistický; —**ian** [ˌstætisˈtišən] *s* statistik; —**s** [stəˈtistiks] *s pl.* statistika

stator [ˈsteitə] *s* stator

statuary [ˈstætjuəri] *s* **1.** řez-

bářství, sochařství **2.** sochař □ *a* řezbářský, sochařský

statue [ˈstætjuː] *s* socha; —**tte** [ˌstætjuˈet] *s* soška

stature [ˈstæčə] *s* postava, vzrůst

status [ˈsteitəs] *s* společenské postavení, věhlas

statut|e [ˈstætjuːt] *s* **1.** ustanovení, zákon, nařízení **2.** statut, stanovy pl.; —**ory** [ˈstætjutəri] *a* zákonný, statutární

staunch [stoːnč] viz *stanch*

stave [steiv] *vt* opatřit dužinou, udělat díru ♦ ~ *off* odehnat, odrazit, odvrátit, zmařit; ~ *to pieces* rozbít na kusy □ *s* **1.** duha sudu **2.** hůl **3.** strofa, verš **4.** hud. notová osnova **5.** příčel, příčka žebříku

stay¹ [stei] *vi & t* **1.** zůstat, zdržet se **2.** (pro)dlít, čekat **3.** zdržet, setrvat, zastavit **4.** překážet **5.** podepřít **6.** utišit ♦ *to* ~ *the course* vydržet závod do konce; ~ **away** nedostavit se; ~ **for** čekat na; ~**on** prodloužit pobyt, návštěvu; ~ **out** nepřicházet, zdržet se

stay² [stei] *s* **1.** zastavení, zástavka, meškání, dočasný pobyt **2.** prodlení **3.** pevnost, síla; stálost, vytrvalost **4.** podpora, podpěra; opora **5.** pl. šněrovačka **6.** kotviště **7.** silné lano ♦ *to keep at a* ~ držet na uzdě; |~-**down** *s* stávka horníků, kteří odmítli vyfárat z dolů; —**er** [ˈsteiə] *s* vytrvalec; ~ -**lace** [ˈsteileis] *s* tkanice do šněrovačky; ~ **sail** stěhlová plachta

stead [sted] *s* místo, stanoviště
♦ *in ~ of* místo koho, čeho;
to stand in ~ prospět, pomoci; *to be of no ~* nebýt
k ničemu; —**fast** [ˈstedfəst] *a*
pevný, stálý, vytrvalý; —**iness**
[ˈstedinis] *s* 1. pevnost, stálost, vytrvalost 2. spolehlivost, věrnost; —**y** [ˈstedi] *a* 1. pevný, stálý 2. spolehlivý; ~ *flow* stejnoměrný,
ustálený tok □ *vt & i* 1.
upevnit (se), ustálit (se) 2.
uklidnit (se)

steak [steik] *s* řízek masa

steal¹* [stiːl] *vt* (u)krást; potají
provést; plížit se; ~ **into**
vkrást se, vloudit se; ~ **upon**
přikrást se; přepadnout

steal² [stiːl] *s* am. hov. kradení,
krádež, kradená věc; tažená
rána v golfu; —**er** [ˈstiːlə] *s*
zloděj; —**ing** [ˈstiːliŋ] *s* krádež; —**ingly** [ˈstiːliŋli] *adv*
kradmo; —**th** [stelθ] *s* 1.
krádež 2. tajnost; *by ~*
kradmo; —**thy** [ˈstelθi] *a* tajný, nepozorovaný, kradmý

steam [stiːm] *s* pára, výpar;
~ *bath* parní lázeň □ *vi & t*
pařit, vypařovat (se); ~
away vypařit se; ~ **-boat**
[ˈstiːmbout] *s* parník; |~
-boiler *s* parní kotel; ~
-cylinder [ˈstiːmˌsilində] *s* parní válec; ~ **-engine** [ˈstiːmˌendžin] *s* parostroj; —**er**
[ˈstiːmə] *s* parník; ~ **-gauge**
[ˈstiːmgeidž] *s* manometr; ~
-generator [ˈstiːmˌdženəreitə]
s parní kotel; ~ **-hammer**
[ˈstiːmˌhæmə] *s* parní buchar;
|~ **-mill** *s* parní mlýn; ~
-navigation [ˌnæv4iˈgeišən] *s*

paroplavba; ~**-piping** [ˈstiːmˌpaipiŋ] *s* parní potrubí;
~ **-piston** [ˈstiːmˌpistən] *s*
píst v parním válci; |~ **-press**
s parní lis; ~ **-roller** [ˈstiːmˌroulə] *s* parní válec; —**ship**
[ˈstiːmšip] *s* paroloď; ~ **-tug**
[ˈstiːmtʌg] *s* vlečný parník;
~ **-valve** [ˈstiːmvælv] *s* parní
záklopka

stearin [ˈstiərin] *s* stearín

steed [stiːd] *s* oř, kůň, hřebec

steel [stiːl] *s* ocel ♦ *cast* n.
refined ~ litá ocel □ *vt* zocelit, zatvrdit (*one's heart* své
srdce) □ *a* ocelový; ~ **-clad**
[ˈstiːlklæd] *a* obrněný; ~
-foundry [ˈstiːlˌfaundri] *s* slévárna oceli; |~ **-mill,** |~
-plant, |~ **-works** *s* ocelárna;
~ **-yard** [ˈstiːljaːd] *s* mincíř,
přezmen; —**y** [ˈstiːli] *a* ocelový, tvrdý

steep [stiːp] *a* příkrý, srázný
strmý □ *s* poet. svah, stráň,
sráz □ *vt* namáčet, močit;
—**ness** [ˈstiːpnis] *s* 1. sráznost, příkrost 2. svah, stráň

steeple [ˈstiːpl] *s* kostelní věž,
zvonice; ~ **-chase** [ˈstiːplčeis]
s dostihy s překážkami, překážkový běh

steer¹ [stiə] *s* kormidlo □ *vt & i*
kormidlovat, řídit (auto, loď),
vést; ~ *off* odchýlit se; —**age**
[ˈstiəridž] *s* 1. kormidlování,
řízení lodi 2. mezipalubí; —**er**
[ˈstiərə] *s* kormidelník; —**ing**
[ˈstiəriŋ] *s* kormidlování, řízení (vozu, lodi); **-ing-wheel**
[ˈstiəriŋwiːl] *s* volant; —**sman**
[ˈstiəzmən] *s* kormidelník

steer² [stiə] *s* volek

steeve¹ [stiːv] *vi & t* nám

vztyčit čelen v úhlu s obzorem

steeve² [ˈstiːv] *s* bidlo užívané při skládání lodního nákladu

steinbock [ˈstainbok] *s* antilopa

stel|e [ˈstiːli] *s* pl. *-ae* [-iː] kamenná deska, náhrobek

stellar [ˈstelə] *a* hvězdnatý, hvězdný

stem [stem] *s* 1. stonek, lodyha, stéblo, peň, stopka 2. kmen, rodokmen 3. příď □ *vt* (-mm-) 1. podepřít, opřít se 2. zastavit útok, zahradit proud vody, zatarasit 3. razit si namáhavě cestu □ *to ~ the tide* plout proti proudu

stench [stenč] *s* zápach, smrad □ *vi* páchnout, smrdět; |~ -trap *s* sifon kanalizace

stencil [ˈstensl] *s* šablona, patrona malířská

stenograph [ˈstenəgraːf] *s* těsnopisný znak, stenogram; —er [steˈnogrəfə] *s* těsnopisec; —ical [ˌstenəˈgræfikəl] *a* těsnopisný; —y [steˈnogrəfi] *s* těsnopis

stentorian [stenˈtoːriən] *a* hlasatelský, křiklavý

step¹ [step] *vi* (-pp-) 1. kráčet, stoupat, jít, vykročit 2. tančit, stepovat; ~ **after** chodit za; ~ **aside** odstoupit stranou; ~ **back** ustoupit; ~ **down** sejít, sestoupit; ~**forth** vykročit, vystoupit; ~ **in** vkročit, vstoupit; ~ **into** vstoupit, nastoupit, ujmout se čeho; ~ **off** odstupňovat; ~ **on** *the gass* přidat rychlosti, pospíšit si; ~ **over** překročit, přestoupit; ~ **up** vystoupit, jít nahoru, vyhnat do výše

step² [step] *s* 1. krok, chod, chůze 2. stupeň 3. výstup, schod 4. příčel 5. šlépěj, kročej 6. fig. pokrok, postup ♦ ~ *by* ~ krok za krokem; |~ -|**ladder** (n. *a pair of -s*) štafle; |—**pingstone** *s* kámen na přechodu přes vodu; prostředek vedoucí k cíli; |—**ping -up** *of production* vzestup výroby

step-³ [step-] prefix značící „nevlastní“: |~ -**child**, |~ -|**brother**, |—|**father**, |~ -|**mother** nevlastní dítě, bratr, otec, matka

Stephen [ˈstiːvn] *s* Štěpán

stepney [ˈstepni] *s* rezervní kolo

steppe [step] *s* step

stercoraceous [ˌstəːkəˈreišəs] *a* hnojný

stere [stiə] *s* krychlový metr

stereo|scope [ˈstiəriəskoup] *s* stereoskop; —**type** [ˈstiəriətaip] *s* stereotyp

steril|e [ˈsterail] *a* neúrodný, neplodný, jalový; —**ity** [steˈriliti] *s* neúrodnost, neplodnost; —**ize** [ˈsterilaiz] *vt* učinit neplodným, sterilizovat

sterling [ˈstəːliŋ] *s* šterlink ♦ *a pound* ~ libra šterlinků

stern¹ [stəːn] *a* 1. vážný, přísný 2. tuhý, tvrdý, krutý

stern² [stəːn] *s* 1. lodní záď 2. kormidlo 3. zadní část, zadnice 4. ocas ♦ ~ *foremost* pozpátku; —**most** *a* nejzazší

stern|um [ˈstəːnəm] *s* pl. *-ums* [-əmz], *-a* [-ə] prsní kost

sternutat|ion [ˌstəːnjuˈteišən] *s* kýchání; —**ive**, —**ory** [ˈstəː- nju:tət|iv, -əri] *a* kýchavý,

kýchací □ *s* kýchací prášek
stertorous [ˈstɔ:tərəs] *a* chroptící, chroptivý
stethoscope [ˈsteθəskoup] *s* stetoskop
stevedore [ˈsti:vido:] *s* lodní nakladač
stew [stju:] *s* 1. dušené maso 2. sádka na ryby 3. hov. nepokoj, zmatek ♦ *in a* ~ v rozpacích, v úzkých, v bryndě □ *vt* 1. dusit 2. sl. dřít se; ǀ~ -pan, ǀ~pot *s* rendlík
steward [ˈstjuəd] *s* 1. správce 2. lodní číšník, sklepmistr ♦ *Lord High S*~ nejvyšší sudí; *Lord High S*~ *of the King's Household* nejvyšší hofmistr; —ess [ˈstjuədis] *s* stevardka; —ship [ˈstjuədšip] *s* správcovství, vrchní dozor
stg = *sterling*
stibium [ˈsti:biəm] *s* antimon
stick¹* [stik] *vt* 1. přilepit, nalepit (*in, to, on* do, na) 2. vrazit (*into, in* do), narazit na kůl, strčit, probodnout, nabodnout □ *vi* 3. vězet, váznout, přilepit se 4. zdržet se, prodlévat, váhat 5. pochybovat 6. držet se (*to* čeho), zůstat věren; ~ **at** rozmýšlet se, váhat, pozastavit se nad; *he* ~*s at nothing* neštítí se ničeho; ~ **by** lpět na; obtěžovat; ~ **on** 1. pevně se držet v sedle 2. vnutit, namluvit 3. připočíst k účtu; *to* ~ *a stamp on* nalepit známku; ~ **out** 1. trčet, vyčnívat, vyvstávat 2. lenošit 3. vzdalovat se; ~ **out for** neúprosně žádat; ~ **to** lnout к, zůstat věren; ~ **together**

táhnout za jeden provaz; ~ **up** trčet; ~ **up for one** zastat se koho; —ing [ˈstikiŋ] *s* přilepení, ulpění; —ing strip lepicí páska; —y [ˈstiki] *a* lepkavý, přilnavý ♦ *a* ~ *person* nudný, nepříjemný člověk
stick² [stik] *s* 1. hůl, prut, tyč 2. násada 3. tyčinka vosku 4. lid. škrobený člověk; —ing [ˈstikiŋ] *s* 1. bodání, píchání 2. váznutí
stickl|e [ˈstikl] *vi* 1. tvrdošíjně se hádat 2. zastávat se, stranit; —er [ˈstiklə] *s* tvrdošíjný zastánce, puntičkář
stiff [stif] *a* 1. tuhý, ztuhlý; pevný; silný 2. toporný 3. ztrnulý, utkvělý 4. přísný; neústupný, tvrdošíjný 5. škrobený, upjatý; —en [ˈstifn] *vt* 1. ztuhnout (vy)ztužit, tvrdnout 2. naškrobit 3. zatvrdit se 4. být nepřístupný; —er [ˈstifə] *s* výztuha v kravatě; ~ -hearted [ˈstifˌha:tid] *a* tvrdohlavý, neústupný; ~ **neck** ztrnulá šíje; ~ -necked [ˈstifˌnekt] *a* zatvrzelý, svéhlavý; —ness [ˈstifnis] *s* 1. tuhost, ztrnulost 2. tvrdošíjnost; ~ **price** vysoká cena
stifle [ˈstaifl] *vt* (u)dusit (se), utlumit, potlačovat
stigma [ˈstigmə] *s* pl. *-s, -ta* [-tə] 1. znamení, jizva 2. kaz charakteru 3. blizna; —tise [ˈstigmətaiz] *vt* vypálit znamení hanby, poznamenat, stigmatizovat
stile [stail] *s* 1. schůdky přes plot 2. kolmý dveřní rám, zárubeň

stiletto [sti'letou] *s.* pl. *-es*, *-s* druh dýky; bodec na vyšívání ♦ ~ *heels* jehly podpatky

still [stil] *a* 1. nehybný 2. tichý, klidný, pokojný 3. stálý □ *adv* tiše, pořád, stále, ještě, posud; nicméně □ *s* 1. ticho, klid 2. destilační přístroj □ *vt & i* 1. utišit (se), uklidnit (se) 2. překapat, destilovat; ~ **birth** potrat; ~ **-born** ['stilbo:n] *a* mrtvě narozený; ~ **-bottom** ['stilbotəm] *s* kal, sedlina, matoliny; |~ **-house** *s* vinopalna; —**ing** ['stiliŋ] *s* překapování, destilování, destilace, přepalování; ~ **-life** ['stillaif] *s* zátiší obraz; |—**stand** *s* zastavení, klid; —**y** ['stili] *a* nehlučný, neslyšný □ *adv* tiše

stilt [stilt] *s* 1. pl. chůdy 2. bahenní pták □ *vt* postavit na chůdy; —**ed** [stiltid] *a* 1. vyvýšený jako na chůdách 2. bombastický, nabubřelý sloh

stimul|ant ['stimjulənt] *a* povzbuzující, dráždivý □ *s* povzbuzující prostředek; —**ate** ['stimjuleit] *vt* povzbudit, podráždit (*to* k); —**ation** [,stimju'leišən] *s* podráždění; podnět, popud; —**ative** ['stimjulətiv] *a* dráždivý; podněcovací □ *s* 1. dráždidlo 2. podnět, povzbuzení; —**ator** ['stimjuleitə] *s* podněcovač, povzbuzovatel; —**us** ['stimjuləs] *s* pl. *-i* [-ai] popud

sting* [stiŋ] *vt* 1. bodat, píchat 2. uštknout, bolet 3. podráždit, podnítit □ *s* 1. osten, bodec, žahadlo 2. bodnutí, píchnutí 3. výčitka

sting|iness ['stindžinis] *s* skoupost, lakota; —**y** [stindži] *a* skoupý, lakomý

stink* [stiŋk] *vi* páchnout, smrdět, čpět (*of* čím) □ *s* zápach, smrad; —**ard** ['stiŋkəd] *s* smraďoch, jezevec

stint [stint] *vt & i* 1. obmezovat, skromně odměřovat, skrblit 2. arch. přestat, ustat □ *s* mez, hranice; příděl ♦ *without any* ~ neomezeně, štědře

stipend ['staipend] *s* plat, služné, mzda; —**iary** [stai'pendjəri] *a* placený □ *s* stipendista; placený pracovník, úředník

stipple ['stipl] *vi* tečkovat

stipulat|e ['stipjuleit] *vt & i* 1. vyhradit si *(for)* 2. umluvit (si), ujednat, dohodnout se; —**ion** [,stipju'leišən] *s* úmluva, dohoda; výhrada; ustanovení

stir¹ [stə:] *vt* (-rr-) 1. hýbat (se), pohnout (se) 2. míchat 3. šťourat, prohrabovat oheň 4. povzbudit, podráždit 5. vstát, odejít 6. vzkypět 7. tropit hluk ♦ *to* ~ *s.o. into action* zaktivizovat koho; ~ **out** vykročit, vycházet, postupovat; vstát z postele; ~ **up** vyvolat, pobouřit, roznítit

stir² [stə:] *s* 1. hnutí, pohyb 2. neklid, rozruch, ruch, hluk 3. pobouření, vzpoura 4. prohrabání ohně ♦ *to make a great* ~ nadělat mnoho hluku; *to raise a* ~ způsobit vzbouření; |~ **-a|bout** *s* ovesná kaše; —**rer** ['stə:rə] *s* 1. hybač, povzbuzovač 2. buřič

podněcovatel **3.** míchadlo,
mísidlo
stirrup [ˈstirəp] *s* třmen, ře-
men; **~ -cup** [ˈstirəpkap],
—glass *s* přípitek na rozlou-
čenou; **~ pump** malá ruční
stříkačka
stitch [stič] *vt & i* šít, sešívat,
stehovat; ~ *up* sešít, zašít □
s **1.** steh **2.** bodnutí, píchání
(*to get a* ~ mít píchání v bo-
ku); **|~ -book** *s* brožura; **~
-wort** [ˈstičwə:t] *s* ptačinec
stithy [ˈstiði] *s* arch., bás. kovár-
na, kovadlina
stoat [stout] *s* hranostaj
stock [stok] *s* **1.** rod, původ **2.**
kmen, peň, pařez **3.** špalek,
břevno, kláda **4.** kůl, hůl **5.**
zásoba, sklad, inventář, ma-
teriál na skladě **6.** podložka,
podpora, držadlo **7.** kapitál,
vklad; akcie; jistina, základní
jmění **8.** kravata **9.** bot. fiala
10. pl. cenné papíry, renty
11. pl. kopyta do bot **12.**
palice parukářská **13.** kožený
límec **14.** pl. klády k trestání
15. dobytek (~ *raising* chov
dobytka) **16.** masový výtažek
♦ *in* ~ v zásobě, na skladě;
he is of good ~ pochází z dob-
ré rodiny; *a laughing* ~
směšný člověk n. věc; *to take
up* ~ dělat inventuru; *-s and
bonds* cenné papíry; *basic*
~ *of words* základní slovní
fond; ~ *exchange* burza □ *vt*
1. opatřit rukojetí **2.** sevřít do
klády **3.** opatřit, zásobit **4.**
ukládat, mít na skladě; ~ *up*
vymýtit; ~ *with people*
zalidnit; **~ -broker** [ˈstok-
ˌbroukə] *s* burzovní makléř;

~ -dove [ˈstokdav] *s* hřivnáč
holub; **|~ -fish** *s* treska; **~
-holder** [ˈstokˌhouldə] *s* am.
akcionář; **~ horse** soumar;
~ -jobber [ˈstokˌdžobə] *s* spe-
kulant s akciemi; **~ -pile**
[ˈstokpail] *s* železná zásoba;
|~ -|still *a* němý jako ryba,
tichý jako pěna; **~ -taking**
[ˈstokˌteikiŋ] *s* inventura; **~
yard** [jaːd] skládka; **~ -whip**
[ˈstokwip] *s* bič na dobytek
stockade [stoˈkeid] *s* tyčkový
plot, palisáda
Stockholm [ˈstokhoum] *s* Stock-
holm
stocking [ˈstokiŋ] *s* punčo-
cha; **~ -frame** [ˈstokiŋfreim],
—loom [ˈstokiŋluːm], **~ -ma-
chine** *s* pletací stroj; **|~ -wea-
ver** [ˈstokiŋˌwiːvə] *s* stávkař,
punčochář
stocky [ˈstoki] *a* zavalitý, sil-
ný
stodg|e [stodž] *s* **1.** hustá teku-
tina **2.** husté bláto **3.** těžký
pokrm □ *vt & i* **1.** zcela na-
plnit **2.** sl. nabaštit se **3.** šla-
pat blátem **4.** hov. pracovat
stále (*at* na); **—y** [ˈstodži] *a*
těžký, nestravitelný též fig.
stoic [stouik] *a* stoický □ *s*
stoik; **—al** [ˈstouikəl] *a* stoic-
ký; **—ism** [ˈstouisizəm] *s*
stoicismus
stoke [stouk] *vt* **1.** topit **2.** hov.
ládovat, cpát se; **—hold**
[ˈstoukhould] *s* topírna, ko-
telna na lodi; **|—hole** *s* před-
topeniště; **—r** [ˈstoukə] *s*
topič
stole[1] [stoul] *pt* viz *steal*
stole[2] [stoul] *s* říza, štóla
stolen [ˈstoulən] *pp* viz *steal*

stolid [ˈstolid] *a* hloupý, tupý; netečný; **—ity** [stoˈliditi] *s* hloupost, tupost; netečnost

stomach [ˈstamək] *s* 1. žaludek, břicho 2. chuť k jídlu 3. choutka, žádost 4. zast. tvrdošíjnost 5. zast. hněv 6. zast. pýcha ♦ *to give a* ~ dělat chuť □ *vi* 1. hněvat se, zlobit se 2. trpět □ *vt* 3. snášet 4. odmítat, mít odpor k; **—er** [ˈstamękə] *s* náprsník; **—ic** [stəˈmækik] *a* žaludeční □ *s* žaludeční lék; **—ing** [ˈstamękiŋ] *s* hněv, nevole

stone [stoun] *s* 1. kámen 2. váha 14 liber 3. pecka ovoce, jádro 4. varle □ *a* kamenný ♦ ~ *age* doba kamenná □ *vt* 1. kamenovat 2. proměnit v kámen 3. vyloupat pecky 4. obtáhnout nůž na brousku; **—blind** [ˈstounˈblaind] *a* úplně slepý; **—blue** [ˈstounblu:] *s* šmolka; ~ **-break** [ˈstounbreik] *s* lomikámen; ~ **-breaker** [ˈstounˌbreikə] *s* štěrkař; ~ **-cast** [ˈstounka:st] *s* co by kamenem dohodil; ~ **-cutter** [ˈstounˌkatə] *s* kameník; ~ **-dead** [ˈstounˈded] *a* naprosto mrtev; ~ **-fruit** [ˈstounfru:t] *s* peckovité ovoce; ~ **-hearted** [ˈstounˌha:tid] *a* tvrdého srdce; ~ **-mason** [ˈstounˌmeisn] *s* kameník; ~ **-pitch** [ˈstounpič] *s* asfalt; ~ **-squarer** [ˈstounˌskweərə] *s* kameník; **—ware** [ˈstounweə] *s* kameninové zboží; **—y** [ˈstouni] *a* 1. kamenný, tvrdý, peckovitý 2. ztrnulý 3. bezcitný

stood [stud] *pt & pp* viz *stand*

stooge [stu:dž] *s* sl. 1. příživník,

nohsled 2. ten, kdo se učí létat 3. herec

stook [stuk] *s* panák snopu

stool [stu:l] *s* 1. stolice, stolička 2. oddenek □ *vi* 1. nasazovat na kořen, vyhánět 2. mit stolici, vyprázdnit se

stoop [stu:p] *vi & t* 1. sehnout (se), sklonit (se), hrbit se, snížit se 2. pokořit (se), podrobit (se), ustoupit □ *s* 1. sehnutí, shrbení 2. snížení, pokoření 3. arch. střelmý let

stop¹ [stop] *vt & i* (-pp-) 1. zastavit (se), zadržet 2. zahradit 3. zacpat *(up)*, ucpat se 4. potlačit, zamezit *(from* čemu); upustit od čeho 5. přestat, ustat 6. zastavit se ♦ *to* ~ *dead* náhle se zastavit; *to* ~ *short* přestat; *to* ~ *a tooth* zaplombovat zub; *to* ~ *a wound* zastavit krvácení rány; ~ *away from* vyhnout se; ~ *by, in:* ~ *the way* zastavit na cestě

stop² [stop] *s* 1. zastávka, zastavení, přestávka; překážka, přerušení 2. odpočinek, pobyt 3. přestání, konec 4. interpunkční znaménko, tečka 5. klapka hudebního nástroje, rejstřík 6. tech. zarážka, narážka, doraz 7. clona ♦ *to make a* ~ zastavit se; *to give a* ~ *to* zastavit; *to put a* ~ *to* ukončit, zastavit, učinit přítrž; *full* ~ tečka, puntík; ~ **-cock** [ˈstopkok] *s* kohoutek u sudu; ~ **-gap** [ˈstopgæp] *s* dočasná výpomoc, náhrada; ~ **-go signs** hov. pouliční světelné signály; ~ **-lamp** *s* aut. brzdová svítilna;

—page ['stopidž] s 1. zacpání, zácpa 2. zastavení, zadržení 3. překážka, porucha 4. brzdění; —per ['stopə] s zátka □ vt ucpat zátkou, zazátkovat; ~ -valve tech. uzavírací ventil; ~ -watch ['stopwoč] s stopky hodinky

stop|e [stoup] s horn. porub □ vt rubat; —ing ['stoupiŋ] s rubání, dobývání uhlí

storage ['sto:ridž] s 1. uložení, uskladnění; skladiště 2. nájemné, skladné; ~ battery, ~ cell akumulátor; ~ bin zásobník; ~ heater tepelný akumulátor

store [sto:] s 1. zásoba, materiál 2. hromada, sklad 3. nadbytek 4. skladiště 5. pl. vojenské zásoby 6. am. krám, obchod jednotkový 7. zast. hojnost ♦ in ~ v zásobě, na skladě; in ~ for přichystán pro; to set great ~ on značně cenit, vážit si □ vt 1. nahromadit 2. opatřit, vyzbrojit (with čím) 3. zásobit (up) 4. nahromadit 5. uložit, uskladnit; ~ -bread ['sto:brəd] s suchar; —house ['sto:haus] s skladiště, sýpka, zásobárna; I~ -keeper s skladník, obchodník; I~ -pond s sádka na ryby; I~ -room s zásobárna

storey, story ['sto:ri] s poschodí; two-~ed n. two-storied dvoupatrový

storied ['sto:rid] a 1. vyzdobený obrazy z historie n. legendy 2. proslavený, legendární

stork [sto:k] s čáp

storm [sto:m] s bouře, bouřka ♦ a ~ in a teacup fig. bouře ve

sklenici vody; to take by ~ vzít útokem □ vi bouřit, burácet □ vt vzít útokem, ztéci, dobýt; ~ -beaten ['sto:m͵bi:tn] a bouří zmítaný; ~ -bound ['sto:mbaund] ship loď držená v přístavu bouří; ~ troops úderné jednotky; —y ['sto:mi] a bouřlivý, prudký

story ['sto:ri] s 1. povídka, pohádka 2. příběh, vypravování 3. lež 4. = storey poschodí; I~ -book s kniha pohádek; ~ -teller ['sto:ri͵telə] s pohádkář; prášil

stout [staut] a 1. silný, tlustý 2. statný, udatný 3. smělý, odvážlivý 4. rozhodný 5. nekompromisní □ s silné pivo, ležák; ~ -hearted ['staut͵ha:tid] a smělý, odvážný

stove [stouv] s 1. kamna, sporák 2. skleník □ vt sušit v peci, vypalovat lak

stow [stou] vt 1. nacpat 2. uložit do lodě 3. uschovat, uložit, uskladnit; —age ['stouidž] s 1. uskladnění 2. uschování 3. lodní prostor 4. schránka 5. skladné; —away ['stouəwei] s černý pasažér na lodi; ~ -space ['stouspeis] s lodní prostor

strabismus [strə'bizməs] s šilhavost

straddle ['strædl] vi 1. rozkročit se, stát rozkročmo, sedět obkročmo 2. am. hov. nemíchat se do sporu, zastávat obojetné stanovisko, sedět na dvou židlích

strafe [stra:f] vt prudce bombardovat; potrestat

straggl|e [ˈstrægl] *vi* **1.** jít
roztroušeně, potulovat se roz-
ptýleně **2.** odchýlit se, od-
poutat se, odtrhnout se **3.**
ležet roztroušeně **4.** nepravi-
delně se vinout **5.** růst nepra-
videlně, bujet; **—er** [ˈstræglə]
s pobuda, tulák

straight [streit] *a* **1.** rovný,
přímý (~ *line* přímka) **2.**
pravý **3.** řádný, poctivý **4.**
nepokažený; **—en** [ˈstreitn]
vt & i narovnat (se), natáh-
nout; **—forward** [streitˈfo:-
wəd] *a* přímý, otevřený, poc-
tivý; **|—ˈoff** *adv* bez váhání;
|—ˈout *adv* bez obalu, pří-
mo; **—way** [ˈstreitwei] *adv*
ihned

strain [strein] *vt & i* **1.** napnout,
natáhnout **2.** tisknout, mač-
kat **3.** cedit, filtrovat **4.** na-
máhat (se), přehánět, přepí-
nat **5.** vynutit **6.** překrucovat
zákon ♦ *to* ~ *a point* překročit
míru; ~ *after* usilovat o □ *s*
1. napnutí, napětí **2.** defor-
mace **3.** záliba, náklonnost,
vloha **4.** nápěv **5.** stopa **6.**
námaha, namáhání, úsilí **7.**
rod, druh, chov **8.** nároky **9.**
tlak **10.** pl. ráz, tendence **11.**
pocit ♦ *to be upon the high* ~
mluvit zvysoka; **—er** [ˈstreinə]
s **1.** cedník; filtr **2.** snaživec;
—ing [ˈstreiniŋ] *s* **1.** na-
máhání **2.** deformace **3.** pro-
cezování, filtrování

straint [streint] *s* **1.** zř. napětí,
napnutí **2.** úsilí, tlak

strait [streit] *a* **1.** úzký, těsný
2. přísný □ *s* **1.** úžina mořská,
průliv **2.** rozpaky, nesnáz;
nedostatek ♦ *to drive to* -*s*

přivést do úzkých; **—en**
[ˈstreitn] *vt & i* **1.** zúžit (se)
2. zast. sevřít, omezit **3.**
uvést do rozpaků n. nesnází ♦
in -ed circumstances v úzkých
finančně; ~ **-jacket** [ˈstreit-
ˌdžækit], ~ **-waistcoat** [ˈstreit-
ˌweiskout] *s* svěrací kazajka

strand¹ [strænd] *s* břeh, po-
břeží □ *vi* uváznout na měl-
čině

strand² [strænd] *s* pramen lana

strangle [streindž] *a* **1.** cizí, ne-
známý; podivný, zvláštní,
nezvyklý **2.** překvapující, ne-
obyčejný **3.** upjatý o chování;
—er [ˈstreindžə] *s* cizinec;
nováček ♦ *to be a* ~ *to a*
thing nerozumět věci

strangle [ˈstrængl] *vt* uškrtit;
~ **-hold** [ˈstrænglhould] *s*
smrtelný stisk; ~ **-weed**
[ˈstrænglwi:d] *s* kokotice, vi-
kev

strangulat|e [ˈstrængjuleit] *vt*
přiškrtit, zaškrtit tepnu, střevo;
—ion [ˌstrængjuˈleišən] *s* uškr-
cení, přiškrcení ♦ *financial*
~ finanční deptání

strangury [ˈstrængjuri] *s* med.
řezavka, bolestné močení

strap [stræp] *s* řemen, pás, po-
pruh ♦ ~ *iron* pásová ocel;
razor ~ obtahovací řemen □
vt (-pp-) řemenem mrskat,
šlehat; na řemenu obtáhnout;
~ *up* převázat (krabici) řeme-
nem; **—hang*** [ˈstræphæŋ] *vi*
držet se řemenu; **—hanger**
[ˈstræphæŋə] *s* pasažér držící
se řemenu; **—ping** [ˈstræpiŋ]
a veliký, silný, kolohnátský
□ *s* **1.** proužková náplast **2.**
výprask

strata [ˈstraːtə] *pl.* od *stratum*
♦ *broadest* ~ nejširší vrstvy
stratagem [ˈstrætidžəm] *s* lest,
úskok
strateg|ic [strəˈtiːdžik] *a* strate-
gický; —ical [strəˈtiːdžikəl]
a strategický; —y [ˈstrætidži]
s strategie, válečnictví
Stratford [ˈstrætfəd] *s* Strat-
ford (m)
strath [stræθ] *s* skot. široké
horské údolí
strat|ification [ˌstrætifiˈkeišən]
s zvrstvení, vrstevnatost;
—um [ˈstraːtəm] pl. -*a* [-ə]
vrstva, sloj
stratosphere [ˈstrætousfiə] *s* stra-
tosféra
straw [strɔː] *s* 1. sláma, stéblo
2. maličkost ♦ *to pick* ~
konat marnou práci; *to be in
the* ~ arch. být šestinedělkou;
to be quite of ~ být zcela
pomaten; *to stumble at a* ~
urazit se maličkostí; *to catch
at a* ~ fig. chytat se stébla;
|~-bed *s* slamník; |~-berry
s červená jahoda; ~-colour-
ed [ˈstrɔːkələd] *a* plavý;
~-cutter [ˈstrɔːkatə] *s* ře-
začka; |~-hat *s* slaměný
klobouk; ~-mattress [ˈstrɔː-
ˌmætris] *s* slamník; —y
[ˈstrɔːi] *a* slaměný
stray [strei] *vi* (za)bloudit; po-
tloukat se □ *vt* zavést na
scestí □ *s* 1. bloudění 2. fig.
člověk svedený na scestí 3.
bezdomovec 4. zaběhlé do-
bytče 5. věc, k níž se nikdo
nehlásí 6. rozptyl □ *a* 1.
zaběhlý; pobloudilý 2. ná-
hodný, sporadický; ~ currents
el. bludné proudy

streak [striːk] *s* pruh, proužek,
žíla nerostu; rys charakteru □
vt pruhovat; postříkat; —ed
[striːkt] *a* pruhovaný, prouž-
kovaný, žíhaný; —y [ˈstriːki]
a 1. pruhovaný 2. prorostlý
maso 3. fig. hov. nestálý,
měnlivý
stream [striːm] *s* proud, tok,
potok, řeka; *down* ~ po
proudu; *up* ~ proti proudu
□ *vi* proudit, téci, kanout □
vt vyzařovat; —er [ˈstriːmə]
s 1. vlajka, praporec vlající ve
větru 2. světelný paprsek,
severní záře; —let [ˈstriːmlit]
s potůček, pramének; ~-line
[ˈstriːmlain] *s* proudnice □
vt 1. dát proudnicový tvar
2. urychlit proces; —lined
[ˈstriːmlaind] *s* proudnicový
street [striːt] *s* ulice ♦ *on the* -*s*
živící se prostitucí; ~-car
[ˈstriːtkaː] *s* am. pouliční
dráha; |~-ˌcleaning machine
stroj na čištění ulic; ~-sweep-
er [ˈstriːtˌswiːpə] *s* metař,
zametací stroj; ~-walker
[ˈstriːtˌwoːkə] *s* prostitutka
strength [streŋθ] *s* síla, moc;
pevnost ♦ *on the* ~ *of* spo-
léhající se na, na podkladě
čeho, z podnětu; —en [ˈstreŋθ-
ən] *vt* posílit, upevnit □ *vi*
sílit, mohutnět; —ener
[ˈstreŋθənə] *s* posilovač, sí-
lící prostředek
strenuous [ˈstrenjuəs] *a* 1. usi-
lovný, namáhavý 2. činný,
čilý, snaživý 3. statečný,
odvážný 4. horlivý, vytrvalý
streptomycin [ˌstreptouˈmaisin]
s streptomycin
stress [stres] *s* 1. důraz, síla;

tlak, namáhání 2. důležitost, váha argumentu 3. přízvuk 4. nesnáz, obtíž ♦ *to lay* ~ *on* klást důraz na; ~ *disease* onemocnění z přepracování □ *vt* dát důraz na, zdůraznit, přízvukovat

stretch [streč] *vt & i* 1. natáhnout, napínat, roztahovat; vztáhnout 2. namáhat se, přepínat, přemáhat; přehánět 3. táhnout se, prostírat se, rozpínat se 4. zvr. protáhnout se ♦ *to* ~ *a point* zacházet do krajnosti, přehánět □ *s* 1. natažení, roztažení, rozpětí 2. objem, rozloha 3. námaha 4. nadsazení, překroucení ♦ *at a* ~ jedním rázem; *to put upon the* ~ natáhnout na skřipec; —**er** [¹strečə] *s* 1. natahovač, rozpínač 2. nosítka pro raněné 3. opěradlo pro nohy veslaře 4. běhoun zdiva 5. sl. přehánění, nadsázka, lež

strew* [stru:] *vt* stlát; sypat, rozptýlit, trousit

strewn [stru:n] *pp* od *strew*

stri|a [¹straiə] pl. *-ae* [¹straii:] proužek; rýha; žlábek, brázda, vroubek; —**ated** [strai-⟨ieitid] *a* pruhovaný, žlábkovaný, brázděný

stricken [strikən] *a* stižený, sklíčený

strickle [¹strikl] *s* 1. brousek 2. stěradlo 3. hůl na zarovnávání míry obilí

strict [strikt] *a* 1. přísný 2. určitý, přesný 3. zř. úzký, těsný, napjatý; —**ly** *speaking* v přesném slova smyslu; —**ure** [¹strikčə] *s* 1. stažení,

stah 2. med. zúžení 3. narážka, kritická poznámka

stride* [straid] *vi & t* 1. kráčet dlouhými kroky 2. překročit 3. rozkročit se □ *s* velký krok, délka kroku

strident [¹straidnt] *a* pronikavý, vrzavý

strid|or [¹straido:] *s* pronikavý hvizd, skřípot, vřeštění; šustot, chřestot, cvrkot; —**ulous** [¹stridjuləs] *a* vrzavý, chrastící, ječivý, vřeštivý

strife [straif] *s* 1. hádka, svár, spor 2. zápas, závodění ♦ *to be at* ~ závodit

strigil [¹stridžil] *s* škrabátko

strike¹* [straik] *vt* 1. udeřit, uhodit 2. hodit 3. sekat 4. mrštit, praštit, vrhnout 5. zarazit 6. překvapit 7. dojmout, pohnout, upoutat 8. tisknout, razit peníze 9. škrtnout 10. zaujmout postavení □ *vi* 11. spustit vlajku 12. stávkovat 13. hřmít, burácet 14. zdařit se 15. ujmout se, zakořenit se 16. běhat, honit se 17. zasáhnout, srazit se 18. bojovat ♦ *the clock* -*s* hodiny bijí; *to* ~ *a bargain* udělat obchod; *to* ~ *battle* svést bitvu; *to* ~ *dead* usmrtit; *to* ~ *deaf* ohlušit; *to* ~ *dumb* oněmět; *to* ~ *a light* rozsvítit, rozškrtnout sirku; *to* ~ *sail* stáhnout plachty, vzdát se; *to* ~ *to the ground* srazit k zemi; *to* ~ *oil* nalézt naftu na svém pozemku, náhodně zbohatnout; *to* ~ *flag* vzdát se; ~ **against** narazit, odporovat; ~ **aside** odrazit; ~ **at** uhodit na, útočit na, podniknout;

~ back odrazit, oplatit ránu; **~ down** porazit, srazit, zabít; **~ for** učinit útok; **~ in with** vpadnout, přidat se, souhlasit; **~ into** vrazit; **~ off** utnout hlavu; odbočit; zrušit; **~ out** 1. vyrážet, pučet 2. razit, vynalézat 3. vychválit 4. odchýlit se 5. škrtnout; vykřesat; **~ out for o.s.** zaříditi se pro sebe; **~ through** prorážet, prosvítat; škrtnout; **~ to** pohnout k, proniknout k; spustit píseň, zahrát; **~ up** *a bargain* uzavřít koupi; **~ upon** dopadat na

strik|e² [straik] *s* 1. rána, udeření, úder 2. stávka (*to be on ~* stávkovat) 3. měřice, strych 4. náhlý úspěch, štěstí 5. velký úlovek; **~ -breaker** [ˈstraikˌbreikə] *s* stávkokaz; **~ -breaking** [ˈstraikˌbreikiŋ] *s* stávkokazectví; **—er** [ˈstraikə] *s* 1. přitloukač 2. kladívko bicích hodin 3. harpunář; harpuna 4. stávkující 5. zápalník zbraně; **—ing** [ˈstraikiŋ] *a* 1. překvapující, nápadný 2. dojímavý; **—ing-distance** [ˈstraikiŋˌdistəns] *s* dostřel, dosah

string [striŋ] *s* 1. provazec, tkaloun, šňůra 2. struna 3. pl. smyčcové nástroje, hráči na ně 4. vlákno, nerv 5. pořádek, řada ♦ *to pull the -s* ovládat situaci ze zákulisí □ *vt* 1. potáhnout strunami, naladit 2. navlékat na šňůru 3. fig. napínat luk 4. seřadit, sečlánkovat (*together*); **—ent** [ˈstrindžənt] *a* naléhavý, důrazný, přísný; **—y** [ˈstriŋi] *a* vláknitý, strunovitý, svalnatý

strip [strip] *vt & i* (-pp-) 1. stáhnout, svléci (se), odstrojit (se) 2. obrat, oloupit, zbavit (*of* čeho) 3. rozebrat 4. oloupat, odřít; *to ~ to the skin* odřít až na kůži; **~ off** sloupat, svléci □ *s* 1. proužek odřezek, řízek 2. voj. nábojový pás 3. pásová ocel (*~ iron*); **—ped** [stript] *a* svlečený, nahý

strip|e [straip] *s* 1. pruh, proužek, pásmo, prýmek 2. arch. šleh, rána, uderění 3. pl. výprask, namrskání □ *vt* 1. pruhovat 2. mrskat, sešlehat; **—ed** [straipt] *a* pruhovaný, žíhaný

stripling [ˈstripliŋ] *s* výrostek, mladík

strive* [straiv] *vt* 1. snažit se, namáhat se; usilovat, pokoušet se (*for, after* o) 2. závodit (*for* o) 3. zápasit, hádat se

strode [stroud] *pt* viz *stride*

stroke [strouk] *s* 1. úder, tětí; ráz, rána; náraz; dopad 2. pohlazení 3. bití pulsu 4. rys, tah, črta 5. mrtvice 6. tech. zdvih, doba cyklu motoru (*exhaust ~* výfukový zdvih, výfuk motoru) ♦ *on the ~ of nine* úderem deváté □ *vt* 1. hladit 2. řídit veslem ♦ *to ~ the wrong way* hladit proti srsti

stroll [stroul] *vi* 1. procházet se 2. potloukat se 3. kočovat; **—er** [ˈstroulə] *s* 1. kočovník 2. tulák 3. komediant; **—ing** *company* kočující divadelní společnost □ *s* 1. procházka, toulka 2. kočování

strong [stroŋ] *a* 1. silný, pevný,

statný **2.** mocný **3.** prudký
4. přísný **5.** důrazný, horlivý
6· přesvědčující, nápadný **7.**
energický ♦ ~ *drink* alkoholický nápoj; ~ **hand** moc,
násilí; I—**hold** *s* pevnost;
I~-**set** *a* urostlý, .zavalitý; I~-₁**water** *s* pálenka;
I~-₁**water-shop** *s* kořalna

strontium [ˈstronšiəm] *s* strontium

strop [strop] *s* řemen na obtahování břitvy ☐ *vt* (-pp-) nabrousit na řemenu

strophe [ˈstroufi] *s* sloka, strofa

strove [strouv] *pt* viz *strive*

strow [strou] = *strew*

strown [stroun] *pp* viz *strow*

structur|al [ˈstrakčərəl] *a* strukturální; —**e** [ˈstrakčə] *s* **1.**
složení, struktura, sklad,
uspořádání **2.** konstrukce,
stavba, budova

struggle [ˈstragl] *vi* bojovat, zápasit; namáhat se, usilovat ☐
s **1.** zápas, boj; *class* ~ třídní
boj; *illegal* ~ ilegální boj;
internal Party ~ vnitrostranický boj **2.** úsilí, námaha

strum [stram] *vt* (-mm-) brnkat
(*on* na)

strumous [ˈstru:məs] *a* volatý,
skrofulózní

strumpet [ˈstrampit] *s* běhna,
lehká žena

strung [straŋ] *pt & pp* viz *string*

strut¹ [strat] *vi* (-tt-) pyšně si
vyšlapovat, nafukovat se

strut² [strat] *s* trám, podpora,
vzpěra ☐ *vt* (-tt-) vyztužit
vzpěrou

strychnine [ˈstrikni:n] *s* strychnin, jed

stub [stab] *s* **1.** pařez, pahýl,

špalek **2.** kořen zubu **3.** špaček
tužky, cigarety ap. ♦ *to buy at
the* ~ kupovat stojaté dříví
☐ *vt* (-bb-) **1.** vymýtit, vysekat **2.** zakopnout (*one's toe*
o něco); —**by** [ˈstabi] *a* zavalitý; ~ *nail* hřeb bez hlavičky

stubble [ˈstabl] *s* strniště ♦
~ *ploughed under* podmítka;
I~-**field** *s* strniště; ~ **goose**
podškubaná husa

stubborn [ˈstabən] *a* **1.** tvrdohlavý, neústupný, nepovolný
2. tuhý, neohebný

stucco [ˈstakou] *s* štukatura

stuck [stak] *pt & pp* viz *stick*

stud¹ [stad] *s* **1.** kmen, trám,
sloup **2.** hřeb, závrtný šroub,
čep kola **3.** knoflíček do manžety ☐ *vt* (-dd-) hustě pobít
hřebíky

stud² [stad] *s* hřebčinec;
~ -**horse** [ˈstadho:s] *s* hřebec

stud|ent [ˈstju:dənt] *s* **1.** student; ~ *'s hostel* studentská
kolej **2.** učenec; —**ied** [ˈstadid] *a* **1.** záměrný, promyšlený
2. učený; —**io** [ˈstju:diou] *s*
ateliér; —**ious** [ˈstju:djəs] *a*
pilný, přičinlivý, dbalý (*of*
čeho); záměrný; —**y** [ˈstadi] *s*
1. učení, studium **2.** předmět
studia **3.** snaha, úsilí **4.** bádání, hloubání **5.** studovna,
učebna **6.** studie, kresba,
náčrt, předloha ☐ *vi & t* **1.**
učit se, studovat **2.** přemýšlet
hloubat; snažit se, usilovat
3. hledět si

stuff [staf] *s* **1.** látka, materiál,
hmota **2.** nádivka **3.** veteš,
hadry **4.** hov. lék **5.** podstata
♦ *don't give me that* ~ nechoďte mi s takovým ne-

smyslem □ *vt & i* cpát (se), napěchovat (*with, in* čím, do), nadívat; ~ *up* ucpat; —**ing** [ˈstafiŋ] *s* 1. nádivka 2. vycpávka, těsnění 3. koudel na vycpávku; —**y** [ˈstafi] *a* stuchlý, dusný, nevětraný

stultify [ˈstaltifai] *vt* dělat si blázny z, učinit absurdním; znehodnotit

stum [stam] *s* mošt, mladé víno

stumbl|e [ˈstambl] *vi & t* 1. klopýtnout, zakopnout; poklesnout, narazit (*upon* na) 2. zadržet 3. pohoršit, urazit; ~ *at* zarazit se nad □ *s* klopýtnutí, poklesek, přehmat; ˈ—**ing-block** *s* kámen úrazu, překážka; pohoršení

stump [stamp] *s* 1. pahýl, kořen 2. zavalitá osoba 3. výstupek, řečnická tribuna 4. pl. sl. nohy 5. branka kriketu □ *vt* · 1. zkomolit, zmrzačit 2. porazit, osekat 3. uvést do rozpaků 4. pomást 5. agitovat □ *vi* 6. štrachat se 7. řečnit z tribuny; ~ *about* těžce našlapovat; —**er** [ˈstampə] *s* obtížná otázka n. úkol; —**y** [ˈstampi] *a* 1. pahýlovitý 2. buclatý, zavalitý, ouřezkovitý

stun [stan] *vt* (-nn-) ohlušit; ohromit, omráčit, naplnit úžasem; —**ning** [ˈstaniŋ] *a* ohromující

stung [staŋ] *pt & pp* viz *sting*

stunk [staŋk] *pt & pp* viz *stink*

stunt[1] [stant] *vt* bránit vzrůstu, nechat zakrnět

stunt[2] [stant] *s* am. sl. vrcholný výkon, dovedný kousek; senzace

stupe [stju:p] *s* teplý obklad, flanel

stup|efaction [ˌstju:piˈfækšən] *s* omámení, otupění, tupost, necitelnost; —**efy** [ˈstju:pifai] *vt* omráčit, omámit; otupit; —**or** [ˈstju:pə] *s* omráčení, ztrnulost, tupost; úžas

stupid [ˈstju:pid] *a* hloupý, tupý; nudný; —**ity** [stju:ˈpiditi] *s* hloupost, tupost

sturd|iness [ˈstə:dinis] *s* statnost, zmužilost, houževnatost; —**y** [ˈstə:di] *a* pevný, silný, statný, robustní; bujarý, zmužilý; houževnatý

sturgeon [ˈstə:džən] *s* jeseter, vyza

stutter [ˈstatə] *vi* koktat, zajíkat se, breptat

sty[1] [stai] *s* prasečí chlívek, pelech □ *vt* zavřít do chlívku

sty[2]**, stye** [stai] *s* ječné zrno na oku

Stygian [ˈstidžiən] *a* stygijský

styl|e [stail] *s* 1. rydlo, pisátko, jehla 2. rafije, ručička slunečních hodin 3. pilíř, sloup 4. sloh, styl, způsob 5. letopočet 6. titul 7. móda □ *vt* nazvat, popsat, titulovat; —**ish** [ˈstailiš] *a* stylový, pěkný, nádherný; vkusný, módní

suable [ˈsju:əbl] *a* žalovatelný

suasion [ˈsweižən] *s* domluva přemlouvání

suav|e [swa:v] *a* líbezný, jemný, příjemný, zdvořilý; —**ity** [ˈswæviti] *s* příjemnost, lahodnost, líbeznost

sub. = 1. *subaltern* 2. *subscription* 3. *substitute*

subacid [ˈsabˈæsid] *a* nakyslý

subaltern [ˈsabltən] *a* podřízený, nižší □ *s* nižší důstojník subaqueous [sab|eikwiəs] a podvodní, podmořský

subcommittee [ˈsabkə|miti] s podvýbor, subkomise

subconscious [ˈsab|konšəs] a podvědomý; —ness [ˈsab|konšəsnis] s podvědomí

subcutaneous [ˈsabkju:|teinjəs] a podkožní

subdivi|de [ˈsabdi|vaid] vt poddělit, znovu rozdělit; —sion [ˈsabdi|vižən] s pododdělení

subdue [səb|dju:] vt 1. podmanit, podrobit, pokořit; zkrotit, přemoci 2. zmírnit, zjemnit; -d light tlumené světlo

subjacent [sab|džeisənt] a spodní, podložený, ležící níže

subject [ˈsabdžikt] a 1. podrobený, poddaný, podřízený; ~ country závislá země 2. vystavený, přístupný, náchylný (to k) □ s 1. předmět, věc, subjekt 2. osoba 3. gram. podmět 4. poddaný □ vt [səb|džekt] 1. podložit 2. podrobit, podmanit 3. vystavit (to criticism kritice) ♦ ~ matter námět, téma, látka; —ion [səb|džekšən] s podrobení, podmanění; —ive [sab|džektiv] a subjektivní, podmětový, osobní

subjoin [ˈsab|džoin] vt připojit, přidat, dodat

subjugat|e [ˈsabdžugeit] vt podrobit, podmanit, zotročit; —ion [ˈsabdžu|geišən] s poddanství, zotročení, závislost (political politická)

subjunctive [səb|džaŋktiv] s spojovací způsob, subjunktiv, konjunktiv

sublease [ˈsab|li:s] s podnájem

sublet* [ˈsab|let] vt dát do podnájmu, propachtovat

sublim|ate vt [ˈsablimeit] 1. přepálit, sublimovat 2. povýšit, povznést □ s [ˈsablimit] sublimát; —ation [ˌsabli|meišən] s 1. povznesení 2. přepálení, sublimace; —e [sə|blaim] a 1. vznešený, povznesený, úžasný 2. vyčnívající, vyvýšený □ s: the ~ vznešenost □ vt 1. povznést, zušlechtit 2. přepalovat, sublimovat; —ity [sə|blimiti] s vznešenost; povznesení; velebnost, nadšení

submachine-gun [ˈsabmə|ši:ngan] s samopal, automatická puška

submarine [ˈsabməri:n] a podmořský □ s ponorka

submer|ge [səb|mə:dž] vt & i ponořit (se), potopit (se), zaplavit; —sion [səb|mə:šən] s ponoření, zatopení, zátopa

submiss|ion [səb|mišən] s pokora, kajícnost; podrobení se, rezignace; —ive [səb|misiv] a poslušný, pokorný; poddajný, učelivý

submit [səb|mit] vt & i (-tt-) 1. podrobit se, pokořit se, poddat se, podvolit se 2. ustoupit 3. přizpůsobit, konstatovat 4. přizpůsobit (se) 5. předložit důkaz, fakta

subordinat|e a [sə|bo:dnit] 1. podřaděný, podřízený 2. gram. podřadný □ vt [sə|bo:dineit] podřadit, podřídit; —ion [sə|bo:di|neišən] s 1. podřaděnost 2. podřízenost, subordinace 3. zast. řada, stupeň

suborn [sa|bo:n] vt navést, podplatit, svést ke křivému svědectví

subpoena [səb'pi:nə] *s* práv. obsílka □ *vt* obeslat, předvolat k soudu

subscrib|e [səb'skraib] *vt* podepsat (se), upsat (se), předplatit (se), odebírat; **—er** [səb'skraibə] *s* podpisovatel, předplatitel, abonent

subscription [səb'skripšən] *s* 1. podpis 2. upisování 3. předplácení, subskripce

subsequent ['sabsikwənt] *a* následující (*to* za), příští, pozdější

subserv|e [səb'sə:v] *vt* sloužit jako prostředek, prospívat, podporovat; **—ience, —iency** [səb'sə:vjəns(i)] *s* 1. pomoc, prostředek 2. odvislost, služebnost; **—ient** [səb'sə:vjənt] *a* prospěšný, užitečný, nápomocný (*to* v); služebný, ponížený

subsid|e [səb'said] *vi* 1. klesat 2. ubývat, přestávat, mizet 3. sedat se 4. uklidnit se, utišit se; **—iary** [səb'sidjəri] *a* pomocný, podpůrný; přiřaděný, přidělený; vedlejší; **—ize** ['sabsidaiz] *vt* podporovat, subvencovat; **—y** ['sabsidi] *s* pomoc, podpora; příspěvek, příplatek; subvence

subsist [səb'sist] *vt & i* 1. být, existovat, trvat 2. živit se 3. vyživovat, vydržovat; **—ence** [səb'sistəns] *s* 1. bytí, jsoucnost, existence, trvání 2. živobytí, výživa, stravování ♦ *to gain one's ~* vydělat si na živobytí; *means of ~*

životní prostředky; **—ent** [səb'sistənt] *a* jsoucí, existující, skutečný

subsonic [sab'sonik] *a* podzvukový (*speed* rychlost)

substance ['sabstəns] *s* 1. podstata, jádro, treső 2. hmota, látka, substance, skutečnost 3. jmění, majetek, prostředky 4. statek 5. podstatný obsah knihy ♦ *in ~* v podstatě, hlavně; *man of ~* zámožný člověk

substant|ial [səb'stænšəl] *a* 1. podstatný; skutečný; bytný, hmotný 2. silný, pevný 3. výživný, vydatný o jídle 4. zámožný; **—iality** [səb,stænši'æliti] *s* 1. podstata, hlavní obsah 2. tělesnost, pevnost, síla 3. výživnost 4. zámožnost 5. skutečnost 6. schopnost; **—iate** [səb'stænšieit] *vt* 1. uskutečnit 2. práv. dokázat, dosvědčit, odůvodnit; **—ive** ['sabstəntiv] *a* existenciální, bytostný, podstatný; samobytný □ *s* podstatné jméno

substitut|e ['sabstitju:t] *vt* nahradit, podstrčit □ *s* 1. zástupce, náměstek, náhradník 2. náhrada 3. náhradní součástka, náhražka; **—ion** [,sabsti'tju:šən] *s* náhrada, zastoupení, dosazení

substratum ['sab'stra:təm] *s* substrát, podklad, základ, spodní vrstva

substruction ['sab'strakšən] *s* podezdívka, základ, podklad

subsume [səb'sju:m] *vt* zahrnovat pod, subsumovat

subten|ant ['sab'tenənt] *s* podnájemník; —**ancy** [sabᴵtenənsi] *s* podnájem

subtend [səbᴵtend] *vt* geom. ležet pod, proti úhlu, oblouku

subterfuge [ᴵsabtəfju:dž] *s* vytáčka, úskok

subterrane|an [ᵢsabtəᴵreinjən] *a* podzemní; —**ous** [ᵢsabtəᴵreinjəs] *a* podzemní

subtil|(e) [ᴵsatl] *a* arch. 1. tenký, útlý, jemný 2. lstivý, úskočný, poťouchlý; —**ity** [sabᴵtiliti] *s* 1. jemnost, útlost, něžnost 2. zchytralost, lstivost 3. bystrost 4. nepostižitelnost; —**ize** [ᴵsatilaiz] *vt* zjemnit □ *vi* bystře n. jemně rozebírat

subtle [ᴵsatl] *a* 1. jemný, útlý, subtilní 2. důvtipný, bystrý, chytrý; lstivý 3. spletitý 4. zákeřný 5. choulostivý 6. propracovaný, přesný; —**ty** [ᴵsatlti] *s* 1. jemnost povahy, mravů, úsudku 2. pronikavost, důvtipnost, lstivost, klam 3. puntičkářství

subtract [səbᴵtrækt] *vt* odčítat (*from* od); —**ion** [səbᴵtrækšən] *s* odčítání, menšitel; —**ive** [səbᴵtræktiv] *a* odčítací

suburb [ᴵsabə:b] *s* předměstí; —**an** [səᴵbə:bən] *a* předměstský

subvention [səbᴵvenšən] *s* subvence, podpora

subver|sion [sabᴵvə:šən] *s* podvrácení, zničení, zkáza; —**sive** [sabᴵvə:siv] *a* podvratný; —**t** [sabᴵvə:t] *vt* podvracet, ničit

subway [ᴵsabwei] *s* 1. podchod, podjezd 2. am. podzemní cesta n. dráha

succeed [səkᴵsi:d] *vi* 1. následovat (*to* po), být nástupcem 2. podařit se, mít úspěch (*in* v)

success [səkᴵses] *s* 1. úspěch, zdar, štěstí 2. arch. posloupnost, nástupnictví ♦ *to meet with bad ~* potkat se s nezdarem; —**ful** [səkᴵsesful] *a* zdárný, úspěšný; —**ion** [səkᴵsešən] *s* 1. pořadí, postup, posloupnost 2. následnictví 3. zast. dědictví; —**or** [səkᴵsesə] *s* nástupce, následník

succinct [səkᴵsiŋkt] *a* 1. podkasaný šat 2. krátký, úsečný, stručný, jasný sloh

succory [ᴵsakəri] *s* čekanka, cikorka

succour [ᴵsakə] *s* pomoc v nouzi, posila, přispění □ *vt* přispět, přispěchat na pomoc, pomoci

succub|us [ᴵsakjubəs] *s* pl. -*i* [-ai] můra

succul|ence [ᴵsakjuləns] *s* šťavnatost; —**ent** [ᴵsakjulənt] *a* šťavnatý, dužnatý

succumb [səᴵkam] *vi* podlehnout, ustoupit (*to* před), podřídit se

succursal [saᴵkə:səl] *a* podpůrný, vedlejší

such [sač] *pron* takový ♦ *~ another* právě takový; *at ~-and-~ a time* kdysi; *~ like things* takové, podobné věci; *as ~* jako takov|ý, -í

suck¹ [sak] *vt* 1. sát 2. vysát, využít (*out of*); *~ in* vsát; *~ out* vysát, vyčerpat; *~ up* vsát

suck² [sak] *s* 1. sání, cucání 2. kojení 3. cucnutí, doušek ♦ *to give ~* kojit; —**er** [ᴵsakə] *s* 1. kojenec 2. násoska 3. am. lid. hlupáček 4. výhonek; —**ing-bag** [ᴵsakiŋbæg] *s* cu-

mel; **—ing-bottle** ['sakiŋbotl]
s sací láhev; '—**ing-pig** *s* sele;
—ing-pump ['sakiŋpamp] *s*
pumpa na zdviž; **—le** ['sakl]
vt kojit □ *s* prs, cecík, prsní
bradavka; **—ling** ['sakliŋ] *s*
kojenec, mládě

suction ['sakšən] *s* sání, nasávání, vysání vzduchu; '**~ -fan**
s sací ventilátor; **~ -pump**
['sakšənpamp] *s* pumpa na
zdviž, sací potrubí

sudatory ['sju:dətəri] *a* potní □
s lázeň

sudden ['sadn] *a* náhlý, nenadálý, neočekávaný, kvapný
□ *s* zast. náhlá událost, překvapení, nenadání ♦ *on a ~,*
of a ~, all of a ~ náhle, znenadání

sudorific [ˌsju:də'rifik] *a* pot
vzbuzující, potní □ *s* lék pro
pocení

suds [sadz] *s* pl. mydliny ♦ *to*
be in the ~ být namydlený,
být v úzkých

sue [sju:] *vt* pohnat před soud,
domáhat se soudně, žalovat □
vi ucházet se, žádat; *~ for*
prosit o, žalovat za náhradu
(*damages* škody); *~ out* vymoci si; *~ upon* žalovat na

suede [sweid] *s* semiš □ *a* semišový

suet [sjuit] *s* lůj, (vnitřní) tuk;
—y ['sjuiti] *a* lojovitý, tučný

Suez ['su:iz] *s* Suez

suffer ['safə] *vt & i* **1.** snášet,
trpět (*from* čím) **2.** zast. dovolit, připustit, nechat ♦ *to*
~ change změnit se; *to ~*
defeat utrpět porážku; *to ~*
losses utrpět ztráty; *~ for*
pykat za; **—able** ['safərəbl]

a snesitelný, dovolený, přípustný; **—ance** ['safərəns] *s*
1. arch. snášení, trpění, utrpení **2.** zast. trpělivost, snášenlivost **3.** zř. dopuštění, dovolení; **—ing** ['safəriŋ] *s* utrpění,
snášení, dovolení

suffic|e [sə'fais] *vi & t* **1.** stačit
(*for* komu), dostačit **2.** arch.
vyhovět; **—iency** [sə'fišənsi]
s **1.** dostatečnost, postačitelnost **2.** dostatek (*of* čeho) **3.**
zast. schopnost, výkonnost;
—ient [sə'fišənt] *a* dostatečný,
vhodný, přiměřený; schopný
♦ *to be ~* postačit

suffix *s* ['safiks] přípona □ *vt*
[sə'fiks] připnout, připojit

suffocat|e ['safəkeit] *vt & i* dusit, udusit (se); **—ion** [ˌsafə-
'keišən] *s* dušení, udušení

Suffolk ['safək] *s* Suffolk

suffragan ['safrəgən] *s* světící
biskup

suffrag|e ['safridž] *s* **1.** hlas volební, hlasování, volební právo (*equal ~* rovné volební
právo) **2.** modlitba přímluvná;
—ette [ˌsafrə'džet] *s* bojovnice za volební právo; **—ist**
['safrədžist] *s* zastánce volebního práva

suffuse [sə'fju:z] *vt* **1.** zalít,
polít; téci, kanout **2.** pokrýt
3. zbarvit se (*with* čím)

sugar ['šugə] *s* **1.** cukr **2.** fig.
lichocení; **~ -basin** ['šugə-
ˌbeisn], '**~ -box** *s* cukřenka;
'**~ -beet** *s* cukrovka; '**~ -beet**
harvester ['ha:vistə] kombajn
na sklízení cukrovky;
~ -candy ['šugəˌkændi] *s*
cukrkandl; **~ -cane** ['šugə-
kein] *s* cukrová třtina; **~ -loaf**

['šugəlouf] s homole cukru; ~ mill, ~ factory cukrovar; ~ -nippers ['šugə‚nipəz], ~ -tongs ['šugəto̯nz] s klíšťky na cukr; ~ -reed ['šugəri:d] s třtina cukrová; —y ['šugəri] a 1. cukrový, 2. sladký 3. lákavý

suggest [sə'džest] vt 1. vnuknout, dát podnět; našeptat 2. navrhnout, podotknout, dát pokyn; —ion [sə'džesčən] s 1. vnuknutí, podnět, pokynutí, pokyn 2. návrh 3. sugesce; —ive [sə'džestiv] a 1. ponoukavý, podnětný, sugestivní 2. obsažný 3. svůdný, podmanivý

suicid|al [sjui'saidl] a sebevražedný; —e ['sjuisaid] s sebevražda

suit [sju:t] s 1. oblek, úbor 2. souprava, výbava, výstroj 3. zast. postup, řada 4. průvod, družina 5. ucházení se o ruku, žádost 6. pře soudní, žaloba 7. karty jedné barvy ♦ to bring a ~ against podat žalobu na, žalovat koho; to follow ~ 1. přiznat barvu 2. přizpůsobit se □ vt & i 1. přiléhat, hodit se, vyhovovat 2. slušet, padnout 3. přizpůsobit (to čemu), uspořádat, seřadit 4. obléci 5. zvr. vybrat si; hodit se ♦ that -s my purpose to se mi hodí; —able ['sju:təbl] a vhodný, přiměřený ♦ to be ~ to n. for hodit se k, pro, souhlasit s; ~ -case ['sju:tkeis] s kufřík; —ing ['sju:tiŋ] s látka na oblek; —or ['sju:tə] s 1. nápadník 2. žadatel

suite [swi:t] s 1. družina, průvod 2. řada, skupina; soubor, souprava

sulk [salk] vi hněvat se, mrzet se, být ve špatné náladě □ s špatná nálada; —y ['salki] a mrzutý, rozdurděný

sullen ['salən] a 1. zasmušilý, mrzutý, mrzoutský 2. tvrdohlavý, neústupný, vzdorný 3. zlomyslný 4. chmurný, neblahý □ vt zř. zasmušit, rozmrzet; —ness ['salənnis] s 1. zasmušilost, mrzutost 2. tvrdošíjnost 3. nevrlost

sully ['sali] vt poskvrnit, pošpinit

sulphate ['salfeit] s kyselina sírová, síran

sulphide ['salfaid] s sirník

sulphite ['salfait] s siřičitan, sulfit

sulphur ['salfə] s síra; —eous [sal'fjuəriəs] a sirnatý, sírou nasycený, sírově žlutý; —ic [sal'fjuərik] a sirný, sírový

sultan ['saltən] s sultán; —a [sal'ta:nə] s 1. sultánova matka, žena, dcera; sultánka 2. [səl'ta:nə] hrozinka, sultánka; ~ -flower ['saltən‚flauə] s chrpa

sultr|iness ['saltrinis] s parno, dusno; —y ['saltri] a parný, dusný

sum [sam] s 1. součet 2. částka, obnos 3. celek, suma 4. stručný obsah ♦ in ~ celkem, stručně řečeno; ~ total úhrn, součet; ~ frequency součtový kmitočet □ vt (-mm-) shrnout, sebrat, sčítat; ~ up v krátkosti opakovat, rekapitulovat

Sumerian [sju:ˈmiəriən] a sumerský □ s 1. Sumer 2. sumerština

summary [ˈsaməri] a úhrnný, součetný, krátký □ s krátký obsah, výtah, přehled, nástin; seznam

summer [ˈsamə] s- 1. léto 2. nosný trám, břevno, traveřza ♦ Indian ~ babí léto □ vi & t 1. trávit léto 2. chovat, pást přes léto; |~-house s besídka; ~-solstice [ˈsaməˌsolstis] s letní slunovrat; |~-sault; |~-set viz |somer|sault, |~ -set; |~-time s letní čas; léto, letní doba; —y [ˈsaməri] a letní

summit [ˈsamit] s 1. vrchol, témě, hřeben 2. vyvrcholení, dovršení ♦~ conference konference na nejvyšší úrovni

summon [ˈsamən] vt 1. vyzvat, obeslat, předvolat 2. vyvolat, vyhlásit ♦ to ~ a meeting svolat schůzi; to ~ up courage sebrat odvahu; —s [ˈsamənz] s předvolání, obsílka

sump [samp] s 1. žumpa, odpad 2. bahno

sumpter [ˈsamptə] s arch. mezek, soumar

sumptu|ary [ˈsamptjuəri] a nákladný; přepychový ♦~ laws zákony proti přepychu; —ous [ˈsamptjuəs] a drahocenný; nádherný, skvostný, přepychový; nákladný

sun [san] s slunce; výsluní ♦ in the ~ na slunci □ vt & i (-nn-) vystavit účinkům slunce, vyhřívat se na slunci, slunit se; ~ and planet gear planetové soukolí; ~-bath [ˈsanba:θ]

s sluneční lázeň; ~-beam [ˈsanbi:m] s sluneční paprsek; ~-blind [ˈsanblaind] s žaluzie; ~-blinkers [ˈsanˌbliŋkəz] s brýle proti slunci; ~-bright [ˈsanbrait] a sluneční, jasný; —burnt [ˈsanbə:nt] a opálený, osmahlý; ~-dial [ˈsandaiəl] s sluneční hodiny; |—down s západ slunce; ~-flower [ˈsanˌflauə] s slunečnice; ~-rise [ˈsanraiz] s východ slunce; |~-set s západ slunce; —shade [ˈsanšeid] s stínítko proti slunci, sluneční clona; ~-shine [ˈsanšain] s sluneční svit; |~-spot s sluneční skvrna; ~-stroke [ˈsanstrouk] s úžeh; —ward [ˈsanwə:d] a k slunci obrácený; —wise [ˈsanwaiz] a ve směru hodinových ručiček

sunny [ˈsani] a slunný, jasný

sundae [ˈsandei] s porce zmrzliny s ovocem

Sunday [ˈsandi] s neděle ♦ ~ best sváteční šaty; ~ school nedělní škola

sunder [ˈsandə] vt zast. rozdělit, roztrhnout

sundry [ˈsandri] a různý, rozmanitý, rozličný □ s pl. rozličné zboží, směs; nepodstatné věci, maličkosti

sung [saŋ] pt & pp viz sing

sunk [saŋk] pt & pp viz sink

sup [sap] vt & i (-pp-) 1. večeřet 2. arch. & dial. srkat, připít □ s doušek, lok

super- [ˈsju:pə-] prefix značící „nad-", „pře-"

super [ˈsju:pə] a plošný, čtverečný □ s 1. nadbytečné, nežádoucí zboží 2. přespočetná, přebytečná věc 3. velejemný tovar nejlepší kvality

superable [ˈsjuːpərəbl] *a* překonatelný, přemožitelný, dostupný

superabund|ance [ˌsjuːpərəˈbandəns] *s* nadbytek; **—ant** [ˌsjuːpərəˈbandənt] *a* nadbytečný

superadd [ˌsjuːpərˈæd] *vt* ještě přidat

superannuat|e [ˌsjuːpəˈrænjueit] *vt* dát do výslužby; **—ion** [ˈsjuːpəˌrænjuˈeišən] *s* výslužba, penze

superb [sjuːˈpəːb] *a* nádherný, skvostný

super-cargo [ˈsjuːpəˌkaːgou] .*s* lodní důstojník dozírající na zboží

supercharg|e [ˈsjuːpəčaːdž] *s* přídavková náplň; **—er** [ˈsjuːpəčaːdžə] *s* dmychadlo, kompresor

supercilious [ˌsjuːpəˈsiliəs] *a* nadutý, pohrdavý; pánovitý, domýšlivý; zpupný

supercooling [ˈsjuːpəkuːliŋ] *s* přechlazení

supererogation [ˈsjuːpərˌerəˈgeišən] *s* nadbytečná svědomitost, přehánění

superficial [ˌsjuːpəˈfišəl] *a* povrchní; **—ity** [ˌsjuːpəˌfišiˈæliti] *s* povrchnost

superficies [ˌsjuːpəˈfišiːz] *s* povrch, vnější stránka

superfine [ˈsjuːpəˈfain] *a* zvláště jemný, prvotřídní zboží

superfinish [ˈsjuːpəˌfiniš] *s* tech. přehlazování; **—er** [ˈsjuːpəˌfinišə] *s* přehlazovací stroj

superflu|ity [ˌsjuːpəˈfluiti] *s* nad-

bytek, hojnost; **—ous** [sjuːˈpəːfluəs] *a* 1. hojný, nadbytečný 2. zbytečný, marný

superheat [ˌsjuːpəˈhiːt] *vt* přehřát; **—ed steam** přehřátá pára

superhuman [ˌsjuːpəˈhjuːmən] *a* nadlidský

superimpose [ˈsjuːpərimˈpouz] *vt* položit nač, navrstvit

superinduce [ˈsjuːpərinˈdjuːs] *vt* 1. položit navrch, přidat 2. přivodit spánek

superintend [ˌsjuːpərinˈtend] *vt* dohlížet, dozírat; **—ence** [ˌsjuːpərinˈtendəns] *s* vrchní dozor; **—ent** [ˌsjuːpərinˈtendənt] *s* vrchní dozorce, inspektor, správce

superior [sjuːˈpiəriə] *a* 1. vyšší, vrchní, hořejší 2. vznešenější, lepší, dokonalý ♦ ~ *force* převaha; *to be* ~ *to* být povznesen nad □ *s* představený; **—ity** [sjuːˌpiəriˈoriti] *s* 1. převaha 2. povýšenost 3. nadřízenost

superlative [sjuːˈpəːlətiv] *a* nejvyšší, dokonalý; přehnaný, superlativní □ *s* gram. superlativ

superman [ˈsjuːpəmæn] *s* nadčlověk

supermarket [ˌsjuːpəˈmaːkit] *s* am. obchodní dům se samoobsluhou

super-monopoly [ˌsjuːpəməˈnopəli] *s* nadmonopol

supernal [sjuːˈpəːnl] *a* vyšší, nadpozemský, nebeský; božský

supernatural [ˌsjuːpəˈnæčrəl] *a* bás. & řeč. nadpřirozený

supernumerary [ˌsjuːpəˈnjuːmə-

rəri] *a* nadpočetný, přespočet-
ný □ *s* náhradník
superphosphate [ˈsjuːpəfosfeit]
s superfosfát
superplan [ˈsjuːpəplæn] *s* nad-
plán
superpose [ˌsjuːpəˈpouz] *vt* po-
ložit přes, nad
super-profits [ˈsjuːpəprofits] *s*
pl. nadzisky
superscription [ˌsjuːpəˈskripšən]
s nadpis
supersede [ˌsjuːpəˈsiːd] *vt* 1.
zast. zadržet, zastavit 2. od-
stranit, nahradit, zaujmout
místo druhého 3. odložit na
pozdější dobu
supersonic [ˌsjuːpəˈsonik] *a* nad-
zvukový (*aircraft* letoun)
superstition [ˌsjuːpəˈstišən] *s*
pověra, pověrčivost; **—ous**
[ˌsjuːpəˈstišəs] *a* pověrčivý
superstructure [ˈsjuːpəˌstrakčə]
s 1. nástavba 2. nadstavba
(*social* společenská)
supertax [ˈsjuːpətæks] *s* zvý-
šená daň
supervene [ˌsjuːpəˈviːn] *vi* na-
stat, přihodit se
supervise [ˈsjuːpəvaiz] *vt* do-
zírat, dohlížet, hlídat; pro-
hlížet; **—ion** [ˌsjuːpəˈvižən] *s*
vrchní dozor, prohlídka, in-
spekce; **—or** [ˈsjuːpəvaizə] *s*
vrchní dozorce, dohlížitel,
kontrolor, inspektor
supine [sjuːˈpain] *a* ležící na
znak, hovící si; klidný; ne-
tečný, líný □ [ˈsjuːpain] *s*
gram. supinum
supper [ˈsapə] *s* večeře
supplant [səˈplaːnt] *vt* vypích-
nout, vytlačit, odstranit
supple [ˈsapl] *a* 1. ohebný, ob-

ratný 2. zast. hebký 3. po-
volný, poddajný □ *vt & i* 1.
učinit n. stát se povolným,
přivést k povolnosti 2. zkrotit
koně
supplement [ˈsapliment] *s* 1.
doplněk, dodatek 2. zásoba
3. příloha □ *vt* doplnit; **—al**,
—ary [ˌsapliˈment|l, -əri] *a*
doplňkový, dodatečný, pří-
davný, pomocný; ~ *angle* vý-
plňkový úhel
suppliant [ˈsapliənt] *a* prosebný,
pokorně prosící □ *s* proseb-
ník, žadatel
supplicate [ˈsaplikeit] *vt* obrá-
tit se s prosbou (*to* na, *for* za),
snažně prosit; **—ation** [ˌsapli-
ˈkeišən] *s* snažná prosba;
—atory [ˈsaplikətəri] *a* pro-
sebný, úpěnlivý, pokorný
supply [səˈplai] *vt* 1. opatřit,
dodat, zásobovat 2. nahradit,
doplnit 3. zast. pomoci, při-
spět □ *s* 1. zásobování, zá-
soba 2. doplněk, dodatek 3.
příspěvek, dodávka 4. na-
bídka, pomoc, posila 5. pl. ma-
teriál, potraviny, zásoby, pří-
spěvky 6. státní rozpočet
schválený ♦ ~ *and demand*
poptávka a nabídka; ~ *co-*
lumn přísunová kolona; ~
bin zásobník; ~ *line* přívodní
vedení n. potrubí; **—ier** [sə-
ˈplaiə] *s* dodavatel
support [səˈpoːt] *vt* 1. podepřít,
opřít 2. podporovat 3. vydr-
žovat, živit 4. pomáhat, při-
spívat 5. nést, snášet 6. zvr.
živit se □ *s* 1. podpora 2.
podpěra, nosník, podstavec
3. pomoc 4. výživa ♦ *to*
speak in ~ *of* hájit co; ~ *unit*

voj. záložní jednotka; —**er** [sə¦po:tə] *s* 1. podporovatel, přispívatel 2. příznivec, straník, stoupenec 3. her. štítonoš 4. obránce; —**ing** *programme* kratší doplňkové filmy; ~ *structure* nosná konstrukce

suppos|e [sə¦pouz] *vt* 1. předpokládat 2. domnívat se 3. připouštět ♦ *that's to be -ed* to se rozumí samo sebou; *let us* ~ n. *-ing* dejme tomu; —**ition** [ˌsapə¦zišən] *s* domněnka, předpoklad; —**itional** [ˌsapə¦zišənl] *a* domnělý; —**ititious** [sə¦pozi¦tišəs] *a* podstrčený, podvržený, domnělý, nepravý; —**itory** [sə¦pozitəri] *s* čípek

suppress [sə¦pres] *vt* 1. zastavit, zdolat, potlačit 2. zamlčet, zatajit 3. překazit ♦ *to ~ a book* zkonfiskovat knihu; —**ion** [sə¦prešən] *s* 1. zastavení, potlačení 2. zamlčení, zatajení 3. překažení 4. znásilnění; —**ive** [sə¦presiv] *a* potlačovací, zamlčovací; —**or** [sə¦presə] *s* 1. potlačitel, zatajitel 2. rádiový lapač, tlumivka

suppurat|e [¦sapjuəreit] *vi* hnisat, podebírat se; —**ion** [ˌsapjuə¦reišən] *s* hnisání

supra- [¦sju:prə-] prefix značící „nad", „vyšší než"

supra-national [¦sju:prə¦næšənl] *a* nadnárodní

suprem|acy [sju¦preməsi] *s* svrchovanost, prvenství; —**e** [sju¦pri:m] *a* vrchní; nejvyšší, nejlepší, svrchovaný ♦ *the* ~ *Soviet* Nejvyšší sovět

sur- [sə:-] prefix značící „pře-", „nad-", „pod-"

surcease [sə:¦si:s] *s* arch. zastavení, ustání, konec □ *vt* ustat

surcharge *vt* [sə:¦ča:dž] přetížit, přeplnit; předražit, přecenit; uložit n. vymáhat větší poplatek, přirážku, pokutu □ *s* [¦sə:ča:dž] 1. předražení, přecenění 2. přetížení, přeplnění 3. nadměrný poplatek, daňová přirážka 4. přetisk poštovních známek 5. pokuta, nedoplatné 6. el. nadměrný náboj

surcingle [sə:¦siŋgl] *s* popruh, upínací podbřišník koně

surd [sə:d] *a* 1. mat. iracionální 1. fon. nehlasný, neznělý □ *s* 1. mat. iracionální číslo 2. fon. neznělá hláska

sure [šuə] *a* 1. jistý, bezpečný 2. pravdivý, věrný, spolehlivý 3. zaručený, nepochybný 4. opodstatněný ♦ *to be* ~ zajisté, ovšem; *určitě; to make* ~ *of* pojistit se, dokonale se osvědčit; *to be* ~ *of* být si jist čím; *he is* ~ *to come* jistě přijde; *as* ~ *as* tak jistě jako (že); ~ *enough* určitě; —**ly** [¦šuəli] *adv* jistě, beze vší pochyby, rozhodně; —**ty** [¦šuəti] *s* 1. arch. jistota, bezpečnost 2. zř. spolehlivost, přesnost 3. rukojemství, záruka 4. ručitel

surf [sə:f] *s* pěnivý příboj

surface [¦sə:fis] *s* povrch, rovina ♦ *of* n. *on the* ~ na povrchu, povrchní □ *vi* vynořit se o ponorce; opatřit zvláštním povrchem, nátěrem; povléci; ~ **area** [¦eəriə] plocha povrchu; ~ **finish** [¦finiš] tech. povrchová úprava; ~ **load** [loud] tech. jednotkové zatížení; ~ **pressure** [¦prešə] tech. měrný tlak, povrchový tlak; ~ **treatment** [¦tri:tmənt] tech. povrchová úprava

surfeit [¦sə:fit] *vt & i* přeplnit (se), přejíst (se), přecpat (se), příliš krmit (*on* čím); nabažit se □ *s* přesycení, přecpání, obžerství

surfusion [sə:¦fju:žən] *s* přechlazení kapaliny pod bod tuhnutí

surge [sə:dž] *s* vlna, vlnění, vzdouvání □ *vi* vlnit se, dmout se

surg|eon [¦sə:džən] *s* lékař, chirurg; —**ery** [¦sə:džəri] *s* 1. lékařství, chirurgie 2. ordinace; —**ical** [¦sə:džikəl] *a* chirurgický, lékařský; ~ **boot** n. *shoe* ortopedická bota

surly [¦sə:li] *a* mrzutý, nevrlý, hrubý; nespolečenský

surmise *vt* [sə:¦maiz] 1. tušit, dohadovat se, domnívat se 2. zast. podezřívat □ *s* [¦sə:maiz] 1. dohad, domněnka 2. podezření 3. starost

surmount [sə:¦maunt] *vt* překonat nesnáze, přemoci; převyšovat

surmullet [sə:¦malit] *s* zool. parma

surname [¦sə:neim] *vt* dát přízvisko, přezdít □ *s* příjmení, rodné jméno; přízvisko

surpass [sə:¦pa:s] *vt* 1. překonat, předčít 2. překročit 3. vyniknout nad; —**ing** [sə:¦pa:siŋ] *a* výborný, neobyčejný, vynikající

surplice [¦sə:pləs] *s* komže

surplus [¦sə:pləs] *s* přebytek, nadbytek ♦ ~ *of capital* nadbytek kapitálu; ~ *labour* nadpráce; ~ *labour time* nadbytečná pracovní doba; ~ *product* nadvýrobek; ~ *production* nadprodukce; ~ *products* přebytky; ~ *value* nadhodnota; *rate of* ~ *value* míra nadhodnoty

surpris|e [sə¦praiz] *vt* 1. překvapit, naplnit úžasem 2. přepadnout, ohromit □ *s* 1. překvapení, úžas 2. přepadení ♦ *to be in a* ~ žasnout; —**ing** [sə¦praiziŋ] *a* překvapující, neobyčejný

surrender [sə¦rendə] *vi & t* vzdát (se), kapitulovat, ustoupit; vydat, oddat se (*to* čemu); odevzdat zemědělské produkty □ *s* vzdání se, složení zbraní, kapitulace

surreptitious [¦sarəp¦tišəs] *a* kradmý, tajný, podloudný; nepravý

surrogate [¦sarəgit] *s* 1. zástupce biskupův 2. náhrada, náhradník 3. am. civilní soudce

surround [sə¦raund] *vt* obklopit, obklíčit, obemknout, obehnat; —**ing** [sə¦raundiŋ] *a* okolní; —**ings** [sə¦raundiŋz] *s pl.* okolí

surtax [¦sə:tæks] *s* daňová přirážka

surtout [¦sə:tu:] *s* zast. svrchník

surveillance [sə¦veiləns] *s* dozor, dohled

survey *vi* [sə:¦vei] 1. prohlédnout si; přehlédnout, přehlížet, dohlížet 2. odhadnout

3. vyměřovat □ *s* [ˈsə:vei] **1.** přehled **2.** dozor **3.** prohlídka **4.** vyměřování **5.** náčrt, snímek; plán **6.** inspekce; **—or** [sə:ˈveiə] *s* přehlížitel, dozorce, inspektor; zeměměřič, geometr

surviv|e [səˈvaiv] *vt & i* přežít, přečkat, zůstat na živu; trvat; **—al** [səˈvaivəl] *s* **1.** přežití, přečkání **2.** zbytek, památka

suscept|ibility [səˌseptəˈbiliti] *s* **1.** vnímavost, citlivost **2.** schopnost **3.** přístupnost **4.** choulostivost; **—ible** [səˈseptəbl] *a* vnímavý, citlivý; schopný; přístupný (*to* čemu) ♦ *to be ~ of another interpretation* připouštět ještě jiný výklad; **—ive** [səˈseptiv] *a* vnímavý, citlivý

suspect *vi* [səsˈpekt] **1.** pochybovat, podezřívat, nedůvěřovat **2.** bát se, tušit □ *s* [ˈsaspekt] **1.** podezření **2.** pochybnost **3.** obava **4.** podezřelá osoba; **—ed** [səsˈpektid] *a* podezřelý (*of* z)

suspend [səsˈpend] *vt* **1.** zavěsit, upevnit **2.** odložit, odročit; přerušit, zastavit **3.** suspendovat, zbavit úřadu; **—er** [səsˈpendə] *s* **1.** věšák **2.** odročitel, odkladač **3.** pl. am. šle **4.** pl. podvazky, podvazkový pás

suspens|e [səsˈpens] *s* **1.** odročení, odklad **2.** dočasné zastavení n. přerušení **3.** napětí, očekávání **4.** suspenze **5.** pochybnost, nejistota **6.** neurčitost ♦ *to be* n. *rest in ~* být v pochybnostech; *to keep in ~* nerozhodnout, odročit; **—ion**

[səsˈpenšən] *s* **1.** zavěšení, závěs **2.** odročení, odklad, zastavení **3.** napětí, očekávání **4.** suspenze **5.** závada **6.** pochybnost, nerozhodnost ♦ *~ bridge* visutý most; **—ive** [səsˈpensiv] *a* zastavující; nerozhodný, nejistý, váhavý; pochybný; dočasný (*veto* zákaz); **—ory** [səsˈpensəri] *a* visací, podpěrný

suspici|on [səsˈpišən] *s* podezření, tušení, dohad; **—ous** [səsˈpišəs] *a* podezřelý, podezíravý

suspire [səsˈpaiə] *vi* bás. vzdychat

sustain [səsˈtein] *vt* **1.** udržovat, podpírat, nést **2.** podporovat, živit **3.** pomáhat **4.** snášet, trpět **5.** tvrdit, odůvodnit **6.** schválit, přijmout u soudu ♦ *to ~ a check* setkat se s neúspěchem; *to ~ a note* vydržet tón

sustenance [ˈsastinəns] *s* **1.** výživa, výživnost, potrava **2.** udržení, podpora

sustentation [ˌsastenˈteišən] *s* udržování, živobytí, podpora

suture [ˈsju:čə] *s* **1.** šev **2.** med. steh, sešití

suzerain [ˈsu:zərein] *s* lenní pán, vrchnost; **—ty** [ˈsu:zəreinti] *s* svrchovanost, vrchnostenství

swab [swob] *s* mop n. hadr na utírání □ *vt* (-bb-) mést, utírat; *~ off* odsávat

swaddle [ˈswodl] *vt* zavinout do plenek, zabalit □ *s* am. **1.** plena, plenka **2.** fig. zábrana, překážka

swag [swæg] *s* sl. lup, krádež
swage [sweidž] *s* tech. zápustka
ke kování profilů; **~ hammer**
zápustkový buchar; **~ head**
opěrná hlava nýtu
swagger [ˈswægə] *vi* pyšně si
vykračovat; vychloubat se,
chvástat se, žvanit □ *s* **1**.
pyšná chůze **2**. naparování,
chvástání, chlubení
swain [swein] *s* **1**. arch. pastýř
2. venkovský mladík, mláde-
nec **3**. milenec, nápadník
swallow[1] [ˈswolou] *s* vlaštovka
swallow[2] [ˈswolou] *vt* **1**. poly-
kat, hltat, pohltit, pozřít **2**.
přijímat bez prõtestu n. leh-
kověrně n. bez výhrady **3**.
odvolat; **~ down** polknout;
zamlčet; **~ up** polknout,
pohltit □ *s* **1**. hlt, lok, dou-
šek; polknutí **2**. hltavost **3**.
jícen, hltan **4**. zast. propast;
~ -tail [ˈswolouteil] *s* **1**. vlaš-
tovčí ocas **2**. frak
swam [swæm] *pt* viz *swim*
swamp [swomp] *s* bažina, mo-
čál □ *vt* **1**. potopit **2**. zapla-
vit, zatopit, nasáknout **3**.
udolat
swan [swon] *s* labuť; **~ ꞁ-song**
s labutí zpěv
swank [swæŋk] *s* sl. naparování,
vychloubání, chvástání ♦ **~**
hotels navenek honosné ho-
tely
Swansea [ˈswonzi] *s* Swansea
swap [swop] *vt* (-pp-) **1**. plesk-
nout, plácat, bouchat **2**. sl.
vyměnit, prodat □ *vi* **3**.
pleskat sebou □ *int* plesk!,
bác! □ *s* plesknutí, rána
sward [swoːd] *s* pažit, drn, tráv-
ník

swarf [swoːf] *s* železné piliny
swarm [swoːm] *s* **1**. hejno, roj
2. spousta, dav, hemžení □
vi rojit se, hemžit se (*with*
čím); hrnout se
swart [swoːt] *a* **1**. arch. tmavý,
snědý **2**. neblahý, zhoubný
□ *vt* zast. začernit, zatemnit,
ztemnět
swarthy [ˈswoːði] viz *swart (a)*
swash [swoš] *vi & t* **1**. prudce
mrštit n. udeřit **2**. šplouchat
3. chlubit se, chvástat se □ *s*
1. chlubení, chvást **2**. pleskot
vody; **~ -buckler** [ˈswošꞁbak-
lə] *s* chvastoun, hrubec
swastika [ˈswæstikə] *s* svastika,
hákový kříž
swath[1] [swoːθ] *s* požatá řádka,
pokos
swath[2], **swathꞁe** [swoːθ, sweið]
s **1**. obal, obvaz **2**. zast. po-
vijan, plénka □ *vt* **1**. obvá-
zat, zavinout do plének **2**.
fig. zast. uvěznit; ꞁ**—ing-band**
s povijan
sway [swei] *vt & i* **1**. mávat, ký-
vat se, houpat (se) **2**. kolísat
3. vládnout, ovládat **4**. má-
vat, točit (se) □ *s* **1**. mávání,
máchnutí **2**. vláda, moc, vliv,
převaha ♦ *to bear* **~** vládnout;
~ *of the bourgeoisie* panství,
vláda buržoazie
swear* [sweə] *vi & t* **1**. přísahat
(*to, on* na), (*to, by, before*
při) **2**. klít **3**. zaklínat, za-
říkat se **4**. zapřisáhnout se,
odpřisáhnout, dovolávat se
5. zapřísahat koho; **~** *in* uvést
v úřad pod přísahou □ *s* pří-
saha; klení, kletba
sweat [swet] *s* **1**. pot, pocení
2. lopota, dřina □ *vi* **1**. potit

se 2. lopotit se 3. svářet kov 4. uhnat koně 5. vydírat ♦ **-ed** *labour* těžká práce za nízkou mzdu; —ing [ˈswetiŋ] *a* potící se □ *s* pocení; ~ *shirt* tílko, tričko

sweater [ˈswetə] *s* 1. svetr 2. vyděrač

Swed|e [swi:d] *s* Švéd(ka); —en [ˈswi:dn] *s* Švédsko; —ish [ˈswi:diš] *a* švédský □ *s* švédština

swede [swi:d] *s* tuřín

sweep[1]* [swi:p] *vt & i* 1. mést, zametat 2. čistit, cídit 3. vléci (se) 4. zasáhnout, dotknout se lehce 5. vlnit se, vlát, vanout 6. rychle (se) uvést 7. mihnout se 8. hrdě si vykračovat 9. rázem odstranit, zrušit 10. zrakem přelétnout 11. voj. ostřelovat, kosit, čistit ♦ *to ~ from the sight* zmizet z očí; ~ **away** odmést; ~ **by** mihnout se kolem; ~ **over** zasáhnout střelbou

sweep[2] [swi:p] *s* 1. metení, zametání, vymetání 2. vzlet, rozmach, rozpětí 3. vlečka 4. kominík, zametač 5. smetí 6. zatáčka cesty 7. veslo 8. křídlo větrného mlýna 9. nálet 10. ~ n. *chimney-* ~ kominík; —er [ˈswi:pə] *s* 1. metař 2. sluha 3. kominík 4. automobilový stírač; —ing [ˈswi:piŋ] *a* 1. rychlý, prudký 2. neomezený, všeobecný □ *s* pl. smetí; ~ **-stake** [ˈswi:p-steik] *s* celková sázka; —y [ˈswi:pi] *a* prudký

sweet [swi:t] *a* 1. sladký, lahodný, příjemný 2. dobrý 3. jemný 4. vlídný, něžný, roztomilý □ *s* 1. sladkost; lahodnost, líbeznost; příjemnost 2. vůně 3. moučník 4. pl. cukroví, sladkosti, dorty 5. miláček 6. pl. radosti; ~ **-bread** [ˈswi:tbred] *s* brzlík; ~ **-briar** [ˈswi:tˈbraiə] *s* šípek; —en [ˈswi:tn] *vt* osladit, zpříjemnit; |~-|**fennel** *s* fenykl; —**heart** [ˈswi:tha:t] *s* miláček; —ing [ˈswi:tiŋ] *s* 1. milenka, miláček 2. sládě jablko: |~-**john** *s* hvozdík bradatý; |~-**lipped** *a* úlisný; —**meat** [ˈswi:tmi:t] *s* cukroví; —**ness** [ˈswi:tnis] *s* 1. sladkost, lahoda 2. přívětivost; ~ **pea** hrachor; |~-**root** *s* sladké dřevo; |~-|**spoken** *a* lichotivý; ~-**william** [ˈswi:tˈwiljəm] *s* hvozdík; —y [ˈswi:ti] *s* cukrovinka

swell* [swel] *vi & t* 1. dmout se, nabíhat, zpuchnout 2. bobtnat, nadýmat (se) 3. přibývat, zvětšovat se, mohutnět, stupňovat se 4. rozvodnit se; ~ **out** bubřet, nadýmat se □ *a* 1. skvělý 2. hov. pěkně oblečený, moderní 3. sl. prvotřídní, prima, tiptop □ *s* 1. puchnutí, otékání 2. dmutí, nadýmání 3. příboj 4. vyvýšenina, stoupající půda 5. hud. zesilování, crescendo 6. sl. šviháк; významná osoba; —ing [ˈsweliŋ] *s* 1. otok, boule 2. výšina 3. namáhání

swelter [ˈsweltə] *vi & t* 1. umdlévat horkem, prahnout, žíznit 2. mořit horkem

swept [swept] *pt, pp* viz *sweep*

swerve [swə:v] vi & t 1. zast. rojit se, hemžit se 2. bloudit, potulovat se 3. odchýlit (se) 4. zast. povolit □ s 1. úchylka 2. falšovaný míč

swift [swift] a 1. rychlý, hbitý, čilý, prudký 2. pohotový □ s 1. proud, tok, běh 2. rorýs 3. ještěrka □ vt ovinout, upevnit lanem; |~ -|footed a rychlonohý; ~-winged [|swift-wiŋd] a rychlokřídlý

swig [swig] sl.. vt (-gg-) pít, chlastat □ s lok, chlast

swill [swil] vi & t 1. opíjet (se), nachmelit (se), napájet 2. omývat, vymývat, vypláchnout □ s 1. pomyje, splašky 2. pitka, chlast

swim* [swim]vi & t(-mm-) 1. plavat,plout,plavit se,přeplavat. plynout 2. oplývat, přetékat 3. mít závrať (my head -s), točit se 4. být zalit (with čím) □ s plavání, plavba ♦ to be in the~ být zasvěcen do; —mer [|swimə] s plavec

swimming [|swimiŋ] a plovoucí □ s 1. plování, plavba 2. závrať; |~ -bath, |~ -place, |~pool s plovárna; —ly [|swi-miŋli] adv plavmo, lehce, hladce

swindl|e [|swindl] vt oklamat, ošidit (out of o) □ s podvod; —er [|swindlə] s podvodník

swine [swain] s 1. svině, vepř 2. ničema, padouch; ~ -herd [|swainhə:d] s pasák vepřů

swing* [swiŋ] vi & t 1. houpat se, komíhat, kývat se, klátit se 2. rozkývat 3. točit, otáčet, natáčet 4. kráčet houpavě ♦ to ~ the lead předstírat práci

□ s 1. kývání, houpání. výkyv 2. točení, otáčení 3. švihání 4. rozmach, ráz, rytmus 5. rytmická chůze 6. houpačka 7. podnět, popud 8. vzlet 9. létací dveře ♦ in full ~ v plném proudu; ~ -bridge [|swiŋbridž] s rozevírací otáčecí most; |~ -door s kývavé dveře; ~ -wheel [|swiŋwi:l] s setrvačník

swinge [swindž] vt arch. mrskat, bičovat, prudce udeřit; ~ off vypráskat, zbičovat □ s vzlet; ~ -buckler [|swindž-baklə] s chvastoun

swingeing [|swindžiŋ] a veliký, ohromný, přehnaný

swingle [|swiŋgl] vi houpat se □ vt třepit len □ s 1. palička na třepení lnu 2. biják cepu

swink [swiŋk] vi & t arch. dřít se, lopotit se □ s lopota, dření, těžká práce

swipe [swaip] s 1. páka pumpy aj. 2. tvrdý úder, rána 3. pl. špatné pivo, břečka □ vt sl.am. 1. udeřit, praštit 2. ukrást

swirl [swə:l] s vír □ vi vířit, točit se

swish [swiš] s 1. šustění 2. zasvištění □ vt 1. švihat prutem 2. svištět

Swiss [swis] a švýcarský □ s Švýcar(ka)

switch [swič] s 1. rákoska 2. výhybka 3. vypínač, přepínač 4. falešná kadeř □ vt 1. zmrskat, mrskat bičem 2. přesunout výhybku 3. přepnout; ~ off zhasit, vypnout; ~ on zapnout, rozsvítit; ~ out el. vypojit, vypnout; ~ over el. přepojit, přepnout;

|~ **-back** *s* skluzavka; ~ **-board** [ˈswičbo:d] *s* přepojovač, rozvodná deska, ústředna telefonní; |—**man** *s* výhybkář
Switzerland [ˈswicələnd] *s* Švýcarsko
swivel [ˈswivl] *s* 1. obrtlík 2. poutko 3. točna; ~ **-chair** [ˈswivlčeə] *s* otáčecí židle
swob [swob] viz *swab*
swollen [ˈswoulən] *pp* viz *swell*
swoon [swu:n] *vi* omdlít; ~ **away** upadnout do mdlob □ *s* mdloba
swoop [swu:p] *vt* 1. snést se, vrhnout se střemhlav 2. chopit, lapit, přepadnout, unést (*on, upon,* koho) □ *s* uchvácení; střelmé slétnutí ptáka na kořist ♦ *at* n. *with a* ~ rázem
swop [swop] viz *swap*
sword [so:d] *s* meč ♦ *to draw (sheathe) the* ~ tasit (zastrčit do pochvy) meč; *to put to the* ~ usmrtit; |~ **-cane** *s* kord v holi; |~ **-cut** *s* sečná n. bodná rána mečem; ~ **cutter** [ˈso:dˌkatə] *s* mečíř; |~ **-fish** *s* mečoun; ~ **-flag** [ˈso:dflæg] *s* kosatec; |~ **-hilt** *s* jílec; ~ **-law** [ˈso:dlo:] *s* válečné právo
swore [swo:] *pt* viz *swear*
sworn [swo:n] *pp* od *swear*
swot [swot] *vt* biflovat, pilně n. těžce se učit
swum [swam] *pp* viz *swim*
swung [swaŋ] *pt & pp* viz *swing*
sybarite [ˈsibərait] *s* sybarit, prostopášník, zhýčkanec, požitkář
sycamore [ˈsikəmo:] *s* 1. platan 2. fíkovník

sycoph|ancy [ˈsikəfənsi] *s* patolízalství; —**ant** [ˈsikəfənt] *s* patolízal
syllab|ary [ˈsiləbəri] *s* slabikář; —**ic**, —**ical** [siˈlæbik(əl)] *a* slabičný; —**le** [ˈsiləbl] *s* slabika; slůvko; —**us** [ˈsiləbəs] *s* výtah, soubor
syllogism [ˈsilədžizəm] *s* sylogismus, úsudek
sylvan [ˈsilvən] *a* lesnatý, lesní, stinný
symbol [ˈsimbəl] *s* znak, odznak, značka; obraz; —**ic(al)** [simˈbolik(əl)] *a* symbolický; obrazný; —**ization** [ˌsimbəlaiˈzeišən] *s* znázornění, symbolizace; —**ize** [ˈsimbəlaiz] *vt* znázornit, symbolizovat □ *vi* zř. shodovat se, souhlasit
symmetr|y [ˈsimitri] *s* souměrnost; —**ical** [siˈmetrikəl] *a* souměrný; —**ize** [ˈsimitraiz] *vt* učinit souměrným
sympath|etic [ˌsimpəˈθetik] *a* 1. sympatický, soucitný 2. souhlasný 3. souladný; —**etical** [ˌsimpəˈθetikəl] *a* soucitný ♦ ~ *strike* solidární stávka; —**ize** [ˈsimpəθaiz] *vi* soucítit, sympatizovat; —**y** [ˈsimpəθi] *s* soucit, účastenství, sympatie
symphon|ic [simˈfonik] *a* symfonický, souzvučný; —**y** [ˈsimfəni] *s* soulad, souzvuk, symfonie
symposium [simˈpouzjəm] *s* 1. hostina, pitka 2. diskuse, symposion 3. soubor
symptom [ˈsimptəm] *s* příznak, symptom
synagogue [ˈsinəgog] *s* synagóga

synchroflash [ˈsiŋkrəflæš] *s* fotografický přístroj s bleskovým světlem
synchron|ic(al) [sinˈkronik(əl)] *a* současný, soudobý, synchronický; **—ize** [ˈsiŋkrənaiz] *vi* být současným □ *vt* učinit současným, synchronizovat; **—izer** [ˈsiŋkrənaizə] *s* synchronizátor; **—ous** [ˈsiŋkrənəs] *a* synchronní, současný
synchrotron [ˈsiŋkrotron] *s* synchrotron
syncop|e [ˈsiŋkəpi] *s* 1. hud. synkopa 2. zkrácení, stažení 3. med. mdloba; **—ated** [ˈsiŋkəpeitid] *a* synkopovaný
syndicalism [ˈsindikəlizəm] *s* syndikalismus
syndicate [ˈsindikit] *s* 1. syndikát 2. družstvo, konsorcium
synod [ˈsinəd] *s* církevní sjezd, synod; **—ical** [siˈnodikəl] *a* synodní
synonym [ˈsinənim] *s* souznačné slovo, synonymum; **—ous** [siˈnoniməs] *s* souznačný, synonymní
synop|sis [siˈnopsis] *s* přehled, obsah; **—tical** [siˈnoptikəl]

a synoptický, přehledný
syntactic(al) [sinˈtæktik(əl)] *a* skladebný, syntaktický
syntax [ˈsintæks] *s* skladba, syntax
synthe|sis [ˈsinθisis] *s* slučování, syntéza; **—tic,** **—tical** [sinˈθetik(əl)] *a* slučovací, syntetický, umělý; **—tics** [sinˈθetiks] *s pl.* umělé hmoty
syphilis [ˈsifilis] *s* syfilis, příjice
syphon [ˈsaifən] viz *siphon*
Syriac [ˈsiriæk] *s* stará syrština □ *a* syrský
syringa [siˈriŋgə] *s* jasmín
syringe [ˈsirindž] *s* stříkačka □ *vt* stříkat, vystřikovat
syrup [ˈsirəp] *s* sirup
system [ˈsistim] *s* 1. soustava, systém 2. ústrojí ♦ *electoral* ~ volební řád; *people's democratic* ~ lidově demokratické zřízení; *primitive communal* ~ prvobytně pospolný řád; **—a-** **tic** [ˌsistiˈmætik] *a* soustavný, systematický, plánovitý; **—atize** [ˈsistimətaiz] *vt* soustavně uspořádat
systole [ˈsistəli] *s* med. stah srdečního svalu

T

T, t [tiː] písmeno t
tab [tæb] *s* 1. poutko u kabátu; ženglička šněrovadlo 2. voj. červená výložka na límci 3. chránítko uší u čepice
tabby [ˈtæbi] *s* 1. moaré tkanina s leskem 2. mourovatá kočka 3. stará panna, klepna

tabernacle [ˈtæbə:nækl] *s* 1. stánek, svatostánek 2. archa úmluvy 3. modlitebna 4. ozdobný výklenek
table [ˈteibl] *s* 1. stůl 2. deska 3. tabulka 4. výkaz, seznam 5. stav. pole 6. plocha ruky 7. zast. obraz 8. společnost 9.

table 734 tact

náhorní rovina ♦ *at* ~ u stolu, při jídle; *to keep a good* ~ dobře vařit; *to lay on the* ~ odložit ad acta; *to spread the* ~ prostřít na stůl; *if the -s were turned* kdyby tomu bylo opačně; *under the* ~ opilý; *to lay (papers) on the* ~ předložit k vyšetření □ *vt & i* 1. položit na stůl 2. stolovat, hostit, častovat 3. dělat výkazy, seznamy 4. spojovat prkna v desky; ~-**cloth** [ˈteibl‚klɔθ] *s* ubrus; |~-**lamp** *s* stolní lampa; |~-**land** *s* náhorní planina, vysočina; ~-**linen** [ˈteibl‚linin] *s* stolní prádlo; |—**man** *s* šachová figurka; |~-‚**money** *s* stravné; příspěvek na reprezentaci; ~-**talk** [ˈteiblto:k] *s* hovor u stolu; ~-**tennis** [ˈteibltenis] *s* stolní tenis

tableau [ˈtæblou] *s* pl. -*x* [-z] živý obraz

tablet [ˈtæblit] *s* 1. tabulka, destička 2. tabletka

tabloid [ˈtæbloid] *a* soustředěný, zhuštěný □ *s* 1. tabletka léku 2. am. noviny malého formátu

taboo [təˈbu:] *s* nedotknutelná, posvátná, zakázaná věc, n. osoba, tabu; zákaz, klatba

Taborite [ˈteibərait] *s* táborita

tabouret [ˈtæbərit] *s* 1. taburet, stolička 2. jehelníček 3. bubínek n. rám na vyšívání

tabul|ar [ˈtæbjulə] *a* 1. tabulkový, deskový 2. vrstevnatý, lístkový 3. přehledný; —**at|e** [ˈtæbjuleit] *vt* 1. sestavit v tabulku 2. zploštit, zarovnat, vyhladit na plocho;

-*ing card* děrný štítek; -*ing machine* tabulátor na děrné štítky □ *s* plochý, tabulovitý, plátkový

tachometer [tæˈkomitə] *s* tachometr, rychloměr

tacit [ˈtæsit] *a* tichý, nevyslovený (*consent* souhlas)

taciturn [ˈtæsitə:n] *a* nemluvný, zamlklý, mlčící, mlčenlivý; uzavřený

tack [tæk] *s* 1. cvoček, háček, připínáček 2. volný, hrubý steh; pl. stehování 3. nám. provaz zabezpečující roh plachty 4. nám. obrat lodi, změna směru lodi 5. směr 6. dodatek, přídavek, přívěsek 7. pokrm □ *vt & i* 1. připíchnout *(down, together)*, přibít 2. přidat, dodat *(to, on to)* 3. sešpendlit *(together)* 4. změnit směr lodi 5. volně sestehovat, lehce sešít *(together)* ♦ *to hold* ~ pevně držet; *to go on a wrong* ~ dát se špatným směrem; *to come down to brass -s* sl. dobrat se skutečných faktů; ~ *welding* stehové svařování

tackl|e [ˈtækl] *s* 1. kladkostroj 2. vratidlo 3. nám. lanoví 4. nářadí 5. naviják (*fishing-* ~ rybářské potřeby) 6. postroj □ *vt* 1. popadnout, pustit se do, chopit se s vervou 2. zastavit hráče ♦ *-ed stair* provazový žebřík; —**ing** [ˈtækliŋ] *s* 1. lanoví 2. náčiní 3. postroj 4. kladkostroj

tacky [ˈtæki] *a* lepkavý, mazlavý o barvě

tact [tækt] *s* takt(nost), šetrnost; —**ful** [ˈtæktful] *a* takt-

ní, šetrný; **—ical** [¹tæktikəl]
a taktický; **—ician** [tækˈti-
šən] *s* taktik; **—ics** [ˈtæk-
tiks] *s pl.* taktika
tadpole [ˈtædpoul] *s* pulec
taffrail, tafferel [ˈtæfreil, ˈtæfril]
s zábradlí na lodní zádi
tag [tæg] *s* **1.** poutko u boty **2.**
žengle, šněrovací jehla **3.**
přívěsný štítek s adresou na
zásilce **4.** volný konec, pří-
věsek **5.** závěrečný proslov
6. všední citát, písnička, ref-
rén **7.** špička ocasu **8.** hra na
honičku □ *vt* (-gg-) **1.** opat-
řit štítkem, připevnit, přibít,
přivěsit, přidělat *(to* k) **2.**
slátat verše □ *vi* **2.** věšet se
komu na paty, běhat *(after*
za); **~ -rag** [ˈtægræg] *s* sběř,
lůza
tail [teil] *s* **1.** ocas, ohon, chvost
2. zadek, záď, konec čeho **3.**
cop **4.** krček noty **5.** vlečka
6. fronta lidí **7.** omezení v dě-
dické posloupnosti **8.** pl. rub
mince ♦ *to turn* ~ ukázat paty,
prásknout do bot; *I can't
make head or* ~ *of it* ne-
vyznám se v tom □ *vt* **1.**
tahat za ocas **2.** opatřit
ocasem; useknout ocas ̄ **3.**
připevnit k ocasu; ~ *after*
následovat těsně za; ~ *in*
zapustit, zazdít trám; ~ *off*
zařadit na konec, zůstat vza-
du; **~ -coat** [ˈteilˈkout] *s* frak;
—ing [ˈteiliŋ] *s* ve zdi vyční-
vající cihla, kámen; **~ -light**
[ˈteillait] *s aut.* zadní světlo;
~ **margarin** [ˈmaːdžin] po-
známka pod čarou; ~ **race**
odpadní kanál; ~ **skid** ostru-
ha letadla

tailor [ˈteilə] *s* krejčí, švadlena
♦ ~ *'s goose* žehlička □ *vi*
šít šaty, krejčovat; l~ **-made**
a **1.** na zakázku **2.** hov. stro-
jový *o cigaretě*
taint [teint] *s* **1.** skvrna, kaňka,
zabarvení **2.** nákaza, infekce
3. zlo, úhona **4.** korupce □
vt & i **1.** (na)kazit (se) *(with*
čím), zamořit, otrávit **2.** po-
skvrnit, zkazit mravně; **—ed**
[ˈteintid] *a* nakažený, zka-
žený; **—less** [ˈteintlis] *a* ne-
poskvrněný, čistý, bezúhonný
take¹* [teik] *vt* **1.** brát, vzít,
uchopit **2.** chytit, zajmout
3. zabrat **4.** chopit se **5.** do-
nést **6.** odnést, odvést **7.** ob-
držet **8.** domnívat se **9.** po-
chopit, chápat, všímat si **10.**
připustit, dopustit **11.** přepra-
vit **12.** přeskočit **13.** hledat
útulek **14.** nakazit **15.** utrpět
□ *vi* **16.** ubírat se **17.** obrátit
se **18.** věnovat se, ujmout se
19. působit, účinkovat **20.**
líbit se **21.** jít k duhu, prospí-
vat ♦ *to* ~ *a crack at* někomu
důkladně nařezat; *to* ~
advantage of využít, využit-
kovat; *to* ~ *advice* poradit se;
to ~ *aim* mířit, cílit; *to* ~ *the
air* vyjít najevo, ve známost;
to ~ *an account of* vyšetřit;
to ~ *an action against* vznést
žalobu proti; *to* ~ *a bath* vy-
koupat se; *to* ~ *care* mít se na
pozoru, chránit se; *to* ~ *care
of* pečovat o; *to* ~ *the chair*
předsedat; *to* ~ *one's chance*
využít příhodné doby; *to* ~
cold nachladit se; *to* ~ *concern
in* mít zájem o, sdílet se s;
to ~ *delight in* kochat se v,

mít rozkoš z; *to ~ diet* jíst dietně; *to ~ a disease* nakazit se, onemocnět; *to ~ to drinking* oddat se pití; *to ~ a drive* vyjet si, projet se; *to ~ effect* působit, mít účinek, nabýt platnosti; *to ~an example by* vzít si příklad z; *to ~ executive action* převzít bezprostřední rozkaz; *to ~ a fancy* pojmout náklonnost k, oblíbit si; *to ~ fire* chytit, vznítit se; *to ~ one's fortune* pokusit se o štěstí; *to ~ harm* přijít k úrazu; *to ~ head* postavit si hlavu; *to ~ into one's head* vzít si do hlavy; *to ~ heart* n. *courage* odhodlat se, zmužit se; *to ~ heed to* mít zřetel k; *to ~ to one's heels* vzít nohy na ramena; *to ~ heavy toll of* způsobit těžké ztráty; *to ~ hold of* zmocnit se, chopit se; *he was taken ill* onemocněl; *to ~ interest in* zajímat se o; *to ~ a jest* rozumět žertu; *to ~ a journey* podniknout cestu; *to ~ knowledge of* vzít na vědomí; *to ~ leave of* rozloučit se; *to ~ leave* jít na dovolenou; *to ~ the liberty to* dovolit si, osmělit se; *to ~ a liking to* oblíbit si; *to ~ the line* zastávat náhled; *to ~ measures* učinit opatření; *to ~ measures for* vzít míru na; *to ~ a nap* zdřímnout si; *to ~ notice of* všimnout si, zpozorovat; *to ~ an oath* složit přísahu; *to ~ offence of* být uražen; *to ~ order with* překazit, přerušit; *to ~ orders* být vysvěcen na kněze; *to ~ pains* přičinit se, vynasnažit

se; *to ~ part from* rozloučit se; *to ~ part in* účastnit se; *to ~ part with* zastat se; *to ~ pity on, of* slitovat se nad; *to ~ place* konat se; přihodit se; *to ~ pleasure in* nacházet potěšení v, kochat se čím; *to ~ possession of* zmocnit se; *to ~ pride in* pyšnit se čím; *to ~ prisoner* zajmout, zatknout, uvěznit; *to ~ a resolution* odhodlat se; *to ~ revenge* mstít se; *to ~ rank with* být roven komu, nezadat si s; *to ~ a ride* vyjet si na koni; *to ~ root* ujmout se, zakořenit se; *to ~ a run* vyběhnout si, rozběhnout se; *to ~ a seat* posadit se; *to ~ a shame* zastydět se; *to ~ ship* vstoupit na loď, jet lodí; *to ~ a ship* zajmout loď; *to ~ short* okřiknout; *to ~ sides* stranit; *to ~ snuff* šňupat; *to ~ steps* učinit opatření; *to ~ a survey* rozhlédnout se; *to ~ thought* domýšlet se; zakládat si, uvažit; *to ~ time* dát si načas, nespěchat; *to ~ tobacco* kouřit; *to ~ a turn* obrátit se, projít se; *to ~ a voyage* podniknout cestu po moři; *to ~ a walk* vyjít si na procházku; *do you ~ me?* rozumíte mi?; *it did not ~* nemělo to účinku (např. lék); *to ~ it* zast. přiznat se, vzít na sebe; potvrdit; *to ~ it right* správně to pochopit; ~ **aback** překvapit, zarazit; ~ **after** podobat se komu; vydařit se po kom; ~ **amiss** zazlívat, pohoršit se; ~ **apart** rozebrat, rozmontovat; ~ **aside** vzít, odvést stranou; ~ at *word* vzít za slovo; ~ **asunder** rozebrat, rozložit; ~ **away** odnít, vzít, odebrat, odstranit; ~ **by**: *to ~ by the hand* vzít za ruku; *to ~ by surprise* překvapit; ~ **down** sejmout; snížit, strhnout; poznamenat, zachytit písemně; pokořit; ~ **from** odebrat, odčítat; ~ **in** 1. vnímat, pochopit 2. obsahovat, držet v sobě; pojmout 3. svinout plachty; *to ~ in with one* přidružit se ke komu; *to ~ in affection* oblíbit si; *to ~ in writing* sepsat; *to ~ in hand* vzít do ruky, vzít do práce, podniknout; ~ **into** *consideration* vzít v úvahu; ~ **off** odnít, vzít; sundat klobouk, šaty; startovat; ~ **on, upon** brát na sebe; zaměstnat; činit, dělat povyk; naříkat; ~ **on with** oddávat se; *to ~ on, upon credit, trust* brát na úvěr; *the play did not ~ on* hra neměla úspěch; ~ **out** vyjmout; vybírat; napodobit, kreslit podle; ~ **to** přilnout k, oblíbit si, navyknout si co; *to ~ to wife* vzít si za ženu; ~ **up** 1. zdvihnout 2. nechat nastoupit cestující 3. uchopit 4. zatknout, sebrat 5. přejímat, přijímat, ujmout se (koho) 6. vypůjčit si 7. připouštět 8. dodržet 9. začít 10. přerušit mluvčího 11. nakoupit 12. polepšit se; *to ~ up arms* chopit se zbraní; *to ~ up a challenge* přijmout vyzvání na souboj; *to ~ up money* vypůjčit si peníze; *to ~ up a trade* začít obchod; ~ **up with** blíže se seznámit;

spokojit se, vzít zavděk; ~ **upon** vzít na sebe; ~ **with** líbit se, spokojit se

take² [teik] *s* 1. vzetí, zábor, chycení 2. úlovek 3. filmový záběr 4. dílo 5. vybrané vstupné, výtěžek; |~-|in *s* podvod, klam; |~-off *s* 1. odnětí 2. hov. napodobení, karikatura 3. zvednutí se, odchod 4. vzlet 5. odraziště 6. vada, nevýhoda 7. odběr energie

taken [ˈteikən] *pp* viz *take* ♦ *to be ~ ill* onemocnět; *to be ~ with* být zachvácen, okouzlen čím

taking [ˈteikiŋ] *a* 1. uchvacující neodolatelný 2. nakažlivý □ *s* 1. zabrání, zajetí; převzetí 2. dobytí, zmocnění se čeho 3. rozpaky 4. nakažení 5. pl. obnos, příjem; |~-|over *s* převzetí, přejímání

talc [tælk] *s* mastek, slída

tale [teil] *s* 1. vypravování; povídka, pověst, pohádka; zpráva 2. zast. účet, počet ♦ *~ of a tub* babská povídačka; ~ -**bearer** [ˈteilˌbeərə] *s* klepař; donašeč

talent [ˈtælənt] *s* 1. nadání, talent 2. řecký peníz

tales [ˈteiliːz] *s* práv. 1. náhradníci porotců 2. seznam porotců, jmenovací n. delegační listina porotců

talisman [ˈtælizmən] *s* talisman, kouzlo

talk¹ [tɔːk] *vi* 1. hovořit, mluvit (*to, with* s, *of, about* o) 2. rozprávět, rozmlouvat (*to, with* s) 3. přemluvit (*into* k) 4. vymluvit *(out of)* ♦ *to ~ business* mluvit o obchodech; *to ~ nonsense* mluvit nesmyslně; *to ~ the hind leg off a donkey* sl. vymámit na jalové krávě tele; *to ~ shop* vést odborný rozhovor; *to ~ to the purpose* mluvit k věci; *~ at* narážet na; *~ away* mluvit do nekonečna; *~ back* odmlouvat; *~ down* umluvit, překřičet koho; *~ of* zmínit se o; *~ to* mluvit s, k, napomenout; *~ up* mluvit nahlas, přemluvit

talk² [to:k] *s* 1. řeč, hovor, mluvení; rozmluva, proslov 2. žvást 3. pověst, povídačka; —**ative** [ˈto:kətiv] *a* hovorný, povídavý, tlachavý; —**er** [ˈto:kə] *s* 1. mluvčí 2. mluvka, chlubič

talkie [ˈto:ki] *s* pl. -*s* sl. zvukový film

tall [to:l] *a* 1. štíhlý, velký, vysoký 2. zast. vznosný, skvělý, vynikající 3. sl. hov. vychloubavý; nepravděpodobný; *a ~ story* báchorka; |—**boy** *s* vysoký prádelník

tallow [ˈtælou] *s* lůj, mazadlo; *~ -candle* [ˈtælouˌkændl] *s* lojová svíčka; *~ -chandler* [ˈtælouˌčɑ:ndlə] *s* mydlář, svíčkař; —**y** [ˈtæloui] *a* lojovitý, mastný, tučný

tally [ˈtæli] *s* 1. vrubovka, počet 2. vrub, zářez 3. tabulka se jménem, označením apod. 4. duplikát, kopie, kontrolní ústřižek □ *vt* 1. opatřit vruby, zářezy, štítky; poznamenat 2. zast. přizpůsobit, srovnat □ *vi* 3. souhlasit, shodovat se (*with* s)

talmud [ˈtælmud] *s* talmud

talon [ˈtælən] *s* 1. dráp, pazour 2. kar. talón 3. talón u cenných papírů

tambour [ˈtæmbuə] *s* buben, bubínek; *~ frame* bubínek na vyšívání; —**ine** [ˌtæmbəˈri:n] *s* tamburína; |*~ -work* *s* vyšívání řetízkovým stehem

tame [teim] *a* 1. krotký, ochočený 2. pokorný 3. neškodný 4. nevýbojný, nevýrazný, nijaký; nezajímavý, všední 5. hov. obdělávaný □ *vt* krotit, ochočit; ponížit; —**less** [ˈteimlis] *a* nezkrotný, divoký

tamp [tæmp] *vt* utěsnit nálož; —**ing** [ˈtæmpiŋ] *a* těsnění; pěchování; *~ion* [ˈtæmpiən] *s* čep

tamper [ˈtæmpə] *vi* 1. míchat se, pouštět se (*with* do), plést se do 2. tajně se smlouvat, tajně vyjednávat (*with* s) 3. porušovat, podplácet

tampon [ˈtæmpən] *s* med. tampon □ *vt* tamponovat

tan [tæn] *s* 1. tříslo 2. snědost, žlutohnědá barva □ *vt* & *i* (-nn-) 1. vydělávat kůži, valchovat 2. opálit (se) 3. sl. bít holí; *~ -bark* [ˈtænbɑ:k] *s* tříslo; |*~ -house* *s* koželužna

tandem [ˈtændəm] *s* tandem □ *adv* jeden za druhým zapřažení koně

tang¹ [tæŋ] *s* bodec, hrot kovový; udice; jazýček pro rukojeť

tang² [tæŋ] *s* 1. příchuť, říz 2. charakteristická vlastnost

tang³ [tæŋ] *s* chaluha, mořská řasa

tang⁴ [tæŋ] *vt & i* zvonit, zvučet, řinčet □ *s* cinkot, znění

Tanganyika [ˌtæŋgəˈnjiːkə] *s* Tanganjika (z)

tangent [ˈtændžənt] *a* dotýkající se □ *s* tečna, tangenta

tangerine [ˌtændžəˈriːn] *s* mandarínka

tangible [ˈtændžəbl] *a* hmatatelný, hmotný, patrný

Tangier [tænˈdžiə] *s* Tanger

tangle [ˈtæŋgl] *vt & i* zaplést (se), zamotat (se) □ *s* 1. zápletka 2. uzel, zauzlina, zmotek, spleť, motanice 3. zmatek

tango [ˈtæŋgou] *s* tango

tank [tæŋk] *s* 1. tank 2. nádržka, cisterna, vodojem □ *vt* plnit nádrže, tankovat, čerpat; ~ **-buster** [ˈtæŋkˌbastə] *s* těžké protitankové dělo; ~ **-destroyer** [ˈtæŋkdisˌtroiə] *s* protitankové dělo; ~ **engine** [ˈendžin] tendrová lokomotiva; — **er** [ˈtæŋkə] *s* 1. cisternová loď, cisternový vůz 2. am. voj. člen pancéřových oddílů; ~ **-trap** *s* past na tanky; ~ **truck** [trak] aut. cisternový vůz

tankard [ˈtæŋkəd] *s* cínová konvice, džbán, korbel

tanner [ˈtænə] *s* 1. koželuh 2. sl. sixpence; — **y** [ˈtænəri] *s* koželužství, koželužna

tannic [ˈtænik] *a* tříslový; ~ *acid* kyselina tříslová

tannin [ˈtænin] *s* tanin, tříslová kyselina

tantalize [ˈtæntəlaiz] *vt* mučit, trápit

tantamount [ˈtæntəmaunt] *a* stejný, rovnající se (*to* čemu)

tantivy [tænˈtivi] *a* rychlý □

vi spěchat, pádit □ *s* prudký cval

tantrum [ˈtæntrəm] *s* prudký výbuch hněvu, špatná nálada

tap¹ [tæp] *vt* (-pp-) 1. ťuknout, klepnout □ *vi* 2. (za)klepat (na dveře) □ *s* ťuknutí, klepnutí, zaklepání, poklep; ~ **-dance** *vi* stepovat

tap² [tæp] *vt* (-pp-) 1. čepovat, stáčet pivo, víno 2. vypumpovat 3. proniknout, vstoupit ve spojení s 4. sl. pumpnout (*for* o) 5. načít 6. el. odvést elektřinu, připojit odbočku 7. vypustit vysokou pec ♦ *to* ~ *the wires* odposlouchat □ *s* 1. pípa, čep 2. stáčení 3. pivnice, výčep, nálevna 4. ročník vína 5. el. odbočka 6. odpichový otvor vysoké pece; ~ **-room** *s* výčep

tape [teip] *s* 1. tkanice, tkaloun 2. páska cílová, telegrafní ♦ *red* ~ úřední šiml; ~ **re|corder** magnetofon; ~ **-worm** [ˈteipwəːm] *s* tasemnice

taper [ˈteipə] *s* 1. vosková svíčka 2. kužel 3. zúžení, zahrocení □ *a* úžící se, zašpičatělý, kuželovitý □ *vt & i* 1. úžit (se), vybíhat do špičky 2. ozářit svíčkami; — **ed** [ˈteipəd] *a* kuželovitý, kónický, ozářený svíčkami; ~ **reamer** [ˈriːmə] kuželový výstružník

tapestry [ˈtæpistri] *s* čaloun □ *vt* vyčalounovat

tapioca [ˌtæpiˈoukə] *s* ságo

tapir [ˈteipə] *s* tapír

tapis [ˈtæpiː] *s* stolní pokrývka; čalounovaná látka; koberec ♦ *to be* n. *come upon the* ~

být na přetřesu, přijít na, přetřes

tappet [ˈtæpit] s tech. zdvihátko ventilu

taps [tæps] s večerka

tapster [ˈtæpstə] s sklepník, výčepník

tar [ta:] s 1. dehet, kolomaz 2. fig. plavec, námořník (též *'jack-~*) □ vt (-rr-) dehtovat; *~ on* fig. očernit

tarant|ella [ˌtærənˈtelə] s tarantela tanec; **—ula** [təˈrentjulə] s tarantule

tard|iness [ˈta:dinis] s 1. zdlouhavost, pomalost 2. opoždění 3. neochota; **—y** [ˈta:di] a 1. zdlouhavý, pomalý, liknavý, lenivý 2. neochotný 3. pozdní

tare[1] [teə] s koukol, vikev; fig. koukol

tare[2] [teə] s tára, váha obalu

target [ˈta:git] s 1. terč, štít 2. směrné číslo *(~ figure)*, úkol, plán ♦ *overall ~* celkový plán; *to set the ~* stanovit plán

tariff [ˈtærif] s sazba, tarif, clo ♦ *protective ~* ochranné clo; *preferential ~* preferenční clo

tarmac [ˈta:mæk] s hov. letecká rozjezdová dráha

tarn [ta:n] s horské jezírko

tarnish [ˈta:niš] vt & i zakalit (se), poskvrnit, zbavit lesku, ztratit lesk; potupit □ s 1. vyrudlá barva 2. ztráta lesku, zakalení 3. skvrna, hanba 4. povlak

tarpaulin [ta:ˈpo:lin] s 1. dehtované plátno, nepromakavá látka, vozová plachta 2. hov. námořník

tarry[1] [ˈtæri] kniž. vi meškat,

zdržovat se, otálet □ vt očekávat, čekat *(for* na)

tarry[2] [ˈta:ri] a nadehtovaný

tarsia [ˈta:siə] s dřevěná mozaika, intarzie

tars|us [ˈta:səs] s pl. *-i* [-ai] zánártí

tart[1] [ta:t] a ostrý, trpký, kyselý ♦ *a ~ reply* ostrá, kousavá odpověď

tart[2] [ta:t] s 1. ovocný koláč 2. sl. prostitutka

tartan [ˈta:tən] s tartan vlněná kostkovaná látka

tartar[1] [ˈta:tə] s 1. vinný kámen 2. zubní kámen; **—ic acid** [ta:ˈtærik] kyselina vinná

Tartar,[2] **Tatar** [ˈta:tə] s 1. Tatar 2. barbar, divoch ♦ *to catch a ~* špatně pochodit

task [ta:sk] s 1. úloha, úkol 2. práce, dílo □ vt uložit úkol, zaměstnat, zatížit prací *(with)*; |~-|**master** s dozorce; |~-**work** s úkolová práce

Tasmania [tæzˈmeinjə] s Tasmánie (z)

tassel [ˈtæsəl] s střapec ♦ *~ of a book* záložka do knihy

tast|e [teist] vt & i 1. (o)chutnat, okusit, zkusit 2. mít (pří)chuť, chutnat 3. cítit, vnímat □ s 1. chuť, ochutnání, okoušení 2. záliba, vkus ♦ *he has a ~ for* má rád, má smysl pro; *to my ~* podle mé chuti; *to give a ~* dát okusit; *to take a ~* ochutnat, okusit; *in good ~* vkusný; *out of ~* nevkusný, nechutný; *well -ed* chutný; *ill -ed* nechutný, odporný; **—er** [ˈteistə] s 1. ochutnavač 2. číšník 3. číška; **—eful** [ˈteistful] a

chutný; vkusný; —**eless**
[ˈteistlis] *a* bez chuti, ne-
vkusný; —**y**ₜ[ˈteisti] *a* chutný,
vkusný

tat¹ [tæt] *s* plesknutí, klepnutí

tat² [tæt] viz *tatting*

tata [ˈtæˈta:] *int* pápá, sbohem!

Tatar [ˈta:tə] viz *Tartar*

tatters [ˈtætəz] *s pl.* hadry,
cucky

tatting [ˈtætiŋ] *s* frivolitky, ruční
práce pomocí člunků

tattle [ˈtætl] *vi* tlachat, žvanit,
roznášet klepy □ *s* tlach(ání),
žvanění, klep

tattoo¹ [təˈtu:] *s* večerka, čepo-
bití □ *vi* bubnovat prsty

tattoo² [təˈtu:] *vt* tetovat □ *s*
tetování

taught [to:t] *pt, pp* viz *teach*

taunt [to:nt] *vt* pošklebovat se,
posmívat se, špičkovat; vy-
čítat □ *s* posměch, úštěpek,
výčitka

taut [to:t] *a* nám. **1.** těsný, uta-
žený, napjatý provaz **2.** v dob-
rém stavu o lodi, schopný
plavby

tautology [tò:ˈtolədži] *s* tauto-
logie

tavern [ˈtævən] *s* krčma, výčep

taw¹ [to:] *vt* (z)valchovat též fig.

taw² [to:] *s* **1.** mramorová ku-
lička **2.** hra

tawdry [ˈto:dri] *a* blýskavý,
lesklý, samá cetka; vypará-
děný

tawny [ˈto:ni] *a* tříslově zbar-
vený, žlutohnědý; snědý,
osmahlý

tax [tæks] *s* **1.** taxa, daň, clo,
poplatek (*on* z) **2.** zast. vý-
čitka, důtka ♦ *land* ~ pozem-
ková daň; ~ *in kind* natu-

rální daň □ *vt* **1.** uložit daň,
poplatek **2.** odhadnout (*at* na)
3. kárat, vyčítat, vinit (*with* z)
4. činit nároky, požadavky
na **5.** přepínat (*one's powers*
své síly) **6.** zkoušet; —**able**
[ˈtæksəbl] *a* zdanitelný;
—**ation** [tækˈseišən] *s* **1.** od-
hadnutí **2.** daně, zdanění, clo

taxi [ˈtæksi] *s* taxi □ *vi* roz-
jíždět se po zemi o letadle;
~ **-cab** [ˈtæksikæb] *s* taxi;
~ **dancer** placená tanečnice
v baru

T.B. = **1.** *torpedo boat* **2.**
tuberculosis

tea [ti:] *s* čaj □ *vi & t* pít čaj,
svačit; ~ **-board** [ˈti:bo:d] *s*
čajový podnos; ~ **-cake** [ˈti:-
keik] *s* čajové pečivo; ~ **-cup**
[ˈti;kap] *s* kofík na čaj;
ˈ~ **-house** *s* čajovna;
ˈ~ -ˌ**kettle** *s* kotlík na čaj; ~ **-pot**
s konvice na čaj; ~ -ˌ**service**,
ˈ~ **-set**, ˈ~ **-things** *s* čajový
příbor; ~ **-spoon** [ˈti:spu:n]
s lžička kávová; ~ **-tongs** [ˈti:-
toŋz] *s* klíštky na cukr;
~ **-tray** [ˈti:trei] *s* čajový pod-
nos; ~ **-urn** [ˈti:ə:n] *s* samo-
var

teach* [ti:č] *vt* učit, vyučovat ♦
I will ~ *him (not) to meddle
in my affairs* já mu dám mí-
chat se do mých záležitostí!;
—**able** [ˈti:čəbl] *a* učelivý,
schopný; —**er** [ˈti:čə] *s* učitel-
(ka); —**ing** [ˈti:čiŋ] *s* učení,
doktrína

teak [ti:k] *s* týkové dřevo

team [ti:m] *s* **1.** potah, spřežení
2. mužstvo, četa **3.** dial. hejno,
houf; —**ster** [ˈti:mstə] *s* voz-

ka, povozník; |~-work *s*
kolektivní práce čety
tear¹* [teə] *vt & i* 1. (roz)trhat
(se), rvát (se) 2. tahat, škubat
3. dial. zuřit 4. pádit *(along)*
♦ *to ~ asunder* roztrhat; *to ~
one's hair* fig. rvát si vlasy;
~ down strhnout, zbourat;
~ in, into, to roztrhat v; **~ to:**
~ *to pieces* roztrhat na kusy;
~ up roztrhat
tear² [teə] *s* 1. trhlina, díra 2.
úprk ♦ *at full ~* tryskem
tear³ [tiə] *s* slza ♦ *to shed -s*
prolévat slzy; *~ smoke* slzo-
tvorný plyn; **—ful** [¹tiəful] *a*
slzový
teas|e [ti:z] *vt* 1. česat vlnu,
vochlovat 2. soužit, trápit,
pokoušet, škádlit □ *s* 1. trá-
pení 2. šprýmař, trapič; **—er**
[¹ti:zə] *s* 1. škádlil, trapič 2.
hov. nesnadný problém, hla-
volam, hádanka
tea|sel, -zel, -zle [¹ti:zl] *vt* česat
sukno □ *s* soukenická štětka
teat [ti:t] *s* prsní bradavka,
cecek
techn|ical [¹teknikl] *a* technický,
řemeslný, odborný; **—ician**
[tek¹nišən] *s* technik; **—ics**
[¹tekniks] *s pl.* technika věda,
technologie; **—ique** [tek¹ni:k]
s technika umělecké práce n.
výroby, způsob práce, postup;
zručnost; **—ological** [₁teknə-
¹lodžikəl] *a* technologický;
—ologist [tek¹nolədžist] *s*
technolog; **—ology** [tek¹nolə-
dži] *s* technologie
technicolor [¹tekni₁kalə] *s* ba-
revná fotografie
techy [¹teči] *a* nevrlý, popud-
livý, nervózní

tectonic [tek¹tonik] *a* stavební,
tektonický
ted [ted] *vt* (-dd-) rozhazovat,
obracet seno
Teddy bear [¹tedi¹beə] *s* medví-
dek hračka
ted|ious [¹ti:djəs] *a* nudný,
zdlouhavý; obtížný, únavný;
—ium [¹ti:djəm] *s* nuda
tee [ti:] *s* 1. podložka v golfu
2. cíl □ *vt* 1. vyrazit kouli
(off) 2. začít 3. táhnout
teem¹ [ti:m] *vi* 1. hemžit se
(with čím), oplývat 2. být
plodný, úrodný
teem² [ti:m] *vt* vylévat, vy-
prazdňovat
teen¹ [ti:n] zkr. = *teen-age,
teen-ager*
teen² [ti:n] *s* arch. soužení, trá-
pení, běda, žal
teen-ag|e [¹ti:neidž] *a* týkající
se mládeže od 13 do 19 let;
—er [¹ti:n₁eidžə] *s* chlapec n.
děvče od 13 do 19 let
teens [ti:nz] *s pl.* léta mezi 13.
a 19. rokem ♦ *she is in her ~*
není jí ještě 20
teeny [¹ti:ni] viz *tiny*
teeth [ti:θ] *s pl.* viz *tooth*; **—e**
[ti:ð] *vi* dostávat zuby; opat-
řit zuby n. ozubeným cim-
buřím
teetotal [ti:¹toutl] *a* 1. hov. na-
prostý 2. zdrženlivý, absti-
nentní; **—ler** [ti:¹toutlə] *s*
abstinent
tegular [¹tegjulə] *a* cihlovitý,
cihlový; dlaždičkovitý, dlaž-
dicovitý
tegument [¹tegjumənt] *s* po-
krývka, obal
telecommunication[¹telikə₁mju:-
ni¹keišən] *s* dálkové spojení

telefonické, telegrafické, rádiové n. pomocí televize

telecontrol [ˈtelikənˈtroul] *s* dálkové řízení

telefilm [ˈtelifilm] *s* film přenášený televizí

telegram [ˈteligræm] *s* telegram

telegraph [ˈteligraːf] *s* telegraf □ *vt* telegrafovat ♦ ~ *pole* telegrafní tyč; —**ic** [ˌteliˈgræfik] *a* telegrafický; —**ist** [tiˈlegrəfist] *a* telegrafista

teleology [ˈteliˈolədži] *s* teleologie

telepathy [tiˈlepəθi] *s* telepatie

telephon|e [ˈtelifoun] *s* telefon □ *vt & i* telefonovat; ~ *exchange* [iksˈčeindž] telefonní ústředna; ~ *receiver* [riˈsiːvə] telefonní sluchátko; ~ *set* telefonní přístroj; —**ic** [ˌteliˈfonik] *a* telefonický; —**ist** [tiˈlefənist] *s* telefonist(k)a; —**y** [tiˈlefəni] *s* telefonie

teleprinter [ˈteliˌprintə] *s* dálnopisný stroj

telerecording [ˈteliriˌkoːdiŋ] *s* záznam pro televizi

telescop|e [ˈteliskoup] *s* dalekohled; —**ic** [ˌtelisˈkopik] *a* dalekohledný

telescreen [ˈteliskriːn] *s* televizní zrcadlovka

teletypesetter [ˈteliˈtaipˌsetə] *s* stroj pro přenášení tisku na dálku

teleview [ˈtelivjuː] *vt & i* dívat se na televizní obraz, vidět v televizi; —**er** [ˈtelivjuːə] *s* divák televizního programu

televis|e [ˈtelivaiz] *vt* vysílat televizí; —**ion** [ˈteliˌvižən] *s* televize; —**or** [ˈtelivaizə] *s* televizor

tell* [tel] *vt & i* 1. říci, povědět, mluvit (*of, about* o) 2. oznámit 3. vypravovat 4. ukázat, vysvětlit 5. poznat, zjistit 6. zast. počítat 7. poručit 8. žalovat (*on* na) 9. rozhodnout, určit ♦ *I can* ~ vím; *to hear* ~ dial. & hov. mít z doslechu; *to* ~ *lies* lhát; *never* ~ *me!* to mi nenamluvíte!; *to* ~ *abroad* roznést, prozradit; ~ **apart** rozlišit, odlišit; ~ **from** rozeznat; ~ **off** odpočítat, vybrat pro zvláštní úkol (*for*); —**er** *s* 1. vypravěč 2. sčítač 3. plynoměr 4. pokladník; —**tale** [ˈtelteil] *s* 1. klepna, donášeč, udavač 2. ochranné signální zařízení □ *a* zrádcovský; prozrazující co; ~ **lamp** kontrolní žárovka

temerity [tiˈmeriti] *s* nerozvážnost, ukvapenost

temper [tempə] *vt* 1. míchat, mísit 2. mírnit přísnost 3. připravit 4. přizpůsobit (*to* k) 5. kalit ocel 6. řídit se (*with* čím) 7. hud. temperovat, modulovat □ *s* 1. patřičná směs 2. tvrdost 3. temperament, povaha, nálada 4. umírněnost ♦ *good* ~ dobrá nálada; *bad* ~ špatná nálada, zlost; *quick* ~ prchlivost; *out of* ~ mrzutý, rozzlobený; *to lose one's* ~ ztratit trpělivost; *to keep one's* ~ mírnit se; ~ *hardening* tech. umělé stárnutí; —**ament** [ˈtempərəmənt] *s* povaha, letora, temperament; —**ance** [ˈtempərəns] *s* střídmost, mírnost; —**ate** [ˈtempərit] *a* střídmý, mírný, klidný; —**ature** [ˈtempričə] *s*

1. teplota 2. mírnost; ~ *drop* pokles teploty

tempest [ˈtempist] *s* 1. bouře, nepohoda 2. nepokoj, zmatek, srocení □ *vi* bouřit, burácet □ *vt* pobuřovat; — **uous** [temˈpestjuəs] *a* bouřlivý, rozbouřený, prudký

Templar [ˈtemplə] *s* templář

template [ˈtemplit] viz *templet*

temple¹ [ˈtempl] *s* chrám

temple² [ˈtempl] *s* spánek, skráň

templet [ˈtemplit] *s* míra, vzor, šablona

temporal¹ [ˈtempərəl] *a* 1. časový, časný, dočasný; vezdejší 2. světský; *lords* ~ světští členové sněmovny lordů; — **ity** [ˌtempəˈræliti] *s* 1. světskost 2. pl. církevní statky 3. dočasnost

temporal² [ˈtempərəl] *a* spánkový, skráňový

temporar|iness [ˈtempərərinis] *s* dočasnost; — **y** [ˈtempərəri] *a* dočasný, prozatímní, přechodný

tempor|ization [ˌtempəraiˈzeišən] *s* vyčkávání; získávání času; odkládání, odklady; — **ize** [ˈtempəraiz] *vt* vyčkávat příležitosti; získávat čas; odkládat

tempt [tempt] *vt* 1. pokoušet 2. popouzet, pohánět *(for)* 3. svádět ke zlému, vábit, lákat; — **ation** [tempˈteišən] *s* pokušení, lákání; — **er** [ˈtemptə] *s* pokušitel, svůdce; — **ing** [ˈtemptiŋ] *a* svůdný, vábný, vnadný □ *s* návnada, vábení, pokušení; — **ress** [ˈtemptris] *s* svůdkyně

ten [ten] *num* deset □ *s* desítka;

~ *times* desetkrát; — **fold** [ˈtenfould] *a & adv* desateronásobný, -ě; — **th** [tenθ] *a* desátý □ *s* desetina

tenable [ˈtenəbl] *a* udržitelný, obhajitelný

tenac|ious [tiˈneišəs] *a* 1. pevně lnoucí, nerozlučný, soudržný 2. tuhý, houževnatý; nepovolný, lpějící *(of na)* ♦ *a* ~ *memory* dobrá paměť; — **ity** [tiˈnæsiti] *s* 1. soudržnost, přilnavost 2. houževnatost 3. zarytost ♦ ~ *of life* tuhý život

ten|ancy [ˈtenənsi] *s* nájem, držba, nájemní lhůta; — **ant** [ˈtenənt] *s* nájemník, nájemce □ *vt* mít v nájmu, v držbě; obývat

tench [tenš] *s* lín

tend [tend] *vi* 1. mít sklon, směřovat, mířit; řídit se 2. hlídat, dávat pozor, dohlížet; pečovat, hledět si 3. obsluhovat; — **ance** [ˈtendəns] *s* ošetření, péče, dohlížení; — **ency** [ˈtendənsi] *s* 1. směr, sklon, tendence 2. snaha, cíl 3. úmysl

tender¹ [ˈtendə] *a* 1. jemný, něžný, útlý; měkký, hebký 2. choulostivý 3. soucítící 4. zast. drahý, drahocenný 5. starostlivý *(of o)* ♦ *to make* ~ obměkčit □ *s* 1. dohlížitel 2. ošetřovatel(ka); ¹ — **foot** am. *s* nováček; ~ **-hearted** [ˈtendəˈha:tid] *a* útlocitný; ~ **-mind-ed** [ˈtendəˈmaindid] *a* útlocitný; — **ness** [ˈtendənis] *s* jemnost, něžnost; měkkost; lahodnost

tender² [ˈtendə] *s* nabídka zvl. písemná □ *vt & i* nabízet (*one's services* služby, *resignation* rezignaci); —**ing ♦** ~ *procedure* nabídkové řízení

tender³ [ˈtendə] *s* 1. tendr 2. zásobovací loď

tendon [ˈtendən] *s* šlacha

tendril [ˈtendril] *s* výhonek, úponka

tenebrous [ˈtenibrəs] *a* temný, tmavý

tenement [ˈtenimənt] *s* 1. byt pro rodinu, nájem, držba 2. najatý pozemek 3. dům

tenet [ˈtiːnet] *s* zásada, princip, doktrína

Tenn. = *Tennessee* [ˌteneˈsiː]

tennis [ˈtenis] *s* tenis (*lawn-* ~); ~ **-ball** [ˈtenisbɔːl] *s* tenisový míček; ~ **-court** [ˈteniskɔːt] *s* tenisové hřiště

tenon [ˈtenən] *s* čep

tenor [ˈtenə] *s* 1. běh života, směr, ráz 2. znění, smysl, obsah 3. hud. tenor

tense¹ [tens] *a* napjatý, natažený

tense² [tens] *s* gram. čas

tens|ile [ˈtensail] *a* roztažitelný, tažný (*force* síla); ~ *strength* pevnost v tahu

tens|ion [ˈtenʃən] *s* napětí (*international* ~ mezinárodní napětí); tah, napínání, vypětí □ *vt* napnout; —**or** [ˈtensə] *s* napínač sval

tent¹ [tent] *s* stan □ *vi* bydlit ve stanu □ *vt* přikrýt stanem, opatřit přístřeší; |~ **-pegs** *s* stanové kolíky

tent² [tent] *s* med. tampón

tent³ [tent] *s* španělské víno

tentacle [ˈtentəkl] *s* tykadlo

tentative [ˈtentətiv] *a* zkušební, pokusný, prozatímní □ *s* pokus, zkouška

tenter [ˈtentə] *s* 1. soukenický rám 2. bidlo k sušení; ~ **-hook** [ˈtentəhuk] *s* napínací háček

tenu|ity [teˈnjuiti] *s* 1. tenkost, řídkost, jemnost 2. skromnost; bída, nouze 3. jednoduchost; —**ous** [ˈtenjuəs] *a* 1. tenký, jemný 2. hubený, řídký, skrovný, útlý, malý

tenure [ˈtenjuə] *s* lenní majetek, držba

tepefy [ˈtepifai] *vt & i* ovlažit (se), oteplit (se)

tepid [ˈtepid] *a* vlažný; —**ity** [teˈpiditi] *s* vlažnost

tercentenary [ˌtəːsenˈtiːnəri] *a* třistaletý □ *s* třistaleté výročí

terebinth [ˈterəbinθ] *s* 1. terebint strom 2. terpentýn; —**ine** [ˌterəˈbinθain] *a* terpentýnový

tergiversat|e [ˈtəːdʒivəːseit] *vi* vytáčet se, vymlouvat se; odpadnout od víry, od přesvědčení; —**ion** [ˌtəːdʒivəːˈseiʃən] *s* 1. přeběhlictví 2. vytáčka, výmluva 3. odpadnutí

term [təːm] *s* 1. doba, čas, lhůta 2. semestr, období soudního zasedání 3. termín, název, výraz, pojem 4. podmínka 5. pl. okolnosti 6. pl. podmínky, poměry 7. pl. zast. čmýra 8. mat. člen ♦ ~ *of life* doživotí; *in general* -*s* všeobecně řečeno; *to bring to* -*s* přimět k povolnosti; *to come to* -*s* povolit, souhlasit; *to make* -*s* dohodnout se; *I am on good* -*s with him* stýkám se s ním přátelsky; *we are not on speaking* -*s* nemluvíme spolu;

on usual -s za obvyklých podmínek; *on -s of intimacy* důvěrně; *upon any -s* stůj co stůj, za každou cenu □ *vt* nazvat, pojmenovat

termagant [ˈtəːməgənt] *a* svárlivý. haštěřivý □ *s* zlá žena, saň

termin|al [ˈtəːminl] *s* 1. konec, mez 2. svorka elektrického vedení 3. termín 4. am. konečná stanice; **—ate** [ˈtəː-mineit] *vt & i* ukončit (se), omezit, ohraničit, přestát; **—ation** [ˌtəːmiˈneišən] *s* 1. omezení, vymezení 2. ohraničení, mez 3. konec, ukončení 4. koncovka; **—ology** [ˌtəːmiˈnolədži] *s* terminologie, názvosloví; **—us** [ˈtəː-minəs] *s* pl. -i [-ai], -*uses* [-əsiz] 1. konečná stanice dráhy 2. hranice, mezník

termite [ˈtəːmait] *s* termit

tern [təːn] *s* mořská vlaštovka

ternary [ˈtəːnəri] *a* potrojný □ *s* trojice

terra [ˈterə] *s* země; **—cotta** [ˈterəˈkotə] *s* terakota; **—mycin** [ˌterəˈmaisin] *s* terramycin antibiotikum

terrace [ˈterəs] *s* terasa, balkón, plochá střecha □ *vt* terasovitě uspořádat

terraine [ˈterein] *s* terén

terrene [təˈriːn] *a* zemský, pozemský

terrestrial [tiˈrestriəl] *a* (po)zemský, (po)zemní □ *s* pozemšťan

terrible [ˈterəbl] *a* 1. strašný, hrozný 2. hov. nesmírný, ohromný

terrier[1] [ˈteriə] *s* teriér

terrier[2] [ˈteriə] *s* pozemková kniha

terri|fic [təˈrifik] *a* hrozný, strašlivý; **—fy** [ˈterifai] *vt* poděsit, postrašit

territor|ial [ˌteriˈtoːriəl] *a* územní, teritoriální; **—y** [ˈteritəri] *s* území, oblast, teritorium

terror [ˈterə] *s* 1. hrůza, zděšení 2. útisk, teror ♦ *reign of ~* hrůzovláda; *to strike ~ into* nahnat komu strach; **—ist** [ˈterərist] *s* terorista; **—ize** [ˈterəraiz] *vt* terorizovat; **|~ -stricken**, **|~ -struck** *a* hrůzou, strachem zachvácený

terry [ˈteri] *s* žebrovaný aksamit

terse [təːs] *a* 1. zast. uhlazený, elegantní 2. stručný, jasný, střízlivý sloh

tertiary [ˈtəːšəri] *a* 1. třetího stupně n. řádu 2. třetihorní

tess|ellated [ˈtesileitid] *a* mozaikový (*pavement* dláždění); **—era** [ˈtesərə] *s* pl. -*erae* [-əri:] kostka mozaiky

test [test] *s* 1. zkouška; *H-bomb -s* pokusy s vodíkovými bombami; *nuclear weapons -s* pokusy s jadernými zbraněmi 2. test 3. krunýř, štít u některých živočichů ♦ *to put to the ~* podrobit zkoušce; *to stand the ~* obstát při zkoušce; *to take the ~* složit přísahu □ *vt* (vy)zkoušet; **|~ -glass**, **~ -tube** [ˈtesttjuːb] *s* zkumavka; **|~ -paper** *s* chem. reagenční papírek; **|~ -room** *s* zkušebna, laboratoř

testaceous [tesˈteišəs] *a* skořepinatý, štítnatý (*~ animals* korýši), krunýřovitý

testament [ˈtestəmənt] *s* závěť, poslední vůle ♦ *the Old, New, T~* Starý, Nový zákon

testat|e [ˈtestit] *a* žanechavší závěť □ *s* zůstavitel závěti; **—or** [tesˈteitə] *s* zůstavitel závěti; **—rix** [tesˈteitriks] *s* pl. *-rices* [-risi:z], *-rixes* [-riksiz] zůstavitelka závěti

tester [ˈtestə] *s* nebesa nad postelí

testicle [ˈtestikl] *s* varle

testi|fication [ˌtestifiˈkeišən] *s* dosvědčení, potvrzení; **—fy** [ˈtestifai] *vt & i* 1. potvrdit, dosvědčit (*to* co) 2. svědčit (*against* proti)

testimon|ial [ˌtestiˈmounjəl] *s* 1. potvrzení, osvědčení 2. svědectví 3. čestný dar; **—y** [ˈtestiməni] *s* 1. svědectví (*to* čeho), potvrzení 2. zákon 3. Písmo sv. ♦ *to bear ~ to* svědčit proti

testudinal [tesˈtju:dinəl] *a* želvovitý, želví

testy [ˈtesti] *a* nevrlý, neústupný, svéhlavý; horkokrevný

tetan|ic [tiˈtænik] *a* tetanový; **—us** [ˈtetənəs] *s* tetan

tetchy viz *techy*

tether [ˈteðə] *s* 1. provaz, jímž je uvázán dobytek 2. fig. působiště, obor, rozsah vědění ap. ♦ *to be at the end of one's ~* být u konce svých sil □ *vt* přivázat

tetra|gon [ˈtetrəgən] *s* čtyřúhelník; **—gonal** [tiˈtrægənəl] *a* čtyřúhelný; **—hedron** [ˈtetrəˈhedrən] *s* čtyřstěn

tetter [ˈtetə] *s* lišej, kožní vyrážka □ *vt* nakazit lišejem

Teuton [ˈtju:tən] *s* Teuton, Germán; **—ic** [tju:ˈtonik] *a* teutonský, germánský □ *s* germánština

text [tekst] *s* text, původní znění, citát; **—book** [ˈtekstbuk] *s* příručka, učebnice; **—ual** [ˈtekstjuel] *a* textový, doslovný

textile [ˈtekstail] *a* textilní, tkalcovský □ *s* pl. textilní zboží, textilie

texture [ˈteksčə] *s* tkanina, tkanivo, osnova (látky)

Tchajwan *s* Tchaj-wan

Thames, *the* [temz] *s* Temže

than [ðæn, ðən, ðn] *conj* než, nežli ♦ *~ that* než aby

thane [θein] *s* zeman

thank [θæŋk] *vt* děkovat (*for* za), být zavázán, poděkovat se □ *s* dík, poděkování ♦ *to give -s* vzdát díky; *to return -s* poděkovat; **—ful** [ˈθæŋkful] *a* vděčný; **—less** [ˈθæŋklis] *a* nevděčný; nevýnosný; **—sgiving** [ˈθæŋksˌgiviŋ] *s* díkůvzdání (*~ day* den díkůvzdání)

that [ðæt] *pron* pl. *those* 1. ten, ta, to 2. onen, ona, ono ♦ *~ is to say* totiž, to znamená; *~ 's right* to je správné; *what of ~?* co na tom?; *~ way* tímto způsobem, tak □ *a* jaký, který, jenž, takový, tak veliký □ *adv* tak ♦ *~ far* tak daleko; *~ much* tolik, tou měrou, tak; *~ long* tak dlouho □ *conj* [ðæt, ðət] že, aby, když; *after ~* potom; *in ~* protože; *so ~* tak, že

thatch [θæč] *s* došek, došková střecha □ *vt* (po)krýt došky

that's [ðæts] = *that is*

thaumaturg|e [ˈθɔ:mətə:dž] *s* divotvůrce; **—ic** [ˌθɔ:məˈtə:-džik] *a* podivný, úžasný; **—ist** [ˈθɔ:mətə:džist] *s* divotvůrce; **—y** [ˈθɔ:mətə:dži] *s* činění zázraků, zázrak

thaw [θɔ:] *vi & t* tát, rozehřát (se), rozpouštět (se) □ *s* tání, obleva

the před samohl. [ði], před souhl. [ðə] **1.** člen určitý **2.** ten, ta, to **3.** *adv the... the* čím... tím ♦ ~ *less* tím méně; ~ *worse n. so much* ~· *worse for you* tím hůře pro tebe

theatr|e [ˈθiətə] *s* **1.** divadlo, jeviště **2.** operační síň **3.** posluchárna; **—ical** [θiˈætrikəl] *a* divadelní, herecký; efektní □ *pl.* ochotnické divadlo

Theban [ˈθi:bən] *a* thébský □ *s* Théban

thee [ði:] *pron dat., ak.* viz *thou*

theft [θeft] *s* krádež, zlodějství

their [ðeə] *pron poss* jejich; **—s** [ðeəz] *pron poss* jejich v absolutním postavení

the|ism [ˈθi:izəm] *s* teismus; **—ist** [ˈθi:ist] *s* teista

them [ðəm] *pron* jim, je; viz *they*

them|atic [θiˈmætik] *a* tematický; **—e** [θi:m] *s* téma, látka, námět, předmět

themselves [ðəmˈselvz] *pron zvr. pl.* oni sami; oni, ony, ona se, sebe

then [ðen] *adv* pak, potom, tenkrát, tehdy, někdy tedy □ *a* tehdejší □ *conj* pročež ♦ *since* ~ od té doby; *till* ~ až do té doby

thence [ðens] *adv* arch. odtud, odtamtud, od té doby, proto;

—forth, **—forward** *adv* od té doby, od té chvíle, odtud

theodolite [θiˈodəlait] *s* theodolit

theolog|ian [θiəˈloudžjən] *s* teolog, bohoslovec; **—ist** [θiˈolədžist] *s* teolog, bohoslovec; **—y** [θiˈolədži] *s* teologie, bohosloví

theorem [ˈθiərəm] *s* poučka, zásada

theor|etic(al) [θiəˈretik(əl)] *a* teoretický; **—ist** [ˈθiərist] *s* teoretik; **—ize** [ˈθiəraiz] *vt* teoretizovat; **—y** [ˈθiəri] *s* teorie, vědecká domněnka; pojetí, názor, nauka

theosophy [θiˈosəfi] *s* theosofie

therapeutic [ˌθerəˈpju:tik] *a* terapeutický, léčebný; **—s** [ˌθerəˈpju:tiks] *s pl.* léčení, terapie

there [ðeə] *adv* **1.** tam, tu **2.** v tom ♦ ~ *it is*! hle, tu je to!; ~ *you are* tu to máte; *from* ~ tam odtud; *near* ~ tu nablízku; **—abouts** tam někde, okolo, tak nějak, asi tolik, proto. v tom; **—after** potom; **—at** na tom, při tom, proto; **—by** tím, takto; **—fore** proto, tedy, pročež; **—from** arch. od, z toho; **—in** arch. v tom, tam; **—in after** později; **—into** do toho, tam; **—of** arch. z toho, o tom; **—on** zast. na to, na tom; **—out** arch. z toho, odtud; **—to,** **—unto** arch. k tomu, mimo to; **—under** pod tím; **—up|on** na to, na tom, potom; tedy; ihned; **—with** s tím, ihned, hned; **—wi|thal** mimo to, s tím, zároveň

therm|al [ˈθəːməl] *a* teplý o vřídle, tepelný ♦ ~ *unit* jednotka tepla; ~ *power station* tepelná elektrárna; ~ *springs* horká vřídla; **—ocouple** [ˈθəːmoukəpl] *s* termoelektrický článek; **—o-electric** [ˈθəːmouiˈlektrik] *a* termoelektrický; **—ometer** [θəˈmɒmitə] *s* teploměr; **—ostat** [ˈθəːmoustæt] *s* termostat; **—onuclear** [ˌθəːməˈnjuːkliə] *a* termonukleární; **—os** [ˈθəː-mos] *s* termoska

thesaurus [θiːˈsɔːrəs] *s* lexikon, naučný slovník

these [[ðiːz] *pron* pl. viz *this*

thes|is [ˈθiːsis] *s* pl. **-es** [-iːz] teze, tvrzení, klad; dizertační n. diplomová práce

thews [θjuːz] *s pl.* síla (svalů)

they [ðei] *pron* oni, ony, ona

they'd [ðeid] = **1.** *they would* **2.** *they had*

they'll [ðeil] = *they will*

they're [ðeiə] = *they are*

they've [ðeiv] = *they have*

thick [θik] *a* **1.** tlustý, silný **2.** hustý; kalný; neprůhledný **3.** těžkopádný, hloupý, tupý **4.** častý **5.** přeplněný (*with* čím) **6.** nezřetelný **7.** důvěrný ♦ *to speak* ~ zadrhávat, mluvit nejasně; *to spread the butter* ~ tlustě namazat máslem; ~ *soup* bílá polévka; *weather is still* ~ počasí je stále nejasné, neklidné; *through* ~ *and thin* za všech okolností □ *s* **1.** houští **2.** hustota **3.** tloušťka □ *adv* **1.** tlustě, hustě **2.** nezřetelně; **—en** [ˈθikən] *vt* **1.** zhustit □ *vi* **2.** houstnout **3.** srazit se **4.**

zakalit se **5.** namačkat se **6.** stát se složitějším, zintenzivnět; **—et** [ˈθikit] *s* houští, křoví; ~ **-eyed** [ˈθikaid] *a* kalných očí; ~ **-head** [ˈθik-hed] *a* tupohlavý, hloupý; **—ness** [ˈθiknis] *s* **1.** tloušťka, výška **2.** hustota, vrstva; ¦ **—set** *a* **1.** hustě posázený **2.** zavalitý; ~ **-skinned** [ˈθik-ˈskind] *a* s hroší kůží též fig.; ~ **-skulled** [ˈθikˈskald] *a* tupohlavý, hloupý, blbý

thie|f [θiːf] *s* pl. **-ves** [-vz] **1.** zloděj(ka) **2.** oharek svíčky; **—ve** [θiːv] *vi & t* krást; **—very** [ˈθiːvəri] *s* zlodějství, krádež, ukradené věci; **—vish** [ˈθiːviš] *a* zlodějský

thigh [θai] *s* stehno; ¦ ~ **-bone** *s* stehenní kost

thill [θil] *s* oj, ojnice (vidlicovitá); **—er** [ˈθilə] *s* kůň v jednospřeží

thimble [ˈθimbl] *s* náprstek; **—ful** [ˈθimblful] *s* náprstek čeho; ¦ **-rig** *s* kejklířský kousek □ *vt* oklamat kejklířským kouskem

thin [θin] *a* **1.** tenký, slabý **2.** lehký **3.** hubený; skrovný; nepatrný; prázdn|ý (*theatre* -é divadlo) **4.** mělký, chatrný, průhledn|ý (*excuse* -á výmluva) **5.** řídký (*hair* vlasy) ♦ *through thick and* ~ za všech okolností □ *vt & i* **1.** řídnout, slábnout, hubenět; zeslabit; ztenčit; (roz)ředit **2.** tratit se **3.** jednotit řepu, sazenice; ¦ ~ **-bodied** *a* hubený; **—ner** [ˈθinə] *s* ředidlo; **—ness** [ˈθinnis] *s* **1.** tenkost, hubenost **2.** řídkost **3.** chatrnost; ~ **-skin-**

ned [ˈθinˈskind] *a* s tenkou kůží; nedůtklivý, citlivý

thine [ðain] *pron* viz *thy*

thing [θiŋ] *s* 1. věc, předmět 2. tvor 3. záležitost 4. majetek ♦ *poor ~* ubožák; *the very ~* právě to; *no such ~* nic takového; *a ~ of a man* nicotný člověk; *little -s* maličkosti; *I am not feeling at all the ~* není mi dobře; *to make a good ~ of* profitovat z; *to know a ~ or two* být zkušený, něco znát

thingamy, thingummy [ˈθiŋəmi], thingumbob [ˈθiŋəmbob] *s* tentononc

think* [θiŋk] *vt & i* 1. myslit (*of* na), přemýšlet, uvažovat (*on, upon* o) 2. (po)myslit si (*to, with*) 3. pamatovat (*upon* na) 4. soudit, domnívat se, cenit, považovat 5. hodlat, zamýšlet ♦ *I should ~ so* to si myslím; *to ~ light of* nedbat oč; *to ~ likely* mít za možné; *to ~ long* toužebně čekat; *to ~ much* starat se, rozmýšlet se; *to ~ much of* vysoce cenit, vážit si; *to ~ proper* pokládat za vhodné, přípustné; *to ~ shame of* hanbit se za; ~ **about** uvážit co; ~ **for** domýšlet se; ~ **out** vymyslit (si); ~ **up** připomenout si; —**er** [ˈθiŋkə] *s* myslitel; —**ing** [ˈθiŋkiŋ] *a* myslící, přemýšlivý □ *s* myšlenka, myšlení, uvažování ♦ *to my ~* podle mého mínění

third [θəːd] *a* třetí □ *s* třetina; —**ly** [ˈθəːdli] *adv* za třetí

thirst [θəːst] *s* 1. žízeň 2. fig. touha, žádost □ *vi* žíznit; prahnout (*after, for* po); —**y**

[ˈθəːsti] *a* žíznivý; vyprahlý; toužící

thir|teen [ˈθəːˈtiːn] *num* třináct; —**teenth** [ˈθəːˈtiːnθ] *a* třináctý; —**tieth** [ˈθəːtiiθ] *a* třicátý; —**ty** [ˈθəːti] *num* třicet

this [ðis] *pron* tento, tato, toto, pl. *these* ♦ *~ and that* ten a onen; *~ day* dnes; *~ day fortnight* ode dneška za 14 dní; *~ once* tentokrát; *~ way* tudy; *long before ~* dávno před; *~, that and the other* to a ono

thistl|e [ˈθisl] *s* bodlák; —**y** [ˈθisli] *a* bodavý; zarostlý bodlákem

thither [ˈðiðə] *adv* arch. tam ♦ *hither and ~* sem a tam; *I—to* až tam; *I—ward(s)* tím směrem

tho [ðou] viz *though*

Thomas [ˈtoməs] *s* Tomáš

thong [θoŋ] *s* řemen, žíla biče

thorax [ˈθoːræks] *s* hrudník, krunýř

thorn [θoːn] *s* trn, osten, trní ♦ *white ~* hloh; *black ~* trnka; —**y** [ˈθoːni] *a* trnitý, bodlavý

thoroly am. = *thoroughly*

thorough [ˈθʌrə] *a* 1. pronikající, procházející 2. úplný, dokonalý, důkladný, naprostý □ *s* důkladné opatření □ *adv* veskrz; *I~ -bred a* čistokrevný, ušlechtilý; —**fare** [ˈθʌrəfeə] *s* průchod, průjezd (*no ~* průjezd zakázán); hlavní třída; —**going** [ˈθʌrə-ˌgouiŋ] *a* nekompromisní, důkladný; ~ -**paced** [ˈθʌrəpeist] *a* úplně cvičený o koni;

úplný, vyškolený; všemi mastmi mazaný

thorp(e) [θo:p] *s* zast. ves, dědina

those [ðouz] *pron pl.* viz *that*

thou [ðau] *pron* arch. n. bás. ty, tebe

though [ðou] *conj* ač, ačkoli, byť i, přece, přes to, nicméně ♦ *as* ~ jakoby; *what* ~ ať si

thought¹ [θo:t] *s* **1.** myšlenka (*of* na), úvaha **2.** myšlení, přemýšlení, uvažování **3.** domnění, mínění, úmysl **4.** nápad **5.** smysl, pojem **6.** starost ♦ *on second* ~ po zralém uvážení; *upon, with, a* ~ mžikem; *want of* ~ bezmyšlenkovitost; *to give a* ~ *to* pomýšlet na; **—ful** [ˈθo:tful] *a* **1.** přemýšlivý, zamyšlený **2.** pozorný, pečlivý, ohleduplný **3.** starostlivý, úzkostlivý, šetrný; **—less** [ˈθo:tlis] *a* **1.** bezmyšlenkovitý, nemyslící **2.** nerozvážlivý **3.** bezstarostný **4.** hloupý; nedbalý, nešetrný; nepozorný

thought² [θo:t] *pt, pp* viz *think*

thousand [ˈθauzənd] *num, s* **1.** tisíc **2.** tisícovka ♦ ~ *times* tisíckrát; **—th** [ˈθauzəntθ] *a* tisící

thraldom [ˈθro:ldəm] *s* otroctví, poroba

thrall [θro:l] *s* nevolník, otrok □ *a* poddaný, nevolný □ *vt* zotročit

thrash, thresh [θræš, θreš] *vt & i* **1.** mlátit obilí **2.** spráskat, (z)bít; ~ *out* vymlátit; *to* ~ *out a question* prodiskutovat otázku; **—er** [ˈθrešə] *s* mlatec, mlátička; **—ing** [ˈθræšiŋ] *s* **1.** mlácení **2.** výprask,

porážka; ǀ**—ing-floor** *s* mlat; ǀ**—ing-ma**ǀ**chine** *s* mlátička

thread [θred] *s* **1.** nit, vlákno **2.** pramének **3.** závit, vinutí **4.** souvislost □ *vt* **1.** navléknout nit **2.** provléci se; **—bare** [ˈθredbeə] *a* ošumělý, všední; ~ **gauge** [geidž] závitový kalibr

threat [θret] *s* **1.** hrozba (*of war* války); vyhrožování, výhrůžka **2.** zlá předtucha; **—en** [ˈθretn] *vt* hrozit; vyhrožovat, zastrašovat (*with* čím)

three [θri:] *num & s* tři, trojka; **—fold** [ˈθri:fould] *a* trojnásobný; ǀ~-ǀ**master** *s* trojstěžník; ǀ~-**part** *atr* třídílný; **—pence** [ˈθrepəns] *s* tři pence; **—penny** [ˈθrepəni] (*bit*) *s* třípencová mince; ~-**phase** [ˈθri:feiz] *atr* třífázový; **—score** [ˈθri:ǀsko:] *s* šedesát, kopa; ǀ~-**shift** *operation* provoz na tři směny; ~-**stage** [ˈθri:ǀsteidž] *atr* třístupňový; ~-**wheeler** [ˈθri:ǀwi:lə] *s* trojkolka

thresh [θreš] viz *thrash*

threshold [ˈθrešould] *s* práh, vchod, začátek ♦ *on* (n. *at*) *the* ~ *of a new century* na prahu nového století

threw [θru:] *pt* viz *throw*

thrice [θrais] *adv* třikrát

thrid [θrid] arch. viz *thread*

thrift [θrift] *s* **1.** zast. zdar, štěstí **2.** spořivost, šetrnost, hospodárnost; **—iness** [ˈθriftinis] *s* šetrnost, spořivost, blahobyt; **—less** [ˈθriftlis] *a* marnotratný; nehospodárný; **—y** [ˈθrifti] *a* **1.** hospodárný, šetrný (*of*) **2.** zast. zdárný

thrill [θril] *vt* **1.** proniknout, rozechvět, otřást, vzrušit **2.** zast. (pro)vrtat ☐ *vi* **3.** třást se, chvět se **4.** být pronikavý **5.** trylkovat ☐ *s* **1.** silné pohnutí, vzrušení **2.** záchvěv, rozechvění **3.** trylek **4.** sl. senzační povídka; —**er** [ˈθrilə] *s* napínavá četba, hra; detektivka

thriv|e* [θraiv] *vi* **1.** dařit se, prospívat, rozkvétat, bujet **2.** mít úspěch (*in* v); —**er** [ˈθraivə] *s* zř. **1.** senzační hra, povídka **2.** šťastný člověk, dítě štěstěny

thro' [θru:] viz *through*

throat [θrout] *s* jícen, hrdlo, chřtán ♦ *to lie in one's ~* v hrdlo lhát; *to give person the lie in his ~* říci komu do očí, že lže; |—**flap** *s* čípek; |~ **-pipe** *s* průdušnice; —**y** [ˈθrouti] *a* hrdelní, chraptivý

throb [θrob] *vi* (-bb-) bít, tlouci (o srdci), tepat, bušit; chvět se ☐ *s* tlukot (srdce), záchvěv

throe [θrou] *s* obv. v pl. **1.** bolesti zvl. porodní **2.** smrtelný zápas **3.** výbuch, záchvat ☐ *vi* svíjet se bolestí, být v agónii

throne [θroun] *s* trůn; fig. vysoké postavení ♦ *to ascend* n. *mount the ~* nastoupit na trůn ☐ *vt* nastolit, dosadit na trůn

throng [θroŋ] *vt* tlačit (se), přeplnit, přecpat, mačkat se ☐ *s* tlačenice, zástup

throstle [ˈθrosl] *s* drozd

throttle [ˈθrotl] *s* **1.** průdušnice **2.** tech. škrticí klapka ☐ *vt* dusit, rdousit, škrtit; |~ ˌle-

ver *s* plynová páka; ~ -**valve** [ˈθrotlvælv] *s* škrticí klapka n. ventil

through [θru:] *prep, adv* skrzo, pro, ze, docela ♦ *to march ~ the town* pochodovat městem; *to look ~ the window* hledět oknem; *he got ~ his examinations* prošel při zkouškách; *~ fear* ze strachu; *it was all ~ you* that *we were late* kvůli vám jsme přišli pozdě; *I am ~* jsem hotov; *~ line* přímé spojení drahou; *~ train* přímý vlak; —**out** [θru:ˈaut] *prep, adv* veskrze, úplně, docela, všude

throve [θrouv] *pt* viz *thrive*

throw¹* [θrou] *vt & i* **1.** házet, hodit, metat, vrhat, mrštit **2.** kroužit, točit **3.** spřádat **4.** srazit k zemi, zvítězit, porazit **5.** formovat **6.** vyhodit ze sedla **7.** vrhnout mláďata ♦ *to ~ dust in the eyes of* sypat komu písek do očí fig.; *to ~ one's lot with* sdílet osud s; *to ~ a party, a dinner* hov. pořádat hostinu; *to ~ ligth on the matter* osvětlit věc; ~ **about** rozhazovat; ~ **at** mrštit po; *to ~ oneself at someone's feet* vrhnout se komu k nohám; ~ **away** odložit, zahodit, odmítnout, promarnit; ~ **back to** zvrhnout se po; ~ **for** házet po, lovit; ~ **in** utrousit poznámku, dodat, připojit, přihodit; ~ **into** one's face vyčíst; ~ **off 1.** odhodit, odložit, zbavit se **2.** improvizovat; *to ~ off an illness* zapudit nemoc; ~ **open** otevřít, rozevřít; ~ **out**

1. vyhodit 2. zamítnout; uvést do rozpaků 3. předstihnout 4. přidat křídlo budově; |~-outs s pl. zmetky; ~ over 1. nechat na holičkách, vzdát se čeho, koho 2. zrušit 3. přehodit, přepnout; ~ up 1. vysunout 2. dávit 3. vzdát se úřadu; to ~ up the sponge vzdát se boje

throw² [θrou] s 1. vrh, hod 2. hrnčířský kruh; —er [θrouə] s soukač; hrnčíř; —ing [|θrouiŋ] s 1. házení 2. soukání 3. kroužení hrnců; —n [θroun] pp viz throw

thru [θru:] am. = through

thrum¹ [θram] s 1. třepení, třásně 2. vlákno, cupaná nit, hrubá příze □ vt (-mm-) ozdobit třepením

thrum² [θram] vi & t (-mm-) škrabat; brnkat na housle ap., bubnovat prsty □ s škrabání, drnkání, bubnování prsty

thrush¹ [θraš] s drozd

thrush² [θraš] s moučnice nemoc dětí; střela nemoc koní

thrust¹* [θrast] vt & i 1. vrazit, strčit, vbodnout (into do), probodnout 2. vrhnout, mrštit 3. tlačit, mačkat, cpát (se) 4. dotírat na 5. natahovat, vztáhnout 6. vniknout, vetřít se; ~ down svrhnout; ~ in, into vstrčit, vecpat; ~ oneself, one's nose in fig. strkat nos do; ~ on strkat, pohánět; ~ out vystrčit, vystěhovat; ~ through probodnout; ~ upon namluvit komu

thrust² [θrast] s 1. strčení, štulec 2. bodnutí, rána, úder 3. útok (at na), nápor 4. tech. tlak

thud [θad] s bouchnutí, žuchnutí

thug [θag] s rváč, lupič, vrah

thumb [θam] s palec ruky ♦ under the ~ of pod vlivem, pod vládou, v područí koho; by rule of ~ podle oka □ vt omakat, pošpinit; ~-latch [|θamlæč] s zámek otvírající se zmáčknutím pera; |~-print s otisk palce; ~-stall [|θamsto:l] s náprstek

thump [θamp] s bouchnutí, rána pěstí, štulec □ vt tlouci, bouchat, klepat, udeřit pěstí; —ing [|θampiŋ] a 1. ohromný, nehorázný 2. zjevný, zřejmý, bezesporý □ adv hov. hodně, moc; ~ good play po čertech dobrá hra

thunder [|θandə] s hrom, bouřka, dunění □ vt & i hřmít, bít o hromu, dunět; —bolt [|θandəboult] s blesk; náhlý úder, neočekávané neštěstí; ~-clap [|θandəklæp] s zahřmění; nepředvídaná zpráva; —er [|θandərə] s hromovládce; —ing [|θandəriŋ] a 1. hromový, hřímavý 2. hov. ohromný; ~-storm [|θandəsto:m] s hromobití, bouřka; ~-stroke [|θandəstrouk] s úder hromu; ~-struck [|θandəstrak] a ohromený

thurible [|θjueribl] s kadidelnice

Thursday [|θə:zdi] s čtvrtek

thus [ðas] adv tak, takto, tedy ♦ ~ far potud; ~ much tolik

thwack [θwæk] s těžký úder rána □ vt bít, mrskat

thwaite [θweit] s novina pole

thwart [θwo:t] arch. *adv* napříč, šikmo □ *a* 1. šikmý, příčný, kosý 2. protivný, nepříjemný □ *vt & i* zkřížit plány, překazit, zmařit; přerušit; příčit se (*with* čemu); klást odpor □ *s* sedadlo veslaře

thy, thine [ðai, ðain] *pron* arch. tvůj, tvá, tvé

thyme [taim] *s* dymián ♦ *wild* ~ mateřídouška

thyroid [ˈθairoid] *s* med. štítný ♦ ~ *gland* štítná žláza

thyself [ðaiˈself] zvr. *pron* arch. ty sám, sama sebe, se

tiara [tiˈa:rə] *s* tiára

tibi|a [ˈtibiə] *s* pl. -*ac* [-i:], -*as* [-əz] holenní kost

tick¹ [tik] *s* 1. zaškrtávací značka 2. úvěr, dluh ♦ *on* ~ na úvěr □ *vi* dát úvěr

tick² [tik] *s* povlak, cícha; —ing [ˈtikiŋ] *s* cíchovina

tick³ [tik] *vi & t* tikat o hodinkách □ *s* tikot, chod hodin; |~-|tack *s* tikot

tick⁴ [tik] *s* klíště

ticket [ˈtikit] *s* 1. lístek, vstupenka, jízdenka 2. los 3. cedulka, oznámení 4. am. kandidátka volební 5. am. program strany □ *vt* opatřit si lístek, označit, přivěsit lístek, vydávat lístky; ~-collector [ˈtikitkəˌlektə] *s* výběrčí lístků; |~-|office *s* prodejna lístků; |~-|porter *s* veřejný posluha

tickl|e [ˈtikl] *vt* lechtat, (vy)dráždit obraznost □ *vi* být lechtivý; —er [ˈtiklə] *s* 1. lechtač, dráždidlo 2. choulostivá otázka, choulostivý problém; —ish [ˈtikliš] *a* 1. lechtivý 2. choulostivý 3. nejistý, vratký 4. taktní

tidal [ˈtaidl] *a* přílivový

tidbit [ˈtidbit] viz *titbit*

tide [taid] *s* 1. příliv a odliv. 2. čas, doba ♦ *high, low,* ~ příliv, odliv; ~ *of the movement* rozmach hnutí □ *vi & t* 1. plout po proudu 2. vyplouvat s odlivem, připlouvat s přílivem 3. proudit 4. překonat (*over s.t.* něco)

tidiness [ˈtaidinis] *s* čistotnost, úhlednost, spořádanost

tidings [ˈtaidiŋz] *s pl.* poselství, zprávy, noviny

tidy [ˈtaidi] *a* 1. úhledný, úpravný; čistotný, spořádaný 2. zast. včasný, vhodný 3. hov. prostorný, značný 4. poměrně dobrého zdraví □ *s* 1. potah židle 2. schránka na drobnosti □ *vt* pěkně uspořádat, uklidit upravit (se *oneself*)

tie¹ [tai] *vt & i* 1. vázat (se), svázat, pojit (se), udělat uzel 2. zavázat (si), nutit, omezovat, držet na uzdě 3. hrát nerozhodný zápas (*with* s); ~ *down* připoutat; *to* ~ *oneself down to a duty* uložit si povinnost; ~ *up* přivázat psa; pověsit; lemovat; zajistit majetek podmínkami; překážet, zadržet

tie² [tai] *s* 1. vázanka, mašle 2. nákrčník 2. páska, stuha 3. svazek, pouto, závazek 4. hud. vázání not, ligatura 5. vazník stavby 6. nerozhodn|á hra, -ý výsledek ♦ *social* ~ společenský vztah

tier *s* [ˈtaiə] vazač □ *s* [tiə] řada, pořadí; vrstva; rejstřík tierce *s* [tə:s] sled tří karet □ *s* [tiəs] 1. sud o obsahu 42 galonů 2. tiers v šermu

tiff [tif] *s* hov. 1. doušek, napití 2. mírná hádka, slovní potyčka □ *vt & i* 1. mírně se hádat 2. usrkovat, uždibovat, sníst něco lehkého 3. rýpnout

tiffany [ˈtifəni] *s* hedvábný tyl

tiffin [ˈtifin] *s* lehké jídlo, přesnídávka, oběd

tige [ˈti:ž] *s* stav. dřík sloupu

tiger [ˈtaigə] *s* 1. tygr 2. rváč 3. silný odpůrce 4. lokaj v livreji; —ish [ˈtaigəriš] *a* tygří; surový

tight [tait] *a* 1. těsný, úzký, přiléhavý 2. neprodyšný, neděravý, pevný, řádný 3. arch. úhledný, pěkný, úpravný 4. přesný 5. vzácný 6. hov. ožralý ♦ *in a ~ place* n. *corner* v úzkých □ *s* pl. přiléhavý oděv artistů □ *adv* těsně ♦ *water—* nepropustný; *air—* neprodyšný; —en [ˈtaitn] *vt* utěsnit, přitáhnout, utáhnout si opasek; —ener [ˈtaitnə] *s* šněrovadlo; |~-|listed *a* skoupý; ~-laced [ˈtaitleist] *a* upjatý; |~-made *a* sporý, zavalitý; —ness [ˈtaitnis] *s* 1. těsnost, přiléhavost, neprodyšnost 2. pevnost, řádnost 3. nachmelení 4. opatrnost, pozornost; ~-rope [ˈtaitroup] *s* lano provazolezců

tigress [ˈtaigris] *s* tygřice

tille [tail] *s* 1. dlaždice, kachlík 2. taška, prejz □ *vt* 1. (po)krýt taškami, dlaždicemi 2. zasvětit v tajemství, udržet v tajnosti; |~-kiln *s* cihelna;

—er [ˈtailə] *s* 1. výrobce tašek 2. pokrývač 3. cihelna

till¹ [til] *prep, conj* až do, dokud (ne), až ♦ *~ now* posud; *~ then* až do té doby

till² [til] *vt* pěstovat, vzdělávat (půdu); —age [ˈtilidž] *s* orba, rolnictví; —er [ˈtilə] *s* 1. oráč, rolník 2. odnož, výhonek 3. kypřič půdy, kultivátor

till³ [til] *s* zásuvka na peníze v obchodě

till⁴ [til] *s* jílovitá půda, jíl

tiller [ˈtilə] *s* páka kormidla, řídicí páka; rukojeť, držadlo

tilt¹ [tilt] *vi & t* 1. nachýlit (se), převrhnout (se), překotit (se) 2. vrhnout se 3. klát kopím, mečem, dotírat (*against* na) □ *s* 1. nahnutí, nachýlení, svah 2. klání, zápas, turnaj ♦ *at full ~* vší silou; —er [ˈtiltə] *s* bojovník, zápasník; —ing-trunk [ˈtiltiŋtraŋk] *s* výklopný vůz; ~-yard [ˈtiltja:d] *s* kolbiště

tilt² [tilt] *s* plachta □ *vt* opatřit plachtou; |~-car *s* vůz s plachtou

tilth [tilθ] *s* 1. orba, rolnictví 2. obdělávaná půda

timber [ˈtimbə] *s* 1. stavební dříví 2. trám, kláda 3. kmen, strom 4. lesy 5. látka, materiál; ~-headed [ˈtimbəhedid] *a* sl. hloupý; ~-hut [ˈtimbəhat] *s* dřevěná chata; —ing [ˈtimbəriŋ] *s* roubení; vyztužení dřevem, výdřeva; |~-wood *s* stavební dříví; |~-work *s* tesařská práce; ~-yard [ˈtimbəja:d] *s* sklad dříví

timbre [ˈte:mbr] *s* témbr, zabarvení tónu; —l ['timbrəl] *s* tamburína

time [taim] *s* **1.** čas, doba, okamžik, lhůta **2.** takt, časomíra **3.** příležitost **4.** životní podmínky, život ♦ *any ~* vždy, kdykoli; *~ and again* opět a opět; *at no ~* nikdy; *at one ~* někdy; *at the same ~* zároveň; *at a ~* najednou; *at that ~* tehdy; *at -s* občas; *before one's ~* předčasně, dříve; *behind one's ~* pozdě; *by the ~* jakmile, až; *for the second ~* po druhé; *from ~ to ~* čas od času; *from ~ immemorial* od nepaměti; *in ~* včas; *in no ~* okamžitě; *in the mean—* zatím; *labour ~* pracovní doba; *in ~ with* v taktu n. v souhlasu s; *out of ~* v nevčas, mimo takt; *to ~* v pravý čas; *once upon a ~* jednou, kdysi; *many a ~*, *many -s* mnohokrát, časokrát; *some ~ or other* někdy v budoucnosti; *more than ~* nejvyšší čas; *to keep ~* být dochvilný; *to have a good ~* užívat, veselit se; *three -s two make six* třikrát dvě je šest; *~ is up* čas vypršel; *this ~ last year* právě před rokem; *to yield to the -s* hovět době; *to beat the ~* dávat takt; *my watch keeps good (bad) ~* mé hodinky jdou dobře (špatně); *what ~ is it?, what is the ~ ?* kolik je hodin? □ *vt & i* **1.** odměřit, zjistit čas **2.** přizpůsobit (se) času, nařídit hodinky **3.** dávat takt **4.** časovat střelu **5.** volit vhodnou dobu; *~ off* odložit na jinou dobu;

~ it out otálet s tím; *~ -fuse* ['taimfju:z] *s* voj. časovaný zapalovač; *~ -honoured* ['taim|ɔnəd] *a* starožitný; *—*|**keeper** *s* časoměr, časoměřič; *|~ -|killing a* kratochvilný; *—ly* ['taimli] *a* včasný, vhodný; **—piece** ['taimpi:s] *s* časoměr, hodinky, hodiny; *|~ -re|corder s* kontrolní hodiny, píchací hodiny; *~ -server* ['taim|sə:və] *s* ramenář, oportunista; *|~ -|table s* rozvrh hodin, jízdní řád; *|~ -work s* hodinová práce, akord

timid ['timid] *a* bázlivý, plachý, ostýchavý; **—ity, —ness** [ti'miditi, 'timidnis] *s* bázlivost, ostýchavost

timing ['taimiŋ] *s* **1.** měření času **2.** časování **3.** aut. seřízení zapalování

timorous ['timərəs] *a* bázlivý, úzkostlivý, ustrašený

tin [tin] *s* **1.** cín, bílý plech **2.** plecháč **3.** konzerva **4.** sl. peníze □ *vt* (-nn-) **1.** pocinovat **2.** konzervovat; *|~ -box s* plechová krabice; *|~ -|foil s* staniol; *|—man, |—smith s* klempíř; **—ner** ['tinə] *s* **1.** cínař **2.** ten, kdo konzervuje; **—ny** ['tini] *a* cínový, plechový zvuk; *~ opener* otvírač konzerv; *~ -plate* ['tinpleit] *s* pocínovaný plech □ *vt* pocínovat galvanicky; *~ solder* cínová pájka

tincture ['tiŋkčə] *s* **1.** barva erbu, zabarvení, nádech **2.** tinktura (*of iodine* jodová) □ *vt* zbarvit, dát nádech (*with* čeho)

tinder [ˈtində] *s* troud, hubka; |~ -**box** *s* troudník

tine [tain] *s* zub, špičák, ozubec

ting [tiŋ] *vi* znít, zvonit, cinkat □ *s* zvonění, cinkot

tinge [tindž] *vt* 1. zabarvit (*with* čím) 2. dát příchuť 3. mořit □ *s* zabarvení, příměs, nádech

tingle [ˈtiŋgl] *vi* 1. zvonit, znít v uších, cinkat 2. brnět, píchat v těle 3. chvět se

tinker [ˈtiŋkə] *s* 1. kotlář, klempíř potulný; dráteník 2. drátování □ *vt & i* 1. spravovat kotle 2. záplatovat, drátovat

tinkle [ˈtiŋkl] *vi* cinkat, zvonit, znít □ *s* cinkot

tinsel [ˈtinsəl] *s* cetka, pozlátko □ *vt* cetkami vyfintit

tint [tint] *s* odstín barvy, zbarvení, nádech, nátěr □ *vt* zbarvit

tiny [ˈtaini] *a* malinký, mrňavý, drobounký

tip¹ [tip] *s* 1. konec, špička, cíp 2. štětec na zlacení ♦ *the* -*s of the fingers* konečky prstů; *I have it on the* ~ *of my tongue* fig. mám to na jazyku □ *vt* (-pp-) opatřit špičkou, okovat; —**staff** [ˈtipstaːf] *s* 1. hůl drába 2. šerifův pomocník; —**toe** [ˈtiptou] *s* špička prstů nohy; |—ˈ**top** *a* hov. výborný, prvotřídní

tip² [tip] *vt & i* (-pp-) 1. nahnout, překotit (*over, up*) 2. ťuknout 3. vyklopit, vyprázdnit 4, sl. podat, sdělit 5. sport. tipovat, dát informaci 6. dát spropitné (*the porter* vrátnému, nosiči) ♦ *to* ~ *s.o. a wink* mrknout na; ~ *one's hands*

podplatit koho; ~ **down** srazit; ~ **off** padnout, zemřít; ~ **up** (pře)klopit

tip³ [tip] *s* 1. spropitné 2. sport. tip(ování) 3. ťuknutí, postrčení 4. překocení 5. popud, pokyn 6. recept, návod ♦ *at a* ~ naráz; ~ -**cart** [ˈtipkaːt], |—**ping-cart** *s* výklopný vůz; |~ -ˈ**off** *s* pokyn, znamení, varování; |~ -ˈ**up** *seat* sklopné sedadlo

tippet [ˈtipit] *s* pelerína

tipple [ˈtipl] *vi & t* popíjet, opíjet se □ *s* nápoj, pití

tipsy [ˈtipsi] *a* opilý; vrávoravý ♦ *to get* ~ nachmelit se

tirade [taiˈreid] *s* tiráda

tire¹ [ˈtaiə] *vt & i* unavit (se); nabažit se (*of* čeho); —**d** [ˈtaiəd] *a* unavený; —**less** [ˈtaiəlis] *a* neúnavný; —**some** [ˈtaiəsəm] *a* únavný

tire², tyre [ˈtaiə] *s* 1. obruč kola 2. pneumatika, plášť (*flat* ~ splasklá pneumatika) □ *vt & i* nasadit obruč n. pneumatiku; ~ -**casing** [ˈtaiəˌkeisiŋ] *s* plášť pneumatiky; ~ -**pump** [ˈtaiəpamp] *s* hustilka; ~ -**tube** [ˈtaiətjuːb] *s* duše pneumatiky

tire³ [ˈtaiə] *s* zast. 1. úprava hlavy 2. úbor □ *vt* ozdobit, upravit (se, vlasy)

tiro, tyro [ˈtaiərou] *s* nováček, začátečník

'tis [tiz] = *it is*

tissue [ˈtisjuː] *s* tkanina, tkáň ♦ ~ *paper* hedvábný papír

tit¹ [tit] *s* cecek, prsní bradavka

tit² [tit] *s* 1. sýkorka (*—mouse*) 2. skřivan (*—lark*) 3. koník 4. děvčátko

tit³ [tit] *s* odplata, odveta;
~ *for tat* veta za vetu
Titan [ˈtaitən] *s* Titán
titan|ic [taiˈtænik] *a* obrovský,
titánský; **—ium** [taiˈteinjəm]
s chem. titan
titbit [ˈtitbit] *s* lahůdka, (pa)-
mlsek
tithe [taið] *s* desátek, desetina
titillat|e [ˈtitileit] *vt* **1.** lechtat
2. podnítit; **—ion** [ˌtitiˈleišən]
s polechtání
titivate [ˈtitiveit] *vt & i* hov.
upravit, vyfintit (se)
title [ˈtaitl] *s* **1.** titul, nadpis,
název **2.** právní nárok (*to* na)
3. ryzost zlata vyjádřená ka-
ráty □ *vt* **1.** titulovat, nazý-
vat, oslovovat; opatřit titul-
kem **2.** oprávnit; **~-page**
[ˈtaitlpeidž] *s* titulní stránka,
list
titter [ˈtitə] *vi* smát se do vousů,
hihňat se □ *s* chichtot, hih-
ňání
tittle [ˈtitl] *s* tečka na i, puntík
♦ *to a* ~ na puntík; *not a* ~
ani za mák; **~-tattle** [ˈtitl-
ˌtætl] *s* **1.** tlach, klep **2.** tla-
chat
tittup [ˈtitap] *vi* (-pp-) **1.** cupat,
klusat **2.** kymácet se
titular [ˈtitjulə] *a* titulární,
podle jména
tizzy [ˈtizi] *s* sl. *sixpence*
T.M.O. = *telegraph money order*
T.N.T. = *trinitrotoluene*
to před samohl. [tu:, tu], před
souhl. [tə] *prep* **1.** k, ke, ku
2. do **3.** na **4.** až k, až na **5.**
ve **6.** pro **7.** vedle **8.** podle
9. proti **10.** s, se ♦ *the house
looks* ~ *the south* dům je
obrácen k jihu; ~ *his shame*

k jeho hanbě; *he was sentenc-
ed* ~ *death* byl odsouzen
k smrti; ~ *school* do školy;
~ *one's face* do očí; ~ *the
letter* do písmene; ~ *the last*
do posledka; ~ *the end* do
konce; ~ *your cost* na vaše
útraty; ~ *my mind* podle
mého mínění; ~ *a great degree*
velkou měrou; *as* ~ pokud
se týče; *that is nothing* ~ *you*
do toho ti nic není; *there is
nothing* ~ *him* nic na něm
není; ~ *come* příští; ~ *hand*
v dosahu; přišel o dopisu; ~ *let*
k pronajmutí; ~ *my know-
ledge* pokud vím; ~ *perfection*
dokonale; ~ *taste* podle chuti
n. vkusu; ~ *the point* k věci
□ *adv* **1.** tam **2.** do toho,
kupředu ♦ ~ *and fro* sem
a tam
toad [toud] *s* **1.** ropucha **2.** od-
porný člověk, bídák; **~-eater**
[ˈtoudi:tə] *s* patolízal; **~-stool**
[ˈtoudstu:l] *s* muchomůrka;
—y [ˈtoudi] *a* ropuší; hnusný
□ *s* patolízal
toast [toust] *s* **1.** topinka **2.**
přípitek ♦ *to drink a* ~ připít
na zdraví □ *vt & i* **1.** opékat,
hřát (se *oneself*) **2.** připíjet
na zdraví; **—er** [ˈtoustə] *s* **1.**
strojek n. dlouhá vidlička na
opékání topinek **2.** cokoliv
opečeného; ˈ~-ˌ**master** *s*cere-
moniář při hostině
tobacco [təˈbækou] *s* tabák;
—nist [təˈbækənist] *s* tabáč-
ník; **~-pipe** [təˈbækoupaip]
s dýmka; **~-pouch** [təˈbæ-
koupauč] *s* tabatěrka
toboggan [təˈbogən] *s* sáňky □
vi jezdit na sáňkách

tocsin [ˈtoksin] *s* poplašné znamení zvonem, zvonění na poplach

today, to-day [təˈdei] *adv* dnes □ *s* dnešek

toddle [ˈtodl] *vi* 1. batolit se 2. volně kráčet, jít □ *s* 1. batolení 2. pohodlná chůze 3. hov. batole

toddy [ˈtodi] *s* 1. palmové víno 2. druh punče n. grogu

toe [tou] *s* 1. prst na noze 2. dráp, pazour, špička kopyta, obuvi, punčochy, nástroje 3. sběh předních kol auta ♦ *from top to* ~ od hlavy k patě; *to turn up one's* -*s* sl. natáhnout bačkory, zemřít □ *vt & i* 1. kopnout, dotknout se špičkou nohy 2. přidělat špičky punčoch ♦ *to* ~ *the line* přesně vyplnit rozkaz

toff [tof] *s* sl. švihák

toffee [ˈtofi] *s* karamela

tog [tog] *vt & i* (-gg-) odít (se), (vy)strojit (se), vyfintit se

toga [ˈtougə] *s* tóga

together [təˈgeðə] *adv* dohromady, společně, současně ♦ ~ *with* spolu s, zároveň s, kromě toho, právě jako

toil¹ [toil] *vi* 1. lopotit se, trmácet se, pachtit se, hmoždit se, těžce pracovat 2. namáhavě kráčet, plahočit se ♦ -*ing majority* pracující většina; -*ing strata* pracující vrstvy □ *s* lopocení, těžká práce, dřina; —**er** [ˈtoilə] *s* dříč

toil² [toil] *s* nyní jen v pl. síť

toilet, toilette [ˈtoilit, twaːˈlet] *s* 1. toaleta, ústroj 2. toaletní stolek (též ~ -*table*); |~-|**paper** *s* toaletní papír; |~-**set** *s*

toaletní soubor, toaletní potřeby; ~ **soap** toaletní mýdlo

token [ˈtoukən] *s* 1. projev, znamení 2. upomínka, památka, dar 3. příznak 4. zvláštní ústřižek ♦ *by the* ~ na důkaz

Tokyo [ˈtoukjou] *s* Tokio

told [tould] *pt, pp* viz *tell*

toler|able [ˈtolərəbl] *a* snesitelný, slušný; —**ance** [ˈtolərəns] *s* 1. snášenlivost, odolnost 2. tech. tolerance, dovolená úchylka; —**ant** [ˈtolərənt] *a* snášenlivý, trpělivý *(of)*; —**ate** [ˈtoləreit] *vt* snášet, trpět; —**ation** [ˌtoləˈreišən] *s* snášení, snášenlivost, shovívavost

toll¹ [toul] *s* poplatek, mýtné, mostné ♦ *to take heavy* ~ *of* vyžádat si těžké ztráty n. oběti □ *vi* platit n. vybírat n. ukládat mýtné, poplatek, clo; ~ -**cable** [ˈtoulkeibl] *s* meziměstský telefonní kabel; ~ -**collector** [ˈtoulkəˈlektə] *s* celník; |~ -**house** *s* celnice

toll² [toul] *vt & i* zvonit, vyzvánět umíráčkem □ *s* zvonění, vyzvánění

toluene [ˈtoljuiːn] *s* chem. toluol

tom [tom] *s* 1. *T*~ zkr. *Thomas* Tomáš 2. samec (|~ -*cat* kocour) 3. *long* ~ dlouhé dělo; |—**boy** *s* uličnice, divoška; |—|**fool** *s* strašný hlupák, tajtrlík; |~ -|**noddy** *s* hňup, hlupák, hloupý Honza; **Tom Thumb** Paleček; ~ -**tom** *s* buben

tomahawk [ˈtoməhoːk] *s* tomahavk, válečná sekyra Indiánů

tomato [təˈmaːtou] *s* rajské jablíčko

tomb [tuːm] *s* **1.** hrob, hrobka; ~ *stone* náhrobní kámen, náhrobek **2.** fig. smrt □ *vt* pohřbít

tome [toum] *s* svazek, díl

tommy [ˈtomi] *s* **1.** britský voják *(Tommy Atkins)* **2.** dial. chléb **3.** jídlo; |~ **-gun** *s* strojní pistole, samopal

tomorrow, to-morrow [təˈmorou] *adv* zítra □ *s* zítřek

ton¹ [tan] *s* tuna

ton² [tŏːŋ] *s* tón, móda

tonal [ˈtounl] *a* tónový; **—ity** [touˈnæliti] *s* hud. tónování.

tone [toun] *s* **1.** tón, zvuk, hlas tónina **2.** pružnost, tonus, stav tělesných orgánů **3.** povaha, mrav **4.** odstín □ *vt* **1.** naladit **2.** ozdobně mluvit **3.** udat tón □ *vi* **4.** sladit barvy *(with* s*)*, harmonizovat; ~ **down** ztlumit, zmírnit; ~ **up** zesílit, zvýšit tón

tongs [toŋz] *s pl.* kleště (též *pair of* ~*)*

tongue [taŋ] *s* **1.** jazyk **2.** řeč, mluva **3.** špice, čep **4.** ostroh země **5.** srdce zvonu **6.** trn pásu ♦ *to have a ready* ~ mít pohotový jazyk; *to shoot* ~ *at* vypláznout jazyk na; *mother* ~ mateřský jazyk; *to hold, keep, one's* ~ mluvit nediskrétně □ *vi* **1.** plynně mluvit, tlachat **2.** štěkat **3.** vybíhat v jazyk o ledu □ *vt* **4.** vadit se, kárat **5.** opatřit jazykem

tonic [ˈtonik] *a* **1.** napjatý **2.** napínavý **3.** posilující, sílící **4.** hud. tónický

tonight, to-night [təˈnait] *adv* dnes večer

tonnage [ˈtanidž] *s* **1.** tonáž, lodní prostor **2.** poplatek z tuny

tonsil [ˈtonsl] *s* mandle v hrtanu; **—litis** [ˌtonsiˈlaitis] *s* zánět mandlí, angína

tonsure [ˈtonšə] *s* tonzura

tontine [tonˈtiːn] *s* tontina druh pojištění

too [tuː] *adv* **1.** příliš **2.** také, též □ *a* přílišný

took [tuk] *pt* viz *take*

tool [tuːl] *s* nástroj, náčiní □ *vt & i* **1.** obdělávat nástrojem, užívat nástroje **2.** otesat dlátem kámen **3.** jet s koňmi, s vozem; ~ **bag** montážní brašna

toot [tuːt] *vi & t* troubit na trubku, houkat na houkačku; foukat □ *s* zatroubení

tooth [tuːθ] *s* pl. *teeth* [tiːθ] **1.** zub **2.** vrub **3.** chuť ♦ *set of teeth* chrup; ~ *and nail* zuby nehty; *armed to the teeth* ozbrojen po zuby; *to cast it in his teeth* předhazovat mu to, vyčítat; *to show the teeth* cenit zuby; *to escape by the skin of one's teeth* uniknout o vlas; *to have a sweet* ~ být mlsný; *in the teeth of* přes, navzdory komu; *to lie in one's teeth* v hrdlo lhát; ~ **-ache** [ˈtuːθeik] *s* bolení zubů; ~ **-brush** [ˈtuːθbraš] *s* kartáček na zuby; **—ed** [tuːθt] *a* zubatý, ozubený; **—ful** [ˈtuːθful] *a* chutný, lahodný; **—ing** [ˈtuːθiŋ] *s* ozubení; ~ **-paste** [ˈtuːθpeist] *s* zubní pasta; ~ **-powder** [ˈtuːθˌpaudə] *s* zubní prášek; **—pick**

[ˈtu:θpik] *s* párátko; **—some** [ˈtu:θsəm] *a* chutný, lahodný; **~ -wheel** [ˈtu:θwi:l] *s* ozubené kolo

tootle [ˈtu:tl] *vi & t* 1. pískat na flétnu 2. pobrukovat si

top[1] [top] *s* 1. vrch, vrcholeκ, témě 2. štít 3. koruna 4. hořejšek 5. fig. hlava 6. fig. vrchol ♦ *from ~ to toe* od hlavy k patě; *on ~* n. *on the ~ of* nad to, kromě toho □ *a* horní, hořejší, nejvyšší □ *vi* (-pp-) 1. opatřit vrcholem; pokrýt vrchol 2. utít vršek stromu 3. dovršit *(off)* 4. překonat, předčit 5. přelstít *(upon koho)*; **~ -boots** *s* vysoké boty; **~ -coat** [ˈtopˈkout] *s* 1. převlečník 2. vrchní nátěr, krycí vrstva; **~ -gallant** [topˈgælənt] *s* plachta nadkošová; **~ -hat** *s* cylindr; **~ -heavy** [ˈtopˈhevi] *a* snadno překotitelný, vratký; **~ -hole** *a* sl. prvotřídní; **~ -knot** [ˈtopnot] *s* klička mašle, chocholka; **—mast** [ˈtopma:st] *s* hlavní stěžeň; **—most** [ˈtopmoust] *a* nejvyšší; **—notch** [ˈtopˈnoč] *a* am. vrcholný, nejvyšší; **—per** [ˈtopə] *s* hov. cylindr; **~ -quality** [ˈtopkwoliti] *s* prvotřídní jakost

top[2] [top] *s* vlk dětská hračka

topaz [ˈtoupæz] *s* topas

top|e [toup] *vi* chlastat, opíjet se □ *s* doušek; **—er** [ˈtoupə] *s* pijan

topiary [ˈtoupjəri] *a* přistřihnutý keř, strom do ozdobné podoby

topic [ˈtopik] *s* předmět hovoru, námět; **—al** [ˈtopikəl] *a* 1. místní 2. aktuální

topography [təˈpogrəfi] *s* místopis, topografie

topper [ˈtopə] *s* paleto

topple [ˈtopl] *vi* 1. být vratký, (roz)kymácet se 2. svalit se, padnout □ *vt* 3. porazit

topsyturvy [ˈtopsiˈtə:vi] *adv* vzhůru nohama, páté přes deváté

tor [to:] *s* vysoká skála

torch [to:č] *s* pochodeň ♦ *electric ~* kapesní elektrická svítilna, baterka

tore [to:] *pt* viz *tear*

torment *s* [ˈto:mənt] mučení, trápení, trýzeň· □ *vt* [to:-ˈment] mučit, trápit, trýznit, soužit

torn [to:n] *pp* viz *tear*

tornado [to:ˈneidou] *s* orkán, vichřice, tornádo

Toronto [təˈrontou] *s* Toronto (m)

torpedo [to:ˈpi:dou] *s* 1. torpédo 2. rejnok elektrický □ *vt* 1. torpédovat 2. fig. mařit; **~ -carrying** *aircraft* torpédové letadlo; **~ craft** torpédovka

torpid [ˈto:pid] *a* strnulý, tupý, ztuhlý; **—ity** [to:ˈpiditi] *s* ztrnulost, ztuhlost· ochablost; tuhost, apatie

torpitude [ˈto:pitju:d] viz *torpidity*

torpor [ˈto:pə] viz *torpidity*

torque [to:k] *s* 1. kroucení, kroutivá síla 2. otočný moment 3. kroucený náhrdelník

torrefy [ˈtorifai] *vt* pražit, sušit

torrent [ˈtorənt] *s* bystřina, dravý proud též fig.; **—ial** [toˈrenšəl] *a* proudící, strhující též fig.

torrid [ˈtorid] *a* vyprahlý, vypálený, suchý, horký

torsion [ˈtoːʃən] *s* kroucení, krut

torso [ˈtoːsou] *s* torzo

tort [toːt] *s* práv. křivda, bezpráví, úmyslné ublížení

tortoise [ˈtoːtəs] *s* želva; |~ -shell *s* želvovina

tortu|osity [ˌtoːtjuˈositi] *s* kroucení, točení, kroutivost; —ous [ˈtoːtjuəs] *a* 1. kroucený, stočený, klikatý, vinoucí se 2. postranní, nepřímý 3. nepoctivý

tortur|e [ˈtoːčə] *s* muka, mučení, trýzeň; útrpné právo (*to put to the* ~ vystavit útrpnému právu) □ *vt* 1. mučit, trápit 2. překroutit; —ous [ˈtoːčərəs] *a* mučivý

Tory [ˈtoːri] *s* 1. hist. tory 2. konzervativec □ *a* toryovský; konzervativní

toss¹ [tos] *vt* 1. hodit, vrhnout, mrštit 2. zmítat, třást 3. házet, přehazovat, obracet seno 4. znepokojovat 5. pohodit nedbale 6. rozhodnout spor vyhozením mince, losovat □ *vi* 7. házet sebou, převalovat se na loži ♦ *to* ~ *one's head* pohodit hlavou; *to* ~ *in mind* přemítat; *to* ~ *a business* uvážit záležitost, věc; ~ **off** rychle vyřídit; rázem vypít; ~ **up** pohodit hlavou; vyhodit minci

toss² [tos] *s* hození, hod; pohození, mrštění (~ *of the head* pohození hlavou); házení, losování; |~ -up *s* vyhození mince

tot [tot] *s* 1. malé dítě (*a tiny* ~)

2. hov. doušek 3. suma, sčítanec

total [ˈtoutl] *a* celý, úplný, celkový, úhrnný □ *s* celek. úhrn; —**itarian** [ˌtoutæliˈteəriən] *a* totalitní, totální; —**itarianism** [ˌtoutæliˈteəriənizəm] *s* totalitářství; —**ity** [touˈtæliti] *s* úplnost, souhrn, celek, celost, totalita; —**ize** [ˈtoutəlaiz] *vt & i* 1. shrnout v celek 2. užít totalizátoru při sázce; —**izator** [ˈtoutəlaizeitə] *s* totalizátor

totem [ˈtoutəm] *s* totem

t'other viz *the other*

totter [ˈtotə] *vi* kolísat, kymácet se, potácet se, motat se; —**ing** [ˈtotəriŋ] *a* vratký, potácející se, viklavý

touch¹ [tač] *vt & i* 1. dotknout se, dotýkat se, zavadit oč; (o)hmatat, sáhnout na 2. dosáhnout 3. zkoušet, zkoumat, ochutnat 4. dojmout, vzrušit, pohnout, působit na 5. kárat 6. zatknout 7. nakazit 8. pomást 9. hraničit 10. táhnout se 11. hrát 12. působit, účinkovat 13. týkat se 14. vyrovnat se 15. přistát 16. zbarvit ♦ *to* ~ *the glasses* připít si; *to* ~ *one's hat* pozdravit; *it -ed me to the heart to* mě dojalo; *he is slightly -ed* je trochu ťuknutý; ~ **at** krátce kotvit o lodi; ~ **on, upon** nadhodit, zmínit se stručně o; zastavit se na krátko; ~ **up** upravit, opravit

touch² [tač] *s* 1. dotyk, dotknutí 2. hmat, cit 3. pokus, zkouška 4. tah ve tváři 5. hra, způsob hry, styl 6. črt perem 7. pokyn

8. barva, nádech, nátěr 9. tah, dotyk štětcem, úhoz na klávesy 10. hana, výčitka 11. příchuť 12. styk, spojení 13. špetka ♦ *to be in* ~ *with* stýkat se s; *he has a light (firm)* ~ *on piano* má lehký (pevný) úhoz; *to give a* ~ dotknout se; *to stand the* ~ obstát ve zkoušce; *last* ~ poslední úprava výrobku; *near* ~ hladké oholení; těsný únik; ~ **-and-go** ['tačən'gou] 1. *a* riskantní 2. *s* riziko; I~ **-body**, ~ **-corpuscle** [tač- Iko:pasl] *s* hmatové tělísko; ~ **-down** *s* let. přistání; I~ **-hole** *s* zápalný otvor (děla); —**ing** ['tačiŋ] *a* dojemný, tklivý; I~ **-last** *s* dětská hra „na dotýkanou"; ~ **-needle** ['tačni:dl] *s* zkoumací rydlo; —**stone** ['tačstoun] *s* bazalt, prubířský kámen, měřítko; —**wood** ['tačwud] *s* hubka; —**y** ['tači] *a* 1. citlivý, choulostivý 2. nedůtklivý

tough [taf] *a* 1. tuhý, houževnatý, nepoddajný, pevný 2. nesnadný, obtížný, pracný 3. tvrdý, přísný, nepříjemný 4. am. sl. zločinný; —**en** ['tafn] *vi & t* ztužit, ztuhnout, otužit; —**ness** ['tafnis] *s* 1. houževnatost, tuhost 2. otužilost 3. svéhlavost

tour [tuə] *s* cesta turisticka n. okružní, objížďka, výlet, túra; —**ist** ['tuərist] *s* turista

tournament ['tuənəmənt] *s* 1. hist. turnaj 2. zápas, závody

tourney ['tuəni] *vi* klát □ *s* turnaj

tousle ['tauzl] *vt* roztahat, na-

třást, rozcuchat vlasy; loupit

tow [tou] *vt* vléci, táhnout, ve vleku loď □ *s* 1. táh vlečení 2. koudel ♦ *to ta have in* ~ fig. mít, vzít vleku, řídit; převzít péč —**age** ['touidž] *s* v I~ **-boat** *s* remorkér, vle loď

toward ['touəd] *a* arch. 1. slib nakloněný, povolný 2. na vající, chystaný

toward(s) [tə'wo:d(z)] *s p* směr; vztah; cíl; přibližnost ke, ku, na, ve; asi ♦ *he look the sea* k moři; ~ *night* k čeru

towel ['tauəl] *s* ručník, utěr ♦ *lead* ~ sl. kulka; *oaken* kyj □ *vt & i* 1. utírat (s ručníkem 2. sl. spráská ~ **-horse** ['tauəlho:s] *s* věš na ručníky

tower ['tauə] *s* věž; tvrz □ čnít (*above* nad), vznášet s vypnout se; ~ *crane* věžov jeřáb; ~ *wagon* montážní vů s lešením; ~ *over* převyšova —**ed** [tauəd] *a* věžatý, vy soký; —**ing** ['tauəriŋ] *a* vy soko se tyčící, ohromný; vzne šený; prudký

town [taun] *s* 1. město 2. hlavn město (bez *the*) 3. městské obyvatelstvo ♦ *in* ~ ve městě; *out of* ~ na venkově; *man about* ~ velkoměšťák; ~ **-clerk** ['taunkla:k] *s* obecní tajemník;, ~ **council** ['kaunsl] městská rada; ~ **councillor** ['kaunsilə] městský radní; ~ **hall** radnice; —**sfolk** ['taunzfouk] *s* měšťáci;

|—**sman** s měšťák; |—s|**people** s obyvatelé města

tow-row [ˈtaurou] s hov. hlomoz

tox|ic [ˈtoksik] a jedovatý, jedový; —**in** [ˈtoksin] s toxin

toy [toi] s 1. hračka, cetka 2. zast. koníček, vrtoch, rozmar 3. arch. báchorka, bajka □ vi pohrávat si, hrát si, laškovat

Tr. = *Treasurer, Trustee*

trac|e[1] [treis] s 1. stopa, známka 2. nárys, plán, trasa □ vt 1. nakreslit, načrtnout 2. kopírovat 3. stopovat, následovat; pronásledovat; ~ *back* sledovat zpět; ~ *out* vytyčit; ~ *up* vystopovat; —**er** [ˈtreisə] s stopař, slídil; —**ery** [ˈtreisəri] s kružba gotického okna; —**ing** [ˈtreisiŋ] s kopírování na průsvitný papír, výkres na průsvitném papíře ♦ ~ *paper* průsvitný papír na obkreslování, pauzovací papír

trace[2] [treis] s postraněk

track [træk] s 1. stopa 2. dráha, trať (*Comradeship T*~ Trať družby) 3. vozová cesta, úvoz 4. voj. pás tanku ♦ *to make -s* sl. odběhnout, utéci, vzít do zaječích; *to make -s for* sl. sledovat, pronásledovat; *turn-out* ~ výhybka na silnici, vedlejší cesta; *beaten* ~ 1. vyjetá cesta, kolej 2. obvyklý způsob; *in the* ~ *of* ve stopách koho; *off the* ~ na nepravé stopě n. cestě □ vt & i 1. sledovat, stopovat, vyslídit 2. vléci loď na laně taženém po břehu; ~ *down* vystopovat; ~ **cable** nosné lano lanovky; ~ **gauge** [geidž] žel. rozchod kolejí

tract[1] [trækt] s 1. krajina, končina, rozloha 2. průběh, trvání 3. med. trakt

tract[2] [trækt] s traktát, pojednání, spis; —**able** [ˈtræktəbl] a 1. povolný 2. učelivý; —**ability** [ˌtræktəˈbiliti] s povolnost, poslušnost; —**ate** [ˈtrækteit] s traktát, pojednání; —**ion** [ˈtrækšən] s 1. vlečení, tažení, tah 2. napětí, tažná síla, zápřež, pohon; —**or** [ˈtræktə] s traktor; ~ *driver* traktorist(k)a

trad|e [treid] s 1. obchod, živnost, řemeslo 2. povolání 3. pasát ♦ *jack of all -s* všeumělec; *domestic* (n. *home*) ~ domácí obchod; *retail* ~ obchod v malém; *board of* ~ obchodní komora □ vi obchodovat s, kupčit (*in* s), vyměňovat zboží (*for* za, *with* s); ~ *off for* vyměnit za; ~ *on* těžit z; —**er** [ˈtreidə] s 1. obchodník, kupec 2. obchodní loď; |~ **-mark** s obchodní značka, ochranná známka; |~ **-name** s zákonem chráněné jméno firmy, výrobku; ~ **out-let** odbytiště; |—**sman** s obchodník, kupec; živnostník, řemeslník; ~ **union** odborová organizace; ~ **unionist** odborář; *Revolutionary T* ~ *Union Movement* ROH; *World Federation of Trade Unions* SOF

tradition [trəˈdišən] s tradice, ústní podání; —**al** [trəˈdišənl] a tradiční

traduce [trəˈdju:s] vt pomluvit, rozkřičet

Trafalgar [trəˈfælgə] s Trafalgar

traffic [ˈtræfik] *s* **1.** obchod, obchodování (*in* s) **2.** doprava, ruch **3.** provoz, styky □ *v & t* kupčit, kramařit (*with* s)

trag|edy [ˈtrædžidi] *s* tragédie, truchlohra; —**edian** [trəˈdži:-džən] *s* tragéd, spisovatel tragédií; —**ic** [ˈtrædžik] *a* tragický, truchlivý; —**icomedy** [ˈtrædžiˈkomidi] *s* tragikomedie; —**ical** [ˈtrædžikəl] viz *tragic*

trail [treil] *vt & i* **1.** vléci (se), táhnout (se), courat se **2.** vláčet **3.** plazit se; viset **4.** stopovat, slídit □ *s* **1.** vlečka **2.** ocas, ohon, chvost **3.** stezka, pěšina **4.** stopa **5.** plazivý růst; ~ *car* přívěsný vůz; —**er** [ˈtreilə] *s* **1.** plazivá rostlina **2.** přívěsný vozík; vlečňák **3.** ukázka nového filmu

train [trein] *vt & i* **1.** zast. vléci, táhnout **2.** pěstovat, cvičit (se), trénovat, vychovávat **3.** arch. lákat, vábit **4.** nařídit dělo (*on, upon* na) **5.** jet vlakem □ *s* **1.** vlak; cesta vlakem **2.** družina, průvod **3.** vlečka, ohon **4.** sled událostí **5.** pochod, průběh **6.** vábení, lákání, vnadidlo **7.** pohotovost **8.** tech. válcovací trať ♦ ~ *of thought* myšlenkový pochod; *in the* ~ *of* v zápětí čemu; *to go by* ~ jet vlakem; *to put in* ~ uvést v chod; —**er** [ˈtreinə]· *s* cvičitel, trenér; —**ing** [ˈtreiniŋ] *s* výcvik; |—**ing-|college** *s* učitelský ústav; ·|—**ing-ground** *s* cvičiště; |—**ing-ship** *s* cvičná loď; |~ -**oil** *s* rybí tuk

trait [trei] *s* rys, zvláštnost ♦ ~ *of character* povahový rys

traitor [ˈtreitə] *s* zrádce; —**ous** [ˈtreitərəs] *a* zrádný; —**ess** [ˈtreitris] *s* zrádkyně

Trajan [ˈtreidžən] *s* Traján

trajectory [ˈtrædžiktəri] *s* dráha střely, komety, trajektorie

tram[1] [træm] *s* **1.** tramvaj **2.** důlní vůz **3.** kolejnice □ *vt & i* (-mm-) pohybovat se na kolejích, jet tramvají; |—**way** *s* elektrická dráha, tramvaj; |—**(way) car** tramvajový vůz

trammel [ˈtræməl] *s* **1.** síť **2.** pouto na nohy koně **3.** hák nad ohništěm **4.** křivítko, elipsograf **5.** pl. omezení, pouta □ *vt* (-ll-) **1.** omezit, překážet, bránit (~ *up*) **2.** chytat do sítě

tramp [træmp] *vt & i* **1.** šlapat, dupat, kráčet těžce **2.** cestovat pěšky, potulovat se □ *s* **1.** těžký krok, dupot **2.** toulka, dlouhá chůze, plahočení **3.** tulák, pobuda **4.** nákladní parník nevázaný na určitou trať

trample [ˈtræmpl] *vt & i* **1.** dupat, šlapat po (*under feet* nohama) **2.** potupit □ *s* dupot, cupot; šlápoty, kročeje

trance [tra:ns] *s* **1.** nadšení, vytržení, extáze **2.** med. ztrnutí ♦ *to be in a* ~ být u vytržení

tranquil [ˈtræŋkwil] *a* klidný, pokojný; —**lity** [træŋˈkwiliti] *s* klid, pokoj; —**lize** [ˈtræŋkwilaiz] *vt* uklidnit, utišit

transact [trænˈzækt] *vt & i* vyjednávat, vyřizovat; obchodovat (~ *business*); provádět; —**ion** [trænˈzækšən] *s* **1.** řízení, jednání 2. záležitost 3. vyrovnání 4. podnik, transakce 5. pl. zpráva tištěná, pojednání; protokol

transalpine [ˈtrænzˈælpain] *a* záalpský

transatlantic [ˈtrænzətˈlæntik] *a* zaatlantický, zámořský

transceiver [trænsˈsiːvə] *s* am. kombinace vysílacího a přijímacího rozhlasového přístroje

transcend [trænˈsend] *vt* 1. překročit, přestoupit 2. převýšit 3. předstihnout, předčit; —**ence**, —**ency** [trænˈsendəns(i)] *s* naprostá dokonalost, přednost, nepředstižitelnost, vynikání nad; —**ent** [trænˈsendənt] *a* přesahující, výborný; nadmyslný □ *s* fil. transcendentní věc; —**ental** [ˌtrænsenˈdentl] *a* transcendentální, intuitivní, nadpřirozený □ *s* transcendentalista

tran|scribe [trænsˈkraib] *vt* přepsat, opsat; —**script** [ˈtrænskript] *s* opis, kopie; —**scription** [trænsˈkripʃən] *s* přepis

transept [ˈtrænsept] *s* příčná chrámová loď

transfer *vt* [trænsˈfəː] (-rr-) 1. přenést, přemístit (*from* to), přestěhovat 2. odstranit 3. postoupit □ *s* [ˈtrænsfə] 1. přemístění, odevzdání, přenos, převod 2. odsun 3. opsání 4. doprava 5. obtisk ♦ ~ *ink* litografická tuš, čerň; ~ *paper* litografický papír; ~ *relay* [riːˈlei] přepínací relé; —**able** [trænsˈfəːrəbl] *a* přenosný, přeložitelný; —**ence** [ˈtrænsfərəns] *s* přenos, přemístění

trans|figuration [ˌtrænsfiˌgjuˈreiʃən] *s* proměnění, přeměna; —**figure** [trænsˈfigə] *vt* proměnit, přetvořit

transfix [trænsˈfiks] *vt* 1. probodnout, provrtat 2. ohromit

transform [trænsˈfoːm] *vt & i* přetvořit, přeměnit (se) (*into* v); —**ation** [ˌtrænsfəˈmeiʃən] *s* přetvoření, proměna ♦ ~ *of quantity to quality* přechod kvantity v kvalitu; —**er** [trænsˈfoːmə] *s* transformátor elektrického proudu

transfus|e [trænsˈfjuːz] *vt* 1. přelít, přenést 2. med. provést transfúzi krve 3. proniknout, vniknout; —**ion** [trænsˈfjuːʒən] *s* 1. přelití 2. med. transfúze

transgress [trænsˈgres] *vt* překročit, přestoupit (zákon) □ *vi* hřešit; —**ion** [trænsˈgreʃən] *s* přestoupení, přestupek, hřích; —**or** [trænsˈgresə] *s* přestupník, hříšník

transient [ˈtrænziənt] *a* přechodný, pomíjející

transit [ˈtrænsit] *s* průchod, průvoz, přechod, tranzit ♦ ~ *duty* průvozní clo; —**ion** [trænˈsiʒən] *s* přechod, změna ♦ ~ *from socialism to communism* přechod od socialismu ke komunismu; ~ *period* přechodné období; ~ *stage* přechodný stupeň; —**ional** [trænˈsiʒənl] *a* přechodný ♦ ~ *form* přechodná forma; —**ive** [ˈtrænsitiv] *a* gram. přechodný; —**ory** [ˈtrænsitəri] *a* pomíjející, přechodný, dočasný ♦ ~ *phenomenon* přechodný (z)jev

translat|e [træns'leit] *vt* **1.** přeložit (*to* do) **2.** přenést, přesadit **3.** vyložit, vysvětlit **4.** přeměnit; **—ion** [træns'leišən] *s* **1.** překlad, přeložení **2.** přenesení, přesazení, přenos, translace; **—or** [træns'leitə] *s* překladatel

transliterate [trænz'litereit] *vt* přepsat

transloading [træns'loudiŋ] *s* překládání zboží

translocation [,trænslə'keišən], *s* přemístění, změna místa

transluc|ence [trænz'lu:sns] *s* průsvitnost; **—ent** [trænz'lu:snt] *a* průsvitný, průhledný

transmarine [,trænzmə'ri:n] *a* zámořský

transmigration [,trænzmai'greišən] *s* (pře)stěhování, přesídlení, přechod

trans|mission [trænz'mišən] *s* **1.** odeslání, zaslání; doprava **2.** přenos, rozhlasová relace **3.** převod, transmise **4.** podání, odevzdání; ~ *housing* převodová skříň; **—mit** [trænz'mit] *vt* **1.** odeslat, dopravit, doručit, předat **2.** propouštět (*heat* teplo, *light* světlo, *sound* zvuk) **3.** rad. vysílat (*-ting station* vysílací stanice) **4.** přenést chorobu; **—mitter** [trænz'mitə] *s* **1.** rad. vysílač **2.** odesílatel

transmut|ation [,trænzmju'teišən] *s* proměna, přeměna, obměna; střídání; **—e** [trænz'mju:t] *vt* přeměnit, přetvořit

transoceanic ['trænz,ouši'ænik] *a* zaoceánský, zámořský

transom ['trænsəm] *s* příčný

trám, traverza, příčka, nosník

transpar|ence, **—ency**[1] [træns'peərəns(i)] *s* průhlednost, průsvitnost; **—ency**[2] [træns'peərənsi] *s* diapozitiv; **—ent** [træns'peərənt] *a* **1.** průhledný, průsvitný **2.** samozřejmý

transpir|e [træns'paiə] *vi* **1.** vypařit se, potit se **2.** vyjít najevo, rozšířit se **3.** vulg. přihodit se; **—ation** [,trænspi'reišən] *s* vypařování, pot

transplant [træns'pla:nt] *vt* přesadit, přenést; **—ation** [,trænspla:n'teišən] *s* přesazení, přenesení

transport *vt* [træns'po:t] **1.** přepravit, dopravit, zaslat **2.** přenést, převézt **3.** okouzlit (*with* čím) □ *s* ['trænspo:t] **1.** přeprava, převoz; dovoz, vývoz; zaslání **2.** transport **3.** dopravní loď **4.** zast. vypovězenec **5.** okouzlení, vytržení; **—ation** [,trænspo:'teišən] *s* doprava, deportace; **—er** [træns'po:tə] *s* **1.** přepravce **2.** dopravní letoun

transpos|e [træns'pouz] *vt* **1.** přemístit, přesadit **2.** hud. transponovat; **—ition** [,trænspə'zišən] *s* přemístění, přesunutí, přestavení; transpozice

trans-ship [træns'šip] *vt* přeložit z lodi na loď

transubstantiat|e [,trænsəb'stænšieit] *vt* přepodstatnit; **—ion** ['trænsəb,stænši'eišən] *s* transsubstanciace, přepodstatnění

trans|udation [,trænsju'deišən] *s* propocení; **—ude** [træn'sju:d] *vi* propotit

transvers|al [trænz'və:səl] *a*
příčný, šikmý; **—e** [trænz-
'və:s] *a* příčný, šikmý □ *s*
příčný průměr, osa; příčný
sval
trap¹ [træp] *s* 1. past, záloha;
to lay a ~ for nalíčit na 2.
poklop 3. klapka 4. sifon
v potrubí 5. pl. hov. zavazadlo,
svršky □ *vt & i* (-pp-) 1.
chytit do pasti, nalákat 2.
opatřit pastí, poklopem, sifo-
nem 3. vystrojit koně čabra-
kou; '~ -'door *s* padací dveře,
propadliště; **—per** ['træpə] *s*
lovec kožešin
trap² [træp] *s* dvojkolka
trapan viz *trepan*
trapez|e [trə'pi:z] *s* visutá hraz-
da; **—ium** [trə'pi:zjəm] *s* 1.
lichoběžník 2. am. různoběž-
ník; **—oid** ['træpezoid] *s* 1.
různoběžník 2. am. licho-
běžník
trappings ['træpiŋz] *s pl.* 1.
koňská výstroj, postroj, čab-
raka 2. ozdoby, okrasa, nád-
hera
trash [træš] *s* 1. smetí, šmejd,
odpadky 2. klestí 3. darebák,
ničema 4. nesmyslná řeč □
vt 1. oklestit, přistřihnout,
přiříznout 2. krotit 3. zakrýt,
zadržet; **—y** ['træši] *a* bídný,
chatrný, sešlý, ubohý
travail ['træveil] *s* arch. 1. ná-
maha 2. porodní bolesti □ *vi*
1. lopotit se 2. pracovat
k porodu 3. obtěžovat
travel ['trævl] *vi & t* (-ll-) 1.
cestovat 2. kráčet, ubírat se
3. pohybovat se 4. být ob-
chodním cestujícím 5. těkat
□ *s* 1. cestování, cesta 2.

pohyb, dráha pohybu; **—ler**
am. **—er** ['trævlə] *s* cestovatel,
cestující ♦ *to tip person the ~*
někomu něco nalhávat, vinit
ze lži; **—ling** ['trævliŋ] *a*
cestující □ *s* cestování;
~ crane pojízdný jeřáb;
~ staircase ['steəkeis] pohyb-
livé schody; **—ogue** ['trævə-
loug] *s* ilustrovaný cestopis
traverse ['trævə:s] *a* příčný □
adv napříč, křížem □ *s* 1.
příčný směr 2. příčka, příčný
trám, traverza 3. pohyb na-
příč, uskočení stranou 4. nám.
klikatý směr lodi 5. právní
námitka 6.. překážka 7. vy-
táčka, výmluva 8. otočení
děla □ *vt & i* 1. položit napříč
2. zkřížit, ležet křížem 3. pro-
cestovat 4. prozkoumat, pro-
brat předmět 5. probíhat, pro-
tékat 6. překazit, přerušit,
odporovat, popřít tvrzení 7.
přebíhat 8. natočit dělo
travesty ['trævisti] *s* travestie
trawl [tro:l] *vt & i* lovit ryby
vlečnou sítí □ *s* vlečná síť
tray [trei] *s* podnos, tác, tácek
treacher|ous ['trečərəs] *s* zrád-
ný, věrolomný, nespolehlivý;
—y ['trečəri] *s* zrada, prorad-
nost
treacle ['tri:kl] *s* 1. sirup 2.
melasa
tread¹* [tred] *vi* 1. šlapat, krá-
čet, jít 2. fig. následovat
příkladu, jít v šlépějích 3.
pářit se o kohoutu ♦ *to ~ on
the heels of* fig. šlapat komu
na paty; *~ down* zašlápnout,
sešlapat; *~ on* šlapat na, za-
šlápnout; *~ out* zašlapat oheň;
vyšlapávat hrozny

tread² [tred] *s* 1. šlápnutí, krok, chůze 2. páření **samce ptáků** 3. schod 4. stezka 5. šlapka, podrážka 6. vzdálenost mezi pedály kola 7. běhoun pneumatiky 8. očko ve vejci

treadle [ˈtredl] *s* šlapátko, pedál u kola n. jiného stroje; ~ *press* šlapací lis

treason [ˈtriːzn] *s* zrada; *high* ~ velezrada; **—able** [ˈtriːznəbl] *a* zrádný

treasur|e [ˈtrežə] *s* poklad □ *vt* hromadit, sbírat poklady; chovat jako poklad; **—er** [ˈtrežərə] *s* pokladník ♦ *Lord High T~* nejvyšší komoří; **—y** [ˈtrežəri] *s* 1. pokladna, pokladnice 2. státní finanční správa; |~-**bench** *s* ministerská lavice v dolní sněmovně; |~-**bill**, |~**note** *s* pokladniční poukázka

treat [triːt] *vt* 1. jednat, zacházet, nakládat s 2. zpracovat, upravit 3. ošetřovat, léčit 4. častovat, hostit *(to)* 5. podrobit chemickým účinkům □ *vi* 6. vyjednávat, umlouvat se 7. pojednávat *(of* o) 8. pokládat *(as* za) 9. podplatit voliče □ *s* 1. pohoštění 2. požitek, radost ♦ *to stand* ~ platit společnou útratu; **—ise** [ˈtriːtiz] *s* pojednání, spis; |**—ment** *s* 1. zacházení, nakládání s 2. léčba, ošetřování 3. hoštění, častování 4. tech. zpracování, úprava *(heat* ~ tepelné zpracování) 5. působení; **—y** [ˈtriːti] *s* 1. smlouva 2. vyjednávání, dohoda ♦ *peace* ~ mírová smlouva; ~ *of alliance*

spojenecká smlouva; *to be in* ~ *with* vyjednávat s

treble [ˈtrebl] *a* 1. trojnásobný 2. zvučný, pronikavý 3. hud. diskantový, fistulový □ *s* 1. trojnásobek 2. hud. soprán, diskant, fistule □ *vt & i* ztrojnásobit (se)

tree [triː] *s* 1. strom 2. zast. kmen 3. dřevo 4. sl. šibenice ♦ *family* ~ rodokmen; *at the top of the* ~ fig. na vrcholu kariéry □ *vt* 1. zahnat na strom, sedět na stromě, vylézt na strom 2. narazit na kopyto; ~-**beetle** [ˈtriːˌbiːtl] *s* chroust; ~ **box** *s* zimostráz; ~-**creeper** [ˈtriːˌkriːpə] *s* zool. šoupálek; |~-**frog** *s* rosnička

trefoil [ˈtrefoil] *s* jetel, trojlístek

trek [trek] *vi* (-kk-) 1. cestovat na voze taženém voly 2. odejít □ *vt* 3. táhnout vůz □ *s* cestování, cesta od jedné zastávky k druhé; stěhování

trellis [ˈtrelis] *s* laťková mříž na keře

trembl|e [ˈtrembl] *vi* 1. třást se, chvět se *(with anger* hněvem, *at the thought* při pomyšlení) 2. bát se *(for his safety* o jeho bezpečnost) □ *s* chvění, třesení; **—er** [ˈtremblə] *s* 1. třesavec 2. el. Wagnerovo kladívko, elektrický zvonek

tremendous [triˈmendəs] *a* hrozný, strašný; ohromný

tremor [ˈtremə] *s* strach, vzrušení; třesení, chvění

tremulous [ˈtremjuləs] *a* 1. chvějící se, kmitavý, třesavý 2. bázlivý, ulekaný

trench [trenč] *vt* 1. vykopat

příkop, dělat škarpy, zákopy
2. žlábkovat dřevo ap. **3.**
prokopat se *(down, along)*
4. obehnat příkopy, zákopy
□ *vi* **5.** zasahovat (*on, upon*
do), osobit si (*upon a thing*
něco) □ *s* **1.** příkop, zákop,
škarpa **2.** zářez ♦ ~ *mortar*
minomet; **—er¹** [ˈtrenčə] *s*
zákopník

trenchant [ˈtrenčənt] *a* břitký,
ostrý, rázný

trencher² [ˈtrenčə] *s* **1.** okřín,
dřevěná mísa n. prkénko
na krájení chleba **2.** stůl; I~
-**cap** *s* studentská kolejní če-
pice; I~-**man** *s* jedlík, žrout

trend [trend] *vi* obracet se,
směřovat, mít tendenci (*to-
wards* k) □ *s* směr, tendence,
proud

trepan¹ [triˈpæn] *s* trepan □ *vt*
trepanovat lebku

trepan² [triˈpæn] *vt* vábit, svá-
dět (*into* k), (z)lákat, okla-
mat

trepidation [ˌtrepiˈdeišən] *s* chvě-
ní, leknutí, nepokoj, zmatek

trespass [ˈtrespəs] *vi* **1.** pře-
kročit, přestoupit, porušit
(*against law* zákon) **2.** pro-
hřešit se, provinit se (*against*
na) **3.** požadovat, činit ne-
odůvodněné nároky (*upon, on*
na) **4.** dopustit se přehmatu,
pychu □ *s* přestupek, pych,
hřích; **—er** [ˈtrespəsə] *s* pře-
stupník, hříšník

tress [tres] *s* **1.** kadeř, cop **2.**
pl. vrkoče; **—y** [ˈtresi] *a* ka-
deřavý, copatý

trestle [ˈtresl] *s* podstavec,
trnož, kozlík

trevet [ˈtrivit] viz *trivet*

trey [trei] *s* trojka karta
T.R.H. = *Their Royal Highnes-
ses*
triad [ˈtraiəd] *s* **1.** trojice **2.** hud.
trojzvuk
trial [ˈtraiəl] *s* **1.** pokus, zkouška
2. vyšetřování, soudní pře-
líčení **3.** pokušení ♦ *on* ~ na
zkoušku, ve vazbě; *to make
a ~ of* učinit zkoušku, zkusit;
to stand one's ~ být soudně
stíhán; ~ **load** tech. zkušební
zatížení; ~ **order** objednávka
na zkoušku
triang|le [ˈtraiæŋgl] *s* trojúhel-
ník, trojhran; **—ular** [trai-
ˈæŋgjulə] *a* trojúhelníkový,
trojhranný; **—ulation** [trai-
ˌæŋgjuˈleišən] *s* vyměřování,
triangulace
trib|al [ˈtraibl] *a* kmenový; **—e**
[traib] *s* kmen; třída lidí;
rod, čeleď, I—**esman** *s* člen
kmene
tribulation [ˌtribjuˈleišən] *s* sou-
žení, trýzeň, strast
tribunal [traiˈbjuːnl] *s* soudní
dvůr, tribunál
tribune [ˈtribjuːn] *s* **1.** tribun
2. tribuna, řečniště **3.** bis-
kupský stolec
tributary [ˈtribjutəri] *a* **1.** po-
platný, poddaný **2.** vedlejší
3. přítokový □ *s* **1.** poplatník,
poplatný stát n. vladař **2.**
přítok
tribute [ˈtribjuːt] *s* **1.** daň, po-
platek **2.** hold, úcta
tricar [ˈtraikaː] *s* trojkolý auto-
mobil
trice¹ [trais] *s* okamžik (*in a* ~
v okamžiku)
trice² [trais] *vt* nám. vytáhnout
lanem na břeh a uvázat (*up*)

triceps [ˈtraiseps] *s* triceps, trojhlavý sval
trick [trik] *s* 1. úskok, šprým, chytrý kousek 2. podvod, klam, šalba 3. zvláštnost 4. zvyk, návyk 5. trik v kartách ♦ *he has a ~ of* má ve zvyku; *that will do the ~ to* to vykoná svůj účel; *to play someone a ~* vyvést komu nějaký kousek □ *vt & i* 1. vyvádět kousky 2. klamat, podvádět, ošidit (*out, of* o); *~ out, up* vystrojit, vyfintit, vyšňořit; —**ery** [ˈtrikəri] *s* 1. podvod, úskok, šibalství 2. paráda, fintění; —**ish** [ˈtrikiš] *a* lstivý, úskočný; —**y** [ˈtriki] *a* 1. lstivý, úskočný 2. choulostivý
trickle [ˈtrikl] *vi* kapat, prýštit, crčet □ *s* kapání, kanutí, prýštění, crčení, stružka
trick|ster [ˈtrikstə] *s* podvodník, šibal; —**sy** [ˈtriksi] *a* 1. hravý, laškovný 2. úpravný, úhledný 3. lstivý, úskočný
tricolour [ˈtrikələ] *s* trikolóra
tricycle [ˈtraisikl] *s* trojkolka
trident [ˈtraidənt] *s* trojzubec
triennial [traiˈenjəl] *a* tříletý □ *s* 1. tříletá rostlina 2. tříletí
trier [ˈtraiə] *s* zkoušeč, vyšetřovatel; soudce, rozhodčí
trifid [ˈtraifid] *a* bot., zool. trojklanný, trojštěpný
trifl|e [ˈtraifl] *s* 1. maličkost, trocha 2. hříčka žert hud. aj. 3. pečivo se šlehačkou □ *vi & t* 1. zahrávat si (*with* s) 2. lehkovážně se chovat 3. žertovat, bavit se; *~ away* promarnit (*time* čas, *money* peníze); —**ing** [ˈtraifliŋ] *a* 1. hravý 2.

lehkovážný, malicherný 3. nepatrný, bezvýznamný, bezcenný
trig [trig] *vt* (-gg-) 1. zarazit, zastavit; zabrzdit, zdržovat 2. vyztužit 3. vyfintit □ *s* překážka, zarážka, klín (k zabrzdění) □ *a* bezvadný, upravený; —**ger** [ˈtrigə] *s* 1. spoušť 2. pojistka brzdy, auta
trigonal [triˈgonl] *a* trojhranný, trojúhelný
trigonometr|ical [ˌtrigənəˈmetrikəl] *a* trigonometrický; —**y** [ˌtrigəˈnomitri] *s* trigonometrie
trihedral [ˈtraiˈhi:drəl] *a* trojboký
trilateral [ˈtraiˈlætərəl] *a* trojstranný, trojboký □ *s* trojúhelník, trojboké těleso
trilingual [ˈtraiˈliŋwəl] *a* trojjazyčný
trill [tril] *s* trylek □ *vi & t* trylkovat
trillion [ˈtriljən] *s* trilion
trilogy [ˈtrilədži] *s* trilogie
trim¹ [trim] *a* 1. úpravný, pěkný, spořádaný, řádně opatřený 2. čistotný 3. přiléhavý □ *vt* (-mm-) 1. upravit, ozdobit 2. spořádat, přichystat loď k plavbě 3. hov. vyčinit, „vypucovat" koho 4. přistřihnout, oříznout 5. podélně vyvažovat 6. držet se uprostřed, být neutrální □ *vi* (-mm-) 7. kolísat, nerozhodnout se; *~ off* oklestit, ořezat; *~ up* vystrojit
trim² [trim] *s* 1. úprava, ozdoba 2. výstroj, výzbroj 3. pohotovost, stav 4. vyvážení ♦ *in good ~* v dobrém stavu;

—**mer** [ˈtrimə] s 1. ostřihovač, ořezávač 2. obojetník, oportunista 3. modistka 4. aranžér; —**ming** [ˈtrimiŋ] s 1. úprava, ozdoba šatů 2. lem, obruba 3. pl. odřezky, odpadky, zbytky 4. pl. příkrm, příloha jídla

trin|al [ˈtrainl] a trojí, trojitý, trojnásobný; —**e** [train] a trojí, trojitý ☐ s trojice; —**ity** [ˈtriniti] s trojice

trinitrotoluene [traiˈnaitrouˈtoljuiːn] s trinitrotoluen

trinket [ˈtriŋkit] s ozdůbka, tretka, šperk

trio [ˈtriou] s trio

triode [ˈtrajoud] s rad. trioda

trip [trip] vi (-pp-) 1. lehce jít, poskakovat; tančit 2. klouznout, klopýtnout 3. vysmeknout (se) 4. vyjít si, vyjet si, podniknout výlet 5. udělat chybu ☐ vt (-pp-) 6. podrazit nohu 7. zastavit, zadržet, překazit plán 8. zdvihnout kotvu 9. vypnout 10. zakoktat se ☐ s 1. klopýtnutí, zakopnutí 2. vysmeknutí, tech. vypnutí 3. cupot; pružný taneční krok 4. výlet, cesta, vyjížďka 5. prohřešek, výtka; —**per** [ˈtripə] s výletník

tripartite [ˈtraiˈpaːtait] a trojdílný

tripe [traip] s 1. vnitřnosti 2. droby, dršťky; ˈ~ -**house** s jatky

triplane [ˈtraiplein] s trojplošník

triplet [ˈtriplit] s 1. trojice 2. hud. triola 3. hov. jedno z trojčat

triplicate a [ˈtriplikit] trojí, troj-

násobný ♦ in ~ v trojím vyhotovení ☐ vt [ˈtriplikeit] ztrojnásobit

triplicity [triˈplisiti] s trojnásobnost

tripod [ˈtraipod] s třínožka, stativ

triquetrous [traiˈkwetrss] a trojstranný, trojhranny, třírohý

trireme [ˈtrairiːm] s trojveslice

trisect [traiˈsekt] vt roztrojit; —**ion** [traiˈsekšən] s roztrojení

trite [trait] a otřepaný, všední

triturate [ˈtritjuəreit] vt rozemlít, rozetřít na prášek, rozmělnit

triumph [ˈtraiəmf] s 1. vítězosláva, triumf 2. radost 3. vítězství ☐ vi 1. triumfovat 2. získat vítězství (over nad) 3. jásat, plesat (over nad); —**al** [traiˈæmfəl] a vítězoslavný, triumfální; —**ant** [traiˈæmfənt] a 1. vítězný, vítězoslavný 2. jásavý

triune [ˈtraijuːn] a trojjediný

trivet [ˈtrivit] s třínožka

trivial [ˈtriviəl] a 1. triviální, všední, otřepaný 2. nepatrný, obyčejný, bezvýznamný; —**i-ty** [ˌtriviˈæliti] s 1. triviálnost, všednost 2. všední poznámka

trizone [ˈtraizoun] s třízóna

troat [trout] vi troubit v době říje

trochee [ˈtroukiː] s trochej

trod [trod] pt viz tread; —**den** [ˈtrodn] pp viz tread

troglodyte [ˈtrogledait] s jeskynní člověk, troglodyt

Trojan [ˈtroudžən] a trojský ☐ s Trójan

troll[1] [troul] vt & i 1. zpívat

do kola **2.** chytat ryby vlečením návnady **3.** arch. dát kolovat □ *s* **1.** zpěv, píseň do kola **2.** chycení **3.** naviják rybářského prutu

troll² [troul] *s* **1.** skřítek, šotek **2.** obr

trolley [ˈtroli] *s* **1.** drezína, vozík **2.** kladka na tyči; **~ bus** [ˈtrolibas] *s* trolejbus; **~ -line** *s* trolejové vedení

trollop [ˈtroləp] *s* coura, děvka, prostitutka

trombone [tromˈboun] *s* pozoun

troop [tru:p] *s* **1.** tlupa, houf **2.** voj. četa, baterie **3.** pl. vojsko ♦ *to raise* -*s* sebrat vojsko □ *vi* **1.** seskupit se v tlupy **2.** chodit v houfech (*along*, *in* *out* ap.) **3.** odtáhnout (**~** *off*, *away*); **~ -carrier** [ˈtru:pˌkæriə] *s* vojenský dopravní letoun; **—er** [ˈtru:pə] *s* **1.** kavalerista; tankista **2.** jezdecký kůň **3.** dopravní loď s vojskem ♦ *to swear like a* **~** sprostě nadávat: **~ revue** přehlídka vojska; |**~ -ship** *s* transport vojska

trope [troup] *s* tropus, zástupka

trophy [ˈtroufi] *s* **1.** trolej **2.** kořist

tropic [ˈtropik] *s* **1.** obratník. slunovrat **2.** pl. tropy, tropické pásmo; **—al** [ˈtropikəl] *a* **1.** tropický **2.** obrazný

trot [trot] *vi* (-tt-) cválat, klusat, běžet; **~ out** předvést, ukázat □ *s* **1.** (po)klus, cval, rychlá chůze **2.** batolátko ♦ *at a* **~** klusem; **—ter** [ˈtrotə] *s* **1.** klusák **2.** pl. vařené zvířecí nožičky

troth [trouθ] *s* zast. (*in*) **~**, *by*

my **~** na mou věru! opravdu; *to plight one's* **~** slíbit sňatek

troubl|e [ˈtrabl] *vt & i* **1.** obtěžovat, soužit, trápit **2.** zčeřit, zkalit **3.** (vz)rušit, znepokojovat **4.** namáhat se (*about*, *for* o) **5.** mít potíže (*with* s) □ *s* **1.** zmatek, nesnáz **2.** nepokoj, rušení, porucha **3.** mrzutost, neštěstí **4.** soužení, starost **5.** nemoc, churavost ♦ *to be at a* **~** to být komu břemenem; *to get into* **~** mít nepříjemnost; *to give* **~** způsobit nesnáz; *to take the* **~** namáhat se; |**~ -free** *a* tech. bezporuchový; **~ gang** [gæŋ] opravářská četa; **—esome** [ˈtrablsəm] *a* znepokojující, rušivý; obtížný, namáhavý; **—ous** [ˈtrabləs] *a* arch. **1.** nejistý **2.** bouřlivý, nepokojný **3.** zmatený, obtížný

trough [trof] *s* žlab, koryto, necky, díž □ **~** *of the sea* prohlubeň n. brázda mezi vlnami na moři

trounce [trauns] *vt* bít, týrat

troupe [tru:p] *s* herecká společnost

trousers [ˈtrauzəz] *s pl.* spodky, kalhoty dlouhé

trousseau [ˈtru:sou] *s* výbava nevěsty

trout [traut] *s* pstruh

trow [trou] *vt* arch. myslit

trowel [ˈtrauəl] *s* **1.** zednická lžíce **2.** zahradnická lopata

Troy [troi] *s* Trója

truant [ˈtru:ənt] *a* **1.** chodící za školu **2.** líný, zahálčivý □ *s* ulejvák, lenoch, povaleč ♦ *to play the* **~** vyhýbat se, lenošit; chodit za školu truce [tru:s] *s* 1. příměří 2. oddech, klid ♦ *to keep* ~ zachovat příměří; ~ *talks* jednání o příměří

truck¹ [trak] *vi & t* vyměňovat zboží, kramařit (*with person for thing* s kým oč) □ *s* 1. výměna, výměnný obchod 2. zboží 3. hov. veteš, šmejd 4. fig. nesmysl ♦ *to have no* ~ *with* nemít co činit s; ~ *system* placení mzdy zbožím

truck² [trak] *s* 1. nákladní vůz, nákladní auto 2. otevřený železniční vůz 3. kára na zavazadla 4. podvozek □ *vt* dopravovat

truckle [ˈtrakl] *vi* poddat se, podrobit se; podlézat, chovat se servilně

truculent [ˈtrakjulənt] *a* divoký, sveřepý, hrubý

trudge [tradž] *vi* vléci se, plahočit se

true [tru:] *a* 1. pravý, pravdivý 2. věrný, upřímný 3. správný, přesný 4. oprávněný 5. důsledný (*to* k) 6. skutečný, ryzí ♦ *the* ~ *heir* zákonný dědic; *to come* ~ vyplnit se; *to hold* ~ platit, zůstat v platnosti □ *adv* pravdivě □ *vt* 1. tech. orovnat brusný kotouč 2. seřídit; ~ -blue [ˈtru:blu:] *a* pevných zásad; věrný; |~ -born *a* pravý, čistého plemene; ~ -heartedness [ˈtru:- ˈha:tidnis] *s* upřímnost; |~ -love *s* milenec, milenka

truffle [ˈtrafl] *s* lanýž

trull [tral] *s* arch. nevěstka, děvka

truly [ˈtru:li] *adv* věrně; oprav-

du, skutečně; správně; pravdivě

trump¹ [tramp] *vt* zast. ošálit, oklamat (*on*); ~ up zosnovat, vymyslit (*excuse* výmluvu)

trump² [tramp] *s* 1. trumf 2. hov. dobrotisko □ *vt & i* přebít trumfem

trumpery [ˈtrampəri] *s* 1. šmejd, cetky, planá nádhera 2. fig. hlouposti, tlachy 3. koketa □ *a* chatrný; bezcenný

trumpet [ˈtrampit] *s* 1. trubka, trumpeta, polnice, pozoun 2. trouba hlásná ♦ *to sound the* ~ zatroubit; *to blow one's* ~ chlubit se □ *vt & i* (vy)troubit, vyhlásit: —er [ˈtrampitə] *s* trubač

truncat|e [ˈtraŋkeit] *vt* osekat, oklestit, zkomolit, zkrátit strom, tělo, kužel □ *a* zkomolený; —ion [traŋˈkeišən] *s* zkomolení, zkrácení

truncheon [ˈtrančən] *s* 1. obušek 2. hůl maršálská, žezlo

trundle [ˈtrandl] *s* kolečko, trakař □ *vt & i* valit (se), kutálet (se), koulet (se); jet s trakařem

trunk [traŋk] *s* 1. kmen stromu, stvol, peň 2. trup 3. chobot 4. hlavní železniční linka 5. kufr 6. koryto 7. foukačka 8. držadlo 9. pl. krátké kalhoty (též ~ -hose [ˈtraŋkˈhouz], ~ -drawers [ˈtraŋkˈdro:əz]); ~ call meziměstský telefonní hovor; |~ -road *s* hlavní silnice

trunnion [ˈtranjən] *s* kolébavý čep

truss [tras] *vt* 1. podepřít, vyztužit 2. svázat v otýpky, se-

šněrovat; podvázat, podkasat □ *s* 1. podpěrný trám, nosič střechy, mostu apod. 2. otep 3. chomáč 4. kýlní pás
trust [trast] *s* 1. důvěra, víra, spolehnutí 2. uzávěr 3. záruka 4. depozitum 5. obch. trust, společnost, kartel 6. opatrovnictví, svěřenství ♦ *to give* ~ *to, to put* ~ *in* skládat důvěru v; *to give* ~ *upon* dávat na úvěr; *to go upon* ~ brát na úvěr; *to put a person in* ~ *with* svěřit komu co □ *vt & i* 1. důvěřovat (*in, on, to* v), svěřit se (*with* s) 2. svěřit (*with* co) 3. spoléhat (se) na 4. dát na úvěr *(for)* 5. doufat v; ~ **deed** svěřenecký zápis, záruka; —**ee** [tras'ti:] *s* 1. důvěrník, poručník, člen správní rady, kurátor 2. pl. správní rada, kuratorium (též *board of* -*s*); —**eeship** [tras'ti:šip] *s* 1. svěřenství, důvěrnictví 2. opatrovnictví, poručnictví; —**ful** ['trastful] *a* důvěryhodný; —**y** ['trasti] *a* věrný, spolehlivý
truth [tru:θ] *s* 1. pravda, pravdivost 2. skutečnost, věrnost obrazu 3. ryzost ♦ *in n. of a* ~ vskutku, opravdu; *to tell the* ~ n. ~ *to tell* bez zapírání; *to be out of* ~ tech. házet o hřídeli; —**ful** ['tru:θful] *a* pravdivý, pravý
try[1] [trai] *vt & i* 1. podrobit zkoušce, zkusit, zkoušet 2. zakusit 3. vyšetřovat, vyslýchat 4. rozhodnout, rozsoudit 5. namáhat (se), pokoušet (se) 6. přepínat trpělivost ♦ *to* ~ *one's hand at*

pokusit se o; *to* ~ *one's utmost* všemožně se přičinit: ~ **after, for** ucházet se o: ~ **at** činit pokus s; ~ **on** zkusit šaty; *to* ~ *it on* učinit něco nedovoleného; ~ **out** projednat: rozpustit, vyškvařit tuk, rafinovat
try[2] [trai] *s* zkouška, pokus (*at, for* s)
tsar viz *czar*
tub [tab] *s* 1. káď, škopek, vědro, štoudev 2. bečka 3. díže 4. necky 5. vana 6. dřevěný květináč 7. člun □ *vt & i* (-bb-) 1. koupat (se) ve vaně 2. zasadit do dřevěného květináče 3. vybednit šachtu; —**by** ['tabi] *a* štoudvovitý; břichatý, obtloustlý, korpulentní; ~ -**thumper** ['tabθampə] *s* davový řečník n. kazatel
tube [tju:b] 1. trouba, roura 2. trubice, hadice 3. podzemní dráha (též ~ *railway*) 4. rad. elektronka
tuber ['tju:bə] *s* 1. hlíza, nádor 2. brambor; —**cle** ['tju:bə:kl] *s* nádor, bulka, nežit, bradavice, tuberkule: —**cular,** —**culous** [tju:'bə:kjulə, -kjuləs] *a* 1. tuberkulózní 2. bradavkovitý, uhrovitý: —**ose** *a* ['tju:-bərous] ♦ hlíznatý □ *s* ['tju:bərouz] tuberóza; —**culosis** [tju:ˌbə:kju'lousis] *s* tuberkulóza
tub|ular ['tju:bjulə] *a* trubkovitý, trubicovitý, rourovitý ♦ ~ *brick* dutá cihla; ~ *railway* podzemní dráha; —**ule** ['tju:bju:l] *s* trubička, rourka tubička

T.U.C. = *Trade Union Congress*
tuck¹ [tak] *vt* 1. zdrhnout, nabrat, podkasat; vyhrnout, vykasat rukávy 2. přivázat 3. zastrčit 4. zahradit vodu 5. vecpat, napěchovat; ~ ~ away ukrýt; ~ in zabalit; důkladně se najíst; ~ on namluvit; ~ up podkasat, vyhrnout; pověsit (*a criminal* zločince)
tuck² [tak] *s* 1. záhyb, záložka, nabírání látky 2. sl. jídlo, pamlsky; —**er** [ˈtakə] *s* nabíraná náprsenka; I~ -net *s* malá rybářská síťka
Tuesday [ˈtjuːzdi] *s* úterý
tuft [taft] *s* 1. chumáč, trs, chocholka 2. střapec 3. bradka □ *vt & i* 1. ozdobit střapcem 2. růst v trsech
tug [tag] *vt & i* (-gg-) 1. tahat, vléci *(at)* 2. trhat, škubat *(from* z) 3. zápasit *(for* o), bojovat 4. namáhat se, lopotit se □ *s* 1. tahání, škubnutí 2. lopocení, namáhání 3. úsilí bolestné 4. vlečný člun ♦ *to give a* ~ škubnout; I—**boat** *s* remorkér; I~ -of-Iwar *s* sport. přetahování lanem
tuition [tjuˈišən] *s* 1. zast. dozor, ochrana, poručenství 2. vyučování 3. školné
tulip [ˈtjuːlip] *s* tulipán
tulle [tjuːl] *s* tyl látka
tumble¹ [ˈtambl] *vi & t* 1. spadnout, skácet, překotit (se), shodit *(down)* 2. kutálet se 3. porazit, povalit 4. zmačkat, zválet 5. seběhnout, přiběhnout 6. přeházet 7. vskočit *(into* do); ~ out vyklopit (se), vyhodit; ~ over

překotit se, zakopnout, svrhnout co; ~ to sl. pochopit, porozumět
tumble² [ˈtambl] *s* 1. pád, zřícení se, přemet 2. zmatek, nepořádek; I~ -*down* na spadnutí; —**r** [ˈtamblə] *s* 1. kejklíř, akrobat 2. sklenice 3. čep kohoutku, západka zámku 4. el. páčkový spínač (též ~ *switch*) 5. čisticí buben na odlitky 6. holub kotrčák
tumefy [ˈtjuːmifai] viz *tumify*
tumid [ˈtjuːmid] *a* 1. oteklý, opuchlý 2. nabubřelý; —**ity** [tjuːˈmiditi] *s* 1. opuchlost, naběhlost 2. nabubřelost
tumify [ˈtjuːmifai] *vt & i* napuchnout, otéci
tummy [ˈtami] *s* fam. žaludek
tumour [ˈtjuːmə] *s* otok, nádor
tumult [ˈtjuːmalt] *s* 1. hlomoz, hluk 2. hukot vln 3. poplach, pobouření 4. srocení, demonstrace □ *vi* zast. lomozit, srotit se; —**uary** [tjuːˈmaltjuəri] *a* nepokojný, bouřlivý, buřičský, neukázněný; —**uous** [tjuːˈmaltjuəs] *a* prudký, hřmotný
tumulus [ˈtjuːmjuləs] *s* mohyla
tun [tan] *s* káď, velký sud, bečka
tune [tjuːn] *s* 1. nápěv, melodie; píseň, popěvek 2. tónina 3. intonace, naladění 4. shoda, souhlas ♦ *out of* ~ rozladěný, fig. mrzutý; *in* ~ naladěný; *to change one's* ~ změnit tón, způsob □ *vt & i* 1. naladit 2. přizpůsobit (se) *(to* k), být ve shodě *(with* s) 3. zanotovat (si), prozpěvovat (si); ~ *in* naladit, vyladit rádio; —**r**

[ˈtjuːnə] *s* 1. ladič 2. ladička 3. zpěvák
tungsten [ˈtaŋstən] *s* wolfram
tunic [ˈtjuːnik] *s* 1. tunika 2. sukně 3. anat., zool., bot. obal, blána 4. voj. blůza
tuning [ˈtjuːniŋ] *s* 1. ladění 2. naladění, nálada 3. zvuk; ~ **-fork** *s* ladička; ~ **knob** [nob] ladicí knoflík
tunnel [ˈtanl] *s* 1. tunel, průkop 2. zast. komín □ *vt & i* prokopat, stavět tunel, tunelovat
tunny [ˈtani] *s* zool. tuna, tuňák
tup [tap] *s* beran, kozel
turban [ˈtəːbən] *s* turban
turbary [ˈtəːbəri] *s* 1. rašeliniště 2. práv. právo těžit rašelinu na cizí půdě
turbid [ˈtəːbid] *a* 1. kalný, hustý 2. zmatený; mlhavý; —**ity** [təːˈbiditi] *s* kalnost, hustota
turbine [ˈtəːbin] *s* turbina ♦ *air*, *steam* ~ vzdušná, parní turbina; *reaction* ~ přetlaková turbina
turbojet engine [ˈtəːbouˌdʒetˈendʒin] proudový motor
turbot [ˈtəːbət] *s* zool. kambala
turbul|ence, —**ency** [ˈtəːbjuləns(i)] *s* nepokoj, zmatek, divokost, bouřlivost, vzbouření; —**ent** [ˈtəːbjulənt] *a* 1. bouřlivý, nepokojný, neukázněný 2. zvířený 3. prudký vítr
Turcoman [ˈtəːkəmən] *s* Turkmen
tureen [təˈriːn] *s* mísa na polévku
turf [təːf] *s* 1. trávník, drn 2. v Irsku rašelina 3. *the* ~ dostihy; závodiště □ *vt* oblo-

žit n. pokrýt drnem; —**y** [ˈtəːfi] *a* 1. drnový, drnovitý, travnatý 2. rašelinový 3. dostihový
turgid [ˈtəːdʒid] *a* napuchlý, naběhlý; nabubřelý sloh; —**ity** [təːˈdʒiditi] *s* naduřelost, otok; nabubřelost
Turk [təːk] *s* Turek, Turkyně ♦ *to turn* ~ poturčit se; —**ey** [ˈtəːki] *s* Turecko; —**ish** [ˈtəːkiš] *a* turecký; ~ *towel* froté ručník □ *s* turečtina
turkey [ˈtəːki] *s* krocan, krůta
turmoil [ˈtəːmoil] *s* nepokoj, vřava, zmatek □ *vt & i* arch. znepokojovat (se), bouřit (se)
turn¹ [təːn] *vt & i* 1. (na)točit (se), otáčet, otočit (se), obracet, obrátit se 2. odvrátit (se), odchýlit se 3. přeložit, přehnout, zahnout, klonit se 4. změnit (se), stát se, předělat 5. řídit (se), vést 6. obejít 7. pomást (se) 8. (vy)-soustruhovat 9. vystřídat se 10. kysat, srazit se 11. ukončit se 12. přeložit (*into* do) 13. být špatně od žaludku ♦ *to* ~ *person round one's finger* otočit si koho kolem prstu; *everything -s on his answer* vše závisí na jeho odpovědi; *to* ~ *the tables* vyšinout se; *to* ~ *back* obrátit se zády; *to* ~ *a corner* zahnout za roh; *to* ~ *bankrupt* učinit úpadek; *to* ~ *coat* přeběhnout, zpronevěřit se; *to* ~ *head* postavit si hlavu, poplést, pobláznit; *to* ~ *the head* způsobit závrať; *to* ~ *loose* pustit, propustit; *to* ~ *pale* zblednout; *to* ~ *short* náhle se obrátit, zara-

zit; *to ~ sick* onemocnět; *to ~ traitor* stát se zrádcem; *to ~ tail* utéci; ~ **about** obrátit (se); ~ **against** popudit proti, obrátit se proti; ~ **away** odvrátit (se); propustit; ~ **away of** odchýlit se; ~ **back** vrátit se; zahnat; ~ **down 1.** odmítnout (*an offer* nabídku) **2.** zahnout, přehnout, převrátit **3.** zavřít plyn; ~ **from** odvrátit (se); ~ **in 1.** zahnout do domu **2.** složit dovnitř, zabalit **3.** ohnout dovnitř **4.** el. zapojit **5.** zastavit se, zdržet se **6.** hov. jít spat; ~ **into** proměnit (se); ~ **off 1.** propustit sluhu **2.** vypnout, zhasnout světlo **3.** zarazit vodu, plyn **4.** přerušit **5.** osoustružit **6.** vytvořit epigram, dílo **7.** sl. pověsit zločince; ~ **on 1.** spustit vodu, plyn ap. **2.** el. zapnout, rozsvítit; ~ **out 1.** vyhnat **2.** zahnout ven, obrátit na ruby **3.** vyprázdnit kapsy **4.** ukázat (se) **5.** osvědčit se; *to ~ out in the market* jít dobře na odbyt; ~ **over 1.** obrátit list **2.** mít obrat v penězích **3.** poukázat, odkázat; *to ~ over in one's mind* přemítat v mysli; ~ **round** obrátit (se), točit se; změnit smýšlení; ~ **to 1.** obrátit (se) k, pustit se do, věnovat se čemu **2.** proměnit (se) v **3.** utéci se k; *to ~ to profit* vyplatit se; ~ **up 1.** obrátit vzhůru, vyhrnout, převrátit, zorat **2.** objevit se náhle **3.** stát se, nastat **4.** hov. způsobit vrhnutí n. zvednutí žaludku; ~ **upon** obrátit se na koho

turn² [tə:n] *s* **1.** otočení, otáčení, obrat, oběh **2.** směr, záhyb, vinutí **3.** cesta, vycházka, procházka, jízda **4.** změna, obměna, střídání, řada, pořadí **5.** příležitost, příčina **6.** služba **7.** výhoda, prospěch **8.** sklon, náklonnost, rozmar, naladění **9.** podoba, povaha **10.** převrat **11.** leknutí **12.** pl. měsíčky **13.** smýšlení **14.** nadání, chuť ♦ *good ~* dobrá služba; ~ *of mind* nálada, rozmar; *at every ~* při každé příležitosti; *by, in, -s* střídavě, po řadě; *it is your ~* je na tobě řada; *to take a ~* **1.** vyjít si **2.** zahrát jednu hru; *to serve one's ~* hodit se do krámu, přijít vhod; *to put -s upon* vyvádět kousky; *to do a good ~* učinit laskavost; *done to a ~* dokonale uvařený; I~**-back** *s* zbabělec; I~**-bench** *s* malá přenosná frézka; ~**-buckle** [Itə:nbakl] *s* závora, zástrčka, ryglík; ~**-coat** [Itə:nkout] *s* přeběhlík, kam vítr tam plášť; —**er** [Itə:nə] *s* soustružník; —**ery** [Itə:nəri] *s* **1.** soustruhovaná práce **2.** soustružnictví; —**ing** [Itə:niŋ] *s* **1.** točení, obracení, kroužení, obrat **2.** roh ulice, zatáčka **3.** úchylka **4.** pl. třísky soustružnické; —**ing-lathe** [Itə:niŋleiθ] *s* soustruh; I—**ing-**Iin *s* záložka oděvu; I—**ing-point** *s* bod obratu, krize; I—**ing-**Itable *s* žel. točna; —**key** [Itə:nki:] *s* žalářník; I~**-off** *s* zastavení toku; I~**-out** *s* **1.** výhybka na silnici **2.** shromáždění velkého množství lidí 3. stávka 4. výnos 5. vyrobené množství; **—over** [ˈtə:nˌouvə] *s* peněžní obrat, výtěžek; ~ *of labour power* fluktuace pracovních sil; ~**-pike** [ˈtə:npaik] *s* mýto; ~**-screw** [ˈtə:nskru:] *s* šroubovák; **—stile** [ˈtə:nstail] *s* turniket; ˈ~**-ˈtable** *s* točna

turnip [ˈtə:nip] *s* tuřín, vodnice; ˈ~**-ˌradish** *s* ředkvička

turpentine [ˈtə:pəntain] *s* terpentýn

turpitude [ˈtə:pitju:d] *s* podlost, hanebnost, ohavnost, zvrhlost

turquoise [ˈtə:kwa:z] *s* tyrkys

turret [ˈtarit] *s* 1. vížka 2. voj. otočná n. střelecká věž 3. revolverová hlavice (též. ~ *head*)

turtle[1] [ˈtə:tl] *s* hrdlička

turtle[2] [ˈtə:tl] *s* želva; ˈ~**-soup** *s* želví polévka

tusk [task] *s* špičák, kel, tesák

tussle [ˈtasl] *s* povyk, rvačka

tussock [ˈtasək] *s* chomáč trávy

tutel|age [ˈtju:tilidž] *s* poručnictví, opatrování, dozor; **—ary** [ˈtju:tiləri] *a* poručenský, ochranný, strážný

tutor [ˈtju:tə] *s* 1. poručník 2. vychovatel 3. domácí učitel ☐ *vt* 1. učit, vychovávat, být domácím učitelem 2. ovládat (*oneself* se); **—ial** [tju:ˈto:riəl] *a* vychovatelský, učitelský; **—ship** [ˈtju:təšip] *s* vychovatelství, opatrovnictví, učitelství

tuxedo [takˈsi:dou] *s* am. smoking

tuyere [ˈtwi:jə] *s* výfučna vysoké pece

TV = *television*

twaddle [ˈtwodl] *s* žvanění, tlach ☐ *vi* žvanit, tlachat

twain [twein] *a* arch. dva, dvě ☐ *s* dvojice, pár ♦ *in* ~ ve dví

twang [twæŋ] *vi* 1. řinčet, brnkat, břinkat 2. huhňat ☐ *vt* 3. práskat bičem 4. drnkat na strunu, hrát na strunný nástroj ☐ *s* 1. řinčení, brnkání 2. kňouravá, nosová výslovnost, huhňání

'twas [twoz] = *it was*

tweak [twi:k] *vt* 1. štípnout 2. zatahat (*by the nose* za nos) ☐ *s* 1. štípnutí 2. zatahání

tweed [twi:d] *s* skotská vlněná látka

'tween [twi:n] = *between*

tweet [twi:t] *vi* cvrlikat, štěbetat

tweezers [ˈtwi:zəz] *s pl.* kleštičky, pinzeta

twelfth [twelfθ] *a* dvanáctý ☐ *s* dvanáctka, dvanáctina; *T*~**-night** večer tříkrálový

twelve [twelv] *num* dvanáct ☐ *s* dvanáctka; **—month** [ˈtwelvmanθ] *s* rok

twent|ieth [ˈtwentiiθ] *a* dvacátý ☐ *s* dvacítka, dvacetina; **—y** [ˈtwenti] *num* dvacet ☐ *s* dvacítka

'twere [twə:] = *it were*

twice [twais] *adv* dvakrát, dvojmo

twiddle [ˈtwidl] *vt & i* točit mezi prsty, pohrávat si ♦ *to* ~ *one's thumbs* fig. točit mlýnek palci, nic nedělat

twig [twig] *s* ratolest, haluz, proutek ☐ *vt* (-gg-) hov. 1. rozumět, pochopit 2. zpozorovat

twilight [ˈtwailait] *s* soumrak, šero □ *vt* slabě osvětlit

twill [twil] *s* **1.** vřeteno, cívka **2.** kepr, rýhovaná látka □ *vt* tkát keprovou technikou

'twill [twil] = *it will*

twin [twin] *s* dvojče, blíženec, dvojník ♦ ~ *engine* dvoumotorový stroj

twin|e [twain] *vt* **1.** točit, soukat, skát **2.** dělat motouz **3.** plést, vít věnec **4.** ovázat, ovinout □ *vi* **5.** splétat se, ovíjet se, vinout se **6.** obtočit se **7.** sloučit se □ *s* **1.** nit, motouz, provázek, šňůra **2.** dratev **3.** pletivo **4.** záhyb, závitek **5.** objetí; —**er** [ˈtwainə] *s* text. skací stroj

twinge [twindž] *vt* hryzat svědomí □ *s* **1.** záchvat bolesti **2.** hryzení svědomí

twinkl|e [ˈtwiŋkl] *vi* **1.** třpytit se, mžikat, blikat **2.** kolébat se □ *s* záblesk, mžik, mihnutí; —**ing** [ˈtwiŋkliŋ] *s* **1.** mžourání, mrkání **2.** okamžik

twirl [twəːl] *vt & i* točit (se), kroutit (se), vrtět (se), vířit, kroužit dokola □ *s* **1.** otáčení, vrtění, kroužení **2.** záhyb, zátočka

twist [twist] *s* **1.** zkroucení **2.** zvláštnost povahy **3.** pletivo, provázek, motouz, lano **4.** svitek, zámotek **5.** točený koláč **6.** oklika **7.** kotouč **8.** stěžej **9.** závit hlavně **10.** směs likérů **11.** hov. apetýt **12.** druh tance ♦ ~ *of the wrist* fig. obratnost, dovednost □ *vt* **1.** plést, točit, kroutit, soukat, motat **2.** příst **3.** zamotat **4.** svázat, ovinout **5.** proplést **6.**

překroutit (*the meaning of words* smysl slov) □ *vi* **7.** stočit se, zaplést se, zamotat se **8.** sloučit se; —**er** [ˈtwistə] *s* **1.** soukač **2.** provazník **3.** soukadlo, motovidlo **4.** podvodník; —**ing** [ˈtwistiŋ] *s* **1.** kroucení **2.** text. skrucování, skaní; ~ *moment* kroutící moment

twit [twit] *vt* (-tt-) kárat, vyčítat; špičkovat *(with)* □ *s* výčitka

twitch [twič] *vt & i* **1.** trhnout (*at* čím) **2.** zatahat za šos **3.** škubat sebou □ *s* škubnutí, trhnutí; svírání, křeč

twitter [ˈtwitə] *vi & t* **1.** cvrlikat, štěbetat, šveholit **2.** chvět se vzrušením, strachem □ *s* **1.** cvrlikání, šveholení **2.** třesení, vzrušení

twittle-twattle [ˈtwitlˈtwætl] *s* třesky plesky, žvanění

'twixt [ˈtwikst] = *betwixt*

two [tuː] *num* dvě, dva □ *s* dvojka, dvojice ♦ ~ *by* ~ po dvou; *in* ~ ve dví; *in a day or* ~ za několik dní; |~ -**cleft** *a* bot. rozdvojený, rozštěpený; ~ -**edged** [ˈtuːˈedžd] *a* dvojsečný; —**fold** [ˈtuːfould] *a* dvojnásobný; |~ -**part** *atr a* dvoudílný; —**pence** [ˈtapəns] *s* dvě pence; ~ -**phase** [ˈtuːfeiz] *atr a* dvoufázový; ~ -**seater** [ˈtuːˈsiːtə] *s* dvousedadlový vůz; ~ -**shift operation** provoz na dvě směny; ~ -**sided** [tuːˈsaidid] *a* dvoustranný; ~ -**some** [ˈtuːsəm] *s* skot., sport. dvojhra; |~ -**speed** *atr a* se dvěma rychlostmi; ~ -**stage** [ˈtuːsteidž] *atr a*

dvoustupňový; ~ -tongued
['tu:taŋd] a neupřímný
T.W.U. = *Transport Workers'
Union*
tympan ['timpən] *s* 1. zast.
buben 2. výplň; —**um** ['tim-
pənəm] *s* bubínek ušní
type [taip] *s* 1. typ, hlavní znak
druhu 2. vzor, model 3. ráz
4. otisk 5. písmo, písmeno,
litera ♦ *in* ~ vysázený; *to
appear in* ~ vyjít tiskem □
vt 1. typicky znázornit 2.
předznamenat 3. psát na
psacím stroji 4. být typic-
kým; —**writer** ['taipraitə] *s*
psací stroj
typhoid ['taifoid] *a* tyfový ♦
~ *fever* tyf
typhoon [tai'fu:n] *s* smršť,
tajfun
typhus ['taifəs] *s* tyf
typ|ical ['tipikl] *a* typický, pří-
značný (*of* pro); —**ify** ['tipi-

fai] *vt* 1. sloužit za vzor 2.
zobrazit, znázornit; —**ist**
['taipist] *s* písař(ka) na stroji
typograph|er [tai'pogrəfə] *s* ty-
pograf, tiskař; —**ic** [ˌtaipə-
'græfik] *a* typografický; —**ical**
[ˌtaipə'græfikəl] viz -*ic*; —**y**
[tai'pogrəfi] *s* knihtiskařství,
typografie
tyrann|ical [ti'rænikəl] *a* tyran-
ský, násilnický; —**ize** ['tirə-
naiz] *vi* tyranizovat; —**izer**
['tirənaizə] *s* krutovládce;
—**ous** ['tirənəs] *a* tyranský,
krutý; —**y** ['tirəni] *s* tyran-
ství, krutovláda
tyrant ['taiərənt] *s* tyran, kruto-
vládce
tyre ['taiə] viz *tire*
tyro ['taiərou] *s* nováček, začá-
tečník
tzar viz *czar*
Tzigane [tsi'ga:n] *a* cikánský □
s cikán maďarský

U

U, u [ju:] písmeno u
UAR = *the United Arab Re-
public*
ubiquit|ous [ju:'bikwitəs] *a* všu-
dypřítomný; —**y** [ju:'bikwiti]
s všudypřítomnost
U-boat ['ju:bout] *s* ponorka
U.C. = *Upper Canada*
udder ['adə] *s* vemeno
uglify ['aglifai] *vt* zohyzdit
ugl|y ['agli] *a* 1. ošklivý, ohyz-
dný, šeredný, ohavný 2. ne-
příjemný, odporný 3. škaredý
o počasí; —**iness** ['aglinis] *s*

ošklivost, ohyzdnost, šered-
nost; nepříjemnost
Ugr|ian ['u:griən] *s* Ugrijec; —**ic**
['u:grik] *a* ugrijský
uhlan ['u:la:n] *s* hulán
U.K. = *United Kingdom*
Ukrain|e [ju:'krein] *s* Ukrajina;
—**ian** [ju:'kreinjən] *a* ukra-
jinský □ *s* Ukrajinec, ukra-
jinština
ulcer ['alsə] *s* vřed, nežit; —**ate**
['alsəreit] *vt & i* (z)hnisat,
podbírat se; —**ation** [ˌalsə-
'reišən] *s* 1. (z)hnisání, podbí-

rání se 2. vředovitost; vřed:
—ous ['alsərəs] a vředovitý,
hnisavý
Ulster ['alstə] s Ulster sev. Irsko
ulster ['alstə] s převlečník, hubertus
ult. = *ultimo*
ulterior [al'tiəriə] a 1. zadní 2.
další, vzdálenější
ultimat|e ['altimit] a 1. nejvzdálenější, poslední 2. nejzazší 3. konečný, základní;
—um [ˌalti'meitəm] s pl. -ums
[-əmz], -a [-ə] ultimátum
ultimo ['altimou] adv předcházejícího měsíce (zkr. *ult.*)
ultra ['altrə] a krajní, extrémní,
za hranice jdoucí; |—|critical
a přemrštěně kritický, hyperkritický; —marine [ˌaltrəmə-
|ri:n] a ultramarínový;
|—|modern a přemrštěně moderní; —montane [ˌaltrə|montein] a 1. záalpský 2. papeženský 3. jsoucí n. bydlící jižně od Alp □ s papeženec;
|—natio|nalism s přemrštěný
nacionalismus; |—|red a infračervený; |~-|short *waves* rad.
ultrakrátké vlny; |—|sonic
a nadzvukový; |—|violet a
ultrafialový
ulul|ate ['ju:ljuleit] vi skučet,
výt, houkat o sově; —ation
[ˌju:lju|leišən] s skučení, vytí,
houkání
Ulysses [ju:'lisi:z] s Odysseus
umbel ['ambəl] s bot. okolík;
—ate ['ambəlit] a bot. okoličnatý
umber ['ambə] s žlutohnědý okr
□ *atr* a žlutohnědý
umbilical [ˌambi'laikəl] a pupečný; ~ *cord* pupeční šňůra

umbrag|e ['ambridž] s 1. pohoršení, dotčení, pocit urážky 2.
bás. stín stromů ♦ *to take* ~ *at*
cítit se čím nemile dotčen:
to give ~ nemile se dotknout:
—eous [am|breidžəs] a 1.
stinný 2. podezřelý
umbrella [am|brelə] s 1. deštník
2. slunečník 3. voj. letecká
ochrana ♦ ~ *aerial* rámová
anténa; ~ *tree* americká magnólie; |~-|stand s stojánek
na deštníky
Umbrian ['ambriən] a umbrijský
□ s Umbrijec, umbričtina
umpire ['ampaiə] s rozhodčí,
soudce
U.N. zkr. *United Nations*
un- [an-] prefix značící „ne-“,
„bez-“
un|abashed ['anə|bæšt] a nezahanbený, drzý, nestoudný,
nepřivedený do rozpaků;
—abetted ['anə|betid] a
bez pomocníka; —abbreviated
['anə|bri:vieitid] a nezkrácený; —able ['an|eibl] a
neschopný, nezpůsobilý;
—abridged ['anə|bridžd] a nezkrácený, úplný; —accountable ['anə|kauntəbl] a neodpovědný, nevysvětlitelný,
záhadný; —accounted-for
['anə|kauntidfo:] a s čím
se nepočítalo, nevysvětlený;
—accustomed ['anə|kastəmd]
a nezvyklý, nový; —adulterated [ˌanə|daltəreitid] a
pravý, ryzí, nefalšovaný:
—advised ['anəd|vaizd] a neobezřelý, ukvapený, nerozvážný; —affected [ˌanə|fektid] a nelíčený, přirozený,
pravý, upřímný; —aided

[ˈanˈeidid] *a* bez pomoci; ǀ—ˈaiming *a* bez cíle, bezděčný, neúmyslný; —alloyed [ˈanəˈloid] *a* nesmíšený, čistý, ryzí (~ *metals* kovy, *happiness* štěstí); ~ -American Committee Výbor pro neamerickou činnost

un|animity [ˌju:nəˈnimiti] *s* jednomyslnost, svornost; —animous [ju:ˈnæniməs] *a* jednomyslný; —appropriated [ˈanəˈprouprieitid] *a* nezadaný, nepovolený, nevyvlastněný, nezcizený; —arm [ˈanˈa:m] *vt* odzbrojit; ǀ— ǀarmed *a* neozbrojený, bezbranný; —assisted [ˈanəˈsistid] *a* bez pomoci, bez podpory; —assuming [ˈanəˈsju:miŋ] *a* nenáročný, skromný; —attached [ˈanəˈtæčt] *a* 1. nikomu nepřidělený, volný, nepřipoutaný 2. nestíhaný pro dluhy 3. *a* voj. jsoucí mimo činnou službu; —attackable [ˈanəˈtækəbl] *a* bezpečný před útoky, pevný; —attended [ˈanəˈtendid] *a* nenavštívený, neprovázený, opuštěný; bez obsluhy; bez dozoru; —attractive [ˌanəˈtræktiv] *a* nepřitažlivý, bez půvabu; —authorized [ˈanˈo:θəraizd] *a* neoprávněný

un|availing [ˈanəˈveiliŋ] *a* zbytečný; —avoided [ˈanəˈvoidid] *a* nevyhnutelný, nezbytný; —aware [ˈanəˈweə] *a* nevědomý, nepozorný, neopatrný; —awares [ˈanəˈweəz] *adv* z nenadání, neočekávaně, náhle

un|backed [anˈbækt] *a* 1. neosedlaný 2. nezlomený 3. ne-

podporovaný 4. nepodporovaný sázkami; —ǀbailable *a* bez záruky; neschopný; —baked [anˈbeikt] *a* nepečený, syrový, nezralý; —balanced [ˈanˈbælənst] *a* 1. nevyrovnaný 2. obch. nerozvážný účet 3. nerozvážný, nevyrovnaný (~ *mind*); —ballasted [ˈanbəˈlæstid] *a* nezatížený, nestálý; ǀ—ǀbar *vt* odstrčit závoru, otevřít; —bear [ˈanˈbeə] *vt* uvolnit, povolit uzdu; —bearing [anˈbeəriŋ] *a* neplodný; —becoming [ˈanbiˈkamiŋ] *a* neslušný, nevhodný; ǀ—ǀbedded *a* vyburcovaný z lůžka; —beˈfriended *a* bez přátel; —belief [ˈanbiˈli:f] *s* nedůvěra, nevěra; —believer [ˈanbiˈli:və] *s* nevěrec, nevěřící, pochybovač, skeptik; ǀ—ǀbelt *vt* odpásat; ǀ—ǀbend* *vt* propustit. uvolnit (se), narovnat, zmírnit, osvobodit (*from* z); ǀ—ǀbending *a* neohebný, rozhodný, pevný, nepovolný; —bias(s)ed [anˈbaiəst] *a* zbavený předsudků; nepředpojatý, nestranný; ǀ—ǀbind* *vt* od- n. rozvázat, propustit, vyvázat; ǀ—ǀbitted *a* nemající uzdu, ohlávku; ǀ—ǀblamable *a* bezúhonný; —ǀblemished *a* bezúhonný, neposkvrněný; —blushing [anˈblašiŋ] *a* nestoudný, nestydatý, nerdící se; —bodied [anˈbodid] *a* bez těla, odhmotněný, netělesný, duchový; —bolt [anˈboult] *vt* odstrčit závoru, uvolnit, otevřít; —bolted [ˈanˈboultid] *a* nezavřený, neprosetý, hrubý; ǀ— **boned** a bez kostí, vykostěný; —**bonneted** [ǀanǀbɔnitid] a nepokrytý, prostovlasý; ǀ—ǀ**born** a nenarozený; příští; —**bosom** [anǀbuzəm] vt odhalit, svěřit tajemství, vyznat; —**bowel** [ǀanǀbauəl] vt vykuchat, vyvrhnout; —**brace** [ǀanǀbreis] vt uvolnit napětí, rozepnout; —**braid** [ǀanǀbreid] vt rozplést; —**brake** [ǀunǀbreik] vt povolit brzdu; —**breakable** [ǀanǀbreikəbl] a nerozbitný; ǀ—ǀ**bred** a nevychovaný; —**bridle** [ǀanǀbraidl] vt zbavit uzdy; —**bridled** [anǀbraidld] a bezuzdný, prudký, nevázaný; ǀ—ǀ**broken** a nerozbitý, neporušený, celý; nepřekonaný rekord; nezkrocený, nepodrobený; nerušený, stálý; neobježděný; —**bruised** [ǀanǀbru:zd] a bez úrazu, neporaněný; —**buckle** [ǀanǀbakl] vt odepnout přezku, uvolnit; ǀ—ǀ**build*** vt zbořit; —**burden** [anǀbɔ:dn] vt ulehčit si (vyznáním); —**burrow** [ǀanǀbarou] vt vyhrabat; —**busied** [anǀbizid] a zahálející, nezaměstnaný; —**button** [ǀanǀbatn] vt rozepnout (se), udělat pohodlí

un|**cage** [ǀanǀkeidž] vt pustit z klece; —ǀ**called-for** a nemístný; —**canny** [anǀkæni] a tajuplný, zlověstný; neopatrný; ǀ—ǀ**cared-for** a zanedbaný; —ǀ**carpeted** a bez koberců; —**case** [ǀanǀkeis] vt vyjmout ze skříně, z obalu, stáhnout, svléci se; —**caught** [ǀanǀkɔ:t] a nechycený, volný;

—**certain** [anǀsə:tn] a nejistý, neurčitý, nestálý, nespolehlivý, pochybný, proměnný; —**chain** [ǀanǀčein] vt pustit z řetězu, osvobodit; —**challenged** [ǀanǀčælindžd] a bez námitky; —**charge** [ǀanǀča:dž] vt zbavit nákladu, vyložit zboží; —**charitable** [anǀčæritəbl] a přísný, nemilosrdný; —**church** [anǀčə:č] vt vyloučit z církve, exkomunikovat

unciform [ǀansifoːṁ] a hákovitý

un|**circumcised**[ǀanǀsə:komsaizd] a neobřezaný; —**civil** [ǀanǀsivl] a nezdvořilý, hrubý; —**clamp** [ǀanǀklæmp] vt uvolnit, odepnout; —**clasp** [ǀanǀkla:sp] vt odepnout, otevřít sponku

uncle [ǀaŋkl] s strýc, ujec

un|**clean** [ǀanǀkli:n] a 1. nečistý, špinavý 2. necudný, nestoudný; —**clench** [ǀanǀklenč] vt uvolnit (se), násilím otevřít; —**cloak** [ǀanǀklouk] vt odhalit, odkrýt, demaskovat; ǀ—ǀ**clog** vt (-gg-) zbavit překážky, vyprostit; —**close** [ǀanǀklouz] vt otevřít; —**clothe** [ǀanǀklouð] vt svléci, odstrojit; —**clouded** [ǀanǀklaudid] a bezmračný; —**clutch** [ǀanǀklač] vt uvolnit z pěsti; vyhodit spojku u auta

unco [ǀaŋkou] a 1. skot., angl. cizí, neznámý 2. duchový, kouzelný 3. neobyčejný, velký, úžasný ☐ adv význačně, neobvykle, neobyčejně ☐ s 1. zvláštnost, cizota 2. cizinec 3. pl. novinky

un|**coil** [ǀanǀkoil] vt & i rozvinout (se); —ǀ**common** a nezvyklý, pozoruhodný, význačný; —**communicative** ['aŋkə'mju:nikətiv] a nesdílný, mlčelivý; —**compromising** [an'komprəmaiziŋ] a 1. nekompromisní, důsledný 2. neoblomný; —**concern** ['aŋkən-'sə:n] s nezájem; —**concerned** ['aŋkən'sə:nd] a bezstarostný; nezajímající se; —**conditional** ['aŋkən'dišənl] a bezpodmínečný; —**confined** ['aŋkən'faind] a neohraničený, volný; —**confirmed** ['aŋkən-'fə:md] a nepotvrzený; —**conscious** [aŋ‚konšəs] a nevědomý; bez vědomí; —'**constant** a nestálý, vratký; —**constitutional** ['aŋ‚konsti'tju:šənl] a neústavní, protiústavní; —**controllable** [‚aŋkən'trouləbl] a neovladatelný; —**controlled** ['aŋkən'trould] a neovládaný, bezuzdný; ¹—'**cord** vt rozvázat; ¹—'**cork** vt odzátkovat; —**counted** ['an-'kauntid] a nepočítaný, nesčíslný; —**couple** ['an'kapl] vt odpojit, rozpojit; —**couth** [an'ku:θ] a zast. 1. opuštěný, pustý 2. hrubý, neuhlazený, neotesaný; —**cover** [an'kavə] vt odkrýt, obnažit, odhalit; zast. smeknout; —**create** ['an-kri:'eit] vt zničit; ¹—'**crown** vt zbavit koruny, trůnu, sesadit

unct|ion ['aŋkšən] s 1. namazání mastí, pomazání 2. posvěcení 3. mast 4. vroucnost ♦ *extreme* ~ poslední pomazání; —**uosity** [‚aŋktju'ositi] s 1. mastnost, olejnatost 2. vroucnost; —**uous** ['aŋktjuəs] a 1.

mastný, olejnatý 2. vroucí, horoucí 3. tvárný, plastický

un|cultivated ['an'kaltiveitid] a neobdělávaný, zanedbaný; —**cultured** ['an'kalčəd] a nevzdělaný; —**curb** ['an'kə:b] vt uvolnit uzdu koni, uvolnit; —**curl** ['an'kə:l] vt & i narovnat (se), rozvinout kadeře; ¹—'**dated** a bez data, nedatovaný; —**daunted** [an'do:ntid] a neohrožený, nezkrocený; —**deceive** ['andi'si:v] vt vyvést z klamu; —**defended** ['an-di'fendid] a nehájený, bez obrany; —**defiled** ['andi'faild] a neposkvrněný, čistý; —**defrayed** ['andi'freid] a nezaplacený, bez úhrady; —**deniable** [‚andi'naiəbl] a nepopíratelný, nesporný

under¹ ['andə] *prep* pod, v, ve, za ♦ ~ *the table* pod stolem; *nothing new* ~ *the sun* nic nového pod sluncem; *incomes* ~ *£ 160* příjmy pod £ 160; *to speak* ~ *one's breath* šeptat; *to sink* ~ *the load* lit., fig. klesat pod břemenem; ~ *repair* ve správce; ~ *fire* v palbě; ~ *pain of death* pod trestem smrti; *to be* ~ *mistake* mýlit se; *the country prospered* ~ *his rule* země vzkvétala za jeho vlády; ~ *other conditions* za jiných podmínek; ~ *the favour of* za přízeň; ~ *an assumed name* pod přijatým jménem; *it appears* ~ *various forms* objevuje se to v různých tvarech; ~ *an obligation* zavázán; ~ *pretence of* pod záminkou; ~ *age* nezletilý, nedospělý □ *a* spodní, nižší □ *adv* dole, dolů

under-² [¹andə] prefix značící a) pod b) proti, na druhé straně c) nižší, podřízený d) nedokonale, chybějící; ¹—¹act *vt* 1. činit méně 2. hrát špatně; ¹—¹bid* *vt* podbízet; ¹—¹bred *a* špatně vychovaný; —bridge [¹andə¹bridž] *s* žel. podjezd; —brush [¹andəbraš]*s*podrost; — buy *[¹andə¹bai] *vt* kupovat pod cenou, laciněji; ¹~ -ca¹pacity *operation* nevyužívání výrobní kapacity; —carriage [¹andə₁kæridž] *s* podvozek; —charge [¹andə¹ča:dž] *vt* 1. počítat méně, žádat nízkou cenu 2. nabít malým množstvím výbušniny; ¹—¹classman *s* am. nováček v koleji; —clothes [¹andəkloužz] *s pl.* spodní prádlo; —cool [¹andə¹ku:l] *vt* přechladit; ¹—croft *s* krypta, podzemní místnost; —current [¹andə₁karənt] *s* spodní proud; ¹—¹cut* *vt* 1. odkrojit spodní část 2. podbízet, pracovat za nižší mzdu 3. snížit cenu zboží □ ¹—cut *s* 1. ledvinová pečeně 2. box rána zezdola nahoru; ~ -developed [¹andədi¹veləpt] *a* málo vyvinutý; ¹—¹ditch *vt* odvodnit hlubokým příkopem; ¹—¹do* *vt* nedodělat, nedovařit, nedopéci; ¹—¹dog *s* 1. smolař 2. strana poražená n. podřizující se; —drainage [¹andə¹dreinidž] *s* podzemní odvodnění; —estimate [¹andə¹estimeit] *vt* nedocenit, pod-

ceňovat; —excitation [¹andə₁eksi¹teišən] *s* el. podbuzení; —expose [¹andəriks¹pouz] *vt* podexponovat; ¹—¹feed* *vt* 1. nedostatečně živit 2. živit cheň topivem zespoda; ¹—¹feeding *s* podvýživa; ₁—¹foot *adv* pod nohama, u nohou, na zemi; —furnish [¹andə¹fə:niš] *vt* nedostatečně opatřit n. vybavit; ¹—¹go* *vt* 1. podstoupit, snášet, trpět 2. odvážit se, podrobit se; —graduate [₁andə¹grædjuit] *s* student bez akademické hodnosti; —ground [¹andəgraund] 1. *a* podzemní 2. *s* podzemní dráha 3. *adv* pod zemí, tajně ♦ *to go* ~, přejít do ilegality; *to drive the Party* ~ zatlačit stranu do ilegality; ~ *cable* podzemní kabel; ~ *fight* podzemní ilegální boj; ~ *railway* podzemní dráha; —growth [¹andəgrouθ] *s* podrost; ¹—hand *a & adv* 1. pod rukou, tajný, lstivý, podvodný 2. sport. odspodu se svěšeným předloktím 3. tajně, podvodně, lstivě; —hung [¹andə¹haŋ] *a* vyčnělý, vysedlý čelist; ¹—¹lay* *vt* podložit, podepřít; —lease [¹andəli:s] *s* podnájem; ¹—¹let* *vt* dát v podnájem pod cenou;₁—¹lie* *vi* 1. ležet pod čím 2. být základem, tvořit základ, podporovat 3. být předmětem čeho, být přístupný; ₁—¹line *vt* podtrhnout, podškrtnout

underling [¹andəliŋ] *s* 1. podřízený 2. podúředník

undermine [₁andə¹main] *vt* podkopat, podminovat

undermost [ˈandəmoust] *a* nej-spodnější □ *adv* naspodku

underneath [ˌandəˈniːθ] *adv* dole, vespod □ *prep* pod

undernourish [ˌandəˈnariš] *vt* nedostatečně živit; **—ment** *s* podvýživa

under|part [ˈandəpaːt] *s* spodek, podřízená úloha; **|—ˈpin** *vt* (-nn-) **1.** podezdít **2.** podložit, podepřít zəd; **|—ˈpinning** *s* stav. podpěra; **|—ˈplot** *s* vedlejší zápletka; **—pressure** [ˌandəˈprešə] *s* podtlak; **—prize** [ˈandəˈpraiz] *vt* podcenit; **|—proˈduction** *s* podvýroba; **|—ˈprop** *vt* (-pp-) podepřít; **—quote** [ˈandəˈkvout] *vt* podbízet, nabízet za nižší cenu; **—rate** [ˌandəˈreit] *vt* podcenit, nízko odhadnout; **|—ˈrun*** *vt* & *i* podběhnout; **—score** [ˌandəˈsko:] *vt* podtrhnout; **|—sea** *a* podmořský (**~** *boat* ponorka); **~ -secretary** [ˈandəˈsekrətəri] *s* zástupce ministra; **|—ˈsell*** *vt* prodávat pod cenou; **|—ˈset*** *vt* podložit, dát v podnájem; **|—shot** *a* **1.** mající vystouplé dolní zuby n. čelist **2.** poháněný vodou (**~** *wheel* vodní kolo); **—sign** [ˌandəˈsain] *vt* podepsat; **—signed** [ˌandəˈsaind] *a* & *s* podepsaný, subskribent, předplatitel; **—sized** [ˈandəˈsaizd] *a* podprůměrné velikosti, malý

understand* [ˌandəˈstænd] *vt* & *i* **1.** rozumět, porozumět, vyrozumět **2.** chápat, pochopit **3.** mínit, vědět **4.** usuzovat (*by* z), soudit, vyvozovat **5.** dovídat se **6.** věřit ♦ *I was* *given to* **~** bylo mi dáno na srozuměnou; *to make oneself* *understood* dorozumět se, umluvit se; **—ing** [ˌandəˈstændiŋ] *s* **1.** porozumění, pochopení **2.** rozum, inteligence **3.** vzájemný souhlas, shoda, dohoda **4.** znalost ♦ *to come* *to an* **~** dohodnout se; *upon* *the* **~** s podmínkou □ *a* znalý, rozumný, zkušený

under|state [ˈandəˈsteit]. *vt* & *i* neudat všechna fakta; neuvést v plném rozsahu, zmírnit; **|—ˈstatement** *s* úmyslné zmírnění; **—strapper** [ˈandəˌstræpə] *a* podřízený; **—study** [ˈandəˌstadi] *vt* studovat hru jako náhradník □ *s* náhradník

undertak|e* [ˌandəˈteik] *vt* **1.** vzít na sebe odpovědnost, podniknout, vzít do rukou **2.** provést **3.** odvážit se, pustit se do **4.** zaručit se (*for* za); **—er** *s* **1.** [ˌandəˈteikə] podnikatel, ručitel **2.** [ˈandəˌteikə] obstaravatel pohřbů; **—ing** *s* **1.** [ˌandəˈteikiŋ] podnikání; zř. podnik; slib, záruka **2.** [ˈandəˌteikiŋ] provozování pohřebního ústavu

under|tenant [ˈandəˈtenənt] *s* podnájemník; **|~ -the-ˈcounter** *a* & *adv* pod pultem, na černo (*profit* nezákonný zisk); **|—tone** *s* spodní tón; **—tow** [ˈandətou] *s* spodní protiproud; **—value** [ˈandəˈvælju:] *vt* podceňovat, odhadnout pod cenu; **—voltage** [ˈandəˈvoltidž] *s* podpětí; **|—water** *a* pod čarou ponoru; **—wear** [ˈandəweə] *s* spodní prádlo;

—**weight** [ˈandəweit] s podnormální váha; —**went** viz —*go*; —**wood** [ˈandəwud] s podrost, mlází; ˈ—ˈ**work** ʳt 1. špatně, málo, pracovat; fušovat 2. podkopávat; —**world** [ˈandəwə:ld] s 1.. podsvětí, peklo 2. protilehlá strana zeměkoule, protinožci 3. spodina, podsvětí; —**write*** [ˈandərait] vt podepsat, pojistit, souhlasit s koupí v daný den za danou cenu, subskribovat

un|designing [ˈandiˈzainiŋ] a 1. neúmyslný, bezelstný 2. upřímný, jednoduchý, nemající postranních úmyslů; —**desirable** [ˈandiˈzaiərəbl] a nežádoucí; —**deterred** [ˈandiˈtə:d] a neodstrašený; —**deviating** [anˈdi:vieitiŋ] a neuchylující se, přímý

undies [ˈandiz] s sl. ženské n. dětské spodní prádlo

undine [ˈandi:n] s rusalka

un|disguised [ˈandisˈgaizd] a nelíčený, upřímný, otevřený; —**dismayed** [ˈandisˈmeid] a nezastrašený; —**disputed** [ˈandisˈpju:tid] a nesporný; —**dissembled** [ˈandiˈsembld] a nepřetvařující se, upřímný; —**disturbed** [ˈandisˈtə:bd] a nevyrušený, nerušený, klidný; ˈ—ˈ**do*** vt 1. uvolnit, otevřít 2. rozluštit 3. odčinit, zrušit, anulovat 4. zničit, zkazit 5. rozebrat, odmontovat; —**done** [anˈdan] a neučiněný, nehotový, zničený; —**doubtedly** [anˈdautidli] adv nepochybně; —**dreamt-of** [anˈdremtov] a netušený, o čem se ani nesnilo; ˈ—ˈ**dress** vt & i

1. svléci, odstrojit (se) 2. sejmout obvaz ☐ s nedbalky, domácí n. všední oděv — **dried** [ˈanˈdraid] a nesušený, vlhký, mokrý; —**due** [ˈanˈdju:] a 1. nenáležitý nepatřičný 2. nemírný, neobvyklý 3. dosud ne splatný

undulat|e [ˈandjuleit] vi & t vlnit (se) čeřit (se); —**ion** [ˌandjuˈleišən] s 1. vlnění, čeření, vlnitost 2. vlna; —**ive** [ˈandjuleitiv] a vlnitý

un|duly [ˈanˈdju:li] adv 1. nenáležitě 2. přílišně; —**dying** [anˈdaiiŋ] a nehynoucí, nesmrtelný

un|earned [ˈanˈə:nd] a nezasloužený; —**earth** [ˈanˈə:θ] vt 1. vytáhnout ze země, exhumovat 2. vynést na světlo 3. objevit, vynalézt; —**earthly** [anˈə:θli] a nadpozemský, nadpřirozený; —**easy** [anˈi:zi] a neklidný, nepokojný, nevrlý; nepříjemný; —**eatable** [ˈanˈi:təbl] a nejedlý; —**economic** [ˌanˌi:kəˈnomik] a nehospodárný; —**educated** [ˈanˈedjukeitid] a nevzdělaný; —**embarrassed** [ˈanimˈbærəst] a neuvedený do rozpaků; ˈ—**em|ployed** a nezaměstnaný; ˈ—**em|ployment** s nezaměstnanost; —**encumbered** [ˈaninˈkambəd] a nezadlužený; —ˈ**ending** a nekonečný; —**endurable** [ˈaninˈdjuərəbl] a nesnesitelný; ˈ—ˈ**English** a neanglický; —**enterprising** [ˈanˈentəpraiziŋ] a nepodnikavý; —**equal** [ˈanˈi:kwəl] a nestejný, nepřiměřený, proměnný, nepravidelný; —**equal-**

(1)**ed** [ˈanˈiːkwəld] a nepřekonatelný, nesrovnatelný; —**equivocal** [ˈaniˈkwivekəl] a nepochybný, jasný; ⎸—⎸**erring** a neomylný, spolehlivý, jistý; —**essential** [ˈaniˈsensəl] a nepodstatný; —**even** [ˈanˈiːvn] a 1. nerovný, nestejný 2. hrubý 3. lichý o číslech; —**exampled** [ˌanigˈzaːmpld] a bezpříkladný; —**exceptionable** [ˌanikˈsepšnəbl] a bezúhonný, bezvadný, dokonalý; —**expected** [ˈaniksˈpektid] a neočekávaný; nenadálý; —**explored** [ˈaniksˈploːd] a neprozkoumaný

UNESCO [juːˈneskou] = *United Nations Educational, Scientific, and Cultural Organization*

un|failing [anˈfeiliŋ] a neselhávající, spolehlivý, jistý; ⎸—⎸**fair** a nehezký, nepoctivý, neslušný; —**faithful** [ˈanˈfeiθful] a 1. nevěrný, nevěřící 2. nepřesný 3. důvěry nehodný, zrádný; —**faltering** [anˈfoːltəriŋ] a neváhající, nekolísavý, pevný; —**fashionable** [ˈanˈfæšnəbl] a vyšlý z módy, staromódní, nemoderní, zastaralý; —**fasten** [ˈanˈfaːsn] a uvolnit (se), odvázat (se); —**fathomable** [ˈanˈfæðəməbl] a bezedný, nezměrný nevyzpytatelný; —**featured** [anˈfiːčəd] a znetvořený, ošklivý, —⎸**feeling** a bezcitný, krutý, tvrdého srdce; —**feigned** [anˈfeind] a nelíčený, pravý, upřímný; —**fermented** [ˈanfəˈmentid] a nekvašený; ⎸—⎸**fetter** *vt* zbavit pout, osvobodit; ⎸—⎸**fettered** a nespou-

taný, zbavený pout; —**finished** [ˈanˈfiništ] a 1. nehotový 2. tech. neobrobený; ⎸—⎸**fit** a neschopný (*for, to do* čeho), nehodící se (*for* k); ⎸—⎸**fix** *vt* uvolnit, rozpustit; —**fledged** [ˈanˈfledžd] a neopeřený, mladý, nedospělý; —**flinching** [anˈflinčiŋ] a nepovolný, necouvající (*from* před); ⎸—⎸**fold** *vt & i* rozvinout; —⎸**fold** *vt & i* odhalit, vyložit, otevřít se; —⎸**folding** *s* odhalení, sdělení; ⎸—⎸**fore|seen** a nepředvídaný; —**forgetable** [ˈanfəˈgetəbl] a nezapomenutelný; —**forgiving** [ˈanfəˈgiviŋ] a neodpouštějící, nesmiřitelný; ⎸—⎸**formed** a beztvarý; —**fortunate** [anˈfoːčnit] a nešťastný, neúspěšný; —**fortunately** [anˈfoːčnitli] *adv* na neštěstí, bohužel; —⎸**founded** a nezaložený, bez základu, bezdůvodný; —**frequented** [ˈanfriˈkwentid] a nenavštěvovaný; ⎸—⎸**friendly** a nevlídný, neláskavý, nepříznivý; ⎸—⎸**frock** *vt* 1. svléci kabát, zbavit kabátu 2. spec. zbavit kněžství; —**furl** [anˈfəːl] *vt & i* rozestřít, uvolnit (se); —**furnished** [ˈanˈfəːništ] a nezaopatřený nábytkem, nezařízený

un|gainly [anˈgeinli] a nemotorný, neobratný; —**gallant** [anˈgælənt] a neuctivý, negalantní, nestatečný; —**gear** [ˈanˈgiə] *vt* 1. sejmout postroj 2. vypnout pohon; —**generous** [ˈanˈdženərəs] a nešlechetný, skoupý, podlý; —**genial** [ˈanˈdžiːnjəl] a nevlídný, ne-

zdvořilý; —**gentle** [ˈanˈdžentl]
a hrubý, nevychovaný; —**gird**
[ˈanˈgəːd] *vt* odpásat, rozvá-
zat; —**glue** [ˈanˈgluː] *vt & i*
odlepit (se), rozklížit (se),
otevřít (se); —ˈ**godly** *a* bez-
božný, hříšný; —**governable**
[anˈgavənəbl] *a* neovladatel-
ný, bezuzdný, nezkrotný, di-
voký; —**gracious** [ˈanˈgreišəs]
a nelaskavý, nepříjemný, ne-
zdvořilý, protivný; —ˈ**grateful**
a nevděčný; —**grease** [ˈan-
ˈgriːz] *vt* odmastit; —**ground-
ed** [anˈgraundid] *a* bezdů-
vodný; —**grudging** [ˈan-
ˈgradžiŋ] *a* nezávidějicí, ochot-
ný, štědrý; —**guarded** [ˈan-
ˈgaːdid] *a* nestřežený, ne-
opatrný

unguent [ˈaŋgwənt] *s* mast, ma-
zadlo

ungulate [ˈaŋgjuleit] *a* kopytna-
tý □ *s* kopytnatec

un|hallowed [anˈhæloud] *a* zne-
svěcený, zprofanovaný, zba-
vený svatozáře; — **hampered**
[anˈhæmpəd] *a* nebrzděný
(*by* čím)

unhand|iness [anˈhændinis] *s*
neohrabanost, nepříhodnost;
—**some** [anˈhænsəm] *a* 1. ne-
hezký, neslušný 2. nezdvořilý,
sprostý; —**y** [anˈhændi] *a* ne-
obratný, nepohodlný

un|hang* [ˈanˈhæŋ] *vt* sejmout
obraz, záclony, vysadit dveře;
— ˈ**happy** *a* nešťastný, ubohý;
—**harmed** [anˈhaːmd] *a* bez
úrazu; —**harness** [ˈanˈhaː-
nis] *vt* vypřáhnout, odstrojit
koně; sejmout brnění; — ˈ**hat**
vt (-tt-) smeknout; —**healthy**
[anˈhelθi] *a* 1. nezdravý,

chorý 2. škodlivý, závadný
mravně; —**heard-of** [anˈhəːd-
ov] *a* neslýchaný; ˈ—ˈ**heeded**
a nepovšimnutý; —**hinge** [an-
ˈhindž] *vt* 1. vysadit ze závěsů
2. uvolnit 3. silně rozrušit,
pomást; —**hitch** [ˈanˈhič] *vt*
uvolnit, sejmout s háku, vy-
háknout; — ˈ**holy** *a* bezbožný,
zlý; ˈ—ˈ**hood** *vt* sejmout
kápi, přestrojit; ˈ—ˈ**hook**
vt vyháknout, vypnout, uvol-
nit (se), rozepnout háčky
u šatů; —**hoped** [anˈhoupt] *a*
neočekávaný; —**horse** [ˈan-
ˈhoːs] *vt* 1. shodit s koně, vy-
hodit ze sedla 2. vypřáhnout
3. zř. převrhnout; —**house**
[ˈanˈhauz] *vt* vyhnat z do-
mu, zbavit přístřeší; —**hu-
man** [ˈanˈhjuːmən] *a* člověku
nepodobný; —**hurt** [anˈhəːt]
a nezraněný, bez úrazu;
—**husk** [anˈhask] *vt* vyloup-
nout; vystavit

uniaxial [ˈjuːniˈæksiəl] *a* jedno-
osý

unicameral [ˈjuːniˈkæmərəl] *a*
jednokomorový

unicellular [ˈjuːniˈseljulə] *a* biol.
jednobuněčný

unicorn [ˈjuːnikoːn] *s* jedno-
rožec

unicycle [ˈjuːnisaikl] *s* veloci-
péd o jednom kole

unif|ic [juˈnifik] *a* spojující,
sdružující, jednotný; —**ica-
tion** [ˌjuːnifiˈkeišən] *s* sjed-
nocení; —**y** [ˈjuːnifai] *vt* sjed-
notit

uniform [ˈjuːnifoːm] *a* 1. jed-
notný, stejný, téhož tvaru 2.
jednotvárný, 3. rovnoměrný
□ *s* uniforma, stejnokroj □

vt uniformovat, obléci ve stejnokroj; —**ity** [ˌjuːniˈfɔː- miti] *s* 1. stejnost, jednotvárnost 2. jednorodost, jednota, jednotnost

unilateral [ˈjuːniˈlætərəl] *a* jednostranný

un|imaginable [ˌaniˈmædžinəbl] *a* nepředstavitelný, nepochopitelný; —**impaired** [ˈanimˈpeəd] *a* 1. neporušený 2. nezmenšený 3. neoslabený 4. celý; —**impeachable** [ˌanimˈpiːčəbl] *a* neobžalovatelný, bezúhonný; —**important** [ˈanimˈpoːtənt] *a* nedůležitý; —**improved** [ˈanimˈpruːvd] *a* 1. nevyužitý, nezlepšený zdraví 2. neobdělaný 3. nepochopitelný; —**in|formed** *a* nepoučený, nevědomý, nevzdělaný; —**instructed** [ˈaninˈstrakt- id] *a* nevzdělaný, nepoučený; —**intelligible** [ˈaninˈteli- džəbl] *a* nesrozumitelný; —**intentional** [ˈaninˈtenšənl] *a* neúmyslný, bezděčný; —**in- terested** *a* nepředpojatý, nestranný, nezajímající se, nezúčastněný, lhostejný; —**interrupted** [ˈanintəˈraptid] *a* nepřerušený, nepřetržitý; —**inviting** [ˈaninˈvaitiŋ] *a* nevábný, odporný

union [ˈjuːnjən] *s* 1. spojení 2. jednotka, sjednocení 3. unie, konfederace 4. anglická národní vlajka *(U~ Jack)* 5. manželský svazek 6. shoda 7. dohoda 8. chudinský okres 9. pivní káď ♦ *trade ~* odborová organizace; *~ suit* am. kombinéza; —**ize** [ˈjuːniə- naiz] *vt* utvořit jednotu, sjed-

notit; přijmout za člena odborové organizace, stát se členem odborové organizace

uni|phase [ˈjuːnifeiz] *a* jednofázový; —**polar** [ˈjuːniˈpoulə] *a* jednopólový

unique [juːˈniːk] *a* jedinečný

unisexual [ˈjuːniˈseksjuəl] *a* bot. jednodomý, jednopohlavní

unison [ˈjuːnizn] *s* hud. 1. interval primy, unisono 2. harmonie, souzvuk; shoda, jednota

unit [ˈjuːnit] *s* 1. jednotka 2. tech. zařízení, agregát; *~ load* jednotkové zatížení; —**a- rian** [ˌjuːniˈteəriən] *a* unitářský □ *s* unitář; —**ary** [ˈjuːnitəri] *a* jednotkový, nečleněný

unit|e [juːˈnait] *vt & i* spojit (se), sjednotit (se), sloučit (se), zpevnit (se), jednat ve shodě; —**ed** [juːˈnaitid] *a* sjednocený, spojený ♦ *U~ Arab Republic* Sjednocená arabská republika; *U~ Kingdom* Spojené království; *U~ States* Spojené státy americké; *~ list of candidates* jednotná kandidátka

unity [ˈjuːniti] *s* 1. jednotnost, jednota 2. soulad, stejnost, svornost 3. jednotka ♦ *militant ~* bojová jednota

univalent [juːˈnivələnt] *a* chem. jednomocný

Univ. = *University*

universal [ˌjuːniˈvəːsəl] *a* 1. všeobecný *(~ suffrage* všeobecné volební právo)* 2. celý, úplný 3. všestranný 4. univerzální 5. všudypřítomný □ *s* log. 1. všeobecný propozice

2. všeobecnina, univerzálie
♦ ~ *coupling* n. *joint* kardanový kloub; **—ity** [ˌju:nivə:‖sæliti] *s* všeobecnost; **—ize** [ˌju:ni‖və:səlaiz] *vt* zevšeobecnit

univers|e [ˈju:nivə:s] *s* **1.** vesmír **2.** uzavřený systém vědy ap.; **—ity** [ˌju:ni‖və:siti] *s* universita, vysoká škola

un|join [ˈan‖džoin] *vt* rozpojit; **—joint** [ˈan‖džoint] *vt* rozebrat v články n. dílce; **—just** [ˈan‖džast] *a* nespravedlivý; **—kempt** [ˈan‖kempt] *a* 1.zast. nečesaný 2.nečištěný, nevytříbený 3. nezjemnělý, drsný 4. zanedbaný, nepořádný

un|kind [an‖kaind] *a* nelaskavý, nevlídný; **—‖knit*** *vt* (-tt-) rozplést, rozuzlit; **—knowing** [ˈan‖nouiŋ] *a* neznalý, nevědomý (*of* čeho); **—known** [ˈan‖noun] *a* **1.** neznámý **2.** mat. neznámá (= x); **—lace** [ˈan‖leis] *vt* rozšněrovat, rozvázat, odstrojit; **—lade*** [ˈan‖leid] *vt* složit náklad, vyložit, vypustit; **—latch**[ˈan‖læč] *vt & i* otevřít závoru, otevřít (se); **—lawful** [ˈan‖lo:ful] *a* **1.** nezákonný **2.** nemanželský; **—‖lay*** *vt* nám. rozplést, rozmotat provaz; **—learn*** [ˈan‖lə:n] *vt* odučit se, zapomenout; **—learned** [ˈan‖lə:nid] *a* neučený, negramotný; **—leash** [ˈan‖li:š] *vt* odvázat, pustit z řemene psa, rozpoutat (*a new war* novou válku); **—leavened** [ˈan‖levnd] *a* nekvašený

unless [ən‖les] *conj* jestliže ne,

ledaže by, leč, kromě že, kdyby ne ☐ *prep* kromě, vyjma

un|lettered [ˈan‖letəd] *a* nevědomý, neučený, málo sčetlý; **—‖like** *a* nestejný, nepodobný, na rozdíl od; **—‖likely** *a* nepravděpodobný; **—limber**[an‖limbə] voj. *vt* zvednout dělo z lafety; **—limited** [an‖limitid] *a* neomezený, ohromný; **—lined** [ˈan‖laind] *a* bez podšívky; **—‖link** *vt* rozpojit; **—load** [ˈan‖loud] *vt* **1.** skládat, složit břímě **2.** vylodit **3.** vyjmout naboj z pušky **4.** obch. prodávat ve velkém, zbavit se akcií; **—‖lock** *vt* odemknout, otevřít, odhalit; **—‖looked-for** *a* neočekávaný, nenadálý; **—loose** [ˈan‖lu:s] *vt* uvolnit; **—lovely** [ˈan‖lavli] *a* nehodný lásky, nepůvabný; **—lucky** [an‖laki] *a* nešťastný, neblahý, neúspěšný; **—machined** [ˈanmə‖ši:nd] *a* tech. neobrobený, hrubý; **—make*** [ˈan‖meik] *vt* zničit, zrušit, odčinit; **—‖man** *vt* (-nn-) **1.** vyklestit **2.** učinit nemužným, zženštilým **3.** zbavit mužů, lidí, posádky, vylidnit; **—‖manly** *a* nemužný, zženštilý, zbabělý; **—‖manned** *a* **1.** zbavený mužnosti **2.** vylidněný; **—mannered** [an‖mænəd] *a* hrubý, nezpůsobný; **—mannerly** [an‖mænəli] *a* **1.** hrubý, nezpůsobný **2.** nezpůsobně; **~-marxian** [an‖ma:ksiən] *a* nemarxistický; **—‖mask** *vt* sejmout masku, odhalit; **—matched**[ˈan‖mæčt] *a* nemající sobě rovného;

—**meaning** [an'mi:niŋ] *a* bez-
významný, beze smyslu, bez-
výrazný; —**meant** [an'ment]
a nezamyšlený, neúmyslný;
—**meet** [an'mi:t] *a* zast. ne-
schopný, nevhodný; —**mer-
chantable** [an'mə:čəntəbl] *a*
neprodejný; —**merciful** [an-
'mə:siful] *a* nemilosrdný, kru-
tý, nelidský; —**mistakable**
['anmis'teikəbl] *a* neomylný,
neklamný, jasný, zřejmý;
—**mitigated** [an'mitigeitid] *a*
1. nemírný, nezkrocený, za-
tvrzelý 2. úplný, naprostý;
—**moor**['an'muə] *vt* zdvihnout
n. vytáhnout kotvu; —**moved**
['an'mu:vd] *a* nepohnutý,
pevný, klidný: —**muffle** ['an-
'mafl] *vt* odhalit, vybalit
z šálu; —**muzzle** ['an'mazl]
vt 1. sundat košík 2. zbavit
závazku mlčení; l—'**nail** *vt*
zbavit hřebíků; —**natural**
[an'næčrəl] *a* nepřirozený,
umělý; —**nerve** ['an'nə:v] *vt*
zbavit nervů, zeslabit, pod-
lomit vůli; —**noticed** ['an-
'noutist] *a* nepovšimnutý,
přezíraný
un|numbered ['an'nambəd] *a*
nesčíslný; —**objectionable**
['anəb'džekšnəbl] *a* nezávad-
ný, přijatelný; —**observant**
['anəb'zə:vənt] *a* nevšímavý
(*of* čeho); —**obtainable** ['anəb-
'teinəbl] *a* neobdržitelný;
—**obtrusive** ['anəb'tru:siv] *a*
nevtíravý; —**official** ['anə-
'fišəl] *a* neúřední; —**oppased**
['anə'pouzd] *a* bez odporu;
—**original** ['anə'ridžinəl] *a*
nepůvodní; —**ostentatious**
['ən,osten'teišəs] *a* neokázalý;

—**owned** ['an'ound] *a* ne-
vlastněný, bez vlastníka
U.N.O. = *United Nations Orga-
nization*
un|pack ['an'pæk] *vt* vybalit;
—**paid** ['an'peid] *a* nezapla-
cený; —**palatable** [an'pælə-
təbl] *a* nechutný, odporný;
—**paralleled** [an'pærəleld] *a*
nevyrovnatelný, bezpříklad-
ný: —**pardonable** [an'pa:dn-
əbl] *a* neodpustitelný; —'**peo-
ple** *vt* odlidnit; l—'**pick** *vt*
rozpárat šaty; l—'**pin** *vt* (-nn-)
odšpendlit, uvolnit, odepnout;
—'**plait** ['an'plæt] *vt* rozplést
cop; —**planted** ['an'pla:ntid]
a nesázený, samorostlý;
—**pleasant** [an'pleznt] *a* ne-
příjemný; —**pledged** [an-
'pledžd] *a* slibem nezavázaný;
—**plume** [an'plu:m] *vt* 1.
oškubat, zbavit okrasy 2.
pokořit, srazit komu hřebí-
nek; l—'**pointed** *a* 1. bez
hrotu 2. bez interpunkce;
—**poised** ['an'poizd] *a* bez
rovnováhy; l—'**polished** *a* ne-
uhlazený, nevyleštěný; l—**po-
'litical** *a* nepolitický; —**por-
tioned** ['an'po:šənd] *a* bez
věna n. bohatství; —**practi-
sed** [an'præktist] *a* nezkuše-
ný, neužitý v praxi; —**pre-
cedented** [an'presidəntid] *a*
nevídaný, nevyrovnatelný;
—**prejudiced** [an'predžudist]
a nepředpojatý, nestranný;
—**premeditated** ['anpri'medi-
teitid] *a* předem neuvážený,
nerozmyšlený; —**prepared**
['anpri'peəd] *a* nepřipravený;
—**prepossessed** ['an,pripə-
'zest] *a* nezaujatý; —**pre|tend-**

ing, —**pretentious** [ˈanpriˈtenšəs] *a* neokázalý, skromný, nenáročný; —**priced** [anˈpraist] *a* bez udání ceny; —**principled** [anˈprinsəpld] *a* bez zásad, nemravný; —**prized** [ˈanˈpraizd] *a* nemající hodnoty, bez ceny; podceňovaný; —**productive** [ˈanprəˈdaktiv] *a* neproduktivní, neúrodný, nevýnosný —**prompted** [anˈpromptid] *a* samovolný; —**pronounceable** [ˈanprəˈnaunsəbl] *a* nevyslovitelný; —**propitious** [ˈanprəˈpišəs] *a* nepříznivý; —**protected** *a* nechráněný, bezbranný; —**provided** [ˈanprəˈvaidid] *a* neopatřený, nezásobený (*with* čím); —**published** *a* nevyhlášený, nevydaný

un|**qualified** [ˈanˈkwolifaid] *a* nekvalifikovaný, neoprávněný; —**questionable** [anˈkwesčənəbl] *a* nesporný, nepochvbný; —**quiet** [anˈkwaiət] *a* neklidný;

un|**raised** [anˈreizd] *s* nepovznesený, bez vzletu; —**rationed:** ~ *trade* volný obchod bez lístků; —**ravel** [anˈrævəl] *vt* (-ll-) 1. rozmotat, rozplést vlákna, roztřepit (se) 2. rozluštit (se); —**read** [ˈanˈred] *a* 1. nečtený 2. nesčetlý, neučený; —**ready** [anˈredi] *a* nepřipravený, nehotový k; —**real** [ˈanˈriəl] *a* neskutečný, zdánlivý; —**reason** [anˈriːzn] *s* nerozum, bláhovost; —**reasonable** [anˈriːznəbl] *a* nerozumný, nesmyslný, bezdůvodný; —**redressed** [ˈanrjˈdrest] *a* 1. nezlepšený, ne-

napravený 2. bez odvahy; —**reel** *vt & i* od-, rozvinout (se); —**reeve** *vt* nám. znovu vytáhnout, vyvléci z kruhu; —**regarded** [anriˈgaːdid] *a* nedbalý; —**regenerate** [anriˈdženərit] *a* neobrozený; —**regretted** [ˈanriˈgretid] *a* neželený, nepovšimnutý; —**reined** [ˈanˈreind] *a* bezuzdný; —**related** [ˈanriˈleitid] *a* 1. nemající vztah, nepříbuzný 2. nevypracovaný; —**relenting** *a* neúprosný, krutý, nepovolný; —**reliable** [ˈanriˈlaiəbl] *a* nespolehlivý; —**remitting** [ˌanriˈmitiŋ] *a* nepolevující, neustálý; —**remunerative** [ˈanriˈmjuːnərətiv] *a* nevýnosný; —**repaid** [ˈanriˈpeid] *a* nesplacený, neopětovaný; —**requited** [ˈanriˈkwaitid] *a* neopětovaný o lásce; —**resented** [ˈanriˈzentid] *a* nepomstěný, bez odvety; —**reserve** [ˈanriˈzəːv] *s* otevřenost, upřímnost; —**reservedly** [ˌanriˈzəːvidli] *adv* otevřeně; —**resisted** *a* neodolatelný, bez odporu; —**resisting** *a* neodporující; —**rest** *s* nepokoj, neklid; —**restrained** [ˈanrisˈtreind] *a* neomezený, nevázaný, bezuzdný, volný; —**restricted** *a* neomezený, volný; —**riddle** [ˈanˈridl] *vt* rozluštit, vysvětlit; —**righteous** [anˈraičəs] *a* nespravedlivý, nepoctivý, hříšný, bezbožný; —**rip** *vt* (-pp-) roztrhnout, rozpárat; —**ripe** [ˈanˈraip] *a* 1. nezralý 2. předčasný; —**rival(l)ed** [anˈraivəld] *a* bez soka, nevyrovna

telný; —rivet [anˈrivit] vt
odnýtovat, roznýtovat; |—
ˈrobe vt & i odstrojit (se);
|—ˈroll vt & i 1. rozvinout
(se), rozbalit (se) 2. odhalit
(se) 3. zast. vyškrtnout ze
seznamu; |—ˈroot vt vykořenit,
vyhladit
UNRRA [ˈanrə] = United Na-
tions Relief and Rehabilitation
Administration
unˈruffled [ˈanˈrafld] a 1. hlad-
ký, klidný, tichý 2. nezčeře-
ný; —ˈruly a nepoddajný,
svévolný, vzpurný; neovla-
datelný, divoký
unˈsaddle [ˈanˈsædl] vt vyhodit
ze sedla, odsedlat; |—ˈsafe a
nejistý, nebezpečný; |—ˈsaid
a nevyslovený, neřečený;
—ˈsalable [ˈanˈseiləbl] a ne-
prodejný; —ˈsalaried [an-
ˈsælərid] a neplacený, ne-
honorovaný; —ˈsatisfactory
[ˈanˌsætisˈfæktəri] a neuspo-
kojivý, nedostatečný; —ˈsa-
turated [anˈsætjureitid] a
nenasycený; —ˈsavoury [ˈan-
ˈseivəri] a nechutný, bez
chuti, páchnoucí; |—ˈsay* vt
odříci, odvolat výrok; —ˈscal-
able [ˈanˈskeiləbl] a ne-
schůdný, strmý, nezdolatel-
ný; —ˈscale [ˈanˈskeil] vt zba-
vit šupin n. kotelního kame-
ne; —ˈscathed [ˈanˈskeiðd] a
bez úrazu; —ˈschooled [ˈan-
ˈskuːld] a neškolený, nezku-
šený; —ˈscramble [an-
ˈskræmbl] vt dešifrovat;
—ˈscreened [ˈanˈskriːnd] a
nestíněný, neprosívaný,
—ˈscrew [ˈanˈskruː] vt roz-
šroubovat, vyšroubovat;

—ˈscrupulous [anˈskruːpju-
ləs] a nesvědomitý, bezohled-
ný; —ˈseal [ˈanˈsiːl] vt rozpeče-
tit, otevřít dopis; —ˈseam
[ˈanˈsiːm] vt rozpárat;
—ˈsearchable [anˈsəːtʃəbl] a
nevyzpytatelný, nepronik-
nutelný; —ˈseasonable [an-
ˈsiːznəbl] a nevhodný, ne-
včasný; —ˈseat [ˈanˈsiːt] vt 1.
vyhodit ze sedla 2. sesadit;
—ˈseaworthy [ˈanˈsiːˌwəːði] a
nehodící se k plavbě; —ˈseem-
ly [anˈsiːmli] a neslušný;
|—ˈseen a neviděný, nespatře-
ný, neviditelný; |—ˈsel-
fish a nesobecký; —ˈservice-
able [anˈsəːvisəbl] a nepouži-
telný, neschopný provozu;
|—ˈsettle vt & i rušit, zvik-
lat (se), otřást, pomást;
|—ˈsettled a 1. neusazený, ne-
pevný 2. nezaplacený 3. bez
domova, nestálý; —ˈsew* [ˈan-
ˈsou] vt rozpárat; —ˈsewn [ˈan-
ˌsoun] a nesešitý; —ˈshackle
[ˈanˈʃækl] vt uvolnit pouta,
vyprostit z pout, zbavit oko-
vů; |—ˈshaken a neotřesený,
neochvějný, pevný; —ˈshape-
ly [ˈanˈʃeipli] a znetvořený;
—ˈshaven [ˈanˈʃeivn] a ne-
(o)holený; —ˈsheathe [ˈan-
ˈʃiːð] vt vytáhnout z pochvy,
tasit meč; —ˈsheltered [ˈan-
ˈʃeltəd] a nechráněný, bez
přístřeší; |—ˈship vt (-pp-) 1.
odstranit z lodi 2. nám. od-
stranit veslo; |—ˈshod(den) a
bez podkov, neokovaný, bez
obuvi; —ˈshoe* [ˈanˈʃuː] vt
zout, zbavit podkov; —ˈshorn
[ˈanˈʃɔːn] a neostříhaný;
—ˈshrinkable [ˈanˈʃriŋkəbl] /a

nesrážející se plátno; —|shrinking a neváhající, pevný, nebojácný; |—|sifted a neprosívaný, nezkušený; —sighted [ˈanˈsaitid] a nejsoucí v dohledu; bez míření; bez mušky; —sightly [anˈsaitli] a škaredý, nehezký, ošklivý; —sized [ˈanˈsaizd] a neklížený, netužený, neuspořádaný podle velikosti; —skilled [ˈanˈskild] a nedovedný, nezkušený, nekvalifikovaný (labourer dělník); |—|sleeping a nespící, bdělý; |—|sling* vt 1. sejmout ručnici 2. nám. uvolnit ze smyčky; |—|snap vt (-pp-) uvolnit sponku; —snarl [ˈanˈsna:l] vt rozmotat; —sociable [anˈsoušəbl] a nespolečenský; —social [anˈsoušl] a nesociální, nespolečenský; |—|solder vt rozletovat, rozpojit; —solicited [ˈansəˈlisitid] a nevyžádaný; —solvable [ˈanˈsolvəbl] a neřešitelný; —sophisticated [ˈansəˈfistikeitid] a 1. nefalšovaný, ryzí, pravý 2. jednoduchý, prostý 3. nesofistický; —sound [ˈanˈsaund] a 1. nezdravý, nemocný 2. nepřičetný 3. nesprávný, nepravdivý, mylný 4. nejistý, nespolehlivý 5. nehluboký o spánku 6. zkažený, nahnilý, červivý; —sparing [anˈspeəriŋ] a štědrý, neumdlévající; nemilosrdný; —|speak* vt odvolat výrok; —speakable [anˈspi:kəbl] a nevýslovný; —specified [ˈanˈspesifaid] a zvláště neuvedený; —spool [ˈanˈspu:l] vt odvinovat, od-

víjet; |—|spotted a neposkvrněný, beze skvrn, nenakažený, nezkažený; —stable [ˈanˈsteibl] a nestálý, nestabilní, vratký, kolísavý, vrtkavý; —stamped [ˈanˈstæmpt] a nekolkovaný; |—|state vt zbavit vážnosti; —statutable [anˈstætjuːtəbl] a neodpovídající předpisům; —steadfast [ˈanˈstedfəst] a nepevný, nestálý, váhavý; —steadiness [ˈanˈstedinis] s nestálost, vrtkavost; —steady [ˈanˈstedi] a nepevný, kolísavý, vratký, měnivý, nestálý; |—|stick* vt odlepit; odtrhnout; odloupnout; —stinted [anˈstintid] a štědrý, neomezený; |—|stop vt (-pp-) vytáhnout zátku, uvolnit, otevřít; —strained [ˈanˈstreind] a nenucený; necezený; |—|strap vt (-pp-) uvolnit, sejmout řemen; |—|string* vt rozvázat, uvolnit, odstranit struny, zeslabit; —strung [ˈanˈstraŋ] a uvolněný; nervově unavený; —studied [ˈanˈstadid] a nestudovaný, snadný, nepracný, nenucený, přirozený, samovolný; —substantial [ˈansəbˈstænšəl] a nehmotný; bezvýznamný, nepodstatný; —substantiated [ˈansəbˈstænšieitid] a neopodstatněný, neprokázaný; —successful [ˈansəkˈsesful] a neúspěšný; —succoured [ˈanˈsakəd] - a bez přispění; —suitable [ˈanˈsjuːtəbl] a nevhodný, nepřiměřený; —sure [ˈanˈšuə] a nejistý; pochybný; —surpassable [ˈansəˈpaːsəbl] a nepřekonatelný; **−swathe** [anˈsweið] *vt* sejmout obvaz, vyjmout z plen; **−swayed** [ˈanˈsweid] *a* neovládaný, neovlivněný; **−swear*** [anˈsweə] *vt* odvolat, zapřísahat; **−swerving** [anˈswə:viŋ] *a* neuchylující se; **−symmetric-(al)** [ˈansiˈmetrik(əl)] *a* nesouměrný; **−sympathetic** [ˈanˌsimpəˈθetik] *a* lhostejný

un|tack [ˈanˈtæk] *vt* 1. odpojit, odtrhnout 2. vytahovat připínáčky n. cvočky z; **−tainted** [ˈanˈteintid] *a* nepotřísněný, čistý; **−tamable** [ˈanˈteiməbl] *a* nezkrotný; **−tangle** [ˈanˈtæŋgl] *vt* rozmotat, vyprostit; **−tarnished** [ˈanˈta:ništ] *a* nezkalený, neposkvrněný; I−ˈteach*** *vt* odnaučit, odvyknout; I−ˈtenable *a* neudržitelný; **−tenanted** [ˈanˈtenəntid] *a* neobydlený; I−ˈtended *a* 1. neopatrovaný 2. zanedbaný; I−ˈtested *a* nevyzkoušený; I−ˈthinking *a* nemyslící, bezmyšlenkovitý, bezstarostný; **−thought-of** [anˈθo:tov] *a* nemyslitelný; **−thread** [ˈanˈθred] *vt* 1. vyvléknout 2. proklestit si cestu; **−thrift** [ˈanˈθrift] *s* 1. nehospodárnost 2. marnotratník □ *a* marnotratný; **−thrifty** [ˈanˈθrifti] *a* nehospodárný, ničemný; **−tidy** [anˈtaidi] *a* neúhledný, neúpravný, nepořádný, špinavý, ucouraný; **−tie** [ˈanˈtai] *vt & i* rozvázat (se), uvolnit; rozložit, ujasnit

until [ənˈtil] *prep* až do, až □ *conj* až když, teprve když,

dokud ne ♦ ~ *quite recently* teprve zcela nedávno

un|timely [anˈtaimli] *a* 1. nevhodný 2. předčasný □ *adv* předčasně, nepříhodně; **−titled** [anˈtaitld] *a* nemající titulu, bezprávný

unto [ˈantu] *prep* arch. bás. = *to* (ve všech případech až na infinitiv, kde nemůže nahradit *to*)

un|told [ˈanˈtould] *a* 1. nevyprávěný, neřečený, nevýslovný 2. nesčíslný, nepočítaný; **−touchable** [anˈtačəbl] *a & s* nedotknutelný; **−touched** [ˈanˈtačt] *a* nedotčený, bez úrazu, nedojatý; **−toward** [anˈtouəd] *a* zast. 1. svéhlavý, umíněný, vzpurný 2. neobratný 3. nešťastný, mrzutý 4. trapný, nepříhodný; **−trained** [ˈanˈtreind] *a* ne(vy)cvičený, nezapracovaný; **−tried** [ˈanˈtraid] *a* nevyzkoušený; nezakušený, nevyslechnutý; **−trimmed** [ˈanˈtrimd] *a* nepřistřižený, neupravený, neozdobený; **−troubled** [ˈanˈtrabld] *a* nerušený, klidný, nezarmoucený; I−ˈtrue *a* nepravdivý, lživý, nevěrný, nesprávný; **−trustworthy** [ˈanˈtrastˌwə:ði] *a* nespolehlivý; I−ˈtruth *s* nepravda, lež, nevěra; **−tuck** [ˈanˈtak] *vt* popustit sámky, rozvázat, rozložit, schlípit klobouk; **−tune** [ˈanˈtju:n] *vt* rozladit; I−ˈturn *vt* otočit zpět; **−tutored** [ˈanˈtju:təd] *a* neučený, neškolený, neumělý; neprobádaný; **−twine** [ˈanˈtwain] *vt & i* rozplést (se), rozmotat (se), řešit; |—|twist *vt & i* rozplést (se), rozmotat (se); otevřít, řešit

un|used [ˈanˈjuːzd] *a* neužitý, [ˈanˈjuːst] nezvyklý; —usual [anˈjuːzuəl] *a* neobvyklý, neobyčejný, pozoruhodný; —utterable [anˈatərəbl] *a* nevýslovný

un|vaccinated [ˈanˈvæksineitid] *a* neočkovaný; —valued [ˈanˈvæljuːd] *a* neceněný, nevážený; —varnished [ˈanˈvaːništ] *a* nenatřený, nenalakovaný, nepřikrášlený; —veil [anˈveil] *vt & i* zvednout závoj, odhalit (se), ukázat (se); |—|ventilated *a* nevětraný; —verified [ˈanˈverifaid] *a* neověřený; —versed [ˈanˈvəːst] *a* neobeznámený, nevycvičený (*in* v); —voiced [ˈanvoist] *a* nevyslovený; *gram.* nehlasný; —vouched [ˈanˈvaučt] *a* nezaručený

un|waited-for [ˈanˈweitidˌfoː] *a* nečekaný; —waited-on *a* neobsloužený; —warlike [ˈanˈwoːlaik] *a* nebojovný; —warrantable [anˈworəntəbl] *a* nezákonný, nezaručitelný; —warranted [ˈanˈworəntid] *a* nezaručený, nejistý, neospravedlněný; —wary [anˈweəri] *a* neopatrný; |—|washed *a* nemytý; |—|watered *a* nenapojený, nezalitý, neředěný vodou; —wavering [anˈweivəriŋ] *a* nekolísavý, stálý, pevný; —wearying [anˈwiəriiŋ] *a* neúnavný; —weave* [ˈanˈwiːv] *vt* rozplést, rozmotat; —wedge [ˈanˈwedž] *vt* odklínovat; —weighted [ˈanˈweit-

id] *a* nezvážený, neuvážený; —|welcome *a* nevítaný; |—|well *a* **1.** nezdravý, churavý **2.** menstruační;—wholesome [ˈanˈhoulsəm] *a* nezdravý, škodlivý; —|wieldy *a* těžkopádný, nepoddajný; |—|willing *a* neochotný, nerad, váhavý; —wind* [ˈanˈwaind] *vt* odvinout (se), odtočit, rozmotat; |—|wise *a* nemoudrý; —|wished *a* nežádoucí; —wonted [anˈwountid] *a* nezvyklý; —workable [ˈanˈwəːkəbl] *a* neosvědčený způsob; —worthy [anˈwəːði] *a* **1.** nehodný, nezasluhující si (*of* čeho) **2.** neschopný **3.** hanebný, nepěkný **4.** bezcenný; —wound [ˈanˈwaund] *a* nenavinutý; —wrap [ˈanˈræp] *vt & i* (-pp-) rozbalit (se); —wreathe [ˈanˈriːð] *vt* rozplést, rozvinout; —wrinkle [ˈanˈriŋkl] *vt* zbavit vrásek; —wrought [ˈanˈroːt] *a* **1.** ne zpracovaný **2.** neopracovaný **3.** surový **4.** nevykonaný; —yielding [anˈjiːldiŋ] *a* pevný, nepoddajný, neústupný; —yoke [ˈanˈjouk] *vt & i* zbavit (se) jha, uvolnit (se); rozpojit, rozdělit

up [ap] *a & prep & adv* do, nahoru, vzhůru, nahoře, na ♦ *hands ~!* ruce vzhůru!; *tide is coming ~* nastává příliv; *water came ~ to his chin* voda mu vystoupila až k bradě; *he lives ~ to the income* utratí všechen příjem; *to be ~ to* stačit na; *~ to this day* až dodnes; *as far ~ as Aberdeen* na sever až do Aberdeenu;

to run ~ *to town* zaskočit si do města; ~ *the river* proti proudu řeky; ~ *the street* ulicí, po ulici; *corn is* ~ obilí je vysoko v ceně; *he ran* ~ *tne hill* běžel do kopce; *to stand*~, *to get* ~ vstát; *to come* ~ přistoupit; *to stir* ~ *sedition* roznítit povstaní; *to wind* ~ *watch* natáhnout hodinky; ~ *the wind* proti větru; *he is*~ je vzhůru, vstal; *what is* ~ *?* co se stalo?; *he is well* ~ *in mathematics* vyzná se v matematice; *it s* ~ *to you* to záleží na vás; *it is not* ~ *to much* nestojí to za mnoho; *to eat, drink, burn, dry,* ~ vyjíst, vypít, spálit, vysušit; *to speak* ~ mluvit hlasitě; *to hunt* ~ vyslídit; *to praise* ~ vychvalovat; *to save* ~ našetřit; *it is all* ~ *with him* je to s ním beznadějné; *to be hard* ~ *for money* být v peněžní tísni; ~ *with* na stejné výši s; ~ *with it!* jen do toho!; *to climb* ~ vyšplhat, vylézt; ~ *and down* nahoru a dolů □ *s* 1. zř. povýšenec, vyvýšenec 2. vyvýšenina 3. směr nahoru 4. vlak, autobus ap. jedoucí nahoru 5. stoupnutí cen ♦ *-s and downs* pohyby nahoru a dolů; střídavé štěstí; zvlněný terén

upbraid [ap|breid] *vt* vyčítat, kárat *(with, for)*

up|bringing [ˈapˌbriŋiŋ] *s* výchova; ˈ—**cast** 1. *s* vrh, vrhání; větrací šachta 2. *a* zdvižený; ǀ—ˈ**country** 1. *a* vnitřní, venkovský 2. *s* vnitrozemí, zázemí 3. *adv* do

vnitrozemí, do zázemí; —**grade** [ˈapgreid] *s* hořejší stupeň, svah; —**heaval** [apˈhi:vəl] *s* 1. sopečné vzedmutí 2. sociální otřes, hnutí, převrat; —**heave** [apˈhi:v] *vt & i* zdvihnout, vzdout (se); —**held** *pt & pp* od *uphold*; ǀ—ˈ**hill** *s* svah, kopec □ *adv* do kopce □ *a* vyvýšený, stoupající; namáhavý, pracný; —ˈ**hold*** *vt* 1. držet ve výši, nadnášet 2. podporovat, udržovat, pomáhat; —**holster** [apˈhoulstə] *vt* (vy)čalounovat; —**holsterer** [apˈhoulstərə] *s* čalouník; —**holstery** [apˈhoulstəri] *s* 1. čalounictví 2. čalounická práce, vycpávka, vypolštářování; ǀ—**keep** *s* udržování, vydržování; —**land** 1. *s* vysočina 2. *a* vysoko položený, horský; —**lift** *vt* pozdvihnout, zlepšit, vyvýšit, zvednout □ *s* [ˈaplift] 1. zvedání, vyvýšení 2. zlepšení 3. am. povznesení, nadšení, plamenná výmluvnost; ~ **pressure** vztlak

upon [əˈpon] *prep* viz též *on* na, nad, v, při, po, o ♦ ~ *the day* v ten den; *once* ~ *a time* kdysi, jednou; ~ *duty* ve službě; ~ *his arrival* při jeho příchodu; ~ *the river* nad řekou; ~ *my honour* na mou čest

upper [ˈapə] *a* vrchní, hořejší (~ *lip, storey* horní ret, patro) ♦ *to have (get) the* ~ *hand* mít (nabýt) vrch, ovládat; *the U*~ *House* horní sněmovna □ *_ s* svršek boty; ǀ~ -**class** *a* týkající se horních vrstev; ǀ~ -**cut** *s* box horní rána na bradu;

—most [ˈapəmoust] *a* nejhořejší, vrchní
uppish [ˈapiš] *a* hov. domýšlivý, arogantní
Uppsala [ˈapsaːlə] *s* Uppsala
upright *a* [ˈapˈrait] vztyčený, stojatý, přímý, kolmý □ *a* [ˈaprait] upřímný, poctivý, spravedlivý □ *s* 1. kolmé postavení 2. něco, co stojí zpříma, kolmý sloup, stojan na skok 3. pl. kop. brankové tyče; **~ piano** pianino
uprisǀe *vt* [apˈraiz] 1. vstát, povstat 2. stoupat □ *s* [ˈapraiz] vstávání, stoupání; **—ing** [apˈraiziŋ] *s* 1. vstavání 2. stoupání, příkré místo, svah 3. povstání, vzpoura, pozdvižení
uproar [ˈaproː] *s* vřava, zmatek ♦ **to set in an ~** uvést ve zmatek, pobouřit; **—ious** [apˈroːriəs] *a* hlučný, hlomozný
uproot [apˈruːt] *vt* vyvrátit z kořene, vykořenit, vyhladit
upset [apˈset] *a* 1. vztyčený 2. určený 3. převrácený, převržený, skácený 4. zmatený 5. rozčilený □ *vt & i* * 1. převrhnout, skácet 2. (roz)rušit 3. být nevolno □ *s* 1. převržení, překocení 2. vzrušení; výstup, zmatek ♦ **~ price** nejnižší podání při dražbě
upshot [ˈapšot] *s* výsledek, konec
upside [ˈapsaid] *s* horní n. vrchní část n. strana; **~-down** [ˈapsaidˈdaun] *a & adv* vzhůru nohama, naruby
upstairs *adv* [apˈsteəz] nahoře, nahoru □ *a* [ˈapsteəz] jsoucí nahoře (na schodech), hořejší

upstanding [apˈstænding] *a* 1. stojící zpříma 2. poctivý, bezúhonný
upstart [ˈapstaːt] *s* povýšenec, zbohatlík
upstate [ˈapsteit] *a* am. ze severní části státu □ *s* am. severní krajina, zvl. sever New Yorku
upstream [ˈapˈstriːm] *adv* proti proudu; **~ side** návodní stěna hráze
upstroke [ˈapstrouk] *s* 1. horní úder 2. tah perem nahoru 3. zdvih nahoru pístu
upsurge [ˈapˈsəːdž] *s* vzestup (*of production* výroby)
upswing [ˈapswiŋ] *s* vzestup (*in consumption* spotřeby)
up-to-date [ˈaptudeit] *a* dnešní, moderní
Upton [ˈaptən] *s* Upton
uptown *adv* [ˈapˈtaun] do města □ *a* [ˈaptaun] bydlící n. ležící v hořejší části města
upturn *vt & i* [apˈtəːn] převrátit vzhůru □ *s* [ˈaptəːn] převržení vzhůru; obrat k lepšímu, k vyšším cenám atd.
upward [ˈapwəd] *adv* nahoru, vzhůru, nad, přes, nadto □ *a* směřující n. pohybující se vzhůru; **—s** [ˈapwədz] *adv* nahoru, vzhůru, nahoře; více, nadto
Ural [ˈjuərəl] *s* Ural
uranǀic [juəˈrænik] *a* 1. nebeský, astronomický 2. chem. uranový; **—ium** [juəˈreinjəm] *s* uran; **—ous** [ˈjuərənəs] *a* uranový
urban [ˈəːbən] *a* městský; **—e** [əːˈbein] *a* zdvořilý, uhlazený, dvorný; **—ity** [əːˈbæniti] *s*

zdvořilost, dvornost; **—ize**
[ˈəːbənaiz] *vt* poměstit, zjemnit
urchin [ˈəːčin] *s* **1.** arch. ježek
2. arch. skřítek **3.** darebák, uličník, výrostek
urea [ˈjuəriə] *s* močovina;
ureth|ra [juəˈriːθrə] *s* pl. *-rae*
[-ri:] močovod
urg|e [əːdž] *vt & i* **1.** nutit, naléhat (*on* na), přimět **2.** pobízet, hnát (se) **3.** tvrdit, hájit, stát na svém **4.** namáhat se, usilovat (*for* o) **5.** vést důkazy (*against* proti); **—ency** [ˈəːdžənsi] *s* naléhavost, nutnost; **—ent** [ˈəːdžənt] *a* naléhavý, nutný
uric [ˈjuərik] *a* močový
urin|al [ˈjuərinl] *s* nádoba na moč, záchodek; **—ary** [ˈjuərinəri] *a* močový □ *s* nádoba na moč; **—ate** [ˈjuərineit] *vi* močit; **—e** [ˈjuərin] *s* moč; **—ous** [ˈjuərinəs] *a* močový
urn [əːn] *s* **1.** urna, popelnice **2.** fig. hrob **3.** nádoba zavřená, samovar, vařič kávy
ursine [ˈəːsain] *a* medvědovitý
urtica|ceous [ˌəːtiˈkeisiəs] *a* kopřivovitý; **—ria** [ˌəːtiˈkeəriə] *s* kopřivka; **—te** [ˈəːtikeit] *vi* bodat, píchat jako kopřiva
us [as] *pron* nás, nám; *all of* ~ my všichni
U.S.A. = **1.** *United States of America* **2.** *United States Army*
usability [ˌjuːzəˈbiliti] *s* použitelnost
usage [ˈjuːzidž] *s* **1.** užívání **2.** zvyk, zvyklost, obyčej **3.** zacházení

usance [ˈjuːzəns] *s* **1.** zvyklost' užívání **2.** úrok **3.** obch. směneční lhůta **4.** zisk
use *vt & i* [juːz] **1.** užívat, upotřebit **2.** potřebovat **3.** jednat, zacházet, chovat se **4.** mít ve zvyku ♦ *to* ~ *ill* n. *to ill-* ~ týrat; ~ *up* **1.** spotřebovat **2.** hov. vyčerpat □ *s* [juːs] **1.** užití, používání, upotřebení; funkce **2.** zvyk, zvyklost, obyčej, praxe **3.** užitečnost **4.** prav. výhoda, užitek, výnos **5.** cvičení **6.** liturgie ♦ *of no* ~ neužitečný, nepotřebný; *in* ~ užívaný, obvyklý; *out of* ~ zastaralý; *to make* ~ *of* upotřebit, užít čeho; *to have no* ~ *for* nepotřebovat; **—d** [juːzd] *a* užívaný; [juːst] zvyklý (*to* čemu) ♦ *to get* ~ *to* zvyknout čemu; ~ *up* opotřebovaný, omrzelý; **—ful** [ˈjuːsful] *a* **1.** užitečný, platný **2.** sl. znamenitý ♦ ~ *load* užitečné zatížení; **—less** [ˈjuːslis] *a* neužitečný, neprospěšný, zbytečný; **—r** [ˈjuːzə] *s* **1.** (po)uživatel **2.** právo užívání
usher [ˈašə] *s* **1.** uváděč **2.** brit. pejor. podučitel □ *vt* ~ *in* uvádět v divadle
U.S.M. = *United States Mail* (n. *Marines*)
U.S.M.A. = *United States Military Academy*
U.S.N. = *United States Navy*
U.S.N.A. = *United States Naval Academy*
U.S.S. = *United States Senate* (n. *ship, steamer*)
U.S.S.C. = *United States Supreme Court*

U.S.S.R. = *Union of Soviet Socialist Republics*

usual [ˈjuːʒuəl] *a* obvyklý, obyčejný ♦ *as* ~ jako obyčejně

usufruct [ˈjuːsjuːfrʌkt] *s* právo užívat výnosu cizího majetku bez poškození podstaty

usur|er [ˈjuːʒərə] *s* 1. půjčovatel peněz 2. lichvář ♦ ~*'s capital* lichvářský kapitál; —**ious** [juːˈzjuəriəs] *a* lichvářský; —**y** [ˈjuːʒuri] *s* lichva

usurp [juːˈzəːp] *vt & i* násilím uchvátit; —**ation** [ˌjuːzəˈpeišən] *s* uchvácení, přisvojení si

Ut. = *Utah* [ˈjuːtaː]

utensil [juːˈtensl] *s* nástroj, nádoba, kuchyňská potřeba

uter|us [ˈjuːtərəs] *s* pl. -*i* [-ai] děloha, lůno

utilitarian [ˌjuːtiliˈtɛəriən] *a* 1. užitkový 2. utilitářský, prospěchářský; —**ism** [ˌjuːtiliˈtɛəriənizəm] *s* prospěchářství

util|ity [juːˈtiliti] *s* 1. užitečnost, prospěšnost 2. štěstí 3. pl. akcie veřejně užitečných společností ♦ ~ *goods* jednotné zboží; *public -ies* městské (n. veřejné) podniky; —**ize** [ˈjuːtilaiz] *vt* zužitkovat, využít, upotřebit

utmost [ˈʌtmoust] *a* 1. nejzazší, nejvzdálenější, krajní 2. nejvyšší, největší □ *s* nejvyšší míra, stupeň ♦ *to do one's* ~ všemožně se přičinit; udělat, co je v něčí moci

Utopia [juːˈtoupjə] *s* utopie; —**n** [juːˈtoupjən] *a* utopistický

Utrecht [ˈjuːtrekt] *s* Utrecht

utri|cle [ˈjuːtrikl] *s* váček; —**cular** [juːˈtrikjulə] *a* váčkov(it)ý

utter [ˈʌtə] *a* 1. úplný, naprostý, krajní 2. podivný, neobvyklý 3. rozhodný 4. nekvalifikovaný □ *vt* 1. vyjádřit, vyslovit, pronést 2. odhalit 3. dát do oběhu (*money* peníze) ♦ *to stop one's* ~ umlčet; —**ance** [ˈʌtərəns] *s* 1. projev, promluva 2. výslovnost, dikce; —**ly** [ˈʌtəli] *adv* úplně, naprosto, zcela; —**most** [ˈʌtəmoust] *a* nejzazší

uvul|a [ˈjuːvjulə] *s* čípek, típek; —**ar** [ˈjuːvjulə] *a* čípkový, uvulární

uxor|icide [akˈsɔːrisaid] *s* 1. vražda manželky manželem 2. vrah své ženy; —**ious** [akˈsɔːriəs] *a* slepě oddaný své manželce

V

V, v [viː] písmeno v ♦ am. *V-day* Den vítězství

Va. = *Virginia*

vac|ancy [ˈveikənsi] *s* 1. prázdnota 2. prázdno, volný čas 3.

prázdné, volné místo (*he has a* ~ *on his staff* má volné místo v personálu); —**ant** [ˈveikənt] *a* 1. prázdný 2. neobsazený, volný, neobydlený **3.** nečinný, bezstarostný, neuvažující **3.** práv. neužívaný pozemek, opuštěný, ladem ležící; **—ate** [vəˈkeit] *vt & i* **1.** vyprázdnit, uprázdnit, uvolnit, vzdát se místa, trůnu **2.** zrušit **3.** sl. opustit, odejít; **—ation** [vəˈkeišən] *s* **1.** prázdniny **2.** uprázdnění, neobsazení **3.** práv. prázdniny soudní; **—ationist** [vəˈkeišənist] *s* dovolenec

vaccin|ate [ˈvæksineit] *vt & i* očkovat; **—ation** [ˌvæksiˈneišon] *s* očkování; **—e** [ˈvæksin] *s* očkovací látka, sérum

vacillat|e [ˈvæsileit] *vi* **1.** kolísat, váhat **2.** viklat se; **—ion** [ˌvæsiˈleišən] *s* **1.** kolísání **2.** váhání, nerozhodnost

vacu|ity [vəˈkjuiti] *s* **1.** prázdnota **2.** prázdné místo **3.** nicotnost **4.** fig. zabedněnost; **—ous** [ˈvækjuəs] *a* **1.** prázdný **2.** upřený do prázdna **3.** neužitečný, zahálčivý, planý; **—um** [ˈvækjuəm] *s* pl. *-ums* [-əmz], *-a* [-ei] vzduchoprázdný prostor; ~ *bottle* n. *flask* termoska; ~ *brake* sací brzda; ~ *cleaner* vysavač prachu; ~ *gauge* [geidž] vakuometr; ~ *tube* [tju:b] rad. elektronka; ~ *pump* [pamp] vývěva □ *a* vzduchoprázdný □ *vt* užít vysavače prachu

vademecum [ˈveidiˈmi:kəm] *s* příručka

vagabond [ˈvægəbənd] *a* toulavý, nestálý □ *s* **1.** tulák **2.** hov. ničema, vagabund

vagary [ˈveigəri] *s* vrtoch, chvilkový nápad

vagin|a [vəˈdžainə] *s* pl. *-ae* [-i:], *-as* [-əz] anat. pochva, vagína

vagr|ancy [ˈveigrənsi] *s* **1.** tuláctví **2.** bloudění; **—ant** [ˈveigrənt] *a* **1.** potulný, nestálý **2.** stěhovavý □ *s* tulák, pobuda

vague [veig] *a* **1.** neurčitý **2.** nejasný, temný; zmatený

vail [veil] *s* obv. pl. arch. spropitné; dar za účelem podplacení

vain [vein] *a* **1.** nicotný, neužitečný, bezcenný **2.** marný, planý **3.** bláhový, pošetilý **4.** marnivý, domýšlivý (*of* na) ♦ *in* ~ nadarmo, marně; *to take one's name in* ~ brát čí jméno nadarmo; **—ˈglory** *s* vychloubačnost

vale [veil] *s* bás. údolí

valediction [ˌvæliˈdikšən] *s* rozloučení, slovo na rozloučenou

valenc|e, **—y** [ˈveiləns(i)] *s* valence, mocenství

valentine [ˈvæləntain] *s* **1.** miláček **2.** milostné n. satirické psaníčko n. obrázek poslaný na den sv. Valentina 14. února

valerian [vəˈliəriən] *s* bot. kozlík

valet [ˈvælit] *s* sluha

valetudinarian [ˈvæliˌtju:diˈnɛəriən] *s* neduživec, invalida

vali|ancy [ˈvæljənsi] *s* chrabrost, statečnost; **—ant** [ˈvæljənt] *a* chrabrý

valid [ˈvælid] *a* **1.** platný **2.** účinný **3.** pádný, přesvědčivý; **—ate** [ˈvælideit] *vt* **1.** ověřit, potvrdit **2.** učinit platným; **—ity** [vəˈliditi] *s* **1.** platnost **2.** síla, pádnost

valise [vəˈli:z] *s* brašna, tlumok

valley [ˈvæli] *s* **1.** údolí **2.** úžlabí

valorize [ˈvælǝraiz] *vt & i* zvýšit n. upravit ceny, zhodnotit

valorous [ˈvælǝrǝs] *a* udatný

valour [ˈvælǝ] *s* bás. n. řeč. udatnost

valu|able [ˈvæljuǝbl] *a* 1. cenný, drahocenný 2. hodnotný □ *s* pl. cenné věci, klenoty šperky; **—ation** [ˌvæljuˈeišǝn] *s* hodnocení, ocenění; odhad, odhadní cena

value [ˈvælju:] *s* 1. cena 2. hodnota, ocenění 3. světelnost, skvělost barvy, barevný tón 4. hud. trvání tónu 5. význam, přesné označení ◆ *of no ~* bezcenný; *material -s* hmotné statky; *cheque ~ £* šek v částce £ ...; *to set a great ~ to* přikládat čemu velký význam, váhu □ *vt* 1. cenit si, oceňovat, hodnotit; odhadnout cenu 2. obch. vydat směnku (*on* na); **~ creating** [ˈvælju:kriˌeitiŋ], **|~-|forming** *a* hodnototvorný; **—less** [ˈvæljulis] *a* bezcenný

valv|e [vælv] *s* 1. ventil (*safety ~* pojistný ventil) 2. záklopka, šoupátko 3. med. chlopeň 4. zool. ulita, škeble 5. zř. křídlo dveří 6. rad. elektronka; **—ular** [ˈvælvjulǝ] *a* 1. klapkový, záklopkový 2. med. chlopňový

vamp [ˈvæmp] *s* 1. nárt obuvi 2. příštipek 3. hud. improvizovaný doprovod 4. dobrodružka; svůdnice 5. zkr. pro *vampire* □ *vt* 1. opatřit nártem 2. příštipkovat (*together, up*) 3. hud. improvizovat doprovod

vampire [ˈvæmpaiǝ] *s* 1. upír netopýr; žena 2. lichvář, vyděrač 3. *~ bat* netopýr

van [væn] *s* 1. křídlo, předvoj armády; avantgarda 2. brit. lehký nákladní vůz, zavazadlový vůz 3. am. velký krytý nákladní vůz 4. dial. vějíř, vějička, fofr, mlýnek na obilí; **~-dragger** [ˈvænˌdrægǝ] *s* sl. vykrádač dopravních aut

vanadium [vǝˈneidjǝm] *s* vanad, vanadium

vandal [ˈvændǝl] *s* vandal

vane [vein] *s* 1. korouhvička 2. lopata, křídlo větrného mlýnu, vodního kola 3. muška pušky n. zaměřovacího přístroje; **~ wheel** [wi:l] lopatkové kolo

vanguard [ˈvænga:d] *s* předvoj, avantgarda

vanilla [vǝˈnilǝ] *s* vanilka

vanity [ˈvæniti] *s* 1. marnost 2. ješitnost, domýšlivost; **|~-bag** *s* kabelka

vanquish [ˈvæŋkwiš] *vt* lit. n. fig. přemoci, zvítězit

vantage [ˈva:ntidž] *s* 1. prospěch, výhoda, převaha 2. možnost, příznivá příležitost 3. tenis = *advantage*; **~-ground** [ˈva:ntidžgraund] *s* výhodné postavení, převaha

vapid [ˈvæpid] *a* 1. bez ducha, bez života 2. bez chuti, mdlý 3. prázdný 4. zvětralý, vyčichlý 5. nezajímavý, nudný

vapor|ize [ˈveipǝraiz] *vt & i* vypařovat (se), měnit (se) v páru; **—izer** [ˈveipǝraizǝ] *s* pařák, odpařovák; **—ous**

['veipərəs] *a* 1. párový, z páry
2. chlubivý
vapo(u)r ['veipə] *s* 1. pára,
výpar 2. dým 3. pl. nadýmání,
větry □ *vi & t* 1. vypařit (se)
2. naparovat se; —y ['veipəri]
a jako pára, parnatý, plný
páry
vari|ability [ˌveəriə'biliti] *s* pro-
měnlivost, nestálost; —able
['veəriəbl] *a* 1. proměnlivý
2. nestálý 3. proměnný □ *s*
1. proměnná veličina n. hodnota
2. nám. proměnlivý vítr 3. pl.
pásmo mezi severovýchodní-
mi a jihovýchodními pasáty
♦ ~ *capital* variabilní kapitál;
~ *star* proměnná hvězda;
—ance ['veəriəns] *s* 1. změna,
rozdíl, odchylka 2. neshoda,
nesvár, hádka ♦ *at* ~ v roz-
poru; —ant ['veəriənt] *a* roz-
dílný, lišící se, různý □ *s*
varianta; —ation [ˌveəri'ei-
šən] *s* 1. obměna, změna 2.
střídání 3. úchylka, odchylka
4. hud. variace; —ed ['veərid]
a 1. rozmanitý 2. odlišný 3.
změněný 4. pestrý
varicose ['værikous] *a* městko-
vý, s naběhlými žilami
variegate ['veərigeit] *vt* zpestřit,
pestře zbarvit
vari|ety [və'raiəti] *s* 1. střídání
2. rozdílnost, úchylka, kurio-
zita 3. rozmanitost, různost
4. druh, odrůda ♦ *a* ~ *of*
různé druhy; ~ *show* varietní
program; —ola [və'raiələ] *s*
med. černé neštovice; —ous
['veəriəs] *a* 1. rozmanitý, roz-
ličný, různý 2. proměnlivý,
nestálý 3. mnohostranný, vše-
stranný

varlet ['va:lit] *s* 1. hist. páže,
sluha 2. arch. ničema, holomek
varment, varmint ['va:mint] *s*
vulg. havěť, chamraď
varnish ['va:niš] *vt* 1. nalakovat,
nabarvit, (na)fermežovat 2.
naleštit, cídit □ *s* 1. fermež,
lak 2. nátěr; —er ['va:nišə] *s*
natěrač, lakýrník
varsity ['va:siti] *s* lid. universita
vary ['veəri] *vt & i* 1. měnit (se)
2. střídat (se), kolísat 3.
(od)lišit (se), různit se, od-
chýlit (se), pozměnit 4. hud.
dělat variace ♦ *to* ~ *directly
(inversely) as* být přímo (ne-
přímo) úměrný čemu
vascular ['væskjulə] *a* 1. cév-
natý 2. horkokrevný
vase [va:z] *s* váza
vaseline ['væsili:n] *s* vazelína
vassal ['væsəl] *s* vazal □ *a*
otrocký, poddaný, vazalský;
—age ['væsəlidž] *s* vazalství,
nevolnictví
vast [va:st] *a* nesmírný, širý,
ohromný
vat [væt] *s* sud, káď, vana
vatic(al) ['vætik(əl)] *a* prorocký
Vatican ['vætikən] *s* Vatikán
vaticin|al ['vætisinl] *a* prorocký;
—ate [væ'tisineit] *vi & t*
prorokovat, věstit; —ation
[ˌvætisi'neišən] *s* 1. proroko-
vání, věštectví 2. proroctví
vaudeville ['voudəvil] *s* vaude-
ville veselohra se zpěvy a tanci
Vaughan [vo:n] *s* Vaughan
vault [vo:lt] *s* 1. klenutí, klenba
2. hrobka 3. sklep(ení) 4.
skok □ *vt & i* 1. klenout (se)
2. vyskočit, vyhoupnout se;
—ing ['vo:ltiŋ] *s* 1. stavba
klenutí 2. klenutí 3. voltáž,

skoky přes nářadí; ˡ—ing-
-horse s kůň tělocvičný

vaunt [vo:nt] vi & vt chlubit se,
stavět na odiv; —y [ˡvo:nti]
a skot. chlubivý, pyšný

vavaso(u)r [ˡvævəsuə] s pod-
leník, podvazal leník, který je
součastně lením pánem

V.C. = 1. Vice-chancellor 2. Vic-
toria Cross

veal [vi:l] s telecí maso

vector [ˡvektə] s mat. vektor □
vt řídit letadlo pomocí rádio-
vých vln

vedette [viˡdet] s 1. voj. vedeta,
jízdní hlídka 2. nám. strážní
člun (~ boat)

veer [viə] vi & t 1. otočit (se),
posunout (se) 2. nám. otočit
loď od směru větru 3. změnit
názor

veget|able [ˡvedžitəbl] a rost-
linný □ s 1. rostlina 2. pl.
zelenina ♦ ~ tallow rostlinný
lůj; —arian [ˌvedžiˡteəriən] s
vegetarián □ a vegetářský;
—ate [ˡvedžiteit] vi vegeto-
vat, živořit —ation [ˌved-
žiˡteišən] s 1. růst, vegetace
2. rostlinstvo 3. živoření;
—ative [ˡvedžitətiv] a 1.
vegetativní 2. podporující
vzrůst 3. živořící, vegetující

vehem|ence [ˡvi:iməns] s prud-
kost, síla; —ent [ˡvi:imənt] a
prudký, horlivý

vehicle [ˡvi:ikl] s 1. povoz,
vozidlo 2. prostředek, po-
můcka 3. rozpouštědlo barvy
♦ ~ of the ideas nositel idejí

veil [veil] s 1. závoj 2. rouška,
opona 3. fig. záminka, pláštík
♦ under the ~ of religion pod
rouškou náboženství □ vt

zastřít (závojem), zahalit,
maskovat ♦ in a -ed form
zahaleně; —ing [ˡveiliŋ] s
1. zastření (závojem) 2. látka
na závoje

vein [vein] s 1. žíla, žilka, tepna
2. geol. žíla 3. nálada; pova-
hový rys, povaha; nadání,
vloha; způsob dar ♦ I am
not in the ~ for nejsem právě
naladěn k; in the same ~
týmž způsobem □ vt žilkovat,
mramorovat; —ing [ˡveiniŋ]
s žilkování; —y [ˡveini] a žil-
kovaný

veľar [ˡvi:lə] a fon. velární □ s
fon. velára; —ize [ˡvi:ləraiz]
vt fon. velarizovat

velleity [veˡli:iti] s 1. nutkání,
toužení 2. nedostatek čino-
rodé vůle

vellum [ˡveləm] s pergamen

velocipede [viˡlosipi:d] s zast.
velocipéd, kolo

velocity [viˡlositi] s rychlost

velours [veˡluəz] s velur, ba-
vlněný samet

velvet [ˡvelvit] s 1. samet 2. sl.
přebytek, zisk; —een [ˡvelvi-
ˡti:n] s 1. bavlněný samet,
manšestr 2. pl. šaty, zvl. kal-
hoty z manšestru; —y [ˡvel-
vitij a 1. sametový 2. mírný,
hladký

Ven. = Venerable

venal [ˡvi:nl] a prodejný, úplat-
ný; —ity [vi:ˡnæliti] s pro-
dejnost, úplatnost

venatic [vəˡnætik] a honební, lo-
vecký

vend [vend] vt & vi prodávat;
—er, —or [ˡvendə, ˡvendo:]
s prodavač, obchodník; —ue
[venˡdju:] s am. dražba

veneer [vi'niə] s furnýr, dýha □ vykládat, furnýrovat, dýhovat; —ing saw [so:] dýhovka pila

vener|able ['venərəbl] a ctihodný, úctyhodný; —ate ['venəreit] vt ctít, uctívat; —ation [ˌvenə'reišən] s uctívání, ctění; —ator ['venəreitə] s ctitel

venereal [vi'niəriəl] a pohlavní, venerický ♦ ~ disease pohlavní nemoc

venery ['venəri] s 1. arch. pohlavní styk, soulož 2. honba

venesection [ˌveni'sekšən] s med. pouštění žilou

Venetian [vi'ni:šən] s benátský □ s Benátčan; ~ blind žaluzie

Venezuela [ˌvene'zweilə] s Venezuela

venge|ance ['vendžəns] s pomsta ♦ with a ~ důkladně; —ful [vendžful] a mstivý, pomstychtivý

venial ['vi:njəl] a odpustitelný; —ity [ˌvi:ni'æliti] s omluvitelnost, prominutelnost

Venice ['venis] s Benátky

venison ['venzn] s zvěřina

venom ['venəm] s 1. jed 2. fig. zloba, zášť; —ous ['venəməs] a 1. jedovatý 2. fig. zlomyslný

ven|ous, —ose ['vi:nəs, 'vi:-nous] a žilnatý, cévnatý

vent [vent] s 1. otvor, průduch 2. východisko, únik, průchod (to give ~ to dát průchod čemu) 3. výtok, výlev 4. projev, výraz 5. řitní otvor, řiť rybí □ vt 1. vypustit otvorem, dát průchod (in čemu), opatřit otvorem, udělat otvor 2. funět

ventilat|e ['ventileit] vt 1. vět-

rat 2. okysličovat 3. vyjádřit, projednat, dát na přetřes 4. opatřit otvorem, uniknout, —ion [ˌventi'leišən] s 1. větrání, ventilace 2. probírání, přetřásání; —or ['ventileitə] s ventilátor, větrák

ventr|al ['ventrəl] a břišní; —icle ['ventrikl] s anat. dutina orgánu, zvl. srdeční dutina

ventric|ose, —ous ['ventrikous] a vydutý, bachratý; —ular [ven'trikjulə] a med. dutinový, vydutý, břišní

ventri|loquist [ven'triləkwist] s břichomluvec

venture ['venčə] s 1. odvážení se, riziko 2. hazardní podnik 3. spekulace, sázka 4. náhoda ♦ at a ~ nazdařbůh □ vt & i 1. odvážit se, riskovat 2. podniknout 3. dát v sázku; ~ into pustit se do; ~ upon odvážit se čeho; —some ['venčəsəm] a odvážný, riskantní

venue ['venju:] s 1. příslušný, soud, soudní obvod 2. lid. dostaveníčko

Venus ['vi:nəs] s Venuše

verac|ious [və'reišəs] a pravdivý, věrohodný; —ity [və'ræsiti] s věrohodnost, pravdivost

veranda(h) [və'rændə] s veranda

verb [və:b] s gram. sloveso; —al ['və:bəl] a 1. gram. slovesný (~ noun podstatné jméno slovesné) 2. slovní, doslovný 3. ústní; —alism ['və:bəlizəm] s verbalismus, slovíčkářství; —alize ['və:bəlaiz] vt & i 1. být mnohomluvný 2. proměnit ve sloveso **3.** vyjádřit slovy; —**atim** [və:'beitim] *adv* doslovně □ *a* doslovný; —**iage** ['və:biidž] *s* mnohomluvnost, slovíčkářství —**ose** [və:'bous] *a* mnohomluvný; —**osity** [və:'bositi] *s* mnohomluvnost, slovíčkářství

verd|ancy ['və:dənsi] *s* zeleň, zelenost; —**ant** ['və:dənt] *a* **1.** zelenající se **2.** hov. nezkušený; —**erer** ['və:dərə] *s* hist. královský lesník

verdict ['və:dikt] *s* práv. soudní výrok, rozsudek, rozhodnutí

verdigris ['və:digris] *s* měděnka

verdure ['və:džə] *s* zast. zeleň

verg|e [və:dž] *s* **1.** (o)kraj cesty **2.** obvod **3.** okres **4.** berla jako odznak hodnosti **5.** hodinové kyvadlo ♦ *on the* ∼ *of destruction* na pokraji zkázy □ *vi* **1.** hraničit (*on* s) **2.** směřovat, klonit se (*to* k) **3.** přecházet (*on* do); —**er** ['və:džə] *s* **1.** berlonoš **2.** uváděč v kostele

Vergilian [və:'džiliən] *a* vergilský

verif|ication [ˌverifi'keišən] *s* ověření; —**y** ['verifai] *vt* **1.** ověřit, potvrdit pravdivost **2.** (pře)zkoušet přesnost, přeměřit **3.** uskutečnit se

verily ['verili] *adv* vpravdě, jistě, skutečně

verisimil|ar [ˌveri'similə] *a* pravděpodobný; —**itude** [ˌverisi'militju:d] *s* pravděpodobnost

veritable ['veritəbl] *a* skutečný, pravdivý, pravý

verity ['vériti] *s* pravda, pravdivost; věrnost, skutečnost

verjuice ['və:džu:s] *s* **1.** kyselá ovocná šťáva **2.** trpkost

vermicelli [ˌvə:mi'seli] *s* nudle

vermicul|ar [və:'mikjulə] *a* červovitý; —**ate** [və:'mikjulit] *a* zř. **1.** červovitě se vinoucí **2.** plný červů **3.** ozdobený vlnovkami **4.** sofistický

vermiform ['və:mifo:m] *a* červovitého tvaru

vermilion [və'miljən] *s* rumělka □ *a* rumělkový, nachový

vermin ['və:min] *s* *sg & pl* **1.** škodná zvěř, havěť, hmyz **2.** luza **3.** dotěrný člověk; —**ous** ['və:minəs] *a* nakažený n. zamořený škodnou n. hmyzem

vermouth ['və:məθ] *s* vermut

vernacular [və'nækjulə] *a* domácí, rodný, místní □ *s* **1.** rodný jazyk, řeč **2.** domácí slovo, název; nářečí

vernal ['və:nl] *a* jarní

vernier ['və:njə] *s* nonius; ∼ *caliper* posuvné měřítko s noniem

Veron|a [vi'rounə] *s* Verona; —**ese** [ˌverə'ni:z] *a* veronský □ *s* Veroňan

veronica [vi'ronikə] *s* bot. rozrazil

Versailles [veə'sai] *s* Versailles

versatil|e ['və:sətail] *a* **1.** zř. točivý **2.** zř. měnivý **3.** mnohostranný, obratný; přizpůsobivý; —**ity** [ˌvə:sə'tiliti] *s* **1.** měnivost, pohyblivost **2.** obratnost, přizpůsobivost

vers|e [və:s] *s* verš □ *vt & i* veršovat; —**ed** [və:st] *a* zkušený, zběhlý ' (*in* v); —**ification** [ˌvə:sifi'keišən] *s* **1.** (z)veršování **2.** prozódie; —**ifier** ['və:·

sifaiə] *s* veršovec, básník;
—**ify** [ˈvə:sifai] *vi & t* (z)ver-
šovat, básnit; —**ion** [ˈvə:-
šən] *s* 1. překlad 2. výklad,
verze
versus [ˈvə:səs] *prep* proti
vert¹ [və:t] *s* 1. zeleň 2. arch.
právo kácení v lese
vert² [və:t] *vt & i* 1. obrátit (se)
na víru 2. změnit politické
n. náboženské vyznání
vertebr|a [ˈvə:tibrə] *s* pl. *-ae*
[-i:] 1. obratel 2. pl. páteř;
—**ate** [ˈvə:tibrit] *a* obratlový
□ *s* obratlovec
vert|ex [ˈvə:teks] *s* pl. *-ices*
[-isi:z], *-exes* [-eksiz] vrchol,
témě; —**ical** [ˈvə:tikəl] *a*
kolmý, svislý □ *s* kolmice;
kolmá rovina, vertikála
vertiginous [və:ˈtidžinəs] *a* 1.
otáčivý, vířivý 2. závratný,
závratný 3. nestálý, vrtkavý
vertigo [ˈvə:tigou] *s* závrať
vervain [ˈvə:vein] *s* bot. sporýš
verve [veəv] *s* 1. schopnost,
talent 2. živá představivost
3. zápal, verva
very [ˈveri] *a* 1. pravdivý,
pravý 2. týž, právě takový
3. arch. skutečný, zákonný
4. dokonalý (*the veriest fool*
dokonalý hlupák) 5. pouhý
□ *adv* velmi, velice ♦ *only a* ~
little jen velmi málo, trošičku;
I did my ~ *utmost* učinil jsem,
co jsem mohl; ~ *well* zcela
správně, nuže dobrá!; ~
true ba ovšem; *at the* ~ *be-
ginning* na samém začátku
vesicat|e [ˈvesikeit] *vt & i* med.
napuchnout, pokrýt se pu-
chýři; —**ory** [ˈvesikeitəri] *a*
puchýřovitý □ *s* náplast n.

jiný prostředek vyvolávající
puchýře
vesicle [ˈvesikl] *s* puchýřek,
váček
vesper [ˈvespə] *s* 1. večernice 2.
večer, soumrak 3. pl. nešpory,
večerní pobožnost; —**tine**
[ˈvespətain] *a* večerní
vespiary [ˈvespiəri] *s* vosí hníz-
do
vessel [ˈvesl] *s* 1. nádoba 2.
plavidlo, loď 3. vzducholoď
4. prázdná nádoba (o člověku
the weaker ~ křehká nádoba,
žena) 5. anat. céva *(blood-* ~ *)*
6. pl. fyz. spojovací trubice
vest [vest] *s* 1. oděv 2. kazajka,
vesta, tričko □ *vt & i* 1.
odít 2. opatřit (*with* čím),
udělit, nadat (*with authority*
autoritou, *power* mocí, *pro-
perty* majetkem) 3. přejít 4.
propůjčit, svěřit ♦ *-ed inte-
rests* pevné zájmy
vestibule [ˈvestibju:l] *s* předsíň,
vestibul
vestige [ˈvestidž] *s* 1. stopa,
známka, znamení 2. částka,
kousek
vestment [ˈvestmənt] *s* oděv,
roucho též kostelní
vestry [ˈvestri] *s* 1. sakristie 2.
rada starších 3. farníci; |~
-keeper *s* kostelník; |—**man**
s starší církve
vesture [ˈvesčə] *s* 1. bás. n. řeč,
roucho, oděv 2. obal □ *vt*
zř. 1. odít 2. zabalit
Vesuvius [viˈsu:vjəs] *s* Vesuv
vet¹ [vet] *vt* (-tt-) podrobit zvíře
léčení □ *vi* působit jako
zvěrolékař
vet² [vet] = 1. *veteran* 2. hov.
veterinary

vetch [več] *s* vikev
veteran [ˈvetərən] *s* vysloužilec, veterán □ *a* vysloužilý, zkušený
veterin|arian [ˌvetəriˈneəriən] *s* veterinář, zvěrolékař; **—ary** [ˈvetərinəri] *s* zvěrolékař □ *a* zvěrolékařský
veto [ˈviːtou] *s* pl. *-es* [-z] veto, zákaz
vex [veks] *vt* 1. soužit, trápit, zlobit 2. podněcovat, dráždit 3. diskutovat; **—ation** [vekˈseišən] *s* trápení, mrzutost, zlost; **—atious** [vekˈseišəs] *a* mrzutý, trapný; tíživý, mučivý
vexillary [ˈveksiləri] *s* římský praporečník
V.G. = *Vicar General*
via [ˈvaiə] *prep* jedoucí přes
viable [ˈvaiəbl] *a* schopný života, mající se k světu
viaduct [ˈvaiədakt] *s* viadukt
vial [ˈvaiəl] *s* flakón, lahvička ♦ *to put out the -s of wrath (up)on* vylévat si zlost na
viand [ˈvaiənd] *s* 1. pokrm 2. pl. potrava, strava, proviant
viatic [vaiˈætik] *a* zast. cestovní; **—um** [vaiˈætikəm] *s* pl. *-a* [-ə] *s* 1. peníze na cestu, cestovné 2. proviant 3. círk. zaopatření umírajícího
vibrant [ˈvaibrənt] *a* 1. chvějící se, pulsující 2. rozechvívající (*feelings* city)
vibrat|e [vaiˈbreit] *vt & i* 1. chvět (se), rozechvět (se) 2. kmitat 3. tlouci (o srdci), pulsovat 4. znít; **—ion** [vaiˈbreišən] *s* chvění, pulsace, vibrace; **—or** [vaiˈbreitə] *s*

vibrátor; —ory [ˈvaibrətəri] *a* kmitavý, vibrační
viburnum [vaiˈbəːnəm] *s* kalina
Vic. = *Victoria*
vicar [ˈvikə] *s* vikář, zástupce; **—age** [ˈvikəridž] *s* vikářství, vikariát; **—ious** [vaiˈkeəriəs] *a* vikářský, zástupný
vice [vais] *s* 1. neřest, nectnost 2. zlozvyk, vášeň 3. vada tělesná 4. chyba (*of style* slohová) 5. svěrák 6. hov. místopředseda
vice- [vais-] předpona značící „místo-", „zástupce" (|—— |chairman *s* místopředseda; **~-gerent** [ˈvaisˈdžerənt] *s* místodržící; |—|president *s* zástupce presidenta; |—roy *s* místokrál)
vicin|age [ˈvisinidž] *s* sousedství, nejbližší okolí; **—ity** [viˈsiniti] *s* sousedství, nejbližší okolí
vicious [ˈvišəs] *a* 1. neřestný, zvrhlý, špatný 2. chybný 3. nečistý (*air* vzduch, *water* voda) 4. zlomyslný (*~ slander* zlomyslná pomluva) 5. vzdorovitý, jankovitý (*horse* kůň) ♦ *~ circle* začarovaný n. bludný kruh
vicissitude [viˈsisitjuːd] *s* 1. střídání, střídavé výkyvy 2. nepravidelná změna, mutace, proměna
victim [ˈviktim] *s* oběť ♦ *to fall a ~ to* stát se obětí čeho; **—ize** [ˈviktimaiz] *vt* 1. obětovat 2. oklamat, podvést 3. vykořistit 4. mstít se
victor [ˈviktə] *s* vítěz
Victorian [vikˈtoːriən] *a* viktoriánský □ *s* viktoriánec

victor|ious [vik'tɔ:riəs] *a* vítězný; **—y** ['viktəri] *s* vítězství ♦ *to gain* ~ *over* zvítězit nad
victress, victrix ['viktris, 'viktriks] *s* vítězka'
victual ['vitl] *s* potrava, potraviny hlavně v pl. ☐ *vt & i* 1. zásobit potravinami 2. jíst, krmit (se); **—(l)er** ['vitlə] *s* 1. dodavatel potravin 2. hostinský 3. loď s potravinami
videlicet [vi'di:liset] *adv* totiž zkr. *viz*
vie [vai] *vi & t* závodit (*for* o, *with* s)
Vienn|a [vi'enə] *s* Vídeň; **—ese** [ˌvie'ni:z] *a* vídeňský ☐ *s* Vídeňan
Vietnam ['vjet'næm] *s* Vietnam; **—ese, Vietnamese** ['vjetnə'mi:z] *s sg. & pl.* Vietnam|ec, -ci ☐ *a* vietnamský; *Vietnamese Democratic Republic* Vietnamská demokratická republika
view [vju:] *s* 1. pohled, výhled, vyhlídka, přehled, rozhled 2. podívaná 3. zrak 4. názor, hledisko 5. zřetel 6. úmysl, cíl ♦ *point of* ~ hledisko; *in* ~ *of* se zřetelem k; *on* ~ na podívání; *with a* ~ *to* za účelem, s tím úmyslem, v naději na, s možností; *to hold the* ~ zastávat názor; *to keep in* ~ mít na zřeteli; *to take a* ~ *of* prohlédnout si; *to the* ~ otevřeně, veřejně ☐ *vt* 1. vidět, hledět, dívat se, pohlížet 2. zkusit, považovat za (*as*) 3. posoudit, mít názor ♦ *he does not* ~ *the matter in the right light* nedívá se na věc

ve správném světle; **—er** ['vju:ə]*s* 1. divák 2. inspektor, dohlížitel 3. důlní ředitel n. dozorce; ~ **-finder** ['vju:ˌfaində] *s* fot. hledáček; **—less** ['vju:lis] *a* bás. n. řeč. neviditelný; ~ **point** ['vju:point] *s* hledisko;' **—y** ['vju:i] *a* 1. hov. zvláštních názorů; nepraktický 2. fam. nápadný, líbivý, přitažlivý 3. výstřední
vigil ['vidžil] *s* 1. bdění, bdělost 2. vyhlídka, hlídání (*to keep* ~ mít hlídku) 3. svatvečer 4. noční bdění při modlitbě; **—ance** ['vidžiləns] *s* 1. bdělost, bdění 2. pozornost, ostražitost; **—ant** ['vidžilənt] *a* bdělý, na stráži
vignette [vi'njet] *s* obrázek, malá ilustrace, hlavička portrét; vinět(k)a
vig|our ['vigə] *s* 1. síla, energie 2. ráznost 3. platnost; **—o-rous** ['vigərəs] *a* 1. silný, statný 2. rázný, energický
viking ['vaikiŋ] *s* viking
vil|e [vail] *a* 1. bezcenný, nízký, špatný 2. sprostý, podlý, ničemný 3. ohavný, odporný; **—ification** [ˌvilifi'keišən] *s* zlehčování, tupení; **—ify** ['vilifai] *vt* zlehčovat, snižovat, tupit
villa ['vilə] *s* vila
villag|e ['vilidž] *s* vesnice ♦ *the* ~ *rich* vesničtí boháči; **—er** ['vilidžə] *s* vesničan
villain ['vilən] *s* 1. ničema, šelma 2. nevolník, robotník; **—age** ['vilinidž] = *ville(i)nage* = = *villanage*; **—ous** ['vilənəs] *a* ničemný, podlý; špatný,

mizerný; —y [ˈviləni] s ni-
čemnost, podlost, lotrovství
villainage [ˈvilinidž] s nevol-
nictví, robota
villein [ˈvilin] = *villain* 2
vim [vim] s hov. síla, energie,
ráznost
vinaceous [vaiˈneišəs] a hroz-
nový, vinný
vincible [ˈvinsibl] a zř. přemoži-
telný
vindic|able [ˈvindikəbl] a ospra-
vedlnitelný; —ate [ˈvindikeit]
vt obhájit (*against* proti),
ospravedlnit, očistit; —ation
[ˌvindiˈkeišən] s zast. uhájení,
ospravedlnění, očištění —ato-
ry [ˈvindikeitəri] a trestající;
mstící, mstivý; —tive [vin-
ˈdiktiv] a zř. mstivý, tresta-
jící
vine [vain] c 1. réva 2. výhonek,
odnož 3. popínavá rostlina;
¦~-ˌdresser s vinař; ¦—yard
[ˈvinjəd] s vinice, vinohrad
vinegar [ˈvinigə] s 1. ocet 2.
trpká řeč; —y [ˈvinigəri] a
1. octový 2. kyselý 3. nepří-
jemný
vinery [ˈvainəri] s vinný skle-
ník
viniculture [ˈvinikalčə] s vinař-
ství
vinous [ˈvainəs] a vinný
vint|age [ˈvintidž] s 1. vino-
braní 2. bás. víno; —ager
[ˈvintidžə] s vinař, česač
hroznů; —ner [ˈvintnə] a ob-
chodník vínem
viny [ˈvaini] a vinný, révový
viol [ˈvaiəl] s hist. viola
viola [ˈvaiələ] s 1. jednobarevná
maceška, fiala 2. [viˈoulə]
viola

violaceous [ˌvaiəˈleišəs] a 1.
fialový 2. fialkový
violat|e [ˈvaiəleit] vt 1. znesvě-
tit, porušit slib, přestoupit
zákon 2. znásilnit; —ion
[ˌvaiəˈleišən] s 1. znesvěcení,
porušení (*of an argument*
smlouvy), přestoupení záko-
na, překročení 2. zneuctění,
znásilnění; —or [ˈvaiəleitə] s
1. přestupník, znesvětitel, ru-
šitel 2. násilník
violence [ˈvaiələns] s 1. násilí
2. síla, prudkost 3. vášeň,
zuřivost 4. zneuctění 5. pře-
kroucení (*to do ~ to a text*
překroutit text)
violent [ˈvaiələnt] a 1. silný,
mocný, prudký 2. silně pře-
svědčující 3. násilný (*death*
smrt) 4. vášnivý (*words* slova)
♦ *to lay ~ hands on* dopustit
se násilí na
violet [ˈvaiəlit] s 1. fialka 2.
fialová barva □ s fialový
violin [ˌvaiəˈlin] s housle; —ist
[ˈvaiəlinist] s houslista
violist [ˈvaiəlist] s hráč na violu
violon|cellist [ˌvaiələnˈčelist] s
violoncellista; —cello [ˌvaiə-
lənˈčelou] s violoncello; —e
[ˈvaiəloun] s kontrabas
viper [ˈvaipə] s zmije; —ous
[ˈvaipərəs] a hadí, jedovatý
virago [viˈra:gou] s hašteřivá
žena, saň, dračice
virgate [ˈvə:git] a bot. prutovitý
virgin [ˈvə:džin] s 1. panna 2.
dívka □ a 1. panenský 2.
neposkvrněný, čistý ♦ ~
soil panenská půda; —al
[ˈvə:džinl] a arch. panenský,
čistý, nevinný, skromný; —i-
ty [və:ˈdžiniti] s panenství

Virginia [vəˈdžinjə] *s* **1.** Virgínie **2.** virginský tabák

viril|e [ˈvirail] *a* mužský, mužný; silný; **—ity** [viˈriliti] *s* mužskost, mužnost

virtu [vəːˈtuː] *s* umělecký vkus; **—al** [ˈvəːtjuəl] *a* účinný, skutečný ♦ ~ *value* tech. efektivní hodnota

virtue [ˈvəːtjuː] *s* **1.** ctnost **2.** cudnost **3.** dobrá vlastnost, přednost, schopnost **4.** síla, účinnost léku **5.** hodnota ♦ *by (in)* ~ *of* pomocí, mocí čeho

virtu|osity [ˌvəːtjuˈositi] *s* dovednost, zběhlost, virtuozita; **—oso** [ˌvəːtjuˈouzou] *s* **1.** znalec n. obdivovatel umění **2.** virtuos; **—ous** [ˈvəːtjuəs] *a* **1.** ctnostný, mravný, cudný, čistý **2.** působivý, mocný

virul|ence [ˈviruləns] *s* **1.** působivost, moc **2.** jedovatost **3.** zlomyslnost; **—ent** [ˈvirulənt] *a* **1.** působivý, mocný **2.** jedovatý **3.** zlomyslný

virus [ˈvaiərəs] *s* virus; ~ *warfare* bakteriová válka

Vis. = *Viscount*

visa [ˈviːzə], **vise** [ˈviːzei] *s* vízum □ *vt* opatřit vízem

visage [ˈvizidž] *s* tvář, vzezření

visard [ˈvizəd] = *visor*

vis-a-vis [ˈviːzaːviː] *s* *sg. & pl.* **1.** ten, kdo je tváří v tvář **2.** protějšek □ *adv & a* tváří v tvář, naproti

viscera [ˈvisərə] *s* *pl.* vnitřnosti

viscid [ˈvisid] *a* lepkavý, přilnavý, mazlavý; **—ity** [viˈsiditi] *s* lepkavost, mazlavost, viskozita

viscount [ˈvaikaunt] *s* vikomt

viscous [ˈviskəs] *a* mazlavý, lepkavý

vise [vais] *s* tech. svěrák

vise [ˈviːzei] = *visa*

visib|ility [ˌviziˈbiliti] *s* viditelnost, dohlednost; **—le** [ˈvizəbl] *a* viditelný, patrný; zřejmý

vision [ˈvižən] *s* **1.** vidění, zření **2.** vidina, sen **3.** představivost **4.** zrak; **—al** [ˈvižənl] *a* zrakový, zorný; **—ary** [ˈvižnəri] *a* mající vidění, vysněný, vizionářský, chimérický □ *s* snílek; blouznivec

visit [ˈvizit] *vt & i* **1.** navštívit (*person* osobu, *place* místo), být na návštěvě **2.** dohlížet, prohlížet **3.** bibl. navštěvovat ranami, tresty **4.** požehnat, odměnit □ *s* **1.** návštěva **2.** prohlídka ♦ *to pay one a* ~ navštívit koho; **—ant** [ˈvizitənt] *s* bás. **1.** návštěvník, host **2.** spec. stěhovavý pták; **—ation** [ˌviziˈteišən] *s* **1.** navštívení, návštěva hodnostáře **2.** prohlídka **3.** vizita biskupa **4.** zast. (po)trestání **5.** zool. neobvykle velké stěhování zvířat, ptáků ♦ *to have a* ~ *acquintance with* n. *to be on* ~ *terms with* mít dobré styky s; ~-**card** [ˈvizitkaːd] navštívenka, vizitka; ~-**book** *s* kniha návštěv; **—or** [ˈvizitə] *s* návštěvník, host

visor [ˈvaizə] *s* **1.** zast. maska **2.** hledí u přilby **3.** štítek čepice **4.** průzor

vista [ˈvistə] *s* **1.** vyhlídka, výhled alejí, průhled **2.** řada událostí

visual [ˈvizjuəl] *a* zrakový, zorný, optický; ~ *field* zorné pole; —ize ['vizjuəlaiz] *vt & i* 1. učinit, stát se, viditelným 2. představit si

vital ['vaitl] *a* 1. životní (*functions* funkce, *energy* energie) 2. oživený, plný života 3. osudný, smrtelný (*wound* rána) 4. podstatný, zásadní □ *s* pl. základní orgány těla srdce, mozek atd.; —ism ['vaitəlizəm] *s* vitalismus; —ity [vai'tæliti] *s* životní síla, životnost, živost; —ize ['vaitəlaiz] *vt* oživit, dát sílu, energii

vitamin ['vitəmi:n] *s* vitamín

vitell|ine [vi'telain] *a* žloutkový; —us [vi'teləs] *s* žloutek

vitiat|e ['višieit] *vt* pokazit, zkazit, porušit; zrušit, učinit neplatným; —ion [,viši'eišən] *s* pokažení, porušení; zrušení, zneplatnění

viticulture ['vitikalčə] *s* vinařství

vitreous ['vitriəs] *a* skelný, sklovitý ♦ ~ *electricity* elektřina vzbuzená třením skla pozitivní elektřina

vitri|c ['vitrik] *a* skelný; —faction [,vitri'fækšən] *s* zeskelnění; —form ['vitrifo:m] *a* sklovitý; —fy ['vitrifai] *vt & i* zeskelnit

vitriol ['vitriəl] *s* skalice, síran, vitriol

vituperat|e [vi'tju:pəreit] *vt & i* kárat, hanět, tupit; —ion [vi,tju:pə'reišən] *s* hanění, tupení; —ive [vi'tju:pərətiv] *a* hanlivý, potupný

vivac|ious [vi'veišəs] *a* 1. živý, čilý 2. bot. přezimující; —ity

[vi'væsiti] *s* živost, čilost, horlivost

vivari|um [vai'veəriəm] *s* pl. -*a* [-ə] vivárium

vivers ['vaivəz] *s* pl. skot. potrava, pokrm

Vivian ['viviən] *s* Vivian (žj)

viv|id ['vivid] *a* 1. živý, čilý 2. jasný, sytý, svěží o barvách; —ify ['vivifai] *vt* oživit

viviparous [vi'vipərəs] *a* rodící živá mláďata

vivisect [,vivi'sekt] *vt & i* provádět vivisekci; —ion [,vivi'sekšən] *s* vivisekce

vixen ['viksn] *s* 1. liška samice 2. štěkna, haštěřivá ženská

viz. = *videlicet*

vizard ['vizɑ:d] *s* = *visor*

vizier [vi'ziə] *s* vezír

V.O. = *Victorian Order*

vocab|le ['voukəbl] *s* gram. slovo, slovíčko; —ulary [və'kæbjuləri] *s* 1. slovník 2. zásoba slov

vocal ['voukəl] *a* 1. hlasový, vokální, zpěvní 2. zvučný 3. ústní 4. fon. znělý (~ *cords* hlasivky) □ *s* zast. samohláska; —ic [vou'kælik] *a* samohláskový; —ism ['voukəlizəm] *s* 1. vokalizace 2. fon. zř. systém samohlásek, vokalismus; —ist ['voukəlist] *s* zpěvák, pěvkyně; —ize ['voukəlaiz] *vt & i* vokalizovat, učinit hlasným

vocation [vou'keišən] *s* 1. povolání, zaměstnání 2. náklonnost; —al [vou'keišənl] *a* 1. týkající se povolání, zaměstnání 2. ~ *school* odborná škola

vocative ['vokətiv] *a* gram. zvolací, vokativní ☐ *s* gram. vokativ

vocifer|ate [vou'sifəreit] *vi & t* pokřikovat, hulákat; **—ation** [vou₁sifə'reišən] *s* křik, hulákání; **—ous** [vou'sifərəs] *a* pokřikující, hlučný, řvavý

vogue [voug] *s* obliba, záliba, móda ♦ *in* ~ v oblibě, v módě

voice [vois] *s* 1. hlas 2. mínění 3. zast. pověst 4. gram. rod slovesný 5. fon. znělost ♦ *with one* ~ jednomyslně; *to give one's* ~ *for* hlasovat pro ☐ *vt* 1. vyslovit, vyjádřit, rozhlásit 2. hud. naladit, vokalizovat; **—d** [voist] *a* 1. hlasný 2. fon. znělý; **—less** ['voislis] *a* bez hlasu, nehlasný, fon. neznělý

void [void] *a* 1. prázdný (*space* prostor, *interval* interval) 2. volný, neobsazený (*office* úřad) 3. zbavený, jsoucí bez 4. neužitečný 5. práv. neplatný, nezávazný, zrušený ♦ ~ *of* bez, postrádající, zbavený čeho; *to make* ~ zrušit ☐ *s* prázdný prostor, prázdnota; mezera, dutina ☐ *vt* zast. 1. opustit, odejít 2. vyprázdnit 3. poslat pryč, vyhodit 4. zrušit, prohlásit za neplatné

vol. = *volume*

volant ['voulənt] *a* letící; lehký; rychlý

volatil|e ['volətail] *a* 1. nestálý, prchavý 2. fig. živý, veselý 3. lehkomyslný, přelétavý, těkavý; **—ity** [₁volə'tiliti] *s* těkavost, prchavost, nestálost; přelétavost; **—ize** [vo-'lætilaiz] *vt & i* těkat, stát se

těkavým, nestálým, vypařovat (se)

volcan|ic [vol'kænik] *s* sopečný; **—o** [vol'keinou] *s* sopka

vole [voul] *s* hraboš polní

Volga ['volgə] *s* Volha

volitation [₁voli'teišən] *s* poletování, létání, let

volit|ion [vou'lišən] *s* chtění, vůle; **—ive** ['volitiv] *a* 1. volní 2. gram. přací

volley ['voli] *s* 1. let, výstřel hromadný, salva 2. sport. volej braní míče přímo v letu ☐ *vt & i* 1. vystřelit hromadně 2. zasáhnout míč přímo v letu 3. vychrlit spoustu otázek; **~-ball** ['volibo:l] *s* volejbal

volplane [vol'plein] *vi* plachtit ☐ *s* klouzavý let, plachtění

volt¹ [volt] *s* 1. kroužení koně 2. rychlý únik v šermu

volt² [voult] *s* volt jednotka elektromotorické síly; **—age** ['voultidž] *s* napětí, voltáž; ~ *divider* dělič napětí, ~ *drop* pokles napětí; **—aic** [vol'teiik] *a* galvanický; ~ *cell* galvanický článek; **—ameter** [vol'tæmitə] *s* voltametr; **—ampere** [volt'æmpeə] *s* voltampér; **—meter** ['voult₁mi:tə] *s* voltmetr

volu|bility [₁volju'biliti] *s* 1. otáčivost 2. obratnost jazyka, výřečnost; **—ble** ['voljubl] *a* 1. snadno otáčivý, točivý 2. mrštný, výřečný, plynný

volume ['voljum] *s* 1. svazek 2. obsah, rozsah (*of output* výroby), objem, kapacita 3. pl. množství, spousta 4. hud. plnost tónu, hlasitost 5. pl. věnec, kotouč (*of smoke* dý-

mu); ⏐~-⏐**produce** *vt* vyrábět
pásově, ve velkém
volumin⏐osity [vo⏐lju:mi⏐nositi]
s objemnost; **—ous** [və⏐lju:-
minəs] *a* 1. objemný, mnoho-
svazkový 2. velký, plný 3.
rozsáhlý 4. mnohomluvný
5. bohatý o drapériích
voluntary [⏐voləntəri] *a* 1. dob-
rovolný (*service* služba, *bri-
gade* brigáda) 2. volní (*move-
ment*pohyb) ☐ *s* 1. dobrovolná
činnost, práce 2. hud. impro-
vizace, sólo na varhany
volunteer [⏐volən⏐tiə] *s* dobro-
volník ☐ *a* 1. dobrovolný 2.
samorostlý ☐ *vt & i* dobro-
volně (po)sloužit
voluptu⏐ary [və⏐laptjuəri] *s* roz-
košník; **—ous** [və⏐laptjuəs] *a*
rozkošnický, smyslný
volut⏐e [vo⏐lju:t] *s* stav. voluta,
závitnicový tvar; **—ion** [və-
⏐lju:šən] *s* 1. závitový pohyb
2. spirálový záhyb
vomit [⏐vomit] *s* 1. dávení,
zvracení 2. vydávené jídlo
3. dávidlo ☐ *vt & i* zvracet,
dávit se *(up)*; chrlit; **—ive**
[⏐vomitiv] *a* dávivý; **—ory**
[⏐vomitəri] *a* dávivý ☐ *s* 1.
dávidlo 2. chrlič
vorac⏐ious [və⏐reišəs] *a* 1. hlťa-
vý, žravý 2. nemírný, neuko-
jitelný; nenasytný; **—ity** [vo-
⏐ræsiti] *s* hltavost, žravost
vortex [⏐vo:teks] *s* vír
votaress, votress¹ [⏐voutəris,
⏐voutris] *s* stoupenec, ctitel,
-ka
votar⏐ist, —y [⏐voutərist, -i] *s*
zasvěcenec, ctitel
vot⏐e [vout] *s* 1. hlas (volební) 2.
hlasování, volba 3. hlasovací

lístek 4. volič 5. volební právo
♦ *to give* ~ *to, for* hlasovat
pro; *to cast* ~ hlasovat; *a* ~ *of
confidence* vótum důvěry; *to
ask for a* ~ *of confidence* po-
ložit otázku důvěry; ~ *by
ballot* tajné hlasování; *to put
to the* ~ dát odhlasovat ☐
vi & t 1. (od)hlasovat, volit
2. hov. prohlásit za, dát
návrh; ~ *down* přehlasovat;
—er [⏐voutə] *s* volič
votive [⏐voutiv] *a* zaslíbený
zasvěcený; votivní
votress¹ viz *votaress*
votress² [⏐voutris] *s* volička
vouch [vauč] *vt & i* 1. tvrdit,
dovolávat se, ručit (*for* za)
2. svědčit, dosvědčovat; **—er**
[⏐vaučə] *s* 1. svědek, ručitel
2. stvrzenka, průkaz 3. pou-
kaz; **—safe** [vauč⏐seif] *vt & i*
udělit blahosklonně, povolit;
ráčit
vow [vau] *s* slib slavnostní, pří-
saha; *to take the -s* složit ře-
holní sliby ☐ *vt & i* slav-
nostně slíbit, přísahat; za-
světit
vowel [⏐vauəl] *s* samohláska ☐
a samohláskový
voyag⏐e [voidž] *s* 1. plavba 2.
vzduchoplavba 3. (dlouhá)
cesta ☐ *vi & t* plavit se,
cestovat; **—er** [⏐voiədžə] *s*
cestovatel, mořeplavec
V.P. = *Vice-President*
V.Rev. = *Very Reverend*
V.S. = *veterinary surgeon*
v.s. = *versus*
Vt. = *Vermont* [və⏐mont]
vulcan⏐ite [⏐valkənait] *s* vulka-
nit; **—ization** [⏐valkənai⏐zei-
šən] *s* vulkanizace; **—ize**

[ˈvalkənaiz] *vt & i* vulkanizovat
vulgar [ˈvalgə] *a* 1. sprostý, hrubý, nízký; vulgární 2. obecný, všední 3. lidový, domácí jazyk; —**ian** [valˈgeəriən] *s* omezenec; ⇥**ism** [ˈvalgərizəm] *s* vulgarismus, vulgární výraz; hrubost, sprostota; —**ity** [valˈgæriti] *s* sprostota, hrubost; —**ize** [ˈvalgəraiz] *vt* (u)činit, hrubým n. sprostým, zevšednit, vulgarizovat
Vulgate [ˈvalgit] *s* hist. Vulgáta

vulnerable [ˈvalnərəbl] *a* zranitelný
vulnerary [ˈvalnərəri] *a* hojivý, léčivý (*plants* byliny)
vulpine [ˈvalpain] *a* 1. liščí 2. lišácký, chytrácký
vultur|e [ˈvalčə] *s* sup; —**ine** [ˈvalčurain] *a* supí; —**ous** [ˈvalčurəs] *a* supí, žravý, hltavý; dravý
vum [vam] *vi* (-mm-) am. hov. zaklínat se, přísahat
vv. = *verses*
vying [ˈvaiiŋ] viz *to vie*

W

W, w [ˈdablju:] písmeno w
W.A.A.F. = *Women's Auxiliary Air Force* Ženský pomocný letecký sbor
wabble [ˈwobl] = *wobble*
W.A.C. = *Women's Army Corps* = Ženský armádní sbor
wad [wod] *s* 1. chomáč, otýpka slámy, sena 2. cucek vaty n. papíru n. koudele, vata, koudel 3. dial. množství 4. am. sl. smotek bankovky, tabáku ap. □ *vt* (-dd-) ucpat n. vycpat vatou n. koudelí n. plstí; —**ding** [ˈwodiŋ] *s* 1. vatování 2. vycpávka, ucpávka, ucpávková plst
waddle [ˈwodl] *vi* kolébavě jít, kolébat se, batolit se □ *s* kolébavá chůze, batolení
wad|e [weid] *vi & t* 1. brodit se, brouzdat se 2. pohybovat se s obtíží 3. sl. dát se do práce

4. těžce se propracovat ♦ *to ~ through book* prokousat se knihou □ *s* hov. přebrodění, brod; —**er** [ˈweidə] *s* 1. ten, kdo se brodí 2. brodivý pták 3. pl. vysoké rybářské boty
wafer [ˈweifə] *s* 1. oplatka 2. hostie 3. nálepka 4. pečeť □ *vt* zapečetit nálepkou
waft [wa:ft] *vt & i* přivát, unášet vzduchem n. vodou, mávat □ *s* 1. přivátí, závan voňavky 2. mávnutí 3. nám. signalizační vlajka; signalizování
wag [wæg] *vt & i* (-gg-) 1. potřásat (se), kývat (se) 2. pohybovat (se) 3. hov. mlít hubou 4. batolit se 5. hov. jít 6. sl. chodit za školu ♦ *dog -s his tail* pes vrtí ocasem; *to ~ one's finger at* pohrozit prstem komu; *to ~ one's head*

wage

pokynout hlavou □ *s* 1. hov. potřásání, pokynutí hlavou, rukou, (za)vrtění ocasem 2. šprýmař 3. kdo chodí za školu; |—**tail** *s* zool. třasořitka
wage [weidž] *vt* 1. arch. odvážit se, podstoupit 2. řídit, provádět, vést válku 3. dial. najmout, zaměstnat □ *s* 1. obyč. pl. mzda, služné (*actual* n. *real* -*s* reálná mzda; *nominal* -*s* nominální mzda; *piece* -*s* úkolová mzda; *living* -*s* mzda dostačující k živobytí) 2. zast. sázka (*to lay one's life in* ~ dát v. položit život v sázku) ♦ *work in return of* -*s* práce za mzdu; ~ **discrimination** platová diskriminace; ~ **-earner** [ˈweidžˌəːnə] *s* osoba pracující za mzdu; ~ **freeze** úprava mezd; ~ **labour** námezdní práce; ~ **labourer** námezdní dělník; —**r** [ˈweidžə] *s* kniž. sázka, předmět sázky ♦ *to lay a* ~ vsadit se □ *vt & i* 1. odvážit se, riskovat 2. vsadit se ♦ *to* ~ *the peace* zachovat n. upevnit mír; ~ **rate** [reit] mzdová sazba; ~ **-scale** [ˈweidžskeil] *s* mzdová stupnice; ~ **slave** [sleiv] námezdní otrok
wagg|ery [ˈwægəri] *s* šprýmařství, čtveráctví, žertování, žert, šprým; —**ish** [ˈwægiš] *a* čtverácký; —**le** [ˈwægl] *vi & t* kývat se, viklat se, klátit se
waggon = *wagon*
Wagnerian [vaːgˈniəriən] *a* wagnerovský □ *s* wagnerián
wag(g)on [ˈwægən] *s* 1. nákladní vůz, vagón 2. hov. dětský kočárek ♦ *to hitch one's* ~ *to*

a star přepnout své síly □ *vt* dopravovat vozem; —**er** [ˈwægənə] *s* povozník, vozka; |~ -ˌheaded ceiling stav. valbový strop; ~ **tipper** [ˈtipə] vyklápěč nákladních vozů; ~ **works** vagónka
waif [weif] *s* 1. práv. zboží odhozené zlodějem n. vyplavené mořem 2. nalezená věc 3. nalezenec; zaběhlé dobytče ♦ *the* -*s and strays* zanedbaná mládež
wail [weil] *vt & i* bědovat pro. naříkat (*for, over* nad) □ *s* bědování, nářek, skučení větru ♦ *Wailing Wall* zeď nářků
wain [wein] *s* bás. vůz, povoz
wainscot [ˈweinskət] *s* táflování, deskování □ *vt* táflovat, dýhovat, deskovat; —(**t**)**ing** [ˈweinskətiŋ] *s* materiál na tabulování
waist [weist] *s* 1. pás, život 2. živůtek 3. opasek, vesta 4. nám. střední paluba; |—**band** *s*, |~ -**belt** *s* opasek, pás; —**coat** [ˈweiskout] *s* vesta, kazajka, živůtek
wait [weit] *vt* 1. očekávat, čekat (*for, till* na, až) 2. provázet, hlídat □ *vi* 3. čekat, očekávat, číhat 4. posluhovat (*on, upon* komu) u stolu (*at*): ~ *on* vykonat obřadnou návštěvu; —**er** [ˈweitə] *s* 1. číšník 2. průvodce 3. hlídač; —**ing** *s* 1. čekání 2. posluha, obsluha ♦ *to be in* ~ být na stráži, mít hlídku; |—**ing-boy** *s* posluha, poslíček; |—**ing-ˌgentleman** *s* komorník; |—**ing-girl**, |—**ing-maid** *s* komorná, sklepnice; |—**ing-man** *s* sluha, posluha:

|—**ing-room** *s* čekárna; |—**ing- woman** *s* komorná, posluho- vačka; —**ress** [ˈweitris] *s* číš- nice; —**s** [weits] *s pl.* koled- níci

waiv|e [weiv] *vt* zříci se, upustit od; odmítnout; —**er** [ˈweivə] *s* zřeknutí se

wake* [weik] *vi & t* 1. vzbudit, probudit (se) 2. oživit, po- vzbudit *(up)* 3. bdít 4. způ- sobit ozvěnu 5. rušit ticho □ *s* 1. bdění, hlídka u mrtvého 2. probuzení 3. stopa za lodí 4. posvícení ♦ *in the* ~ *of* těsně v patách, bezprostředně za; —**ful** [ˈweikful] *a* 1. bdící, bezesný 2. bdělý; —**n** [ˈwei- kən] *vt & i* probudit (se), pro- citnout, bdít

wale, **weal** [weil, wi:l] *s* šleh, pruh, jizva po ráně bičem

Wales [weilz] *s* Wales

walk¹ [wo:k] *vi & t* 1. kráčet, jít, procházet se 2. vzít koho na procházku 3. činit pomalý pokrok 4. arch. chovat se 5. závodit v chůzi *s*; ~ **about** obcházet, procházet se; ~ **along** kráčet, ulicí, po sil- nici; ~ **away with** zmizet *s*; ~ **by** jít mimo; ~ **in** vejít; ~ **into** sl. vandrovat do koho, osopit se na; pustit se do jídla, do práce; ~ **off** odejít; odvést; ~ **on** kráčet dále; ~ **out on** *hov.* nechat koho ve štychu; ~ **out with** cho- dit *s*; ~ **round** obejít, nadejít si; ~ **up** vystoupit; ~ **up to** přistoupit k, přiblížit se k

walk² [wo:k] *s* 1. chůze, krok 2. procházka 3. cesta, dráha 4. promenáda, kolonáda 5.

obchůzka 6. chování ♦ *gentlemen's* ~ záchod pro pány; *to go for a* ~ jít na procházku; *to go at a* ~ jít krokem; *to take a* ~ projít se; —**er** [ˈwo:kə] *s* 1. chodec 2. hajný 3. valchář; **night-**~ *s* 1. náměsíčník 2. ten, kdo obchází pod rouškou noci; zloděj, prostitutka; noční šel- ma; —**ing** [ˈwo:kiŋ] *s* chů- ze, putování, procházka; ~ -*papers*, ~ -*ticket s* sl. pro- pouštěcí listiny, propustka; |~ -*out s* improvizovaná stáv- ka; |~ -*stick s* hůlka; ~ -*tour* [ˈwo:kiŋtuə] *s* pěší túra; —**way** [ˈwo:kwei] *s* ochoz

walkie-talkie [ˈwo:kiˈto:ki] *s* přenosný kombinovaný pří- stroj na rádiové vysílání i příjem

wall [wo:l] *s* 1. stěna, zeď 2. hradba 3. špalír ♦ ~ *news- paper* nástěnné noviny; *blank* ~ stěna bez dveří, oken, bez ozdoby; *to run one's head against the* ~ fig. jít čelem proti zdi; *to go to the* ~, *to get the* ~ špatně pořídit, dostat to nejhorší; *to give the* ~ dát přednost, ustoupit; *to take the* ~ ustoupit; *to take the* ~ *of* jít napřed □ *vt* ohradit, obehnat zdí; ~ *up* zazdít; |—|**flower** *s* 1. fiala 2. dívka, s kterou nikdo netančí; |~ -|**newspaper** *s* nástěnné noviny; |~ -|**paper** *s* papírové tapety; ~ -**socket** [ˈwo:l- -|sokit] *s* el. nástěnná zásuvka; **Wall-Street bossed** ovládaný Wall-Streetem

Wallace [ˈwolis] *s* Wallace

Wallachia [woˈleikjə] *s* Valašsko

wallet [ˈwolit] *s* mošna, brašna, náprsní taška; vak, tlumok

wallop [ˈwoləp] *vt* sl. zbít, ztlouci, spráskat

wallow [ˈwolou] *vi* 1. válet se v blátě 2. hovět si, libovat si (*in* v) 3. tonout v penězích, rozkoších □ *s* 1. válení, povalování se 2. bahno, v němž se vyvalují buvoli

walnut [ˈwo:lnət] *s* vlašský ořech

walrus [ˈwo:lrəs] *s* mrož

Walter [ˈwo:ltə] *s* Walter

waltz [wo:ls] *s* valčík □ *vi* tančit valčík

wan [won] *a* bezbarvý; bledý; unavený

wand [wond] *s* 1. prut, hůlka 2. kouzelný proutek 3. taktovka

wander [ˈwondə] *vi* 1. putovat, bloudit, potulovat se; cestovat 2. uchýlit se (*from* od) 3. mluvit nesouvisle, blouznit; —er [ˈwondərə] *s* 1. poutník, pocestný 2. pobloudilec; —ing [ˈwondəriŋ] *s* 1. putování, cestování, potulka 2. bloudění 3. odchýlení se (*from* od) 4. pl. blouznění

wane [wein] *vi* ubývat o měsíci, klesat; vadnout □ *s* úbytek, pokles ♦ *to be on the* ~ ubývat, blížit se ke konci; pozbývat síly, významu

want [wont] *s* potřeba (*of* čeho); nedostatek, nouze ♦ *to have* ~ *of, to be in* ~ *of* potřebovat; *for* ~ *of* z nedostatku čeho □ *vt* 1. potřebovat, mít nedostatek 2. žádat, chtít, přát si □ *vi* 3. nedostávat se,

scházet, chybět ♦ *to* ~ *badly* nutně potřebovat; *he is -ea* hledá se, ptají se po něm; —**age** [ˈwontidž] *s* am. obch. schodek, manko; —**ing** [ˈwontiŋ] *a* chybějící, potřebný, neexistující ♦ *he is* ~ *in energy* nedostává se mu energie □ *s* potřeba, nedostatek □ *adv & prep* kromě, mimo, vyjma

wanton [ˈwontən] *a* 1. rozpustilý, bujný, svévolný 2. chlípný, smilný 3. lehkovážný, lehkomyslný □ *s* 1. chlípník, smilník; prostopášník 2. prostopášnice, nevěstka 3. hravé dítě □ *vi* 1. být rozpustilý, bujnět 2. smilnit 3. pohrávat si, laškovat 4. bujně růst

wapiti [ˈwopiti] *s* jelen kanadský

war [wo:] *s* 1. válka, nepřátelství 2. boj, zápas ♦ *art of* ~ vojenské umění; *to make* n. *wage* ~ vést válku, válčit; *to be at* ~ být ve válce; *to declare* ~ *on* vyhlásit válku komu; *to drift into* ~ vehnat do války; *cold* ~ studená válka; *germ* ~ bakteriologická válka; ~ *frenzy* válečné šílenství □ *vi & t* (-rr-) arch. vést válku, válčit, bojovat (*with upon, against* s, proti); ~ **bonus** [ˈbounəs] válečný přídavek; ~ **Council** [ˈkaunsl] Válečná rada; ~ **crime** [kraim] válečný zločin; ~ **criminal** [ˈkriminl] válečný zločinec; ~ **-cry** [ˈwo:-krai] *s* válečné heslo; —**fare** [ˈwo:feə] *s* válčení, vedení války, vojenská služba: ~ **indemnity** [inˈdemniti] reparace; ~ **industry** válečný průmysl; ~ **intentions** válečné záměry; —**like** ['wo:-laik] *a* bojovný, válečný; ~ **lords** váleční magnáti; ~ **-monger** ['wo:ˌmaŋgə] *s* válečný štváč; W~ **Office** ministerstvo války; ¦~ **-ship** *s* válečná loď; ~ **-whoop** ['wo:-hu:p] *s* válečný pokřik

warbl|e ['wo:bl] *vi* klokotat, trylkovat, švitořit □ *s* švitoření, tlukot slavíka; —**er** ['wo:blə] *s* pěnice

ward [wo:d] *s* 1. stráž, hlídka 2. ochrana, opatrování 3. vazba, vězení 4. nemocniční pokoj 5. ochránce, opatrovník 6. schovanec, svěřenec 7. revír, obvod, městská čtvrť; volební okres 8. poručnictví 9. pl. ozubí klíče 10. šerm, výpad, odraz ♦ *court of -s* poručenský soud; *to keep* ~ *over* bdít nad □ *vt* 1. hlídat 2. odrazit (*off* ránu) 3. odvrátit nebezpečí *(off)* ♦ ~ *room* důstojnická jídelna na válečné lodi; —**en** ['wo:dn] *s* 1. hlídač, dozorce, správce 2. poručník 3. představený, přednosta; —**enship** ['wo:dn-šip] *s* dozor, poručnictví, představenství; —**er** ['wo:də] *s* 1. dozorce, hlídač, žalářník 2. velitelská hůlka; —**ress** ['wo:dris] *s* dozorkyně; —**robe** ['wo:droub] *s* garderoba, šatník; —**ship** ['wo:dšip] *s* 1. poručnictví 2. ochrana

ware[1] [weə] *s* zboží

ware[2] [weə] *atr* arch. vědomý, dbalý čeho

warehouse ['weəhaus] *s* skla-

diště (*bonded* ~ celní skladiště) □ *vt* dát do skladiště; ¦—**man** *s* majitel skladu opatrující cizí nábytek

warily ['weərili] *adv* opatrně

warlock ['wo:lok] *s* arch. kouzelník

warm [wo:m] *a* 1. teplý, horký, vřelý 2. vroucí, ohnivý 3. horlivý ♦ *to grow* ~ rozehřát se; *he'll get it* ~ ten dostane co proto □ *vt & i* zahřát (se), rozehřát (se); *to* ~ *the heart of* potěšit koho; *to get a -ing* dostat výprask; *to* ~ *up the engine* zahřát stroj; ~ **-blooded** ['wo:mˌbladid] *a* horkokrevný; —**er** ['wo:mə] *s* zahřívač, ohřívač; ~ **-hearted** ['wo:mˈha:tid] *a* dobrosrdečný, soucitný; —**th** [wo:mθ] *s* 1. teplo, teplota 2. vřelost, vroucnost 3. ohnivost, prudkost 4. rozčilení

warn [wo:n] *vt* 1. upozornit (*of* na, *that* že), varovat (*against* před) 2. napomenout, upomenout 3. vypovědět, dát výpověď —**ing** ['wo:niŋ] *s* 1. výstraha, varování 2. výpověď 3. poplach; ~ *device* [diˈvais] výstražné zařízení

warp [wo:p] *s* 1. osnova 2. vlečné lano 3. zborcení prkna, zkroucení 4. mravní úchylnost, perverze 5. sedlina, nános □ *vt & i* 1. (z)bortit (se), (z)kroutit (se) 2. odchýlit (se) 3. zavést, svést 4. křivě posuzovat 5. kolísat 6. napnout osnovu při tkaní 7. vléci loď; ¦—**ing machine** snovací stroj

warrant ['worənt] *s* 1. záruka

2. plná moc 3. právo, opráv-
nění 4. zatykač 5. legitimace,
průkaz 6. výměr, obsílka,
příkaz k výplatě ♦ ~ *to*
appear soudní obsílka; ~ *to*
caption zatykač □ *vt* 1.
oprávnit, zplnomocnit 2. (za)-
ručit 3. potvrdit 4. ubezpečit,
uznat 5. ospravedlnit; —**able**
[ˈworəntəbl] *a* ospravedlni-
telný, oprávněný, zákonný;
—**ed** [ˈworəntid] *a* zaručený,
jistý; —**ee** [ˌworənˈti:] *s* komu
byla dána záruka; —**er**, —**or**
[ˈworəntə, -o:] *s* ručitel, ru-
kojmí; —**y** [ˈworənti] *s* zá-
ruka, ručení
warren [ˈworin] *s* 1. králíkárna
2. obora, bažantnice, revír
3. říční sádka
warrior [ˈworiə] *s* válečník, bo-
jovník
Warsaw [ˈwo:so:] *s* Varšava
wart [wo:t] *s* 1. bradavice 2.
nárost na rostlině, stromu; —**y**
[ˈwo:ti] *a* bradavicový, plný
bradavic
Warwick [ˈworik] *s* Warwick
wary [ˈweəri] *a* opatrný, ostra-
žitý
was [woz, wəz] *pt* viz *to be*
Wash. = *Washington*
wash[1] [woš] *vt & i* 1. prát, mýt
(se) 2. omývat, opláchnout,
navlhčit 3. rýžovat zlato 4.
malovat řídkými barvami;
~ **away**, **off**, **out** vymýt, vy-
prat, vyčistit, vyplavit, od-
plavit, spláchnout; ~ **down**
smýt, spláchnout; ~ **out** 1.
vymýt 2. vyplavovat 3. vy-
mlít vodou; ~ **over** přeprat,
přetékat; ~ **up** mýt nádobí,
vyplavit na břeh

wash[2] [woš] *s* 1. praní, (u)mytí
2. prádlo 3. pomyje 4. bahno
5. vodička kosmetická, líčidlo
6. tenký nátěr barvou 7. dmutí
vln 8. povídání; ~ **-basin**,
—**bowl** [ˈwošˌbeisn, -boul] *s*
umývadlo; —**er** [ˈwošə] *s* 1.
pradlák, pradlena 2. pračka
3. promývačka 4. podložka
pod matici; l—**er**-ˌ**woman** *s*
pradlena; l~ **-house** *s* prá-
delna; l~ -l**out** *s* sl. neúspěch;
l~ -**pot** *s* 1. miska na umývání
rukou 2. kotlík s roztaveným
cínem sloužícím k pocínování
nádobí 3. tavicí kotlík na
oddělování stříbra a olova;
—**ing** [ˈwošiŋ] *s* 1. praní,
mytí 2. prádlo 3. plat za
vyprání 4. pl. pomyje; —**ing-**
blue [ˈwošiŋblu:] *s* modřidlo;
l—**ing-ma**ˌ**chine** *s* 1. prací
stroj, pračka 2. mycí stroj;
l—**ing-stand** [ˈwošiŋstænd] *s*
umývadlo; —**ing-tub** [ˈwošiŋ-
tab] *s* necky; l~ **-room** *s*
umývárna; ~ **-tub** [ˈwoštab]
s škopek na prádlo, necky;
l—ˌ**woman** *s* pradlena; —**y**
[ˈwoši] *a* 1. vodnatý, vlhký
2. řídký, slabý, mdlý
Washington [ˈwošiŋtən] *s* Wash-
ington
wasn't [ˈwoznt] = *was not*
wasp [wosp] *s* vosa; —**ish**
[ˈwospiš] *a* 1. vosovitý 2.
hašteřivý, mrzutý, popudlivý,
kousavý, jízlivý
wassail [ˈwoseil] *s* 1. radovánky,
pitka 2. pijácká píseň 3. nápoj
□ *vi* popíjet, veselit se
wast [wost] *2. os. sg. pt* arch. od
to be byl jsi
wast|**e** [weist] *vt* 1. zpustošit,

poplenit 2. (vy)plýtvat, (pro)·
marnit 3. obnovit 4. arch.
minout o čase □ *vi* 5. ubývat
6. chřadnout, hynout ◆
~ *time* mrhat časem; *day* -*s*
den se chýlí ke konci □ *a*
1. neobydlený, pustý, zpusto-
šený, ladem ležící 2. zbytečný,
odhozený, marný 3. neuži-
tečný, bezcenný 4. odpadový
◆ *to lay* ~ zpustošit; *to lie* ~
ležet ladem □ *s* 1. zpustošení,
poplenění 2. plýtvání, mrhání
3. pustina, poušt, úhor, pláň
4. chřadnutí, ubývání 5. od-
pad, zmetek 6. horn. hlušina,
jalovina ◆ *in mere* ~ zcela
marně; *to run to* ~ přijít na
zmar; —**er** [ˡweistə] *s* 1.
zmetek při výrobě 2. pustošitel
3. marnotratník 4. sl. povaleč,
budižkničemu; —**ful** [ˡweist-
ful] *a* 1. pustošivý, ničivý 2.
nehospodárný, marnotratný,
rozmařilý; ~ -**good** zast.,
—**thrift** [ˡweistˌgud, -ˌθrift] *s*
zř. marnotratník; ˡ—**land** *s*
pustina; ~ **material** [məˡtiə-
riəl] odpad; ~ -ˡ**paper**-ˌ**basket**
s koš na papíry; ~ **sheet** [ši:t]
makulatura; ˡ~ -ˌ**water** *s* od-
padová voda, splašky
wastrel [ˡweistrəl] *s* 1. věc zka-
žená při výrobě, zmetek;
smetí 2. zanedbané dítě 3.
budižkničemu
watch [woč] *s* 1. procitnutí,
bdění 2. hlídka, stráž 3. pozor
4. kapesní hodinky ◆ *to be
upon the* ~ mít se na pozoru;
to pass as a ~ *in the night* fig
být brzy zapomenut; *to keep
a* ~ *of* dávat pozor na; *to set
the* ~ postavit hlídku: *to*

stand ~ být na stráži; *to
relieve the* ~ vystřídat stráž
□ *vi & t* 1. bdít 2. hlídat,
stát na stráži 3. číhat (*for* na)
4. dávat pozor, pozorovat,
přihlížet 5. čekat na příležitost;
~ -**case** [ˡwočkeis] *s* plášť
hodinek; ˡ~ -**dog** *s* hlídací pes;
—**er** [ˡwočə] *s* hlídač, strážce;
—**ful** [ˡwočful] *a* bdělý, ostra-
žitý (*of* na); ˡ~ -**glass** *s* hodi-
nové sklo; ˡ~ -**hand** *s* hodi-
nová ručička; ˡ~ -**house** *s*
strážnice; ~ -**light** [ˡwočlait]
s maják; ~ -**maker** [ˡwoč-
ˌmeikə] *s* hodinář; ˡ—**man** *s*
hlídač, ponocný; ˡ~ -**word** *s*
heslo
water [ˡwo:tə] *s* 1. voda; moře,
jezero, řeka 2. déšť 3. roztok
4. moč 5. pl. lázně, léčivé vody
6. průsvitnost diamantu ◆
by ~ po vodě; *to take* ~ čerpat
vodu; *to hold* ~ být nepromo-
kavý, nepropouštět vodu; *to
go to* ~ jít se utopit; *in
smooth* ~ snadno n. hladce
jdoucí; *to make* ~ nabírat
vodu o lodi; *to get into* n. *be in
hot* ~ dostat se do nesnází,
být v nesnázích; *to keep one's
head above* ~ držet se nad
vodou finančně; *it brings the* ~
to one's mouth působí to, že
se sliny sbíhají v ústech;
high (low) ~ vysoký (nízký)
stav vody; *in low* ~ fig. sklí-
čený, jsoucí na tom špatně
finančně □ *vt* 1. zavodnit,
namočit, kropit, zalévat 2.
napájet 3. rozvodnit kapitál □
vi 4. rozmočit se 5. nasáknout;
vodnatět 6. sbíhat se sliny,
slzet 7. nabírat vodu *that*

makes one's mouth ~ to dělá laskominy; *-ed silk* moaré tkanina s leskem; ~ **bird** vodní pták; ~ **-bottle** ['wo:tə‚botl] *s* 1. karafa 2. polní láhev; ~ **bucket** ['bakit] *s* vědro na vodu; ~ **bus** malý říční parník; ~ **-cart** ['wo:təka:t] *s* voznice, kropicí vůz; ~ **-cask** ['wo:təka:sk] *s* sud na vodu; ~ **-closet** ['wo:tə‚klozit] *s* klozet, záchod; ~ **-colour** ['wo:tə‚kalə] *s* vodová barva; ~ **-compress** ['wo:tə‚kompres] *s* mokrý obklad; ~ **-conduit** ['wo:tə‚kondjuit] *s* vodovod; ~ **-course** ['wo:təko:s] *s* řečiště; — **cress** ['wo:təkres] *s* řeřicha potoční; — **ed** ['wo:-təd] *a* zavlažovaný, zavodňovaný; — **er** ['wo:tərə] *s* 1. zalévač, zavlažovač 2. *W~* Vodnář; ~ **-face** ['wo:təfeis] *s* návodní stěna hráze; — **fall** ['wo:təfo:l] *s* vodopád; ~ **-gang** ['wo:təgæŋ] *s* náhon, strouha; ~ **-gate** ['wo:təgeit] *s* stavidlo; ~ **-gauge** ['wo:tə-geidž] *s* měrka na vodní stav, vodoznak; ‖ ~ **-glass** *s* 1. vodní sklo 2. vodoznak; ‖ ~ **-hen** *s* slípka vodní, samička tetřívka; ~ **-heater** ['wo:tə‚hi:tə] *s* ohřívač vody; ~ **-hose** ['wo:-təhouz] *s* hadice; — **iness** ['wo:tərinis] *s* vodnatost, vlhkost; — **ing** ['wo:təriŋ] *s* 1. zavodňování, zalévání 2. napájení; ‖ **-ing-place** *s* 1. napajedlo zvířat 2. plovárna, lázně; ~ **-jet air pump** vodoproudová vývěva; ‖ ~ **‚level** *s* 1. vodní hladina 2. vodováha; ~ **-lily** ['wo:tə‚lili] *s*

leknín; ~ **-line** ['wo:təlain] *s* výška vody, ponor, vodní čára; ‖ ~ **-lock** *s* napajedlo; ‖ — **log** *vt* (-gg-) nasáknout, proniknout vodou; ~ **-main** ['wo:təmein] *s* vodovod, vodovodní potrubí; ‖ — **mark** *s* vodoznak; ~ **-melon** ['wo:tə‚melən] *s* vodní meloun; ‖ ~ **-mill** *s* vodní mlýn; ~ **-plane** ['wo:təplein] *s* hydroplán; ~ **-power** ['wo:tə‚pauə] *s* vodní síla; ‖ ~ **-proof** 1. *a* nepromokavý 2. *s* nepromokavý plášť; ‖ ~ **-rat** *s* vodní krysa; ~ **-seal** ['wo:təsi:l] *s* vodní uzávěr; — **shed** ['wo:tə-šed] *s* 1. vodní předěl 2. lid. koryto (řeky); ~ **-shoot** ['wo:-təšu:t] *s* chrlič, okap; — **spout** ['wo:təspaut] *s* vodní smršť; ‖ ~ **‚station** *s* vodárna; ~ **-supply** ['wo:təsə‚plai] *s* 1. vodovod 2. zásobování vodou; — **tight** ['wo:tətait] *a* neprostupný, vodotěsný; ~ **-tower** ['wo:tətauə] *s* vodárenská věž; ~ **treatment** čištění vody; ~ **-trough** ['wo:-tətrof] *s* žlab na vodu; ~ **-wheel** ['wo:təwi:l] *s* vodní kolo; ~ **-wave** ['wo:təweiv] *s* vodová vlna vlasů; ~ **-way** *s* průplav; ‖ — **works** *s* 1. vodárna 2. vodotrysk; — **y** ['wo:təri] *a* 1. vodnatý, vlhký 2. rozbředlý 3. fig. mělký, planý **Waterloo** [‚wo:tə'lu:] *s* Waterloo **watt** [wot] *s* watt jednotka elektrické síly **wattle** ['wotl] *s* 1. košatina 2. bradavčitý lalok krocana 3. australská akácie ☐ *vt* splétat proutí

waul [wo:l] *vi* mňoukat
wave [weiv] *s* 1. vlna 2. vlnění,
vlnitost 3. pokynutí, mávnutí
rukou □ *vi & t* 1. vlnit (se),
vlát 2. (po)kynout, mávat 3.
ondulovat 4. brázdit vlnami;
~ aside odmítnout; ~ away
pokynout k odchodu; ~ length
rad. délka vlny; —less [ˈweiv-
lis] *a* bez vln, hladký, klidný;
—let [ˈweivlit] *s* vlnka
waver [ˈweivə] *vi* 1. kolísat 2.
zř. potácet se, klopýtat 3.
kmitat se 4. rozmýšlet se,
být nerozhodný, (za)váhat
Waverley [ˈweivəli] *s* Waverley
wavy [ˈweivi] *a* vlnící se,
zvlněný
wax¹ [wæks] *s* vosk; *ear-*~ ušní
maz □ *vt* voskovat; ~ -candle
[ˈwæksˌkændl] *s* voskovice;
~ -cloth [ˈwækskloθ] *s* vos-
kové plátno; —en [ˈwæksən]
a voskový, jako vosk;
ˈ~ -paper *s* voskový papír;
—wing [ˈwækswiŋ] *s* brkoslav
pták; ˈ—work *s* vosková so-
cha, práce z vosku; —y
[ˈwæksi] *a* voskový, měkký
wax² [wæks] *vi* růst; přibývat
o měsíci; stávat se
wax³ [wæks] *s* sl. záchvat hně-
vu; —y [ˈwæksi] *a* hněvivý,
popudlivý
way [wei] *s* 1. cesta, silnice,
stezka 2. vzdálenost 3. trať,
dráha, směr 4. způsob, me-
toda, ráz 5. zvyk 6. odvětví,
obor 7. příležitost 8. zájem
9. názor ♦ *milky* ~ mléčná
dráha; *the* ~ *of the Cross* kří-
žová cesta; *to pave the* ~ *for*
připravit cestu komu, čemu;
by the ~ mimochodem; *by* ~

of prostřednictvím, přes; *by* ~
jakoby, aby; *every* ~ každým
způsobem; *no* ~ nikterak;
any ~ jakkoliv; *this* ~ takto,
tudy; *which* ~ ? kudy? jak?;
the other ~ jinak, jinou cestou,
jinde; *to be* n. *stand in the*
~ být n. stát v cestě; *to clear
the* ~ vyhnout se; *to get
one's* ~ provést svou; *to lose
one's* ~ sejít z cesty; *to take
one's* ~ jít určitým směrem;
to come n. *fall in one's* ~ přijít
do cesty, namanout se; *to get
out of the* ~ ustoupit z cesty,
vyhnout se; *to give* ~ ustou-
pit; *to make* ~ jít kupředu;
mít úspěch; *to get one out of
the* ~ zbavit se koho; *to look
the other* ~ dívat se jinam,
přehlédnout, opominout; *to
lead the* ~ jít napřed; *in some
-s, in a* ~ n. *in one* ~ do jisté
míry, jaksi; *to be in the
family* ~ být těhotná; *to be
in a great* ~ *about it* být pro
to velmi zneklidněn; *it is not
in my* ~ to se mne netýká;
~ *in* vchod; ~ *out* východ;
~ *through* průchod; *all -s*
všude; *all the* ~ *round* kolem
dokola; *half -(s)* napolo; ~
-bread [ˈweibred] *s* jitrocel;
ˈ~ -bill *s* 1. seznam cestují-
cích 2. průvodka; —farer
[ˈweiˌfeərə] *s* pocestný, cestu-
jící, poutník; —faring [ˈwei-
ˌfeəriŋ] *a* pocestný □ *s*
cestování, putování; —ˈlay
vt vyčíhat si, vypozorovat
—layer [weiˈleiə] *s* kadeřník;
—less [ˈweilis] *a* neschůdný;
—side [ˈweisaid] *s* kraj cesty
□ *a* ležící u cesty; —ward

[ˈweiwəd] *a* svéhlavý, ne-
ústupný, vrtkavý, nevrlý
W.C. = 1. *water closet* záchod 2.
West Central District of London
we [wi:] *pron* my
weak [wi:k] *a* 1. slabý 2.
křehký 3. mdlý 4. chatrný
5. nezdravý; —**en** [ˈwi:kən]
vt & i oslabit (se), slábnout;
—**ling** [ˈwi:kliŋ] *s* slaboch;
—**ly** [ˈwi:kli] *a* slabý, chu-
ravý; —**ness** [ˈwi:knis] *s* sla-
bost, chatrnost, slabá odolnost
weal[1] [wi:l] *s* blaho, blahobyt
weal[2] [wi:l] viz *wale*
weald [wi:ld] *s* otevřený kraj;
the Weald les v jižní Anglii
wealth [welθ] *s* 1. bohatství
2. boháči 3. zast. blahobyt;
—**y** [ˈwelθi] *a* bohatý, zá-
možný
wean [wi:n] *vt* 1. odstavit dítě
2. odnaučit 3. odvyknout
(*from* čemu)
weapon [ˈwepən] *s* zbraň, zbroj
♦ *ideological* ~ ideologická
zbraň
wear[1]* [weə] *vt & i* 1. nosit, mít
na sobě 2. obnosit (se), opo-
třebovat, odřít (se) 3. unavit,
vyčerpat 4. trvat, obstát 5.
ubývat ♦ *worn clothes* obno-
šené šaty; *to* ~ *to death* utrá-
pit; *to* ~ *well* slušet, být
trvalý; *to* ~ *one's years* vy-
padat dobře na svá léta;
~ **away** zvolna ubíhat; za-
cházet, hynout; ~ **off** ztrá-
cet se, mizet, zanikat; ~ **on**
táhnout se, protahovat se;
~ **out** obnosit, opotřebovat
(se); unavit (se), vyčerpat;
~ **to** hodit se
wear[2] [weə] *s* 1. nesení, nošení

šatů 2. oděv 3. móda 4. opo-
třebování, obnošení 5. trvan-
livost ♦ ~ *and tear* 1. opotře-
bování, ošoupání 2. trampoty
♦ *a stuff of good* ~ dobrá
látka; *everyday* ~ všední
oblek; ~ **hardness** tech. odol-
nost proti opotřebování
wear[3] [weə] *vt & vi, pt, pp wore*
nám. obrátit, otočit loď jiným
směrem
wear[4] [wiə] = *weir*
wear|iness [ˈwiərinis] *s* únava;
-**isome** ˈwiərisəm] *a* únavný,
lopotný, nudný; —**y** [ˈwiəri]
a unavený (*of* čím) □ *vt & i*
unavit (se), nudit (se)
weasel [ˈwi:zl] *s* lasička
weather [ˈweðə] *s* 1. počasí 2.
povětří, povětrnost 3. návětr-
ná strana 4. nepohoda, bouře
□ *a* po větru □ *vt* 1. vystavit
vlivu počasí 2. větrat 3.
plout po větru 4. obstát, odo-
lat; ~ *out* přestát, obstát;
ˈ~-ˌ**beaten** *a* bouří ošlehaný,
zkušený, otužilý; ~-**bound**
[ˈwəðəbaund] *a* zdržovaný
nepříznivým počasím; ˈ~-
-**cock** *s* 1. korouhvička 2.
fig. nestálý člověk; ~ **forecast**
[ˈfo:ka:st] předpověď poča-
sí; ˈ~-**glass** *s* tlakoměr, baro-
metr; ~-**moulding** [ˈweðə-
ˌmouldiŋ] *s* římsa nad oknem;
—**proof** [ˈweðəpru:f] *a* otu-
žilý, odolávající dešti nebo
větru; ~-**station** [ˈweðəˌstei-
šən] *s* meteorologická stani-
ce; ~-**vane** [ˈweðəvein] *s* ko-
rouhvička; —**wear** [ˈweðə-
weə] *s* oděv do deště, nepo-
hody; ~-**worn** [weðəwo:n]
a zvětralý

weav|e* [wi:v] *vt & i* tkát, plést; —**er** [ˈwi:və] *s* tkadlec; |—**ing-mill** *s* tkalcovna

weazen [ˈwi:zən] = *wizened*

web [web] *s* 1. tkanivo 2'. pavučina 3. plovoucí blána 4. výztužné žebro 5. tech. rameno kliky, list kotouče; ~-**beam** [ˈwebbi:m] *s* vratidlo u tkalcovského stavu; —**bed** [webd] *a* 1. opatřený plovací blánou 2. se srostlými prsty 3. pokrytý pavučinami; —**bing** [ˈwebiŋ] *s* konopný popruh; |~-|**footed** *a* mající plovací blány

wed [wed] *vt & i* [-dd-] oženit (se), provdat (se), spojit (*to* s); —**ding** [ˈwediŋ] *s* svatba; ~ *clothes* svatební šaty; ~ *ring* snubní prsten

we'd [wi:d] = 1. *we should, would* 2. *we had*

wedge [wedž] *s* klín □ *vt* zaklínovat, klínem upevnit, rozštěpit

wedlock [ˈwedlok] *s* manželství; *born in* n. *under* ~ manželského původu; *born out of* ~ nemanželského původu

Wednesday [ˈwenzdi] *s* středa

wee [wi:] *a* hov. malinký, maličký

weed [wi:d] *s* 1. plevel, koukol 2. hov. doutník, tabák 3. herka 4. hubený člověk □ *vt & i* 1. pleti 2. vyhostit; ~ *out* vyplenit; —**er** [ˈwi:də] *s* zem. plečka; —**ery** [ˈwi:dəri] *s* 1. plevel, koukol 2. rumiště; —**y** [ˈwi:di] *a* 1. plevelový, samý plevel 2. chatrný

weeds [wi:dz] *s pl.* smutek oděv

week [wi:k] *s* týden ♦ *a* ~ týdně; *this day* ~ ode dneška za týden, dnes týden; |—**day** *s* všední den; |~-|**end** *s* konec týdne; —**ly** [ˈwi:kli] *a* týdenní □ *s* týdeník

ween [wi:n] *vt* bás. domnívat se, tušit

weep* [wi:p] *vi & t* plakat (*at, over* nad); oplakávat, naříkat (*for* pro), ronit slzy; —**er** [ˈwi:pə] *s* 1. plačící, naříkající, truchlící, plačka 2. smuteční stuha n. závoj 3. pl. bílé manžety; —**ing** [ˈwi:piŋ] *s* pláč, nářek; —**ing birch** [bə:č] smuteční bříza; —**ing willow** smuteční vrba

weevil [ˈwi:vil] *s* pilous černý

weft [weft] *s* 1. tkalcovství útek 2. bás. tkanina

weigh [wei] *vt* 1. vážit, odvážit, potěžkat 2. zdvihnout (*anchor* kotvu) 3. cenit □ *vi* 4. vážit 5. tížit, tísnit, tlačit 6. mít důležitost, vliv, váhu; ~ *down* převážit; sklíčit; ~ *out* rozvážit; odvážit; ~ *upon* být obtížný komu; ~ *with* srovnat s; —**ing-machine** [ˈweiiŋməˌši:n] *s* váha; —**t** [weit] *s* 1. váha, tíže 2. břemeno 3. závaží 4. závažnost ♦ ~ *on axle* zatížení nápravy; ~ *empty* váha prázdného vozidla □ *vt* 1. zatížit 2. falšovat váhu; —**ty** [ˈweiti] *a* 1. těžký 2. závažný, důležitý

weir [wiə] *s* hráz, jez

weird [wiəd] *a* 1. kouzelný, čarovný, tajuplný 2. nadpřirozený 3. osudný, osudový □ *s* kouzlo, osud

welcome [ˈwelkəm] *a* vítán,

vítaný ♦ *to bid* ~ přivítat; *to make oneself* ~ *with* posloužit si □ *s* přivítání □ *vt* (při)vítat ♦ *you are* ~ nemáte zač (děkovat)

weld [weld] *vt* **1.** svářet kovy **2.** fig. zformovat (*into* v) □ *s* svar, svařovaný šev; —**er** [ˈweldə] *s* svářeč, svařovací stroj; —**ing** [ˈweldiŋ] *s* svařování; ~ *machine* svařovací stroj; ¦—**ment** *s* svařovaná součást

welfare [ˈwelfeə] *s* blaho, zdar, blahobyt ♦ *child* ~ péče o děti

welkin [ˈwelkin] *s* bás. obloha, nebe

well¹ [wel] *adv* **1.** dobře, správně **2.** úplně, zcela, dostatečně **3.** pěkně **4.** srdečně, laskavě, blaze **5.** snadno **6.** nuže, dobrá, tedy **7.** náležitě, právem □ *a* **1.** zdráv, zdravý **2.** krásný, dobrý ♦ *the sick and the* ~ nemocní a zdraví; *as* ~ *as* právě tak jako; *as* ~ k tomu, stejně, stejně dobře; ~ *done* výborně; *to do* ~, *to be* ~ *off* být zámožný; *I am quite* ~ je mi zcela dobře; *to go on* ~ dařit se dobře; ~ *near, nigh* skoro, málem; ~ *met!* nazdar!, vítej!; ~ -**appointed** [ˈweləˈpointid] *a* dobře vyzbrojený; ~ -**balanced** [ˈwelˈbælənst] *a* vyrovnaný, zdravý; ¦~ -¦**being** *s* blaho(byt); ¦~ -¦**bred** *a* uhlazený; ~ -**conducted** [ˈwelkənˈdakt-id] *a* způsobný, dobře vedený; ~ -**disposed** [ˈweldisˈpouzd] *a* nakloněný (*to, towards* k); ¦~ -¦**done** *a* dobře upečený, dobře zhotovený; ¦~ -¦**doing**

1. *a* dobročinný **2.** *s* dobročinnost, blahobyt; ~ -**founded** [ˈwelˈfaundid] *a* odůvodněný; ~ -**informed** [ˈwelinˈfo:md] *a* dobře informovaný; ~ **judged** [ˈwelˈdžadžd] *a* dobře uvážený, obratně vykonaný; ~ -**knit** [ˈwelˈnit], ¦~ -¦**made** *a* pěkně urostlý; ¦~ -¦**off** *a* zámožný; ¦~ -¦**on** *a* v pokročilém stavu; ~ -**read** [ˈwelˈred] *a* sčetlý; ¦~ -¦**seen** *a* zkušený, zběhlý; ¦~ -¦**set (up)** dobře urostlý; ¦~ -¦**spoken** *a* výmluvný; ~ -**timed** [ˈwelˈtaimd] *a* včasný, dobře rozpočtený časově; ¦~ -**to-¦do** *a* zámožný; ~ -**tried** [ˈwelˈtraid] *a* osvědčený, vyzkoušený; ¦~ -¦**turned** *a* pěkně vyjádřený; ¦~ -¦**worn** *a* obnošený, opotřebovaný

well² [wel] *s* **1.** pramen, zřídlo, studna, nádrž **2.** prohlubeň **3.** podkopová šachta **4.** světlík domu **5.** prostor, kde je schodiště **6.** nístěj vysoké pece **7.** místo pro obhájce v soudní síni **8.** pl. lázně, léčivá zřídla **9.** fig. zdroj **10.** dobro, zdar □ *vt & i* prýštit, téci, pramenit, vylévat; ~ -**bucket** [ˈwelˈbakit] *s* vědro, okov; ~ -**drain** [ˈweldrein] *s* odpadová jáma; ~ -**staircase** [ˈwelˈsteəkeis] *s* točité schodiště; ~ **water** pramenitá voda

well-³ [wel] *prefix* a) subst. [¦~ -*being*, ¦~ -*doer*) b) participií na -ed (značí „dobře": ¦~ -*advised*, -*aimed*, -*endowed* ap.)

we'll [wi:l] = **1.** *we shall* **2.** *we will*

welladay [ˈwelәˈdei] *int* žel, bohužel!

Welsh [welš] *a* velšský □ *s* 1. velšský jazyk 2. Walesan

welsh [welš] *vt & i* oklamat nezaplacením sázky

welt [welt] *s* 1. okolek boty 2. okraj, obruba, lem 3. šrám □ *vt* 1. přidělat svršky k podrážce pomocí okolku 2. lemovat 3. bít, zasáhnout

welter [ˈweltә] *vi* 1. válet se, brodit se (*in* v) 2. být zmaten □ *s* zmatek

welter weight [ˈweltәweit] velterová váha

wen [wen] *s* 1. tukový nádor, mozol, jizva; vole, struma, zduření štítné žlázy 2. fig. abnormálně velké město, přelidněné město; *the great ~* Londýn

Wenceslas [ˈwensislәs] *s* Václav

wench [wenč] *s* 1. děvče, holka, služka 2. arch. děvka, nevěstka □ *vt* běhat za děvčaty

wend [wend] *vt & i* arch. jít, ubírat se (*one's way* cestou)

Wend [wend] *s* Lužický Srb; **—ic, —ish** [ˈwendik, -iš] *a* lužickosrbský

went [went] *pt* viz *go*

wept [wept] *pt & pp* viz *weep*

were [wә:, weә] *pt* (2. *os. sg. & pl.*) & *subj.* (*sg. & pl.*) viz *be*

we're [wiә] = *we are*

weren't [wә:nt] = *were not*

wer(e)wolf [ˈwә:wulf] *s* vlkodlak

wert [wә:t] arch. 2. *os. sg. pt* od *to be* = *were*

Wesley [ˈwezli] *s* Wesley

west [west] *s* 1. západ 2. západní vítr ♦ *~ by north* severozápad □ *a* západní, večerní □ *adv* západně, na západ; **—erly** [ˈwestәli] *a* západní; **—ern** [ˈwestәn] *a* západní; **—erner** [westәnә] *s* obyvatel západu; **—ernmost** [ˈwestәnmoust] *a* nejzápadnější; **—ward** [ˈwestwәd] *a* západní □ *adv* k západu; **—wards** [ˈwestwәdz] *adv* k západu

wet [wet] *a* 1. vlhký, mokrý, deštivý 2. namoklý, namočený 3. hov. holdující pití □ *s* hov. odpůrce americké prohibice ♦ *~ to the skin* promoklý na kůži; *~ grinding* broušení za mokra □ *vt* (-tt-) 1. navlhčit, namočit 2. být oddán pití □ *s* 1. mokro, vlhko 2. deštivo 3. sl. nápoj; *~ -nurse* [ˈwetnә:s] *s* kojná

we've [wi:v] = *we have*

wether [ˈweðә] *s* skopec, beran

whack [wæk] *vt* (z)bít (holí) □ *s* rána ♦ *to make one's ~ of* dopřát si

whal|e [weil] *s* velryba ♦ *a ~ of* am. hov. spousta čeho; *~ -bone,* *~ -fin* *s* kostice; *~ -calf* [ˈweilka:f] *s* velrybí mládě; **—er** [ˈweilә] *s* 1. lovec velryb 2. velrybářská loď; *~ -oil* *s* velrybí tuk

whang [wæŋ] *vt & vi* hov. 1. udeřit 2. znít □ *s* rána, úder

whar|f [wo:f] *s* pl. *-fs* [-fs], *-ves* [-vz] přístaviště, nábřeží, molo □ *vt* 1. zakotvit na nábřeží 2. vykládat zboží na nábřežní hrázi; **—fage** [ˈwo:fidž] *s* nábřežné; —**finger** [ˈwoːfindžə] *s* nábřežný

what [wot] *pron* **1.** jaký, který **2.** to, co **3.** tolik, kolik **4.** co? ♦ ~ *about...?* a co?; ~ *for?* proč?;~ *matter?* vadí to?; ~ *if* což kdyby n. když; ~ *next?* a co dále?; ~ *of it?* co na tom? ~ *not* a tak dále; ~ *on earth?* co u všech všudy?; ~'s *up?* co se děje?; ~ *though* což kdyby, nevídáno!; —**ever,** —**soever** [wotˈevə, ˈwotsouˈevə] *a & pron* jakýkoliv, cokoliv; —**not** [ˈwotnot] *s* polička na knihy ap.

wheal [wiːl] *s* trud, uher, neštovice

wheat [wiːt] *s* pšenice ♦ *Indian* ~ kukuřice; —**en** [ˈwiːtn] *a* pšeničný

wheedle [ˈwiːdl] *vt* lichotit, obloudit ♦ ~ *out of* vymámit z, oklamat koho □ *s* lichocení

wheel [wiːl] *s* **1.** kolo **2.** kruh hrnčířský, krouživý pohyb **3.** kolovrátek **4.** volant auta, kormidlo ♦ *gear* ~ ozubené kolo; *crown* ~ talířové kolo; *worm* ~ šroubové kolo; ~ *and axle* kolo na hřídeli; *driving* ~ žentour; *steering* ~ volant; *to break (up)on* ~ lámat kolem; *the man at the* ~ kormidelník; odpovědný činitel □ *vt & i* **1.** otočit (se), kutálet (se), měnit směr, kroužit **2.** (od)vézt **3.** jet na kole; —**barrow** [ˈwiːlˌbærou] *s* trakař, kolečko; ~-**base** [ˈwiːlbeis] *s* rozvora kol; ~-**centre** [ˈwiːlˌsentə] *s* střed kola, hvězdice kola; ~-**chair** [ˈwiːlˈčeə] *s* židle na kolečkách

pro nemocné; ~-**crown** [ˈwiːlˌkraun] *s* věnec kola; —**er** [ˈwiːlə] *s* **1.** kolář **2.** cyklista **3.** příojní kůň; —**frame** [ˈwiːlˌfreim] *s* podvozek; ~-**gauge** [ˈwiːlgeidž] *s* rozchod vozidla; ˈ~-**horse** *s* příojní kůň; ˈ—**man** *s* cyklista; —**tire,** —**tyre** [ˈwiːltaiə] *s* ráf u kola; ~-**wright** [ˈwiːlrait] *s* kolář

wheez|e [wiːz] *vi* **1.** sípat, funět **2.** hrkat, supět □ *s* **1.** sípání, funční **2.** *sl.* otřepaná anekdota; —**y** [ˈwiːzi] *a* sípavý

whelk¹ [welk] *s* surmovka měkkýš

whelk² [welk] *s* uher, trud, podlitina

whelm [welm] *vt bás. řeč.* **1.** zasypat, zavalit **2.** pohřbít

whelp [welp] *s* **1.** mládě, štěně, kotě **2.** fakan □ *vi* **1.** rodit mláďata **2.** *fig.* zosnovat

when [wen] *adv* kdy? □ *conj* když ♦ *just* ~ právě když; ~ *that* tenkrát, kdy, a když; ~ *as* když, kdežto; *from* n. *since* ~? od které doby?; *till* ~? do které doby?; *till* ~ až do té doby; —**ever,** —**soever** [wenˈevə, ˈwensouˈevə] *adv* kdykoli, jakmile

whence [wens] *adv & conj* odkud?; pročež, tudíž ♦ *from* ~ *it follows that* z toho plyne, že

where [weə] *adv & conj* kde?, kam?; kde, kam ♦ ~ *did you read that?* kde jste to četl?; ~ *are you going?* kam jdete?; *any*— kdekoli; *every*- - všude; *the* - -ˈwith potřebné peníze n. prostředky; ˈ—**about(s)** *adv*

kde asi?, proč; — |as *conj*
kdežto, poněvadž; — |at *adv*
& conj zast. načež; — |by *adv*
& conj čím?, čím; — |ever
adv kdekoli, kamkoli; |—fore
adv & conj proč, nač; pročež;
— |in zast. *adv* v čem, čím?;
— |of *adv* z čeho?, o čem?;
— |on *adv* na čem? nač;
|—so|ever *adv* kdekoli, kam-
koli; — |to, |—un|to *adv* k če-
muž, načež; |—u|pon *adv* nad
čím?, po čem?, načež; — |with,
—withall [|weəwiðo:l] *adv*
čím?, čímž

wherry [|weri] *s* pramice
whet [wet] *vt* (-tt-) **1.** brousit,
(na)ostřit **2.** podráždit (*appe-
tite* chuť) □ *s* **1.** (na)broušení
2. dráždění, dráždidlo **3.**
doušek kořalky; —**stone** [|wet-
stoun] *s* brus, brousek
whether [|weðə] *pron* který
(z obou) □ *conj* zda, zdali;
~ ... *or* zda... či
whew [hju:] *int* hu!
whey [wei] *s* syrovátka
which [wič] *a & pron* **1.** kdo?,
který?, co? **2.** který, jenž,
což **3.** kterýžto; ~ *way?*
kudy? ♦ ~ *of you* kdo z vás;
that ~ to, co; — |ever, —so-
|ever *pron* kterýkoli, kdokoli
z určitého počtu
whiff [wif] *s* **1.** zadutí, závan
větru, voňavky **2.** bafnutí,
fouknutí **3.** hvizd, písknutí
4. veslice **5.** malý doutník □
vt **1.** bafat **2.** foukat; ~ **aside**
odfouknout, odvát
whiffle [|wifl] *vt & i* **1.** točit se,
měnit se o větru **2.** dout,
fučet **3.** hvízdat, supět
whig [wig] *s* whig člen bývalé

politické strany v Anglii a ve Spoj.
státech
while¹ [wail] *s* chvíle, doba, čas
♦ *a* ~ *after* o chvíli později;
a long ~ *ago* hezky dávno;
for a ~ na chvíli; *a* ~ *since*
nedávno, před chvílí; *be-
tween* -*s* chvílemi, po chvil-
kách; *in a* ~ za chvíli; *in the
mean*— zatím; *it is not
worth* ~ nestojí to za námahu,
za řeč □ *vt* strávit čas,
meškat, prodlévat; ~ **away**
promarnit čas, (u)krátit si
čas; ~ **off** odkládat
while², **whilst** [wail, wailst]
conj zatím co, kdežto, avšak,
ale, pokud, dokud □ *adv*
zatím, mezitím
whilom [|wailəm] *adv & a* arch.
někdy, kdysi, druhdy; bý-
valý
whim [wim] *s* rozmar, vrtoch,
žert
whimper [|wimpə] *vi* kňučet,
fňukat, kňourat □ *s* kňučení,
fňukání
whimsical [|wimzikəl] *a* vrto-
šivý, náladový, podivínský;
—**ity** [|wimzi |kæliti] *s* vrtoši-
vost, náladovost, podivínství
whin¹ [win] *s* bot. hlodaš
whin² [win] *s* diabas
whine [wain] *vi* kňučet, fňu-
kat, kňourat; plakat □ *s* **1.**
kňučení, fňukání **2.** podráž-
děný tón hovoru
whinger [|wiŋə] *s* krátký meč,
dýka, dlouhý nůž
whinny [|wini] *vi* řehtat, řičet,
ržát □ *s* ržání
whip¹ [wip] *vt & i* (-pp-) **1.**
(z)bičovat, bičem popohnat
(on) **2.** být nadháněčem

3. šlehat vejce **4.** chytat ryby proti proudu **5.** svázat lano provázkem *(together)* **6.** sl. hodit sebou, mrsknout sebou **7.** vyhrát v soutěži ◊ *to ~ off one's coat* fig. vyprášit komu kabát; *to ~ a top* mrskat káču; *~ a'bout* obalit, omotat; *~ away* odskočit; *~ into* mrštit do; *~ up* **1.** popohnat bičem **2.** vyskočit, honem udělat **3.** popadnout, chňapnout **4.** shánět, agitovat

whip² [wip] *s* **1.** bič **2.** kočí **3.** náhončí **4.** osoba odpovědná za kázeň v anglické politické straně ◊ *to issue a ~* obeslat členy sněmovní strany; |*~* -cord *s* provázek; —per [¹wipə] *s* **1.** mrskač **2.** náhončí **3.** psovod; —per-snapper [¹wipə|snæpə] *s* **1.** klouček, malé dítě **2.** nadutec; —ping [¹wipiŋ] *s* **1.** bičování, šlehání **2.** bití, výprask; |—ping-top *s* káča

whippet [¹wipit] *s* **1.** ohař **2.** voj. lehký tank **3.** lehkovážná žena

whipster [¹wipstə] *s* zelenáč, holobrádek

whir [wə:] *vi* (-rr-) vířit, vrčivě točit, frnčet □ *s* frnčení, drnkot

whirl [wə:l] *vt & i* **1.** točit (se), otáčet (se), vířit, kroužit **2.** mávat **3.** chvátat, běžet; *~ away* odkvapit □ *s* **1.** otáčení, kroužení, vír **2.** přeslen **3.** obrtlík **4.** vlk hračka **5.** závitnice ulity; |*~* -a'bout *s* káča hračka; |*~* -bat *s* palcát; —igig [¹wə:ligig] *s* vlk hračka; kolotoč; vír událostí; *~* -pool

[¹wə:lpu:l] *s* vodní vír; —wind [¹wə:lwind] *s* vichřice

whisk [wisk] *s* **1.** věchet, věJička **2.** koště, oprašovač, kartáč **3.** metla **4.** plácačka na mouchy **5.** mrskání ocasem □ *vt* **1.** mést, oprášit, kartáčovat **2.** šlehat metlou **3.** mrskat ocasem, pohupovat □ *vi* **4.** mrsknout sebou, chvátat **5.** odskočit, odběhnout; *~away* rychle smést n. odbýt; —ers [¹wiskəz] *s* licousy, vousy

whisky¹ [¹wiski] *s* whisky, pálenka z ječmene

whisky² [¹wiski] *s* dvoukolový kočár

whisper [¹wispə] *vt & i* **1.** šeptat (si) **2.** šumět □ *s* šepot, šumění; —er [¹wispərə] *s* **1.** šeptač, našeptávač **2.** donášeč, udavač

whist¹ [wist] *a* arch. tichý □ *int* tiše!, pst!

whist² [wist] *s* karetní hra

whistle [¹wisl] *vi & vt* hvízdat, pískat (si) ◊ *he may ~ for it* to si počká!; *to go ~* dělat si po svém, jednat po svém □ *s* **1.** hvízdnutí, písknutí **2.** píšťala, píšťalka

whit [wit] *s* **1.** tečka, bod **2.** špetka, trocha, zblo ◊ *a ~* trochu; *no ~*, *not a ~*, *never a ~* ani dost málo, vůbec ne, ani za mák

white [wait] *a* **1.** bílý **2.** bledý **3.** čistý, neposkvrněný; nevinný **4.** am. počestný, slušný □ *s* **1.** bělost, běloba **2.** běloch *(the ~)* **3.** bílek **4.** pl. bělotok **5.** oční bělmo □ *vt* bílit; |*~* -ant *s* termit; —beard

[ˈwaitbiəd] *s* kmet; ~ **cedar**
[ˈsi:də] tújə obecná, zerav;
~ **clover** [ˈklouvə] jetel bílý;
~ **copper** [ˈkopə] čínské stříb-
ro; —**friar** [ˈwaitˌfraiə] *s* kar-
melitán; ~ **frost** jinovatka;
~ **gold** platina; —**guard**
[ˈwaitga:d] *s* bělogvardějec;
—**headed** [ˈwaithedid] *a* bělo-
vlasý; ~ -**hot** [ˈwaitˈhot] *a*
rozžhavený do běla, do bílého
žáru; ~ **iron** [ˈaiən] bílé surové
železo, bílý plech (cínovaný);
~ **lead** [led] běloba; —**lie**
[lai] nevinná lež; ~ -**limed**
[ˈwaitlaimd] *a* obílený;
~ -**livered** [ˈwaitˌlivəd] *a* zba-
bělý; ~ **man** běloch; ~ **meat**
[mi:t] bílé maso; —n [ˈwaitn]
vt bílit □ *vi* (z)bělet; —**ness**
[ˈwaitnis] *s* 1. bělost 2. ble-
dost 3. čistota, nevinnost;
~ -**smith** [ˈwaitsmiθ] *s* klem-
píř; ~ **squall** [skwo:l] tropická
bouře; —**thorn** [ˈwaitθo:n] *s*
hloh; —**wash** [ˈwaitwoš] *s*
vápno k bílení □ *vt* (o)bílit
Whitechapel [ˈwaitˌčæpl] *s*
Whitechapel
whither [ˈwiðə] *adv* arch. kam?,
kam; —**soever** [ˌwiðəsouˈevə]
adv kamkoli; —**ward** [ˈwiðə-
wə:d] *adv* kam
whiting [ˈwaitiŋ] *s* 1. plavená
křída, hlinka na bílení 2. zool.
bělice; —**ish** [ˈwaitiš] *a* bělavý
whitlow [ˈwitlou] *s* přímět, za-
nícený nádor pod nehtem
Whit Monday [ˈwitˈmandi] *s*
pondělí svatodušní; **Whit
Sunday** [ˈwitˈsandi] neděle
svatodušní: **Whitsuntide** [ˈwit-
sntaid] *s* letnice
whittle [ˈwitl] *vt* řezat, ořezávat;

krájet, škudlat □ *s* fam.
kudla
whiz, whizz [wiz] *s* hvízdot,
fičení, svist □ *vi* hvízdat,
fičet, svištět; ~ -**bang** [ˈwiz-
bæŋ] *s* voj. sl. druh granátu
velké rychlosti
who [hu:] *pron* 1. kdo, koho,
komu 2. který, jenž, kteří ♦
he ~ ten, kdo; —**ever** *pron*
kdokoli, kohokoli; ˌ—so**ever**
pron kdokolivěk
whoa [wou] = *wo*
whole [houl] *a* 1. celý, úplný
2. zdravý, neporušený (*with
a* ~ *skin* se zdravou kůží) ♦
~ *and sound* živ a zdráv □ *s*
celek, všechno, souhrn, sou-
bor ♦ *on, upon, the* ~ vcelku,
celkem; ~ -**hearted** [ˈhoul-
ˈha:tid] *a* z celého srdce;
~ -**length** [ˈhoulleŋθ] *a v* ži-
votní velikosti; —**sale** [ˈhoul-
seil] *s* velkoobchod ♦ *by* ~
ve velkém; ~ *value* velko-
obchodní cena; *a* ~ *slaughter*
hromadná vražda; —**some**
[ˈhoulsəm] *a* 1. zdravý 2.
užitečný, prospěšný 3. podpo-
rující zdraví, hojivý, léčivý
wholly [ˈhoulli] *adv* zcela, úplně
whom [hu:m] *pron* koho, komu,
kterého, jehož; —**ever**, —so-
ever [ˌhu:m(sou)ˈevə] *a* koho-
koli
whoop [hu:p] *s* houkání, po-
křik, řev □ *vt & i* křičet,
pokřikovat, vypískat
whop [wop] *vt* (-pp-) sl. 1. zmlá-
tit, natlouci 2. plácnout se-
bou, žuchnout; —**per** [ˈwopə]
s 1. něco ohromného 2. ne-
horázná lež
whore [ho:] *s* nevěstka, kurva

□ *vt* svést □ *vi* smilnit; —**dom** [ˈho:dəm] *s* 1. smilstvo 2. modloslužba, modloslužebnictví

whorl [wə:l] *s* 1. závitnice 2. přeslen

whortleberry [ˈwə:tlˌberi] *s* borůvka

whose [hu:z] *pron* čí, koho, jehož; —**soever** [ˌhu:zsouˈevə] *pron* číkoli

why [wai] *adv* 1. proč? 2. int. hle, tedy, nuže □ *s* příčina, důvod

W.I. = *West Indies*

wick [wik] *s* knot

wicked [ˈwikid] *a* 1. zlý, bezbožný, hříšný 2. špatný, zkažený 3. rozpustilý 4. nemravný, prostopášný; —**ness** [ˈwikidnis] *s* 1. bezbožnost 2. zkaženost, hříšnost 3. lehkomyslnost 4. rozpustilost, čtveráctví

wicker [ˈwikə] *s* vrbové proutí □ *a* proutěný, pletený; ~ **chair** proutěná židle; ~ **basket** [ˈba:skit] proutěný koš; |~ **-work** *s* košíkářské zboží

wicket [ˈwikit] *s* 1. branka, vrátka v plotu 2. kriket kuličková branka

wide [waid] *a* široký, daleký, rozsáhlý, obšírný ♦ *far and* ~ daleko, široko; *the* ~ *world* širý svět; ~ *open* otevřený dokořán; *to give* ~ *berth* nepřibližovat se, vyhnout se; *to be not* ~ *of the mark* být blízek pravdě; |~ **a** |**wake** *a* úplně bdělý, neospalý □ *s* 1. chytrák 2. nízký širák □ *adv* široko, daleko, docela □ *s* rozloha, šíře; —**ly** [ˈwaidli]

adv široko, velmi; ~ **-spread** [ˈwaidspred] *a* velmi rozšířený; ~ **response** široká odezva

widen [ˈwaidn] *vt & i* (roz)šířit (se)

widgeon [ˈwidžən] *s* divoká kachna

widow [ˈwidou] *s* vdova □ *vt* učinit vdovou, ovdovět; —**ed** [ˈwidoud] *a* ovdovělý; —**er** [ˈwidouə] *s* vdovec; —**hood** [ˈwidouhud] *s* vdovství; ~**'s-bench** [ˈwidouzbenč] *s* vdovský podíl

width [widθ] *s* 1. šířka, šíře 2. vzdálenost ♦ ~ *of span* rozpětí

wield [wi:ld] *vt* 1. ovládat, vládnout, řídit 2. třímat

wife [waif] *s* pl. *wives* [waivz] žena, manželka

wig [wig] *s* paruka, vlásenka □ *vt* (-gg-) přísně domluvit; |~ **-** |**maker**, ~ **-weaver** [ˈwigˌwi:və] *s* vlásenkář

wigwam [ˈwigwæm] *s* indiánská chatrč, stan, vigvam

wild [waild] *a* 1. divoký, nezkrocený, neochočený 2. bezuzdný, hrubý 3. nestálý, vrtkavý 4. neupravený, nepořádný 5. bouřlivý, prudký 6. bujný 7. vzteklý, zuřivý 8. vzrušený ♦ ~ *beast* [bi:st] šelma; ~ *man* divoch; *to run* ~ zdivočet, třeštit; *a* ~ *goose chase* ztřeštěné počínání; ~ *looks* vytřeštěný pohled, vzhled; ~ *scheme* dobrodružný plán; *to drive one* ~ rozvzteklit koho; *to sow one's* ~ *oats* fig. vyhodit si z kopýtka □ *adv* divoce □ *s* pustina, divočina; samota;

~ **-brier** [ˈwáildˌbraiə], ~**-rose** [ˈwaildrouz] s šípek; ~ **camomile** [ˈkæməmail] heřmánek pravý; ׀~**-cat** a ztřeštěný, nezdravý; —**erness** [ˈwildənis] s divočina, pustina, samota, poušť; ~ **-fire** [ˈwaildˌfaiə] s řecký oheň; —**fowl** [ˈwaildfaul] s divoká zvěř; —**ing** [ˈwaildiŋ] s pláň(ka); —**ness** [ˈwaildnis] s 1. divokost 2. rozpustilost 3. výstřednost 4. pomatenost, šílenost; ~**-succory** [ˈwaildˈsakəri] s čekanka obecná; ~ **youth** divoch, rozpustilec; ~ **work** násilí

wile [wail] s 1. lest, úskok 2. pl nástrahy □ vt ošidit, oklamat; ~ **away, into** vylákat, vlákat

wilful [ˈwilful] a 1. záměrný, úmyslný 2. svéhlavý, neústupný

will¹ [wil] s 1. vůle 2. arch. žádost, přání 3. úmysl, záměr 4. ochota 5. rozhodnutí 6. závěť, poslední vůle ♦ **at** ~ podle přání; **with a** ~ 1. ochotně 2. energicky; *freedom of the* ~ svoboda vůle; *to have one's* ~ prosadit svou; *good* ~ dobrá vůle; *to make one's* ~ udělat poslední vůli; *ill-*~ s nevůle; —**ing** [ˈwiliŋ] a 1. ochotný 2. spokojený 3. volný, povolný; —**ingness** [ˈwiliŋnis] s ochota

will² [wil] vt & aux, pt & cond *would* 1. chtít, přát si 2. svolit 3. zast. prosit 1. zast. nařizovat 5. odkázat, učinit závěť

William [ˈwiljəm] s Vilém

will-o'-the-wisp [ˈwiləðwisp] s bludička

willow [ˈwilou] s 1. vrba 2. kriketová pálka ♦ **to handle** *the* ~ užívat pálky v kriketu; ׀~ **-plot** s vrboví; —**y** [ˈwiloui] a vrbami porostlý, jako vrba

wilt¹ [wilt] *2. os.* od *will (thou* ~ chceš)

wilt² [wilt] vt & i 1. vadnout, chřadnout 2. zeslabit, změkčit

wily [ˈwaili] a úskočný, lstivý, potměšilý

wimble [ˈwimbl] s vrták, nebozez, svidřík □ vt 1. (pro)vrtat 2. točit svidříkem

wimple [ˈwimpl] s rouška, závoj, čepec jeptišky

win* [win] vt & i 1. získat, nabýt 2. dobýt, vyhrát, zvítězit, mít úspěch (~ *victory* dobýt vítězství, ~ *fortress* dobýt pevnost, ~ *prize* získat cenu, ~ *honour* získat čest, ~ *fame* získat pověst) ♦ **to** ~ *one's spurs* dobýt si ostruh též fig.; *to* ~ *one's way* protlouci se; *to* ~ *clear* n. *free* vyprostit se, proklestit si cestu; ~ **over** naklonit si; ~ **upon** postupně získávat na svou stranu

wince [wins] vi 1. trhat sebou, kroutit se, škubat sebou 2. hrabat, kopat, vyhazovat o koni 3. uskočit, ucuknout 4. svíjet se bolestí

winch [winč] s rumpál, naviják

wind¹ [wind] s 1. vítr, proud větru n. vzduchu 2. dech 3. vůně, pach 4. dechový nástroj zvuk 5. pokyn, narážka 6. prázdná slova, nicotnost ♦ *fair, contrary* ~ příznivý, nepříznivý vítr; ~ *rises* vítr se zvedá; *to be in the* ~ dít se; *down the* ~ po větru; *to take the* ~ *out of one's sails* vzít komu vítr z plachet; *to have a thing in the* ~ větřit co; *to get* ~ *of* dostat se na stopu, vyslídit, zvětřit; *to break* ~ pouštět větry; *to fetch one's* ~ popadat dech □ *vt* 1. provětrat 2. větřit, vyčenichat 3. udýchat, uhnat 4. rozezvučet foukáním, znít; —**bag** [ˈwindbæg] *s* tlachal; |~ -ˌbroken *a* dýchavičný; ~ -**cheater** [ˈwindˌčiːtə] *s* větrovka; |~ -**egg** *s* jalové vejce, zárprtek; —**er** [ˈwində] *s* hráč na dechový nástroj; —**fall** [ˈwindfɔːl] *s* 1. padavka ovoce 2. nenadálé štěstí; ~ -**gauge** [ˈwindgeidž] *s* větroměr; ~ -**hover** [ˈwindˌhovə] *s* poštolka; ~ -**instrument** [ˈwindˌinstrumənt] *s* dechový nástroj; —**mill** [ˈwinmil] *s* větrný mlýn; —**pipe** [ˈwindpaip] *s* průdušnice; —**row** [ˈwindrou] *s* řada mandelů, kupek na louce, poli; ~ -**screen** [ˈwindskriːn], ~ -**shield** [ˈwindšiːld] *s* ochranné sklo auta; |~ -screen-ˌwiper *s* stěrač; —**ward** [ˈwindwəd] *a* návětrný

wind²* [waind] *vt & i* 1. troubit (*a horn* na roh) 2. vít, vinout (se) 3. zavíjet, zavinout, ovinout 4. točit (se), kroutit (se), páčit 5. obrátit, otočit, (z)měnit (se) ♦ *to* ~ *person round one's fingers* otočit si koho kolem prstu; ~ **in** uvést, zapříst; ~ **into** svinout; ~ **off**

roztočit, rozmotat, rozvinout; ~ **out** vymotat; ~ **up** 1. navíjet na rumpál, motat 2. natahovat hodiny 3. dopálit 4. zakončit, likvidovat obchod; —**er** [ˈwaində] *s* 1. navíječ 2. naviják 3. klíč k natahování 4. točité schody

windiness [ˈwindinis] *s* 1. větrnost, bouřlivost 2. nadýmání, větry 3. nadutost

winding [ˈwaindiŋ] *s* 1. vinutí, otáčení 2. závit, závitnice 3. záhyb, oklika, zatáčka; ~ -**sheet** [ˈwaindiŋši:t] *s* rubáš; ~ **stairs** točité schody

windlass [ˈwindləs] *s* vratidlo, rumpál, naviják

window [ˈwindou] *s* okno ♦ *lattice* ~ mřížové okno; ~ -**blind** [ˈwindoublaind] *s* roleta; |~ -**case** *s* výklad(ní skříň); ~ -**frame** [ˈwindoufreim], ~ -**sash** [ˈwindousæš] *s* okenní rám; ~ -**pane** [ˈwindoupein] *s* okenní tabule; ~ -**shutter** [ˈwindoušatə] *s* okenice

windy [ˈwindi] *a* 1. větrný, bouřlivý 2. nadýmavý 3. nadutý 4. prázdný, slovíčkářský 5. rozvláčný

wine [wain] *s* 1. víno nápoj 2. pitka ♦ *burnt* ~ pálenka; *sparkling* ~ šumivé víno; ~ -**cask** [ˈwainkaːsk] *s* vinný sud; |~ -**glass** *s* sklenka na víno; ~ -**grower** [ˈwainˌgrouə] *s* vinař; |~ -**press** *s* vinný lis; —**vault** [ˈwainvɔːlt] *s* vinný sklep; ~ **vinegar** [ˈvinigə] vinný ocet

wing [wiŋ] *s* 1. křídlo, peruť, krovka 2. blatník auta 3. let

4. let. peruť **5.** pl. kulisy ♦ W~ *Commander* velitel letky; *to clip one's -s* přistřihnout komu křídla; *to come on the -s of the wind* fig. přijít na křídlech větru; *to take under one's -s* fig. vzít pod ochranná křídla; *to make ~* letět; *to lend ~ to* dodat vzletu; *to take ~* vzlétnout; *with -s* horlivě □ *vt & i* **1.** opatřit křídly **2.** vznést se **3.** vystřelit šíp **4.** popohnat, zrychlit chůzi; **~-case** [¹wiŋkeis] *s* krovka; **—ed** [wiŋd] *a* okřídlený, rychlý; **~ footed** [¹wiŋˌfutid] *a* křídlonohý, rychlý, hbitý; **—let** [¹wiŋlit] *s* křidélko; **~ -stroke** [¹wiŋstrouk] *s* mávnutí křídlem

wink [wiŋk] *s* mrknutí, mžiknutí; pokyn ♦ *to give a ~ to* mrknout na, pokynout; *to tip one the ~* sl. dát komu znamení; *I did not sleep a ~ all night* nezamhouřil jsem oka po celou noc; *forty -s* zdřímnutí □ *vi & t* **1.** mrknout (*at* na), mrkat **2.** mžikat, kmitat **3.** dát znamení, pokynout; **~ at** úmyslně přehlédnout, přimhouřit oči; **—ers** [¹wiŋkəz] *s pl.* klapky koní

winner [¹winə] *s* vítěz, výherce

winning [¹winiŋ] *a* **1.** vítězný **2.** zajímavý, poutavý □ *s* **1.** výhra, zisk **2.** dobytí

winnow [¹winou] *vt* **1.** čistit obilí od plev, prosívat **2.** tříbit

winsome [¹winsəm] *a* **1.** přívětivý **2.** okouzlující, půvabný, přitažlivý **3.** veselý

winter [¹wintə] *s* **1.** zima **2.** bás. rok ♦ *in (the) ~* v zimě □

vi & t strávit zimu, přezimovat *(at, in)*; *~ crop* ozim; **—ize** [¹wintəraiz] *vt* připravit k přezimování; **~ season** [¹siːzn] zimní období; **~ solstice** [¹solstis] zimní slunovrat

wintry [¹wintri] *a* **1.** zimní **2.** chladný, nevlídný

winy [¹waini] *a* vínový

wip|e [waip] *vt & i* **1.** utírat, otřít, očistit; osušit **2.** vyčistit *(out, away, off)* ♦ *to ~ one's eyes* fig. vytřít komu zrak; **~ out 1.** vytřít, vymazat **2.** zničit, vyhladit □ *s* **1.** utření, vytření **2.** trefná poznámka; úšklebek **3.** dútka **4.** sl. ráz, rána, zničující rána **5.** sl. kapesník; **—er** [¹waipə] *s* stěrač u auta

wire [¹waiə] *s* **1.** drát **2.** telegraf, telegram ♦ *by ~* telegraficky; *to send a ~* telegrafovat; *barbed ~* ostnatý drát; *to pull the -s* tahat za drátky též fig. o politických pletichách □ *vt* **1.** při-, z-pevnit drátem **2.** instalovat elektrické vedení **3.** chytat do ok **4.** (za)telegrafovat; **~ -bridge** [¹waiəbridʒ] *s* visutý most; **~ -cutters** [¹waiəˌkatəz] *s* nůžky na drát; **~ entanglement** [inˈtæŋglmənt] *s* voj. drátěná překážka; **~ -gauge** [¹waiəgeidʒ] *s* měrka na drát, drátoměr; **~ glass** drátěné sklo; **—less** [¹waiəlis] *a* bezdrátový □ bezdrátová telegrafie n. stanice, rádio □ *vt* poslat radiogram; **~ message** [¹mesidʒ] radiogram; **~ operator** radiotelegrafista; **~ set** rozhlasový přijímač; **~ telegraphy** radiotelegrafie; ~ *truck* [trak] rozhlasový vůz; ~ -netting [ˈwaiəˈnetiŋ] *s* drátěné pletivo; ~ -ˌpulling *s* tahání za drátky, politické pletichy; ~ rope [roup] ocelové lano; ~ -worm [ˈwaiəwə:m] *s* zool. červ drátový

wiry [ˈwaiəri] *a* drátěný, drátovitý; šlachovitý, houževnatý

Wis. = *Wisconsin*

Wisconsin [wisˈkonsin] *s* Wisconsin

wisdom [ˈwizdəm] *s* moudrost, rozum

wise [waiz] *a* 1. moudrý, rozumný, zkušený 2. zručný, odborný ♦ *I came away none the -r* odešel jsem o nic moudřejší □ *s* způsob, stupeň, moudrost ♦ *in no* ~ vůbec ne; —acre [ˈwaizeikə] *s* mudrlant; ~ crack [kræk] moudrá průpovídka; ~ man mudrc; ~ saw [so:] přísloví; ~ woman 1. kouzelnice, věštkyně 2. porodní babička

wish [wiš] *vt & i* přát si, chtít, žádat (*for* oč) ♦ ~ *ill* nepřát; ~ *well towards* být komu nakloněn; ~ *joy of* blahopřát k □ *s* přání, tužba, blahopřání, žádost; —ful [ˈwišful] *a* toužebný, toužící, přející si; ~ -wash [ˈwišwoš] *s* brynda

wishy-washy [ˈwišiˌwoši] *a* fam. chatrný, nicotný, mizerný

wisp [wisp] *s* vích, otýpka ♦ ~ *of straw* věchet

wistful [ˈwistful] *a* 1. vážný, hloubavý 2. zamyšlený, zasněný 3. toužebný; —ness [ˈwistfulnis] *s* zamyšlenost, toužebnost, nedočkavost

wit[1] [wit] *s* 1. (dů)vtip, inteligence, rozum 2. vynalézavost, důmysl 3. šprýmař, chytrá hlava 4. vtipný nápad 5. pl. smysly, rozum ♦ *to be at one's* ~*'s end* být s rozumem u konce; *to be out of one's -s* pominout se s rozumem; *to crack a* ~ udělat vtip; *to recover one's -s* vzpamatovat se; ~ -cracker [ˈwitˌkrækə], —snapper [ˈwitˌsnæpə] *s* šprýmař; —less [ˈwitlis] *a* nerozumný, nechápavý, hloupý; —ling [ˈwitliŋ] *s* vtipálek

wit[2] [wit] *vt & i* arch. vědět *(pres. I, he wot, thou wottest, pt wist)* ♦ *God wot* bůh ví; *to* ~ takřka, totiž

witch [wič] *s* 1. čarodějnice, kouzelnice 2. okouzlující žena 3. kouzlo □ *vt* očarovat; —craft [ˈwičkra:ft] *s* kouzelnictví; —ery [ˈwičəri] *s* kouzlo, kouzelnictví; ~ -hunt [ˈwičhant] *s* hov. politické pronásledování

with [wið] *prep* s, při, u, ke, na; přes, nehledě k ♦ ~ *all my heart* z celého srdce; ~ *all speed* bez odkladu; ~ *care!* opatrně!; ~ *that* poté, nato; *to be angry* ~ hněvat se na; *to differ* ~ nesouhlasit s; *it rests* ~ *you* to záleží na vás; *to write* ~ *a pen* psát perem; *to weep* ~ *sorrow (joy)* plakat zármutkem (radostí); ~ *child* těhotná; ~ *young* březí; ~ *the colours* voj. v činné službě; ~ *all his learning, he is the simplest of men* přes svou učenost...

withal [wiˈðo:l] *adv*, prep arch.

1. zároveň, přitom, kromě toho 2. ostatně 3. s, mimo, vedle
withdraw* [wiðˈdroː] *vt* 1. odtáhnout, stáhnout, vytáhnout, vyjmout, odstranit 2. odvolat, odříci, přerušit □ *vi* 3. vzdálit se, odejít, odstoupit; —**al** [wiðˈdroːəl] *s* 1. odvolání, odchod 2. vyzvednutí peněz 3. odstoupení, ustoupení, ústup
withe [wiθ] *s* vrbový prut
wither [ˈwiðə] *vi & t* 1. vysušit (z)vadnout (*up*), schnout 2. vysílit, chřadnout, odumírat *(~ away)* 3. kazit, ničit
withers [ˈwiðəz] *s pl.* kohoutek u koně
withheld [wiðˈheld] *pt, pp* viz *withhold*
withhold* [wiðˈhould] *vt* 1. odepřít, odmítnout 2. zadržet 3. bránit *(from* aby)
within [wiˈðin] *prep* v, na, o, kromě, za, během □ *adv* uvnitř, doma ♦ *~ a few days* v několika dnech; *~ doors* v domě, do domu; *~ a mile from* méně než míli od; *~ reach* na dosah, v doslechu; *~ the law* v mezích zákona; *is Mr Jones ~ ?* je pan Jones doma? □ *s* vnitřek; *from ~* z vnitřku
without [wiˈðaut] *prep* 1. bez 2. vně, mimo ♦ *things ~ us* věci mimo nás; *~ doubt* nepochybně; *~ end* nekonečný; *to do ~* obejít se bez □ *adv* venku, vně, zvenčí □ *conj* leč, aniž by
withstand* [wiðˈstænd] *vt & i* odporovat, protivit se, odolat, vydržet

withstood [wiðˈstud] *pt, pp* viz *withstand*
withy [ˈwiði] *s = withe*
witless, witling viz *wit*
witness [ˈwitnis] *s* 1. svědectví *(to, of)* 2. svědek *(eye ~* očitý svědek) ♦ *to bear ~* dosvědčit; *to call to ~* volat za svědka; *in ~ of* na důkaz čeho; *with a ~* opravdu, skutečně □ *vt & i* (do)svědčit, být svědkem *(against* proti, *for* pro)
witticism [ˈwitisizəm] *s* vtip, vtipkování
wittiness [ˈwitinis] *s* vtip, vtipnost, rozum
wittingly [ˈwitiŋli] *adv* vědomě, úmyslně, schválně
witty [ˈwiti] *a* duchaplný, vtipný; kousavý
wive [waiv] *vt & i* zast. oženit (se)
wivern, wyvern [ˈwaivəːn] *s* okřídlený drak
wives [waivz] *pl.*, viz *wife*
wizard [ˈwizəd] *s* čaroděj, kouzelník □ *a* kouzelný; —**ry** [ˈwizədri] *s* kouzelnictví
wizened, wizen, weazen [ˈwiznd, ˈwizn, ˈwiːzn] *a* scvrklý, vysušený
W.O. = 1. *War Office* 2. *warrant officer*
wo, whoa [wou] *int* ouha!, hou!, prr! volání na koně
woad [woud] *s* borytová modř
wobble, wabble [ˈwobl] *vi* 1. kolísat 2. potácet se, vrávorat 3. být nestálý 4. viklat se 5. chvět se 6. am. rozpadnout se 7. dial. bublat □ *s* chvění, kolísání, vrávorání; změna směru politiky

woe [wou] *s* běda, žal, hoře
♦ ~ *is me* běda mně!; —**ful**
[ˈwouful] *a* žalostný, bědný,
ubohý; smutný, sklíčený;
woke [wouk] *pt* viz *wake*;
wold [would] *s* niva, pláň, ro-
vina
wolf [wulf] *s* pl. *wolves* [wulvz]
vlk ♦ *she-*~ vlčice; *to have* n.
hold ~ *by the ears* být v si-
tuaci, z níž není východiska;
~ *in sheep's clothing* vlk
v rouše beránčím □ *vt* hltat;
ǀ~ *-dog s* vlčák; —**ish** [ˈwulfiš]
a vlčí, hltavý; —**man** *s* vlko-
dlak; ~'s **head** psanec; ~'s
milk pryšec
Wolverhampton [ˈwulvəhæm-
tən] *s* Wolverhampton
woman [ˈwumən] *s* pl. *women*
[ˈwimin] **1.** žena, paní, man-
želka **2.** služebná, pokojská
♦ ~ *in childbed* šestinedělka;
—**hood** [ˈwumənhud] *s* žen-
ství, ženskost; —**ish** [ˈwumə-
niš] *a* zženštilý; —**ize** [ˈwumə-
naiz] *vt & i* l̄. zženštit, zchou-
lostivit **2.** být prostopášný
o mužích; —**kind** [ˈwumən-
ǀkaind] *s* ženské pohlaví,
ženy; —**like** [ˈwumənlaik] *a*
ženský, zženštilý; —**liness**
[ˈwumənlinis] *s* ženství,
ženskost; —**ly** [ˈwumənli] *a*
ženský, zženštilý; ~ **suffrage**
[ˈsafridž] volební právo žen
womb [wu:m] *s* lůno, děloha
women [ˈwimin] *s* pl. viz *woman*
won [wan] *pt & pp* viz *win*
wonder [ˈwandə] *s* podivení,
div, zázrak ♦ *(it is) no* ~
není divu; *what* ~ jaký div!;
to look all ~ být nadobro
udivený; *for a* ~! kupodivu!;

to do n. *to work* -*s* fig. dělat
divy □ *vi & i* **1.** divit se
(at), obdivovat, žasnout **2.**
být zvědav **3.** rád vědět; —**ful**
[ˈwandəful] *a* podivuhodný;
—**ment** *s* podivení, obdiv,
úžas; ~ **-struck**, ~ **-stricken**
[ˈwandəǀstrak, -strikən] *a*
užaslý, udivený
wondrous [ˈwandrəs] *a* **1.** podi-
vuhodný, zvláštní **2.** neoby-
čejný, úžasný
won't [wount] = *will not*
wont[1] [wount] *a* zvyklý *(to)* ♦
he was ~ *to say* říkával
wont[2] [wount] *v* pomocné být
zvyklý □ *s* zvyk; —**ed**
[ˈwountid] *a* zvyklý, obvyklý
woo [wu:] *vt* **1.** namlouvat si,
dvořit se, ucházet se **2.** žádat
si **3.** přemlouvat; —**er** [wu:ə]
s **1.** nápadník **2.** uchazeč;
—**ing** [ˈwu:iŋ] *a* dvořící se;
lákavý, vábivý □ *s* námluvy
wood [wud] *s* **1.** dřevo, dříví **2.**
les, háj **3.** sud; ~ **alcohol**
[ˈælkəhol] dřevný líh; ~ **-ane-
mone** [ˈwudəˈnemøni] *s* sa-
sanka lesní; —**bine** [ˈwud-
bain], —**bind** [ˈwudbaind]
s loubinec, divoké víno:
~ **-carving** [ˈwudǀka:viŋ] *s*
řezbářství; ~ **-coal** [ˈwud-
koul] *s* dřevěné uhlí; ~ **-cock**
[ˈwudkok] *s* sluka lesní;
—**craft** [ˈwudkra:ft] *s* les-
nictví; —**cut** [ˈwudkat] *s*
dřevoryt; —**cutter** [ˈwud-
ǀkatə], —**engraver** [ˈwudin-
ǀgreivə] *s* dřevorytec; —**ed**
[ˈwudid] *a* zalesněný; —**en**
[ˈwudn] *a* **1.** dřevěný **2.** ne-
obratný, prkenný, hloupý;
—**en shoes** dřeváky; —**engrav-**

ing [¹wudin¹greiviŋ] s dřevoryt; ¹∼-house s dřevník; ∼ industry dřevařský průmysl; ¹—land s zalesněná krajina, zálesí; ¹—man s 1. lesník 2. dřevorubec; —pecker [¹wud¡pekə] s datel; ∼-pulp [¹wudpalp] s buničina, celulóza; —ruff [¹wudraf] s mařinka vonná; ∼ wool dřevitá vlna; ¹—work s práce ze dřeva; ¹—working industry dřevařský průmysl; ¹∼-working machine dřevoobráběcí stroj; ¹∼-worm s červotoč; —y [¹wudi] a lesnatý, zalesněný; dřevěný, dřevitý

woof [wu:f] s útek, tkanina ♦ to work in the ∼ vetkávat

wool [wul] s 1. vlna, vlněná příze 2. vlněná látka 3. vlněný šat, oblek ♦ much cry and little ∼ mnoho povyku pro nic; ∼-carding [¹wul¡ka:diŋ], —combing [¹wul¡koumiŋ] s česání vlny; ∼-gathering [¹wul¡gæðəriŋ] a těkavý, roztržitý, zapomnětlivý □ s roztěkanost, roztržitost; —len [¹wulin] a vlněný, hrubý; —len-draper [¹wulin¡dreipə] s hist. obchodník suknem; —len-stuff [¹wulinstaf] s 1. sukno, vlněná látka 2. pl. vlněné zboží; ∼-pack [¹wulpæk], ∼-sack [¹wulsæk] s žok vlny; —y [¹wuli] a vlněný, jako vlna □ s vlněná věc, hlavně svetr

Worcester [¹wustə] s Worcester

word [wə:d] s 1. slovo, řeč 2. rozmluva, poznámka 3. zpráva, vzkaz 4. průpověď, přísloví 5. heslo 6. slib 7. the W∼

of God Písmo sv. ♦ to coin -s razit slova; to play upon -s hrát si se slovy; by ∼ of mouth ústně; to take one at his ∼ vzít koho za slovo; good ∼ doporučení; ∼ of command povel; ∼ of honour čestné slovo; command of -s výmluvnost; ∼ for ∼ doslovně; to have -s with přít se, hádat se s; to have the last ∼ mít poslední slovo; to come to -s prudce se pohádat; to fail in ∼ nedostát slovu; to keep (break) ∼ dostát (nedostát) slovu; I give you my ∼ for it dávám ti na to čestné slovo; upon my ∼ na mou čest; to send ∼ to vzkázat; to pass one's ∼ slovem se zaručit; basic ∼ stock základní slovní fond □ vt vyjádřit slovy, naznačit, stylizovat □ vi zast. přít se, hádat se; —iness [¹wə:dinis] mnohomluvnost, rozvláčnost; ∼-splitter [¹wə:d¡splitə] s slovíčkář, puntičkář; —y [¹wə:di] a 1. mnohomluvný, rozvláčný 2. slovní

wore [wo:] pt viz wear

work [wə:k] s 1. práce, čin, činnost; dílo; zaměstnání 2. tecn. zpracovaný kus, obrobek 3. účinek, působení 4. výroba 5. pohon 6. pl. dílna, továrna (-s council závodní výbor) 7. pl. hodinový stroj 8. pl. voj. opevnění, zemní práce 9. výšivka 10. zákop ♦ at ∼ v činnosti; to be at ∼ pracovat; in ∼ v práci n. v zaměstnání; a ∼ of art umělecké dílo; a good stroke of

~ hezký kus práce; *-s service camp* pracovní tábor; *to go to* ~ jít do práce; *to make a short* ~ *of* dlouho se nepárat s; *out of* ~ bez práce; *to set to* ~ zapřáhnout do práce; *to set oneself to* ~ dát se do práce; *to stick to* ~ vytrvat při práci □ *vt & i* **1.** pracovat, dělat **2.** tech. zpracovávat, tvářit, obrábět (~ *cold* zpracovávat za studena) **3.** uvést v chod n. pohyb, být v chodu **4.** přinutit **5.** běžet, otáčet se **6.** působit (*upon* na), fungovat **7.** vykonávat **8.** udělat, být zaměstnán **9.** pobouřit **10.** kvasit, dát kvasit **11.** hníst, vypracovat (*dough* těsto), zformovat **12.** šít, vyšívat **13.** osvědčit se **14.** účinkovat **15.** razit si těžce cestu (*out, in through*) **16.** vypočíst **17.** spravovat **18.** pohánět, řídit **19.** způsobit **20.** řešit úlohu ♦ *to* ~ *a change* způsobit; *to* ~ *one's way* razit si cestu; ~ **in 1.** přimísit **2.** všít, vetkat **3.** zařadit, uvést; ~ **into** zpracovat v; ~ **off 1.** zbavit se koho **2.** vylít si zlost **3.** vyprodat **4.** překonat **5.** zhotovit **6.** otisknout; ~ **on 1.** pokračovat v práci **2.** působit na; ~ **out 1.** vypracovat **2.** vyčerpat, opotřebovat, zničit, zkazit **3.** vycházet o sumě; ~ **through** propracovat se, (pro)razit si cestu; ~ **up 1.** vypracovat, propracovat (se), zpracovat **2.** promíchat **3.** vyplašit, pobouřit: ~ **upon** ovlivnit, vnutit; —**ability** [ˌwəːkəˈbi-

liti] *s* **1.** zpracovatelnost **2.** obrobitelnost; —**able** [ˈwəːkəbl] *a* **1.** zpracovatelný **2.** působivý **3.** výnosný; —**aday** [ˈwəːkədei] *a* praktický, všední; ˈ—**day** *s* všední, pracovní den; ~ *unit* pracovní den jednotka; —**er** [ˈwəːkə] *s* dělník, pracovník ♦ ~ *correspondent* dělnický dopisovatel; ˈ—**house** *s* **1.** chudobinec **2.** káznice; —**ing** [ˈwəːkiŋ] *a* pracovní □ *s* **1.** práce, činnost, zacházení, řízení **2.** tech. zpracování, obrábění **3.** pohyb, postup **4.** kysání, kvašení **5.** pohon, chod stroje **6.** působení **7.** výpočet ♦ *mechanical* ~ tech. tváření; ˈ—**ing-class** *movement s* dělnické hnutí; ˈ—**ing conditions** pracovní podmínky; ˈ—**ing-day** *a* pracovní den; ˈ—**ing-man** *s* dělník, řemeslník; ˈ—**manlike** *a* dovedný, mistrný, řemeslný; —**manship** [ˈwəːkmənʃip] *s* dovednost; ~ **-people** [ˈwəːkˌpiːpl] *s* řemeslníci, dělnictvo; —**piece** [ˈwəːkpiːs] *s* tech. obrobek; ˈ—**room** *s* dílna; ˈ—**shop** *s* dílna, továrna; —**shy** [ˈwəːkʃai] *a* štítící se práce; ˈ~ **-ˌtable** *s* pracovní stůl; ˈ—**woman** *s* dělnice

world [wəːld] *s* **1.** svět, země, vesmír **2.** lidstvo **3.** život **4.** společnost **5.** spousta ♦ *the other* n. *next* ~, *the* ~ *to come* onen svět; *to bring child into the* ~ přivést dítě na svět; ~ *without end* navždy; *all over the* ~ po celém světě; *for all the* ~ za celý svět; *to* *carry the* ∼ *before one* mít rychlý a úplný úspěch; *I would not do it for the whole* ∼ neudělal bych to za nic na světě; *to the* ∼*'s end* až na konec světa; *citizen of the* ∼ světoobčan; *all the* ∼ *knows* je všeobecně známo; *man of the* ∼ muž velkého světa; *to know* n. *see the* ∼ mít, získat, zkušenost; *to live out of the* ∼ žít osaměle; *how goes the* ∼ *with you?* jak se ti daří?; *to renounce the* ∼ zříci se světa; ∼ **-dominating** ['wə:ld｜domineitin] *a* světovládný; ∼ **labour movement** světové dělnické hnutí; —**liness** ['wə:ld-linis] *s* **1.** světskost **2.** světáctví, požitek; —**ling** ['wə:ld-lin] *s* světák; —**ly** ['wə:ldli] *a* **1.** světský, pozemský **2.** smyslný, požitkářský; —**ly-minded** ['wə:ldli｜maindid] *a* světácký; ∼ **outlook** světový názor; ∼ **rule** [ru:l] světovláda; ∼ **-weary** ['wə:ld｜wiəri] *a* světobolný; ∼ **-wide** ['wə:ldwaid] *a* světoznámý, světový (*on a* ∼ *scale* ve světovém měřítku)

World War II ['wə:ld'wo:'tu:] druhá světová válka

worm [wə:m] *s* **1.** červ **2.** ubožák **3.** šnek **4.** závitnice šroubu □ *vt & i* **1.** kroutit se jako červ, lézt **2.** vlichotit se, vetřít se (*into favour* v přízeň) **3.** vymámit (*secret out of* tajemství z) **4.** zbavit červů; ∼ **-conveyor** ['wə:mkən｜veiə] *s* šnekový dopravník; ∼ **-eaten** ['wə:m｜i:tn] *a* červivý, červotočivý; ｜∼ **-fishing** *s* chytání ryb na červy : ∼ **-gear** ['wə:mgiə] *s* šnekový převod; ∼ **-hole** ['wə:mhoul] *s* **I.** červotočina **2.** červivost ovoce; ∼**-seed** ['wə:msi:d] *s* cicvárkové semínko; ∼ **-screw** ['wə:mskru:] *s* šroubovák; ∼ **-shaft** ['wə:mša:ft] *s* šnekový hřídel; ∼ **-wheel** ['wə:mwi:l] *s* šnekové kolečko; —**y** ['wə:-mi] *a* červivý, červotočivý

worn [wo:n] *pp* viz *wear*

worn-out ['wo:n'aut] *a* **1.** opotřebovaný **2.** obnošený **3.** unavený **4.** tech. ojetý, vyběhaný ložisko

worr｜y ['wari] *vt & i* **1.** trápit (se) **2.** škrtit, dusit **3.** tahat, trhat, škubat o psu ♦ *to* ∼ *along* protloukat se; *to* ∼ *one's head* lámat si hlavu □ *s* **1.** trápení, úzkost **2.** trhání, škubání; sápání o psu: —**i-ment** *s* trápení, soužení

worse [wə:s] *a* horší ♦ *from bad to* ∼ čím dál tím hůře; *to be the* ∼ *for* mít újmu, být zkrácen, špatně pořídit při; *to be none the* ∼ *for* nemít újmy n. škody při, nebýt nijak zkrácen □ *adv* hůře, špatněji ♦ *not the* ∼ nicméně; *the* ∼ tím hůře □ *s* škoda, ztráta; újma; nevýhoda; —**n** ['wə:sn] *vt & i* poškodit, (z)horšit (se)

worship ['wə:šip] *s* **1.** uctívání, bohoslužba **2.** zast. hodnost, důstojnost; *your* ∼ vaše důstojnost, důstojný pane □ *vt* (-pp-) ctít, uctívat, klanět se; zbožňovat □ *vi* konat pobožnost; —**ful** ['wə:šipful] *a* ctihodný, důstojný; —**per** ['wə:šipə] *s* ctitel, zbožňovatel

worst [wə:st] *a* nejhorší □ *adv*
nejhůře ♦ *to be at the* ~ být
v koncích; *to have the* ~ *of it*
podlehnout, špatně pochodit;
to make the ~ *of* úplně zkazit;
to put to the ~ vehnat do
úzkých, co nejvíce uškodit □
s největší zlo ♦ *at* ~ v nejhor-
ším případě □ *vt & i* 1.
vyzrát na koho, přemoci koho
2. zast. horšit (se) 3. vehnat do
úzkých
Worstead [ˈwustid] *s* Worstead
worsted [ˈwustid] *s* vlněná příze
worth [wə:θ] *s* 1. cena, hodnota
2. zásluha, vážnost ♦ *a man
of* ~ zasloužilý člověk □ *a*
cenný, stojící za (~ *reading* co
stojí za čtení); *it is (not)* ~
while (ne)stojí to za to;
—**iness** [ˈwə:θinis] *s* 1. důstoj-
nost, vážnost 2. zásluha 3.
cena; —**less** [ˈwə:θlis] *a* bez-
cenný, nehodný *(of* čeho);
—**y** [ˈwə:ði] *a* 1. hodný, hod-
notný 2. ctihodný, důstojný
3. zasloužilý, zasloužený, vý-
tečný □ *s* zasloužilý člověk
would [wud] *pt* viz *will;* ~ **-be**
[ˈwudbi:] *a* chtějící něčím
být; předstíraný ♦ ~ *Social-
Democrat* „také (rádoby) so-
ciální demokrat"
wound[1] [wu:nd]ˈ*s* rána, bolest
♦ *incised, punctured, contused,
lacerated,* ~ řezná, bodná,
podlitá, tržná rána □ *vt*
(z)ranit, poranit ♦ *to* ~ *to
death* smrtelně zranit; *to* ~ *to
the very quick* tít do živého;
—**less** [ˈwu:ndlis] *a* nezrani-
telný
wound[2] [waund] *pt & pp* viz
wind

wove [wouv] *pt* viz *weave*
W.P. = *weather permitting*
wrack [ræk] *s* mořská řasa
vyvržená na břeh
W.R.A.F. = *Women's Royal Air
Force*
wraith [reiθ] *s* 1. zjevení, duch
2. dvojník
wrangle [ˈræŋgl] *vi* hádat se,
přít se *(for* o) □ *s* hádka,
spor, disputace
wrap [ræp] *vt & i* (-pp-) 1.
ovinout, zavinout, zabalit *(in,
up)* 2. zahalit (se), obestřít 3.
sbalit ♦ *-ped up* ponořen do
studia ap. □ *s* 1. obal, zábal
2. deka 3. pl. teplé oblečení;
—**page** [ˈræpidž] *s* balení.
obal, balík; plena; —**per**
[ˈræpə] *s* 1. balič 2. obal,
plášť 3. obálka 4. novinová
páska 5. šála, župan; —**ping**
[ˈræpiŋ] *s* obal, obálka; ~
paper balicí papír
wrapt [ræpt] = *rapt*
wrath [ro:θ] *s* hněv, zlost,
vztek; —**ful** [ˈro:θful] *a* hně-
vivý, zlostný
wreak [ri:k] *vt* shladit si žáhu.
vylít si vztek *(on, upon* na)
wreath [ri:θ] *s* 1. věnec 2. ko-
touč dýmu; —**e** [ri:ð] *vt* 1.
plést, vít 2. obejmout, ovi-
nout 3. věnčit □ *vi* 4. točit se,
vinout se, splétat se
wreck [rek] *s* 1. troska, vrak
2. ztroskotání lodi, srážka
vlaků 3. zkáza, zničení ♦ *to
go to* ~ ztroskotat; *to suffer* ~
roztříštit se, ztroskotat □
vt & i 1. rozbít (se), roztříštit
(se) 2. ztroskotat, způsobit
ztroskotání; —**age** [ˈrekidž] *s*
trosky lodi. zbořenina, sutina;

—er [ˈrekə] *s* lupič vraků, škůdce; **zachránce** z vraku; **—ing activities** záškodnictví, škůdcovství; **—ing truck** vyprošťovací vůz na odvlečení aut

wren [ren] *s* střízlík

wrench [renč] *s* 1. (vy)kroucení, točení 2. trhnutí, škubnutí 3. vymknutí, vypáčení 4. šroubovák ♦ *monkey* ~ univerzální (francouzský) šroubový klíč ☐ *vt* 1. kroutit, škubat 2. vykroutit, vymknout 3. utrhnout 4. zvrátit, překroutit fakta

wrest [rest] *vt* 1. kroutit, točit, trhat 2. překroutit smysl 3. vytrhnout 4. vynutit souhlas (*from* z) ☐ *s* 1. kroucení, vykroucení, překroucení 2. násilí 3. ladička na harfu

wrestl|e [ˈresl] *vi & t* zápasit, zápolit, bojovat (*with, against* s) ☐ *s* zápas· **—er** [ˈreslə] *s* zápasník, bojovník, borec

wretch [reč] *s* 1. ubožák, chudák 2. ničema; **—ed** [ˈrečid] *a* 1. ubohý 2. nedostatečný, špatný, mizerný

wrick, rick, crick [rik, krik] *vt* namoci si kříž ☐ *s* bolest· v kříži

wriggle [ˈrigl] *vi & t* 1. vrtět se, kroutit se o červu, svíjet se 2. vytáčet se (*out of* z čeho)

wright [rait] *s* výrobce, řemeslník; *play*— dramatický spisovatel

wring*¹ [riŋ] *vt* 1. kroutit, ždímat 2. lomit rukama 3. svírat, tisknout (*one's hand* něčí ruku) 4. zakroutit (*neck* krk) 5. lisovat, mačkat 6. soužit, utiskovat; ~ **from** vy-

nutit, vyrvat; ~ **in** násilně vpravit do; ~ **off** ukroutit; ~ **out** vymačkat

wring*² [riŋ] *s* 1. lis(ování) 2. stisk(nutí) 3. (vy)ždímání 4. pl. soužení, utrpení; **—er** [ˈriŋə] *s* ždímač(ka); **—ing** [ˈriŋiŋ] *s* ždímání, kroucení ♦ ~· *of conscience* výčitky svědomí; ~ *machine* ždímačka; ~ *wet* mokrý na ždímání

wrinkle*¹ [ˈriŋkl] *s* vráska, nakrčení, záhyb ☐ *vt & i* svraštit (se)

wrinkle*² [ˈriŋkl] *s* pokyn, nápověď

wrist [rist] *s* zápěstí; **—band** [ˈristbænd] *s* manžeta; **—let** [ˈristlit] *s* páska na zápěstí; ~ **-watch** [ˈristwoč] *s* náramkové hodinky

writ [rit] *s* 1. písmo 2. *holy, sacred* ~ Písmo sv. 3. rozkaz, soudní příkaz, předvolání 4. vypsání voleb

write* [rait] *vi & t* 1. psát, napsat 2. být písařem 3. pojednávat písemně (*on* o) 4. podepsat se ♦ *to* ~ *a good hand* mít pěkný rukopis, psát úhledně; ~ **back** odepsat; ~ **down** napsat; strhat kritikou; ~ **for** objednat si; ~ **off** odepsat z celkové částky, z účtu; ~ **out** opsat na čisto, napsat v plném znění; vyčerpat látku; ~ **up** 1. dopodrobna vypsat 2. dopsat, dokončit 3. popsat sešit 4. posoudit 5. vychválit v tisku

writ|er [ˈraitə] *s* 1. pisatel, písař 2. spisovatel; ~ *-reader meeting* beseda čtenářů se spisovateli; **—ing** [ˈraitiŋ] *s* 1.

psaní **2.** spis, dílo **3.** stať **4.** styl **5.** listina, dokument **6.** spisovatelství ♦ *in* ~ písemně; *to put thing in* ~ napsat co; **⏐—ing-desk** *s* psací stůl; **⏐—ing-⏐paper** *s* dopisní papír

written [⏐ritn] *pp* viz *write*

writhe [raið] *vi & t* **1.** kroutit (se), svíjet se **2.** trápit se (*under*, *at, with* čím)

wrong [roŋ] *a* **1.** nepravý, falešný, křivý **2.** špatný **3.** mylný, nemající pravdu **4.** zlý ♦ *the* ~ *side* nepravá strana, rub; ~ *side out* na ruby; *to be* ~ nemít pravdu, mýlit se; *to be in the* ~ *box* být v nepříjemné situaci; *to go* ~ chybit □ *adv* chybně, nesprávně □ *s* křivda, bezpráví, zlo, škoda; *to do one* ~ křivdit komu; *to suffer* ~ utrpět křivdu; *to be in the* ~ nemít pravdu; *to put one in the* ~ svalit vinu na koho □ *vt* **1.** ublížit, ukřivdit **2.** urazit **3.** svést ženu; **~-doer** [⏐roŋ⏐duə] *s* provinilec; **~-doing** [⏐roŋ⏐duiŋ] *s* křivda, přestu-

pek; **—ful** [⏐roŋful] *a* **1.** nespravedlivý, mylný **2.** škodlivý **3.** nezákonný; **~-headed** [⏐roŋ⏐hedid] *a* zvrácený, umíněný, paličatý

wrote [rout] *pt* viz *write*

wroth [rouθ] *a* bás., žert. rozhněvaný (*with* na koho, *at* nač)

wrought [ro:t] viz *work*; ~ *alloy*, *steel* tvářená slitina, ocel

wrung [raŋ] *pt & pp* viz *wring*

wry [rai] *a* křivý, zkřivený, zkroucený (*face* tvář, *mouth* ústa) ♦ *to make* ~ *faces* kysele se tvářit, ušklíbat se □ *vt & i* **1.** zkřivit (se), zkroutit (se) **2.** vinout se **3.** odchylovat se od ko'mého směru; **~-mouthed** [⏐raimauðd] *a* křivoústý; **~-neck** [⏐rainek] *s* krutihlav

W.S.W. = *west-south-west*

W.T. = *wireless* tele⏐*graphy*-*phony*

w.t. = *weight*

W. Va = *West Virginia*

Wyoming [wai⏐oumiŋ], zkr. *Wyo*. *s* Wyoming

wyvern [⏐waivə:n] = *wivern*

X

X, x [eks] **1.** písmeno x **2.** zkratka za *Christ* (hl. v *Xmas*) **3.** mat. neznámá veličina **4.** am. hov. desetidolarová bankovka

xanth⏐ic [⏐zænθik] *a* žlutavý, xanthinový; **—in** [⏐zænθin] *s* žluť mořenová: **—ous** [⏐zænθəs] *a* nažloutlý, žlutavý

Xmas [⏐krisməs] *s* vánoce

X-ray [⏐eks⏐rei] *s* rentgen □ *vt* rentgenovat; **~ examination** rentgenování; **~ photograph** rentgenogram

xylography [zai⏐logrəfi] *s* dřevorytectví, dřevořezba

xylonite [⏐zailənait] *s* celuloid

xylophone [⏐zailəfoun] *s* xylofon

Y

Y, y ⌊wai] písmeno y
yacht [jot] *s* jachta □ *vi* plavit,
se na jachtě; ~ **club** [ˈjot-
klab] *s* jachtařský klub
yak [jæk] *s* jak tibetský vůl
yank [jæŋk] *s* am. hov. škub-
nutí, trhnutí □ *vt & i* hov.
škubat, trhnout pákou ap.
Yankee [ˈjæŋki] *s* Yankee, Ame-
ričan □ *a* yankeeovský, ame-
rický; ~ *Doodle* americká lidová
píseň
Yangtse-Kiang [ˈjænciˈkjæŋ] *s*
Jang-c'-tiang
yaourt [ˈjæuət], *yog(h)urt* [ˈjou-
gəːt] *s* jogurt
yap [jæp] *s* hafání, štěkání □ *vi*
(-pp-) **1.** hafat, štěkat **2.**
sl. hlasitě mluvit
yard [jaːd] *s* **1.** dvůr, nádvoří,
dvorek **2.** yard, loket 0,914 m
3. nám. ráhno □ *vt* **1.** chovat
na dvoře **2.** uzavřít, držet,
uskladnit na dvoře; ~ **-mea-
sure** [ˈjaːdˌmeʒə] *s* **l.** pásková
míra **2.** pravítko **3.** kritérium,
měřítko čeho; ~ **-stick** [ˈjaːd-
stik] *s* dřevěná míra 0,914 m, loket
yarn [jaːn] *s* **1.** soukané vlákno;
příze, vlna na pletení **2.** hov.
dobrodružný příběh, histor-
ka □ *vi* **1.** příst **2.** vypravovat
povídku
yarrow [ˈjærou] *s* bot. řebříček
yaw [joː] *vi & t* nám. uchýlit
se od směru plavby □ *s* odchyl-
ka lodi od kursu
yawl [joːl] *s* nám. lodní člun,
jola
yawn [joːn] *vi & t* **1.** zívat **2.**
šklebit se **3.** říci se zívnutím □

s **1.** zívnutí **2.** zetí, jícen, pro-
past
yd = *yard*
ye [jiː] *pron* arch. vy, vás, vám
yea [jei] *adv* zast. **l.** ano **2.** ba,
vskutku, opravdu
yean [jiːn] *vt & i* vrhnout jeh-
ňata; —**ling** [ˈjiːnliŋ] *s* jehně
year [jəː] *s* **l.** rok **2.** pl. věk,
stáří **3.** období, řada let, dlou-
há doba ♦ *once a* ~ jednou za
rok; ~ *by* ~ rok co rok; *from*
~ *to* ~ od roku k roku; ~ *in*
~ *out* neustále po celý rok;
last ~, *this* ~, *next* ~ loni,
letos, příštího roku; *the fiscal*
~ daňový rok; *the school* ~
školní rok; *in* -*s* starý, letitý;
leap- ~ přestupný rok; |~
-book *s* ročenka; |~**-long** *a*
celoroční, léta trvající; —**ling**
[ˈjəːliŋ] *s* rok starý, roček
zvíře; —**ly** [ˈjəːli] *a* roční,
každoroční □ *adv* každoročně
yearn [jəːn] *vi* **l.** toužit (*for,
after* po) **2.** mít soustrast n.
sympatii; —**ing** [ˈjəːniŋ] *a*
toužebný, truchlivý □ *s* touha
yeast [jiːst] *s* **1.** kvasnice, drož-
dí **2.** pěna **3.** kvas □ *vi* kvasit,
pěnit se; ~ **factory** droždárna;
—**y** [ˈjiːsti] *a* **1.** kvasný **2.**
pěnivý **3.** frivolní, lehkovážný
yelk [jelk] = *yolk*
yell [jel] *vi & t* ječet, křičet, hu-
lákat □ *s* **1.** jekot, ječení **2.**
am. (po)křik
yellow [ˈjelou] *a* **1.** žlutý, plavý
2. žárlivý; závidějící; pode-
zíravý **3.** zbabělý, zrádný;
povahově nepevný □ *s* **l.**

žluť, žlutost 2. žloutek 3. pl.
arch. žloutenka; ~-bird s
stehlík; ~ fever ['fi:və] žlutá
zimnice; ~-hammer ['jelou-
ıhæmə] s strnad; ~ spot
žlutá skvrna; —y ['jeloui] a
žlutavý, nažloutlý
yelp [jelp] vi & t výt, štěkat,
ňafat
yen [jen] s sl. touha □ vi (-nn-)
toužit
yeoman ['joumən] s zeman,
menší statkář; —ly ['jou-
mənli] a zemanský; —ry
['joumənri] s zemanstvo
yes [jes] adv ano □ s pl. -es
['jesiz] kladná odpověď
yesterday ['jestədi] s včerejšek
□ adv 1. včera 2. nedávno
□ a včerejší ♦ the day before ~
předevčírem
yet [jet] adv 1. ještě, posud
2. již (have you heard ~ sly-
šel jste již?) 3. dále 4. přece
5. leč, nicméně ♦ not ~ ještě
ne; as ~ dosud; but ~ a přece
yew [ju:] s tis
yeti ['jeti] s sněžný muž
yield [ji:ld] vt & i 1. dávat,
poskytovat, nést úrodu, zisk
2. plodit, rodit 3. vzdát (se),
ustoupit 4. přiznat, připustit,
souhlasit 5. přizpůsobit se
6. vyplácet se ♦ to ~ consent
souhlasit; to ~ ground ustou-
pit, ztratit terén; to ~ sub-
mission podrobit se; ~ over,
up postoupit, zůstavit, zříci
se □ s výnos, výtěžek, zisk,
produkt, sklizeň ♦ -s per acre
hektarové výnosy
Y.M.C.A. = Young Men's Christ-
ian Association Křesťanské
sdružení mladých mužů

yodel ['joudl] vt & i jódlovat,
halekat
yog(h)ourt ['jougə:t] viz yaourt
yoke [jouk] s 1. jho, jařmo
(imperialist ~ imperialistické
jařmo) 2. poroba, poddanství
3. pár volů 4: příčka kormidla
5. vahadlo na nošení věder ap.;
vahadlo zvonu 6. sedlo košile,
sukně 7. spojovací koleno dvou
trubek ♦ to put to the ~ za-
přáhnout do jha; to bring
under the ~ ujařmit □ vt 1.
ujařmit, zotročit 2. zapřáh-
nout, spojit; ı—ıfellow,
ı—mate s druh, družka, man-
žel(ka)
Yokohama [ıjoukəˈha:mə] s Jo-
kohama
yolk [jouk] s žloutek
yon [jon] a onen, ona, ono □
adv tamhle; —der ['jon-
də] adv tamhle, tím směrem
□ a (the ~) vzdálenější,
onen
yore [jo:] adv, s zast. z dávných
dob, v dávných dobách, dáv-
no ♦ in the days of ~ za
dávných dob
you [ju:, ju] pron ty, tebe, tobě,
vy, vás, vám ♦ ~ never can
tell člověk nikdy neví
you'd [ju:d] = 1. you would 2.
you had
you'll [ju:l] = you will
young [jaŋ] a 1. mladý 2. svěží
3. nezralý, nedospělý, nezku-
šený □ s 1. mladí (the ~)
2. mládě ♦ with ~ březí;
to grow ~ mládnout; ~ man
mladík; my ~ man můj milý;
~ ones děti, mláďata; —ish
['jaŋiš] a pomladší; —ling
['jaŋliŋ] s 1. mladík, jinoch

2. mládě; —ster ['jaŋstə] s
younker ['jaŋkə] arch. s mla-
dík, výrostek
your [jo:] *pron* tvůj, váš;
—s [jo:z] *pron* v absolutním
postavení tvůj, váš (*a friend of*
~ váš přítel); *Y*~ *sincerely*
v dopise Váš upřímný; —self
[jo:'self] pl. -*selves* [-selvz]
pron ty, ty sám (ty sebe)
You're [juə] = *you are*
youth [ju:θ] s 1. mládí, mladost
2. mládež 3. mladík □ *Y*~
brigade brigáda mládeže;
Union of Czechoslovak Y~
ČSM; —ful ['ju:θful] *a* 1.
mladý, mladistvý 2. čerstvý,
svěží 3. časový, nový

you've [ju:v] = *you have*
yowl [jaul] = *yelp*
Yucca ['jakə] s juka liliovit
lina
Yugoslav ['ju:gou'sla:v] *a*
jihoslovanský, jugoslávsk
s Jihoslovan Jugoslávec;
['ju:gou'sla:vjə] s Jugosláv
the Yugoslavian Socialist F
deral Republic Socialistick
federativní republika Jugo
slávic
yule [ju:l] s vánoce; ~ -tide
['ju:ltaid] s vánoční doba
Y.W.C.A. = *Young Women's*
Christian Association Křes-
ťanské sdružení mladých
žen

Z

Z, z [zed] písmeno z
zeal [zi:l] s horlivost, zápal,
zájem; —ot ['zelət] s horlivec,
fanatik; —otry ['zelətri] s hor-
livost, horování, zanícení;
—ous ['zeləs] *a* horlivý
zebra ['zi:brə] s zebra; ~ *cros-*
sing zebra přechod označený
bílými pruhy
zebu ['zi:bu:] s zebu
zenith ['zeniθ] s 1. nadhlavník,
zenit 2. vrchol
zephyr ['zefə] s 1. západní vítr,
vánek, zefír 2. lehká vlněná
šála n. svetr
zero ['ziərou] s nula, bod mrazu
zest [zest] s jemná chuť, příchuť,
pikantnost
zig [zig] *vi* (-gg-) vinout se
zigzag ['zigzæg] s klikatá čára,

klikatina □ *a* klikatý □ *adv*
klikatě □ *vt & i* (-gg-) klikatě
běžet
zinc [ziŋk] s zinek □ *vt, pp*
zinked (po)zinkovat; ~ **coat-**
ing zinkování; ~ **plating** gal-
vanické zinkování; ~ **vitriol**
bílá skalice; ~ **white** zinková
běloba
zinnia ['zinjə] s bot. cínie
Zion ['zaiən] s Sión; —ism
['zaiənizəm] s sionismus
zip¹ [zip] s 1. svist, fičení 2. hov.
energie □ *vi* (-pp-) fičet,
svištět o kulce
zip² [zip] *vi* (-pp-) zapnout si
zipem (~ *up*); ~ -**fastener**
['zip|fa:snə], —per ['zipə] s
zip, zdrhovadlo; —pered ['zi-
pəd] *a* mající zip, zdrhovadlo

zither(n) [ˈziθə(n)] *s* citera
zodiac [ˈzoudiæk] *s* zvěrokruh, zvířetník; **—al** [zouˈdaiəkl] *a* zvířetníkový
zon|al [ˈzounl] *a* pásmový (*language* jazyk); **—e** [zoun] *s* 1. pásmo (*atom free* ~ bezatomové pásmo) 2. pás, pruh 3. okres
Zoo [zu:] *s* zoologická zahrada
zoolog|y [zouˈolədži] *s* zoologie; **—ical** [ˌzouəˈlodžikəl] *a* zoologický
zoom [zu:m] *vi* voj. sl. prudce kolmo vzlétnout, stoupat svíčkou

zoot [zu:t] *s* hov. potápka osoba, pásek ♦ ~ *suit* potápkovský, páskovský oblek; ǀ~-ǀsuiter *n*. ǀ**—er** *s* potápka, pásek
Zoroastrian [ˌzorouˈæstriən] *a* zoroastrovský □ *s* Zoroastrovec
zounds [zaundz] *int* arch. hrome!
Zulu [ˈzu:lu:] *s* Zulu
Zürich [ˈzjuərik] *s* Curych
zyme [zaim] *s* kvas
zym|ology [zaiˈmolədži] *s* nauka o kvašení; **—otic** [zaiˈmotik] *a* nakažlivý (~ *diseases* nakažlivé choroby)

ŘECKÁ ABECEDA

A	α	alpha	[ˈælfə]	alfa
B	β	beta	[ˈbi:tə]	beta
Γ	γ	gamma	[ˈgæmə]	gama
Δ	δ	delta	[ˈdeltə]	delta
E	ε	epsilon	[epˈsailən]	epsilon
Z	ζ	zeta	[ˈzi:tə]	dzéta
H	η	eta	[ˈi:tə]	éta
Θ	ϑ	theta	[ˈθi:tə]	théta
I	ι	iota	[aiˈoutə]	iota
K	$\varkappa$	kappa	[ˈkæpə]	kapa
Λ	λ	lambda	[ˈlæmdə]	lambda
M	μ	mu	[mju:, mu:]	mí
N	ν	nu	[nju:, nu:]	ní
Ξ	ξ	xi	[gzai, zai]	xí
O	o	omicron	[ouˈmaikrən]	omikron
Π	π	pi	[pai]	pí
P	ϱ	rho	[rou]	ró
Σ	σ	sigma	[ˈsigmə]	sigma
T	τ	tau	[tau, tɔ:]	tau
Y	υ	upsilon	[ju:pˈsailən]	ypsilon
Φ	φ	phi	[fai]	fí
X	χ	chi	[kai]	chí
Ψ	ψ	psi	[psai, sai]	psí
Ω	ω	omega	[ˈoumigə]	omega

ANGLICKÉ MÍRY A VÁHY

	Anglická jednotka	Zkratka	Má jednotek	Přepočet v metrické soustavě
Linear Measure	1 line			2,1166 mm
	1 inch	in. n.	12 lines	2,5399 cm
	1 foot	ft	12 in. n. 12"	30,480 cm
	1 yard	yd	3 ft	91,4399 cm
	1 fathom	f. n. fm	2 yds, 6 ft	1,8288 m
	1 pole, rod, perch		5½ yds	5,02919 m
	1 chain		22 yds	20,11678 m
	1 furlong	fur.	40 rods, 220 yds	201,16778 m
	1 mile	m. n. mi.	8 fur., 1760 yds	1,60934 km
	1 nautical mile; knot	naut. m.; kt	6080 ft	1,85319 km
	1 league		3 mi.	4,82799 km
	1 marine league		3,45 mi.	5,56 km
Square Measure	1 square inch	sq. in.	144 sq. lines	6,45159 cm²
	1 square foot	sq. ft	144 sq. in.	929,028 cm²
	1 square yard	sq. yd	9 sq. ft	0,836126 m²
	1 perch		30¼ sq. yds	25,29281 m²
	1 chain		0,10 acre	4,047 a
	1 rood		40 perches	10,11712 a
	1 acre		4840 sq. yds	40,4687 a
	1 square furlong	sq. fur.	10 acres	4,047 ha
	1 square mile	sq. mi.	640 acres	2,58998 km²

853

	Anglická jednotka	Zkratka	Má jednotek	Přepočet v metrické soustavě	
Cubic Measure	1 cubic inch	cu. in.		16,387	cm³
	1 cubic foot	cu. ft	1728 cu. in.	28,317	dm³
	1 cubic yard	cu. yd	27 cu. ft	0,76455	m³
	1 register ton		100 cu. ft	2,8317	m³
Measure of Capacity	1 gill			0,142058	l
	1 pint	pt	4 gills	0,56823	l
	1 quart	qt	2 pts	1,13646	l
	U.S. liquid			0,9463 U.S.	l
	U.S. dry			1,1012	l
	1 gallon	gal.	4 pts	4,5459631	l
				3,7853 U.S.	l
	1 peck		2 gals	9,091926	l
				8,8096 U.S.	l
	(barley, malt)			13,23	l
	1 bushel	bu.	8 gal.	36,36770	l
				35,2383 U.S.	l
	1 quarter	qr	8 bu.	290,9414	l
Apothecaries' Measures	1 minim			0,059	ml
				0,062 U.S.	ml
	1 fluid drachm	fluid dr.	60 minims	3,55145	ml
	1 fluid ounce	fluid oz.	8 drachms	2,84123 U.S.	cl
				2,96	cl
	1 gallon	gal.	160 fluid oz., 8 pts	4,54596 U.S.	l

	Anglická jednotka	Zkratka	Má jednotek	Přepočet v metrické soustavě	
Avoirdupois Weights	1 grain	gr.		0,0648	g
	1 dram	dr.	27,34375 gr.	1,77185	g
	1 ounce	oz.	16 dr.	28,34953	g
	1 pound	lb.	16 oz.	453,59243	g
	1 stone	st.	14 lb.	6,35029	kg
	1 quarter	qr	2 st.	12,70059	kg
	1 cental		100 lb.	45,359	kg
	1 hundredweight	cwt	112 lb.	50,80235	kg
	1 short ton (zvl. am.)	t.	2000 lb.	907,20	kg
	1 long ton (zvl. brit.)	t.	2240 lb.	1016,0470	kg
				1,01604	t
Troy Weight	1 pennyweight		24 grains	1,55517	g
	1 ounce		480 grs avoir.	31,10348	g
Apothecaries' Weight	1 cruple		20 grains	1,29598	g
	1 drachm		3 scruples	3,88794	g
	1 ounce		8 drachms	31,10348	g

ANGLICKÁ MĚNA

(Od r. 1971 je zavedena v anglické měně desítková soustava)
£ (pounds) p (pence)
100 pence (100p) = 1 pound (£1)

zkratka	hodnota	mince
½p *(zrušen)*	a halfpenny, half a penny	a halfpenny
1p	a penny, *(hovor.)* one p [pi:]	a penny
2p	twopence, two pence	a twopenny piece
	(hovor.) two p [pi:]	
5p	five pence	a fivepenny piece
10p	ten pence	a tenpenny piece
50p	fifty pence	a fifty pence piece
		bankovky
£1	a pound, *(sl.)* a quid	a pound note
£5, £10, £20	five, ten, twenty pounds;	a five, ten, twenty pound
	(sl.) five, ten, twenty quid	note;
		(sl.) a fiver, tenner
£3.82	three pounds eighty-two (pence)	

AMERICKÁ MĚNA

$ (dollars) c (cents)
100 cents (100c) = 1 dollar ($1)

zkratka	hodnota	mince
1c	a cent	a penny
5c	five cents	a nickel
10c	ten cents	a dime
25c	twenty-five cents	a quarter
50c	half a dollar; *(sl.)* half a buck	a half-dollar
		bankovky
$1	a dollar; *(sl.)* a buck	a dollar bill
$5, $10, $20	five, ten, twenty dollars;	a five, ten, twenty dollar bill
	(sl.) five, ten, twenty bucks	
$3.82	three dollars eighty-two (cents)	

CHEMICKÉ PRVKY

actinium [æk'tiniəm] . . . . Ac 89 aktinium
aluminium [ˌælju'minjəm] . . Al 13 hliník, aluminium
   am. aluminum [ə'lu:minəm]
americium [ˌæmə'risiəm] . . Am 95 americium
antimony ['æntiməni] . . . . Sb 51 antimon
argon ['a:gon] . . . . Ar, A 18 argon
arsenic ['a:snik] . . . . . . As 33 arsen
astatine ['æstəti:n] . . . . . At 85 astat
barium ['beəriəm] . . . . . . Ba 56 baryum
berkelium ['bə:kliəm] . . . Bk 97 berkelium
beryllium [be'riljəm] . . . . Be 4 beryllium
bismuth ['bizməθ] . . . . . Bi 83 vismut
boron ['bo:ron] . . . . . . B 5 bor
bromine ['broumi:n] . . . . . Br 35 brom
cadmium ['kædmiəm] . . . . Cd 48 kadmium
calcium ['kælsiəm] . . . . . Ca 20 vápník
californium [ˌkæli'fo:njəm] . Cf 98 kalifornium
carbon ['ka:bən] . . . . . . C 6 uhlík
cerium ['siəriəm] . . . . . . Ce 58 cer
cesium ['si:ziəm] . . . . . . Cs 55 cesium
chlorine ['klo:ri:n] . . . . . Cl 17 chlor
chromium ['kroumjəm] . . . Cr 24 chrom
cobalt [kə'bo:lt] . . . . . . Co 27 kobalt
columbium [kə'lambiəm], *am.* Cb = niobium
copper ['kopə] . . . . Cu 29 měď
curium ['kjuəriəm] . . . . . Cm 96 curium
dysprosium [dis'prousiəm] . . Dy 66 dysprosium
einsteinium [ain'stainiəm] . . Es, E 99 einsteinium
erbium ['ə:biəm] . . . . . . Er 68 erbium
europium [ju'roupiəm] . . . Eu 63 europium
fermium ['feəmiəm] . . . . . Fm 100 fermium
fluorine ['fluəri:n] . . . . . F 9 fluor
francium ['frænsiəm] . . . . Fn 87 francium
gadolinium [ˌgædə'liniəm] . . Gd 64 gadolinium
gallium ['gæliəm] . . . . . . Ga 31 gallium
germanium [dʒə:'meiniəm] . . Ge 32 germanium
gold [gould] . . . . Au 79 zlato
hafnium ['hæfniəm] . . . . . Hf 72 hafnium
helium ['hi:ljəm] . . . . . . He 2 helium
holmium ['hou(l)miəm] . . . Ho 67 holmium
hydrogen ['haidridʒən] . . . H 1 vodík

indium [ˈindiəm]	In	49	indium
iodine [ˈaiədiːn]	I	53	jod
iridium [aiˈridiəm]	Ir	77	iridium
iron [ˈaiən]	Fe	26	železo
krypton [ˈkripton]	Kr	36	krypton
lanthanum [ˈlænθənəm] . . .	La	57	lanthan
lawrencium [lɔːˈrensiəm] . . .	Lw	103	lawrencium
lead [led].	Pb	82	olovo
lithium [ˈliθiəm]	Li	3	lithium
lutetium [luːˈtiːšiəm] . . .	Lu	71	lutecium
magnesium [mægˈniːzjəm] . .	Mg	12	hořčík, magnesium
manganese [ˌmæŋgəˈniːz] . .	Mn	25	mangan
mendelevium [ˌmendəˈliːviəm]	Md, Mv	101	mendělejevium
mercury [ˈməːkjuri]	Hg	80	rtuť
molybdenum [moˈlibdinəm]. .	Mo	42	molybden
neodymium [ˌniːouˈdimiəm] .	Nd	60	neodymium
neon [ˈniːən, ˈniːon]	Ne	10	neon
neptunium [nepˈtjuːnjəm] . .	Np	93	neptunium
nickel [ˈnikl]	Ni	28	nikl
niobium [naiˈoubiəm] . . .	Nb	41	niob
nitrogen [ˈnaitridžən] . . .	N	7	dusík
nobelium [nouˈbeliəm] . . .	No	102	nobelium
osmium [ˈozmiəm]	Os	76	osmium
oxygen [ˈoksidžən]	O	8	kyslík
palladium [pəˈleidjəm] . . .	Pd	46	paládium
phosphorus [ˈfosfərəs] . . .	P	15	fosfor
platinum [ˈplætinəm] . . .	Pt	78	platina
plutonium [pluːˈtounjəm] . .	Pu	94	plutonium
polonium [pəˈlouniəm] . . .	Po	84	polonium
potassium [pəˈtæsjəm] . . .	K	19	draslík
praseodymium			
[ˌpreiziouˈdimiəm] . .	Pr	59	praseodymium
promethium [prouˈmiːθjəm] .	Pm	61	promethium
protactinium [ˌproutækˈtiniəm]	Pa	91	protaktinium
radium [ˈreidjəm]	Ra	88	radium
radon [ˈreidon]	Rn	86	radon
rhenium [ˈriːniəm]	Re	75	rhenium
rhodium [ˈroudjəm]	Rh	45	rhodium
rubidium [ruˈbidiəm] . . .	Rb	37	rubidium
ruthenium [ruːˈθiːnjəm] . .	Ru	44	ruthenium
samarium [səˈmeəriəm]. . .	Sm	62	samarium
scandium [ˈskændiəm] . . .	Sc	21	skandium
selenium [siˈliːnjəm]	Se	34	selen
silicon [ˈsilikən]	Si	14	křemík

silver [ˈsilvə]	Ag	47	stříbro
sodium [ˈsoudjəm]	Na	11	sodík
strontium [ˈstronšiəm]	Sr	38	stroncium
sulphur [ˈsalfə]	S	16	síra
tantalum [ˈtæntələm]	Ta	73	tantal
technetium [tekˈni:šiəm]	Tc	43	technecium
tellurium [teˈljuəriəm]	Te	52	tellur
terbium [ˈtə:biəm]	Tb	65	terbium
thallium [ˈθæliəm]	Tl	81	thalium
thorium [ˈθo:riəm]	Th	90	thorium
thulium [ˈθu:liəm]	Tm	69	thulium
tin [tin]	Sn	50	cín
titanium [taiˈteinjəm]	Ti	22	titan
tungsten [ˈtaŋstən]	W	74	wolfram
uranium [juəˈreinjəm]	U	92	uran
vanadium [vəˈneidjəm]	V	23	vanad
wolfram [ˈwulfrəm]	W		= tungsten
xenon [ˈzenon]	Xe	54	xenon
ytterbium [iˈtə:bjəm]	Yb	70	ytterbium
yttrium [ˈitriəm]	Y	39	yttrium
zinc [ziŋk]	Zn	30	zinek
zirconium [zəˈkounjəm]	Zr	40	zirkon

(Podle Journal of the American Chemical Society, roč. 80, č. 16 z 20. 8. 1958.)

NEPRAVIDELNÁ SLOVESA

Infinitive	Preterite	Past Participle
abide [əˈbaid] se-, trvat	abode [əˈboud] zř. abided [əˈbaidid]	abode [əˈboud] zř. abided
arise [əˈraiz] po-, vstávat, vznikat	arose [əˈrouz]	arisen [əˈrizn]
awake [əˈweik] vzbudit (se)	awoke [əˈwouk]	awaked [əˈweikt] awoke [əˈwouk]
backbite [ˈbækbait] ostouzet	backbit [ˈbækbit]	backbitten [ˈbækˌbitn] backbit
backslide [ˈbækˈslaid] sejít na scestí	backslid [ˈbækˈslid]	backslid backslidden [ˈbækˈslidn]
be [bi:] být	sg. was [woz; wəz, wz] pl. were [wə:; wə]	been [bi:n]
bear [beə] nést, rodit	bore [bo:] arch. bare [beə]	borne [bo:n] a born [bo:n] narozen
beat [bi:t] bít, tlouci	beat [bi:t]	beaten [bi:tn]
become [biˈkam] stát se	became [biˈkeim]	become [biˈkam]
befall [biˈfo:l] přihodit se	befell [biˈfel]	befallen [biˈfo:lən]
beget [biˈget] zplodit	begot [biˈgot] arch. begat [biˈgæt]	begotten [biˈgotn]
begin [biˈgin] začí(na)t	began [biˈgæn]	begun [biˈgan]
behold [biˈhould] spatřit	beheld [biˈheld]	beheld [biˈheld]
bend [bend] ohýbat (se)	bent [bent]	bent [bent]

Infinitive	*Preterite*	*Past Participle*
bereave [biˈriːv] oloupit	bereaved [biˈriːvd] bereft [biˈreft]	bereaved [biˈriːvd] bereft [biˈreft]
beseech [biˈsiːč] zapřisáhnout	besought [biˈsoːt]	besought [biˈsoːt]
beset [biˈset] obklíčit	beset [biˈset]	beset [biˈset]
bespeak [biˈspiːk] zamluvit si	bespoke [biˈspouk]	bespoken [biˈspoukən] bespoke [biˈspouk]
bestride [biˈstraid] obkročit	bestrode [biˈstroud]	bestridden [biˈstridn] bestrid, bestrode
bet [bet] vsadit se	bet [bet] betted [ˈbetid]	bet [bet] betted [ˈbetid]
betake [biˈteik] odebrat se	betook [biˈtuk]	betaken [biˈteikən]
bethink [biˈθiŋk] zamyslit se, rozpomenout se	bethought [biˈθoːt]	bethought [biˈθoːt]
bid [bid] podat v dražbě	bid [bid]	bid [bid]
bid [bid] poručiľ, rozkázat	bade [beid, bæd]	bidden [ˈbidn]
bide [baid] vyčkat	bode [boud] bided [ˈbaidid]	bided [ˈbaidid]
bind [baind] vázat	bound [baund]	bound [baund]
bite [bait] kousat	bit [bit]	bitten [ˈbitn] bit [bit]
bleed [bliːd] krvácet	bled [bled]	bled [bled]
blend [blend] smíchat	blended [ˈblendid] blent [blent]	blended [ˈblendid] blent [blent]

bless [bles] žehnat, obdařit	blessed [blest] blest [blest]	blessed, blest [blest] *a* blessed ['blesid] blahoslavený
blow [blou] foukat	blew [blu:]	blow [bloun]
break [breik] lámat, rozbít	broke [brouk]	broken ['brouken] arch. broke [brouk]
breed [bri:d] líhnout se, chovat	bred [bred]	bred [bred]
bring [briŋ] přinést	brought [bro:t]	brought [bro:t]
broadcast ['bro:dka:st] vysílat rozhlasem	broadcast broadcasted ['bro:dka:stid]	broadcast ['bro:dka:st] broadcasted
browbeat ['braubi:t] změřit si pohledem	browbeat ['braubi:t]	browbeaten ['braubi:tn]
build [bild] stavět, budovat	built [bilt]	built [bilt]
burn [bə:n] hořet, pálit	burnt [bə:nt] zř. burned [bə:nd]	burnt [bə:nt] zř. burned [bə:nd]
burst [bə:st] puknout	burst [bə:st]	burst [bə:st]
buy [bai] kupovat	bought [bo:t]	bought [bo:t]
I can [kæn, kən] dovedu, umím, mohu	could [kud, kəd]	—
cast [ka:st] vrhat, odlévat	cast [ka:st]	cast [ka:st]
catch [kæč] chytit	caught [ko:t]	caught [ko:t]
chide [čaid] plísnit	chid [čid]	chidden ['čidn] chid [čid]

Infinitive	*Preterite*	*Past Participle*
choose [ču:z] zvolit, vybrat si	chose [čouz]	chosen [čouzn]
cleave [kli:v] rozštěpit	clove [klouv]	cloven [ˈklouvn]
	cleft [kleft]	cleft [kleft]
cling [kliŋ] lpět, lnout	clung [klaŋ]	clung [klaŋ]
clothe [klouð] šatit	clothed [klouðd] zast. clad [klæd]	clothed [klouðd] zast. clad [klæd] oděn
come [kam] přijít	came [keim]	come [kam]
cost [kost] stát o ceně	cost [kost]	cost [kost]
creep [kri:p] lézt, plazit se	crept [krept]	crept [krept]
crow [krou] kokrhat	crowed [kroud] zast. crew [kru:]	crowed [kroud]
cut [kat] řezat	cut [kat]	cut [kat]
dare [deə] odvážit se	dared [deəd] durst [də:st]	dared [deəd]
deal [di:l] jednat s kým	dealt [delt]	dealt [delt]
dig [dig] kopat	dug [dag] zast. digged [digd]	dug [dag] zast. digged [digd]
do [du:] dělat, činit	did [did]	done [dan]
draw [dro:] táhnout, kreslit	drew [dru:]	drawn [dro:n]
dream [dri:m] snít	dreamed [dri:md, dremt] dreamt [dremt]	dreamed [dri:md, dremt] dreamt [dremt]

drink [driŋk] pít	drank [dræŋk]	drunk [draŋk]
drive [draiv] hnát, jet	drove [drouv]	driven [ˈdrivn]
dwell [dwel] přebývat, trvat na čem	dwelt [dwelt]	dwelt [dwelt]
eat [i:t] jíst	ate [et]	eaten [ˈi:tn]
fall [fo:l] padat	fell [fel]	fallen [ˈfo:lən]
feed [fi:d] krmit, živit	fed [fed]	fed [fed]
feel [fi:l] cítit (se)	felt [felt]	felt [felt]
fight [fait] bojovat	fought [fo:t]	fought [fo:t]
find [faind] nalézt	found [faund]	found [faund]
flee [fli:] prchat	fled [fled]	fled [fled]
fling [fliŋ] mrštit	flung [flaŋ]	flung [flaŋ]
fly [flai] letět	flew [flu:]	flown [floun]
forbear [fo:ˈbeə] zdržet se čeho	forbore [fo:ˈbo:]	forborne [fo:ˈbo:n]
forbid [fəˈbid] zakázat	forbade [fəˈbeid] forbad [fəˈbæd]	forbidden [fəˈbidn]
forecast [fo:ˈka:st] předpovídat	forecast [fo:ˈka:st] forecasted [fo:ˈka:stid]	forecast [fo:ˈka:st] forecasted [fo:ˈka:stid]

Infinitive	*Preterite*	*Past Participle*
forego [fo:'gou] předcházet před čím	forewent [fo:'went]	foregone [fo:'gon]
foreknow [fo:'nou] předvídat	foreknew [fo:'nju:]	foreknown [fo:'noun]
foresee [fo:'si:] předvídat	foresaw [fo:'so:]	foreseen [fo:'si:n]
foretell [fo:'tel] předpovídat	foretold [fo:'tould]	foretold [fo:'tould]
forget [fə'get] zapomenout	forgot [fə'got]	forgotten [fə'gotn]
forgive [fə'giv] odpustit	forgave [fə'geiv]	forgiven [fə'givn]
forgo [fo:'gou] zříci se čeho	forwent [fo:'went]	forgone [fo:'gon]
forsake [fə'seik] opustit	forsook [fə'suk]	forsaken [fə'seikən]
forswear [fo:'sweə] zapřisáhnout se	forswore [fo:'swo:]	forsworn [fo:'swo:n]
freeze [fri:z] mrznout	froze [frouz]	frozen ['frouzn]
gainsay [gein'sei] odporovat	gainsaid [gein'seid]	gainsaid [gein'seid]
get [get] dostat; stát se	got [got]	got [got]
gild [gild] po-, zlatit	gilded ['gildid]	gilded ['gildid] a gilt [gilt]
gird [gə:d] opásat	girded ['gə:did] girt [gə:t]	girded ['gə:did] girt [gə:t]
give [giv] dát	gave [geiv]	given ['givn]

go [gou] jít, jet	went [went]	gone [gon]
grave [greiv] v-, rýt	graved [greivd]	graven ['greivǝn] graved [greivd]
grind [graind] brousit; mlít	ground [graund]	ground [graund]
grow [grou] růst	grew [gru:]	grown [groun]
hang [hæŋ] viset, věšet oběsit	hung [haŋ] hanged [hæŋd]	hung [haŋ] hanged [hæŋd]
have [hæv] mít	had [hæd; hǝd, ǝd, d]	had [hæd; hǝd, ǝd, d]
hear [hiǝ] slyšet	heard [hǝ:d]	heard [hǝ:d]
heave [hi:v] zvedat	heaved [hi:vd] hove [houv]	heaved [hi:vd] hove [houv]
hew [hju:] sekat, tesat	hewed [hju:d]	hewn [hju:n] hewed [hju:d]
hide [haid] schovat (se)	hid [hid]	hidden ['hidn] hid [hid]
hit [hit] udeřit	hit [hit]	hit [hit]
hold [hould] držet	held [held]	held [held]
hurt [hǝ:t] zranit	hurt [hǝ:t]	hurt [hǝ:t]
inlay ['in'lei] vykládat čím	inlaid ['in'leid]	inlaid ['in'leid]
keep [ki:p] držet, mít	kept [kept]	kept [kept]

Infinitive	Preterite	Past Participle
kneel [ni:l] klečet	knelt [nelt]	knelt [nelt]
knit [nit] plést	knitted [ˈnitid] knit [nit]	knitted [ˈnitid] knit [nit]
know [nou] znát, vědět	knew [nju:]	known [noun]
lade [leid] naložit loď	laded [ˈleidid]	laden [leidn]
lay [lei] položit	laid [leid]	laid [leid]
lead [li:d] vést	led [led]	led [led]
lean [li:n] vyklánět se	leaned [li:nd] leant [lent]	leaned [li:nd] leant [lent]
leap [li:p] skákat	leapt [lept] leaped [lept]	leapt [lept] leaped [lept]
learn [lə:n] učit se	learnt [lə:nt] learned [lə:nt]	learnt [lə:nt] learned [lə:nt]
leave [li:v] opustit; odjet	left [left]	left [left]
lend [lend] půjčit	lent [lent]	lent [lent]
let [let] nechat	let [let]	let [let]
lie [lai] ležet	lay [lei]	lain [lein]
light [lait] rozsvítit	lighted [ˈlaitid] lit [lit]	lighted [ˈlaitid] lit [lit]
lose [lu:z] ztratit	lost [lost]	lost [lost]

make [meik] dělat, vyrábět	made [meid]	made [meid]
I may [mei] smím, mohu	might [mait]	—
mean [mi:n] mínit, znamenat	meant [ment]	meant [ment]
meet [mi:t] potkat	met [met]	met [met]
melt [melt] tát, tavit	melted ['meltid]	melted ['meltid] a molten ['moultən] rozta- vený
misdeal ['mis'di:l] špatně rozdat karty	misdealt ['mis'delt]	misdealt ['mis'delt]
misgive ['mis'giv] vzbudit pochybnost	misgave ['mis'geiv]	misgiven ['mis'givn]
mislay [mis'lei] založit si co	mislaid [mis'leid]	mislaid [mis'leid]
mislead [mis'li:d] zavést, klamat	misled [mis'led]	misled [mis'led]
mistake [mis'teik] mýlit se	mistook [mis'tuk]	mistaken [mis'teikən]
misunderstand ['misandə- 'stænd] ne(po)rozumět	misunderstood ['misandə- 'stud]	misunderstood ['misandə- 'stud]
mow [mou] žnout	mowed [moud]	mown [moun]
I must [mast; məst, məs, mst, ms] musím	—	—
—	I ought [o:t] měl bych povinnost	—

Infinitive	Preterite	Past Participle
outbid [aut'bid] podat více v dražbě	outbade [aut'beid] outbid [aut'bid]	outbidden [aut'bidn] outbid [aut'bid]
outdo [aut'du:] překonat	outdid [aut'did]	outdone [aut'dan]
outgo [aut'gou] předhonit	outwent [aut'went]	outgone [aut'gon]
outgrow [aut'grou] přerůst	outgrew [aut'gru:]	outgrown [aut'groun]
outride [aut'raid] předjet	outrode [aut'roud]	outridden [aut'ridn]
outrun [aut'ran] předběhnout	outran [aut'ræn]	outrun [aut'ran]
outshine [aut'šain] zářit jasněji než	outshone [aut'šon]	outshone [aut'šon]
outspread ['aut'spred] rozprostřít	outspread ['aut'spred]	outspread ['aut'spred]
outwear [aut'weə] přetrvat	outwore [aut'wo:]	outworn [aut'wo:n]
overbear [ˌouvə'beə] přemoci	overbore [ˌouvə'bo:]	overborne [ˌouvə'bo:n]
overcast ['ouvəka:st] zatáhnout, zastřít	overcast ['ouvəka:st]	overcast ['ouvəka:st]
overcome [ˌouvə'kam] porazit	overcame [ˌouvə'keim]	overcome [ˌouvə'kam]
overdo [ˌouvə'du:] přehánět	overdid [ˌouvə'did]	overdone [ˌouvə'dan]
overdraw ['ouvə'dro:] překročit úvěr	overdrew ['ouvə'dru:]	overdrawn ['ouvə'dro:n]
overeat ['ouvər'i:t] přejíst se	overate [ˌouvər'et]	overeaten ['ouvər'i:tn]

overfeed [ˈouvəˈfiːd] překrmit; přetížit	overfed [ˈouvəˈfed]	overfed [ˈouvəˈfed]
overgrow [ˈouvəˈgrou] přerůst	overgrew [ˈouvəˈgruː]	overgrown [ˈouvəˈgroun]
overhang [ˈouvəˈhæŋ] převisnout	overhung [ˈouvəˈhaŋ]	overhung [ˈouvəˈhaŋ]
overhear [ˌouvəˈhiə] zaslechnout	overheard [ˌouvəˈhəːd]	overheard [ˌouvəˈhəːd]
overlay [ˌouvəˈlei] potáhnout, zakrýt	overlaid [ˌouvəˈleid]	overlaid [ˌouvəˈleid]
overleap [ˌouvəˈliːp] přeskočit	overleapt [ˌouvəˈlept] overleaped [ˌouvəˈlept]	overleapt [ˌouvəˈlept] overleaped [ˌouvəˈlept]
overlie [ˌouvəˈlai] zalehnout	overlay [ˌouvəˈlei]	overlain [ˌouvəˈlein]
override [ˌouvəˈraid] podupat; nedbat	overrode [ˌouvəˈroud]	overridden [ˌouvəˈridn]
overrun [ˌouvəˈran] zaplavit	overran [ˌouvəˈræn]	overrun [ˌouvəˈran]
oversee [ˈouvəˈsiː] dohlížet na	oversaw [ˈouvəˈsoː]	overseen [ˈouvəˈsiːn]
overset [ouvəˈset] přivést z míry	overset [ouvəˈset]	overset [ouvəˈset]
overshoot [ˈouvəˈšuːt] přestřelit	overshot [ˈouvəˈšot]	overshot [ˈouvəˈšot]
oversleep [ˈouvəˈsliːp] zaspat	overslept [ˈouvəˈslept]	overslept [ˈouvəˈslept]
overspread [ˌouvəˈspred] pokrýt	overspread [ˌouvəˈspred]	overspread [ˌouvəˈspred]
overtake [ˌouvəˈteik] dohonit, překvapit	overtook [ˌouvəˈtuk]	overtaken [ˌouvəˈteikən]

Infinitive	*Preterite*	*Past Participle*
overthrow [ˌouvəˈθrou] porazit	overthrew [ˌouvəˈθruː]	overthrown [ˌouvəˈθroun]
overwork [ˈouvəˈwəːk] přepracovat se	overworked [ˈouvəˈwəːkt]	overworked [ˈouvəˈwəːkt] *a* overwrought [ˈouvəˈroːt] přepracovaný
partake [paˈteik] podílet se na čem	partook [paːˈtuk]	partaken [paːˈteikən]
pay [pei] platit	paid [peid]	paid [peid]
put [put] položit	put [put]	put [put]
read [riːd] číst	read [red]	read [red]
rebuild [ˈriːˈbild] přebudovat	rebuilt [ˈriːˈbilt]	rebuilt [ˈriːˈbilt]
recast [ˈriːˈkaːst] přelít	recast [ˈriːˈkaːst]	recast [ˈriːˈkaːst]
relay [ˈriːˈlei] znovu pokrýt; vysílat přenosem	relaid [ˈriːˈleid]	relaid [ˈriːˈleid]
rend [rend] roztrhnout	rent [rent]	rent [rent]
repay [riːˈpei] vrátit (peníze)	repaid [riːˈpeid]	repaid [riːˈpeid]
reset [ˈriːˈset] znovu zasadit	reset [ˈriːˈset]	reset [ˈriːˈset]
retell [ˈriːˈtel] převyprávět	retold [ˈriːˈtould]	retold [ˈriːˈtould]
rewind [riˈwaind]	rewound [riˈwaund]	rewound [riˈwaund]

rid [rid] zbavit	rid [rid] zř. ridded ['ridid]	rid [rid] zř. ridded ['ridid]
ride [raid] jet koňmo	rode [roud]	ridden ['ridn]
ring [riŋ] zvonit	rang [ræŋ] zř. rung [raŋ]	rung [raŋ]
rise [raiz] vstát	rose [rouz]	risen ['rizn]
rive [raiv] urvat	rived [raivd]	riven ['rivn] zř. rived [raivd]
run [ran] běžet	ran [ræn]	run [ran]
saw [so:] řezat (pilou)	sawed [so:d]	sawn [so:n] zř. sawed [so:d]
say [sei] říci	said [sed]	said [sed]
see [si:] vidět	saw [so:]	seen [si:n]
seek [si:k] hledat	sought [so:t]	sought [so:t]
seethe [si:ð] vřít; arch. vařit	seethed [si:ðd] arch. sod [sod]	seethed [si:ðd] arch. sodden ['sodn]
sell [sel] prodávat	sold [sould]	sold [sould]
send [send] poslat	sent [sent]	sent [sent]
set [set] položit, postavit	set [set]	set [set]
sew [sou] šít	sewed [soud]	sewn [soun] sewed [soud]
shake [šeik] třást	shook [šuk]	shaken ['šeikən]

Infinitive	Preterite	Past Participle
shave [šeiv] holit (se)	shaved [šeivd]	shaved [šeivd] a shaven [ˈšeivn] oholen
shear [šiə] stříhat	sheared [šiəd] zast. shore [šo:]	shorn [šo:n] zř. sheared [šiəd]
shed [šed] prolévat	shed [šed]	shed [šed]
shine [šain] svítit, zářit	shone [šon]	shone [šon]
shoe [šu:] okovat	shod [šod]	shod [šod]
shoot [šu:t] střílet	shot [šot]	shot [šot]
show [šou] ukázat	showed [šoud]	shown [šoun] zř. showed [šoud]
shred [šred] drtit	shredded [ˈšredid] zast. shred [šred]	shredded [ˈšredid] zast. shred [šred]
shrink [šriŋk] scvrknout se	shrank [šræŋk] shrunk [šraŋk]	shrunk [šraŋk] a shrunken [ˈšraŋkən]
shrive [šraiv] zpovídat se	shrived [šraivd] zast. shrove [šrouv]	shrived [šraivd] zast. shriven [šrivn]
shut [šat] zavřít	shut [šat]	shut [šat]
sing [siŋ] zpívat	sang [sæŋ] zast. sung [saŋ]	sung [saŋ]
sink [siŋk] klesnout	sank [sæŋk] zast. sunk [saŋk]	sunk [saŋk] a sunken [ˈsaŋkən]
sit [sit] sedět	sat [sæt]	sat [sæt]
slay [slei] zabít	slew [slu:]	slain [slein]

sleep [sli:p] spát	slept [slept]	slept [slept]
slide [slaid] klouzat (se)	slid [slid]	slid [slid]
sling [sliŋ] mrštit	slung [slaŋ]	slung [slaŋ]
slink [sliŋk] plížit se	slunk [slaŋk]	slunk [slaŋk]
slit [slit] rozříznout	slit [slit]	slit [slit]
smell [smel] čichat; páchnout	smelt [smelt] zř. smelled [smelt]	smelt [smelt] zř. smelled [smelt]
smite [smait] udeřit	smote [smout] zast. smit [smit]	smitten ['smitn] zast. smit [smit]
sow [sou] sít	sowed [soud]	sown [soun] sowed [soud]
speak [spi:k] mluvit	spoke [spouk] zast. spake [speik]	spoken ['spoukən]
speed [spi:d] spěchat; regulovat rychlost	sped [sped] speeded ['spi:did]	sped [sped] speeded ['spi:did]
spell [spel] hláskovat	spelt [spelt] spelled [spelt]	spelt [spelt] spelled [spelt]
spend [spend] strávit	spent [spent]	spent [spent]
spill [spil] rozlít	spilt [spilt] spilled [spilt]	spilt [spilt] spilled [spilt]
spin [spin] příst	spun [span] span [spæn]	spun [span]
spit [spit] plivat	spat [spæt] zast. spit [spit]	spat [spæt] zast. spit [spit]

Infinitive	Preterite	Past Participle
split [split] rozštípnout	split [split]	split [split]
spoil [spoil] zkazit (se)	spoilt [spoilt] spoiled [spoilt]	spoilt [spoilt] spoiled [spoilt]
spread [spred] roz-, prostřít	spread [spred]	spread [spred]
spring [spriŋ] skákat	sprang [spræŋ]	sprung [spraŋ]
stand [stænd] stát	stood [stud]	stood [stud]
stave [steiv] prorazit	stove [stouv] staved [steivd]	stove [stouv] staved [steivd]
steal [sti:l] krást	stole [stoul]	stolen [ˈstoulən]
stick [stik] vězet; nalepit	stuck [stak]	stuck [stak]
sting [stiŋ] bodnout	stung [staŋ]	stung [staŋ]
stink [stiŋk] zapáchat	stank [stæŋk] stunk [staŋk]	stunk [staŋk]
strew [stru:] posypat	strewed [stru:d]	strewn [stru:n] strewed [stru:d]
stride [straid] kráčet	strode [stroud]	zř. stridden [ˈstridn] zast. strid [strid]
strike [straik] tlouci	struck [strak]	struck [strak] a stricken [ˈstrikən]
string [striŋ] navléci niť	strung [straŋ]	strung [straŋ]
strive [straiv] usilovat	strove [strouv]	striven [ˈstrivn]

874

sunburn [ˈsanbə:n] opálit se	sunburnt [ˈsanbə:nt] sunburned [ˈsanbə:nt]	sunburnt [ˈsanbə:nt] sunburned [ˈsanbə:nt]
swear [sweə] přísahat	swore [swo:] zast. sware [sweə]	sworn [swo:n]
sweat [swet] potit se	sweated [ˈswetid] zast. sweat [swet]	sweated [ˈswetid] zast. sweat [swet]
sweep [swi:p] mést	swept [swept]	swept [swept]
swell [swel] otéci	swelled [sweld]	swollen [ˈswoulən] zř. swelled [sweld]
swim [swim] plavat	swam [swæm]	swum [swam]
swing [swiŋ] houpat se	swung [swaŋ]	swung [swaŋ]
take [teik] brát	took [tuk]	taken [ˈteikən]
teach [ti:č] vyučovat	taught [to:t]	taught [to:t]
tear [teə] trhat	tore [to:]	torn [to:n]
tell [tel] říci, vyprávět	told [tould]	told [tould]
think [θiŋk] myslit	thought [θo:t]	thought [θo:t]
thrive [θraiv] dařit se	throve [θrouv] zř. thrived [θraivd]	thriven [ˈθrivn] zř. thrived [θraivd]
throw [θrou] házet	threw [θru:]	thrown [θroun]
thrust [θrast] vstrčit	thrust [θrast]	thrust [θrast]

Infinitive	Preterite	Past Participle
tread [tred] šlapat	trod [trod] zast. trode [troud]	trodden ['trodn] trod [trod]
unbend ['an'bend] napřímit	unbent ['an'bent]	unbent ['an'bent]
unbind ['an'baind] odvázat	unbound ['an'baund]	unbound ['an'baund]
underbid ['andə'bid] podbízet	underbid ['andə'bid]	underbidden ['andə'bidn] underbid ['andə'bid]
undergo [ˌandə'gou] podstoupit	underwent [ˌandə'went]	undergone [ˌandə'gon]
undersell ['andə'sel] prodávat pod cenou	undersold ['andə'sould]	undersold ['andə'sould]
understand [ˌandə'stænd] rozumět	understood [ˌandə'stud]	understood [ˌandə'stud]
undertake [ˌandə'teik] podniknout	undertook [ˌandə'tuk]	undertaken [ˌandə'teikən]
underwrite ['andərait] pojistit	underwrote ['andərout]	underwritten ['andə ritn]
undo ['an'du:] rozvázat; zrušit	undid ['an'did]	undone ['an'dan]
upset [ap'set] zvrhnout	upset [ap'set]	upset [ap'set]
wake [weik] vz-, budit (se)	woke [wouk] waked [weikt]	waked [weikt] woken ['woukən], woke
waylay [wei'lei] číhat v záloze	waylaid [wei'leid]	waylaid [wei'leid]
wear [weə] nosit na sobě	wore [wo:]	worn [wo:n]
weave [wi:v] tkát	wove [wouv]	wowen ['wouvən] zř. wove [wouv]

wed [wed] vzít si za choť, -ě	wedded ['wedid]	wedded ['wedid] zř. wed [wed]
weep [wi:p] plakat	wept [wept]	wept [wept]
win [win] vyhrát	won [wan]	won [wan]
wind [waind] navíjet	wound [waund]	wound [waund]
withdraw [wið'dro:] odvolat	withdrew [wið'dru:]	withdrawn [wið'dro:n]
withhold [wið'hould] zadržet, odmítnout	withheld [wið'held]	withheld [wið'held]
withstand [wið'stænd] odolat	withstood [wið'stud]	withstood [wið'stud]
work [wə:k] pracovat	worked [wə:kt] zast. wrought [ro:t]	worked [wə:kt] zast. wrought [ro:t]
wring [riŋ] ždímat	wrung [raŋ]	wrung [raŋ]
write [rait] psát	wrote [rout] zast. writ [rit]	written ['ritn] zast. writ [rit]